GUIDE

◄ NEOS ►

NORD-EST-OUEST-SUD

SUD-OUEST
AMÉRICAIN

MICHELIN

Éditions des Voyages

Note au lecteur

Dans ce guide, les prix sont donnés en dollars. Les hôtels et les restaurants sont classés par catégorie de prix pour faciliter vos prévisions de budget. Renseignez-vous sur le taux de change du dollar au moment de votre départ.

Cet ouvrage tient compte des conditions de tourisme connues au moment de sa rédaction. Certains renseignements (prix, adresses, numéros de téléphone, horaires) peuvent perdre de leur actualité. Michelin Éditions des Voyages ne saurait être tenu responsable des conséquences dues à ces éventuels changements.

Michelin Editions des Voyages
Parution 2002

Éditorial

Le Golden Gate, les studios de Hollywood, la Route 66, les paysages de western, les cow-boys et les Indiens... l'Ouest américain renvoie à des clichés tenaces, mais aucune photo ne peut rendre le gigantisme du Grand Canyon, la magie des buttes de Monument Valley au couchant, les aiguilles phosphorescentes de Bryce Canyon, la folie de Las Vegas ou la population bigarrée de Los Angeles. Laissez-vous surprendre au fil des miles par un feu d'artifice de couleurs, sous un ciel le plus souvent azur.

Sous la direction de Béatrice Brillion, créatrice et rédactrice en chef de la collection Neos, et de Sandrine Favre, responsable de ce guide, deux auteurs ont parcouru pendant six mois plus de 20 000 km et visité 1 500 hôtels et restaurants. Christine Legrand a dévalé les collines de San Francisco et écumé la côte californienne, dénichant de petites pensions tenues par des originaux, avant d'aller parcourir les pueblos du Nouveau-Mexique. Caroline Hugon a usé ses chaussures de marche sur les sentiers des plus beaux parcs nationaux et suivi les traces des stars sur Hollywood Boulevard.

Ce nouveau guide Neos a été réalisé avec passion : nous vous offrons nos émotions. À votre tour, faites nous partager vos découvertes ! Et si, par malheur, nous avions oublié une bonne adresse ou laissé filer une erreur, alertez-nous (Neos@fr.michelin.com). Les guides Neos veulent devenir vos meilleurs compagnons de route : précis, synthétiques, agréables à lire et pratiques, ils doivent mériter la place qu'ils prennent dans vos bagages. C'est notre pari.

Hervé Deguine
Directeur de la collection Neos
Directeur.Neos@fr.michelin.com

COMMENT UTILISER VOTRE GUIDE NEOS ?

Invitation au voyage

Les habitants

Pays pratique

Visiter le pays

4 couleurs pour 4 parties
faciles à repérer

Un panorama du pays,
pour découvrir sa physionomie,
son histoire et sa culture.

Fêtes, religions, musique, danse,
traditions populaires, mais aussi quelques
clés de savoir-vivre pour rencontrer les
habitants dans leur vie quotidienne.

Tout ce qu'il faut savoir pour
bien préparer votre voyage et séjourner
dans le pays : budget, transports,
restauration et hébergement, ainsi
qu'un lexique complet.

Une exploration approfondie
de chaque région, ville et site, étayée
de cartes et de plans, ainsi que
des carnets pratiques pour chaque étape.

• **Villes et itinéraires** figurent toujours
en haut de page.

• **Les étoiles** vous guident dans votre
sélection des curiosités à voir.

• **La carte d'identité** du lieu
ou du type d'excursion, en un
clin d'œil.

LA ROUTE DES FORTERESSES★
Province des Hautes-Terres
Itinéraire de 190 km – 1 journée
Hébergement à Gaïa

À ne pas manquer
Le marché de Gaïa, le samedi matin.
Le château de la Mer, pour son point de vue.

Conseils
Faites de Gaïa votre base pour rayonner dans la région.
Visitez le château en fin de journée, sous les feux du couchant.

Seule étape sur la route des Hautes-Terres, au cœur de l'Aganabar, Gaïa a toujours été une bourgade prospère et animée, vivant de son agriculture et du passage des commerçants qui y trouvaient refuge. Aujourd'hui, elle accueille d'autres voyageurs – touristes venus de tous les horizons – qui en font le point de départ de leur circuit en montagne. La vieille ville s'étage au pied d'une imposante falaise creusée de part en part d'habitations troglodytiques, d'étables et d'entrepôts, mais aussi de chais – les coteaux alentour produisant quelques bons vins (tous les cafés et les restaurants du centre en proposent ; n'hésitez pas à les goûter).

Les Hautes-Terres

Périple dans les hauteurs
Du chef-lieu, prenez la route nationale sur 54 km.
Entrée libre dans le parc national. Comptez 2h de visite.

Gaïa conserve néanmoins son charme d'antan, et son animation est très agréable. En particulier le samedi matin, jour du *marché*, quand la place (à l'est de la gare routière) se colore des étals des maraîchers de la région. Fruits et légumes, mais aussi miels et fromages embaument tout le quartier, dès l'aube. Les paysannes, *salvar* et fichu à fleurs sur la tête, viennent y vendre également des foulards, des mouchoirs et des napperons brodés de leur confection.

■ Gaïa* – À l'ouest de la place centrale (Castello Rosso), on s'enfonce dans le dédale des ruelles de la vieille ville (entre le passage du Cap et la rue Refuque) qui a conservé de nombreuses **maisons traditionnelles** en belles pierres ocre. Assises en cercle sur le pas d'une porte, des femmes discutent en brodant des foulards pour les touristes. À proximité, vous pourrez jeter un coup d'œil aux salles du Musée archéologique (6h30-17h30 ; entrée payante), où dorment quelques fossiles et des monnaies antiques, ainsi que de belles statuettes. En remontant la rue Refuque (vers le nord), on aboutit à la **tour Blanche**, bel édifice du 15ᵉ s. De là, un escalier abrupte grimpe le long de la falaise vers le quartier de Kara Kaspi, petite colline encore empreinte de l'âme du vieux Gaïa avec ses maisons de pierre toutes de guingois et ses habitations rupestres.

• **Les bandeaux-repères,**
alternés bleu clair et bleu foncé, rappellent :
à gauche le nom de la région,
à droite celui de la ville,
du site ou de l'itinéraire décrit.

• Pour chaque curiosité, toutes
les **conditions d'accès et de visite.**

• Pratique, un petit **carré bleu** ■
signale chaque étape de l'itinéraire.

• A ne pas manquer :
le monument important, le café
légendaire, la gourmandise locale...

• Des conseils pratiques :
le meilleur moment pour visiter
le site, le quartier à éviter,
le moyen de transport idéal...

*Des cartes et des plans
en couleurs*
avec des propositions d'itinéraires.

• Sur les plans de ville
les hôtels sont indiqués par
une pastille numérotée.

Des carnets pratiques complets
• Pour chaque établissement, des **pictos**
vous indiquent tous ses équipements
(légende sur le rabat de couverture).

Nos préférences.

Gaïa pratique

ARRIVER-PARTIR

En bus – La gare routière jouxte la place du marché. La **compagnie Gaïa** assure les liaisons quotidiennes avec les principales villes de l'ouest du pays, par la côte.

ADRESSES UTILES

Office de tourisme – Dans la rue principale, ☎ (332) 351 10 74. Ouvert du lundi au samedi, 8 h-17 h. Sympathique accueil en français.

Banque / Change – Deux banques sur la rue principale. Lundi-vendredi, 8 h 30- 17 h 30. Distributeur de billets.

Poste – Juste au pied du château. Tlj, 8 h 30-19 h. Le service du téléphone est ouvert 24 h sur 24. Change.

Santé – Clinique Gaïa, sur la route du château, ☎ (312) 287 90 00.

ACHATS

Brocante – Vous trouverez plusieurs magasins autour de la place du Château, proposant des articles de qualité. **Galerie Yuna**, rue Yuna, ☎ (384) 341 43 25. De belles lampes à huile.

OÙ LOGER

De 6 à 10€
Camping du château, route de la mer, ☎ (384) 341 33 54 – 10 pl. Face à la plage ombragée de palmiers, de belles places, propres et équipées. Barbecues à disposition.
Gaïa Hotel, place du Château, ☎ (384) 341 33 54 – 25 ch. En plein centre-ville, une ravissante maison entourée [...]
ombragé. Ch[...]
et très prop[...]
vous réserve [...]

OÙ SE REST[...]
Tarenber, [...]
☎ (246) 218 [...]
rant bien con[...]
raffolent. Amb[...]
ses délicieux [...]

LOISIRS
Randonnées [...]
quez pas les su[...]
(d'un ou plusie[...]
par **Bérangère**[...]
quittant Ga[...]
☎ (384) 341 51[...]

Gaïa pratique

ARRIVER-PARTIR

En bus – La gare routière jouxte la place du marché. La **compagnie Gaïa** assure les liaisons quotidiennes avec les principales villes de l'ouest du pays, par la côte.

ADRESSES UTILES

Office de tourisme – Dans la rue principale, ☎ (332) 351 10 74. Ouvert du lundi au samedi, 8 h-17 h. Sympathique accueil en français.

Banque / Change – Deux banques sur la rue principale. Lundi-vendredi, 8 h 30- 17 h 30. Distributeur de billets.

Poste – Juste au pied du château. Tlj, 8 h 30-19 h. Le service du téléphone est ouvert 24 h sur 24. Change.

Santé – Clinique Gaïa, sur la route du château, ☎ (312) 287 90 00.

ACHATS

Brocante – Vous trouverez plusieurs magasins autour de la place du Château, proposant des articles de qualité. **Galerie Yuna**, rue Yuna, ☎ (384) 341 43 25. De belles lampes à huile.

OÙ LOGER

De 6 à 10€
Camping du château, route de la mer, ☎ (384) 341 33 54 – 10 pl. Face à la plage ombragée de palmiers, de belles places, propres et équipées. Barbecues à disposition.
Gaïa Hotel, place du Château, ☎ (384) 341 33 54 – 25 ch. En plein centre-ville, une ravissante maison entourée d'un petit jardin ombragé. Chambres joliment décorées et très propres. Le patron, charmant, vous réserve un accueil chaleureux.

OÙ SE RESTAURER
Tarenber, passage du château, ☎ (246) 218 18 25. Un petit restaurant bien connu des habitants, qui en raffolent. Ambiance typique. Goûtez ses délicieux « ganiches ».

LOISIRS
Randonnées équestres – Ne manquez pas les superbes balades à cheval (d'un ou plusieurs jours) conduites par **Bérangère**, route des Pins (en quittant Gaïa par l'ouest), ☎ (384) 341 51 75.

Invitation au voyage

L'amphithéâtre
de Bryce Canyon

« A Land of Enchantment »

Parcourir la région du Sud-Ouest américain, c'est entreprendre un voyage extraordinaire au pays de Gulliver, où tout se conjugue pour vous ouvrir les portes d'une autre dimension et vous offrir un parcours hors du temps. Des rivages du Pacifique, aux pics acérés de la majestueuse Sierra Nevada, gardée par une impressionnante armée de séquoias géants, des vastes étendues désertiques de l'Arizona aux gorges vertigineuses du plateau du Colorado et aux crêtes escarpées des montagnes Rocheuses, cette région renferme en fait une extraordinaire variété de paysages et de merveilles naturelles. Les éléments se sont ici combinés pour façonner canyons, arches, tourelles ou aiguilles, des œuvres titanesques d'une éblouissante beauté, défiant fièrement l'éternité.

Un peu de géologie...

La formation du sous-sol

L'immense faille du Grand Canyon laisse apparaître des roches parmi les plus anciennes, celles qui constituent le socle du sol américain et qui sont très rarement visibles ailleurs. Les roches de couleur brun foncé qui bordent le lit du Colorado datent en effet de 2 milliards d'années environ (ère précambrienne). De nature métamorphique, c'est-à-dire transformées sous l'action conjointe d'une grande pression et d'une forte chaleur, elles ont été formées suite à des **mouvements tectoniques** qui ont abouti à la collision d'îles volcaniques avec la **plaque continentale**.

À l'ère primaire (-550 à -250 millions d'années) s'ensuit une longue période d'**avancée** et de **recul des mers**, au cours de laquelle des sédiments s'accumulent sur le continent pour former les couches qui dessinent actuellement la majeure partie des falaises du Grand Canyon.

À la fin de cette période, l'ensemble des continents forme une grande masse compacte, appelée **Pangée**, qui demeure stable pendant quelque 50 millions d'années, avant de se fragmenter pour donner naissance aux masses continentales actuelles et à l'océan Atlantique.

Les premiers reliefs du Sud-Ouest

À l'inverse de la période précédente, l'ère secondaire (-250 à - 65 millions d'années) connaît un recul des eaux vers les océans, créant ainsi un continent en majeure partie sec et élevé. L'analyse des roches mises au jour par l'érosion indique qu'elles ne se composent plus de sédiments marins, mais d'alluvions déposées par les cours d'eau et les vents. Cet environnement est particulièrement bien connu par l'étude des calcaires, des grès et des schistes visibles dans l'étagement des plateaux montant progressivement depuis le Grand Canyon, le plus bas et le plus ancien, jusqu'à Bryce Canyon, plus au nord, où sont exposées les roches les plus récentes. Cette succession de plateaux étagés forme les marches d'un « escalier géant », le **Grand Staircase**. Le secondaire marque l'apogée des reptiles, notamment des dinosaures, et voit l'apparition des premiers oiseaux et des mammifères.

La faille de San Andreas

Après les terribles séismes qui ravagèrent San Francisco et les environs de Los Angeles au 20ᵉ s., les Californiens ont dû apprendre à vivre avec la peur que la terre ne tremble à nouveau. La région la plus instable suit la faille de San Andreas, qui marque la frontière entre les plaques pacifique et nord-américaine et sépare le sud-ouest de la Californie du reste du continent américain. Les deux plaques glissent le long de cette fracture de l'écorce terrestre et se déplacent l'une par rapport à l'autre de 5 cm par an en moyenne. Ce mouvement est chaque année à l'origine de centaines de secousses, souvent imperceptibles, mais qui peuvent se révéler d'une incroyable violence si ce coulissement est bloqué par une roche et que la pression entre les plaques augmente.

La seconde moitié de l'ère mésozoïque (à partir de -140 millions d'années environ) est marquée par un événement important : le continent nord-américain, maintenant séparé de l'Europe par l'océan Atlantique, entre en collision avec la plaque pacifique, qui s'enfonce sous la plaque continentale. Ce phénomène de **subduction de la plaque pacifique** est à l'origine de bien des reliefs du Sud-Ouest, notamment la Sierra Nevada et les montagnes de l'Arizona.

Les reliefs plus récents

Au début de l'ère tertiaire (-65 à -5 millions d'années), la configuration du globe se rapproche de celle que nous connaissons actuellement. Les effets de la subduction sont encore accentués lors de l'orogenèse dite Laramide, processus de formation des reliefs de l'écorce terrestre qui dure quelque 25 millions d'années. Elle donne notamment naissance à la puissante chaîne des **montagnes Rocheuses** (Rocky Mountains), ainsi qu'au **Grand Bassin** (Great Basin), une vaste dépression où alternent des chaînes parallèles, orientées selon un axe nord-sud, formées par l'affaissement ou l'élévation de terrain le long des failles résultant de la dislocation des plaques tectoniques.

À cette même époque, l'ensemble du **plateau du Colorado** (Colorado Plateau) est surélevé à quelque 3 200 m au-dessus du niveau de la mer, mais de manière étonnante il ne subit pas de déformation et l'étagement des couches de roches est préservé. La seconde phase de son élévation débute vers -5,5 millions d'années, après quoi le fleuve Colorado entame son lent travail d'érosion, creusant le Grand Canyon et révélant ainsi nombre de trésors géologiques.

Les paysages du Sud-Ouest

Les États-Unis d'Amérique (hors Alaska et Hawaï), dont la surface est comparable à celle de l'Europe toute entière, s'étirent sur 4 500 km d'est en ouest et sur 2 500 km du nord au sud. Au sud-ouest de cette immense territoire se distingue un ensemble géographique caractérisé par une grande sécheresse. À titre de comparaison, l'embouchure du Rio Grande, dans les montagnes Rocheuses (l'État du Colorado), est situé à la même latitude (le 26e parallèle) que l'oasis d'In Salah, dans le Sahara algérien.

La côte californienne

Adossée aux **Coast Ranges**, une chaîne montagneuse dont les pics acérés avoisinent les 1 000 m, la côte pacifique s'étire sur plus de 1 300 km du nord au sud. À l'est de cette barrière rocheuse, que seule interrompt la baie de San Francisco, s'étend la luxuriante **vallée Centrale** (Central Valley), rendue fertile grâce aux travaux d'irrigation, et largement dédiée à l'horticulture ou à la viticulture comme dans les régions de Napa et de Sonoma (*voir p. 192*).

La côte sud de Californie bénéficie d'un **climat méditerranéen**, marqué par des étés chauds et secs (23-25 °C) et des hivers doux (15-18 °C), tandis que la partie nord, qui connaît un **climat tempéré**, accuse des températures un peu plus fraîches et se révèle plus humide, avec des saisons intermédiaires assez pluvieuses.

La côte pacifique est largement dominée par une végétation de type **chaparral**, composée principalement de buissons épineux et persistants.

Si elle constitue un véritable éden pour les **oiseaux** (goélands, pélicans, hérons, cormorans, geais, sternes…), vous pourrez également observer le long du littoral de nombreux mammifères marins. La côte californienne est en effet l'un des grands lieux de migration des baleines. Les **baleines grises** migrent entre novembre et mai. Les **baleines bleues** et les **baleines à bosse**, de juin à novembre. Des compagnies proposent des sorties en mer pour les observer à partir des différents ports de la côte. À terre, les meilleurs sites pour les voir sont Point Reyes National Seashore (*voir p. 189*), Carmel, Santa Barbara et Cabrillo National Monument. **Otaries**, **phoques** et **éléphants de mer**, fréquentent quant à eux la côte toute l'année. À San Francisco, vous les verrez au Pier 39, et le long de la côte à Año Nuevo State Reserve ou Cabrillo National Monument.

La Sierra Nevada

La Grande Vallée de Californie est bordée à l'est par la majestueuse Sierra Nevada, qui s'étire sur 650 km et culmine entre 1 500 et 2 700 m, mais dont le versant occidental, raviné par les eaux, descend en pente douce vers la vallée. Parmi ses hauts sommets, elle compte le mont Whitney (4 418 m), le point culminant des États-Unis (hors Alaska et Hawaï).

Dans sa partie basse, la Sierra Nevada est encore sous l'influence du climat méditerranéen, chaud et aride, mais, en altitude, les précipitations se font plus abondantes et les sommets connaissent un **climat alpin**, très froid et sec, avec de fortes chutes de neige en hiver. Sur le versant ouest, entre 700 et 2 000 m d'altitude, d'importantes précipitations ont permis la croissance de forêts de conifères, où se concentrent d'impressionnantes futaies de **séquoias géants**, des arbres pouvant atteindre plus de 80 m de hauteur et 30 m de circonférence.

Les prairies d'altitude sont le royaume des **ours noirs**, très redoutés, qui sont une espèce protégée. Elles abritent aussi des **cerfs mulets** *(mule deers)*, qui se déplacent souvent à plusieurs, ainsi que des **mouflons d'Amérique** *(bighorns)*, aujourd'hui assez rares et beaucoup plus farouches.

Les déserts du Sud-Ouest

Le sud-ouest des États-Unis compte quatre déserts remarquables, occupant des zones montagneuses ou de basses plaines. Ils subissent un **climat continental semi-désertique**, caractérisé par de très faibles précipitations, des températures estivales toujours très élevées, voire caniculaires pendant la journée, et, selon l'altitude, des hivers plus ou moins frais. Les sommets les plus élevés recueillent même de la neige en hiver.

Au sud-est de la Californie, le **désert Mojave** est le plus petit, le plus aride et le plus chaud de tous. Les pluies surviennent en hiver principalement. Il abrite notamment la Vallée de la Mort où est enregistré le point le plus bas de l'hémisphère Nord (- 86 m au-dessous du niveau de la mer, à Badwater).

Au nord du désert Mojave s'étire le **désert du Grand Bassin**, le plus grand et le plus froid des déserts américains. Le versant est de la Sierra Nevada, fort abrupt, se franchit beaucoup moins facilement que le flanc ouest. Cette barrière rocheuse constitue un écran qui empêche les vents océaniques chargés d'humidité de faire route vers l'est, où commencent les vastes étendues semi-arides du Grand Bassin. Les vallées et les hauts plateaux qui couvrent le Nevada et une bonne partie de l'Utah, au nord du plateau du Colorado, s'apparentent davantage à une steppe. Les étés y sont très chauds, propices aux orages, violents et localisés, tandis que les hivers sont rigoureux et toujours enneigés. Ce désert comporte peu d'arbres et de plantes cactées, mais quelques espèces d'arbustes.

Le **désert du Sonora** s'étend au sud de la Californie et de l'Arizona et dans la partie nord-ouest du Mexique (les deux tiers de ce désert sont au Mexique). Il possède une végétation plus diversifiée en raison des pluies hivernales et des violents orages survenant à la fin de l'été. Quand ceux-ci sont assez généreux, le désert du Sonora se couvre d'un parterre de fleurs très colorées.

Le **désert du Chihuahua**, enfin, est situé pour l'essentiel au Mexique, mais il couvre aussi le sud-est du Nouveau-Mexique et l'ouest du Texas. Il possède la plus grande variété de cactus et reçoit l'ensemble de ses précipitations pendant l'été.

La **flore** et la **faune** se sont adaptées à cet environnement extrême et fragile. Les cactus qui peuplent le désert du Sonora sont ainsi capables de constituer une réserve d'eau dans leurs racines creuses et dans leur tronc, recouvert d'une substance grasse, tandis que leurs épines leur permettent de contrôler l'évaporation et de se protéger des prédateurs. L'imposant **saguaro**, ou cactus-chandelier, aux larges ramifications dressées vers le ciel, est devenu le symbole du Sud-Ouest. La famille des cactées comprend bien d'autres spécimens : le **cactus-tonneau** *(barrel cactus)*, de forme cylindrique et de 1 à 2,5 m de haut, le **cactus tuyau d'orgue** *(organ pipe cactus)*, qui forme de véritables bouquets pouvant atteindre près de 6 m, ou le **cholla**, aux multiples branches d'apparence duveteuse, mais hérissées d'épines redoutables.

Il court, il court le roadrunner...

Assez proche du cactus, le **buisson de créosote**, reconnaissable à ses feuilles minuscules et à ses fleurs jaunes, perd quant à lui ses feuilles et vit parfois uniquement en sous-sol, pour mieux renaître après les pluies. Très répandu dans les déserts du Sud-Ouest, il était apprécié des Indiens pour ses vertus médicinales. Les **yuccas** fournissaient également à ces derniers nourriture, détergent et fibres, ou étaient utilisés lors des cérémonies rituelles. Cette famille de plantes compte une quinzaine d'espèces différentes, dont le célèbre **arbre de Josué** (*Joshua Tree* ou *Yucca brevifolia*), qui peut atteindre près de 15 m de haut et domine largement le désert Mojave. L'**ocotillo**, frêle buisson aux branches graciles, à l'extrémité desquelles s'épanouissent de jolies fleurs rouges, est également un familier de ces contrées (*voir p. 19*). Le **palo verde**, un arbre dont le tronc et les branches se parent d'un joli vert tendre, orne quant à lui les places des villes du sud de l'Arizona comme les versants des collines.

Ces buissons et plantes basses servent d'abris aux petits rongeurs, comme les souris, les écureuils ou les **rats-kangourous** (*kangaroo rats,* d'étonnantes créatures qui peuvent se passer de boire, car leur métabolisme fabrique des déjections presque sèches et des urines extrêmement concentrées. Les seuls liquides qu'ils ingèrent sont contenus dans les plantes et les graines dont ils se nourrissent. Ils profitent des températures plus clémentes de la nuit pour sortir et chercher de la nourriture. L'un de leurs prédateurs, le **serpent à sonnette**, effraye ses ennemis en agitant sa queue, dotée d'anneaux en écaille dure, qui émet un bruit dissuasif. Extrêmement rapide, il attaque en revanche par surprise et son venin est mortel, même pour l'homme.

Le **coyote**, qui erre en solitaire, est l'un des principaux prédateurs du **roadrunner**. Cet étonnant coucou, appelé aussi « coq du chaparral » et popularisé par les dessins animés de la Warner Bros, est un coureur infatigable qui détale sur ses deux pattes et peut atteindre 40 km/h sur terrain plat. Malgré leurs épines, de nombreux oiseaux viennent creuser leur nid dans les cactus, comme le **cactus wren** ou le **Gila woodpecker** et, en retour, sont des agents de pollinisation pour ces plantes.

Le plateau du Colorado

Occupant une superficie de 331 776 km², le plateau du Colorado couvre quatre États voisins : l'Arizona, l'Utah, le Colorado et le Nouveau-Mexique, dont les frontières se coupent à angle droit, définissant la région des **Four Corners** (quatre coins). Il est traversé d'est en ouest par le puissant **fleuve Colorado**, qui court des montagnes Rocheuses au golfe de Californie. Avec ses nombreux affluents, celui-ci a entrepris depuis près de 5 millions d'années un lent travail d'érosion, donnant naissance à de profondes gorges, dont le majestueux Grand Canyon. Les vents, les

Attention où vous mettez les pieds...

En marchant dans les déserts du plateau du Colorado, vous remarquerez la croûte grisâtre et noueuse qui recouvre le sable sur près de 75 % de sa surface. Ne cédez pas à la tentation de la réduire en poussière ou de marcher dessus : il s'agit de la croûte cryptobiotique, un système naturel et vivant, essentiel à la vie dans le désert. Si vous aviez un microscope, vous verriez que les grains de sable sont agglutinés grâce à de longs filaments, ceux de la cyanobactérie. Cette bactérie capture le nitrogène de l'air pour fertiliser les plantes et produit de longs filaments qui retiennent les minéraux essentiels à la vie végétale et constituent un filet très dense qui solidarise les grains de sable et les micro-lichens et prévient l'érosion. Dès qu'il pleut, les filaments se gonflent, jusqu'à dix fois leur taille, et stockent l'eau indispensable pour les mois secs. Mais cet équilibre est fragile. Pour construire une telle croûte, il faut jusqu'à 250 ans ! Un pas hors des sentiers marqués peut ainsi ruiner des décennies de patient travail de la nature...

pluies, la neige et le gel ont fini de façonner le paysage, sculptant arches, aiguilles, tourelles et autres formations pittoresques dans les couches de roche mises au jour. Toutes ces merveilles naturelles sont protégées au sein de parcs nationaux et de sites classés, tels que Zion Canyon, Bryce Canyon, Capitol Reef, Canyonland, Arches, Mesa Verde, Canyon de Chelly et Grand Canyon, qui constituent le principal intérêt de la région et drainent chaque année des millions de visiteurs.

Le plateau s'élève en moyenne à 1 500 m, mais des chaînes de montagnes peuvent culminer jusqu'à 3 300 m. Il connaît lui aussi un **climat continental semi-désertique**, mais plus contrasté. Entre 1 600 et 2 500 m d'altitude, la **végétation** la plus répandue est la **forêt pygmée**, composée de genévriers et de pins pignons de taille modeste. Les **pins Ponderosa**, le **pin de Douglas** et les **trembles** peuplent les régions plus élevées, où les précipitations sont plus abondantes et où l'on trouve de la neige en hiver.

Parmi la **faune** très variée qui peuple les parcs du plateau du Colorado, vous ne manquerez pas d'apercevoir de petits mammifères rongeurs, comme le **chien de prairie**, un proche parent de la marmotte (qui tient son nom du fait que son cri ressemble à un aboiement), ou le **chipmunk**, un écureuil peu farouche qui n'hésitera pas à vous approcher de près pour mendier quelques friandises. **Coyotes**, **pumas** ou **cerfs mulets**, qui habitent également ces contrées sauvages, se font en revanche plus discrets.

Les montagnes Rocheuses

Cette immense chaîne montagneuse, entrecoupée de larges bassins, de plaines et de plateau, s'étire du Canada au Mexique selon un axe nord-sud. Les Rocheuses dites méridionales, qui traversent le Colorado et le Nouveau-Mexique, se composent en fait d'un ensemble de chaînes parallèles, parmi lesquelles les Black Ranges, les monts San Andres, et les Sangre de Cristo Mountains. Elles culminent à plus de 4 000 m (Mount Elbert, Wheeler Peak), avant de perdre de l'altitude dans le nord du Nouveau-Mexique. Le **Rio Grande,** qui prend sa source dans les monts San Juan, au sud-ouest du Colorado, court selon le même axe nord-sud, au fond de la vallée d'effondrement qui abrite son lit, pour rejoindre le golfe du Mexique au terme de 3 036 km.

Les paysages sont ceux de la haute montagne, avec ses profondes vallées boisées et ses crêtes escarpées couronnées de neiges éternelles. Les versants des montagnes Rocheuses, plus humides que la vallée du Rio Grande en contrebas, sont couverts de **genévriers** et d'autres arbustes épineux, qui laissent place en altitude aux forêts de **pins Ponderosa**, aux épicéas et aux bouleaux. Enfin, les plus hautes altitudes se caractérisent par une végétation très clairsemée, typique du climat alpin, très froid en hiver.

Le puma

Le bighorn

Le coyote

L'ours brun

Préserver les richesses naturelles

Tant qu'il y avait de nouveaux espaces à conquérir, les richesses semblaient illimitées, mais quand le territoire américain fut enfin délimité, certaines voix s'élevèrent aux États-Unis pour rappeler que les ressources n'étaient pas inépuisables.

Les premiers espaces protégés

La vallée de Yosemite et le bosquet de Mariposa Big Tree furent les premiers, en 1864, à faire l'objet d'un décret visant à la préservation d'espaces sauvages. Le Congrès octroya ces terres à l'État de Californie à condition qu'elles soient dédiées à l'agrément public. Le premier **parc national**, administré par le pouvoir fédéral, fut créé en 1872 : il abrite les geysers et les sources d'eau chaude de Yellowstone (Wyoming). Ainsi, près de 90 000 hectares devinrent impropres à la colonisation et à l'exploitation. Cependant, près de vingt ans s'écoulèrent avant que ne soient créés, en Californie, les parcs de Sequoia, General Grant (aujourd'hui rattaché à Kings Canyon) et Yosemite. **John Muir**, un naturaliste d'origine écossaise qui parcourut la Sierra Nevada, joua un rôle primordial pour la sauvegarde de l'environnement et parvint à sensibiliser l'opinion et le gouvernement fédéral grâce à ses nombreux écrits *(voir p. 211)*. À sa demande, le président Theodore Roosevelt en personne vint découvrir ces merveilles de l'Ouest, au début du 20ᵉ s.

Une volonté fédérale

Le nombre d'espaces protégés ne cessant d'augmenter, leur administration devint complexe et aboutit, en 1916, à la création d'un organisme central spécialisé : le **National Park Service** (NPS), placé sous l'égide du ministère de l'Intérieur. Il régit aujourd'hui 51 *National Parks* et plus de 300 *National Monuments*, sites historiques *(National Historic Sites)*, mémoriaux *(Memorial National Park)*, bords de mer *(National Lake and Seashores)* ou bases de loisirs *(National Recreation Areas)*…

Parmi les quelque vingt dénominations données à ces espaces protégés, les plus répandues sont celles de parc national *(National Park)* et de *monument* national *(National Monument)*. Premiers à avoir vu le jour, les **National Parks** sont établis par un **vote du Congrès**, irrévocable, et visent à protéger des formations naturelles extraordinaires, des ressources forestières ou minières, ou des sites historiques d'exception (villages indiens, missions, bâtiments).

L'Antiquities Act, voté en 1906 par le Congrès, autorise par ailleurs le **président** à créer des **National Monuments** sur des terres contrôlées par l'État fédéral. Dernier en date, le Great Staircase-Escalante National Monument (Utah) a été créé en 1996 par le président Bill Clinton, préservant ainsi 687 990 hectares d'espaces sauvages pour les générations futures. Ce statut peut être révoqué, mais nombre d'entre eux, souvent les plus importants, acquièrent par la suite le statut de parc national.

Outre les *National Parks* ou *National Forests* administrés au niveau fédéral, le Sud-Ouest des États-Unis compte également des *State Parks* (parcs d'État) ou *State Forest* qui sont définis et dirigés par chaque État. Tous s'attachent à la protection de la nature et sont consacrés à l'agrément des visiteurs.

La place des Indiens dans le National Park Service

Dans les années 1990, une loi reconnut l'importance du rôle des Indiens dans les programmes de préservation des sites historiques. En 1992, des tribus ont ainsi pu elles-mêmes demander le rattachement de certains sites au registre national des sites historiques. On leur reconnaît par ailleurs le droit et les compétences pour donner des conférences sur le bien-fondé de la préservation de certains sites. En 1996, le directeur du NPS a mis en place un véritable partenariat avec 12 tribus indiennes, notamment les Hualapais (Arizona), les Yuroks (Californie) et les Navajos (Arizona, Utah, Nouveau-Mexique), qui, au même titre qu'un État, sont chargées de l'administration des parcs ou «monuments» situés sur leurs territoires. Elles sont ainsi parties prenante dans la préservation de leur héritage, dans le respect de leur culture et selon leurs priorités tribales.

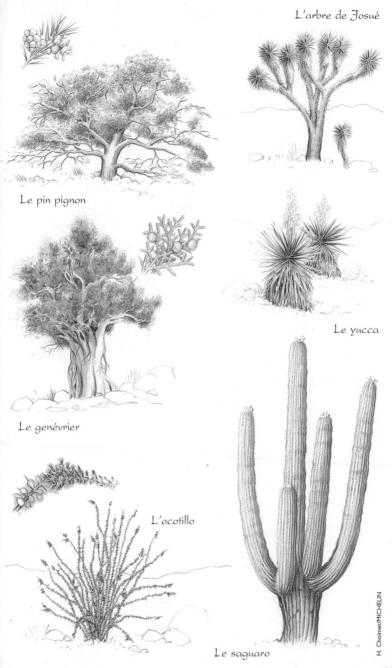

L'arbre de Josué

Le pin pignon

Le genévrier

Le yucca

L'ocotillo

Le saguaro

H. Choimet/MICHELIN

19

Avant l'arrivée des Européens

20000-12000 av. J.-C.	Des chasseurs nomades en provenance d'Asie rejoignent le continent américain par le détroit de Béring.
500-1450	Apogée des civilisations archaïques du Sud-Ouest.

L'époque coloniale

1492	Christophe Colomb découvre l'Amérique.
1540	Francisco Vasquez de Coronado lance une première expédition dans le Sud-Ouest, à la recherche des Sept Cités de Cibola.
1542	Juan Rodriguez Cabrillo explore la côte californienne et découvre la baie de San Diego.
1579	L'explorateur Francis Drake débarque en Californie et la revendique au nom de l'Angleterre.
1609	Fondation de Santa Fe au Nouveau-Mexique.
1620	Arrivée sur la côte Est du « Mayflower » et des colons puritains en provenance d'Angleterre et de Hollande.
1680	La révolte des Pueblos chasse les Espagnols du nord du Nouveau-Mexique.
1692-1711	Le père Eusebio Francisco Kino fonde une vingtaine de missions dans le sud de l'Arizona.
1769	L'Expédition sainte de Gaspar de Portola et du père Junípero Serra marque le début de la colonisation de la Californie. La première mission californienne est fondée à San Diego.

De l'indépendance à l'entrée de l'Ouest dans l'Union

1776	Déclaration d'indépendance des treize colonies. Fondation de San Francisco.
1781	Fondation de Los Angeles.
1787	La Constitution des États-Unis d'Amérique est signée à Philadelphie.
1789	George Washington devient le 1er président des États-Unis.
1801	Thomas Jefferson devient le troisième président des États-Unis.
1803	Les États-Unis achètent la Louisiane à la France.
1804-1806	Expédition de Lewis et Clark.
1821	Indépendance du Mexique et ouverture de la piste de Santa Fe.
1826	Jedediah Smith rejoint la côte pacifique par le sud.
1830	L'Indian Removal Act contraint les Indiens du Sud-Est américain à s'implanter à l'ouest du Mississippi. John Smith fonde la secte mormone dans l'État de New York.
1835	Le Texas déclare son indépendance vis-à-vis du Mexique.
1845	La république du Texas entre dans l'Union. Début de la guerre contre le Mexique.
1848	Le traité de Guadalupe Hidalgo marque la fin de la guerre contre le Mexique : les territoires compris entre la Californie et le Texas reviennent aux États-Unis. Début de la ruée vers l'or en Californie.
1850	Entrée de la Californie dans l'Union.
1859	Découverte de gisements d'argent dans le Nevada.
1861-1865	Guerre de Sécession.
1862	Le Homestead Act propose d'allouer 65 ha de terre à bas prix à toute personne qui les cultive pendant cinq ans.
1864	Entrée du Nevada dans l'Union. La vallée de Yosemite fait l'objet d'un décret visant à la préservation des espaces sauvages.
1869	Première liaison transcontinentale par voie ferrée.
1872	Yellowstone devient le premier parc national.
1876	Entrée du Colorado dans l'Union.
1896	Entrée de l'Utah dans l'Union.

Histoire

Le 20e siècle

1906	San Francisco est dévastée par un terrible séisme, dont la puissance est évaluée à 8,3 sur l'échelle de Richter.
1911	Le 1er grand barrage (Roosevelt Dam) est édifié en Arizona.
1912	Entrée du Nouveau-Mexique et de l'Arizona dans l'Union.
1913	Les premiers studios de cinéma s'installent à Hollywood.
1914-1918	Première Guerre mondiale.
1916	Construction d'un grand barrage au Nouveau-Mexique. Création du National Park Service.
1919	Création du Grand Canyon National Park.
1924	L'Indian Citizenship Act reconnaît la citoyenneté américaine à tous les Indiens nés aux États-Unis.
1929	Krach du marché boursier et début de la Grande Dépression.
1932	Le président Franklin D. Roosevelt lance le New Deal pour relancer l'économie américaine.
1935	Fin de la construction du barrage de Hoover, sur le Colorado.
1941	Attaque de Pearl Harbor et entrée des États-Unis dans la Seconde Guerre mondiale.
1942	Début des recherches sur la bombe atomique à Los Alamos, au Nouveau-Mexique.
1945	Essai de la première bombe atomique au Nouveau-Mexique. Bombardement de Hiroshima (6 août) et de Nagazaki (9 août).
1950	Début du maccarthysme.
1955	Naissance du mouvement beatnik à San Francisco. Inauguration de Disneyland à Anaheim, près de Los Angeles.
1959	L'Alaska et Hawaï sont les derniers États à entrer dans l'Union.
1961	John F. Kennedy accède à la présidence des États-Unis.
1963	Le 22 novembre, le président John F. Kennedy est assassiné à Dallas. Lyndon Johnson lui succède.
1964	Manifestations étudiantes à l'université de Berkeley.
1965	Violentes émeutes dans le quartier noir de Watts à Los Angeles. Début de la guerre du Vietnam.
1966	Création du mouvement des Black Panthers à Oakland.
1967	Des milliers de hippies se retrouvent à San Francisco pour le Summer of Love.
1968	Robert F. Kennedy est assassiné à Los Angeles.
1969	Robert Nixon, ancien sénateur de Californie (1951-1953), est élu 37e président des États-Unis. Neil Armstrong est le premier homme à marcher sur la lune.
1973	Crise du Watergate.
1974	Le président Richard Nixon démissionne. Le vice-président Gerald Ford lui succède.
1981	Ronald Reagan, ancien gouverneur de Californie (1967-1975), est élu 40e président des États-Unis.
1989	Le tremblement de terre de Loma Prieta, évalué à 7,1 sur l'échelle de Richter, touche le sud de la baie de San Francisco. George Bush est élu président.
1991	Guerre du Golfe.
1992	L'affaire Rodney King déclenche de violentes émeutes dans le quartier noir de Watts à Los Angeles. Bill Clinton est élu président.
1994	Un séisme d'une ampleur de 6,8 sur l'échelle de Richter secoue la vallée de San Fernando, près de Los Angeles.
1996	Réélection de Bill Clinton à la présidence.
2001	George W. Bush devient le 43e président des États-Unis. Attentat contre le World Trade Center de New York.

Histoire

À LA CONQUÊTE DE L'OUEST

Avant de devenir cet Ouest mythique où plusieurs générations de trappeurs et de marchands européens vinrent chercher fortune, les immenses terres vierges du sud-ouest de l'Amérique du Nord furent un « Sud » pour les premiers hommes venus d'Asie, puis un « Nord » pour les conquérants espagnols de l'actuel Mexique. Elles étaient surtout une terre, un centre du monde, pour les tribus indiennes sédentarisées depuis le début de l'ère chrétienne. Héritier de toutes ces cultures, le Sud-Ouest américain est l'une des dernières régions rattachées à la fédération des États-Unis, mais cette conquête s'est effectué au prix de la sueur et du sang.

Les premiers hommes

Les chasseurs des temps glaciaires

Il y a quelque 20 000 ans environ, lors de la dernière grande glaciation, des hommes venus d'Asie passèrent vraisemblablement par le détroit de Béring pour se disperser sur le continent américain. Ces **chasseurs nomades**, qui traquaient mammouths et autres mastodontes pour assurer leur survie, arrivèrent, semble-t-il, dans l'actuel Sud-Ouest américain vers 12000-10000 av J.-C. À la fin de la période glaciaire (8000-7000 av. J.-C.), d'importants changements climatiques vinrent toutefois bouleverser leur mode de vie : les températures augmentèrent, le climat devint plus sec et, par conséquence, la végétation se fit moins abondante et les troupeaux se raréfièrent. Rien ne permet d'affirmer que les peuples qui ont succédé à ces chasseurs étaient leurs descendants directs, mais ces derniers ont dû diversifier leurs moyens de subsistance pour s'adapter à une région devenue aride.

Les défricheurs du Sud–Ouest

Le Sud-Ouest recèle de vestiges admirablement préservés, qui ont permis l'étude des paléo-Indiens, les ancêtres des Indiens d'Amérique. Peu après le début de notre ère, trois grandes civilisations sédentaires occupaient la région. Ces peuples voisins entretenaient des échanges commerciaux et culturels et s'influencèrent dans leurs techniques de construction et leur artisanat.

Les **Hohokams** (550-1450) occupaient la partie sud de l'Arizona actuel. Dans un environnement désertique, ils réussirent à récolter maïs, orge, haricots, coton, tabac et courges grâce à la maîtrise des **canaux d'irrigation**. Dans la vallée de la Salt River, pas moins de 300 miles de canaux ont ainsi été dénombrés. Ils s'établirent peu à peu dans des villages qui, à partir de 1100, début de la période dite classique, se dotèrent d'enceintes et de bâtiments sur plusieurs étages.

Les **Mogollons** (300-200, 1300), qui continuèrent à vivre principalement de la chasse et de la cueillette, peuplaient les montagnes de la frange sud-est de l'Arizona et du sud-ouest du Nouveau-Mexique. Ils furent les premiers à utiliser les **poteries** pour emmagasiner de l'eau et des vivres. Quand, à partir de 700, ils possédèrent quelques rudiments d'agriculture, il se sédentarisèrent et s'installèrent au sommet des montagnes ou sur les mesas. Ils finirent toutefois par s'implanter de plus en plus dans les vallées, sans doute sous l'influence des Anasazis, auxquels ils finirent, selon certains scientifiques, par s'assimiler.

Les tribus perdues de Californie

En Californie, peu de vestiges témoignent des populations indiennes qui habitaient les régions montagneuses, les plaines et le long de la côte pacifique avant l'arrivée des colons. Les tribus miwoks, yuroks, kuroks, yupas et chumashs, pour ne citer qu'elles, ont été littéralement décimées au milieu du 19e s. par l'arrivée massive des Européens, les épidémies et l'alcool. La période coloniale leur fut en effet fatale : 150 000 en 1848, les Indiens de Californie n'étaient plus que 31 000 en 1870 et 16 000 en 1900.

Histoire

Les **Anasazis** apparurent sur le plateau du Colorado au début de l'ère chrétienne. Ils se nourrissaient des produits de l'agriculture (maïs, courges, haricots) et de plantes sauvages. Pendant 1 000 ans, ils bâtirent leurs habitations dans le sol, creusant la terre et posant un toit sur des poteaux en bois, puis la période 1100-1300 connut l'apogée de leurs **techniques de construction** avec l'édification de maisons sur plusieurs étages (*voir p. 37*). De nombreux vestiges de villages, nichés dans les falaises, ont été admirablement préservés et permettent d'admirer l'ingéniosité et la solidité de leur maçonnerie.

L'implantation espagnole

Les Espagnols prennent pied dès le 16ᵉ s. au centre et au sud du continent américain, tandis que la première colonie anglaise, Jamestown, est fondée en 1607 sur la côte atlantique, en Virginie. Pendant deux siècles, les territoires de l'Ouest demeurent toutefois très peu connus, malgré quelques incursions espagnoles.

Les premiers explorateurs

Au 16ᵉ s., un grand nombre d'Espagnols, attirés par les récits de voyage des premiers explorateurs, s'embarquent pour le Nouveau Monde, sur les traces de Christophe Colomb. Les conquistadores, partis à la recherche des trésors aztèques et mayas, s'établissent en Amérique centrale et du Sud. Les richesses qu'ils amassent servent à financer des expéditions de reconnaissance au nord de leurs possessions : la région du Texas est ainsi la première à être explorée. En 1540, **Francisco Vasquez de Coronado** entreprend une expédition de deux ans dans l'actuel Sud-Ouest américain, à la recherche de l'or mythique des Sept Cités de Cibola. Il explore pour la première fois le Nouveau-Mexique et l'Arizona, pousse jusqu'au Kansas actuel, au centre du pays, mais l'entreprise est un échec et cette piste abandonnée par les Espagnols. À la même époque, **Juan Rodriguez Cabrillo** ouvre la voie maritime du Pacifique et découvre la baie de San Diego (1542), mais il faut attendre 1769 pour que des campements durables soient installés sur la côte californienne (*voir p. 296*).

Le temps des missions

Les missionnaires espagnols réussissent là où les conquistadores avaient échoué, en s'implantant dans le pays. Cela se fait toutefois au détriment des peuples indigènes, qu'ils s'appliquent à convertir et à sédentariser dans les missions, au mépris de leur propre mode de vie. En 1598, quand l'Espagne décide de coloniser la région de l'actuel Nouveau-Mexique, des missionnaires s'installent dans la vallée du Rio Grande et, en 1609, le gouverneur **Don Pedro de Peralta** choisit Santa Fe pour devenir la capitale des nouvelles possessions (*voir p. 466*). Soldats, colons et marchands empruntent **El Camino Real** (la route Royale), qui relie Mexico à Santa Fe. Les relations avec les Indiens sont extrêmement tendues; la violence et l'intolérance des colons conduit finalement à la **révolte des Pueblos**, qui éclate en 1680, et chasse les Espagnols pour un temps. Ils ne reviendront que 12 ans plus tard.

Le père Junípero Serra

Courtesy of the Bancroft library, University of California, Berkeley

Plus à l'ouest, le père **Eusebio Francisco Kino**, un jésuite d'origine italienne, sillonne pour le compte des Espagnols le nord du Mexique et le sud de l'Arizona, où il fonde une vingtaine de missions entre 1692 et 1711. La Couronne espagnole concentre ensuite ses forces sur les territoires côtiers de la Californie actuelle, où les Russes, venus du nord, menacent d'avancer. En 1769, l'Expédition sainte de **Gaspar de Portola** et du père **Junípero Serra** ouvre ainsi la voie à la colonisation de la Californie par la construction de missions et de forts (*presidio*). La première des 21 missions de Californie est fondée à San Diego la même année, puis les Espagnols s'établissent à San Francisco en 1776 et à Los Angeles en 1781.

La fin des colonies et l'expansion territoriale

Tandis que l'Espagne règne dans le sud de l'Amérique, les deux autres puissances coloniales, l'Angleterre et la France, cohabitent dans l'Est, où elles se disputent les territoires en s'alliant les tribus indiennes. Le rapport de force change toutefois en 1776, lorsque les treize colonies de la côte atlantique décident de s'affranchir de la tutelle anglaise et proclament leur **indépendance**, qui ne sera toutefois effective que sept ans plus tard, en septembre 1783. L'Ouest reste un territoire lointain, en grande partie inexploré par les Américains, trop occupés par la guerre d'Indépendance.

Un premier pas vers l'Ouest

Un grand bouleversement survient en 1803, quand Napoléon 1er accepte de vendre la **Louisiane** aux États-Unis pour 15 millions de dollars (seuls treize États composent alors l'Union). Ce territoire, bordé au sud par le golfe du Mexique, à l'est par le fleuve Mississippi et à l'ouest par les Rocheuses, permet à cette jeune nation de doubler pratiquement sa surface. Les terres qui s'étirent à l'ouest du Mississipi, connues simplement par quelques récits de trappeurs, commencent à attirer l'attention du président Thomas Jefferson, qui organise une expédition officielle, visant à décrire ces régions reculées, à évaluer ses richesses et à nouer des liens avec les Indiens en vue d'échanges commerciaux.

Chercheurs d'or en Californie (1856)

Les grandes expéditions

En 1804, **Meriwether Lewis** et **William Clark** s'embarquent pour un voyage qui durera deux ans et les conduira de Saint Louis, sur la rive du Mississippi, jusqu'à l'estuaire du fleuve Columbia, au nord de la côte pacifique. Le succès de l'expédition et les récits qu'ils en rapportent aiguisent la curiosité pour ces régions nouvelles. D'autres expéditions officielles suivent, comme celle de **Zebulon Pike**, qui est le premier, en 1807, à atteindre le Nouveau-Mexique. Ses descriptions du désert, aride et dénudé, ne suscitent toutefois guère l'intérêt des Américains, qui vivent dans des régions humides et boisées. Grande figure parmi les explorateurs, **Jedediah Smith**, toujours accompagné de sa Bible, découvre la South Pass dans les Rocheuses, point de passage décisif pour les pionniers en marche vers le Pacifique. Il est le premier à rejoindre la côte Ouest par le sud, traversant le Grand Bassin et le désert Mojave, en 1826. Il est brièvement emprisonné à son arrivée par les Espagnols qui ne souhaitent pas qu'il dévoile sa route. Il faut attendre les récits enflammés de **John Charles Fremont**, qui effectue cinq périples à travers les Rocheuses de 1842 à 1853, pour que naisse le mythe d'un Ouest paradisiaque.

La guerre contre le Mexique

Les Espagnols tentent en vain de résister aux colons venus du nord et de l'est, mais la marche vers l'indépendance amorcée par le Mexique va concentrer toute leur attention. Quand le Mexique proclame finalement son indépendance, en 1821, les territoires du Texas, du Nouveau-Mexique et de l'Arizona lui appartiennent. Les étrangers, trappeurs et marchands, avec qui les Espagnols commerçaient depuis le 18e s., y sont tolérés. Les Mexicains décident d'ouvrir la ville de Santa Fe aux Américains et une multitude de chariots se succèdent le long de la **piste de Santa Fe**, qui débute à Kansas City : le nombre des migrants américains augmente considérablement. La question de la frontière du Texas, sujet de discorde depuis la vente de la Louisiane, oppose alors le Mexique et les Texans, parmi lesquels les Anglo-Américains sont devenus majoritaires. Ces derniers sortent finalement victorieux du conflit qui ne manque pas d'éclater, et le Texas devient une **république indépendante** en 1835. Sous la direction d'un nouveau président aux visées expansionnistes, James Polk, élu en 1845, les États-Unis proposent au Texas d'entrer dans l'Union. La guerre contre le Mexique, qui n'a jamais vraiment accepté l'indépendance du Texas, devient inévitable. Les troupes américaines ne se contentent pas de défendre la région du Rio Grande, mais marchent vers l'ouest jusqu'en Californie. À l'automne 1846, les territoires du Sud-Ouest sont aux mains des Américains. En février 1848, l'armée américaine marche alors sur Mexico. La capitale est prise et la signature du **traité de Guadalupe Hidalgo** marque la fin de la guerre. Le Sud-Ouest (Californie, Arizona, Colorado, Utah, Nouveau-Mexique et Nevada) devient officiellement américain. En 1853, l'Arizona atteint sa taille actuelle grâce à l'achat des terres les plus au sud (*Gadsden Purchase*).

Les guerres indiennes

L'expansion du territoire américain se fait au détriment des Indiens, repoussés toujours plus à l'ouest. En 1830, sous la présidence d'Andrew Jackson, le Congrès vote l'**Indian Removal Act**, qui recommande le déplacement par la force des tribus indiennes du Sud-Est américain vers les territoires indiens, à l'ouest du Mississippi (dans l'actuel Oklaoma). Dès 1860 sont ainsi créées les premières réserves indiennes dans les États de l'Ouest.

La terre constitue la principale richesse de l'Ouest, aussi l'arrivée massive de colons (pionniers, soldats, mineurs, éleveurs) sur leurs territoires de chasse et le massacre systématique des bisons, indispensables à leur survie, ne manquent-ils pas d'attiser la colère des Indiens, principalement des tribus qui ont conservé un mode de vie nomade, comme les Navajos ou les Apaches. Malgré le traité de Bear Springs signé avec les **Navajos** au lendemain de la victoire des États-Unis sur le Mexique, les raids indiens contre les villages colons perdurent, notamment en Arizona et au Nouveau-Mexique.

Décidés à mettre un terme à ces soulèvements, les Américains, guidés par le colonel **Kit Carson**, pourchassent les Navajos dans Canyon de Chelly au cours de l'hiver 1864 et les déportent en masse à Fort Sumner (Nouveau-Mexique), à 700 miles de là (*voir p. 499*). Plus de 300 Navajos périssent lors de cette **Longue Marche**, et les survivants ne seront autorisés à retourner sur leurs terres qu'en 1868, au terme de quatre années de captivité dans des conditions épouvantables.

Les **Apaches**, menés par Cochise puis Geronimo, résistent durant plus de vingt ans aux Américains en lançant de nombreux raids contre les Blancs. Les guerres menées contre les Apaches prennent fin en 1886, avec la reddition de Geronimo. Les forts de l'armée américaine sont peu à peu abandonnés, et les Indiens, parqués dans des réserves, n'ont d'autre choix que d'apprendre à survivre.

Go West !

Au milieu du 19e s., les immenses espaces de l'Ouest demeurent très peu peuplés. Seuls le Texas, dans les années 1830, et l'Oregon, au cours de la décennie suivante, connaissent un afflux de population notable. La colonisation de ces **Territoires**, (terme par lequel sont désignées les immenses terres conquises sur les Mexicains qui n'avaient pas encore acquis le statut d'État) demeure un enjeu important pour la cohésion de la nation américaine. La ruée vers l'or de Californie va, en ce sens, jouer un rôle déterminant.

L'arrivée des mormons et la création de l'Utah

Fondée en 1830 par John Smith, la secte des mormons, appelés aussi Saints des Derniers Jours, est née dans l'État de New York. Persécutés pour leur position en faveur de la polygamie, ses membres finissent par émigrer vers l'Ohio, le Missouri, puis l'Illinois, avant d'atteindre la vallée isolée et déserte du Grand Lac Salé en 1847. Près de 5000 mormons s'y installent et travaillent d'arrache-pied pour creuser des canaux d'irrigation, développer l'agriculture et participer à la construction de Salt Lake City. Bientôt, ces pionniers industrieux envoient des expéditions dans le sud de ce qui deviendra le Territoire d'Utah en 1850, puis un État de l'Union en 1896. Ils découvrent la vallée de la Virgin River, le somptueux Zion Canyon, ainsi que Bryce Canyon et Capitol Reef, auxquels ils attribuent des noms bibliques.

Les éclats de l'or

Le traité de Guadalupe Hidalgo n'est pas plutôt signé que la nouvelle de la découverte de **filons d'or** au bord de l'American River, près de l'actuelle Sacramento, se répand comme une traînée de poudre. Les histoires les plus folles circulent : fermiers, industriels, prospecteurs, marchands, soldats, venus de la côte Est et des quatre coins du monde, quittent tout pour le mirage d'une fortune facile. Ceux qui arrivent par voie terrestre suivent le **California Trail** (piste de Californie), qui se confond jusqu'aux montagnes Rocheuses avec la piste de l'Oregon, empruntée dans les années 1840 par une première vague d'immigrants. Une deuxième piste, le **Butterfield Trail**, accessible en hiver, est ouverte dans le Sud, le long de ce qui constitue aujourd'hui la frontière avec le Mexique. Elle traverse les Territoires du Sud-Ouest, mais peu s'arrêtent dans ces contrées à l'abord inhospitalier. La **Californie** connaît en revanche un afflux massif de population, passant de 20000 habitants en 1849 à 250000 en 1852. San Francisco, qui compte 500 âmes en 1849, en recense 35000 l'année suivante! L'État entre d'ailleurs dans l'Union dès 1850, en 31e position, bien avant la plupart des États du centre du pays. Une fois la fièvre retombée, certains chercheurs d'or décident de s'installer et se lancent dans l'élevage, l'agriculture ou le commerce. Une population cosmopolite forge les prémices de la culture californienne, reposant sur les idéaux du «tout est possible». En 1859, le **Nevada** voisin attire à son tour les prospecteurs, suite à la découverte d'un important filon d'argent à Comstock Lode, et intègre l'Union en 1864.

10 mai 1869, la jonction entre la Central et l'Union Pacific Railroads est enfin réalisée

L'Ouest et la guerre de Sécession

À l'est, la guerre de Sécession, qui a pour enjeu la question de l'abolition de l'esclavage, oppose de 1861 à 1865 les États du Nord, majoritairement industriels et abolitionnistes, aux États agricoles du Sud, qui ont intérêt à maintenir l'esclavage (plus de 600 000 Américains y laisseront la vie). Malgré le jeu des influences, chaque camp ayant intérêt à rallier le plus de personnes à sa cause, le Sud-Ouest n'est qu'indirectement affecté par cette guerre civile, étant donné qu'aucun de ces Territoires n'appartient encore à l'Union (mis à part la Californie). Les États confédérés, situés au sud du pays, occupent brièvement l'Arizona en 1861 et le convainquent de les rejoindre, mais ils sont chassés du Nouveau-Mexique et contraints de se replier au Texas.

De l'importance des chemins de fer

Avec le développement de la Californie, il devient indispensable d'améliorer les moyens de communication entre l'Est et l'Ouest, car les distances constituent un véritable obstacle pour l'acheminement de l'or et de l'argent. En 1857, une compagnie de transport inaugure la première liaison postale est-ouest par diligence, le long du **Butterfield Trail** : il ne faut plus qu'une vingtaine de jours pour acheminer le courrier, alors que le délai était d'un mois par le canal de Panama. La demande est d'autant plus pressante que l'émigration se poursuit et que l'arrivée du chemin de fer augure de nouvelles possibilités pour les échanges est-ouest. Par ailleurs, en pleine guerre de Sécession, le besoin d'unir les membres disparates de l'Union est réel et passe par le peuplement des Territoires. Ce n'est donc pas un hasard si le président appuie le Congrès pour la mise en œuvre d'une **liaison transcontinentale**. La construction est achevée le 10 mai 1869 : la voie venant de Californie, construite par la Central Pacific Railroad Company, et celle bâtie à l'est par l'Union Pacific Railroad

Les Big Four

Le 28 juin 1861, quatre financiers originaires de Californie, Collis P. Huntington, Leland Stanford, Mark Hopkins et Charles Crocker, surnommés les «Big Four» (les quatre grands), fondent la Central Pacific Railroad Company. Ils décident de financer le projet de l'ingénieur Theodore Dehone Judah, qui préconise la construction d'une voie de chemin de fer empruntant le col de Donner dans la Sierra Nevada. La compagnie assure ainsi l'aménagement de la portion ouest de la première liaison ferroviaire transcontinentale, mobilisant des milliers d'immigrés chinois. Les premiers rails sont posés à Sacramento en janvier 1863. La construction de cette ligne, qui traverse la Californie, le Nevada et l'Utah, s'achève le 10 mai 1869 à Promontary Point, dans l'Utah, où est réalisée la jonction avec l'Union Pacific Railroad venant de l'est.

se rejoignent en Utah. L'événement a une portée nationale. Désormais, il suffit d'une poignée de jours pour traverser le pays. Les échanges économiques sont renforcés et vont accélérer le développement de l'Ouest. Au sud, les lignes de la Southern Pacific Railroad et de la Santa Fe Railroad, l'une des plus dynamiques, relient San Francisco et Los Angeles au reste du pays et desservent l'Arizona, le Nouveau-Mexique et le Colorado.

L'occupation de l'espace

À la tête d'un territoire immense, le gouvernement doit procéder à une **distribution des terres** afin de permettre leur développement. Les compagnies qui financent la construction des lignes de chemin de fer se voient ainsi allouer par l'État, le long des voies qu'elles aménagent, d'importantes parcelles de terrain dont elles peuvent disposer à leur gré. C'est ainsi que naît la ville de Las Vegas, dont le site a été choisi pour installer une station de ravitaillement (*voir p. 320*). La situation est plus difficile pour les pionniers, auxquels l'État propose, depuis le vote en 1862 du Homestead Act, de cultiver un petit lopin (65 ha) pour une somme modique pendant cinq ans, au terme desquels ils deviennent propriétaires. Mais la sécheresse du Sud-Ouest rend l'exploitation des terres hasardeuse et pénible : seul l'élevage donne des résultats satisfaisants. Certains sites exceptionnels commencent par ailleurs à faire l'objet d'une attention toute particulière et donneront bientôt lieu à la création de parcs nationaux (*voir p. 18*).

L'âge d'or du Far West

Les années 1870-1890, qui font suite à la guerre de Sécession, se traduisent par la «conquête» des derniers espaces vierges : les grandes plaines du centre des États-Unis et le Sud-Ouest, cet Ouest lointain ou «Far West», où sont nées une bonne partie des valeurs sublimées dans lesquelles veut se reconnaître le pays lorsqu'il rêve son histoire. La **Frontière** n'est plus cette zone extrême de la colonisation, cette limite qui recule toujours plus vers l'ouest : elle habite l'imaginaire de chaque Américain.

L'élevage et le mythe du cow-boy

Les cow-boys américains sont les descendants directs des garçons vachers espagnols (*vaqueros*), dont ils ont conservé l'équipement et le mode de vie. Ils mènent une vie rude et plutôt monotone, rassemblant les troupeaux qui paissent en liberté dans les immenses espaces du Nouveau-Mexique et de l'Arizona. Les cow-boys connaissent un âge d'or pendant les années 1865-1885, car ils assurent la **transhumance**, des régions désertiques du Sud vers les Grandes Plaines et les pâturages des Rocheuses, et sont chargés de mener les troupeaux à l'abattoir, dans les villes du Kansas. Ces longues expéditions, fatigantes et dangereuses, dont beaucoup de westerns se sont inspirés, ont grandement contribué au mythe du cow-boy : l'homme seul, courageux, confronté à une nature sauvage qu'il finit par dompter et à l'opposition des Indiens qui peuplent encore ces contrées. Dès 1883, le *Wild West Show* de **Buffalo Bill** met en scène d'authentiques cow-boys, opposés à d'authentique Indiens, dans des spectacles grandeur nature dépeignant la vie dans l'Ouest mythique. Les cow-boys commencent à disparaître avec la fin de l'élevage extensif et l'arrivée du fil de fer barbelé, dans les années 1870, qui multiplie les clôtures et limite la transhumance. À partir des années 1880, l'élevage se cantonne aux **grands ranchs**, de plus en plus nombreux.

Le temps des shérifs

À la fin du 19ᵉ s., après la guerre de Sécession, un grand nombre de hors-la-loi, attirés par les profits tirés des mines et de l'élevage, se réfugient dans le Sud-Ouest. Joueurs professionnels, bandits de grand chemin et tueurs à gages se côtoient et sèment la violence sur les routes ou dans les saloons qui fleurissent sur les traces des pionniers. Des figures devenues mythiques, comme **Wyatt Earp**, **Billy the Kid** (*voir p. 496*), **Jesse James** et **Butch Cassidy**, illustrent cette époque mouvementée. Le développement des villages et l'arrivée des

Billy the Kid

La légende de Buffalo Bill

William Frederic Cody est né dans l'Iowa en 1854. Ayant perdu son père à l'age de 11 ans, il subvient courageusement aux besoins de sa mère et de ses sœurs. Après avoir participé à la guerre de Sécession dans les rangs du 7ᵉ de Cavalerie du Kansas, il est engagé par l'Union Pacific Railway Company où on le surnomme «Buffalo Bill», en raison de son talent particulier à chasser le bison. Il en aurait tué plusieurs milliers! Il affronte à maintes reprises les Indiens, allant jusqu'à défier leur chef en combat singulier. Bientôt, le récit de ses exploits se répand dans toute l'Amérique. En 1880, les guerres indiennes achevées, il réunit cow-boys et Indiens dans un incroyable spectacle, le «Wild West Show», dont le succès s'affirme dans tous les États-Unis et jusqu'en Europe. Après avoir connu la fortune, malheureusement dilapidée par des spéculations hasardeuses, il meurt en 1917, à l'age de 63 ans. Il repose maintenant dans une tombe creusée dans le roc, au-dessus de Denver.

shérifs ou *marshals*, souvent d'anciens tueurs, chargés de faire respecter la loi contre le port d'armes en ville, contribuent à ramener quelque peu l'ordre dans l'Ouest.

La fin du Far West

Après la ruée vers l'or de Californie, certains immigrants continuent de tenter leur chance partout où des veines sont mises au jour. En Arizona, comme à Bisbee (*voir p. 426*), certains filons de cuivre et d'argent perdurent jusqu'au 20ᵉ s. D'autres sont abandonnés, et seules quelques **villes fantômes** témoignent de l'activité passée. Le temps où le prospecteur partait seul dans les collines avec son âne est cependant révolu : les chercheurs indépendants cèdent la place aux mineurs qui travaillent pour des sociétés assurant l'exploitation de grandes mines. L'**Arizona**, l'État du Cuivre (The Copper State), devient le 48ᵉ État de l'Union en février 1912, un mois seulement après le **Nouveau-Mexique**. Ce sont les deux derniers États (hors Hawaï et Alaska) à entrer dans l'Union.

À l'aube du 20ᵉ s., le Sud-Ouest est un monde en transition : le barbelé a clos les espaces, les nouveaux arrivants ne veulent plus de la violence, le train a définitivement remplacé les diligences, les touristes commencent à affluer dans les parcs et le cuivre devient la principale des richesses du sous-sol. L'Ouest sauvage n'est plus qu'un mythe.

LE SUD-OUEST AUJOURD'HUI

Après avoir fait rêver des générations de pionniers, le Sud-Ouest fut enfin totalement intégré aux États-Unis d'Amérique au début du 20ᵉ s. Pourtant, son assimilation était loin d'être acquise, et son éloignement géographique et culturel des États fondateurs aurait pu constituer un obstacle à son développement. À l'aube du 21ᵉ s., force est de constater qu'il n'en est rien et que le Sud-Ouest a finalement trouvé sa place dans l'Union, dont il représente le pôle le plus dynamique et le plus attractif en termes de flux démographique et touristique. Ultime étape de la conquête de l'Ouest, dotée d'un climat extrême et de richesses naturelles longtemps considérées comme inépuisables, cette région a toujours suscité l'intérêt des colons, qui envisagèrent l'extension du territoire national dès la rédaction de la Constitution.

Le système politique américain

La Constitution des États-Unis, demeurée inchangée depuis plus de deux siècles, est la plus ancienne au monde. La volonté de rompre avec un pouvoir colonial a certainement prévalu lors de la création des institutions et influença l'esprit que les pères fondateurs donnèrent à cette république du Nouveau Monde. La jeune puissance joua pourtant très vite à son tour la carte de l'expansionnisme, s'attachant à conquérir les grands espaces de l'Ouest.

Le gouvernement fédéral...

La naissance des États-Unis d'Amérique repose sur la déclaration d'indépendance du **4 juillet 1776** (devenu la fête nationale), par laquelle les treize colonies de l'Est s'affranchirent du pouvoir colonial anglais. Soucieux de réguler les échanges économiques, les treize États nouvellement créés se réunirent dix ans plus tard à Philadelphie pour rédiger la **Constitution de 1787**, qui créa un État fédéral et en définit les instances communes.

La Constitution américaine établit la séparation des pouvoirs et l'égalité entre les États au sein même du **corps législatif**. Le Congrès comprend en effet deux assemblées : la **Chambre des représentants** se compose de 435 membres, renouvelés ensemble tous les deux ans, et représentant les États proportionnellement au nombre d'habitants ; le **Sénat**, renouvelé par tiers tous les deux ans, est constitué de deux sénateurs par État, élus pour six ans. Si le texte de la Constitution reste inchangé, il est prévu que des amendements puissent y être ajoutés, afin de préciser certains points et régler définitivement des questions laissées en suspens. En 1791, les dix premiers amendements, ou *Bill of Rights*, précisèrent les droits individuels et ceux des États, par opposition au gouvernement fédéral. Le **pouvoir exécutif** est confié au **président** et à son vice-président, élus pour quatre ans selon un système de collège électoral (les citoyens votent pour une liste d'électeurs, qui soutient un candidat et procède elle-même à un vote plusieurs semaines après l'élection générale). Le président est conseillé par **14 secrétaires d'État**, responsables des différents départements ministériels qui composent l'exécutif. Le **pouvoir judiciaire** est confié à la **Cour suprême**, la plus haute instance du pays, composée de neuf juges nommés à vie par le président, après accord du Sénat. Elle remplit tout à la fois le rôle de Conseil constitutionnel, de Conseil d'État et de Cour de cassation.

Le bipartisme

Dès l'origine, les deux grands partis qui dominent la vie politique américaine se sont différenciés par leur interprétation des textes constitutifs. Pour les républicains, le pouvoir fédéral ne doit en aucun cas empiéter sur les prérogatives des États. Ils préconisent la libre entreprise, qui doit conduire à une moindre dépendance des citoyens envers l'État fédéral. À l'inverse, les démocrates sont beaucoup plus interventionnistes et insistent sur l'importance d'une politique économique et sociale à l'initiative du pouvoir fédéral.

... et celui des États

Si le gouvernement fédéral exerce son autorité dans les affaires étrangères (défense et diplomatie), dans les échanges commerciaux internationaux et en partie dans la justice, chaque État dispose par ailleurs de son propre gouvernement, en charge de l'enseignement, de la politique sociale, des équipements, de la police et de la justice (ce qui explique que tous les États n'adoptent pas les mêmes réglementations, ni la même position face à la peine de mort). Un **gouverneur**, élu pour deux ou quatre ans, est désigné comme chef de l'**exécutif**, tandis que le **pouvoir législatif** est assuré par **deux assemblées**.

Le rattachement tardif du Sud-Ouest

À l'époque où la Constitution fut rédigée, le pays se composait uniquement des États de la côte Est. Certains n'ayant aucune frontière commune avec les terres de l'Ouest, il fut prévu, pour éviter tout conflit, que les nouveaux espaces conquis reviendraient à l'État fédéral. La Constitution précisait par ailleurs que tout territoire regroupant 60 000 habitants pourrait postuler pour rejoindre l'Union, et obtiendrait les mêmes droits et les mêmes devoirs que les autres. L'explosion démographique générée par la ruée vers l'or permit à la Californie de dépasser rapidement le seuil nécessaire. En 1850, elle fut ainsi le 31e État à entrer dans l'Union, précédant de plusieurs années tous les autres États du Sud-Ouest : le Nevada (1864), le Colorado (1876), l'Utah (1896), le Nouveau-Mexique et l'Arizona (1912).

Une démographie galopante

Les plus fortes croissances

Entre 1990 et 2000, l'ensemble des États-Unis a observé une augmentation sans précédent de sa population avec 32,7 millions de nouveaux habitants recensés. Les États de l'Ouest ont connu la plus forte poussée démographique de tout le pays, avec un **taux de croissance de 19,7 %**, devant ceux du Sud (à l'est du Texas), qui enregistrent un accroissement de 17,3 %. Parmi les cinq États affichant la plus forte croissance, quatre sont situés dans le Sud-Ouest : le Nevada (+ 66 %), l'Arizona (+ 40 %), le Colorado (+ 31 %) et l'Utah (+ 30 %).

Si l'on se réfère à l'augmentation du nombre d'habitants, la Californie arrive en tête avec + 4,1 millions, et l'Arizona en cinquième position avec 1,5 million. 80,3 % de la population américaine vivant dans des zones métropolitaines en 2000, il n'est pas étonnant de retrouver des villes du Sud-Ouest dans le palmarès des agglomérations qui enregistrent la croissance la plus rapide. Las Vegas arrive ainsi en première position avec + 83,3 % entre 1990 et 2000, et Phoenix occupe la huitième place avec + 45,3 %. Enfin, les grandes agglomérations de Los Angeles (2e) et de San Francisco (5e) comptent parmi les zones urbaines les plus peuplées des États-Unis.

La montée en puissance des Hispaniques

Avant de devenir américains, en 1848, les États du Sud-Ouest ont longtemps été colonisés par les Espagnols, puis rattachés au Mexique. Aujourd'hui encore, la proximité géographique du Mexique et de l'Amérique latine explique que le Nouveau-Mexique, la Californie et l'Arizona accueillent les communautés hispanophones les plus importantes du pays. Avec un total de 35,3 millions d'individus et une augmentation de 58 % en dix ans, la population hispanique dépasse maintenant la population noire (34,7 millions) et représente **la plus grande minorité** des États-Unis. Les statistiques tablent sur une croissance continue de cette communauté dans les années à venir, de sorte que l'on parle de « brunissement de l'Amérique ». Cela n'est pas sans inquiéter la frange conservatrice de la communauté blanche, car les Hispaniques, animés d'un esprit très communautaire, se soucient peu de la culture dominante et sont très attachés à leur langue et à leurs traditions, qu'ils continuent de pratiquer dans les quartiers où ils se regroupent.

Casse-tête racial

Lors du dernier recensement national, effectué en 2000, les questionnaires permettaient pour la première fois de signaler son appartenance à plus d'une race. Parmi le choix proposé : race blanche, « African American », asiatique, « American Indian », natif d'Alaska, natif des îles du Pacifique, natif d'Hawaii ou « toute autre race ». Environ 2 % de la population, soit 7 millions de personnes, a répondu à ce cas de figure, définissant ainsi pas moins de 63 combinaisons de races différentes, contre 5 seulement il y a 10 ans. Et les Hispaniques dans tout cela ? Ils sont, dans cette étude, comptabilisés avec les Blancs, mais la recherche était affinée et présentait un second tableau faisant apparaître les mentions « Hispanique ou Latino » et « non-Hispanique ou Latino », ce dernier groupe étant à son tour subdivisé selon les catégories énoncées plus haut.

Les communautés indiennes

Au nombre de 2,5 millions, les « Native Americans » vivent aujourd'hui en majeure partie à l'ouest du Mississippi, où, depuis le 19ᵉ s., le gouvernement américain leur a alloué des terres. La plupart des Indiens vivent toute ou partie de l'année dans ces quelque **300 réserves**, de tailles très inégales, et travaillent dans les villes. La majorité des terres appartient aux tribus, qui les administrent selon leurs propres lois, sauf prérogatives fédérales, mais les gouvernements tribaux restent très dépendants des fonds fédéraux. La majeure partie des Indiens du Sud-Ouest vit en Arizona (21 réserves) et au Nouveau-Mexique (25 réserves). La réserve la plus étendue du pays, celle des Navajos, s'étend sur 70 825 km², à cheval sur l'Arizona le Nouveau-Mexique et l'Utah, et accueille 219 000 personnes. À la différence des Indiens des Grandes Plaines, qui ont été chassés vers l'ouest, hors de leurs territoires historiques, les tribus d'Arizona et du Nouveau-Mexique possèdent encore une partie des terres qui étaient occupées par leurs ancêtres. Leurs cultures en sont d'autant mieux préservées et vivantes.

Le poids économique du Sud-Ouest

Le système capitaliste ultra-libéral qui régit les États-Unis découle en partie de l'esprit d'entreprise et de l'idée de liberté individuelle qui animèrent les pionniers de l'Ouest. La formidable « révolution industrielle » qui marqua la seconde moitié du 19ᵉ s. toucha principalement la Californie, les autres États de l'Ouest se consacrant surtout à l'élevage et à l'exploitation des sous-sols, mais le développement des loisirs et du tourisme représente pour tous une nouvelle source substantielle de revenus.

La question de l'eau

Les États du Sud-Ouest forment une région qui se distingue du reste du pays par une quasi unité géographique et climatique. Si chaque État présente des caractéristiques propres, ils font face à des défis semblables, comme l'épineuse question de l'eau, une ressource naturelle limitée qui commence à faire défaut dans ces contrées semi-désertiques. Pour irriguer les terres arides et subvenir aux besoins croissants de la population, de l'industrie, de l'agriculture et de l'élevage, des projets de mise en valeur ont été soutenus au cours du 20ᵉ s. par le gouvernement fédéral ou par les États. Les premiers grands **barrages** ont ainsi été édifiés en Arizona en 1911 (Roosevelt Dam) *(voir p. 414)* et au Nouveau-Mexique en 1916 (Elephant Butte Dam). D'autres chantiers, plus modestes, ont été mis en œuvre. Les plus importants sont situés sur le fleuve Colorado : près de Las Vegas, la construction du **Hoover Dam** commença en 1931 pour s'achever quatre ans plus tard *(voir p. 327)*, tandis qu'en amont du Grand Canyon le **Glen Canyon Dam** était terminé en 1963 *(voir p. 384)*. Aujourd'hui, la situation n'en demeure pas moins préoccupante. La surexploitation des nappes souterraines qui alimentent les États du Sud-Ouest fait que celles-ci tendent à s'épuiser rapidement et il est devenu nécessaire que chaque État, en charge de la gestion des ressources en eau, fixe des limites au pompage. Le fleuve Colorado lui-même, largement sollicité pour l'irrigation des cultures et l'approvisionnement en eau des villes du désert, pourrait un jour faire défaut.

La place de l'agriculture

Grâce à un climat favorable, d'importants efforts d'irrigation, une industrie très mécanisée et une main d'œuvre hispanique bon marché, la Californie s'est hissée au premier rang de la **production agricole** américaine. De vastes régions, comme la vallée Centrale ou la vallée de Salinas, se consacrent ainsi aux cultures maraîchères (choux, brocolis, artichauts, ail) et fruitières (abricots, fraises, nectarines, kiwis). La Californie assure par ailleurs plus de 90 % de la production de raisins aux États-Unis, et les vignobles des vallées de Sonoma et de Napa *(voir p. 192)* lui valent de figurer parmi les grands producteurs de vins mondiaux. Avec plus de 1 600 km de côte, la Californie occupe par ailleurs une place de choix dans le domaine de la **pêche**. Les autres États de du Sud-Ouest, s'ils sont moins tournés vers l'agriculture, se consacrent davantage à l'**élevage** du bétail.

Les richesses du sous-sol

Comme au temps des pionniers, l'exploitation des mines de **cuivre** et l'extraction du **charbon** occupent toujours une place prépondérante dans l'économie des États du Sud-Ouest (44 % de la production nationale), notamment en Utah, au Nouveau-Mexique et en Arizona. L'épuisement rapide de ces richesses non renouvelables et les cicatrices laissées par l'exploitation dans le paysage inquiètent les écologistes, dont les préoccupations commencent à être prises au sérieux. L'État fédéral joue en ce sens un rôle important, car la majeure partie des terres fédérales se trouve dans le Sud-Ouest. En 1996, Bill Clinton a ainsi créé le Great-Staircase-Escalante National Monument (Utah), soustrayant 6 879 km² de terrains à toute exploitation.

Paysage de la Napa Valley

La Californie, un État pionnier

Avec près de 34 millions d'habitants, la Californie est de loin l'État le plus peuplé et constitue un vrai pays à elle seule. Loin de constituer un handicap, son isolement géographique par rapport au reste du pays fut à l'origine de son rapide développement. Le coût rédhibitoire des importations motiva en effet les entreprises locales de tous secteurs. Aujourd'hui, grâce à une activité économique très diversifiée et à une position de leader dans des secteurs aussi variés que la production agricole, l'industrie et le tourisme, elle enregistre les meilleurs résultats économiques des États-Unis, avec 13 % du PIB total, et occupe la 7e place dans l'économie mondiale. Véritable laboratoire de l'innovation, la Californie reste pionnière dans bien des domaines. Qu'il s'agisse du développement de l'informatique et des industries de haute technologie ou de questions sociales (contestations étudiantes, mouvements syndicaux des dockers et des agriculteurs, revendications des communautés noires ou homosexuelles), la Californie a toujours été, et demeure, à la pointe du changement.

Le développement de l'industrie et des services

Durant la Seconde Guerre mondiale, les forces aériennes de l'armée américaine installèrent leurs principales bases d'entraînement dans les déserts du Sud-Ouest, tandis que la marine s'implantait en Californie, en particulier à San Diego. Dès lors, les **industries aéronautiques** et **navales** connurent un développement sans précédent dans la région et furent soutenues par le gouvernement fédéral pendant la Guerre froide. Par ailleurs, les **recherches nucléaires** débutèrent au Nouveau-Mexique dès 1942, et le premier essai atomique fut effectué en juillet 1945 près d'Alamogordo (voir p. 494). Quand les commandes militaires commencèrent à baisser, la Californie (Silicon Valley), mais aussi les régions d'Albuquerque, de Phoenix et de Tucson ont su se reconvertir dans les **industries de haute technologie**, dynamisées par les laboratoires de recherche de prestigieuses universités. Enfin, on ne peut manquer d'évoquer l'importance de l'**industrie cinématographique**, avec l'installation des grands studios de cinéma à Hollywood à partir des années 1920 (voir p. 82). Aujourd'hui, plus de la moitié des films américains sont produits en Californie et ce secteur constitue l'un des principaux employeurs du sud de la Californie.

Un pouvoir attractif indéniable

Si l'immigration en provenance du Mexique et des autres pays d'Amérique du Sud explique en partie l'importante croissance démographique des États du Sud-Ouest, il faut également prendre en compte les nombreux **retraités** qui, sûrs de trouver là un climat sec et chaud toute l'année, viennent y couler des jours heureux, comme à Sun City, la première communauté de retraités aménagée près de Phoenix. Des agglomérations dynamiques dotées de centres universitaires de renom, comme Phœnix ou Tucson (Arizona), attirent également de jeunes cadres, séduits par la **qualité de vie** et les possibilités de développement rapide. Les richesses naturelles exceptionnelles et les vestiges des civilisations passées qui sont préservés dans les nombreux parcs nationaux contribuent par ailleurs à faire connaître cette région du Sud-Ouest, qui mise beaucoup sur le **tourisme** et accueille chaque année toujours plus de visiteurs. Ce potentiel touristique est à l'origine d'un important développement de l'industrie hôtelière et de la restauration. L'exemple le plus frappant reste Las Vegas, dont la croissance a atteint + 83,3 % en dix ans.

L'ARCHITECTURE

L'architecture américaine est marquée par une contradiction : le souci de s'émanciper des modèles artistiques européens et la persistance, malgré tout, de l'influence coloniale. Point de rencontre de plusieurs civilisations, l'Ouest rassemble toutes ces influences, espagnole, indienne, anglo-saxonne, avec en plus une note exubérante et fantaisiste liée à l'atmosphère ambiante de liberté. L'absence de normes contraignantes, l'immensité de l'espace et la diversité des climats ont donné naissance à une palette infinie de styles, parfois assemblés au petit bonheur, mais dégageant souvent un charme très pittoresque.

Les courants de l'architecture

Un héritage éclectique

Jusqu'à la guerre de Sécession, l'architecture américaine n'avait encore aucune originalité et restait tributaire des modèles coloniaux, espagnol ou anglais. L'Ouest, en revanche, présentait une particularité, celle de la présence ancienne des Indiens sédentaires, organisés en villages, et dont l'architecture était caractéristique et aboutie. La colonisation successive par les Espagnols puis les Anglo-Américains est donc venue y greffer des styles radicalement différents.

Dans l'Ouest, c'est le **style espagnol** qui a d'abord prévalu, dans les **missions** et les **édifices militaires**, caractérisé par les murs lisses et sobres, les toits peu inclinés, les porches profonds bordés d'arcades. On y retrouve aussi l'influence du **style indien pueblo**, notamment l'usage de l'adobe (*voir plus loin*), les toits plats et les poutres aux saillies apparentes. Avec l'arrivée des Anglo-Américains, ils sont relayés par le **style anglais**, d'abord **géorgien**, avec son extrême symétrie, son dépouillement et son élégance, puis **victorien**, suivant les variations de plus en plus chargées et asymétriques. Le réel développement d'une architecture indépendante date de la seconde moitié du 19e s. Son originalité est double : l'apparition des gratte-ciel et les innovations de l'habitat individuel. Pourtant, les uns comme les autres garderont la trace des apports européens.

Édifices publics et religieux

En matière de monuments officiels ou religieux, l'architecture américaine puise largement dans le répertoire historique européen. Après de larges emprunts, au 18e s., à l'architecture anglaise géorgienne et palladienne (elle-même néo-classique), la déclaration de l'Indépendance amena une prise de distance par rapport à l'Europe, et en particulier l'Angleterre. C'est le président Jefferson (1801-1809), passionné d'architecture, qui imprima leur style aux édifices publics. Désireux de se distancier des Anglais, il s'inspira des républiques de l'Antiquité, grecque et romaine, pourtant très copiées à Londres... Très impressionné par la Maison carrée de Nîmes, en France, il importa aux États-Unis le modèle du **temple romain** et imposa un **style néo-classique** à base de colonnes, de frontons, de corniches et de rotondes (en fait assez proche de ce qui se fait aussi en Angleterre). Le 19e s. a confirmé ce retour des valeurs antiques, privilégiant le **modèle grec** (on parle de *greek revival*, Renaissance grecque). Banques, universités, cathédrales se mirent à ressembler au Parthénon (comme la Bank of California à San Francisco). De nombreux architectes se rapprochèrent à cette époque de l'École des beaux-arts de Paris, y étudièrent la Renaissance et l'héritage antique et ambitionnèrent de s'approprier ce patrimoine. Il en découla ce que l'on nomme le **style Beaux-Arts**, qui perdurera jusqu'après la Première Guerre mondiale. Tous les édifices officiels sont conçus selon ce modèle, le plus célèbre étant le Capitole à Washington, dont celui de Sacramento est inspiré. En Californie, le campus de Berkeley en est une bonne illustration, de même que le City Hall ou le Palace of Fine Arts de San Francisco, et le palais de justice de Los Angeles.

L'architecture religieuse et civile s'éloigne cependant de ce modèle pour se nourrir des grands monuments européens, inaugurant le **style néo-gothique** (Grace Cathedral de San Francisco) ou **néo-roman** (université de Stanford à Palo Alto, université de Californie à Los Angeles), deux styles qui se retrouveront ensuite dans les gratte-ciel.

L'architecture urbaine et le gratte-ciel

Les villes américaines ont toutes bénéficié d'un essor spectaculaire et rapide, accentué dans l'Ouest par la ruée vers l'or. Après des débuts désordonnés, on a vite rationalisé l'espace par des lotissements et un **plan en damier** caractéristique, avec des blocs réguliers et des rues à angle droit. Au centre des villes, le manque de place et la croissance économique débouchèrent très vite sur la nécessité de construire en hauteur. Le long de la côte pacifique, la menace des tremblements de terre a ralenti ce développement sans toutefois le stopper. Les gratte-ciel californiens n'atteignent pas les hauteurs de ceux de Chicago ou de New York, mais la recherche stylistique est tout aussi poussée.

La véritable histoire du gratte-ciel commença à Chicago, où la ville fut reconstruite dans les années 1870. Des architectes formés en France y testèrent la construction d'immeubles à **ossature métallique**, permettant des édifices plus élevés et plus d'ouvertures. Ils constituèrent ce que l'on nomme l'**école de Chicago**. Ces immeubles de plus en plus hauts comportaient à l'origine des façades recouvertes de brique, de pierre ou de céramique, et adoptaient tous les styles en vogue, Beaux-Arts, néo-roman (Mills Building à San Francisco) ou néo-gothique (Russ Building à San Francisco). Le décor se concentre sur les premiers et derniers niveaux.

Le **style Art déco**, en vogue après l'Exposition des arts décoratifs de Paris (1925), imprime un profond renouveau à l'architecture des deux décennies qui suivent (partie centrale du Los Angeles Times Building ou encore l'Eastern Columbia Building à Los Angeles). On renonce dès lors au répertoire classique pour adopter les **motifs végétaux** stylisés, les chevrons et **zigzags**, les **lignes parallèles** qui accentuent l'impression de hauteur et envahissent aussi la décoration intérieure. Pour éviter que les rues ne

Financial District, San Francisco

R. Mattes/MICHELIN

soient trop assombries, on construit des **immeubles à gradins**, dont les retraits successifs laissent passer la lumière, comme le Pacific Telephone Building à San Francisco. En Californie, le style Art déco est très populaire, surtout dans le Sud, pour les gratte-ciel autant que pour les cinémas et les théâtres, mais il n'atteint pas la splendide élégance du Chrysler Building de New York, symbole entre tous.

À partir du milieu des années 1930, sur les traces des Allemands exilés du Bauhaus, naît le **style international**, préfigurant la période moderne. On joue de la légèreté de l'ossature métallique et du verre pour réaliser des **murs-rideaux**, uniquement interrompus par des bandes de brique ou de céramique qui donnent le rythme vertical et l'impression de **transparence** et de légèreté. Le décor disparaît au profit de la **fonctionnalité** et de l'uniformisation. Ce style va déterminer un grand nombre de très hauts gratte-ciel des décennies suivant la Seconde Guerre mondiale, comme la Bank of America de San Francisco.

Dans le même temps, d'autres courants refusent les contraintes de la rationalisation prônée par le style international. On parle d'**architecture organique**, représentée dans l'Ouest par **Frank Lloyd Wright** (il a dessiné le Guggenheim Museum de New York) et **Bernard Maybeck** (First Church of Christ Scientist à Berkeley). Les **lignes courbes**, les décrochements, voire les **formes symboliques** et les volumes originaux (cônes tronqués, pyramides, cubes évidés) viennent rompre l'uniformité et évoquent les formes de la nature.

Par réaction, le **style post-moderne** rejette à la fois le minimalisme et l'asymétrie pour privilégier un **retour à la symétrie** et à la surcharge, voire à l'ostentation ou au **maniérisme**, avec corniches ou colonnes, comme à la grande époque du néo-classique. Plus récemment, des courants très éclectiques agitent les milieux des architectes (voir le J. Paul Getty Center à Los Angeles). **Frank Gehry**, le célèbre créateur du Guggenheim de Bilbao, est installé à Los Angeles et a construit le Chiat-Day-Mojo Building à Venice.

Enfin, il faut noter que, pour les villes de moyenne importance ou à forte identité, urbanistes et architectes s'accordent à privilégier un **style régionaliste** marqué et des édifices de hauteur limitée, comme c'est le cas à Santa Fe avec le **style pueblo** (Santa Fe Museum of Fine Arts) ou à Santa Barbara avec l'**architecture hispanique** (Santa Barbara County Court House).

Architecture et habitat

En matière d'habitat individuel, la variété est beaucoup plus grande. La terre et le bois, deux matériaux présents en abondance, sont à la base de presque tout l'habitat de l'Ouest américain. Du premier on fit l'adobe et le second permit à des villes entières de surgir très vite du néant. Un ingénieux système de charpente semi-pré-fabriquée, sur laquelle on montait très vite de larges panneaux en bois, servait de base à des maisons de styles très divers : seules les finitions faisaient la différence, genre tantôt Nouvelle-Angleterre, tantôt victorien, tantôt danois…

Au commencement était le pueblo…

Les premières habitations étaient celles des Indiens pueblos sédentaires. Leurs villages sont construits en **adobe**, de la terre crue séchée au soleil, et composés de maisons originales, parfois nichées au creux des falaises. L'unité de base est une pièce de forme cubique, sans porte, à laquelle on accède par le toit au moyen d'une échelle. Ce dernier, soutenu par des poutres aux extrémités saillantes *(vigas)*, est plat et porte les pièces de l'étage suivant. Lorsque les premiers colons espagnols arrivèrent en terre indienne, ils retinrent les matériaux et la forme générale des maisons, mais y ajoutèrent des détails issus de leur propre culture (crépi peint, porches ombragés, portes et fenêtres en bois ouvragé, couverture de tuiles pour les toits). C'est ainsi que les premières missions ont été fondées au cœur des *pueblos* (Acoma Pueblo, Ranchos de Taos).

Maisons en terre crue

L'adobe est un matériau de construction obtenu en fabriquant des briques à partir de terre crue, de paille et d'eau, que l'on mélange jusqu'à obtention d'une pâte épaisse. Celle-ci est ensuite versée dans des moules en bois sommaires et laissée à sécher un ou deux jours. Les briques crues sont démoulées, séchées plus longuement au soleil et utilisées au moins un mois plus tard. Après la construction, un crépi extérieur à la chaux régulièrement entretenu protège la structure des intempéries.

À partir du début du 20ᵉ s., notamment sous l'influence des nombreux artistes qui fréquentaient le Nouveau-Mexique, les urbanistes décidèrent de revenir à ce style ancestral (Santa Fe, Taos...) et les maisons contemporaines, tout en utilisant les techniques actuelles, ressemblent fort à celles d'il y a trois siècles.

L'architecture navajo est extrêmement rudimentaire, puisque les Navajos étaient des nomades. Après leur sédentarisation, ils ont commencé à construire les **hogans**, des huttes coniques en branches couvertes de terre, puis hexagonales ou octogonales. L'ouverture était toujours orientée vers l'est. Même s'ils sont devenus rares, on en trouve encore à proximité des maisons : ils servent d'annexe. Le modèle du *hogan* a été repris pour l'architecture du bâtiment administratif du Navajo Community College, dans la réserve de la tribu.

Le style colonial

Les premiers Mexicains utilisaient l'adobe pour construire leurs maisons, qui comprenaient un porche, une cour intérieure et un simple toit presque plat, recouvert de goudron. Initialement, ces habitations étaient longues et basses, de plain-pied. Avec l'arrivée progressive des Anglais, on construisit de plus en plus de **maisons à étage**, toujours en adobe, mais avec balcon couvert formant véranda. Ce style mixte est visible à Monterey (maison Larkin) ou à Albuquerque (Old Town). Plus la colonisation se diversifia, plus les matériaux varièrent. Le **bois** prit peu à peu la place de l'adobe, car il se prêtait à des constructions rapides et faisait partie du patrimoine des Anglo-Américains, de plus en plus nombreux après la ruée vers l'or. La **tôle** s'ajouta aux matériaux traditionnels pour la même raison. Du côté des styles, les nouveaux venus importèrent

Le style territorial

Lorsque les maisons mexicaines rencontrent la pompe du style néo-classique, cela donne un curieux mariage appelé « style territorial ». Les Territoires étaient ces immenses terres conquises sur les Mexicains, mais qui n'avaient pas encore accédé au statut d'État (Nouveau-Mexique, Arizona...). Les colons connaissaient la vogue urbaine du « greek revival », avec ses colonnades et ses frises. Le corps de la maison reste le même, long et bas, mais les encadrements des fenêtres et des portes se décorent de frises ou de modestes corniches, tandis que le porche repose sur des colonnes en bois.

ce qu'ils avaient vu chez eux, tout en l'adaptant aux maisons encore modestes de l'Ouest. Dans le sud de la Californie, le style espagnol fit un grand retour à partir du début du 20ᵉ s., avec ses arcades, ses profonds préaux, ses céramiques décorées et ses stucs (Santa Barbara, San Diego).

Les folies victoriennes

Quand les villes devinrent plus sûres et mieux organisées, on abandonna progressivement les sommaires maisons en bois des pionniers pour adopter les styles européens, plus sophistiqués. Durant la seconde moitié du 19ᵉ s., tous les styles anglais se succédèrent, le plus populaire étant le style victorien. En fait, il s'agissait plutôt d'une interprétation de ce qui se faisait en Angleterre, tant les variations pouvaient être diverses et excentriques. Les maisons sont construites en **bois** suivant un plan standard, imposé par les lotissements étroits et profonds des villes. De la largeur d'une pièce, elles s'étirent vers l'arrière le long d'un couloir qui dessert toutes les pièces. Les chambres sont à l'étage, et les communs en sous-sol ou à l'arrière. Des dizaines d'habitations, presque identiques, sont ainsi alignées le long des rues, comme à San Francisco, dans les quartiers de Haight-Ashbury ou à Alamo Square. Parmi les variétés de styles, on distingue le **style italianisant** (ainsi appelé en raison des éléments rappelant la Renaissance italienne, corniches, frontons…), le **style Eastlake** (du nom d'un concepteur de meubles), avec ses fenêtres rectangulaires et ses finitions en bois très ouvragé, et le **style Queen Anne**, nettement asymétrique, avec souvent une façade-pignon, des tourelles et des toits très pointus (Haas-Lilienthal House à San Francisco).

La charpente à ballon
Mise au point à Chicago vers 1830, cette technique préfigure l'arrivée du préfabriqué. Une charpente légère en planches, clouées entre elles, sert d'armature à la maison en suivant un catalogue de plans standard. Seuls les piliers de soutien sont en brique. On termine ensuite la maison avec de larges panneaux en bois, recouverts de crépi, bardeaux ou frisette… De cette façon, on peut construire très vite des maisons dont l'originalité tient à leurs finitions (fenêtres, corniches, portes, couleurs). Toutes sortes de styles ont survécu grâce à ce système, depuis la maison en planches des pionniers jusqu'aux bungalows couverts de bardeaux. Même les jolies maisons victoriennes sont assemblées suivant ce principe.

De l'« Arts and Crafts » au rêve californien
En réaction à l'uniformisation pseudo-victorienne des villes et à l'industrialisation de la construction, le mouvement *Arts and Crafts* naquit en Angleterre au début du 20e s. Rejetant les principes de la fabrication de masse, il marque un retour aux valeurs de l'**artisanat d'art** et à la communion avec le milieu naturel. La maison doit être simple, harmonieuse, et se fondre dans son environnement. Tout est soigné jusque dans le moindre détail, à l'extérieur, comme à l'intérieur. Le design est sobre et fonctionnel, tout doit être utile et durable. On prône les décors végétaux, la céramique artisanale, le travail minutieux du bois, la peinture au pochoir… C'est le règne du **bungalow** tout simple, avec son porche ouvrant sur le jardin et ses fenêtres dans le toit. En Californie, les architectes les plus connus sont les **frères Greene** (maisons à Pasadena) et **Bernard Maybeck**. Le bungalow californien deviendra d'ailleurs presque un style à lui tout seul.

La Californie est aussi la terre du rêve et de toutes les folies, en matière d'architecture comme du reste. Que ce soit autour de la baie de San Francisco (Bay Area Tradition), le long de la côte nord ou en descendant vers le sud, l'abondance du **bois de séquoia**, la clémence du climat et le relief accidenté ont donné naissance à des maisons d'architecte audacieuses et complètement intégrées dans la nature : multiples niveaux, terrasses, décrochements, énergies renouvelables, larges baies…

Architecture et habitat

Le pueblo indien

Le style pionnier

Le style territorial

H. Choimet/MICHELIN

Le style néo-mexicain

Le style italianisant

Le style Queen Anne

Les Américains

Hollywood,
entre mythe
et réalité

L'ORIGINE DES POPULATIONS

Occupés depuis la préhistoire par les ancêtres des Indiens, des peuplades venues d'Asie par le détroit de Béring (mongoloïdes) et peut-être d'Europe continentale par la banquise (caucasoïdes), les vastes territoires du continent nord-américain ont fait l'objet de toutes les convoitises à partir du 16ᵉ s., attirant des vagues successives d'immigrants d'origines très diverses, à l'origine d'une société composite et colorée.

L'extermination des Indiens

Un recul inexorable

Lorsque les premiers européens débarquèrent en Amérique, ils ne trouvèrent pas une terre inhabitée. Le continent nord-américain comptait alors une population de plus d'une dizaine de millions d'individus, répartis en plus de 400 groupes linguistiques distincts, recouvrant un millier de dialectes. Chasseurs ou agriculteurs, ils vivaient en harmonie avec le **milieu naturel**, ne puisant dans les ressources que le strict nécessaire à leur survie. Les tribus se rencontraient régulièrement pour le **troc**. Malgré les divergences de croyance et les raids des bandes nomades sur les villages sédentaires, chacun acceptait et respectait la culture de ses voisins. L'arrivée des Occidentaux modifia profondément la situation : déséquilibre des ressources naturelles, disparition des bisons, raréfaction de certaines plantes, apparition de maladies auxquelles les Indiens ne résistèrent pas... Les nouveaux venus imposèrent leurs propres systèmes religieux, culturel et social, introduisirent la notion de propriété de la terre, inconnue des Indiens. Tout cela ne fit que souligner l'**inadaptation** des autochtones au nouveau monde qui se construisait. Déroutés par les méthodes de négociation des Blancs, dépossédés de leurs terrains de chasse et de cueillette, ils cherchèrent à résister, sans succès : les guerres indiennes les laissèrent affaiblis, le gouvernement les confina peu à peu dans les réserves de l'Ouest, et on s'attacha systématiquement à éradiquer toute trace de la culture ancestrale.

Vers un lent renouveau

Les 2,4 millions d'Indiens ne représentent aujourd'hui que 0,9 % de la population totale des États-Unis (au Nouveau-Mexique, la proportion est de 9,5 %). Malgré les progrès, leur espérance de vie moyenne ne dépasse pas 50 ans. Environ la moitié d'entre eux vivent dans des **réserves**, principalement à l'ouest du Mississipi. Ces réserves sont gouvernées de façon indépendante par les autorités tribales, possèdent leur police et tentent de créer leur propre économie, basée sur le tourisme (création de parcs, de complexes hôteliers, de services), les jeux (les réserves sont autorisées à ouvrir des casinos) et les ressources minières. Malheureusement, le **chômage** (flirtant souvent avec les 50 %), le niveau insuffisant de l'éducation, l'alcoolisme et la drogue maintiennent beaucoup de villages dans un état de **dénuement** proche de la misère, avec son cortège de suicides, de frustrations et de violences.

Pourtant, le **renouveau des traditions** parmi les nouvelles générations et l'échec de leur intégration dans les villes sont à l'origine d'un retour des jeunes vers les réserves. La rénovation du système scolaire pour les enfants indiens, la promotion de l'**art** et de la **littérature** et la mode de la «culture indienne» (malgré ses dérives factices ou pseudo-ésotériques) ont contribué à la renaissance du patrimoine autochtone et à une approche plus respectueuse des **rites** et de la philosophie de vie des Indiens. Des cérémonies traditionnelles ont encore lieu, et chaque année de grands rassemblements intertribus, les **pow-wows**, leur permettent d'exhiber leurs costumes et de présenter leurs danses.

P. Frilet/HEMISPHERES

Une jeune indienne pueblo

Les tribus indiennes

Les Navajos – Avec quelque 220 000 membres, ils constituent aujourd'hui la tribu la plus nombreuse du Sud-Ouest américain et la deuxième d'Amérique du Nord après les Cherokees. Ils se désignent eux-mêmes par le nom de *Dineh* ou *Diné*, qui veut dire « le peuple », et nomment leur pays le *Dinetath*, tout en revendiquant le terme de Navajo Nation. Leur langue appartient au groupe des langues athapascans (le plus répandu parmi les Indiens). Jadis, les Navajos se livraient à de fréquents raids sur les Indiens pueblos, mais avec le temps leurs méthodes d'agriculture ou d'artisanat (tissage, poterie ou bijoux) se sont mêlées et influencées. Les **chants** occupent une place importante dans leur culture, non seulement pour transmettre les mythes et les traditions, mais aussi lors des cérémonies, notamment les **rites de guérison**, où ils exécutent des **peintures de sable** (*sand paintings*) chargées de symboles sacrés. Ils bénéficient aujourd'hui de la plus vaste réserve des États-Unis, sur le plateau du Colorado, à cheval sur la frontière du Nouveau-Mexique, de l'Arizona et de l'Utah (environ 160 000 Navajos y vivent), mais les jeunes partent en masse vers les villes pour échapper à l'inactivité et souffrent souvent de déracinement.

Les Apaches – Ils composent l'autre grande tribu nomade du Sud-Ouest, avec 50 000 personnes réparties entre le Nouveau-Mexique, l'Arizona et le sud-ouest de l'Oklahoma. Ne connaissant pas une organisation tribale centralisée, ils se déplaçaient plutôt en bandes, et leurs chefs les plus célèbres furent Cochise et Geronimo. Comme les Navajos, ils parlent une langue athapascan. Leur organisation sociale repose largement sur les lignées féminines, qui se chargent de l'administration des familles. Ils célèbrent le **rite de la puberté** chez les filles (on accorde un grand pouvoir aux jeunes filles pubères), une cérémonie inspirée par l'un des mythes fondateurs, celui de *Changing Woman* (« Femme Changeante ») ou *White Painted Woman* (« Femme Peinte en Blanc »), déesse majeure du panthéon apache. Leurs **chamans** sont très réputés, de même que leurs rites de guérison.

Les Pueblos – Les descendants des anciens Anasazis sont environ 53 000, dispersés dans leurs réserves du Nouveau-Mexique (62 %) et d'Arizona (17 %). Habitant des *pueblos* structurés depuis le 9ᵉ s., ils sont les plus religieux des Indiens du Sud-Ouest (les villages ont été évangélisés très tôt par les missionnaires catholiques). Ce sont les Espagnols qui les ont surnommés Pueblos en raison de leur culture sédentaire. Leur rite le plus spectaculaire est la **Corn Dance** (danse du Maïs), mais ils sont tout aussi célèbres pour leurs danses animales, du Cerf, de l'Ours ou de l'Aigle. Les villages, composés de maisons à étages réalisées en terre crue (adobe), sont séparés en deux, le **peuple de l'Hiver** et le **peuple de l'Été**, qui administrent la communauté chacun leur tour. Les Pueblos sont particulièrement appréciés pour leur vannerie, leur poterie et leurs bijoux. Parmi eux, les **Zunis** occupent une place à part, en raison de la complexité de leurs rites et de leur artisanat particulier (fétiches de pierre, *kachinas*, bijoux opulents et très élaborés…).

Le rite de la puberté

Après leur première menstruation, les jeunes filles apaches doivent se livrer à un rite long et éprouvant, que la tribu tient de « Femme Peinte en Blanc » (White Painted Woman), l'une des déesses fondatrices. Les Apaches croient que la jeune fille pubère est douée de pouvoirs de guérison spéciaux. Durant quatre jours, elle se tient dans un tipi construit spécialement pour l'occasion, son corps est enduit de blanc, ses vêtements peints en jaune comme le pollen sacré du maïs, et elle ne doit ni se laver ni sourire. Elle regarde en permanence vers l'est, d'où est arrivée « Femme Peinte en Blanc », et doit accueillir quiconque demande ses soins. Le chaman qui la soutient se livre à des chants sacrés, tandis que chaque soir on exécute la danse des Esprits de la Montagne. La fête s'achève au bout des quatre jours, mais la jeune fille doit attendre neuf jours pour se laver et être acceptée comme une femme à marier.

Une plante vénérée

Le maïs (corn), base de leur alimentation, est une plante vénérée par la plupart des tribus du Sud-Ouest. Sa culture exige des trésors d'ingéniosité et de soins dans ces climats arides et témoigne de l'harmonie de l'homme avec la Nature et les éléments. C'est sans doute pour cette raison qu'il est l'un des symboles sacrés les plus forts. Le pollen sert d'offrande lors des cérémonies, où il représente le renouveau de la vie et le cycle de la nature. Sa couleur jaune évoquant celle du soleil figure la force de vie. L'une des divinités les plus respectées des Pueblos est Corn Mother, assimilée à la Terre Mère.

Les Hopis – Formant une tribu très pacifique du nord-est de l'Arizona, les 11 200 Hopis sont encerclés par les Navajos avec lesquels ils entretiennent un âpre conflit de territoire. Proches de la culture pueblo à laquelle on les rattache souvent, ils parlent une langue shoshone et sont longtemps restés isolés des autres tribus. Cette **société matriarcale** tire son originalité de ses rites complexes impliquant les **kachinas**, figurines sculptées et habillées, symbolisant les différents esprits des plantes, des animaux ou des forces de la nature. Leur danse la plus typique est la **Snake Dance** (danse du Serpent), mais ils se livrent aussi à de pittoresques danses des Kachinas et à la **cérémonie des flûtes** sensée amener la pluie. Leurs maisons en terre crue sont proches de celles des Pueblos.

Les Shoshones – Ils occupent une grande partie du Grand Bassin, les zones centrales du Nevada, l'ouest de l'Utah, le sud-est de la Californie (Death Valley) et l'ouest du Texas (tribus comanches). Les heurts avec les hommes blancs vinrent surtout de l'arrivée massive des mormons en Utah, puis des chercheurs de minerais. Nomades, les Shoshones vivaient à l'origine de la **cueillette** et de la **chasse au bison** et habitaient des huttes sommaires, les *wickiups*. Aujourd'hui, comme les autres Indiens, ces tribus vivent dans de modestes maisons, le plus souvent préfabriquées, assemblées en villages pauvres. Ils parlent la langue numic, regroupant plusieurs dialectes et tribus. Parmi ces autres tribus, les **Paiutes** (environ 11 000) évoluent entre les Rocheuses, la Sierra Nevada et le plateau du Colorado. Les **Utes** (moins de 10 000), qui parlent aussi une langue numic, ont valu son nom à l'Utah. Ils se déplaçaient en bandes de chasseurs peu organisées et se livraient à des raids sur les tribus voisines. Aujourd'hui rassemblés dans des réserves de l'ouest du Colorado (notamment près de Mesa Verde) et du sud de l'Utah, Les Utes célèbrent toujours les impressionnantes **Bear Dance** (danse de l'Ours) et **Sun Dance** (danse du Soleil).

Les Indiens de Californie

Ils sont très peu nombreux, ayant été anéantis par l'immigration massive des Européens et dépossédés de leurs traditions. Ne vous attendez pas à découvrir des *pueblos* pittoresques, car ils vivent le plus souvent dans des villages poussiéreux et sans charme.

Le temps des « cow-boys » n'est pas révolu

Les Chumashs – Cette tribu de la côte centrale se distinguait par ses barques fabriquées en planches, alors que les autres évidaient des troncs ou tendaient des peaux sur une ossature en bois. Principalement regroupés autour de Santa Barbara, ils ont presque disparu après la colonisation. Sédentaires, ils se sont facilement enrôlés dans les missions, y perdant toute leur identité. Les quelques survivants vivent du tourisme, et surtout des bénéfices de leur casino, dans la réserve de Santa Ynez.

Les Miwoks – Ils vivaient le long de la côte, au nord de San Francisco, et au bord des rivières Sacramento et San Joaquin, sur le flanc ouest de la Sierra Nevada. Décimés après l'arrivée massive des chercheurs d'or, ils occupent encore quelques petites réserves où ils se sont mélangés avec d'autres tribus voisines. Parmi les traditions qu'ils ont gardées, on retient le travail des **perles** et la **vannerie**.

Les communautés d'immigrants

Explorateurs et missionnaires **espagnols** venus du sud par le Mexique, trappeurs ou colons **anglais, français, allemands** cherchant dans l'Ouest la fortune qu'ils n'avaient pas trouvée sur la côte Est, travailleurs **chinois** fuyant les incertitudes de leur pays, esclaves **noirs affranchis** constituèrent au fil du temps une mosaïque d'immigrants d'une incroyable diversité, remplaçant les tribus indiennes peu à peu décimées et mises à l'écart (au Nouveau-Mexique et en Arizona, les Indiens n'obtinrent le droit de vote qu'en 1948). Toutes ces communautés se mélangent très peu. Bien au contraire, elles se replient le plus souvent sur elles-mêmes et vivent en quartiers clairement délimités qui deviennent parfois de véritable ghettos.

Bien que les communautés blanches américaines restent majoritaires dans l'ensemble de l'Ouest, les **disparités** sont grandes entre les régions, la Californie du Sud et le Nouveau-Mexique étant composés pour plus de la moitié de populations dites minoritaires (Latinos, Noirs, Indiens et Asiatiques). Cette bascule ne peut que s'accélérer, puisque 95 % de la croissance démographique est aujourd'hui le fait de ces minorités (immigration et taux de fécondité élevé).

Les Anglo-Américains – Les premiers immigrants étaient d'origine anglo-saxonne (Anglais, Écossais et Irlandais) et sont devenus américains à la déclaration de l'Indépendance. Ils ont rapidement été suivis par d'autres Européens, moins nombreux, Français, Irlandais, Allemands, Scandinaves, fuyant la pauvreté de leur pays d'origine, la persécution religieuse ou politique. Tous sont arrivés progressivement dans l'Ouest, venant de l'est avec les caravanes de pionniers pour posséder enfin des terres ou chercher de l'or. Leur premier but était de faire fortune. Entreprenants, ils ont souvent posé les fondements de l'économie locale. Sûrs d'eux et conquérants, ils ont aussi imposé leurs idées, religieuses ou sociales, et pris les rênes du pouvoir politique. Ils constituent la frange la plus riche de la société américaine, même si la pauvreté les touche de plus en plus. Ils sont les plus nombreux (75 %), malgré des disparités selon les États. Ils rassemblent toute la diversité héritée de l'Europe, tant sur les plans religieux et culturels que dans le domaine politique. Dans l'Ouest américain, leur proportion est en constante diminution.

Les Latinos – Ils viennent principalement du Mexique (il sont alors appelés Chicanos) et constituent la plus importante des populations dites minoritaires du Sud-Ouest américain (plus de 40 % au Nouveau-Mexique, 32 % en Californie, 23 % en Arizona), voire la première communauté par endroits. À Los Angeles, ils ont en effet dépassé la communauté anglo-américaine (46,5 % contre 29,7 %). Leur immigration est la plus ancienne et remonte au temps de l'occupation espagnole et de la christianisation. Elle s'est toutefois accentuée avec l'industrialisation des États-Unis et l'appauvrissement du Mexique. L'immigration clandestine est un tel problème dans la région frontalière avec le Mexique que des murs et des barbelés ont été érigés par endroit (Tijuana, El Paso…), bien que cela demeure souvent sans effet. Ces immigrés forment une communauté profondément catholique, d'origine pauvre et rurale, peu éduquée (moins de 8 % suivent des études au-delà du niveau bac) et très attachée à sa langue et à ses traditions. Dans les quartiers latinos et les grandes exploitations agricoles, il est d'ailleurs rare d'entendre parler anglais... Ils continuent de célébrer les fêtes populaires de leur pays d'origine.

Les Noirs – « Importés » de force depuis l'Afrique, ils sont arrivés comme esclaves dans les plantations de coton des États du Sud. Malgré la guerre de Sécession, l'abolition de l'esclavage et le droit de vote théorique à partir de 1870, ils firent l'objet d'une ségrégation sans pitié et rejoignirent progressivement les grandes villes industrialisées. Dans l'Ouest, ils sont surtout regroupés à Los Angeles (14 % de la population et un premier maire noir en 1973) et ont représenté jusqu'à près de 40 % de la population d'Oakland. Pourtant, leur intégration se fait mal et beaucoup vivent en dessous du seuil de pauvreté, isolés de la société dans des ghettos où la violence flambe. En moyenne et à qualifications égales, le salaire d'un Noir ne s'élève qu'à 60 % de celui d'un Blanc. En 1992, Los Angeles fut le théâtre de violentes émeutes raciales après l'acquittement de quatre policiers blancs qui avaient frappé un Noir. Bien que ne représentant que 12,1 % de la population des États-Unis, les Noirs forment près de 45 % de la population carcérale, en raison certes de la délinquance, mais aussi du coût prohibitif d'une défense juridique efficace. Comme dans la plupart des communautés pauvres, les mouvements religieux trouvent chez les Noirs un terrain favorable, notamment les sectes d'origine chrétienne ou l'islam, sur les traces du célèbre Malcolm X, délinquant converti en prison. Le terrain politique et revendicatif est occupé par des associations non-violentes, à l'image du mouvement de Martin Luther King, ou révolutionnaires, dont le symbole est resté le mouvement des Black Panthers, fondé à Oakland par des militants d'extrême gauche.

Les Asiatiques – Les **Chinois** constituent une communauté très originale. Ils se sont surtout installés en Californie (plus de 12 % de la population) et dans les villes où passait le chemin de fer, à la construction duquel ils ont beaucoup contribué. Très attachés à leur culture et à leurs traditions, ils se regroupent en quartiers très typés, les *Chinatowns*, où l'architecture, les temples, la langue et les boutiques restituent l'ambiance des villes asiatiques. Le respect des valeurs familiales et de la solidarité entre générations et un solide sens du commerce leur fournissent une protection contre l'extrême pauvreté. Les **Japonais** ont quant à eux formé dès le 19e s. une communauté très dynamique, mais souvent en butte au racisme. Après l'attaque de Pearl Harbour par le Japon, durant la Seconde Guerre mondiale, tous les Japonais des États-Unis, même ceux qui avaient pris la nationalité américaine, ont été internés dans des camps, ce qui a considérablement freiné leur intégration, quand ils furent libérés après la guerre.

Un Chinois de San Francisco

Ch. Legrand/MICHELIN

UNE SOCIÉTÉ RELIGIEUSE

L'une des originalités de la société américaine est sa religiosité intense (plus de la moitié des Américains pratiquent une religion contre 15 % des Français). Cette réalité couvre une immense diversité, mélange des croyances des Églises traditionnelles et d'une multitude de sectes. La religion est une affaire très émotionnelle pour les Américains : elle fait partie de la vie et de la morale quotidiennes, même si la violence ambiante et le matérialisme effréné posent un étrange paradoxe. Dieu est partout, à commencer par le célèbre *God Bless America*. Il suffit d'écouter les discours présidentiels, de quelque bord que ce soit, pour mesurer la place de la foi et des bons sentiments. Après chaque événement majeur (comme les attentats du 11 septembre 2001), on s'adonne à la prière collective et on remet à Dieu ses problèmes.

L'héritage des grandes religions...

Le protestantisme

Introduits par les premiers immigrants anglo-saxons qui fuyaient les persécutions, le protestantisme et les églises dérivées forment la première grande famille religieuse (55 %), celle qui a le plus conditionné les fondements de la société américaine. Venus d'Angleterre et de Hollande au 17e s., les célèbres *Pilgrim Fathers* (Pères pèlerins) du *Mayflower* étaient des **puritains**, issus en général de familles bourgeoises aisées. Cette branche réformatrice et rigoriste du protestantisme faisait partie de l'Église presbytérienne, qui prône des paroisses autonomes plutôt qu'un clergé nommé par un pouvoir central. Lorsqu'ils arrivèrent en Amérique, ils la considérèrent comme leur Terre promise, leur «Nouvelle Jérusalem». Ils pensaient être le peuple élu de Dieu, en opposition avec les Indiens, qui étaient eux une race maudite, vouée au culte de Satan. Pour les puritains de l'époque, l'Église est au centre de la vie sociale, ses règles font office de loi civile et une **morale stricte** est le fondement de la société. Le **travail acharné** est une vertu, et le **succès économique** la preuve du soutien divin (si l'on échoue, c'est qu'on l'a mérité). Cette conception explique toute l'évolution des mentalités, notamment l'importance attachée à la réussite matérielle et aux valeurs morales (même si on se contente hypocritement des apparences).

Un prêcheur de rue à San Francisco

Ch. Legrand/MICHELIN

Parmi les autres sectes protestantes très répandues, et dont l'essor est caractéristique de la vie religieuse américaine, les plus nombreux sont les **baptistes**, pour qui le baptême par immersion, réservé aux adultes, suit une profession de foi ostentatoire : parmi les baptistes célèbres, les présidents Carter et Clinton, mais aussi Martin Luther King, Rockefeller ou Britney Spears... Les **adventistes** attendent quant à eux le retour du Christ et font plus de prosélytisme, tandis que les **pentecôtistes**, apparus au début du 20e s., disent avoir reçu le « baptême de l'Esprit saint » qui leur permet de « parler en langues » (en référence à l'Évangile, don miraculeux qui permet de parler une langue que l'on ignore) ou de guérir miraculeusement.

De nombreux groupuscules prônent par ailleurs un retour strict aux valeurs fondatrices de rigueur et de sobriété. Lorsqu'ils sont extrêmes, ces préceptes concernent surtout la **frange conservatrice** de la communauté blanche (surnommée WASP, pour White Anglo-Saxon Protestant), qui se voit comme l'élite de la nation, mais ils continuent d'influencer une large portion de la population (intolérance des styles de vie différents et mépris de l'échec social).

Le catholicisme

Beaucoup moins nombreux (25 %) que les protestants, les immigrés de religion catholique (il s'agissait à l'origine surtout d'Irlandais) cherchaient avant tout à échapper à la misère et venaient de milieux défavorisés et pauvres. La sauvegarde de leur foi et de leurs valeurs n'était pas en cause : ils se battaient pour leur survie et pour faire fortune en Amérique. Les protestants les ont longtemps regardés de haut, les assimilant aux classes sociales inférieures. Dans le Sud-Ouest américain, en revanche, le catholicisme est plus ancien, hérité de la conquête espagnole et des Mexicains, et il s'est donc surtout enrichi des fêtes hispaniques. Le **culte de la Vierge et des saints** y est primordial, prenant nettement le pas sur celui du Christ. En règle générale, le catholicisme américain diffère de celui de l'Europe par sa plus grande **implication sociale**, **caritative** et **politique**, en partie à cause de l'influence du protestantisme. Dans les communautés noires, il se rapproche du pentecôtisme et de ses offices exubérants et spectaculaires. Chez les Indiens, notamment les Pueblos, le culte des saints est toujours associé à des rites ancestraux et à des danses sacrées.

Les religions asiatiques

Les communautés asiatiques sont restées profondément attachées à leurs croyances. **Bouddhistes** ou **taoïstes**, les Chinois sont les plus fidèles aux traditions ancestrales. Malgré l'engouement des Occidentaux pour les religions orientales, ils ont su rester à l'écart des dérives sectaires et des courants ésotériques. Le respect des anciens et des valeurs familiales, ainsi que la solidarité entre les générations forment le ciment de ces communautés qui célèbrent toutes les fêtes traditionnelles.

Le cas mormon

Bien que ne se réclamant d'aucune des grandes Églises, les mormons sont indissociables de la conquête de l'Ouest et donnent un exemple original de la façon dont de nouvelles religions ou sectes ont pu apparaître et se développer à la faveur de la colonisation. Fondée à New York en 1830, l'**Église des Saints des Derniers Jours** s'appuie sur une « révélation » de Dieu à un certain Joseph Smith. Le Livre des Mormons qui en résulta définit les croyances du groupe. Convaincus d'être les pionniers du royaume divin sur terre, et en particulier aux États-Unis, les mormons devaient être des **missionnaires** et répandre leur croyance par des prédications. Accessoirement, ils étaient aussi **polygames** (prétendant à cet égard s'inspirer de l'Ancien Testament), ce qui leur valut bien des oppositions au cœur d'une société protestante par ailleurs très « moralement correcte » ! Faute d'un public réceptif, fuyant la société « impie » de la côte Est, les **pionniers** mormons prirent donc la route de l'Ouest, déterminés à y installer le Royaume de Dieu. C'est au bord du Grand Lac Salé, au nord de l'Utah, qu'ils s'établirent d'abord, jetant les fondations de ce qui deviendra Salt Lake City, qui demeure encore aujourd'hui leur capitale mondiale. De là, ils partirent coloniser efficacement les déserts environnants, où fleurirent les noms bibliques (Zion, Moab, Ephraïm…) et où ils imposèrent leurs valeurs morales intransigeantes et leur sens de la famille. Outre la propagation de leurs croyances, ils s'attachent à réussir matériellement et forment l'une des communautés les plus riches de l'Ouest. L'Utah est devenu leur État (70 % des habitants, dont plus de 50 % sont très actifs), tandis que, dans le reste du Sud-Ouest, les communautés de Los Angeles et d'Oakland (Californie) ou de Mesa (Arizona) sont les plus importantes.

L'héritage des grandes religions…

... et celui des Indiens

Bien que leur quotidien ait été profondément influencé par les rites sacrés, on ne peut pas parler de religion pour désigner l'ensemble des croyances des Indiens. La notion même de religion ne correspond à aucun mot dans beaucoup de langues indiennes. Ils ne possèdent pas de clergé ni de structures religieuses proprement dites. Les villages pueblos possédaient bien des lieux de réunion sacrés, les *kivas* (*voir* p. 372), les tribus avaient recours aux offices des chamans, sortes de médecins dotés de pouvoirs surnaturels, mais l'ensemble des croyances repose sur une **culture orale**, transmise par les anciens de la tribu, qui sont souvent chargés de l'éducation des jeunes enfants. Les cérémonies sont des célébrations collectives qui évoquent les grands **mythes fondateurs**, différents d'une tribu à l'autre. Ces rites rassemblent et unissent les participants dans un esprit de **communion avec la nature**.

Les mythes fondateurs

Il existe un grand nombre de légendes pour expliquer la création du monde, mais la plupart des tribus indiennes croient en des mythes similaires. Les récits épiques sont longs et compliqués, mais on y retrouve l'idée d'émergence à partir d'un monde sombre et souterrain grâce à l'aide des esprits bienveillants de la Mère Nature.

Selon les **Navajos**, «Premier Homme» et «Première Femme» sont nés du maïs. Ils aidèrent le «Premier Peuple» à traverser une succession de mondes souterrains obscurs et hostiles, peuplés de monstres et jalonnés de nombreuses épreuves, avant de trouver l'entrée de ce monde-ci, à travers un roseau qui menait au «centre de l'univers» (les Navajos le situent entre quatre sommets du plateau du Colorado). «Premier Homme» et «Première Femme» créèrent alors la lune et les étoiles pour les éclairer, mais le malicieux Coyote les dispersa dans le ciel. À ce moment-là naquit «Femme Changeante», aussi identifiée à la Mère Nature avec ses saisons, qui épousa le Soleil et l'Eau pour donner naissance aux «Dieux Jumeaux de la Guerre». Tous font partie du panthéon des Navajos, avec les esprits des animaux et des plantes, mais c'est «Femme Changeante» qui décida enfin de créer les humains à partir de morceaux de sa propre peau.

Chez les **Pueblos**, le mythe de l'émergence est plus simple. Les hommes, créés par la volonté de «Femme qui Pense», ont dû également traverser de sombres mondes souterrains avant d'accéder à la vie et à la lumière. Pour ce faire, ils ont reçu l'assistance des plantes, des oiseaux et des animaux, qui ont construit une pyramide pour qu'un pic-vert puisse percer un trou au centre du monde, le *sipapu* (symboliquement représenté dans les *kivas*). À leur sortie, le monde était froid et humide, jusqu'à ce que le Soleil, père des «Dieux Jumeaux», vienne le réchauffer. Les humains errèrent ensuite jusqu'à la «Maison Blanche», lieu mythique où les divinités, les **kachinas**, leur enseignèrent le nécessaire à la survie. À sa naissance, chaque humain reçoit une âme et un esprit gardien et, lorsqu'il meurt, ces deux entités regagnent le *sipapu* pour rejoindre les mondes souterrains.

Les cycles de la vie

La plupart des rites indiens reposent sur leur rapport à la nature. Ils célèbrent les **cycles des saisons**, les récoltes, la pluie ou la fécondité. On y fait appel aux **esprits de la nature**, aux forces des éléments, aux animaux ou aux plantes qui composent le panthéon des divinités indiennes, qui ont aidé les hommes à émerger du néant et peuvent leur apporter abondance et force. D'autres rites ont un lien avec les **étapes de la vie**, assurent la guérison, préparent à la chasse ou au combat... Les **sites sacrés**, comme Shiprock (*voir p. 486*), revêtent une importance particulière, car on y vient pour entrer en communion avec l'esprit du lieu, pour recevoir des visions ou pour être initié. La **mort** n'est pas crainte par les Indiens, qui voient l'au-delà comme un monde neutre et qui acceptent totalement la mort comme une partie de l'**équilibre de la nature**.

Une société religieuse

Une philosophie

Pour les Indiens, le principe fondamental est celui de l'**harmonie**, qui exige d'être à tout moment en accord avec soi-même, les autres et l'univers, animaux, plantes et éléments. Tout conflit ou problème vient d'une rupture de cette harmonie et il suffit de rétablir l'**équilibre** pour que le problème soit résolu. C'est ainsi que l'on traite les divergences : les notions de **consensus** et de respect de la différence sont essentielles. Les Indiens n'envisagent pas de convaincre ou de convertir celui qui est différent, mais de l'écouter, sans pour autant renoncer à sa propre conviction. La notion de décision à la majorité leur est étrangère, de même que le concept de propriété. Cela explique l'accueil favorable et patient réservé aux premiers missionnaires chrétiens et leur incapacité initiale à revendiquer une terre qu'ils ne pensaient pas pouvoir posséder. C'est ce même souci de respect et d'harmonie qui a engendré le mélange des fêtes chrétiennes et des danses sacrées, pour Noël ou pour les jours des saints patrons des villages. D'autres groupes ont intégré encore plus étroitement les rites anciens à la pratique chrétienne, comme les adeptes de la **Native American Church**, qui utilisent le **peyotl** (cactus hallucinogène dont la consommation rituelle fut instituée par les Aztèques) comme un sacrement lors des cérémonies.

La contre-culture hippie

À partir des années 1950, la Californie fut le berceau de la contre-culture. La contestation ne s'arrêta pas à la politique ou à la création littéraire et artistique, mais toucha aussi la religion. Toute une génération était en quête de nouvelles valeurs, rejetant le matérialisme ambiant, les luttes de pouvoir et les traditions des générations précédentes. Un grand nombre de mouvements associatifs ou sectaires naquirent à cette époque. De Californie, ce renouveau s'étendit au reste de l'Amérique et au Nouveau-Mexique. Santa Fe en devint un centre important.

Un renouveau exotique

L'une des caractéristiques de ce courant est le retour à des valeurs et à des cultures lointaines, vues comme une alternative au conformisme chrétien. De là sont nées une série de **sectes** néo-hindouistes (Krishna, Méditation transcendantale), néo-bouddhistes, néo-musulmanes, voire de curieux mélanges, comme la secte messianique coréenne de Moon. Tous ces mouvements ont en commun une volonté de retour à la **vie communautaire**, un **éveil de la conscience**, et souvent le charisme d'un **gourou**.

Dans un autre registre, moins exotique, l'**Église de scientologie** prend une place considérable, faisant des émules parmi les élites, surtout à Hollywood, où une avenue porte même le nom de son fondateur, L. R. Hubbard. Grâce à la puissance de la pensée et à son pouvoir sur le corps, l'homme qui adhère aux préceptes du maître doit surmonter tous ses problèmes et parvenir à un état supérieur. Toute une série de livres, de séances de travail sur soi et d'instruments pseudo-scientifiques sont ainsi censés amener l'adepte à se réaliser pleinement.

Le New Age

Sous cette appellation sont regroupés un grand nombre de mouvements plus ou moins ésotériques, extrêmement populaires dans l'Ouest américain, partout où les anciens hippies se sont installés (Californie, Nouveau-Mexique). On trouve à la base le concept de l'entrée de l'humanité dans l'**ère du Verseau**, qui doit s'accompagner d'un retour de l'amour, de la libération des esprits et d'un éveil des consciences… Il s'agit de trouver en soi « l'énergie cosmique », grâce à diverses techniques comme l'astrologie, le chamanisme ou le spiritisme… On cherche à revivre ses vies antérieures, à retrouver l'harmonie avec la nature, à se guérir naturellement. De nombreux centres de retraite spirituelle, de méditation ou de médecine douce canalisent la manne commerciale des milliers de convaincus.

L'ANNÉE EN FÊTES

La diversité des cultures a donné naissance à une kyrielle de fêtes colorées : défilés costumés, surréalistes au milieu des gratte-ciel, fiestas bruyantes aux parfums de maïs frit, ou danses effrénées au son des tambours indiens…

Le sacré…

Célébré le 4e jeudi de novembre, **Thanksgiving** (action de grâces) demeure la tradition la plus symbolique des Américains et observée par la plupart d'entre eux. À l'inverse de beaucoup de manifestations factices, c'est une fête paisible et très familiale qui remercie Dieu pour la première récolte des immigrants puritains. La famille est réunie à cette occasion autour d'un repas traditionnel et de l'incontournable dinde. Beaucoup plus spectaculaire et nettement moins religieux, **Noël** est célébré par une profusion de lumières, avec notamment de nombreux concours de la maison la mieux illuminée. Les rues, les monuments et les boutiques prennent alors une allure féerique. On envoie à tout le monde des cartes de Noël, plus répandues que celles du Nouvel An.

De nombreuses *fiestas* animent par ailleurs la communauté latino, comme la **Fiesta de Santa Fe** ou les célébrations en l'honneur des saints locaux, mais la plus importante demeure **Cinco de Mayo** (5 mai), qui fait revivre le souvenir de la victoire des Mexicains sur les Français en 1862 et célèbre l'héritage hispanique, ses saints, ses musiques, ses danses et sa gastronomie. Elle est l'occasion de processions religieuses.

… et le profane

Hormis les fêtes religieuses, qui sont les moins nombreuses, l'année est jalonnée d'autres grands « rendez-vous » festifs dont l'origine tient aux différentes communautés, à l'histoire ou aux traditions.

La **Saint-Valentin** (14 février) est devenue aux États-Unis la fête de l'amour en général. Vous serez surpris par l'ampleur du phénomène : on trouve dans les magasins des cartes pour tous les membres de sa famille, pour ses amis, ses collègues, voire même son chien ou son chat (!), et on considère comme une tragédie de ne pas en recevoir soi-même plusieurs à cette occasion.

La **Saint-Patrick** (17 mars) est la grande fête des Irlandais, célébrée là où ils sont le plus nombreux et dans les pubs, à grand renfort de bière, de casquettes aux couleurs irlandaises, vert, orange et blanc.

Indépendance Day (4 juillet) est la fête nationale et commémore la proclamation de la déclaration d'indépendance en 1776 : elle est l'occasion de défilés et de feux d'artifice.

D'origine celtique et introduite aux États-Unis par les Irlandais, **Halloween** (31 octobre) est devenu une immense fête commerciale, durant laquelle magasins et restaurants sont envahis de décorations et de farces et attrapes du plus mauvais goût. Difficile d'échapper aux costumes orange et noir. Dans les quartiers résidentiels, les enfants sortent déguisés le soir et sonnent aux portes en disant *trick or treat* (farce ou surprise) : s'ils ne reçoivent pas de bonbons, ils vous font une farce. Les adultes ont eux aussi pris l'habitude de faire la fête ce soir-là.

San Francisco est le théâtre des plus belles célébrations du **Nouvel An chinois**, qui se fête fin janvier-début février dans toutes les communautés chinoises des États-Unis. Foires et spectacles durent une semaine, mais le clou de cette grande fête est la parade finale et son interminable dragon géant.

Festivals musicaux et rodéos

Typiques de l'Ouest profond, surtout du Colorado et du Nouveau-Mexique, le **rodéo** et la **musique country** sont les symboles de la vie du Far West et des cow-boys (notamment à Grand Junction, Durango, Albuquerque, Santa Fe, Taos, Lincoln…).

Tous en selle !

Très conviviaux et populaires, ces festivals s'accompagnent de gigantesques barbecues fréquentés par les ranchers isolés qui viennent y voir les chevaux et s'offrir un ou deux jours de bon temps. En Californie, les festivals musicaux sont plus élitistes, les meilleurs se consacrant au **jazz** ou au **blues** (San Francisco, Monterey).

Pow-wows et fêtes indiennes

L'année des Indiens est rythmée par des **fêtes religieuses** et sacrées souvent interdites au public. Les danses et les rituels les plus beaux ont lieu au Nouveau-Mexique, notamment dans les *pueblos* et chez les Apaches Mescaleros (rite de la puberté). Les **pow-wows** sont en revanche de grands rassemblements entre tribus, à l'occasion desquels sont organisés des **concours** de costumes ou de beauté et de grandes démonstrations de toutes les **danses rituelles**. Les plus célèbres sont ceux de Gallup, d'Albuquerque et de Taos Pueblo. On est autorisé à prendre des photos et les participants se prêtent à la pose. Des stands de dégustation proposent des plats indiens traditionnels du Sud-Ouest, à base de pain frit, de maïs et de haricots.

Janvier	
Turtle, Deer et Buffalo Dances	Les 1er et 6. Danses sacrées indiennes à Taos Pueblo.
Tournament of Roses	Les 1er et 2, la Parade des roses rassemble des milliers de personnes au Rose Bowl de Pasadena (L.A.).
Boat Show	Début janvier, rassemblement de bateaux dans la marina de San Diego.
Février	
Chinese New Year	Nouvel An chinois à San Francisco.
Gem and Mineral Show	Foire internationale aux pierres précieuses à Tucson.
Mars	
Marathon de Los Angeles	Le grand rendez-vous sportif de Los Angeles.
Wa :k Pow-wow	Pow-wow à la mission San Xavier del Bac, Tucson.
Avril	
American Indian Week	À Las Cruces, la première semaine d'avril est celle de la culture indienne avec un pow-wow et des danses.
Gathering of Nations Pow-wow	Le plus grand pow-wow d'Amérique du Nord se tient la dernière semaine d'avril à Albuquerque (danses, concours de costumes et de beauté).
Coronado Flower Show	Floralies sur l'île de Coronado à San Diego.
Wildflower Festival	Floralies dans Toho no Chul Park, à Tucson.

L'année en fêtes

Mai

San Felipe Pueblo Feast
Le 1er mai, San Felipe Pueblo fête son patron avec une Corn Dance spectaculaire.

Santa Cruz Corn Dance
Le 3 mai se tient à Taos Pueblo l'une des plus importantes danses sacrées des Indiens pueblos.

Cinco de Mayo Fiesta
Fête célébrée vers le 5 mai dans toutes les communautés mexicaines. Une ambiance très latine avec musiques, danses et stands de dégustation.

Inter-tribal Ceremonial Pow-wow
Rassemblement de 2 jours à Gallup, vers la mi-mai.

Mescal Roast & Mountain Spirit Dance
À la mi-mai, quatre jours durant, près de Carlsbad, célébration donnée en l'honneur du mescal, plante de base de l'alimentation des Apaches. On le fait cuire selon la tradition, en exécutant les danses rituelles.

Bud'n Blooms
Le mois des fleurs est célébré par des expositions dans Balboa Park, à San Diego.

Juin

Corn Dances
À Taos Pueblo, les 13 et 24 juin, pour célébrer les San Antonio et San Juan.

Santa Fe Rodeo
Quatre jours aux environs du 21 juin, des shows spectaculaires et souvent impressionnants.

Taos Rodeo
Le dernier week-end de juin, un rassemblement coloré fréquenté aussi bien par les Blancs que par les Indiens.

Country Jam USA
À Grand Junction, la 4e semaine de juin, a lieu l'un des festivals de musique country les plus populaires du Sud-Ouest, où se produisent les stars de ce genre.

Gay Pride
La communauté homosexuelle de San Francisco organise à la fin juin une fête d'une semaine qui culmine le dernier week-end par un défilé géant.

Juillet

Coming of Age Ceremony
Le rite de la puberté est célébré début juillet dans la réserve apache de Mescalero. Durant 4 jours, les jeunes filles pubères endurent un rituel entrecoupé de danses qui marque leur entrée dans l'âge adulte.

UFO Festival
Festival des ovnis, la 1er semaine de juillet, à Roswell. Conférences et mises en scène pour fanatiques de soucoupes volantes et d'aliens…

Festival of the Bells
Les 14 et 15 juillet, commémoration de la fondation de la première mission de Californie, la mission San Diego de Alcala, à San Diego.

Taos Pueblo Pow-wow
Le 2e week-end de juillet se réunissent de nombreuses tribus, avec costumes et danses très variés.

Little Beaver Roundup
La fête des Apaches Jicarillas se tient le 3e week-end de juillet à Dulce, avec pow-wow, rodéo et danses.

Corn Dances
À Taos Pueblo, pour célébrer la Santiago (Saint Jacques) (le 23) et Santa Ana (le 24).

Santa Fe Spanish Market
Durant 2 jours, fin juillet, tous les artisans de tradition hispanique se rassemblent sur la Plaza pour une gigantesque fête en musique.

Août

Santo Domingo Feast
Le 4 août, à Santo Domingo Pueblo, se tient l'une des plus belles Corn Dances du Sud-Ouest ainsi qu'une foire d'artisanat indien.

Inter-tribal Ceremonial Pow-wow	La 2ᵉ semaine d'août, pendant 4 jours, près de Gallup, peut-être le plus important rassemblement de tribus d'Amérique du Nord, y compris du Canada.
Fiesta de San Augustin	Le 20 août, animations festives en l'honneur du saint patron de la ville, dans El Presidio à Tucson.
Santa Fe Indian Market	Le 3ᵉ week-end d'août se tient le plus grand marché d'artisanat indien des États-Unis, avec de nombreuses démonstrations de danses et de costumes.
World Body Surfing Championship	Compétition internationale de surf à San Diego.
Long Beach Blues Festival	Week-end de Labor Day.

Septembre

Santa Fe Fiesta	La semaine suivant Labor Day (1ᵉʳ lundi de sept.) a lieu la plus ancienne grande fête des États-Unis. Mélange de fête religieuse, avec procession de la Vierge, de défilés et de réjouissances populaires.
Monterey Jazz Festival	Organisé à la mi-septembre, ce festival de jazz est l'un des plus réputés de la côte Ouest.
San Francisco Blues Festival	les plus célèbres bluesmen du monde sont réunis 2 jours à la fin septembre.
San Geronimo Feast	Les 29 et 30, à Taos Pueblo, danses rituelles, messe et foire pour la fête du saint patron.

Octobre

International Balloon Fiesta	Le premier rassemblement au monde de montgolfières à lieu à Albuquerque, durant 9 jours, à partir du 1ᵉʳ week-end d'octobre. Un spectacle inoubliable.
Lincoln County Cowboy Symposium	Festival de musique country et de poésie, durant 3 jours vers la mi-octobre. Atmosphère chaleureuse et bon enfant avec barbecues et danses.
All Children Pow-wow	Un pow-wow attachant réservé aux enfants, vers la mi-octobre à Santa Fe.
San Francisco Jazz Festival	Un festival de renommée internationale qui s'étale sur 2 semaines entre fin octobre et début novembre.
Heritage Experience Festival	Festival multiculturel dans le Presidio Park de Tucson.

Novembre

Red Rock Balloon Rally	Un grand rassemblement de montgolfières dans un cadre splendide, près de Gallup, 3 jours fin novembre.
Indian National Finals Rodeo	La finale pour tout le continent nord-américain des rodéos des réserves indiennes se tient à Albuquerque la 3ᵉ semaine de novembre.
Hollywood Christmas Parade	Le dernier dimanche de novembre ou le premier de décembre, parade de stars sur Hollywood Blvd.

Décembre

Christmas Luminarias	Tout le mois, à Albuquerque, Old Town est illuminé de jolies lanternes enfermées dans des sacs en papier.
Christmas Farolitos	Le 24 décembre, une procession défile à Santa Fe en chantant dans les rues illuminées de « farolitos ».
Deer Dance	Le 25 décembre à Taos Pueblo.
San Diego Harbor Parade of Light	Les décorations de Noël des bateaux illuminent la baie de San Diego.

L'année en fêtes

COSTUMES ET BIJOUX INDIENS

Comme dans tout le monde occidental, la mode vestimentaire s'est uniformisée aux États-Unis. Dans l'Ouest, les costumes des cow-boys et les parures de plumes des Indiens ont disparu de la vie quotidienne, même si le style western a laissé sa marque sur les vêtements, les chapeaux et les bottes (cloutage, boutons et ornements de métal argenté, cuir et franges, imprimés style couverture). Les Indiens ne sortent plus les costumes de gala que pour les cérémonies et les pow-wows où ils font assaut de couleurs violentes.

Tenues de fêtes

Là où, autrefois, la tradition voulait que l'on se vête de peaux finement tannées, de tissus naturels tissés à la main, brodés de perles, garnis de longues franges, de coquillages et de plumes minutieusement choisis, la modernité a amené les tissus synthétiques et leurs tons criards et artificiels, le plastique et les plumes teintes. Le résultat reste toutefois spectaculaire et pittoresque, dès que les danses et le rythme des percussions font oublier la perte d'authenticité.

Les Indiens du Sud-Ouest ont toujours favorisé un habillement plus modeste que les Indiens des Grandes Plaines. En général, lors des danses, les hommes portent des **mocassins** et des **jambières** richement décorés, au-dessus de pantalons recouverts d'une **jupe** ou d'un kilt. Les **ceintures** sont larges et somptueuses, les **gilets** sont brodés ou recouverts de franges, de pendeloques de métal ou de corne. Pour certaines danses, ils portent sur les reins une énorme **parure de plumes** colorées, un peu à la manière d'un paon faisant la roue. Sauf dans les grands pow-wows, vous ne verrez pas les énormes coiffes de guerre à plumes des Indiens des Plaines (Sioux, Cheyennes…), mais plutôt une variété de **coiffures rituelles** variant selon les tribus et selon les danses. Pour la danse du Cerf, par exemple, la coiffure des danseurs comporte une ramure symbolisant l'animal *(voir p. 459)*.

L'habillement des femmes pour les pow-wows est souvent plus modeste et plus discret que celui des hommes, qui animent les cérémonies. Selon les tribus, elles portent des **robes** très simples, droites, fendues sur les côtés pour faciliter les mouvements et retenues par de riches **ceintures**. En fonction du climat et de la saison, elles chaussent des sandales de cuir ou des **mocassins brodés** surmontés de **jambières** de peau ou de fourrure. Elle peuvent aussi conjuguer une longue jupe, un corsage et un gilet, brodés ou décorés de pendeloques diverses. Les cheveux sont tressés et ornés de plumes, perles ou coquillages. L'hiver, elles se drapent dans une ou deux couvertures traditionnelles. Les femmes navajos ont emprunté à celles des pionniers leurs larges jupes froncées, portées plutôt longues, et de simples corsages en velours. Cet habillement reste encore aujourd'hui le plus courant dans la réserve navajo. Les principaux ornements sont la ceinture et les bijoux.

Une multitude de symboles

Les **plumes** ont gardé une symbolique très forte. Pour les hommes, elles marquent le **courage**, chacune correspondant à un acte de bravoure. Un code précis pour les encoches ou les taches qu'elles portent indique la nature des exploits. Les coiffures élaborées ne sont sorties que pour les grandes cérémonies. Les plumes, par leur forme, figurent aussi la croissance végétale et la **fertilité**. Ainsi, lors des danses, les participants en portent des bouquets pour faire monter vers les esprits leur incantation pour des récoltes abondantes. Les Zunis utilisent des sortes de bâtons de prière surmontés d'un tel bouquet. Dans d'autres tribus, les coiffes les arborent en éventail

Ch. Legrand/MICHELIN

Le pow-wow, une fête haute en couleur

au-dessus du front, évoquant le soleil, également symbole de force et de fertilité. L'origine des plumes varie en fonction de l'esprit que les Indiens veulent mobiliser, comme celui de l'aigle, ou de ce qu'ils ont à disposition (plumes de dindon, de corbeau…). Chez les Apaches, les coiffures rituelles arborent les quatre couleurs des esprits de la Montagne (blanc pour le pollen, jaune pour le cerf, noir pour l'aigle et bleu pour la turquoise).

Les **cheveux** sont aussi liés à la **fertilité**. Portés dénoués, ils symbolisent la pluie. Les tresses sur les épaules sont l'apanage des femmes mariées ; les célibataires les portent dans le dos. Chez les Hopis, les jeunes filles à marier portent les cheveux partagés en deux et noués en « fleur de courge », formant de larges oreilles de chaque côté de la tête. Les hommes portent encore les cheveux longs, qu'ils retiennent avec un bandeau coloré (parfois un simple foulard) ou brodé de perles.

Le tissage de **perles** sur les costumes et les parures ne remonte qu'à la fin du 17ᵉ s., lorsque les trappeurs européens introduisirent des perles de Bohème pour le troc contre les peaux. Certaines tribus en font des costumes et des accessoires splendides, comme les Sioux, les Shoshones, les Kiowas (tribu apache) ou les Miwoks… Les **coquillages** sont également utilisés pour décorer les costumes et les coiffures, surtout dans les tribus du littoral, mais on les retrouve ici et là, en raison de l'important troc entre régions.

Une partie originale du costume de certains Pueblos (Zunis, Hopis) est le **masque**, utilisé pour la danse des *Kachinas*. Chaque masque représente un esprit divin, issu du monde animal ou végétal, et doit faciliter l'entrée en contact avec cet esprit. De forme généralement cylindrique, peint de couleurs vives et orné de plumes, il constitue la partie la plus pittoresque du costume, comme chez les Hopis, où l'on dénombre près de 500 *kachinas* différents. Les pouvoirs et les symboles des oiseaux et des autres animaux mimés par les costumes (plumes, cornes, peaux) varient selon les mythes de chaque tribu.

Des bijoux somptueux

Impossible de parler du costume indien sans évoquer les bijoux de toute nature que l'on empile littéralement sur soi. L'abondance de bijoux caractérise autant l'homme que la femme. Bracelets superposés, colliers en grand nombre, bagues énormes, broches grandes comme des assiettes, ceintures d'argent et de pierres au poids impressionnant, cravates et ornements de col, agrafes de chapeau : dans certains cas, l'ensemble tient un peu de l'arbre de Noël…

Exécutés en **argent** et en pierres, les bijoux remplissent deux fonctions. La première est de protéger celui ou celle qui les porte par sa symbolique et par la nature de ses pierres. La **turquoise**, par exemple, largement utilisée par les tribus du Sud-Ouest, car on la trouve en abondance en Arizona et au Nouveau-Mexique, est le symbole du dieu Soleil et apporte force et vigueur. La forme des bijoux figure aussi la protection de tel ou tel esprit – comme c'est le cas pour les **fétiches de pierre** des Zunis –, la fertilité, le courage… En second lieu, les bijoux sont un moyen traditionnel pour les Indiens d'investir leur richesse et de posséder des objets faciles à troquer. Peu confiants dans les banques, ils ont depuis l'arrivée des Blancs utilisé leurs bijoux pour obtenir des prêts sur gages *(voir p. 490)*. L'abondance de bijoux portés par une seule personne, stupéfiante lorsque l'on fréquente les marchés du week-end, témoigne de sa richesse, un peu comme si l'on transportait son compte en banque sur soi…

L'ARTISANAT

À l'époque de la conquête de l'Ouest, l'artisanat indien a peu à peu remplacé les peaux dans le troc. Il est devenu très recherché par les collectionneurs blancs, américains ou européens. L'artisanat latino, très répandu dans le Sud-Ouest, est arrivé quant à lui avec les immigrants mexicains vers le 17e s.

L'artisanat indien

Toutes les boutiques d'artisanat indien ne vendent pas des objets de qualité. Assurez-vous que les mentions d'origine figurent bien sur la pièce de votre choix et que les métaux ou les pierres utilisés pour les bijoux font l'objet d'une garantie. Soyez prêt à payer un bon prix, car, lorsqu'il est de qualité, l'artisanat indien se vend très cher.

La vannerie
La vannerie est le plus ancien des artisanats indiens, puisque les paniers furent longtemps les seuls récipients : tissés très serrés, ils étaient imperméabilisés par un genre de poix pour retenir les liquides, et, pour faire chauffer la nourriture, on y plaçait des pierres chauffées au feu. La vannerie indienne se fabrique en enroulant les fibres en spirale (roseau ou yucca selon les endroits, ou même crin de cheval pour de délicates miniatures), puis en solidarisant chaque rangée par une sorte de tissage. Les fibres sont teintées de différentes couleurs pour former un **motif géométrique** ou symbolique. Les meilleurs fabricants de paniers sont les **Tohonos O'odhams** (sud de l'Arizona) et les **Hopis**. Aujourd'hui, ceux que fabriquent les Indiens des États-Unis sont de plus en plus rares, et beaucoup de boutiques proposent à leur place ceux des Indiens seris (nord-ouest du Mexique), qui sont moins chers.

La poterie
Les **Pueblos** sont les plus anciens potiers de la région. Chaque village et chaque artiste définit un style, des formes et des décors qui lui sont propres. Le procédé de fabrication traditionnel (sans tour de potier) reprend celui de la vannerie : le vase ou le pot est monté progressivement en enroulant en spirale un fin boudin de terre qu'on lisse avant de le cuire. Cette **technique de la spirale** explique que les formes restent très sobres. Les motifs décorant les pots et les couleurs varient d'un *pueblo* à l'autre. Zia se distingue par son argile rouge et ses dessins noirs, Acoma, Zuni, Santa Clara ou Jemez Pueblo proposent une variété de motifs compliqués, géométriques ou figuratifs. San Ildefonso privilégie le rouge ou le noir : les dessins sont formés par le contraste entre surfaces mates et brillantes.

Le tissage
Initialement nomades, les **Navajos** apprirent le tissage des Pueblos. Ils utilisent un métier vertical sommaire devant lequel la tisseuse travaille assise. Au début, les motifs étaient très simples, et les couleurs celles de la laine naturelle, blanche, brune ou noire. Peu à peu, ils introduisirent des motifs plus élaborés et se mirent à teindre la laine à l'aide de différents végétaux et de teintures achetées aux Espagnols. Après s'être longtemps contentés de tisser des couvertures et des pièces sommaires pour les robes, ils s'attaquèrent aux petits **tapis**. Les premiers motifs ne comportaient pas de bordure et n'étaient que des variations plus ou moins travaillées de la rayure. Puis les Blancs rencontrés dans les *trading posts* leur firent découvrir les tapis à bordures périphériques décorées qu'ils ajoutèrent par la suite pour encadrer les dessins navajos traditionnels. Ces tapis atteignent aujourd'hui des prix considérables.

Kachinas et fétiches
Les *kachinas* sont des esprits pour les Indiens pueblos et s'intègrent surtout dans les rites hopis et zunis. Ils en font une représentation par leurs costumes lors des cérémonies. Comme les enfants sont exclus des rites, des **poupées kachinas** sont fabriquées pour les familiariser avec la tradition. Ce ne sont en aucune façon des

Une tisseuse navajo

jouets, mais des objets dûment révérés. Façonnées traditionnellement dans une racine de peuplier, ces poupées sont sculptées puis peintes à la main, décorées de plumes, de fourrure, de coquillages ou de métal. Les plus belles sortent des mains d'artistes reconnus et sont signées. Il ne faut pas les confondre avec les banales statuettes multicolores représentant des danseurs en costume, ou les copies de modèles anciens exécutées industriellement et que l'on trouve dans certaines boutiques pour touristes. Les **fétiches** sont des représentations animales (ours, tortue, cerf…) sculptées dans différentes pierres naturelles (turquoise, quartz, malachite…). Particulièrement répandus chez les Pueblos (les plus beaux sont ceux des Zunis), ils sont censés contenir et transmettre une partie de l'esprit de l'animal et de ses pouvoirs. On les trouve sous forme de statuettes miniatures, ornées de morceaux de coquillage, de turquoise ou de corail pour augmenter leur pouvoir, ou intégrés dans des colliers.

Les peintures de sable

Toutes les boutiques proposent les célèbres **sand paintings** navajos, motifs variés exécutés avec des sables colorés et fixés sur un support en bois. Il faut toutefois souligner que ce procédé n'est pas authentique et ne correspond pas au rituel réel, qui est par définition éphémère. Achetez-les s'ils vous plaisent, mais n'imaginez pas posséder un objet sacré. La plupart sont de fabrication semi-industrielle.

Les bijoux

Malgré la grande diversité des bijoux indiens, on reconnaît quatre grands styles que les artisans de toutes les tribus déclinent d'une façon ou d'une autre.

Les **Navajos** fabriquent principalement des bijoux très lourds, en **argent** incrusté de **turquoises**, dont la taille peut être impressionnante. Ce sont surtout les hommes qui les fabriquaient autrefois, même si de plus en plus de femmes s'y mettent. Le motif le plus célèbre est celui du **Squash Blossom** (fleur de courge), juxtaposition de perles d'argent en forme de pétale et d'un large anneau ouvert portant les pierres. Certains y voient un symbole de fertilité, mais le dessin fut emprunté à un motif espagnol, lui-même reçu des Arabes. Toutes sortes de pièces sont réalisées dans le même style, les plus populaires étant les boucles de ceinturon, les colliers, les broches et les bracelets. Les Navajos sont connus pour leur capacité à intégrer les savoir-faire et les modèles des tribus voisines pueblos.

Les **Zunis**, auxquels les Navajos ont emprunté bien des motifs, sont considérés comme les maîtres en matière de bijoux. À base d'argent et de turquoises, mais aussi de corail, de nacre et de pierres de différentes couleurs, leurs bijoux sont délicatement ouvragés, incrustés de pierres minuscules, taillées avec une telle précision qu'on parle de style **petit point** *(needlework)*. Les mêmes pierres sont aussi utilisées pour composer une fine **marqueterie** et réaliser bibelots précieux ou bijoux. Leurs motifs les plus populaires sont la **fleur stylisée circulaire**, censée évoquer la toile d'araignée (une des divinités indiennes), et l'**aigle**, très vénéré. Les petits damiers figurent les nuages et les formes aiguës la pluie.

Les **Hopis** possèdent un style original, très différent de celui des autres tribus. L'argent y occupe la place de choix, avec un usage beaucoup plus parcimonieux des pierres. Le bijou est constitué de deux couches de métal. La couche inférieure, qui donne la forme, est patinée pour garder une couleur noire. La couche supérieure, de même forme, est soigneusement évidée suivant un motif géométrique ou symbolique, puis elle est fixée sur la couche du dessous et polie. Le contraste de l'argent brillant et du noir donne des bijoux au style très contemporain.

Santo Domingo Pueblo est le berceau d'un style radicalement différent qui utilise les **coquillages** et quelques pierres. Il s'agit d'un travail long et d'une extrême minutie. Le coquillage ou la pierre sont coupés en petits fragments plats et minces que l'on meule pour en faire des perles en forme de disques de taille régulière ou croissante. Ces disques sont ensuite enfilés en constituant une séquence de couleur ou de taille. Le collier obtenu peut aussi être noué pour former des boucles ou assemblé à d'autres pour constituer un bijou plus important. Bien que très sobres, ces colliers sont rares et chers, en raison de la difficulté du travail. Santo Domingo est aussi le village d'origine du **Liquid Silver** (argent liquide) *(voir p. 460)* : l'argent est débité en fines bandes étroites que l'on façonne en tubes, puis que l'on coupe pour faire des perles. Chaque collier compte un grand nombre de rangs de ces perles et donne l'illusion de métal en fusion.

L'artisanat mexicain

Bien que très répandu au Nouveau-Mexique, dans le sud de l'Arizona et de la Californie, cet artisanat n'est pas fabriqué sur place, mais importé d'Amérique du Sud par la communauté latino. Faites attention, le meilleur côtoie le pire et le plus artificiel. Dans le doute, limitez-vous aux articles bon marché ou humoristiques.

Les retables miniatures (retablos)
La plupart des boutiques hispaniques vendent ces petits autels ouvrants, représentant une scène naïve de l'Évangile. C'est un artisanat typique d'Amérique du Sud, notamment du Pérou, où l'on utilisait la pomme de terre réduite en poudre pour faire une pâte que l'on façonnait ensuite en petits personnages.

Le culte de la récup'
Incontournable dans les pays pauvres, la récupération de matériaux est à la base d'un artisanat populaire naïf et émouvant. De la boîte de conserve à l'objet du culte, c'est l'ingéniosité et la tendresse qui transparaissent dans ces crucifix ou ces «icônes» en fer blanc découpé, poinçonné, martelé, peint…

La dure vie du squelette
Au Mexique, la mort fait partie intégrante de la vie. Le Jour des Morts donne traditionnellement lieu à des célébrations conviviales, puisqu'à cette occasion les défunts reviennent voir les vivants. Pour les célébrer, on met en scène toutes sortes de squelettes (en papier mâché, bois, fer blanc, argile), dans des compositions pleines d'humour, voire parfaitement délirantes, que l'on peut acheter tout au long de l'année. Il en découle un artisanat coloré et inventif, à base de matériaux récupérés ou bon marché, peints de couleurs très vives.

LA VIE QUOTIDIENNE

Les distances et la faible densité de population des zones rurales affectent profondément la vie quotidienne des habitants. De la même façon, l'extension tentaculaire des villes et leur segmentation en ghettos conditionnent l'organisation pratique des familles. Enfin, malgré la richesse du pays, les modes et les niveaux de vie varient énormément en fonction du milieu social et de l'appartenance ethnique. Ainsi, le rôle de la famille, la place des femmes, l'éducation et la scolarisation n'ont rien de commun pour des Anglo-Américains aisés, des ouvriers agricoles mexicains ou une famille des *pueblos*. L'immense fossé qui sépare les Américains riches des plus démunis (de plus en plus nombreux) dessine une société où la ségrégation par l'argent est une très dure réalité.

Portraits de famille

Une femme de fer

Barbara ne doit pas se laisser abattre. Jolie femme, 45 ans, deux divorces et deux filles adolescentes, une grande maison à entretenir dans les collines chic de San Francisco, et le goût du beau et de la fête : il lui faut gagner beaucoup d'argent. Sa philosophie : avoir un bon carnet d'adresses et ne manquer aucune occasion de faire des affaires. Elle a créé sa propre entreprise de services et s'est assuré une clientèle solide et fidèle, prête à la payer à prix d'or pour régler tous les soucis. Chauffeur ou dame de compagnie, secrétaire de femme pressée, nounou de secours, organisatrice de soirées ou de séminaires, Barbara est la perle de la bonne société et cela lui réussit. Ses filles vont dans des écoles privées (la seconde fréquente le lycée français), mais elles vivent un peu chacune de leur côté et ne dînent ensemble qu'une ou deux fois par semaine. Barbara change de voiture tous les deux ans, sa maison est un bijou et elle s'offre le théâtre ou le restaurant au moins deux fois par semaine. Son nouvel ami, un riche businessman, l'emmène en voyage dès qu'elle peut se libérer. Il voudrait bien l'épouser, mais Barbara pense que deux mariages sont assez pour une vie. « S'il est encore là dans dix ans, j'y repenserai, rit-elle, en attendant, je suis indépendante : j'en ai tous les agréments et aucun des tracas ! »

Rêve de star

Bert et Connie sont à la retraite. Il enseignait les maths, elle était bibliothécaire. Une vie bien rangée dans une petite ville du Midwest, avec trois enfants qui ont bien réussi. Grâce à leurs fonds de pension, ils n'ont pas vraiment de soucis d'argent. Ils avaient toujours prévu d'acheter un grand camping-car pour leur retraite et de voyager sur les routes de Californie, mais depuis qu'elle a fait du théâtre en amateur, Connie rêve d'être actrice. Elle a réussi à convaincre Bert de poser le camping-car à Los Angeles. Depuis un an, elle court les castings. Elle a même pris un agent, mais faute de rôle dans des films ou même des séries, elle a dû se rabattre sur la publicité où elle joue les mamies vantant une assurance santé. « Il y a tellement de candidates à chaque fois ! », soupire-t-elle. Connie passe aussi beaucoup de temps à la gym, pour garder la forme. Bert fait un peu de musculation et, le reste du temps, il l'accompagne aux studios. Avec la chute de la Bourse, ils se font du souci, comme beaucoup de leurs amis. Bert voudrait qu'ils se rapprochent des enfants. « Pas encore, proteste Connie, moi, au moins, je reste jeune, je cours, je me pomponne… D'ici un an ou deux, nous verrons, il sera toujours temps de faire comme tous les autres, mais pas encore… »

Le prix de la couleur

Hanitra est technicienne de laboratoire dans une unité de biotechnologie de la Silicon Valley. Jack est agent de sécurité à Oakland le jour et gardien d'une résidence chic trois nuits par semaine. Ils n'ont pas trop de trois salaires pour faire face aux dépenses. Comme les loyers dans la Silicon Valley sont trop élevés, ils vivent à Oakland, dans un petit bungalow en bois peint en jaune, dans un quartier noir plutôt tranquille. « Quand tu es noir, tu n'as pas vraiment le choix, si tu vas dans un quartier blanc, tes enfants sont mis à l'écart et tu te sens toujours décalé. » Ils passent le même temps en dehors de la maison : 2 h de trajet matin et soir pour Hanitra à cause des embouteillages, mais deux emplois pour Jack. Ils mettent de l'argent de côté pour l'école des enfants. « Ça, c'est notre luxe. Ici, dans les quartiers noirs, l'éducation publique est catastrophique, alors il faut choisir. Seuls les Noirs éduqués s'en sortent… » Leur souci, c'est que les enfants sont souvent avec des copains dans la rue après l'école et qu'il y a de plus en plus de violence. Ils essayent quand même de garder une famille soudée. Chaque dimanche, ils fréquentent l'église baptiste, et un soir par semaine ils vont tous ensemble répéter des gospels avec la chorale paroissiale.

Dieu garde nos vaches

C'est un immense ranch isolé du Colorado, où flotte en permanence la bannière étoilée. Jim et Julia y élèvent du bétail pour la viande de boucherie. Ils forment une famille très unie avec quatre enfants entre 6 et 12 ans. Chaque matin, le bus jaune de l'école les prend sur le bord de la route, à l'entrée du ranch. Julia les y conduit en voiture, le portail est à 4 miles de la maison. L'après-midi, quand ils rentrent, elles les y retrouve et en profite pour ramasser le courrier. Jusqu'à la Junior High School, ça va, mais après 14 ans, ils devront partir en pension. La journée de Julia se passe à la maison. Elle tient les comptes de l'exploitation et fait tous les papiers. Jim s'occupe du bétail et de la partie commerciale. Le soir, ils dînent tous ensemble vers 18 h, Jim dit une bénédiction avant le repas, puis ils regardent un film à la télé. Julia s'active aussi dans l'église baptiste et anime des ventes de pâtisseries, d'objets artisanaux (tricots, patchworks…) en faveur des pauvres de la paroisse. En fait, tout irait bien pour la petite famille, si le cours de la viande de bœuf se maintenait, ce qui n'a pas été le cas récemment. Mais Julia est confiante : « Dieu nous soutient, il l'a toujours fait… Nous faisons le bien autour de nous et nous travaillons dur. Nous autres, les ranchers, nous sommes fiers d'être le cœur de l'Amérique… »

Il faut bien avoir l'électricité…

Jusqu'à il y a trois ans, Raine et Bill, des Indiens pueblos, habitaient dans une maison en adobe du vieux *pueblo* de Taos. Ils n'avaient ni l'eau courante ni l'électricité, mais ils avaient toujours vécu comme cela. Leur fille avait quitté la région pour épouser un Blanc, en Californie. Ça leur avait crevé le cœur qu'elle se déracine comme ça… Et puis leur fils, qui vient d'avoir 15 ans, s'est mis à pester, car il voulait habiter plus près de Taos, pour sortir avec les copains et avoir la télévision. Alors Raine et Bill ont déménagé dans un préfabriqué avec l'électricité. C'est surtout l'eau courante qui plaît à Raine. Pour gagner de l'argent, elle fabrique des bijoux qu'elle va vendre tous les matins aux touristes qui visitent le *pueblo*. Bill fait des petits boulots à droite ou à gauche. Lui aussi fabrique quelques bijoux. Ils ont peu d'argent, mais s'en contentent. La nourriture ne leur coûte pas cher, ils mangent surtout des féculents et peu de viande, et pour les vêtements, ils ne sont pas difficiles. Ce qui soucie Raine, c'est son garçon. « Il ne travaille pas à l'école, il dit que cela ne lui servira à rien, que de toute façon tout est foutu ici. Moi, j'ai peur pour lui, parce qu'il traîne avec une bande de paresseux qui boivent trop. Le travail pour les jeunes, c'est le souci des mères indiennes. C'est de plus en plus chacun pour soi, les hommes se laissent aller et c'est à nous, les femmes, de tenir la famille… Avec la violence, l'alcool, le casino, il y a tellement de choses qui peuvent aller de travers… »

Tranches de vie

À la maison

Les villes étant très étendues, l'habitat américain s'organise très différemment du nôtre. Les immeubles des centres-villes regroupent principalement des bureaux et, à l'exception des très grandes villes, peu d'appartements. Les familles préfèrent vivre à la périphérie, où les quartiers populaires alignent des rangées de petits bungalows modestes entourés de minuscules jardins, tandis que les banlieues chics sont parsemées d'énormes demeures à l'architecture compliquée et ambitieuse. La plupart des maisons sont construites en bois, ce qui est beaucoup plus rapide et moins cher. En règle générale, les pièces sont spacieuses et très claires. Le marché des petites maisons préfabriquées est florissant et, à la sortie de certaines villes, les entreprises se regroupent en immenses parcs d'exposition où l'on choisit sa maison pour se la faire livrer toute faite. Beaucoup d'Américains sont propriétaires, mais ils restent malgré tout très mobiles et revendent très facilement pour s'installer ailleurs.

Au travail

Changer de poste ou de carrière au cours d'une vie n'est pas du tout ressenti comme un problème ou un échec. Les emplois étant beaucoup moins protégés qu'en France et le chômage moins important, les Américains sont professionnellement plus mobiles et prêts à se remettre en cause pour améliorer leurs conditions de vie. Le travail est cependant la seule garantie contre beaucoup des inégalités de la société américaine. Les grandes entreprises offrent par exemple des assurances santé à des prix abordables (elles sont hors de prix autrement) ou des plans épargne pour la retraite (ce qui peut s'avérer dramatique lorsque l'entreprise fait faillite, comme ce fut récemment le cas avec le groupe Enron). Les horaires sont très lourds et les employés sont jugés aux résultats et au rendement. En raison des bas salaires et du nombre de postes à temps partiel, il est courant de cumuler deux emplois ou plus.

Sur la route des vacances

Les Américains prennent très peu de vacances, car la plupart des entreprises n'accordent pas ou peu de congés payés. Comme ce sont souvent des congés sans solde, les vacances sont courtes et concentrées autour des **grands week-ends** fériés. Tout le monde est alors sur les routes et l'on cherche à voir et à faire un maximum de choses en un minimum de temps. Les **parcs d'attractions** sont particulièrement populaires auprès des familles, de même que les copieux pique-niques et barbecues en plein air. Très fréquentés aussi, les **parcs nationaux** attirent les visiteurs épris de grands espaces et de nature, mais souvent agglutinés sur les sentiers principaux et les aires aménagées. Les retraités, à l'inverse, ont beaucoup de temps, et beaucoup de ceux qui ont pu se ménager une confortable retraite choisissent le **camping-car** pour arpenter le pays, durant parfois des mois. Ils sont très nombreux en hiver dans les régions ensoleillées du sud des États-Unis. Ces camping-cars sont d'ailleurs de véritables maisons roulantes, dotées de tout le confort et tractant parfois une seconde voiture pour les petites balades.

Au restaurant

Il y a deux catégories bien distinctes de restaurants. Les premiers valorisent la gastronomie et l'art de vivre. Ils offrent une cuisine qui n'est pas toujours très fine, mais souvent inventive. L'atmosphère y va de l'élégance branchée des intellectuels citadins à la convivialité bruyante des éleveurs bons vivants des petites villes perdues. Les plus nombreux sont toutefois les **restaurants familiaux** ou populaires et les grands bars, à l'ambiance chaleureuse. On y vient pour manger beaucoup de préférence et pour un prix modeste. À l'intérieur des terres, là où les distractions sont plus rares, c'est une **occasion de sortie** ; on y écoute de la musique, on assiste parfois à un karaoké pittoresque, et on y pratique même des danses oubliées ailleurs, telles que quadrille ou polka… Particularité sympathique : comme les plats sont très copieux, on vous propose toujours d'emporter vos restes. Parfois, la serveuse vous donnera même le petit paquet avec l'addition, mais le plus souvent, elle vous demandera gentiment : *« Do you want me to wrap this up ? »* (Voulez-vous que je vous emballe cela ?)… Ne soyez pas gêné, tout le monde le fait et, si elle n'y pense pas, n'ayez pas de complexe à le demander, cela n'est ni rare ni mal vu.

Les loisirs

Les loisirs occupent une place de choix, mais diffèrent beaucoup en fonction des moyens financiers des familles. Les écoles accordent une très large place au **sport**, et des performances hors du commun peuvent offrir à un jeune, même pauvre, un passeport pour l'université, dont les équipes sportives grandissent le prestige. Parmi les sports les plus typiques et les plus populaires, le basket, le football américain et le base-ball sont de véritables institutions et les équipes fonctionnent comme de véritables entreprises. Les matchs attirent un large public de passionnés et sont retransmis durant des heures par des chaînes télévisées spécialisées. La **télévision** fait partie intégrante du quotidien, et les enfants la regardent durant des heures, puisque l'école termine tôt dans la journée. La qualité déplorable des programmes, reposant exclusivement sur des séries violentes ou insipides et des reality shows, finit par poser de graves problèmes d'éducation, dans un contexte où les familles vivent de façon de plus en plus éclatée. De la même manière, à l'exception des grands **journaux** de qualité (*New York Times, Washington Post, Los Angeles Times…*), la plupart des journaux, très lus par le grand public, développent surtout les faits divers sordides et les thèmes les plus superficiels de la politique intérieure, à l'exclusion des informations internationales ou des problèmes de société.

Le long chemin de l'éducation

Les problèmes d'éducation soulignent tous les paradoxes de l'Amérique. Devant l'école, les inégalités deviennent encore plus criantes. La dérive de l'enseignement et la ségrégation par l'argent condamnent les enfants issus des minorités ou des couches pauvres à ne pas faire mieux que leurs parents. Pourtant, « l'ascenseur social » fonctionne. Peu de pays permettent à un tel degré la réussite rapide, l'esprit d'entreprise et l'absence d'inhibitions. Mais cela ne doit pas cacher que ceux qui réussissent le font au bout d'une compétition acharnée, d'une logique financière sans merci et d'une fréquente absence de sentiments ou de scrupules.

Le cursus
Les enfants commencent l'école à 5 ans et effectuent une première année de **Preschool**, équivalente à notre système d'école maternelle. Ensuite, l'écolier intègre l'**Elementary School** (école primaire) où il restera six ans, du *1st grade* au *6th grade*. Il entre ensuite dans une **Junior High School** pour les *7th* et *8th grades* (de 12 à 14 ans, l'équivalent du collège en France), suivie de la **High School** (lycée) où il

L'université de Stanford

H. Levy/MICHELIN

étudiera durant quatre ans pour obtenir le **General Education Diploma** (genre de baccalauréat), à la fin du *12th grade*. À la différence du système français, l'enseignement américain est beaucoup moins pluraliste, laissant peu de place à la culture générale (histoire, géographie, littérature) et aux langues étrangères.

Les études supérieures sont encore plus spécialisées. Le cursus est décomposé en quatre ans de **College**, suivis de deux ou quatre ans d'**University**. Les élèves les plus brillants peuvent demander une bourse *(scholarship)* qui prendra en charge tout ou partie des frais. Ceux qui ne sont ni riches ni assez doués doivent se rabattre sur le **Junior College**, sorte d'institut universitaire. Le diplôme visé est équivalent à deux ans d'université et l'étudiant peut mettre de un à cinq ans pour l'obtenir, selon qu'il devra ou non cumuler ses études avec un travail rémunéré. La plupart des étudiants occupent d'ailleurs un emploi et contractent de lourds emprunts auprès des banques. Après ce premier niveau, l'étudiant est un **junior graduate**. Il peut alors soit entrer dans la vie professionnelle, soit poursuivre son cursus universitaire. Les quatre ans de College mènent au stade du **senior graduate** (niveau bac + 4) qui lui donne le **bachelor's degree**, diplôme décerné à l'issue de ce cycle. Un deuxième cycle mène au **master's degree** (bac + 6), et enfin un troisième cycle au **doctorate** (bac + 8). Les quatre premières années sont consacrées aux matières les plus générales, littéraires ou scientifiques. La spécialisation (droit, médecine, commerce…) se fait à partir du niveau du *master's* et du *doctorate*.

Privé ou public

Tout le système américain repose sur ce choix qui souligne le rôle prépondérant de l'argent. Dans le principe, les programmes éducatifs sont censés être similaires, mais dans la pratique, les écoles publiques rassemblent une majorité d'enfants issus des classes moyennes et défavorisées. La violence et l'insécurité y sont de plus en plus un problème, comme le montrent régulièrement de sinistres faits divers. Le niveau d'éducation y a tellement baissé depuis la dernière décennie (graves difficultés de lecture, absence totale de culture générale, manque de motivation des élèves) qu'il est devenu un enjeu politique majeur et requiert des investissements financiers énormes que le gouvernement hésite à engager. Des propositions ont été faites par l'administration Bush pour subventionner les élèves individuellement, mais beaucoup craignent que les familles moyennes, ayant alors les moyens de rajouter la différence, n'envoient leurs enfants dans le privé. Cette nouvelle ségrégation accentuerait encore la dégradation de l'enseignement public et la spirale d'échec des plus démunis, condamnés à un système de seconde zone.

L'enseignement privé fonctionne grâce aux frais d'inscription payés par les familles (au moins 6 000 $ par an) et aux différentes subventions (églises, sponsors privés, legs de mécènes…). Les écoles catholiques sont souvent les plus abordables, suivies par celles des autres Églises. En haut de l'échelle se trouvent celles qui sont gérées par de prestigieuses fondations, à l'image de l'université Stanford de Palo Alto. Comme pour le primaire et le secondaire, les universités sont publiques ou privées, mais les études sont toujours payantes (même dans le public, la seule inscription coûte au moins 6 000 $ par an, dans le privé, les prix montent beaucoup plus haut, au-delà de 20 000 $). Seul, le Junior College se contente d'un modeste 1 000 $ annuels…

La vie sur le campus

En rejoignant l'université, l'étudiant est fortement encouragé à vivre dans l'une des résidences du campus (c'est souvent obligatoire jusqu'à 21 ans), où il sera accueilli par les étudiants des années supérieures. L'année commence par de grandes réjouissances, de la soirée « ice cream » au grand barbecue, en passant par la soirée dansante, le match amical ou la messe d'accueil. Les nouveaux venus sont officiellement présentés en procession devant les anciens, le président et le corps professoral. La **vie associative** est très intense, sportive, intellectuelle ou caritative, d'autant que les différentes Églises sont très présentes. Garçons et filles résident dans des bâtiments séparés, à deux ou quatre par chambre, les studios étant réservés aux étudiants les plus avancés. La **discipline** y est très stricte, et les visites de l'autre sexe fermement encadrées… L'une des particularités de la vie estudiantine américaine est celle des **confréries** (*fraternities* pour les garçons, *sororities* pour les filles), sortes de sociétés quasi secrètes, aux rites pittoresques et mystérieux, qui se constituent suivant des critères variés et forment la base de réseaux d'amitié et de soutien qui perdurent bien après l'entrée dans la vie professionnelle.

Les aléas du féminisme

Comme pour beaucoup de sujets de société, la place de la femme révèle encore les paradoxes de l'Amérique. À côté de femmes émancipées, indépendantes et engagées sur les fronts les plus divers et les plus prestigieux (politique, droit, recherche…), on trouve la femme au foyer, encore pétrie des codes moraux du protestantisme strict ou du catholicisme latin, tandis que, dans la tradition indienne, la femme reste souvent la clé de voûte de la tribu.

Un féminisme dur

Bien que des courants féministes aient déjà agité l'Europe, c'est aux États-Unis qu'a eu lieu la révolution néo-féministe, dès les années 1960, avec le **Women's Rights Movement**, puis en 1968 avec le radical **Women's Liberation Movement** (Women's Lib). L'Amérique blanche lutta très tôt contre les inégalités entre les sexes et inventa le terme de sexisme pour suggérer un parallèle avec le racisme. Au début des années 1970 naquit un important courant éditorial, s'inspirant de l'essai de Simone de Beauvoir, *Le Deuxième Sexe*, considéré aux États-Unis comme la bible des féministes, et mettant en avant la littérature écrite par et pour des femmes (Germaine Greer, Kate Millett…). Une presse engagée et radicale se fit le porte-parole de ce féminisme américain qui, à la différence de ses contreparties européennes, était violemment revendicatif et volontiers castrateur. On parlait d'oppression, d'exploitation et de libération. Dans un climat conflictuel, ces mouvements critiquaient le système patriarcal à la base de la société américaine. Bien que le féminisme dur des années 1970 se soit orienté vers une appréciation plus réaliste des différences entre les sexes, la société américaine a gardé des années d'antagonisme une propension à voir le conflit et l'exploitation partout. Le nombre de cas de plaintes, parfois cocasses, pour **harcèlement sexuel**, les multiples procédures ou règlements qui ordonnent la vie professionnelle ou sociale font parfois du quotidien un parcours du combattant. Nombre d'éditorialistes stigmatisent régulièrement le désarroi de l'homme américain de base devant ces femmes dont il avoue avoir peur. Solitude, hantise de l'échec ou du rejet, démission devant les femmes poussent de plus en plus d'Américains à rechercher la poupée soumise de leurs rêves dans les agences matrimoniales des pays de l'Est européen…

Entre puritanisme et obsession

À l'opposé, une large frange de la population reste profondément marquée par l'acquis protestant hérité du puritanisme fondateur de l'Amérique *(voir p. 50)*. Ce sont tous ceux qui passent leur temps à pointer les « péchés » des autres. Il suffit, pour s'en convaincre, de suivre n'importe quelle campagne politique pour savoir que la vie sexuelle non conventionnelle ou les entorses à la morale disqualifient plus d'un candidat. Qui a oublié le rocambolesque scandale de la liaison du président Clinton avec Monica Lewinsky ? Dans une image d'Amérique biblique, la place de la femme est aux côtés de son mari, en position de soutien sans réserve, en tant que **mère de famille** et **épouse comblée**… Le rôle que jouent les femmes dans les Églises et les associations est le témoin de cette place idéale. Pourtant, les dérapages existent et à trop vouloir le bien, on voit souvent le mal partout. Il y a quelques années, un fait divers sordide défrayait la chronique. Un jeune garçon de 11 ans était emprisonné, témoignage « visuel » des voisins à l'appui, pour attouchement sur sa petite sœur : il n'avait fait que la mettre sur le pot…

Les modèles tribaux

Bien des tribus indiennes, en revanche, fonctionnent depuis l'origine suivant un modèle radicalement différent. La vie primitive, surtout pour ceux qui s'organisaient en bandes, était précaire et instable. Tandis que l'homme partait de longues semaines chasser ou se livrer à des raids, les femmes veillaient sur le cercle familial et géraient les problèmes. Des femmes se consacraient à la **médecine** (*medicine woman*) ou même devenaient **chamans**. La filiation est fréquemment matrilinéaire (ce sont les ascendantes qui déterminent la lignée) et la demeure familiale est celle de la mère (lorsque les filles se marient, elles restent vivre chez leur mère avec leur époux), ce qui rend parfois la position des hommes difficile et explique qu'ils apprécient le secret et la compagnie des autres hommes pour certains rites (bains de sueur chez les Navajos, *kivas* chez les Pueblos) ou, plus prosaïquement, pour boire ensemble. Certaines tribus, comme les Hopis, admettaient même l'adultère des femmes, bien qu'en général celles-ci soient souvent frappées d'ostracisme au moment de leur menstruation. Après la conquête de l'Ouest et la déportation de beaucoup de tribus, les femmes ont souvent assuré la survie du groupe, tandis que beaucoup d'hommes sombraient dans l'alcoolisme ou la drogue. Elles occupent aujourd'hui de nombreux postes à responsabilité dans les **instances tribales**, s'engagent en politique et s'investissent dans l'éducation et l'économie, conscientes de leur rôle pour la préservation des traditions et de la culture de la tribu.

Objectif : qualité de vie

Pour beaucoup, la Californie est restée le symbole du paradis, l'«État d'or» (*Golden State*) où tout est toléré, où le climat est clément et où les modes de vie alternatifs sont monnaie courante. Cela est particulièrement perceptible en matière d'architecture et de styles de vie. Le Nouveau-Mexique, surtout aux environs de Santa Fe et de Taos, est aussi devenu le refuge des marginaux de tout poil.

Une vie saine et naturelle

Tout commence par le culte de la beauté et de la santé. Culturistes musclés sur la promenade de Venice Beach, starlettes bronzées patientant devant les studios de Hollywood, mères de famille inconditionnelles de macrobiotique, de vitaminothérapie, d'aromathérapie, fans de la nouvelle cuisine californienne : la règle est d'aimer son corps, de le cultiver, de le préserver jusqu'à un âge avancé. Officines de chirurgie, de massages, gommages et autres savoir-faire lipophages se disputent les faveurs des belles… et des beaux. Le **culte du corps** et de l'**éternelle jeunesse** est certainement l'une des caractéristiques de l'Ouest, là où un grand nombre de retraités viennent passer une vieillesse qu'ils espèrent heureuse et saine. Là encore, le contraste est étrange avec la proportion inquiétante d'obèses dès le plus jeune âge, soulignant une autre des contradictions de l'Amérique.

Nettement plus intellectuels sont les passionnés d'**écologie**, de **domotique** et d'**énergies alternatives**, qui pensent toute leur vie en fonction du respect de la nature. Demeures exubérantes et originales, comme les maisons flottantes de Sausalito, pensées pour la lumière (systèmes ingénieux de parois coulissantes, immenses baies vitrées, plafonds transparents…) ou orientées en fonction des courants magnétiques pour que ceux-ci n'interfèrent pas sur la santé, maisons utilisant les produits de la récupération intelligente (vieux bois, bouteilles vides, canettes, pneus) ou préconisant les énergies renouvelables (solaires, éoliennes), architectures intégrées au paysage, matériaux naturels et biodégradables : ces habitations soulignent mieux que beaucoup de discours qu'en Amérique on ne suit pas de règlement, mais que chacun fait ce qu'il veut… ou presque.

W. Buss/HOA QUI

La promenade de Venice

LE SAVOIR-VIVRE

Bien que les règles générales de la politesse à l'occidentale s'appliquent aux États-Unis, quelques petites nuances vous permettront de vous adapter et de ne pas commettre d'impair. En outre, si vous côtoyez des Indiens, sachez que les codes sont différents de ceux des Anglo-Américains.

La politesse de base

La **poignée de main** est pratiquée, mais pas aussi fréquemment qu'en France ; elle est surtout réservée à la première rencontre. Franche et chaleureuse, elle est parfois exécutée des deux mains et accompagnée d'un regard bien en face. L'une des particularités américaines est l'**accolade**, que l'on donne en retrouvant des personnes connues ou en quittant de nouvelles relations que l'on apprécie. C'est en fait un exercice assez raide, car, si elle ressemble à une étreinte, elle garde absolument la distance. On se contente de se taper sur l'épaule et de rapprocher les joues. Les embrassades à la française ne sont pas de mise. Lorsque c'est le cas, limitez-vous à un contact des joues. Le salut le plus courant est verbal, souvent un simple **Hi!** (dire haïe en expirant le h). Si la galanterie est encore recommandée par les manuels de savoir-vivre, elle est de plus en plus rare et considérée comme très « vieille Europe », ce qui peut, bien sûr, être du dernier chic…

Savoir se tenir

À table – Petit détail que l'on ne peut deviner : à table, les bonnes manières exigent que l'on garde la main gauche sur les genoux quand elle ne sert pas.

Alcool – L'Amérique puritaine a gardé une attitude très contradictoire par rapport à l'alcool. Il est tout à fait accepté de boire entre amis, au restaurant ou dans un bar,

Un « dinner » à Bisbee

Le savoir-vivre

mais l'ostentation est déplacée et on ne doit pas boire d'alcool sur la voie publique (y compris dans les parcs ou sur les plages). Pour contourner le problème, on cache hypocritement sa canette ou sa bouteille dans un sac en papier pour n'offenser personne.

Cadeaux – Si vous êtes invité ou que vous souhaitez apporter un présent, sachez qu'il est d'usage de ne pas ouvrir le paquet devant celui qui l'offre. Ce n'est pas de la grossièreté, mais cela permet de rester attentif à ses invités et de réserver la surprise (bonne ou mauvaise) pour plus tard. De même, si vous recevez quelque chose, ne vous précipitez pas pour l'ouvrir.

Cigarette – La consommation de tabac est de plus en plus mal vue. Il est strictement interdit de fumer dans tous les lieux publics couverts (bars, restaurants, administrations, magasins, galeries commerciales…). Vous risquez de passer pour un mal élevé si vous demandez l'autorisation de fumer chez quelqu'un. Attendez de voir comment cela se passe, si par exemple on vous propose un cendrier. Le mieux est de s'abstenir ou de demander à sortir sur le balcon ou dehors (ce que font d'ailleurs les gens dans les bars).

Harcèlement sexuel – L'attitude à adopter avec le sexe opposé doit être soigneusement mesurée. Les hommes se garderont de « draguer » de façon trop conquérante, même si la sulfureuse réputation des Français fait accepter quelques « écarts ». N'oubliez pas, si votre interlocutrice prend un air distant et coincé, que vous êtes au pays où l'on a inventé le harcèlement sexuel. À l'opposé, les femmes qui se comporteraient de la façon détendue et chaleureuse qui est courante en Europe risquent que les hommes rencontrés n'en concluent que « l'affaire est faite » (d'autant que la réputation des Françaises est tout aussi piquante que celle de leurs compatriotes…).

Jurons – Les jurons les plus épouvantables qui truffent la conversation de beaucoup, surtout des jeunes, ne sont pas aussi bien vus dans les milieux favorisés. Évitez d'émailler votre discours de *fuck* ou *shit*, car les gros mots sont toujours plus choquants dans une bouche étrangère. Et n'utilisez pas les jurons blasphématoires : Dieu reste une valeur unanimement respectée.

Les sujets qui fâchent

En règle générale, les Américains sont immensément fiers de l'être, très **patriotes** et persuadés de vivre dans la meilleure démocratie qui soit au monde. S'ils se donnent le droit de critiquer certains de leurs traits nationaux, ils le perçoivent très mal quand cela vient des autres. Ne touchez pas, par exemple, à leur réputation de liberté, de justice et de bonté, ne contestez pas la **politique** étrangère du pays. Attendez pour émettre une opinion et mesurez alors jusqu'où aller. La **religion** est un autre sujet très important. L'adhésion à une secte ou une autre est parfaitement acceptée et il est malvenu de critiquer la religiosité ambiante ou tout simplement la notion de foi. En revanche, ne soyez pas surpris si l'on vous pose des questions sur votre métier et si l'on tente de mesurer votre **niveau de vie** : le travail est la valeur fondamentale des Américains, de même que la réussite sociale. Beaucoup de conversations tournent donc autour des succès matériels.

La politesse à l'indienne

Deux mots résument le savoir-vivre indien : **sobriété** et **discrétion**. La poignée de main est acceptée et pratiquée, mais le contact physique est restreint et les accolades vigoureuses sont déplacés. Il est également considéré comme mal élevé de fixer les gens du regard, même dans les conversations. Ne pensez pas à un faux-fuyant si votre interlocuteur fixe un point au-delà de votre épaule pendant qu'il vous parle, c'est au contraire un signe d'éducation et de respect. Il est impoli de poser des questions trop personnelles, qui sont perçues comme une intrusion. Pour converser, procédez par petites touches, peut-être en racontant un fait précis, puis en laissant votre interlocuteur s'engager dans la conversation. Tout est affaire de mesure et de respect de l'autre. L'**extrême gentillesse** et le sourire des Indiens, leur volonté d'aplanir les problèmes sont la marque de leur souci d'harmonie et de consensus. Enfin, n'oubliez jamais que l'alcoolisme est un fléau terrible dans le monde indien et que l'**alcool** est strictement interdit dans les réserves. Ne commettez pas l'impair d'en proposer.

LA CUISINE

La diversité culturelle de l'Ouest américain garantit une large palette de cuisines très différentes. Chaque communauté garde ses spécialités et vous pourrez manger mexicain, indien, chinois, japonais, coréen, thaï, italien ou basque… Bien que la Californie ait la réputation d'avoir une cuisine plus saine qu'ailleurs, la plupart des Américains mangent trop et mal. Hormis dans les grandes villes où les chefs doués sont nombreux, attendez-vous à une alimentation décevante et trop riche. Si vous ne supportez plus l'idée de manger encore un hamburger, vous pouvez vous rabattre sur les salades, qui sont souvent énormes et suffisent à un repas, les plats végétariens ou la cuisine asiatique, qui reste la plus équilibrée. Les cuisines mexicaine et indienne sont en revanche plus riches, souvent frites, à base de maïs et de féculents.

Manger à toute heure

Ce qui vous surprendra le plus, c'est sans doute de voir que les gens mangent à toute heure. Dès le **petit-déjeuner** (*breakfast*), on s'attable devant un véritable repas comprenant le plus souvent des **œufs** au plat (*sunny side up* ou *fried eggs*), en omelette ou brouillés (*scrambled eggs*), accompagnés de toasts, de **bacon grillé** ou de **saucisses** et de **pommes de terre** (*hash browns*) cuites en galettes à la poêle. Il est suivi de sucreries diverses, dont les **crêpes** (*pancakes*), les **gaufres** (*waffles*), le **pain perdu** (*french toast*), les **muffins** (gâteaux individuels aux myrtilles, aux pépites de chocolat, au citron…), les **doughnuts** (beignets frits très sucrés), les **bagels** (petits pains en forme d'anneau mis à la mode par les communautés juives de New York) et autres pâtisseries aux couleurs synthétiques. On rince le tout avec du thé ou du café, en général très léger. Ce repas se prend toute la matinée. Il est suivi du **déjeuner** (*lunch*), le moins copieux des trois repas, servi facilement jusqu'après 15 h et nettement moins cher que le **dîner** (*dinner*), qui se prend rarement après 21 h. Le samedi et surtout le dimanche matin, beaucoup de restaurants proposent le **brunch** (contraction de *breakfast* et de *lunch*) qui est un autre repas énorme, où les plats traditionnels du petit-déjeuner accompagnent des recettes plus élaborées servies en général pour le déjeuner.

La cuisine américaine

Bien que cette appellation ne recouvre pas une réelle tradition, certains plats sont des incontournables. Le **hamburger** en est un. Faites-en au moins l'expérience, dans un restaurant et non dans un fast-food, surtout dans les quartiers peu touristiques ou dans les petites villes. Dans les menus, vous le trouverez souvent à la rubrique sandwichs et serez agréablement surpris de sa préparation. La viande y est copieuse et de qualité. Le **fried chicken** (poulet frit) est une autre recette typique, héritée des États du Sud, de même que le **cajun chicken** (poulet cajun), une recette épicée et très parfumée. Côté grillades, surtout dans les régions d'élevage (Colorado et Nouveau-Mexique), le bœuf est à l'honneur. Attention, la découpe est différente de celle pratiquée en France. Pour le steak, préférez le **Prime Rib** ou le **T-Bone steak** (issus de la côte de bœuf, découpée différemment de chez nous). Demandez-le *rare* (saignant), *medium* (à point) ou *well done* (cuit).

Bien plus légères sont les **salades**, qui comportent souvent du poulet ou des fruits de mer, une large variété de crudités, voire de fruits frais, et un choix de sauces (*dressings*) toutes un peu sucrées. La plus proche de celle que nous connaissons est l'*Italian dressing*, le *French dressing* est assaisonné de tomate, le *Blue Cheese dressing* contient du fromage bleu, le *Ranch dressing* de la crème aigre et le *Thousand Island dressing* est un mélange de mayonnaise, de ketchup et d'épices.

Saveurs mexicaines

Menu

Chicken Fajita 3 50

Beef Fajita 3 50
  Lettuce, homemade salsa,
  fresh guacamole & sour cream

Freshly made Tamales ... $1 00

Lemonade $1 00

Soft Drinks Bottled Water ... $1 00

El Molero

Pansa
llena,
Corazón
Contento

San Pasqual con una fajita de pollo

Les desserts sont toujours très sucrés, gâteaux très riches à la crème, au chocolat, aux cacahuètes, glaces énormes… Parmi les spécialités plus familiales, goûtez le **pecan pie** (sorte de tarte à la noix de pékan) ou le **carrot cake**, un délicieux gâteau genre quatre-quarts à la carotte, et bien sûr la multitude de **cookies** et autres **brownies**.

Fusion food

À côté des cuisines asiatiques et étrangères (méditerranéenne, française…) à la réputation établie, la Californie est devenue le temple de la « fusion food », un mélange de différentes traditions culinaires et un métissage heureux de saveurs et d'épices de toutes les origines. Poisson à la vanille ou aux cacahuètes, viande laquée à la compote de légumes, ragoûts aux épices : surprise des papilles garantie. Une cuisine légère et créative que vous pourrez notamment découvrir à San Francisco, à Santa Barbara ou à Santa Fe.

L'influence mexicaine

La base de l'alimentation mexicaine sont le maïs, les haricots, les différentes variétés de poivrons et de piments, la tomate et le fromage. La viande est assez rare et n'entre que dans la composition des plats de luxe. La plupart des recettes s'organisent autour des **tortillas**, de fines crêpes de maïs ou de blé roulées (*burritos, enchiladas*), pliées avec du fromage (*quesadillas*) et frites ou empilées autour de farces variées. La **salsa** est une autre spécialité de base. C'est une sauce épaisse, faite à partir de piments, de poivrons, de tomates, de jus de citron vert et d'épices. Elle est servie froide en apéritif avec des chips de maïs ou chaude en accompagnement des plats. Les **chiles relleños** sont des poivrons farcis de viande, de pommes de terre et de haricots, panés puis frits, et servis avec une sauce à base de tomate et de poivron. Petits chaussons de pâte traditionnellement fourrés de viande ou de fromage, les **empanadas** acceptent à peu près tous les contenus et sont cuits au four ou frits. Autre plat typique, les **tamales** consistent en une farce de viande ou de fruits de mer enroulée dans de la pâte, puis dans l'enveloppe séchée d'un épi de maïs, et cuite à la vapeur. Les **fajitas** sont de fines lanières de viande (poulet, bœuf, ou *combo*, c'est-à-dire les deux viandes mélangées) sautées avec des poivrons et des oignons, servies grésillantes sur une pierre chaude, accompagnées de crème, de fromage et de **guacamole**, une purée d'avocat assaisonnée de citron vert et d'un trait de Tabasco. Le **green chile** et le **red chile** sont des ragoûts de porc très piquants avec poivrons verts ou rouges et pommes de terre. À ne pas confondre avec le **chili** (ou *chili con carne*), un plat tex-mex servi comme une soupe, saupoudré d'oignons émincés et de fromage râpé.

Dans le Sud-Ouest américain, la nourriture des Indiens utilise la même base que celle des Mexicains : maïs, haricots secs de toutes sortes, tomates et poivrons. La spécialité est le **pain de maïs frit**, en fait une *tortilla* jetée crue en pleine friture, qui sert de support à la nourriture (à la manière d'une pizza ou d'un pain pour hamburger) ou comme une crêpe saupoudrée de sucre.

Pour étancher sa soif...

Bien que la Californie soit devenue l'une des patries du **vin**, la plupart des Américains n'en boivent pas systématiquement à table, d'abord parce qu'il reste cher et réservé à une élite, mais aussi parce qu'il ne fait pas vraiment partie de la culture gastronomique populaire. Les bons restaurants proposent toujours une carte des vins, mais, en matière d'alcool, la **bière** est le choix le plus répandu. Ne confondez pas la *root beer* avec de la bière. Il s'agit en fait d'une boisson gazeuse sans alcool, souvent artificielle (vérifiez la composition sur les canettes), très parfumée, qui était à l'origine fabriquée à partir des racines de certaines plantes.

Pour la majorité, la consommation d'alcool est plus souvent réservée aux sorties dans les bars ou les clubs, sous forme de cocktails ou d'alcool forts, dont la **tequila** dans les régions à forte composante latino. En fait, la boisson nationale, même avec un bon repas, reste l'incontournable **Coca-Cola** ! Dans les réserves indiennes, où l'alcoolisme fait des ravages, il est impossible de boire de l'alcool. En Utah, beaucoup de restaurants tenus par des mormons n'en servent pas non plus.

LES LANGUES

Dans cet immense pays dont la langue principale et officielle est l'anglais, l'importance des populations immigrées de fraîche date explique que d'autres langues soient encore utilisées par certaines communautés. De même, la presque disparition de la culture indienne au début du 20e s. a suscité une volonté de renaissance et de renouveau de cette culture. Abandonnant leurs complexes, de plus en plus d'Indiens sont fiers de leur langue, la pratiquent et la font vivre au sein des réserves.

Les langues indiennes

Ces langues étaient plus de 400 lorsque les premiers colons arrivèrent. Beaucoup ont disparu. Celles qui survivent se regroupent en grandes familles, plus ou moins importantes selon les endroits.

Pour les Indiens du Sud-Ouest américain, le premier grand groupe linguistique est celui des **langues athapascans**, parlées par les occupants nomades du nord de l'Amérique, dans ce qui est aujourd'hui l'ouest du Canada. Entre le 10e et le 14e s., bien avant l'arrivée des colons européens, une partie de cette population nordique a émigré vers le sud. Les **Navajos** et les **Apaches**, ainsi que certaines tribus du nord de la Californie, sont issus de cette migration. Leurs langues appartiennent à cette grande famille, l'une des plus répandues dans l'Ouest.

Le second grand groupe est celui des **langues uto-aztèques**, parlées par les Aztèques, des Indiens du Mexique et d'Amérique centrale qui étaient eux aussi des chasseurs nomades. Leur migration vers le nord et les échanges commerciaux ont implanté leur culture dans le Sud-Ouest américain,

Bouche cousue

Pour s'assurer que les enfants indiens s'intégreraient parfaitement à la culture américaine, on les enrôlait de force, parfois dès 4 ans, dans des pensionnats éloignés de leurs familles qu'ils ne revoyaient pas durant plusieurs années. Arrivés sur place, on les habillait et on les coiffait à l'occidentale. Interdiction absolue de parler leur langue ou d'évoquer leurs traditions, sous peine de châtiments terribles. On leur enseignait les matières académiques et les artisanats des Blancs et, l'été, on les plaçait au service de familles anglo-américaines. Peu à peu, certaines langues ont ainsi disparu.

avant l'arrivée de celle des Athapascans. Ce groupe englobe la langue **hopi** et les langues **numics**, qui comprennent à leur tour celles des Shoshones, des Utes et des Paiutes. La plupart des langues **pueblos** en dérivent également, se partageant en sous-groupes : le tewa, le tiwa et le towa. Le **keres**, un quatrième groupe de langues pueblos, doit être classé à part, puisque l'on ne peut l'apparenter à aucun autre groupe existant.

Le **zuni** est aussi totalement différent des autres langues pueblos et parfois apparenté au **penutian** (un groupe indien de Californie, d'Oregon et de Colombie-Britannique).

Ces langues sont encore parlées aujourd'hui dans les réserves et dans les familles. Après s'être d'abord attaché à préserver les droits civils et territoriaux des Indiens, le renouveau culturel a remis les langues à l'honneur en encourageant la **création artistique** et **littéraire**. Dans les réserves, des écoles primaires et secondaires sont repassées sous contrôle indien et on y enseigne de nouveau les langues, surtout à l'écrit, ce qui est une victoire pour une culture initialement orale. Il existe même des campus indiens, comme le Navajo Community College, fondé en 1969. Dans les réserves, des **radios indiennes** diffusent en langue tribale, comme chez les Navajos ou les Apaches d'Arizona.

Les langues de l'immigration

L'**espagnol** et le **chinois** sont les deux principales langues étrangères héritées de l'immigration et celles qui ont gardé une place réelle dans la vie de leurs communautés, surtout dans les grands ranchs du Sud et dans les quartiers des villes. On les parle à la maison, en famille, aux ateliers et dans les champs. La pauvreté, une scolarisation réduite et surtout l'importante immigration clandestine y freinent considérablement l'acquisition de l'anglais.

LA LITTÉRATURE

Le héros type de la littérature américaine est en quête perpétuelle : de racines, de liberté, d'absolu, de lui-même, du salut. Éperdu, rebelle et insatisfait, il peuple aussi bien les épopées du Far West que les romans de la *beat generation*. Comme si après avoir fondu toutes ses cultures, l'Amérique se cherchait un but… *(voir aussi p. 118)*.

L'épopée

Pour beaucoup d'écrivains du 19ᵉ s., l'Ouest parle d'aventure et d'exploration. Dans un premier temps, la littérature de ces contrées est celle des commencements, écrite par les témoins visuels, les explorateurs eux-mêmes, et les historiens. Les premiers récits ne sont que les carnets des premiers colons, comme le bouleversant journal de **Virginia Reed Murphy** (1834-?), rescapée de la tragique expédition Donner en 1846 *(voir p. 206)*, ou les œuvres de **Laura Ingalls Wilder** (1867-1957), telle *La Petite Maison dans la prairie*. D'autres sont des carnets de route beaucoup plus précis, écrits à l'usage des colons : *La piste de l'Oregon* a été publiée en 1849 par **Francis Parkman** (1823-1893), un Bostonien en quête d'héroïsme. Dans la même veine, les guides de **John Frémont** (1813-1890) et de son épouse, **Jesse** (1824-1902), racontant en détail la découverte de l'Ouest, furent des best-sellers de l'époque. **Frederick Jackson Turner** (1861-1932) (*La Frontière*, 1893) préférait la lecture historique des événements et la conquête progressive.

Durant la seconde moitié du 19ᵉ s., la ruée vers l'or servit de cadre aux premiers grands romans populaires de **Bret Harte** (1836-1902) et fit naître un genre qui prendra ensuite vie au cinéma, le western. Une abondante littérature de qualité inégale inonda alors les bibliothèques, mélangeant amour et aventure, violence et vertu. À cet égard, *Le Virginien*, d'**Owen Wister** (1860-1938), apparaît comme le précurseur. Au 20ᵉ s., on note les romans de **Zane Grey** (1872-1939) (*Les Cavaliers de la sauge violette*,

Jack London

1912), de **Willa Cather** (1876-1947) (*Pionniers*, 1913 ; *La Mort et l'Archevêque*, 1927) ou de **Wallace Stegner** (1903-1993) (*Vue cavalière*, 1976). Mais bien sûr, l'archétype du romancier de l'Ouest reste **Jack London** (1876-1916), né à Oakland, auteur aventurier universellement traduit de *L'Appel de la forêt* (1903) et de *Croc-Blanc* (1906). À peu près à la même époque, revues littéraires et journaux de la côte Ouest publièrent des récits, nouvelles et chroniques d'auteurs ou de journalistes qui vécurent ou séjournèrent en Californie, comme **Mark Twain** (1835-1910) ou **Ambrose Bierce** (1842-1914), chroniqueur au *San Francisco Examiner*, qui a laissé des nouvelles irrévérencieuses et cyniques sur la période de la guerre de Sécession. D'autres attirèrent l'attention sur l'environnement, pressentant déjà le besoin de le préserver, comme le célèbre naturaliste **John Muir** (1838-1914), **Mary Austin** (1868-1934), qui défendit la cause des déserts, ou **Edward Abbey** (1927-1989), dont *Désert solitaire* (1968) est devenu le livre culte de générations d'écologistes.

Conscience sociale et tranches de vie

La littérature américaine parvint à une maturité nouvelle lorsqu'elle commença à aborder les problèmes humains et sociaux posés par la création très rapide du pays. **Frank Norris** (1870-1902) s'y attaqua dès la fin du 19ᵉ s. avec *Les Rapaces* (1899) ou *La Pieuvre* (1901), dans lesquels il dénonce l'avidité des barons du chemin de fer. Mais dans l'Ouest, c'est bien sûr **John Steinbeck** (1902-1968), Prix Nobel de littérature en 1962, qui porta le mieux les couleurs des fermiers et des ouvriers pauvres, dans *Tortilla Flat* (1935), *Des souris et des hommes* (1937), *Les Raisins de la colère* (1939), qui lui valut le prix Pulitzer, *À l'est d'Éden* (1952)… Même le mythe de l'Ouest perd de son lustre, comme chez **Arthur Miller** (1915), le dramaturge isolé à Big Sur, dans *Les Désaxés* (1961).

À l'enracinement tant recherché par les générations précédentes se substitue une quête insatisfaite et rebelle. **Jack Kerouac** (1922-1969) (*Sur la route*, 1957) et ses amis de la **beat generation** (*voir p. 144*) posent un regard sans concession sur l'Amérique maccarthyste et prônent le détachement et l'errance. Plus récemment, de nouveaux auteurs ont préféré mettre en avant de minuscules tranches de vie, à la manière poignante d'un **Raymond Carver** (1938-1988), né dans l'Oregon, dont les nouvelles minimalistes sont d'une tendresse amère. Dans un genre plus cynique, **T.C. Boyle** (1948), qui vit dans le sud de la Californie, met en scène des histoires tragicomiques stigmatisant les travers de l'Amérique moderne. Des auteurs féminins se font aussi remarquer par des fresques très vivantes sur les différentes communautés, comme **Amy Tan** (1952) ou **Barbara Kingsolver** (1955).

Le roman noir est un autre genre qui atteint la notoriété mondiale, avec des écrivains tels que **Dashiell Hammett** (1894-1961) et son *Faucon maltais*, **James Ellroy** (1948) ou **Raymond Chandler** (1888-1959).

Les écrivains indiens

Issus d'une culture orale, les Indiens ne devinrent écrivains que tardivement et souvent avec difficulté, en raison de la barrière de la langue. Pour certains, c'est leur récit qui est recueilli puis transmis, comme pour le chaman **Black Elk** (1863-1950), qui confia ses expériences spirituelles à un poète du Nebraska (*Black Elk Speaks*, 1932). Dans le Sud-Ouest, le plus célèbre de ces nouveaux écrivains indiens est **Scott Momaday** (1934), né de père kiowa et de mère cherokee, vivant en Arizona, et dont *La Maison de l'aube* obtint le prix Pulitzer en 1969. Il dépeint les contradictions du monde indien déchiré entre traditions et modernité. Dans un tout autre genre, le Navajo **Tony Hillerman** (1925) a mis à la mode le roman policier navajo qui se déroule toujours dans les réserves indiennes, sur fond de rites et de traditions. **Simon Ortiz** (1941), originaire d'Acoma Pueblo, est pour sa part reconnu comme un poète de talent. Plus au nord, dans les Grandes Plaines, le jeune **David Treuer** (1972), qui appartient à la tribu ojibwé, brosse dans *Little* le tableau sans concession des laissés-pour-compte et des marginaux de la communauté indienne.

Lectures

La vogue des lectures publiques de poésie, qui sont un phénomène caractéristique de la vie littéraire américaine, a commencé à San Francisco en 1956. C'est là qu'Allen Ginsberg lut pour la première fois en public son poème « Howl » (Hurlement), manifeste de la « beat generation ». Cette mode étrange et très répandue veut que le poète lise lui-même ses œuvres à haute voix, devant un auditoire parfois de centaines, voire de milliers de personnes. Il ne s'agit ni d'une déclamation théâtrale ni d'une conférence, mais bien de ce qui s'apparente à une transmission orale, presque spirituelle.

La littérature

LES ARTS

La diversité des cultures de l'Ouest a donné naissance à un foisonnement de visions différentes, allant de la simplicité d'un vase indien au souffle d'un peintre paysagiste californien, en passant par la violence colorée des fresques murales des Latinos.

L'art indien

La notion d'art n'existait pas vraiment dans la culture des premiers Indiens puisque chaque chose était conçue pour servir. En revanche, un soin particulier fut apporté très tôt à tout ce qui touchait au sacré, comme le montrent les **pétroglyphes** *(voir p. 453)* ou les **peintures rupestres** retrouvés sur les sites archéologiques, les splendides **poteries** des Indiens pueblos et les motifs des **peintures de sable** éphémères des Navajos. Peintures rituelles, tissages de perles, jeux de plumes et de couleurs, bijoux attestent une sensibilité à la beauté. De nombreux motifs géométriques ou symboliques utilisés par les Indiens ont d'ailleurs envahi la création artistique bien au-delà des tribus. En matière de **peinture** et de **sculpture**, la création, si elle est abondante, reste décevante et atteint rarement l'élégante sobriété des arts anciens. Impressionnée par une vision romantique de la nature et des grands mythes indiens, elle se caractérise souvent par un hyperréalisme baignant dans une lumière surnaturelle, et par un mélange très « New Age » d'animaux, de portraits et de sites naturels idéalisés… Certains artistes se détachent cependant, comme **Pablita Velarde** (1918), **Harrison Begay** (1917), le sculpteur apache **Allen Houser** (1914-1994), le peintre navajo **R.C. Gorman** (1931), né au Canyon de Chelly, ou le Hopi **Dan Namingha** (1950), mais la qualité est à rechercher surtout du côté des artisans d'art, potiers ou joailliers.

L'héritage hispanique

C'est dans l'**art religieux** que l'apport hispanique fut le plus riche : retables, fresques murales ou sculptures sacrées des missions et des sanctuaires (San Juan Bautista, Chimayó…), mais aussi objets rituels modestes, comme les images pieuses en ferblanc ou peintes sur bois. Le style est d'une émouvante simplicité, mélange de **baroque** espagnol, de **naïf** et d'héritage **indien** *(voir le Museum of International Folk Art de Santa Fe, p. 473)*. Mais l'héritage mexicain le plus pittoresque et le plus populaire est celui des **fresques murales** aux couleurs violentes, qui racontent de véritables histoires et mettent en images les malheurs, les revendications et les espoirs des Latinos. Celles de Mission District à San Francisco, d'Albuquerque ou de Santa Fe sont d'excellents exemples de cet art populaire, porté par des artistes mexicains de renom comme **Diego Rivera** (1886-1957), qui en fut l'un des initiateurs (Panamerican Mural au City College de San Francisco), **José Orozco** (1883-1949) ou **David Siqueiros** (1896-1974), qui a signé des fresques à Los Angeles.

La peinture du Sud-Ouest

L'amour de la nature et le réalisme

Dans un premier temps, l'Ouest américain et la Californie, terres sauvages et mal balisées, ne furent que des sujets de peinture. Les artistes aventureux y séjournaient, en ramenaient des tableaux, mais toute l'effervescence artistique se concentrait à l'est du pays. La seconde partie du 19e s. vit ainsi arriver toute une génération d'artistes marqués par le style romantique allemand ou les débuts de l'impressionnisme français et formés dans les écoles européennes. Le genre en vogue à l'époque est le grand **paysage**, baigné de lumières étranges ou noyé de couleurs chaudes et de brumes automnales *(voir le Oakland Museum, p. 178)*. Les clients sont les nouveaux riches qui investissent dans l'Ouest ou ceux qui veulent en faire la promotion, comme les

compagnies de chemin de fer, ou encore ceux qui veulent vanter certaines régions devant le Congrès pour leur assurer le statut de parc national. Parmi ces paysagistes, on note **Albert Bierstadt** (1830-1902), **Thomas Moran** (1837-1926), **William Henry Jackson** (1843-1942), **Thomas Hill** (1829-1908), **Alfred Jacob Miller** (1810-1874), **William Keith** (1839-1911), **Charles Rollo Peters** (1862-1928)…
Un autre genre populaire est le portrait épique, tout à la gloire de la conquête de l'Ouest. Indiens, cow-boys, diligences, petites villes minières envahissent les tableaux de **George Catlin** (1796-1872), de **Frederic Remington** (1861-1909) ou de **Charles Russell** (1864-1926)…
Il faut attendre le début du 20ᵉ s. pour que l'impressionnisme devienne à son tour populaire, suivi du fauvisme. Oakland et San Francisco deviennent des centres de création artistique grâce à la création de l'Art Institute de San Francisco et de plusieurs musées. Comme en France, les peintres pratiquent la peinture de plein air et se regroupent en écoles informelles, comme le **groupe des six**, à Oakland, dont la brillance, la lumière et les décors naturels ont convaincu une génération de jeunes artistes locaux. À l'intérieur des terres, le Nouveau-Mexique est un autre foyer actif. Taos accueille une petite colonie de peintres, venus dans l'Ouest au début du 20ᵉ s. pour croquer quelques paysages, mais qui furent séduits par la lumière exceptionnelle et décidèrent de s'y établir. La **Taos Society of Artists**, constituée par Ernest Blumenstein (1874-1960), Bert Phillips (1868-1956), Joseph Sharp (1859-1953), Herbert Dunton (1878-1936) et beaucoup d'autres, produisit un grand nombre de paysages et de scènes de genre. À Santa Fe, dans les années 1920, un autre groupe, **Los Cincos Pintores** (Les Cinq Peintres), investirent le quartier de Canyon Road et y fondèrent une petite colonie d'artistes, ouvrant la porte à ce qui est devenu l'un des premiers marchés d'art des États-Unis.

L'explosion contemporaine

Les premières expositions d'art moderne aux États-Unis rencontrèrent d'abord un accueil très hostile. Le public ne comprenait ni n'appréciait les Matisse, Picasso ou Braque, et les artistes se limitèrent longtemps encore à un art figuratif et réaliste qui avait la faveur du public. La crise de 1929 fit renaître un nationalisme réactionnaire et un refus des influences artistiques européennes. Il fallut attendre les années 1940 pour que l'art moderne fasse une réelle percée. Malgré tout, avant cette époque, **Georgia O'Keefe** (1887-1986) fut remarquée pour sa vision intimiste et dépouillée. Installée au Nouveau-Mexique, près de Taos, elle imposa ses paysages austères et les détails magnifiés de ses fleurs ou de ses crânes de vache (voir le Georgia O'Keefe Museum de Santa Fe, p. 470). Durant le nazisme, les États-Unis accueillirent un grand nombre d'artistes exilés (Mondrian, Chagall, Léger…), qui contribuèrent au renouveau. Les riches mécènes exposèrent de plus en plus d'œuvres novatrices et finirent par imposer un art nouveau. Dès la fin des années 1940, des peintres comme **Clyfford Still** (1904-1980) ou **Mark Rothko** (1903-1970), membres de l'Art Institute de San Francisco, éveillent l'enthousiasme de leurs étudiants pour la peinture abstraite. Parmi eux, on note **Sam Francis** (1923-1994) ou **Robert Motherwell** (1915-1991).
La période suivante vit en réaction le retour d'un mouvement figuratif, qui prit le nom de Bay Area Figurative, dont les peintres les plus célèbres sont **Richard Diebenkorn** (1922) et **David Park** (1911-1960), exposés au SF MOMA et à l'Oakland Museum. La fin des années 1950 et les années 1960 amenèrent le pop art, né à New York autour de Robert Rauschenberg et d'Andy Warhol, mais rapidement très populaire en Californie. Cet art, à la frontière entre la photographie, l'affiche et la bande dessinée, trouva un terreau de choix dans un État qui se distinguait par ses mouvements contestataires et avant-gardistes. La présence de riches mécènes et la création de nombreux musées et centres d'expositions attirèrent nombre d'artistes en mal de public, parmi lesquels **David Hockney** (1937) et **Jonathan Borowsky** (1942) sont les plus remarqués.

Les arts

LE CINÉMA

Si le cinéma est né en Europe, c'est à Hollywood qu'il atteint la démesure. Bien que vantant surtout les films à gros budget et large public, c'est aussi celui des cinéastes indépendants engagés pour les minorités ou posant, à la demande d'un public ciné-phile, un regard critique sur une société de plus en plus déchirée. Après les attentats du 11 septembre 2001, Hollywood a été poussé à remettre en cause cette escalade de la violence. Nul doute que la discrétion qui s'ensuivit dans les milieux du cinéma est tout à fait inhabituelle et ne durera pas, mais beaucoup espèrent que plus de retenue tempérera à l'avenir la surenchère de l'argent et du sensationnalisme.

La Mecque du cinéma

Rien ne destinait la Californie à devenir la terre promise du cinéma. Jusqu'aux années 1910, la création et les affaires se faisaient à New York. C'est en 1913 que **Cecil B. De Mille**, venu à Hollywood pour tourner un film dans un cadre enchanteur, ins-talla le premier studio dans une grange. Les prix bas, le climat et les paysages variés à portée de main achevèrent de séduire le cinéaste et nombre de ses confrères. Tout ce que le cinéma comptait de personnalités affluèrent sur la côte, les Charlie Chaplin, Douglas Fairbanks et Mary Pickford… Certains sièges sociaux demeurèrent à New-York, mais tous les grands studios étaient à Hollywood. À partir de 1928, la cérémonie des Oscars, qui récompense les meilleurs films et acteurs, acheva d'en faire une véritable Mecque du cinéma. C'est entre les deux guerres que le cinéma devint vraiment une énorme industrie avec la création des **majors**, ces compagnies floris-santes qui firent la fortune des producteurs et propulsèrent les stars au firmament : Paramount, Metro Goldwyn Mayer (MGM), Warner Brothers, Twentieth Century Fox, Universal, Columbia, United Artists…

Le western

Le western est un film épique racontant des épisodes de la **conquête de l'Ouest** au 19ᵉ s. et au début du 20ᵉ s. Les personnages sont initialement très manichéens, les bons d'un côté et les méchants de l'autre. Les héros sont des aventuriers, souvent instables et rebelles, confrontés à des difficultés et qui finissent toujours par les vaincre en se dépassant. Les premiers films ont bénéficié de l'immense succès des spectacles itinérants de Buffalo Bill *(voir p. 29)*. Leur popularité s'explique par l'atta-chement des Américains à ce pan de leur histoire, par ailleurs très courte, et aux vertus de courage et d'ambition qu'ils permettent d'idéaliser. Au milieu des années 1940, un glissement s'opéra pourtant et les scénarios devinrent moins simplistes ; on commença à porter un regard plus critique sur les excès de la conquête, notamment à l'égard des Indiens. Parmi les grandes figures du western, deux noms viennent aus-sitôt à l'esprit, ceux de **John Ford** et de **John Wayne**. Le premier est l'un des réalisateurs les plus prolifiques, avec 130 films entre 1917 et 1966. Il est notamment l'auteur de *La Chevauchée fantastique* (1939), *Le Massacre de Fort Apache* (1948) ou *Rio Grande* (1950). Le second, devenu l'acteur préféré du premier, est immanqua-blement associé à l'image du western (*La Prisonnière du désert*, 1956 ; *L'Homme qui tua Liberty Valance*, 1961).

On retrouve dans tous les westerns les grandes étapes de la conquête de l'Ouest, comme l'exploration (*La Captive aux yeux clairs* de **Howard Hawks**, 1953 ; *Rivière sans retour* d'**Otto Preminger**, 1954 ; *Jeremiah Johnson* de **Sidney Pollack**, 1972), l'épopée du chemin de fer (*Le Cheval de fer* de John Ford, 1924), les guerres indiennes (*Le Massacre de Fort Apache* de John Ford, 1948 ; *Little Big Man* d'**Arthur Penn**, 1970), les hauts faits des bandits (*Butch Cassidy et le Kid* de **George Roy Hill**, 1970 ; *Pat Garrett et Billy le Kid* de **Sam Peckinpah**, 1973)…

À partir des années 1960, le western aborda avec recul les guerres civiles du Mexique et l'intervention des États-Unis (*Les Cent fusils* de **Tom Gries**, 1968), l'oppression des Indiens ou la réalité sordide de la vie au Far West. Le déclin s'amorça dans les années 1970, malgré la résistance de certains cinéastes, dont **Clint Eastwood** (*Pale*

Affiche de «La Charge Héroïque» de John Ford

Rider, 1985; *Impitoyable*, 1992) et la popularité momentanée des «westerns spa-ghettis» des Italiens. Le succès inattendu de *Danse avec les loups* (1989), de **Kevin Costner**, montre peut-être que la vision trop unilatérale du western classique a fait son temps…

La comédie

À l'opposé du western qui place l'action au cœur d'une vaste épopée, la **comédie à l'américaine** s'attache aux situations cocasses du quotidien et stigmatise les mœurs et les défauts de la classe moyenne. À côté de **Charlie Chaplin** et de son humour corrosif ou du burlesque des **Marx Brothers**, l'Allemand **Ernst Lubitsch** (*Le ciel peut attendre*, 1943) donne à ce genre un style sophistiqué et raffiné que cultiveront par la suite **George Cukor** (*Une étoile est née*, 1957; *Le Milliardaire*, 1964), **Frank Capra** (*New York-Miami*, 1934), **Howard Hawks** (*L'Impossible Monsieur Bébé*, 1938), tout en y ajoutant un message social (années 1940-1950). La veine comique est exploitée par **Jerry Lewis**, **Blake Edwards** ou **Billy Wilder** (*Sept ans de réflexion*, 1959; *Certains l'aiment chaud*, 1959). Plus récemment, la comédie a développé une approche satirique avec des films comme *La Guerre des roses* (1990) de **Dany De Vito**, dramatique avec *Thelma et Louise* (1991) de **Ridley Scott**, ou romantique avec *Quand Harry rencontre Sally* (1989) de **Rob Reiner**, *Pretty Woman* (1990) de **Garry Marshall** ou *Mary à tout prix* (1998) des **frères Farrelly**...

Dans un autre registre, la comédie musicale est l'une des grandes spécialités du cinéma américain, avec *Un Américain à Paris* (1951) de **Vincente Minnelli**, *Chantons sous la pluie* (1952) de **Gene Kelly** et Stanley Donen, *Les Hommes préfèrent les blondes* (1953) de Howard Hawks, et *Phantom of the Paradise* (1974) de **Brian De Palma**...

Le film noir

Ce genre devint populaire avec l'acteur **Humphrey Bogart** (*Le Faucon maltais* de John Houston, 1941; *Casablanca* de Michael Curtiz, 1943) et les films d'**Otto Preminger** (*Autopsie d'un meurtre*, 1959), de **Fritz Lang** ou de **Hitchcock** (*Fenêtre sur cour*, 1954; *Sueurs froides*, 1958; *Les Oiseaux*, 1963). Plus récemment, **Martin Scorsese** (*Taxi Driver*, 1976; *À tombeau ouvert*, 2000), **Ridley Scott** (*Blade Runner*, 1982), **Quentin Tarentino** (*Reservoir Dogs*, 1992; *Pulp Fiction*, 1994), **David Fincher** (*Seven*, 1996), les **frères Coen** (*Fargo*, 1996), **David Lynch** (*Sailor et Lula*, 1990; *Mulholland Drive*, 2001) ou **Sam Mendes** (*American Beauty*, 1999) ont su saupoudrer les scénarios d'humour noir et leur donner un rythme proche de la comédie...

Un cinéma engagé

Dès les années 1940, des cinéastes comme **Orson Welles** (*Citizen Kane*, 1941) dressèrent un portrait sans concession d'une certaine Amérique. Après la Seconde Guerre mondiale et le Vietnam, beaucoup prirent du recul par rapport à l'idéalisme ambiant. Des films engagés et critiques abordèrent les questions sociales et politiques. Beaucoup étaient l'œuvre de cinéastes indépendants, libres des contraintes commerciales des grands studios, tels **Joseph Losey** (*Cérémonie secrète*, 1968; *Les Damnés*, 1969) ou **Elia Kazan** (*Un tramway nommé désir*, 1951; *À l'est d'Éden*, 1955). Même des cinéastes voués au grand public, comme **Dennis Hopper** (*Easy Rider*, 1969), **Spike Lee** (*Malcolm X*, 1992) ou **Steven Spielberg** (*La Couleur pourpre*, 1996), abordent le racisme et les coulisses de la politique. Il en va de même pour **Francis Ford Coppola** avec *Apocalypse Now* (1979), **Oliver Stone** avec *Platoon* (1986), *JFK* (1991) et *Nixon* (1995) ou **Michael Cimino** avec *Voyage au bout de l'enfer* (1978) et *La Porte du paradis* (1981).

Les superproductions hollywoodiennes

Ben Hur (1959) de **William Wyler** ou *Autant en emporte le vent* (1939) de **Victor Fleming** ont ouvert la voie aux films à grand spectacle, dont certains coûteront si cher (*Cléopâtre* de **Joseph L. Mankiewicz**, 1963), qu'ils menaceront la survie des studios. Dans cette veine immensément populaire, on trouve aussi bien les grandes fresques historiques (*Le Parrain* de Francis Ford Coppola, 1971) que les épopées futuristes (*La Guerre des étoiles* de **George Lucas**, 1977), la science-fiction (*Jurassic Park* de Steven Spielberg, 1993), les désastres (*La Tour infernale* de **John Guillermin**, 1974; *Titanic* de **James Cameron**, 1997) ou l'aventure (*Indiana Jones* de Steven Spielberg, 1984). L'importance croissante du jeune public détermine aussi l'attribution de budgets énormes et un succès à la mesure : *ET* (1982) de Steven Spielberg ou *Harry Potter à l'école des sorciers* (2001) de **Chris Colombus**.

LA MUSIQUE

Si les plus importants courants créatifs trouvent leur origine dans l'est et le sud des États-Unis, l'Ouest tient une place à part en raison des nombreux artistes qui s'y sont installés et de l'héritage des Indiens et des premiers colons.

Percussions et mélopées

La musique accompagne les **danses sacrées** des Indiens. Lentes mélopées animant les incantations, battements lancinants des percussions rythmant les danses rituelles ou mélodies cristallines des flûtes en bois ont laissé une tradition très vivante que le renouveau de la culture indienne remet à l'honneur. Parmi les interprètes contemporains, certains connaissent un réel succès, comme le flûtiste d'ascendance ute et navajo **Carlos Nakai**, dont certaines créations sur les thèmes du Sud-Ouest et des Grandes Plaines ont inspiré des chorégraphies à Martha Graham, danseuse contemporaine renommée. Dans un autre genre, **Robert Mirabal**, de Taos, a entrepris de faire revivre le patrimoine musical sacré et de le métisser de rock ou de rythmes aborigènes. Plus au nord, chez les Iroquois, **Joanne Shenandoah** et **Lawrence Laughing** s'attachent aux chants sacrés qui célèbrent lune, soleil, animaux. Selon la tradition, ces mélodies sont « inspirées », reçues lors de rêves ou de visions. Beaucoup incluent les bruits de la nature dans leurs compositions, pour reproduire l'atmosphère d'une musique jouée en plein air. Sur les traces des Indiens, des compositeurs blancs du **courant New Age** puisent dans le répertoire traditionnel l'inspiration pour leurs compositions de relaxation ou de méditation, certains restant fidèles à la simplicité originelle, d'autres y ajoutant synthétiseurs et bruitages divers.

Autour des feux de joie...

Née au début du 20e s., la **musique country** est le grand courant musical de la communauté rurale blanche du Midwest et de l'Ouest. Elle est héritée des premiers colons et des cow-boys qui chantaient autour des feux de camp. On y retrouve des influences écossaise et irlandaise, entre ballades et danses endiablées. Privilégiant le violon, la guitare et surtout le banjo, la musique country a bénéficié de la vogue western due au cinéma à partir des années 1940. Par la suite, le blues, le swing et le rock l'ont fait évoluer, pendant que d'autres restaient attachés au style originel, tels **Johnny Cash** ou **Dolly Parton**. Avec **Hank Williams**, dans les années 1950, le mélange de country, de blues et de *honky-tonk* prépara le terrain pour le rock and roll. Chet Atkins, Elvis Presley, Neil Young ou Bob Dylan ont d'ailleurs utilisé les sources de la musique country. D'autres encore sont fidèles aux rythmes et mélodies, tout en glissant vers le folk, comme **Emmylou Harris**.

La scène du rock

L'héritage de la musique country se ressent dans les créations de certains groupes de rock, dont les Californiens de **Creedance Clearwater Revival**. Le sud de la Californie vit aussi l'émergence des **Beach Boys** et de leur rock ludique, idéal pour les plages de Los Angeles. Mais c'est San Francisco qui sera le théâtre de la création la plus dynamique, surtout autour du mouvement *Peace and Love* de 1967. Des artistes de renommée internationale s'y installeront ou y donneront de mémorables concerts comme **Janis Joplin**, **Jimmy Hendrix** ou les **Grateful Dead**...

Le style West Coast

Né dans l'est et le sud des États-Unis, le jazz prend en Californie un caractère dit « cool » qui est devenu un courant à part entière, le **West Coast Jazz**. Joué par des musiciens blancs décontractés, sur les traces de Lee Konitz ou de Gerry Mulligan, il privilégie une musique feutrée et fluide. **Stan Getz**, installé en Californie à partir de 1947, y a formé avec trois autres saxophonistes les **Four Brothers**, privilégiant les timbres harmonieux et la beauté des sons. Les orchestres intègrent des instruments moins traditionnels du jazz, comme le hautbois, la flûte ou le vibraphone...

Sud-Ouest américain pratique

Bienvenue
à Las Vegas

AVANT LE DÉPART

Avant le départ

• Heure locale

Les États-Unis s'étendent sur quatre **fuseaux horaires**. Tenez-en compte lors de vos réservations, pour ne pas appeler en pleine nuit, et lors de vos correspondances sur place, si vous ne prenez pas un vol direct. La Californie et le Nevada observent le **Pacific Standard Time** (PST), soit un décalage de – 9h avec la France (GMT – 8). Le Colorado, le Nouveau-Mexique, l'Utah et l'Arizona observent le **Mountain Time** (MT), qui a un décalage de – 8h avec la France (GMT – 7). Quand il est midi à Paris, il est 3h du matin à Los Angeles ou Las Vegas, et il est 4h du matin à Albuquerque, Moab ou Phoenix.

L'**horaire d'été** (on avance de 1 h) s'applique du premier dimanche d'avril au dernier dimanche d'octobre pour tous ces États, à l'exception de l'Arizona qui se retrouve à cette période à la même heure que la Californie. Quand il est midi à Paris, il est 4h du matin à Los Angeles, Las Vegas et Phoenix, et 5h du matin à Albuquerque, Moab et dans la réserve navajo qui, elle, adopte les horaires d'été !

Attention, aux États-Unis, la **date** s'écrit en mentionnant d'abord le mois, suivi du jour, puis de l'année : le 11 mai 2003 s'écrit 5/11/03. L'**heure** n'est signalée que de 1 à 12, suivi de p.m. (post meridiem) s'il s'agit de l'après-midi : 4h ou 4 a.m., c'est avant midi, 4 p.m., c'est l'après-midi ; 12h ou 12 a.m., c'est midi, 12 p.m., c'est minuit.

• Comment appeler aux États-Unis

Pour téléphoner vers les États-Unis, composez le 00 + 1 + l'indicatif de la ville ou de la région + le numéro de votre correspondant.

• À quelle saison partir

Le climat varie énormément entre les Rocheuses ou la Sierra Nevada, les déserts du Sud-Ouest et la côte californienne. En règle générale et si vous avez le choix, partez en **mai-juin** ou en **septembre-octobre** pour éviter les températures extrêmes et la forte affluence touristique de l'été. La grande saison touristique commence à Memorial Day (dernier lundi de mai) et dure jusqu'à Labor Day (premier lundi de septembre). C'est la période la plus chère. San Francisco est particulièrement agréable en automne, pratiquement jusqu'au mois de décembre. Le sud de la Californie est agréable toute l'année, même s'il pleut un peu plus en hiver. Évitez les grands parcs nationaux du plateau du Colorado en plein hiver si vous n'aimez pas la neige et le froid, et en plein été à cause de la chaleur.

Californie – La côte californienne bénéficie toujours d'un **climat tempéré**, avec des pluies concentrées l'hiver entre novembre et mars, voire **méditerranéen** dans le Sud. Attention toutefois, pendant l'été, la côte est fréquemment noyée dans le **brouillard** le matin à cause du choc thermique entre l'océan Pacifique assez froid et la terre chaude. L'intérieur des terres est très chaud en été, mais les montagnes sont enneigées l'hiver, et les accès de certains cols ou parcs fermés.

Arizona – De **climat continental semi-désertique**, cet État est l'un des plus chauds du continent en été, avec parfois de violents orages. En hiver, il reste sec mais froid, surtout la nuit, avec parfois un enneigement important.

Plateau du Colorado – Le **climat continental semi-désertique** y est surtout plus contrasté en raison des chaînes montagneuses. Dans les plaines et les bassins, les hivers sont secs et modérément froids, mais la neige tombe en abondance sur les hauteurs, parfois jusqu'en avril. Certains circuits dans les parcs peuvent être restreints. Sur les flancs des montagnes Rocheuses, dans le Colorado, les températures sont très froides.

Nouveau-Mexique – Le climat y est très contrasté entre le Nord montagneux (Taos, Santa Fe), à l'extrémité sud des Rocheuses, et le Sud (Roswell, Las Cruces), dont le climat est proche de celui du sud de l'Arizona.

Toutes les conditions météo sont disponibles sur www.weather.com.

Moyennes des températures et des précipitations

	Températures moyennes en janvier (max/min)	Précipitations moyennes en janvier	Températures moyennes en juillet (max/min)	Précipitations moyennes en juillet
San Francisco	13 / 5 °C	100 mm	22 / 12 °C	10 mm
Sacramento	12 / 3 °C	100 mm	34/14 °C	10 mm
Los Angeles	17 / 7 °C	50 mm	24/17 °C	2 mm
Las Vegas	14 / 1 °C	12 mm	39/23 °C	0 mm
Phoenix	19 / 5 °C	15 mm	40/24 °C	3 mm
Albuquerque	8 / – 6 °C	11 mm	33 / 16 °C	15 mm
Santa Fe	5 / – 8 °C	28 mm	27 / 15 °C	100 mm
Moab	6 / – 8 °C	14 mm	35 / 16 °C	11 mm

• Ce qu'il faut emporter

Les vêtements

À part le soir dans les villes, on s'habille assez peu. Dans tous les cas, le style décontracté chic suffit à toutes les sorties (pantalon bien coupé et chemise claire pour les hommes, jupe ou pantalon et chemisier ou pull élégant pour les femmes). En cas de grande chaleur, privilégiez des **vêtements amples**, légers et clairs (n'oubliez pas que les manches longues et les pantalons sont ce qui protège mieux). Le port du short ou du bermuda est très répandu dès qu'il fait beau, même en ville et même pour les femmes. Sur la côte et en altitude, prévoyez un **coupe-vent**. Malgré la chaleur, emportez toujours un pull, car la climatisation, souvent branchée au maximum, peut être glaciale. Aux saisons intermédiaires, prévoyez plusieurs **lainages fins** et des tee-shirts que vous pourrez superposer en fonction du besoin. En hiver, pour l'intérieur des terres, n'oubliez pas manteau ou anorak chaud et imperméable, bonnet et gants, car le froid y est piquant. Pour la randonnée dans les parcs ou le désert, munissez-vous de bonnes **chaussures de marche** (imperméables pour l'hiver), de chaussettes de coton et d'une paire de sandales plates pour les petites balades. **Chapeau** ou casquette sont indispensables pour éviter l'insolation et la déshydratation (certains modèles avec un rabat à l'arrière abritent bien la nuque), ainsi que des **lunettes de soleil**. Enfin, ne vous surchargez pas trop : la plupart des motels et auberges de jeunesse disposent d'une laverie et de fers et tables à repasser.

Les accessoires utiles

Depuis les attentats du 11 septembre 2001, les services de sécurité sont très pointilleux et interdisent tout objet coupant ou pointu. Renoncez à vos ciseaux à ongles, couteau suisse ou autre outil pratique, on ne ferait que vous les confisquer. Les prises électriques sont différentes des nôtres, mais des **adaptateurs** sont en vente dans les bonnes quincailleries, les magasins d'articles de voyage et les aéroports. Attention, si vous emmenez sèche-cheveux ou rasoir électrique : vérifiez qu'ils sont bien adaptables au **110 volts** (sinon vous pouvez acheter un petit transformateur). Les photographes qui utilisent des **pellicules diapos** en feront provision avant le départ, car, en dehors des grandes villes, elles sont peu fréquentes (vérifiez que le développement n'est pas inclus, ce qui vous poserait un problème pour poster vos pellicules). Pour transporter sans souci vos chèques de voyage et votre argent liquide, munissez-vous d'une **ceinture avec poche**, à glisser sous vos vêtements (mettez-y aussi la photocopie de votre passeport et de votre billet d'avion). Si vous comptez camper seulement occasionnellement, vous aurez intérêt à louer ou à acheter une petite tente sur place. Contentez-vous d'emmener un **sac de couchage**. Si vous comptez faire des randonnées, achetez avant de partir une ou deux **gourdes souples** pour emporter à boire (comptez 4 l par jour) et des comprimés pour désinfecter l'eau en cas de camping sauvage.

• Voyage pour tous

Voyager avec des enfants

Attention, bien que les Américains adorent les enfants, certains Bed & Breakfast ou hôtels ne les acceptent pas en dessous de 12 ans (vérifiez bien à la réservation). D'autres ne font pas payer les enfants qui occupent la même chambre que les parents, mais on vous fera payer un supplément s'il faut rajouter un berceau ou un lit de camp. Les restaurants sont toujours équipés de chaises hautes et proposent des menus enfants. Certains monuments ou attractions sont gratuits pour les moins de 12 ans, presque tous pratiquent des billets familiaux. Dans tous les cas, soyez extrêmement vigilant à la déshydratation, qui menace très vite les plus jeunes, et soyez très strict sur le port du chapeau.

Femme seule

Il n'a aucun danger si vous restez prudente à la nuit tombée et dans les quartiers à risques. Dans les bars, soyez ferme et claire si vous ne souhaitez pas de compagnie masculine et souvenez-vous qu'une attitude trop amicale peut être considérée comme une invite (voir p. 73). Les motels des grandes chaînes ont en général un tarif plus bas pour les personnes seules. Pensez donc à demander une chambre single et à préciser que c'est pour une personne.

Gays et lesbiennes

Pas de problème, bien au contraire, en Californie et dans les villes qui, ont toutes des associations, des lieux de rencontre, des journaux, voire des quartiers gays. Attention, cependant, dans l'arrière-pays, les campagnes et les États moins peuplés (Utah, Nevada, Colorado, Nouveau-Mexique, Arizona) : l'Amérique profonde peut être très homophobe (le comportement amoureux homosexuel en public, même se tenir la main, est sanctionné au Nevada). Dans tous les cas, soyez discret et observateur. Aux États-Unis, l'**International Gay & Lesbian Travel Association** (☎ 1-800 448 8550 / 954 776 2626, www.iglta.org) regroupe des organismes gays en tout genre et fournit une foule de renseignements pratiques sur les communautés gays. Localement, les **pages jaunes** des annuaires ont en général une rubrique « Gay & Lesbian ».

Personnes âgées

Les retraités sont les rois aux États-Unis, car ils ont du temps et dépensent de l'argent. Transports, hôtels, monuments et attractions proposent des tarifs attractifs, en général après 62 ans, mais parfois dès 50 ans. Même si cela n'est pas signalé, pensez à le demander. En réservant au téléphone, précisez que vous êtes senior.

Personnes handicapées

La loi exige que tous les services, édifices ou monuments publics (hôtels, restaurants, bus, trains, théâtres, musées, monuments) aient un accès pour les handicapés et des installations adéquates. Même les agences de location de voitures proposent des véhicules adaptés (à réserver à l'avance). Presque tous les hôtels et motels ont des chambres aménagées, et même les parcs nationaux possèdent de petits circuits accessibles en chaise roulante. Enfin, les gens sont en général très prévenants avec les personnes handicapées. Deux sites Internet fournissent des renseignements sur les transports et les différents services : www.access-able.com (Access Able Travel Source, ☎ (303) 232 2979), ou (Mobility International USA, ☎ (541) 343 1284).

• Adresses utiles

Offices du tourisme

France – L'office du tourisme des États-Unis en France, fermé depuis 1996, ne propose qu'une adresse postale où vous pouvez demander des renseignements par écrit : BP 1, 91167 Longjumeau Cedex 9. Sinon, vous avez le choix entre une boîte vocale (☎ 01 42 60 57 15) ou des services Minitel (3614 ETATSUNIS, 3615 USA ou 3617 USATOURISME), très chers. Le Minitel permet de demander à recevoir des brochures. Comme tout cela prend du temps, organisez-vous suffisamment à l'avance. Le Visit USA Committee (24 rue Pierre Sémard, 75009 Paris, ☎ 01 42 60 57 15, www.visitusafrance.com. Lundi-vendredi 13h-17h) dépend de l'ambassade américaine et diffuse des informations touristiques, mais mieux vaut consulter Internet (voir plus loin).

Belgique – Office du tourisme des États-Unis, 350 avenue Louise, 1050 Bruxelles, ☎ 02 648 43 56.

Canada – Travel USA, P.O. Box 5000, Station B, Montréal, Québec H3B 4B5, ☎ 514 861 5036.

Représentations diplomatiques

France – Ambassade, 2 avenue Gabriel, 75008 Paris, ☎ 01 43 12 22 22, Fax 01 42 66 97 83; service des visas, 2 rue St-Florentin, 75001 Paris, ☎ 08 36 70 14 88; Consulat, 10 place de la Bourse, 33000 Bordeaux, ☎ 05 56 48 63 80; Consulat, 12 bd Paul Peytral, 13006 Marseille, ☎ 04 91 54 92 01; Consulat, 15 av. d'Alsace, 67000 Strasbourg, ☎ (03) 88 35 31 04 / 0836 70 14 88.

Belgique – Ambassade, 27 bd du Régent, 1000 Bruxelles, ☎ 02 508 21 11.

Suisse – Ambassade, 93 Jubilaeum Strasse, 3005 Berne, ☎ 031 357 72 34.

Canada – Consulat, Place Félix Martin, 1155 rue St Alexandre, Montréal, Québec H2Z 1Z2, ☎ (514) 398 9695.

Sites Internet

Les États-Unis sont excessivement riches en sites très bien faits et fourmillant d'adresses et de tuyaux. Les meilleurs sont souvent en anglais. Pour les recherches pointues sur des sites ou des thèmes précis, utilisez les moteurs de recherche **google** ou **yahoo**. Pour chaque destination, les sites Internet sont précisés dans les pages pratiques correspondantes, et pour les sites des offices de tourisme de chaque État, voir p. 97.

www.visitusafrance.com, pour les renseignements généraux et les liens vers les voyagistes, compagnies de transport, hébergements, etc.

www.looksmart.com est plutôt un moteur de recherche : choisissez une région ou une ville, puis allez à la section *Travel* pour une foule de détails pratiques et de nombreux liens.

www.virtualtourist.com permet de visualiser le lieu où vous allez, d'interroger la météo et de trouver beaucoup de tuyaux pratiques.

www.about.com à la section *Travel* propose des listes d'hébergement, d'activités, de sites, de liens et surtout des cartes que l'on peut télécharger.

www.nps.gov décline tous les sites des parcs nationaux.

www.nativeweb.org traite de tout ce qui touche aux intérêts des Indiens, journaux, associations, manifestations culturelles…

● **Formalités**

Pièces d'identité et visa

Français, Belges et Suisses doivent présenter un **passeport en cours de validité** et leur billet aller-retour. Le **visa** n'est pas nécessaire, à condition que le séjour n'excède pas 90 jours. Attention, il reste toutefois obligatoire pour les étudiants, les stagiaires et les voyageurs en déplacement professionnel (vous obtiendrez formulaires et démarches auprès des ambassades). Les Canadiens doivent fournir une pièce d'identité et le visa n'est pas nécessaire. Sachez que sur place le **permis de conduire** est fréquemment demandé en plus du passeport lors des vérifications d'identité.

Douanes

Charcuteries, viandes et fromages sont interdits d'entrée, de même que les plantes et, bien sûr, les armes et les munitions. Certains médicaments (notamment les narcotiques) sont interdits au passage de la douane. Si vous suivez un traitement, munissez-vous de l'ordonnance, traduite en anglais avant le départ. La législation autorise l'**importation** de 1 l d'alcool par personne de plus de 21 ans, 200 cigarettes ou 50 cigares, ainsi que tout cadeau ne dépassant pas une valeur de 100 $.

Des **questionnaires** précis vous sont fournis dans l'avion. Même si les questions vous paraissent saugrenues, comme « Êtes-vous un terroriste ? », répondez-y scrupuleusement. Bon à savoir : si vous affichez votre état de chômeur, votre consommation de « substances illicites » ou des fréquentations « politiquement incorrectes » en Amérique, vous devez vous attendre au mieux à être longuement retenu, au pire à être refoulé !

Vaccination

Il n'y a pas de vaccination obligatoire.

Permis de conduire

Même si le permis de conduire national est en théorie suffisant, mieux vaut vous munir d'un **permis international**, que vous obtiendrez en France dans les préfectures. Ayez toujours l'un ou l'autre sur vous, même si vous ne conduisez pas.

• Devises

Monnaie

La monnaie américaine est le **dollar** ($), divisé en 100 cents. Il existe des billets de 1, 5, 10, 20, 50 et 100 $. Attention, soyez vigilant, car ils sont de la même taille et de la même couleur, seule l'effigie change. Les pièces sont de 1 cent (cuivrée), 5 et 10 cents (nickelées, la plus chère étant la plus petite), 25 et 50 cents. Sachez que la *dime* équivaut à 10 cents et le *quarter* à 25 cents.

À l'heure où nous publions ce guide, le **taux de change** est de 0,90 $ pour 1 €. Les économistes semblent penser que l'on se rapprochera assez vite de la parité. Pour vous y retrouver, imaginez que les prix sont signalés en euros : la réalité sera juste 10 % plus chère.

Change

Si vous voulez avoir du liquide sur vous en arrivant, commandez-le à votre banque avant de partir ou retirez-le au distributeur de l'aéroport à votre arrivée. La plupart des banques ne changent pas les espèces.

Chèques de voyage

C'est sans conteste le moyen de paiement le plus sûr et le plus pratique, et celui qui bénéficie du meilleur taux à l'achat. Demandez ceux d'une banque américaine, cela simplifiera les démarches en cas de problème là-bas. Préférez les petites coupures (10 et 20 $), car pratiquement tous les commerces, hôtels et restaurants acceptent le paiement par chèque de voyage et vous rendent la monnaie comme s'il s'agissait d'un simple billet. On vous demandera simplement de produire votre passeport, voire parfois votre permis de conduire.

Cartes de crédit

L'autre bon moyen de paiement, accepté partout, même pour les petits achats. C'est aussi la solution pour ne pas avoir à transporter beaucoup de liquide sur vous. Visa et Eurocard/Mastercard sont les plus courantes. L'idéal est d'en avoir deux en cas de mauvais fonctionnement (c'est la bande magnétique, plus facilement endommagée, et non la puce qui sert). Les **distributeurs de billets**, appelés ATM (Automated Teller Machine), sont extrêmement répandus, le long des rues, devant les banques, dans les grands magasins, les restaurants, les bars… Attention toutefois, ils retiennent une commission assez importante par transaction (2 à 7 $); il vaut donc mieux ne pas retirer une multitude de petites sommes. Assurez-vous auprès de votre banque, avant le départ, de la hauteur de votre plafond de retrait journalier ou hebdomadaire, passé lequel vous ne pourrez plus du tout retirer d'argent. En cas d'oubli de votre numéro, vous pouvez aussi utiliser votre carte pour retirer de l'argent dans les banques. Le mieux est de combiner la carte de crédit avec les chèques de voyage. Dernier détail : la carte de crédit est indispensable pour louer une voiture ou réserver un hôtel (une empreinte est prise qui leur sert de garantie). En outre, la plupart des cartes incluent des assurances complémentaires dont votre banquier vous donnera les caractéristiques.

• Budget à prévoir

Les États-Unis sont une destination chère, où il est impossible de passer des vacances bon marché et où les coûts dépendent du cours du dollar, très élevé ces dernières années. Les prix variant énormément d'un endroit à l'autre et en fonction de votre moyen de transport, il est difficile de fixer des budgets types. Ceux qui suivent sont établis en pleine saison. L'hiver, il est possible d'obtenir des réductions sur les chambres d'hôtel.

Prévoyez un budget journalier de **40** à **60 $** par personne pour séjourner dans des auberges de jeunesse, vous déplacer en bus, manger dans les restaurants très bon marché et pique-niquer une fois par jour. Pour un séjour en motel bon marché, des repas modestes et une voiture de location, vous dépenserez quand même de **120** à **140 $** par jour et par personne, sur la base de deux personnes partageant une chambre et la location du véhicule. Si vous souhaitez séjourner dans un motel de caractère ou un B & B de charme, fréquenter des restaurants plus raffinés et partager une voiture de location, comptez un minimum de **200 $** par personne (sur la base de deux personnes partageant une chambre). Ces budgets, donnés à titre indicatif, incluent les taxes locales, une boisson de temps à autre et des visites (musées, parcs…), mais ils excluent le vol pour les États-Unis et les achats personnels.

• Réservations

Si vous partez entre mai et septembre ou pour les grands week-ends fériés, **réservez à l'avance** pour les zones touristiques (voir dans les pages pratiques). Pratiquement tous les hôtels, motels et B & B ont un site Internet qui permet une visite virtuelle, donne tous les détails et fournit un formulaire de réservation que l'on vous confirme en retour. Réservez aussi votre véhicule de location, surtout si vous rêvez d'un camping-car, d'un 4x4 ou d'une moto rare… Dans tous les cas, on vous demandera votre numéro de **carte de crédit** : ne cherchez pas à refuser ou votre réservation serait annulée.

• Assurances rapatriement et santé

Soyez particulièrement vigilant, car les assurances sont très chères aux États-Unis. Ne faites surtout pas l'économie d'une véritable assurance santé, car les frais montent très vite, surtout si vous avez besoin de radios ou d'une hospitalisation.

Si vous achetez votre billet d'avion ou votre voyage organisé auprès d'un tour-opérateur, on vous proposera en général une police d'assurance très complète couvrant le remboursement en cas d'annulation, les frais de soin et de rapatriement, ainsi qu'un remboursement forfaitaire en cas de vol ou de détérioration de vos bagages. Sinon, vous pouvez vous adresser à titre individuel aux grandes compagnies spécialisées dans ces prestations (Europ Assistance, Mondial Assistance), mais renseignez-vous préalablement auprès de votre banque, car certaines cartes bancaires, notamment la **Visa Premier**, donnent droit à une couverture à l'étranger. Les grosses compagnies mutuelles disposent également de ce service. Analysez les conditions de garantie : vous ne devez pas avoir à faire l'avance des frais et devrez demander une couverture d'au moins 150 000 €.

AVA, 24 rue Pierre Sémard, 75009 Paris, ☎ 01 53 20 44 20, www.ava.fr.

AVI International, 28 rue de Mogador, 75009 Paris, ☎ 01 44 63 51 01.

Europ Assistance, 1 promenade de la Bonnette, 92230 Gennevilliers, ☎ 01 41 85 85 85.

Mondial Assistance, 2 rue Fragonard, 75017 Paris, ☎ 01 40 25 52 04.

Avant le départ

COMMENT S'Y RENDRE

• En avion

Lignes régulières

Toutes les grandes compagnies aériennes desservent les États-Unis, mais les prix varient énormément de l'une à l'autre et en fonction des périodes. Organisez-vous longtemps à l'avance et consultez les offres sur certains sites Internet qui présentent des tableaux comparatifs des tarifs et des caractéristiques de différents vols. Vous pourrez ensuite réserver par leurs soins ou contacter directement la compagnie. Les plus grandes proposent souvent des tarifs attractifs si vous réservez longtemps à l'avance ou acceptez certaines contraintes, et sont plus souples pour organiser des trajets plus complexes (arrivée et départ de villes différentes, étapes supplémentaires…). Enfin, sachez que pour bénéficier des meilleurs tarifs, il vaut mieux réserver vos billets supplémentaires en même temps que votre billet AR. Le vol pour San Francisco ou Los Angeles est sans escale et dure de 10 à 13 heures. Pour Las Vegas, Phoenix ou Albuquerque, vous devrez faire une escale et la durée totale du vol, hors escale, sera de 12 à 15 heures.

Air France, 119 avenue des Champs-Élysées, 75008 Paris, ☎ 0820 820 820, www.airfrance.fr. De nombreux vols vers toutes les villes de l'Ouest, sans escale en direction de San Francisco ou Los Angeles, avec escale et en partenariat avec Continental Airlines pour Las Vegas, Phoenix ou Albuquerque. Pour bénéficier des meilleurs tarifs, demander un billet Tempo et réservez longtemps à l'avance.

American Airlines, une seule agence à Paris, à l'aéroport Charles de Gaulle, aérogare 2, terminal A, ☎ 0801 872 872, www.aa.com. Vol quotidien Paris-Los Angeles, avec possibilité de relais vers San Francisco, San Diego, Las Vegas…

Delta Airlines, 119 avenue des Champs-Élysées, 75008 Paris, ☎ 0800 35 40 80, www.delta.com. Vols quotidiens vers San Francisco et Los Angeles, relais vers Sacramento, San Diego…

KLM, une seule agence à Paris, à l'aéroport Charles de Gaulle, aérogare 1, porte 20, ☎ 0810 556 556, www.klm.fr. La compagnie néerlandaise est associée avec NorthWest Airlines et propose une très large sélection de vols, avec ou sans escale, en direction de la plupart des grandes villes de l'Ouest. Son point fort : elle organise des départs depuis la province. Seul problème : une escale à Amsterdam, donc des voyages plus longs. Mais les tarifs sont très compétitifs.

United Airlines, 106 bd Haussmann, 75008 Paris, ☎ 0801 72 72 72, www.ual-france.fr. L'une des grandes compagnies américaines, proposant des vols quotidiens à tous les tarifs pour Los Angeles et San Francisco et des relais vers beaucoup d'autres villes américaines.

Confirmation

Quand vous achetez votre billet, pensez à demander s'il est nécessaire de reconfirmer votre vol de retour. Si c'est le cas, demandez un numéro de téléphone et faites-le au moins 72 h avant votre vol.

Aéroports

Les départs de Paris se font à Roissy Charles-de-Gaulle. Avant de choisir votre aéroport d'arrivée, calculez bien les distances à parcourir en vous souvenant que l'Ouest est très vaste. Pour visiter la Californie, vous avez le choix entre les aéroports de San Francisco (SFO) et Los Angeles (LAX), qui peuvent aussi servir de point de départ pour certains parcs nationaux. Si vous souhaitez vous concentrer sur les parcs, préférez Las Vegas (LAS), Phoenix (PHX) ou Albuquerque (ABQ). Ces derniers ne sont accessibles qu'après une escale, en général à Houston ou Atlanta. Tous sont très bien équipés de boutiques, restaurants et distributeurs de billets.

Taxe d'aéroport

Elle se rajoute au prix du billet, mais elle est souvent incluse dans le prix que l'on vous indique. Pensez à vérifier avant de faire votre choix, car elle est assez élevée.

Bagages

Le poids autorisé en soute est en général de **20 kg**, mais vous pouvez y ajouter un bagage à main (sac à dos ou petit sac de voyage) que vous garderez en cabine. Attention, si vous faites une première escale sur le territoire américain pour prendre une correspondance, il vous sera impossible de faire suivre vos bagages directement. Pour des raisons de sécurité, vous devrez les retirer, passer à la douane et au contrôle, et les faire réenregistrer pour le vol intérieur. Méfiez-vous : au départ de Paris, certaines agences de voyage ou compagnies vous diront pourtant le contraire.

• Par un voyagiste

Les agences de voyages proposent une large palette de billets d'avion et de séjours négociés auprès des compagnies. Pour les vols secs, il peut être plus avantageux de négocier directement votre billet. En revanche, pour les circuits et les séjours, surtout pour les séjours à thème, c'est sur Internet que vous trouverez les offres les plus intéressantes et les tableaux comparatifs. Si vous ne craignez pas de vous décider à la dernière minute, vous pourrez même faire de très bonnes affaires.

Anyway, 76 rue Vieille-du-Temple, 75003 Paris, ☎ 0825 008 008, www.anyway.com. Présente les offres comparatives de plusieurs compagnies en les classant par prix. Promotions de dernière minute, mais aussi séjours ou circuits organisés à prix plancher. Possibilité de comparaison des loueurs de voitures.

Dégriftour, uniquement par Internet, sur www.degriftour.fr. Propose vols ou séjours avec des promotions de dernière minute.

Directours, 90 avenue des Champs-Élysées, 75008 Paris, ☎ 0811 90 62 62, www.directours.com. Un vrai voyagiste, mais qui ne négocie pas par les agences de voyage. Le site Internet est bien fait et permet de sélectionner des circuits ou des séjours bien pensés dans l'Ouest. Lundi-vendredi 10h-18h, samedi 11h-18h.

Ebookers, 28 rue Pierre Lescot, 75001 Paris, ☎ 0145084488, Fax 0145080369, www.ebookers.fr. Lundi-vendredi 10h-18h30, samedi 11h-17h.

Go Voyages, 22 rue d'Astorg, 75008 Paris, ☎ 0803 803747, www.govoyages.com. Lundi-vendredi 9h-19h, samedi 10h-18h.

Look Voyages, ☎ 0825 824820, www.look-voyages.fr.

Nouvelles Frontières, 87 bd de Grenelle, 75015 Paris, ☎ 0825 000825, www.nouvelles-frontières.fr. Lundi-samedi 8h30-20h.

Travelprice, ☎ 0825 026028, www.travelprice.fr.

Usit Connect, 14 rue Vivienne, 75002 Paris, ☎ 0825 082525, www.usitconnect.fr. Des tarifs intéressants, mais surtout des formules spéciales étudiants ou jeunes. Lundi-vendredi 11h-18h30, samedi 11h-17h30.

Voyageurs du monde, 55 rue Ste-Anne, 75002 Paris, ☎ 0142861730, www.vdm.com. Des voyages soigneusement organisés et des circuits culturels.
À Lyon : 5 quai Jules Courmont, 69003 Lyon, ☎ 0472569456.
À Toulouse : 26 rue des Marchands, 31000 Toulouse, ☎ 0534317272.
À Marseille : 25 rue du Fort Notre-Dame, 13001 Marseille, ☎ 0496178917.

Spécialistes des États-Unis

Back Roads, 14 place Denfert-Rochereau, 75014 Paris, ☎ 0143226565. L'un des meilleurs spécialistes des États-Unis : propose, entre autres, des voyages organisés en tout genre, circuits en voiture, 4x4 ou camping-car, séjours sportifs (VTT, rafting). Lundi-vendredi 9h30-19h, samedi 10h-18h.

Compagnie des États-Unis et du Canada, 3 avenue de l'Opéra, 75001 Paris, ☎ 0155353355, www.compagniesdumonde.com. Voyages à thème ou originaux (Harley Davidson, trekking, train). Lundi-vendredi 9h-19h, samedi 10h-19h.

Comptoir des États-Unis et du Canada, 344 rue Saint-Jacques, 75005 Paris, ☎ 0153102170, Fax 0153102171, www.comptoir.fr. Autre spécialiste organisant des circuits ou des séjours presque à la carte, combinant le vol et la location de voiture, de camping-car ou de moto. Lundi-samedi 10h-18h30.

La Maison des États-Unis, 3 rue Cassette, 75006 Paris, ☎ 0153631343, www.maisondesetatsunis.com. Lundi-samedi 10h-19h.

Voyages culturels

Arts et Vie, 39 rue des Favorites, 75015 Paris, ☎ 01 44 19 02 02, Fax 01 45 31 25 71, Internet : www.artsvie.asso.fr. Informations sur les voyages au 251 rue de Vaugirard, 75015 Paris, ☎ 01 40 43 20 21, Fax 01 40 43 20 29.

Clio, 27 rue du Hameau, 75015 Paris, ☎ 01 53 68 82 82, Fax 01 53 68 82 60.

Voyages aventure

Pour les séjours sportifs à organiser sur place, reportez-vous aux pages pratiques des chapitres Moab, Taos, Monument Valley. Les sites Internet de chaque État listent les offres locales et donnent les liens avec les sites correspondants.

Allibert, 37 bd Beaumarchais, 75003 Paris, ☎ 01 44 59 35 35 / 0825 090 190, Fax 01 44 59 35 36, Minitel : 3615 Allibert, www.allibert-voyages.com. Très beaux circuits de trekking ou de découverte des déserts de l'Ouest, des grands parcs ou des terres indiennes. Lundi-vendredi 11 h-13 h / 14 h-19 h, samedi 10 h-18 h.

American Adventures, www.americanadventures.com. Un site américain proposant une palette de circuits plutôt bon marché, privilégiant le plein air et les activités sportives. 13 personnes maximum par groupe, durée de 10 à 25 jours, circuits sur la côte californienne ou dans les parcs nationaux, hébergement en motel où camping.

Atalante, CP 701, 36-37 quai Arloing, 69256 Lyon Cedex 09, ☎ 04 72 53 24 80. Agence à Paris : 10 rue des Carmes, 75005 Paris, ☎ 01 55 42 81 00.
Agence en Auvergne : 31 voie Romaine, 63400 Chamalières, ☎ 04 73 30 81 84.
Agence en Suisse : 100 % Nature, 15 bd d'Yvoy, 1205 Genève, ☎ 22 320 17 25. www.atalante.fr.

Club Aventure, 18 rue Séguier, 75006 Paris, ☎ 01 44 32 09 30 / 0803 306 032, Fax 01 44 32 09 59, Minitel : 3615 Clubavt, www.clubaventure.com. Lundi-vendredi 9 h 30-18 h 30, samedi 14 h-18 h 30.

Explorator, 16 rue de la Banque, 75002 Paris, ☎ 01 53 45 85 85, Fax 01 42 60 80 00, www.explo.com. Lundi-vendredi 9 h-18 h 30, samedi 10 h-13 h / 14 h-18 h.

Nomade, 49 rue de la Montagne Sainte-Geneviève, 75005 Paris, ☎ 01 46 33 71 71, www.nomade-aventure.com. Un spécialiste du trekking qui ouvre son catalogue aux États-Unis à l'été 2002. Lundi-samedi 10 h-19 h.

Terres d'aventure, 6 rue Saint-Victor, 75005 Paris, ☎ 0825 847 800, Fax 01 43 25 69 37, Minitel : 3615 Terdav, www.terdav.com. Lundi-samedi 9 h 30-19 h.

UCPA, 104 bd Blanqui, 75013 Paris, ☎ 0825 820 800, Minitel : 3615 UCPA, www.ucpa.com. Un spécialiste du voyage sportif. Mardi-samedi 11 h-18 h.

West Forever, 26 route de Strasbourg, 67960 Entzheim, ☎ 03 88 68 89 00, www.westforever.com. Pour organiser des circuits en Harley Davidson, notamment le long de la Route 66. Lundi-jeudi 8 h 30-12 h / 14 h-18 h 30 (17 h 30 le vendredi).

Les forfaits à acheter avant de partir

Si vous souhaitez prendre souvent le train, vous pouvez acheter avant de partir l'**USA Rail Pass** auprès des voyagistes (il n'est pas vendu aux États-Unis) : valable 15 jours ou 1 mois, il permet des déplacements illimités dans une zone donnée. Le prix est plus intéressant hors saison (de 200 à 320 $ pour 15 jours sur la côte Ouest, selon la période).

La compagnie America West propose par ailleurs aux étrangers des forfaits aériens, combinables avec tous les vols internationaux réguliers, tels que le **pass America West** reliant les États de Californie, du Nevada et de l'Arizona, le **pass Western** permettant de visiter tous les États de l'Ouest, et le **Transcontinental Air pass** donnant accès à tout le réseau America West. Vous pouvez, au choix, acheter de 2 (à partir de 159 $) à 8 coupons. Il vous suffit alors de fixer votre itinéraire et d'échanger un coupon de vol pour chaque parcours effectué. Vous pouvez vous renseigner sur www.americawest.com. Le programme **Discover America** proposé par Air France et Delta Airlines offre aussi un tarif préférentiel sur les vols intérieurs, mais il reste toutefois assez cher (comptez 520 $ pour 3 coupons et 640 $ pour 4 coupons).

SUR PLACE

• Adresses utiles

Offices de tourisme

Chaque État possède un organisme supervisant le tourisme (voir plus haut les sites Internet correspondants). Sur place, les bureaux s'occupant du développement touristique se trouvent dans l'annuaire sous la dénomination **Visitor Center**, **Chamber of Commerce** ou **Convention and Visitor's Bureau**.

Arizona – Arizona Office of Tourism, 2702 N. 3rd St., Suite 4015, Phoenix AZ 85002, ☎ (602) 230 7733, www.arizonaguide.com.

Californie – California Office of Tourism, 801 K St., Suite 1600, Sacramento CA 95812, ☎ 1-800 862 2543, www.gocalif.com.

Colorado – Colorado Travel and Tourism Authority, P.O. Box 3524, Englewood CO 80155-3524, www.colorado.com.

Nevada – Nevada Commission of Tourism, 401 North Carson St., Carson City NV 89701, ☎ (775) 687 4322, www.travelnevada.com.

New Mexico – New Mexico Department of Tourism, 491 Old Santa Fe Trail, Santa Fe NM 87503, www.newmexico.org.

Utah – Utah Travel Council, Council Hall, Capitol Hill, 300 N. State St., Salt Lake City UT 84114, ☎ (801) 538 1030, www.utah.com.

Représentations diplomatiques

Toutes les ambassades nationales sont regroupées à Washington DC, mais localement des consulats sont ouverts dans les grandes villes. Reportez-vous aux pages pratiques de Los Angeles (*voir p. 288*) et San Francisco (*voir p. 164*) ou à la rubrique *Consulates* des pages jaunes locales.

• Horaires d'ouverture

Banques et administrations

Les horaires d'ouverture sont en général de 9 h à 17 h du lundi au vendredi. Dans les grandes villes et les villes touristiques, certaines banques ferment plus tard le jeudi ou le vendredi soir et ouvrent le samedi matin.

Bureaux de poste

La plupart des bureaux ouvrent du lundi au vendredi de 9 h à 17 h, mais beaucoup sont ouverts dès 8 h 30 et ferment un peu plus tard, et ouvrent le samedi jusqu'à 14 h.

Commerces

En général, les heures d'ouverture sont de 9 h-10 h à 17 h-18 h. Les grands centres commerciaux restent ouverts jusqu'à 20 h ou 21 h. Certaines petites épiceries de quartier, souvent tenues par des Indiens ou des Pakistanais, ferment à 23 h ou plus tard, mais cela reste exceptionnel. Le dimanche, beaucoup de commerces sont ouverts de 13 h-14 h à 17 h-18 h.

Restaurants

Comme le petit-déjeuner est un repas à part entière, beaucoup de restaurants populaires ou familiaux ouvrent dès 7 h du matin. Ils servent ensuite sans interruption jusqu'à la fermeture. Le menu petit-déjeuner est servi jusqu'à 11 h-11 h 30, celui du *lunch* de 12 h à 16 h, et celui du dîner de 17 h-17 h 30 à 21 h-22 h au plus tard. Les Américains dînent plus tôt que nous. Dans les petites villes, il est parfois impossible de dîner après 20 h 30. L'appellation *early bird* ou, plus chic, *pre-theater* (avant théâtre) désigne le dîner servi entre 17 h et 18 h 30-19 h. Il est généralement bon marché et constitue une très bonne affaire, car les menus du soir sont chers. Dans les grandes villes ou le long des autoroutes, des snacks restent ouverts tard dans la nuit, voire jusqu'au petit matin.

• Visite des musées, monuments et sites

Horaires

Ils varient considérablement selon les endroits et les monuments concernés. Dans les grandes villes, beaucoup de musées n'ouvrent qu'à 11 h. Ils ferment en général vers 17 h, sauf un soir par semaine où une nocturne permet les visites jusqu'à 20 h ou 21 h. Dans tous les cas, vérifiez à la rubrique correspondante l'heure de la dernière entrée tolérée, qui dépend du temps nécessaire à la visite. Les ouvertures des parcs nationaux dépendent en général du lever et du coucher du soleil, mais attention, cela désigne les barrières d'accès. Il arrive que les *Visitor Centers* observent des horaires plus réduits (9 h-17 h ou 18 h).

Tarifs

Ils varient aussi beaucoup, mais sont en général assez chers : de 5 à 15 $ pour les musées et monuments, de 10 à 20 $ par véhicule pour les parcs nationaux. Pour ces derniers, il est bon à savoir que le billet est valable 7 jours, donc peu cher si vous vous cantonnez à une zone (par exemple, celle de Moab). En revanche, si vous souhaitez visiter plusieurs parcs nationaux, ne manquez pas d'acheter le **National Parks Pass** (50 $), qui permet un accès illimité aux parcs nationaux durant 1 an, pour votre véhicule et ses passagers. Attention toutefois, il n'inclut pas les *State Parks* ou parcs d'État. Dans les grandes villes (San Francisco, Los Angeles, Santa Fe…), des **forfaits** proposent plusieurs musées ou monuments, ainsi que les transports en commun. Ils sont toujours très intéressants.

• Poste

Le courrier met de 6 à 15 jours pour l'Europe, en fonction de la ville d'envoi. De San Francisco ou Los Angeles, il peut mettre moins d'une semaine. Les timbres sont vendus uniquement dans les bureaux de poste. Il vous en coûtera 0,70 $ pour affranchir une carte postale et 0,80 $ pour une lettre de moins de 28 g. Pour tous renseignements sur le service postal américain USPS (US Postal Service), interrogez www.usps.com.

Poste restante

Pour recevoir votre courrier en poste restante, faites indiquer : Mr Dupont - c/o General Delivery - adresse du bureau de poste correspondant avec son code postal - USA. Pour avoir les coordonnées exactes et le code, renseignez-vous sur place, car tous les bureaux ne font pas office de poste restante. Pour retirer votre courrier, vous devrez présenter une pièce d'identité. Attention, les bureaux ne conservent pas le courrier plus de 10 jours, sauf si votre correspondant écrit lisiblement en haut de l'enveloppe « Hold for Arrival ».

G. de Benoist/MICHELIN

Envois express et colis

Les services postaux sont lents et chers, et les tarifs varient en fonction des assurances, de la rapidité et, bien sûr, du poids. Pour les **lettres express**, il vous en coûtera beaucoup plus cher que pour une lettre normale : de 5 à 9 $ pour une livraison entre 3 et 5 jours, 17 $ entre 2 et 3 jours.

Pour les **colis** vers l'Europe en vitesse dite « normale » (de 30 à 45 jours !), vous paierez 16 $ jusqu'à 5 kg, puis 0,90 $ par livre supplémentaire. Le même envoi par avion (de 7 à 10 jours !) coûte 27,50 $ et 2,50 $ par livre supplémentaire. La lenteur et les colis égarés ont fait la fortune de sociétés comme **FedEx**, qui vous font payer beaucoup plus cher, mais vous donnent l'assurance d'une livraison ultra-rapide et garantie. Attention, si vous ne voulez pas payer de taxes à la réception du colis, précisez qu'il s'agit d'effets personnels ou d'un cadeau sans valeur marchande. Pour les envois précieux, faites-vous assister par le commerçant qui vous vend l'objet.

• Téléphone

Il y a des cabines téléphoniques partout, mais elles fonctionnent avec des pièces de 25 cents qui défilent très vite et sont très peu commodes pour les appels internationaux (attention, elles ne rendent pas la monnaie, ni les pièces non utilisées). Vous pouvez en revanche acheter dans les épiceries, les gares routières, les stations-service, les bureaux de poste et chez les marchands de journaux des **cartes téléphoniques prépayées** (*prepaid phonecards*) spéciales pour l'international (de 5 à 20 $ en général). Pour appeler, vous devez composer un préfixe gratuit (800), puis le code qui vous est fourni et le numéro de votre correspondant. On vous indiquera alors de combien de minutes vous bénéficiez. Plus pratiques encore, les cartes fournies par **France Telecom**, avec lesquelles les communications sont reportées sur votre facture, sont à demander dans votre agence commerciale (prévoyez à l'avance, car on vous demande un petit délai). Encore moins cher, vous pouvez acheter un **crédit téléphonique** dès votre arrivée aux États-Unis en appelant le 1-800 836 9067 (appel gratuit). Un interlocuteur francophone vous répondra. Après indication de votre numéro de carte bancaire, on vous donne un code confidentiel. Pour appeler, il vous suffit alors de composer le 1-800 540 6489, puis votre code confidentiel et le numéro de votre correspondant, sans oublier le code international ou local. Une voix vous dira alors de combien de minutes vous bénéficiez. Si vous souhaitez commander cette carte avant de partir, composez le 00 1 416 643 7078.

Appels en PCV

On les nomme *collect calls*. Pour les passer, vous devrez utiliser une compagnie spécialisée, comme 1-800-COLLECT. Donnez à l'opératrice le numéro de votre correspondant en précisant que vous souhaitez un *collect call*. Attention, ces appels reviennent cher.

Numéros gratuits et spéciaux

Les numéros commençant par 1-800, 1-877, 1-888 sont des numéros gratuits (*toll free*), souvent utilisés par les compagnies aériennes, les hôtels, B & B et loueurs de voitures. Ils ne sont gratuits que des États-Unis, mais fonctionnent quand même si vous appelez de France (une voix vous signale simplement que l'appel n'est pas gratuit). Si vous avez un numéro commençant par 800, 877 ou 888, faites-le toujours précéder du 1. Ces numéros professionnels ou publicitaires se présentent souvent avec des noms ou des mots (exemple : 1-800-COLLECT) pour une mémorisation plus facile ; il suffit de repérer sur les touches du téléphone à quels numéros correspondent les lettres et de composer comme un numéro normal.

Numéros utiles

Dans tous les États-Unis, les **urgences** répondent au 911, les **renseignements** au 411. Pour demander une aide téléphonique, faites le 0 de n'importe quelle cabine et vous aurez un opérateur qui peut vous passer le numéro souhaité.

Appels internationaux

Pour appeler des États-Unis vers la France, composez le 011 + 33 + le numéro de votre correspondant à 9 chiffres (sans le 0 initial). Les **indicatifs nationaux** sont le 33 pour la France, le 32 pour la Belgique, le 41 pour la Suisse et le 1 pour le Canada.

Appels locaux et nationaux

Les numéros américains sont composés d'un indicatif régional à 3 chiffres, suivi du numéro de votre correspondant à 7 chiffres. Pour les appels locaux (même indicatif régional), ne composez que les 7 chiffres. Pour appeler une autre région (indicatif régional différent), composez le 1 + les 3 chiffres de l'indicatif régional + le numéro du correspondant.

● **Internet**

Les grandes villes possèdent de nombreux cybercafés, mais la facture peut monter très vite. Plus ingénieux : rendez-vous dans les **bibliothèques municipales** (*Library*) qui fournissent un accès gratuit. Présentez-vous à l'accueil, où l'on vous indiquera où s'inscrire, puis attendez votre tour. On vous demandera parfois une pièce d'identité, puis vous bénéficierez de 15 à 60 mn de connexion gratuite. Seule limite : vous ne pouvez pas aller sur certains sites, ni faire d'achats, mais c'est idéal pour vos mails et pour consulter certains sites d'information locale ou culturelle.

● **Jours fériés**

Nouvel An	1er janvier.
Martin Luther King's Day	3e lundi de janvier.
Presidents Day	3e lundi de février, en l'honneur des présidents Lincoln et Washington.
Memorial Day	Dernier lundi de mai, jour du souvenir à la mémoire des victimes de guerre.
Independance Day	4 juillet, fête nationale des États-Unis.
Labor Day	1er lundi de septembre, fête du Travail.
Columbus Day	2e lundi d'octobre, fête de Christophe Colomb.
Veterans Day	11 novembre, à la mémoire des vétérans de la Première Guerre mondiale.
Thanksgiving	4e jeudi de novembre, jour d'action de grâce.
Noël	25 décembre.

Sur place

COMMENT SE DÉPLACER

● **En voiture**

Location

Les compagnies aériennes et les voyagistes proposent des forfaits incluant la location de la voiture. La plupart des grands loueurs sont représentés dans les aéroports, mais les tarifs sont plus bas au centre des grandes villes (reportez-vous aux pages pratiques correspondantes). Les compagnies discount qui fonctionnent sur Internet (voir plus haut) pratiquent des prix assez compétitifs, à vous de les comparer (tenez compte des taxes et de l'assurance, parfois comptées en sus). Si vous avez réservé une catégorie qui n'est pas disponible à votre arrivée, demandez un modèle supérieur pour le même prix, vous l'obtiendrez presque systématiquement. Le système des **assurances** est complexe. Assurez-vous de prendre au moins une LIS (*liability insurance supplement*, responsabilité civile) et une CDW (*collision damage waiver*, sorte d'assurance tous risques), mais vérifiez auparavant la couverture que vous procure votre **carte de crédit** (Visa Premier, Mastercard Gold) pour ne pas faire double emploi. Dans tous les cas, il est indispensable d'avoir plus de 21 ans (voire 23 ans), au moins 1 an de permis (parfois jusqu'à 3 ans) et de présenter une **carte de crédit**, une ou deux pièces d'identité et votre **permis de conduire**.

En théorie, le permis national suffit, mais si vous vous déplacez dans des zones retirées, le permis international est plus facilement reconnu (ayez toujours les deux sur vous).

Plus pratique et tout aussi compétitif, une compagnie française se charge de négocier pour vous les meilleurs tarifs (le patron a vécu des années en Californie et en Arizona). Vous appelez un numéro vert en France et arrangez votre réservation en français, ce qui évite les incompréhensions et le problème de décalage horaire. De plus, le service est très efficace et charmant, irremplaçable en cas de problème ! **Auto Escape**, 0800 920 940 (gratuit), Fax 04 90 09 51 87, www.autoescape.com. Comptez environ 220 $ par semaine (kilométrage illimité, toutes assurances et taxes incluses) pour une catégorie A *compact* (un peu poussive pour les longues routes) et 250 $ pour la catégorie au-dessus, *sub-compact*. Les prix baissent pour les locations plus longue durée. Vous payez d'avance et on vous envoie une facture et un bon de retrait de la voiture. Vous n'aurez rien à régler sur place.

Les voitures sont toutes équipées d'une **boîte de vitesses automatique** : D (*drive*) pour avancer, R (*reverse*) pour la marche arrière, P pour parking, L (*low gear*) pour les vitesses basses (1re ou 2e) en montagne ou dans les pentes. En principe, on vous fait maintenant payer le plein d'essence en vous livrant le véhicule. Dans ce cas, rendez le vide. Au moment de votre réservation, vérifiez si vous pouvez rendre le véhicule dans une ville différente, indispensable si vous rentrez par un autre aéroport que celui de votre arrivée. Attention, si vous comptez traverser des régions enneigées, la plupart des loueurs interdisent le port de chaînes sur les voitures de location. Libre à vous de passer outre, mais sachez que vous n'êtes pas assuré en cas de problème et que cela peut vous coûter très cher. Dans les régions montagneuses, certaines voitures sont louées avec des pneus neige adaptés.

Si vous partez pour deux semaines ou plus, il est sage d'adhérer à l'**AAA** (*American Automobile Association*), ☎ 1-800 874 7532, www.aaa.com. Il vous en coûtera entre 50 et 65 $ selon les États, mais vous aurez droit à un dépannage d'urgence en cas de problème ou de panne, ainsi qu'à d'importantes réductions dans la plupart des hôtels, ce qui fait que la cotisation sera très vite amortie.

Réseau routier

Le réseau routier est très bien entretenu, gratuit, mais peu dense en dehors des grandes agglomérations et des zones peuplées. Les distances sont données en miles (1 mile = 1,6 km). Si les routes sont larges et droites, la circulation aux abords des villes est intense et les embouteillages fréquents.

Pour repérer votre destination, ne vous contentez pas du nom de la ville, qui ne figure pas toujours sur les panneaux, mais faites attention au **numéro de la route** et à la **direction** (north, south, east, west). Les grandes **intersections** sont appelées *Junctions* et sont en général signalées à l'avance : on vous annonce la jonction avec la route que vous traversez (Jctn-70 annonce que vous croisez la route 70).

Les routes précédées de la lettre I (I-25, I-40), pour *Interstate Highways*, sont de grandes **autoroutes fédérales**. Celles qui portent un nombre impair (I-25) sont orientées globalement du nord au sud. Celles qui portent un nombre pair (I-40) vont d'est en ouest. Celles qui comportent 3 chiffres (I-405, autour de Los Angeles) sont des autoroutes de ceinture des grandes villes. Les autres routes, allant de la voie express à la petite route, sont précédées des codes US (US-50) pour les **routes fédérales**, des deux lettres code de l'État suivies de 1, 2 ou 3 chiffres pour les **routes d'État** (AZ-86, CA-1, CO-145, NV, NM-666, UT-12). Les petites **routes secondaires** sont des *country roads* ou, dans les réserves, des *Indian Reservation routes*.

Cartes routières

La **carte Michelin** Western USA n° 493 couvre l'ensemble de l'Ouest américain et permet d'établir son itinéraire, mais sur place vous aurez besoin de cartes plus détaillées. Pour couvrir tout le pays, achetez un atlas routier comme celui de Rand McNally. Pour des zones plus précises, les **cartes d'État** et les plans Rand McNally sont parmi les meilleurs. Pour la région du plateau du Colorado et des réserves indiennes, achetez absolument l'**Indian Country Map** (4 $), éditée par l'Automobile Club of Southern California, très détaillée, bien faite, allant d'Albuquerque à Great Sand Dunes et de Flagstaff à Bryce Canyon. En France, quelques libraires parisiennes vendent ces cartes ainsi que les plans des grandes villes :

Brentano's, 37 avenue de l'Opéra, 75002 Paris, ☎ 01 42 61 52 50, www.brentanos.fr. Possède un rayon voyage très fourni en plans et cartes et peut éventuellement commander.

WH Smith, 248 rue de Rivoli, ☎ 01 44 77 88 99. Offre les mêmes services.

Plans des villes

Dans les villes, vous noterez le plan en damier, très pratique à l'usage. En effet, les rues conservent leur nom sur toute la traversée de la ville. Chaque bloc ou pâté de maisons abrite les numéros d'une même centaine : le bloc des 100 est suivi de celui des 200, et ainsi de suite, ce qui explique qu'il n'y a pas de continuité dans les numéros. En revanche, il vous suffit d'avoir un numéro et de compter les blocs sur le plan pour savoir précisément où vous allez. À chaque intersection, le nom de la rue que vous croisez figure lisiblement face à vous, au-dessus de votre voie s'il y a un feu ou sur un panneau sur votre droite (aussi à gauche en cas de sens unique). Il est donc facile de repérer la rue où vous voulez tourner.

Signalisation

Parmi les particularités de la signalisation routière, méfiez-vous des feux de carrefour et des stops. Les **feux** sont accrochés au-dessus de la rue, en hauteur, et toujours de l'autre côté du carrefour : n'attendez donc pas d'être juste devant pour vous arrêter ! Vous rencontrerez des **stops** marqués « 4 ways » (4 directions) et remarquerez que le carrefour est doté de quatre panneaux « stop » : vous devrez en fait noter l'ordre d'arrivée, car chacun passe à son tour, sans tenir compte des priorités. Attention, soyez *fair play*, car on ne triche pas !

Conduite

La **vitesse** est limitée à 25 miles/h (40 km/h) dans les villes (15 miles/h près des écoles) et à 55 miles/h (88 km/h) sur les routes normales. Sur les voies express, la limite est de 65 miles/h (105 km/h) sur les grandes routes, de 75 miles/h (120 km/h) sur les autoroutes. Respectez strictement les limites, car la police est intransigeante et ses véhicules permettent de mesurer votre vitesse même en vous croisant. En cas d'excès, le policier peut se contenter d'allumer son gyrophare et sa sirène, mais il peut aussi vous arrêter. Dans ce cas, restez au volant en laissant vos deux mains bien en évidence et montrez-vous aimable et conciliant. Le port de la **ceinture de sécurité** est obligatoire.

Aux croisements, la **priorité** est à celui qui arrive en premier. Lorsque les deux arrivent en même temps, c'est la priorité à droite qui fait loi. Pour les ronds-points, priorité au premier arrivé. Aux croisements, pour **tourner à gauche**, vous devez croiser par-devant la voiture d'en face qui tourne à gauche elle aussi.

Les **piétons** sont toujours prioritaires sur les passages cloutés et, à l'inverse, sont passibles d'une amende s'ils traversent en dehors. Si vous suivez ou croisez un **bus scolaire** (jaune vif), soyez très attentif à son clignotant ou à un petit triangle déployé sur le côté gauche du bus. Lorsqu'il fonctionne, vous devez impérativement vous arrêter, car des enfants vont traverser.

Les **camions**, énormes et pittoresques, roulent très vite et prennent souvent des libertés avec les règles de vitesse et de priorité. Sur les autoroutes, notamment, il est fréquent qu'ils tentent de forcer le passage pour doubler avant vous. Rangez-vous, ils ne cèdent jamais…

Comment se déplacer

L'**alcool** au volant est bien entendu prohibé (taux limite de 0,80 g/l), mais il est interdit dans certains États de transporter des bouteilles d'alcool entamées (ou même vides !) à l'intérieur de la voiture. Dans tous les cas, laissez-les dans le coffre.

Essence

Bien qu'ayant augmenté de manière significative depuis un an, elle reste moitié moins chère qu'en France. Les prix varient beaucoup d'un État à l'autre, et entre les villes et la campagne. Elle est vendue par **gallon** (3,8 l). Excepté pour les grosses voitures, le *regular unleaded* suffit. De plus en plus de stations fonctionnent avec la carte de crédit et des automates 24h/24. Sinon, observez les autres : soit vous vous servez et allez payer ensuite, soit vous attendez le pompiste. Les pourboires n'ont pas cours dans les stations service.

Stationnement

Cher et rare dans les villes. Vous trouverez des **parkings gardés**, couverts ou non, où l'on vous donne un ticket à l'entrée et où vous payez à la sortie. Les **parcmètres à pièces** sont en général payants de 8h à 18h et gratuits le dimanche. Dans les motels, pas de problème, le parking est gratuit. En revanche, renseignez-vous bien pour les hôtels ou B & B, car s'il n'est pas gratuit on pourra vous faire payer entre 10 et 20 $ par nuit.

• En camping-car

Couverts par l'appellation générale de RV (*Recreational Vehicle*), les camping-cars sont de toutes tailles, allant du **camper** (camping-car comme chez nous) au **motor home**, véritable camion ou bus, habitable et luxueux. S'ils résolvent le problème de l'hébergement, ils sont chers à louer (à partir de 800 $ la semaine sans les assurances pour un deux places), lourds et lents, et consomment beaucoup d'essence. Le pays regorge de **RV Camps**, campings spécialement aménagés, avec branchements d'eau et d'électricité. Il est interdit de s'arrêter pour la nuit en dehors d'un *RV Camp*. En été, les week-ends et dans les campings des parcs nationaux, il faut impérativement réserver à l'avance pour trouver une place. Certains voyagistes proposent des formules incluant la location d'un RV, mais il est plus avantageux de négocier directement avec les compagnies aux États-Unis en surfant sur Internet. Faites-le longtemps à l'avance, car en saison il est impossible de trouver ce genre de véhicule. Parmi les nombreuses compagnies, essayez **Moturis** (☎ 1-877 MOTURIS, www.moturis.com) ou **Cruise America** (☎ 1-800 RV4RENT, www.cruiseamerica.com). Pour tous renseignements concernant les loueurs et les campings, visitez le site Internet de RV America, www.rvamerica.com.

• En train

Amtrak est la compagnie nationale des chemins de fer (☎ 1-800 872 7245, www.amtrak.com). Si vous prévoyez de l'utiliser, préparez votre itinéraire sur le site Internet pour calculer le prix, les horaires et les possibilités d'étapes. Le réseau ferré est peu dense, relayé par un système de bus. Très confortable, ce moyen de transport est lent et cher (exemple : San Francisco-Los Angeles, 15h, 52 $). Il permet d'apprécier le paysage sans se fatiguer, mais comme les distances sont énormes, vous y passerez beaucoup de temps. Il est strictement interdit de fumer dans les trains. Les lignes sillonnant l'Ouest sont le **Los Angeles-Seattle** (*Coast Starlight*), via Santa Barbara, la côte et San Francisco, le **San Jose-Reno** (*California Corridor*), via San Francisco et Sacramento, le **Chicago-San Francisco** (*California Zephyr*), via Denver, Salt Lake City et Sacramento, le **Los Angeles-Chicago** (*Southwest Chief*), via Phoenix, Albuquerque et Santa Fe, le **San Diego-San Luis Obispo** (*San Diegan*).

Pour les forfaits à acheter avant de partir, voir p. 96.

Comment se déplacer

• En bus

Beaucoup plus dense et moins cher, le réseau de **bus Greyhound** (☏ 1-800 231 2222, www.greyhound.com) dessert la plupart des villes de l'Ouest, même les plus isolées. Comme pour le train, on vous recommande de prévoir à l'avance votre périple sur Internet (site rapide et pratique), ne serait-ce que pour vous assurer des correspondances et des horaires. Évidemment moins confortables que le train (ils ont toutefois des toilettes et des sièges inclinables), les bus sont surtout plus conviviaux, plus souples, plus fréquents et souvent plus rapides. Il est strictement interdit d'y fumer. Pour les grandes distances, ils sont nettement plus fatigants, surtout si vous avez plusieurs correspondances. À chaque arrêt, descendez pour vous dégourdir les jambes, mais ne laissez surtout pas votre bagage à main sans surveillance. Pour exemple, le trajet San Francisco-Los Angeles dure 10 h et coûte 50 $. Détail d'importance : si vous achetez votre billet 7 jours avant votre départ (on peut le commander par téléphone avec une carte de crédit et le retirer sur place en présentant une pièce d'identité), vous économiserez jusqu'à plus de 50 % (26 $ au lieu de 50 $ pour San Francisco-Los Angeles, 45 $ au lieu de 115 $ pour Los Angeles-Albuquerque). Un système de forfait, l'**Ameripass**, est en vente dans les gares Greyhound et permet des trajets illimités par tranches d'une semaine. Les **gares routières** sont toujours équipées de toilettes et de snack-bars, mais sont parfois situées dans des quartiers isolés. Si vous avez à attendre une correspondance ou si vous arrivez de nuit, soyez prudent : appelez un taxi ou attendez le jour.

• En avion

Si vous voulez sillonner les États-Unis en un minimum de temps, les compagnies aériennes intérieures sont la solution. La concurrence acharnée garantit des tarifs intéressants. Cependant, pour bénéficier des tarifs les plus avantageux, il vous faudra négocier et vous renseigner sur place, ce qui occasionne un stress inutile. Les vols sont très nombreux et fréquents, mais vous paierez toujours moins cher en vous y prenant à l'avance. Le plus sage est de décider avant de partir des étapes que vous souhaitez et de négocier un prix global avec votre voyagiste, votre compagnie ou sur Internet. La plupart des compagnies internationales ont des accords avec les compagnies intérieures ou régionales. Pour les forfaits à acheter avant de partir, voir p. 96.

• À moto

Moyen de locomotion mythique pour visiter le sud-ouest des États-Unis, la moto est privilégiée par certains voyagistes qui organisent des circuits, mais ils sont chers. Si vous préférez une Harley Davidson, ce sera encore plus cher (entre 130 et 150 $ par jour). Les spécialistes en France de voyage à moto sont **West Forever** *(voir p. 96)*. Si vous vous contentez de quelques virées, louez sur place, dans les villes *(voir les pages pratiques des villes correspondantes)* ou auprès de l'agence nationale **Eagle Rider**, ☏ 1-800 910 1520 (appel gratuit pour connaître les agences des différentes villes). Vous devrez vous munir du **permis national moto** et du **permis international**.

• En auto-stop

Pas vraiment conseillé, à part en Californie, le stop est même interdit dans beaucoup d'États et assez mal vu partout. En outre, les faits divers se multiplient et ce moyen de transport devient de plus en plus dangereux. Sachez que les chauffeurs de poids lourds n'ont pas le droit de prendre des auto-stoppeurs et qu'il est interdit de faire du stop sur les *Truck Centers* ou à leur sortie, pas plus que le long des autoroutes.

• En taxi

À part dans les villes, le taxi est très cher (2 $ + 2 $ par mile + 1 à 2 $ par bagage). En règle générale, ceux qui circulent dans les rues ne sont pas libres et il vaut mieux en appeler un de votre hôtel ou du restaurant *(voir les carnets d'adresses par étape ou les pages jaunes de l'annuaire)*. Pour les excursions, préférez les services organisés spécialement *(voir pages pratiques correspondantes)*.

HÉBERGEMENT ET RESTAURATION

• Les différents types d'hébergement

C'est principalement votre budget qui déterminera le type d'hébergement que vous choisirez. Le motel est le type le plus répandu et le plus pratique si vous louez un véhicule. Le B & B est de plus en plus populaire et constitue le seul moyen de côtoyer les Américains de plus près.

Campings

Les sites touristiques et les parcs nationaux sont équipés de campings bien aménagés et relativement bon marché (de 10 à 25 $ par emplacement). Une solution idéale pour visiter les parcs à peu de frais. Si vous voulez éviter de transporter un matériel trop lourd, vous pouvez acheter sur place une petite tente, à un prix inférieur à ceux pratiqués en France. À part la côte californienne qui bénéficie d'un climat tempéré ou méditerranéen, l'intérieur est plus rude (nuits fraîches et températures vite insupportables dès le mois de mai). Tenez compte également de l'altitude élevée au Nouveau-Mexique ou sur le plateau du Colorado.

Les **campings nationaux** et d'État se trouvent sur les principaux sites classés (*National Parks, National Monuments, National Recreation Areas, State Parks…*) et sont assez rudimentaires. Il faut absolument se ravitailler avant de s'y rendre, car il n'y a pas d'épicerie. Les places y sont très disputées le week-end et entre mai et septembre, pour les tentes et encore plus pour les camping-cars. Réservez au moins trois mois à l'avance, et jusqu'à 5 mois pour les sites les plus célèbres comme le Grand Canyon. Service central de réservation, ☎ (301) 722 1257 / 1-800 365 2267, www.reservations.nps.gov (*voir aussi dans les pages pratiques correspondantes*).

Les **campings privés** pratiquent à peu près les même prix et sont souvent mieux équipés (douches chaudes, laverie, électricité, piscine…). Mieux vaut aussi réserver, surtout dans les zones touristiques. La plus répandue des chaînes de campings est la **KOA** (Kampgrounds of America), ☎ (406) 248 7444, www.koakampgrounds.com. Vous trouverez d'autres listes de campings sur www.gocampingamerica.com.

Le **camping sauvage** est généralement possible sur le domaine public, mais il doit respecter des consignes strictes. Dans les forêts et parcs d'État ou nationaux, des panneaux signalent la possibilité de faire du **backcountry camping**, sur des sites accessibles uniquement à pied (vous ne pouvez apporter que ce que vous portez sur le dos). Dans les parcs nationaux, vous devez retirer un permis (en général gratuit) au *Visitor Center*. Sur place, il est demandé de ramener vos déchets, d'enterrer vos excréments, de ne faire du feu que si c'est permis et de l'éteindre soigneusement en partant (attention, il arrive que des *rangers* fassent des rondes…).

Auberges de jeunesse

Il existe plusieurs réseaux d'auberges de jeunesse. Pour tous renseignements sur les auberges, consultez les sites www.hostels.com ou www.hostelhandbook.com.

Les auberges de l'association **Hostelling International American Youth Hostels** (HI/AYH, www.hiayh.org) sont les plus sympathiques et les moins chères. Elles offrent un confort standard (lits en dortoirs non mixtes, cuisine, laverie, quelques chambres privées) et occupent souvent de beaux bâtiments ou sont situées dans des cadres grandioses. Attention, elles observent en général un couvre-feu et il arrive que l'on vous demande de participer aux tâches ménagères. Si vous n'avez pas la carte internationale, vous y serez quand même accepté, mais paierez un peu plus cher. Vous pouvez vous procurer la carte en France auprès de la **FUAJ** (Fédération unie des auberges de jeunesse, 27 rue Pajol, 75018 Paris, ☎ 01 44 89 87 27, www.fuaj.org). Pour réserver, procurez-vous le code de l'auberge sur Internet et appelez le ☎ 1-800 909 4776.

Les **auberges privées indépendantes** sont plus irrégulières, parfois vraiment confortables, mais de temps à autre rustiques, voire sales. On y pratique plus volontiers les dortoirs mixtes. Il n'y a pas de corvée de ménage.

Les **YMCA** (*Young Men Christian Association*) et les **YWCA** (*Young Women Christian Association*) sont en général plus chères et assez irrégulières, allant du très confortable au rudimentaire. Très fréquentées par les étudiants, elles sont souvent bruyantes, surtout le week-end. Les premières sont en principe réservées aux hommes, mais elles sont le plus souvent mixtes avec dortoirs séparés, les secondes n'accueillent que les femmes.

Motels et hôtels

Le **motel**, construit pour le voyageur motorisé, s'organise autour du parking. Les chambres donnent souvent sur l'extérieur (il y a rarement plus de deux étages) et vous pouvez garer votre véhicule juste devant. Ils se situent en général en périphérie des villes ou le long des routes. Le confort est variable, mais la plupart sont équipés d'une piscine et d'une laverie. Les chambres sont très grandes et l'on peut souvent y loger à quatre. L'**hôtel** est plutôt situé en centre-ville, dans des immeubles plus importants et plus hauts. Il faut toutefois souligner que même le motel de base offre des chambres spacieuses et confortables (salle de bains ou douche, air conditionné, télévision, téléphone…). Pour les hôtels, tout dépend de la situation : en centre-ville, comme à San Francisco, les chambres sont fréquemment exiguës. Dans tous les cas, surtout si vous voyagez entre mai et septembre, **réservez à l'avance**, par téléphone, fax ou Internet. Il vous faudra toujours donner votre numéro de carte bancaire pour sécuriser la réservation. Si vous devez annuler, **prévenez impérativement** avant 18 h, sinon la nuit vous sera débitée.

Beaucoup de motels et d'hôtels affiliés à des **grandes chaînes** n'ont guère de caractère et se trouvent au bord des routes, mais ils vous assurent un confort et un service standard. Ils proposent des services de réservation centralisés par téléphone (numéro gratuit) ou par Internet. C'est très pratique, mais vous ne pourrez pas ainsi bénéficier de rabais ni d'offres spéciales. Quand vous tenez à une adresse précise, appelez-la directement (*voir pages pratiques locales*). Si vous descendez dans l'un de ces hôtels, pensez à demander le catalogue gratuit de tous les établissements de la chaîne, ce qui vous évitera de tâtonner pour réserver. Les principales chaînes sont, par ordre de prix croissant :

Motel 6, ☎ 1-800 466 8356, www.motel6.com. Une chaîne basique, mais confortable. Situés à proximité des routes, les motels sont parfois un peu bruyants, mais ce sont vraiment les moins chers.

Red Roof Inn, ☎ 1-800 733 7333, www.redroof.com. Membre du groupe Accor, cette chaîne propose de petits motels gais et confortables et des promotions très attractives.

Super 8, ☎ 1-800 800 8000, www.super8.com. Un très bon rapport qualité-prix et un confort impeccable pour des motels encore très bon marché.

G. de Benoist/MICHELIN

Travelodge, ☎ 1-800 578 7878, www.travelodge.com. Emplacements pratiques, à proximité des grands axes.

Comfort Inn, ☎ 1-800 228 5150, www.comfortinn.com. Service de qualité.

Quality Inn, ☎ 1-800 228 5151, www.qualityinn.com. Réseaux de qualité.

La Quinta, ☎ 1-800 531 5900, www.laquinta.com. Hôtels très confortables, à l'architecture néo-méditerranéenne.

Ramada, ☎ 1-800 271 6131, www.ramada.com. Plusieurs catégories d'hôtels centraux, dans les villes, et de motels confortables.

Best Western, ☎ 1-800 528 1234, www.bestwestern.com. Un grand classique, avec des hôtels et motels de bonne qualité et un accueil efficace.

Holiday Inn, ☎ 1-800 465 4329, www.sixcontinentshotels.com. Déjà luxueux, avec de nombreux services et un très grand confort.

Bed & Breakfast et auberges de caractère

Dans un genre beaucoup plus raffiné, les B & B et les auberges de caractère se caractérisent par leur taille modeste, le charme de leur accueil et de leur décoration. Ils pratiquent en général des prix élevés, mais on y est traité comme des invités et on vous sert souvent un plantureux petit-déjeuner. Les B & B n'ont cependant pas le caractère convivial de ceux d'Irlande ou de Grande Bretagne, car ils sont souvent tenus par une gouvernante et les propriétaires n'y résident pas ou ne se mélangent pas aux hôtes. Ils peuvent compter plus de 20 chambres et ressemblent plutôt à de petits hôtels de luxe. Plusieurs sites Internet répertorient ces établissements, donnent une foule de détails et permettent visites virtuelles et réservations : www.innbook. com ; www.innplace.com ; www.bedandbreakfast.com ; www.bbamerica.com ; www. bbdirectory.com ; www.go-lodging.com…

• Les prix de l'hébergement

C'est sans conteste ce qui vous coûtera le plus cher lors de votre voyage. Il est de surcroît très difficile de citer des prix précis, car les tarifs changent quasiment tous les jours, en fonction du remplissage, de la saison, du jour de la semaine, du type de chambre. En règle générale, ceux qui sont indiqués sur le tableau ou les brochures sont les tarifs de base (*rack rate*), pratiqués lors des réservations. En réservant par téléphone, vous ne pourrez pas obtenir de réelle baisse, mais demandez cependant la **special rate** ou les **special offers**. Mentionnez si vous êtes affilié à l'AAA (*voir p. 101*), car cela vous donne souvent droit à une réduction. En arrivant dans les aéroports, gares routières, offices de tourisme et certains supermarchés, fast-foods et stations-service, demandez les livrets de **coupons** (*coupons guides*), qui offrent des réductions substancielles sur les nuits de certains hôtels (valables surtout en semaine et hors saison). Enfin, pensez toujours à ajouter les **taxes**, variables selon les endroits (de 10 à 15 %) (*voir p. 117*). Récemment, en Californie, la pénurie d'électricité et les augmentations de tarifs ont poussé nombre d'hôteliers à rajouter une surtaxe pouvant aller jusqu'à 2 ou 3 %.

Les prix figurant dans ce guide sont les prix de base, hors taxes et pourboires, en pleine saison et **sur la base d'une chambre double**. En règle générale, un lit en dortoir, en auberge de jeunesse, coûte de 15 à 25 $ par personne. Dans un motel basique, il faut compter de 50 à 90 $ pour deux selon les endroits. À San Francisco, il vous sera difficile de trouver une chambre à moins de 80 $ pour deux. Ces prix sont ceux des établissements bas de gamme (équivalent 1 étoile). Pour la gamme intermédiaire (2 étoiles), comptez entre 80 et 100 $ pour deux. Les B & B démarrent à 120 $ pour deux et peuvent dépasser les 200 $. Les hôtels des grandes chaînes (3 étoiles) tournent entre 120 et 250 $, alors que le grand luxe (4 étoiles) se monnaye à plus de 250 $.

• Où se restaurer

La première surprise vient de ce que l'on peut manger pratiquement à toute heure. Les parts sont très copieuses et un plat principal, souvent accompagné d'une salade, peut constituer un repas complet. L'appellation restaurant recouvre des genres très différents, allant des **snack-bars** (type fast-foods) aux **cafétérias** ou **restaurants familiaux** (Applebee's est d'un excellent rapport qualité-prix) des grandes chaînes et aux **restaurants** personnalisés plus raffinés. Certains ne servent que le petit-déjeuner et le déjeuner (*lunch*), d'autres se limitent au dîner, certains proposent les trois. Les **bars** et **coffee-shops** (sortes de salons de thé) servent en général des plats simples, mais copieux et bon marché. Enfin, vous trouverez partout des **fast-foods** classiques (type McDonald, très bon marché aux États-Unis), chinois ou mexicains. À de rares exceptions près, les pizzerias et les restaurants italiens ne sont pas les moins chers.

Le petit-déjeuner

Souvent servi dans les restaurants dès 7 h du matin et jusqu'à 11 h-11 h 30, il est excessivement riche, très copieux et d'un bon rapport qualité-prix (*voir p. 74*). Selon le nombre d'ingrédients, ce repas vous coûtera de 3 à 9 $.

Le déjeuner

C'est le repas le plus léger de la journée, mais comme les Américains mangent beaucoup, il est facile d'en faire un véritable repas traditionnel (*voir p. 74*).

Comptez de 4 à 9 $ pour un **sandwich**, chaud ou froid, souvent servi avec des frites, une salade ou de la soupe. Une autre solution est la **salade** toute préparée, complète et gargantuesque (*Ceasar Salad, Oriental Salad*), ou à composer soi-même dans les *salad bars* (entre 4 et 10 $). Pour une alimentation plus classique, la plupart des restaurants et bars proposent un **lunch menu** avec des plats uniques, similaires à ceux du dîner, un peu moins copieux, mais surtout beaucoup moins chers (entre 6 et 12 $). Pour les petits budgets, les fast-foods proposent des solutions nourrissantes et variées (entre 3 et 5 $) : pour changer, essayez les chinois et les mexicains. Enfin, un bon tuyau si vous rêvez de manger un bon *chili con carne* à petit prix : il est souvent servi dans les bars et les restaurants populaires, mais placé sur la carte avec les soupes. On le mange à la cuiller, nappé d'oignons émincés, de fromage râpé et accompagné d'un robuste quignon de pain pour moins de 5 $! Autre solution bon marché, les **all-you-can-eat-buffets** (buffets à volonté, autour de 5 ou 6 $) de certains restaurants et chaînes (Golden Corral...), véritables dons du ciel pour les gros appétits...

G. de Benoist/MICHELIN

Le dîner

Il se prend tôt (17 h-19 h), sauf dans les grandes villes où l'on dîne un peu plus tard. Mais méfiez-vous, il est très difficile de se faire servir après 21 h. Dans les petits villes, c'est même souvent 20 h 30. C'est traditionnellement le repas le plus copieux de la journée. On retrouve les mêmes plats qu'au déjeuner (sandwichs, salades, buffets à volonté), mais ceux-ci sont souvent encore plus copieux et facturés plus cher. Pour les gastronomes, c'est le moment de choisir des restaurants plus raffinés, surtout dans les villes. Pour faire des économies, dînez tôt, car avant 18 h 30 certains restaurants proposent un menu moins cher, l'**early bird** ou **pre-theater**. La carte se divise en trois grandes sections, entrées, plats et desserts. Appelées *hors d'œuvre*, les entrées sont parfois assez copieuses pour constituer un plat (de 5 à 12 $); les plats principaux se nomment *entrees* (10 à 25 $). Attention, les desserts sont énormes, très riches et très sucrés (4 à 8 $).

Les boissons

Beaucoup de restaurants familiaux ou populaires ne servent pas d'alcool. Dans les bars, vous pourrez choisir parmi les nombreuses **bières** américaines (*Coors, Budweiser, Michelob…*) ou mexicaines (*Corona…*). Pour avoir une bière pression demandez une *draft beer* ou une *beer on tap*. Pour servir de l'alcool, les restaurants doivent avoir une **licence** spéciale (*wine license* pour les vins, *full license* pour tous les alcools). Les établissements de qualité proposent souvent une **carte des vins** intéressante où vous retrouverez les principaux vins de Californie, mais aussi du Chili et de France. Les vins sont chers, mais on peut souvent les commander au verre. Quand vous arrivez dans un restaurant, on vous sert tout de suite un immense verre d'eau du robinet, glacée, que l'on renouvelle tout au long du repas. L'eau minérale est rare et chère, car souvent importée. Outre l'incontournable Coca-Cola, servi dans des verres immenses, l'*iced tea* (un thé sucré servi sur beaucoup de glaçons) est une boisson très courante à table et bon marché. Au cours du repas, on vous proposera un *refill* : acceptez, le second verre est compris dans le prix.

LES LOISIRS

• **Activités sportives et de plein air**

Aux États-Unis, plusieurs sites Internet répertorient l'offre en matière de séjours et d'activités sportives : **Backroads** (www.backroads.com) pour la grande randonnée, le VTT ou le kayak, **American Wilderness Experience** (www.awetrips.com ou www.gorp.com, rubrique adventure) pour le rafting et le VTT, **Nichols Expeditions** (www.NicholsExpeditions.com) pour le rafting.

Équitation

Héritée de la légende du Far West, la passion du cheval est encore bien vivante. C'est un moyen séduisant de découvrir certains sites et vous trouverez localement des écuries proposant des sorties à la demi-journée ou à la journée (notamment à Big Sur, Monument Valley, Taos). Dans certains cas, vous pourrez faire des randonnées de plusieurs jours, mais cela reste un sport coûteux (comptez 75 $ par jour pour une excursion et 100 $ par jour pour de la grande randonnée).

Golf

Le golf est un sport très répandu et les greens se multiplient, même dans les régions désertiques. Les clubs les plus sélects pratiquent des tarifs prohibitifs, mais les golfs municipaux proposent des tarifs à la journée plus accessibles. La Californie en général, Palm Springs ou San Diego en particulier, sont des paradis pour golfeurs.

Rafting

Sport mythique des grands rapides de l'Ouest, il se pratique de façon strictement réglementée, sur de gros canots pneumatiques de 6 à 12 passagers. Les rapides sont classés de I à VI, par ordre de difficulté croissante. Certains rapides d'aspect inoffensifs, comme Black Canyon of the Gunnison, sont presque considérés comme impossibles à naviguer. Les grands sites le long du Colorado, du Rio Grande et de la Green River regorgent d'organismes proposant leurs services et organisant des sorties pour tous les niveaux (100 $ la journée par personne). Certains prévoient des sorties de plusieurs jours avec bivouac (*voir les pages pratiques de Monument Valley, Taos, Moab*). Si vous êtes débutant et voulez juste vous amuser, essayez le *tubing*, un radeau ressemblant à une grosse chambre à air, dans un rapide de classe I !

Randonnée

Les parcs nationaux et d'État, les forêts et les bases de loisirs (*recreation areas*) sont sillonnés de nombreux sentiers bien aménagés. Un certain nombre sont même goudronnés et accessibles aux handicapés. Les circuits sont cartographiés ; pensez à demander les fiches de randonnée et les consignes particulières à l'entrée ou au *Visitor Center* de chaque parc. Certains sentiers ne sont ouverts que si vous avez retiré un **permis** (*voir pages pratiques correspondantes*). Le long des routes touristiques, vous verrez sur le bas-côté de petits panneaux marron avec le logo du randonneur et le nom du sentier (*trail*). Pour les grandes randonnées, préparez-vous soigneusement, car vous affronterez une nature sauvage, voire hostile. Surveillez la météo (pluies et crues au printemps, blizzard en hiver) et emportez beaucoup d'**eau**.

Ski

La présence de chaînes montagneuses élevées (Sierra Nevada, Rocheuses) garantit un enneigement maximal de décembre à avril. L'une des particularités de la région est la proximité des stations de **ski alpin** par rapport aux villes. En Californie, les environs de Lake Tahoe abritent la station olympique de Squaw Valley. Au Nouveau-Mexique, Albuquerque, Santa Fe et surtout Taos sont à proximité de domaines skiables d'exception. Le Colorado est bien sûr l'État le plus privilégié (Durango et Ouray voisinent avec un agréable domaine skiable). Pour plus de détails sur les différents domaines, consultez www.skiodyssey.com. En règle générale, vous pouvez vous décider sur place, car en dehors de la très haute saison (20 décembre-mi-février) les hôtels et offices de tourisme proposent des forfaits tout compris intéressants (hébergement, location de matériel et remontées mécaniques). Dans les offices de tourisme des villes proches, ces forfaits sont en vente et incluent même le transport pour rejoindre la station. Le **ski de fond** est appelé *cross country skiing*, et les pistes, splendides, sont bien balisées (autour du lac Tahoe ou sur la Grand Mesa, près de Grand Junction). En hiver, c'est un moyen inoubliable de découvrir certains parcs nationaux comme Yosemite, Kings Canyon ou Black Canyon of the Gunnison.

Sports nautiques

La voile, le kayak de mer, le surf et la plongée sous-marine sont pratiqués le long de la côte californienne. Pour louer du matériel ou prendre des cours, reportez-vous aux pages pratiques correspondantes ou renseignez-vous dans les offices de tourisme. Attention, l'eau du Pacifique est froide, même en été et même dans le Sud : 15 °C en janvier et 19 °C en août à Los Angeles, 13 °C en janvier et 16 °C en août à San Francisco. Pour la simple baignade, méfiez-vous de la houle fréquente et des courants violents (c'est l'une des explications aux nombreuses piscines).

VTT

Attention, l'usage des sentiers de randonnée est interdit aux vélos et VTT. Des pistes leur sont réservées, renseignez-vous dans les offices de tourisme locaux et auprès des loueurs. Pour les grands sportifs, Moab et sa région (*voir p. 350*) constitue l'une des plus belles destinations pour le *mountain bike*, tandis que le Marin County convient à la plupart des vététistes. Dans l'ensemble, n'oubliez pas que le relief de l'ouest des États-Unis est très accidenté et que le découvrir en VTT demande un réel entraînement.

• Spectacles sportifs

Ce sont dans les villes qui possèdent de grandes équipes que les matchs sont les plus intéressants. Si vous êtes passionné, sachez cependant que les grands événements sont très courus, les billets hors de prix et qu'il faut réserver les places à l'avance auprès des centrales de réservation des ligues respectives.

Base-ball

La saison dure d'avril à octobre. Les grandes équipes de l'Ouest sont les Los Angeles Dodgers, les San Francisco Giants, les Oakland Athletics ou les San Diego Padres. Informations à la MLB (Major League of Baseball), www.majorleaguebaseball.com.

Basket-ball

La saison de la NBA (National Basketball Association) s'étend d'octobre à avril (www.nba.com). Surveillez les Los Angeles Lakers, les plus célèbres de Californie.

Football américain

La NFL (National Football League, www.nfl.com) organise ses matchs entre septembre et janvier. Ne manquez pas de supporter les San Francisco 49ers ou les Oakland Raiders…

Rodéo

Pittoresque et typique de l'Amérique profonde, le rodéo est un spectacle réellement populaire et familial. La saison dure de juin à septembre et une série de rodéos sont organisés à travers le Sud-Ouest, surtout dans le Colorado et le Nouveau-Mexique. Pour consulter les dates et les sites, allez sur www.prorodeo.com.

• Vie nocturne

Théâtre et concerts

La **création théâtrale** est très vivante aux États-Unis, même dans les villes modestes, voire d'avant-garde dans les grandes villes de Californie. La saison est concentrée entre le milieu de l'automne et le printemps, sauf dans les stations touristiques, où c'est l'inverse. Une très bonne maîtrise de l'anglais (et de l'accent américain) est toutefois nécessaire pour y goûter pleinement. L'**opéra**, les concerts de **musique classique** et les **ballets** sont également concentrés en hiver, à l'exception notable de la saison lyrique et théâtrale de Santa Fe, d'une exceptionnelle qualité et qui a lieu en été (voir p. 479).

Bars et clubs

C'est là que les gens se rencontrent. Chaque bar a sa spécialité : les sports, la drague, le jazz… On s'y rend plus tôt qu'en France (on dîne aussi plus tôt) et ils ne ferment jamais après 2 h du matin (le plus souvent à minuit). Certains bars font office de club après 21 h 30-22 h. Une salle à l'étage ou au sous-sol accueille un orchestre ou un DJ et on peut y danser. L'atmosphère est en général très conviviale et les conversations se nouent sans problème.

LES ACHATS

• Ce que vous pouvez acheter

Confection

Globalement moins chère qu'en France, la confection recouvre cependant des réalités très différentes. Les grandes **marques américaines** à la mode en Europe (Ralph Lauren, Tommy Hillfiger, Calvin Klein, Perry Ellis, Levi's, Esprit, Gap, Columbia, Timberland) y sont nettement moins chères, mais les styles sont parfois différents et adaptés aux goûts américains. De même, les tailles et les longueurs sont étudiées pour une morphologie différente. Tous les **articles en coton** sont bon marché (surtout les tee-shirts, sweat-shirts et chemises) et de bonne qualité (assurez-vous qu'il s'agit de coton américain). Les **chaussures de sport** sont aussi une bonne affaire (Nike, New Balance). Quant aux **bottes de cow-boy**, vous trouverez des modèles aux couleurs et cloutages originaux, inédits en France. Enfin, si vous rêvez d'un *Stetson* pour ressembler à John Wayne, préparez-vous à un choix très large, car le **chapeau** est très porté dans le Sud-Ouest, surtout dans le Colorado et au Nouveau-Mexique. N'oubliez pas cependant que les prix indiqués sont hors taxes (7 à 15 % selon les endroits).

Artisanat

L'**artisanat indien** est le mieux représenté, mais il est très cher. Assurez-vous qu'il est bien exécuté par des Indiens et non manufacturé ou copié de façon semi-industrielle. Poteries, tapis et couvertures sont les plus intéressants. Du côté de l'artisanat américain, n'oubliez pas le **travail du bois et du cuir** (ceintures, sacs…) et les **patchworks**, du jeté de table au jeté de lit en passant par la tenture murale. Selon la complexité du motif, il vous en coûtera de 150 à plus de 1 000 $. Pour les petits budgets, fouillez dans les **boutiques mexicaines** ou **guatémaltèques** pour les tissages et les bibelots.

Bijoux

Ce sont surtout les **bijoux indiens** qui méritent d'être rapportés. Pour les pièces chères, vérifiez bien les poinçons et les garanties attestant qu'elles sont réalisées en argent et décrivant la nature des pierres utilisées et le nom de l'artisan. Vous trouverez aussi des bijoux meilleur marché, sans toutes ces garanties. Essayez alors de négocier un peu le prix, cela est couramment admis, et si votre vendeur refuse, il le fera gentiment.

Décoration

Les Américains attachent énormément d'importance à leur intérieur, et de nombreuses boutiques vendent toutes sortes d'objets pratiques ou inutiles, dans tous les styles, allant du victorien au design, en passant par le mexicain ou l'indien. Pour les objets électriques et les **lampes**, vérifiez la taille des douilles et le voltage. Pour le **linge de maison**, sachez que les tailles sont différentes des nôtres, notamment pour le linge de lit, pourtant splendide. Vous trouverez dans les musées de très belles **reproductions d'objets** ou affiches. Les **antiquités** sont en revanche inabordables et le plus souvent inintéressantes. À Noël, vous trouverez des **décorations** uniques et délirantes (certaines boutiques spécialisées en vendent toute l'année). Si vous vous laissez tenter par les guirlandes électriques lumineuses et/ou musicales, pensez à demander un transformateur et un adaptateur.

Musique

Les CD sont un peu moins chers qu'en France, voire carrément bon marché à certaines adresses (*voir « San Francisco pratique »*). L'occasion surtout d'acheter des titres ou des groupes introuvables en France, notamment pour la musique indienne.

Alimentation

Bien que la gastronomie ne soit pas le fort des Américains, vous ne résisterez sans doute pas à l'attrait des **condiments** en tout genre, **barbecue sauces**, et toutes les préparations à base de **chile**, emblème du Nouveau-Mexique. Ramenez aussi du **jerky**, la viande de bœuf séchée des cow-boys, et certains thés délicieux introuvables en France, comme le **Chai Spice** au goût d'épices exotiques.

Le goûter du cow-boy

Ne manquez pas de goûter au « jerky », une spécialité héritée de l'époque de la conquête de l'Ouest. Ces étroites lamelles de viande marinée et lentement séchée au soleil constituaient déjà les principales conserves de viande de bison des Indiens. Les premiers colons et les cow-boys ont eu vite fait d'apprendre la recette et de l'utiliser pour servir de ration légère lors des chasses ou des sorties derrière les troupeaux. On en trouve sous Cellophane dans toutes les épiceries, et, dans les villages, des bocaux alignés sur les comptoirs proposent au détail ces longues barres caoutchouteuses et salées. Idéal pour compléter une salade, pour le pique-nique ou le petit creux…

Souvenirs et jouets

Vous êtes au royaume du gadget et trouverez une foule de souvenirs pas chers : bandanas à moins de 1 $, réclames à l'ancienne en tôle émaillée, tee-shirts sérigraphiés en tout genre, fétiches pour fans de Harley Davidson, panneaux de signalisation routière (la Route 66 est culte), casquettes de base-ball, sweat-shirts des universités, objets divers frappés de la bannière étoilée… Dernière trouvaille pour fan de nounours : l'ours est le symbole de l'État de Californie ; à ce titre, l'ours en peluche, en résine ou en bois, à poil ou habillé, y est roi (il occupe une place de choix dans la décoration) et mobilise des boutiques entières. Pour les enfants, vous dénicherez sans doute des jouets ou des bonbons invraisemblables qui n'existent pas encore en France.

• Où faire vos achats
Discount stores
Les grandes villes possèdent d'immenses solderies, appelées *discount stores*. En Californie, Ross Dress for Less en est un exemple. Ces magasins vendent des produits de marque (confection, décoration) à prix cassé, soit parce qu'ils datent de la collection précédente, soit parce qu'ils ont de petits défauts. On y fait de très bonnes affaires.

Factory outlets
Aux abords de certaines villes, de véritables villages nouveaux surgissent, entièrement dédiés aux magasins d'usine des grandes marques. Les prix y sont en principe inférieurs de 10 à 30 % par rapport aux magasins classiques (variable selon les marques) et certains articles y font même l'objet de promotions supplémentaires s'ils ont un défaut ou sont de la collection passée.

Trading posts
Aux abords des terres indiennes, les *trading posts* ou *trading companies* vendent de l'artisanat indien de qualité et des objets d'occasion de valeur mis en gage et abandonnés par leurs propriétaires. On y fait de très bonnes affaires, notamment pour les bijoux et les tapis indiens. Sinon, les meilleurs endroits pour acheter de l'artisanat indien sont les villages eux-mêmes, notamment les *pueblos* du Nouveau-Mexique.

• Comment expédier vos achats
Voir la rubrique « Poste », p. 98.

SANTÉ

Bien qu'il n'y ait pas de problème sanitaire particulier aux États-Unis, on vous rappelle qu'il est impératif de prendre une assurance avant de partir *(voir p. 93)*.

• Maux liés au climat et à l'environnement
La chaleur
Le **coup de soleil** peut vous prendre par surprise en altitude, au bord de la mer et dans les déserts. Enduisez-vous toujours de crème solaire et n'oubliez pas les lèvres, la nuque, le haut des bras et le dessus des pieds. Le **coup de chaleur** peut être très dangereux, car la température du corps monte exagérément et n'est plus régulée : il se signale d'abord par de violents maux de tête, des vertiges et une difficulté à se mouvoir. Pour l'éviter : boire beaucoup, éviter de sortir sans chapeau par forte chaleur ou au vent, ne pas boire d'alcool. Si cela vous arrive, installez-vous au frais ou à l'ombre, ventilez-vous, appliquez des linges mouillés et appelez un médecin d'urgence.

La montagne
La plupart d'entre nous ne vivent pas en altitude et doivent s'y adapter progressivement. Si vous prévoyez de faire du sport ou de la randonnée en altitude (c'est le cas dans beaucoup de sites du Colorado et du Nouveau-Mexique), laissez votre organisme s'adapter un jour ou deux avant d'entamer de gros efforts. Sinon, vous ressentirez une grande fatigue, serez très essoufflé, aurez des maux de tête ou des nausées et de violentes courbatures après l'effort. Là encore, buvez beaucoup d'eau et évitez l'alcool. Rassurez-vous, on ressent toutefois rarement de troubles sérieux en dessous de 3 500 m.

Piqûres et morsures
Les déserts du Sud-Ouest sont fréquentés par divers serpents, araignées et scorpions. Portez des chaussures fermées et soyez vigilant lors de vos promenades. En cas de morsure, ne tentez pas de sucer le venin ou d'inciser la blessure, mais rendez-vous au plus vite chez un médecin qui vous administrera un antivenin.

• Trousse à pharmacie

Si vous suivez un traitement particulier, emportez vos médicaments en quantité suffisante, avec l'ordonnance du médecin. Une trousse de base comporte de l'aspirine, un désinfectant ou un antiseptique (*Bétadine*), un antibiotique à spectre large (*Clamoxyl*), un antidiarrhéique (*Imodium*) et un antiseptique intestinal (*Ercéfuril*, *Intétrix*), des comprimés de sel pour éviter la déshydratation, un antihistaminique (contre le rhume, les allergies, le mal des transports et les piqûres d'insectes), des pansements, bandages et sparadraps, des pastilles pour purifier l'eau (*Micropur*) si vous randonnez dans les parcs, une crème solaire protectrice et une autre pour traiter les coups de soleil ou les brûlures superficielles (*Biafine*), un baume cicatrisant pour les lèvres. Une crème anti-inflammatoire et un antimycosique peuvent s'avérer utiles.

• Services médicaux

Avant de partir, faites-vous préciser par votre assurance santé complémentaire quelle est la **marche à suivre** en cas de maladie ou d'accident, et quels sont les formulaires éventuels à remplir (on vous transmettra un numéro de téléphone que vous pourrez joindre 24h/24). Envisagez toutes les éventualités (radios, dentiste, hospitalisation, maladie…) et vérifiez la couverture pour les sports que vous voudrez pratiquer. Assurez-vous que vous n'aurez pas à faire l'avance des frais et vérifiez les procédures. Lors d'une urgence, on n'a pas toujours le temps ni le sang-froid pour le faire. En cas de panique, appelez les urgences ou rendez-vous à l'hôpital le plus proche. Quand il n'y a pas d'urgence vitale, rendez-vous dans les **medical clinics**, qui sont moins chères que les hôpitaux.

Pharmacies

Les médicaments sont vendus dans les *drugstores* et *pharmacies*. À l'exception des médicaments délivrés sur ordonnance, tous sont en libre-service et le choix est immense. Ils sont rangés par affections (yeux, nez, gorge, oreille, etc.), ce qui rend le shopping plus simple. En outre, la plupart des magasins d'alimentation et des supermarchés ont un rayon petite pharmacie avec aspirine, paracétamol, sirops pour la toux, pastilles diverses contre rhume, mal de gorge, constipation, diarrhée, piqûres d'insectes…

• Urgences

Composez le 911, où que vous soyez.

De A à Z

• Alcool

La consommation et l'achat d'alcool sont interdits en dessous de 21 ans et on vous demandera peut-être une pièce d'identité pour prouver votre âge. Les alcools sont vendus dans des boutiques spécialisées (*liquor stores*) ou dans des rayons séparés de grandes surfaces et d'épiceries. La vente de boissons alcoolisées est interdite entre 2h et 6h du matin. Ne transportez pas de bouteilles entamées dans votre voiture et ne buvez pas ouvertement sur la voie publique (vous remarquerez vite qu'on le fait quand même, mais en dissimulant bouteille ou canette dans un sac en papier ou en plastique). Certains États sont plus stricts que d'autres, tel l'Utah qui interdit la vente d'alcool le dimanche, même dans les restaurants. Dans certains villages, il est impossible de boire, quel que soit le jour, et là où c'est permis, vous devrez boire à l'intérieur, surtout pas en terrasse ou dans les patios. La vente est également interdite dans les réserves indiennes et vous devrez même éviter d'en transporter.

• Blanchisserie

Vous trouverez des laveries automatiques (*laundry*) partout, même dans les petites villes. Les campings privés en sont souvent équipés, ainsi que la plupart des motels des grandes chaînes (Motel 6, Super 8). Des distributeurs de lessive sont à disposition. Comptez de 2 à 3 $ pour laver et sécher une grosse lessive.

• Cigarettes

La législation concernant le tabac est très stricte, bien que variant un peu d'un État à l'autre (le plus strict est encore l'Utah mormon). Il est ainsi **strictement interdit de fumer** dans les transports et les lieux publics (y compris les galeries marchandes), dans la plupart des restaurants, bars, clubs, etc. Même la libérale Californie est intransigeante sur le sujet. Il vous faudra fumer dehors, ce qui explique les grappes de fumeurs sur le trottoir à l'entrée des bars. En Utah, où il est interdit de boire dehors et de fumer dedans, cela donne lieu à de pittoresques allers-retours pour ceux qui s'adonnent au double vice... De surcroît, les cigarettes sont très chères (les prix varient considérablement d'un État à l'autre et selon les magasins), parfois le double du prix français!

• Courant électrique

Aux États-Unis, le courant est en **110 volts** et les prises sont différentes. Certains appareils électriques de voyage peuvent basculer du 220V au 110V : vérifiez avant de partir. Vous pouvez acheter de petits transformateurs, ainsi que des adaptateurs, mais beaucoup de motels et d'hôtels fournissent sèche-cheveux et fer à repasser.

• Drogue

Bien que la consommation de cannabis soit répandue, surtout en Californie, elle est passible d'une amende. La possession de drogues dures ou de stupéfiants est très sévèrement punie (longues peines de prison). Si vous suivez un traitement médical à base de tranquillisants ou de narcotiques, gardez votre ordonnance sur vous.

• Eau potable

L'eau du robinet ne présente aucun risque, car les normes d'hygiène sont très strictes. L'eau minérale est chère, peu consommée et importée. Si vous comptez faire de la grande randonnée et utiliser l'eau de source, achetez des pastilles pour désinfecter l'eau. Attention, dans les déserts, certains parcs n'ont pas d'eau courante.

• États

Si vous vous déplacez dans le Sud-Ouest américain, vous passerez sans doute les frontières d'États. Elles ne sont pas matérialisées et le passage ne requiert aucune formalité. Assurez-vous cependant que votre **location de véhicule** est bien inter États. Il peut y avoir quelques différences de réglementation, notamment en matière de conduite au volant, de consommation d'alcool ou de tabac. En cas de doute, observez les gens qui vous entourent et posez des questions.

• Habillement

Les tailles et pointures américaines sont différentes.

Femmes

États-Unis	6	8	10	12	14	16
France	36	38	40	42	44	46

Hommes

Costumes

États-Unis	36	38	40	42	44	46
France	46	48	50	52	54	56

Chemises

États-Unis	14	15	$15\frac{1}{2}$	16	$16\frac{1}{2}$
France	37	38	39 / 40	41	42

Chaussures femmes

États-Unis	4	5	6	7	8	9
France	35	36	37	38	39	40

Chaussures hommes

États-Unis	$7\frac{1}{2}$	$8\frac{1}{2}$	$9\frac{1}{2}$	$10\frac{1}{2}$	$11\frac{1}{2}$	$12\frac{1}{2}$
France	40	41	42	43	44	45

G. de Benoist/MICHELIN

• Journaux

Les journaux français (*Le Monde, Le Figaro*) et internationaux sont distribués dans les grandes villes et les stations touristiques (surtout en Californie). Le plus lu des journaux populaires américains est **USA Today**, souvent à disposition dans les hôtels et motels, mais très peu tourné vers l'international et surtout prisé pour les sports. En Californie, le **Los Angeles Times** et le **San Francisco Chronicle** sont des quotidiens de qualité, où vous trouverez en outre une foule de renseignements culturels. Au Nouveau-Mexique, le **Santa Fe New Mexican** sort chaque vendredi un bon supplément culturel, mais chaque ville et chaque région possède son quotidien, de qualité et d'intérêt inégaux. Au niveau national, les deux quotidiens les plus appréciés sont le **Washington Post** et le **New York Times**, parmi les rares à évoquer l'actualité internationale. Les plus célèbres hebdomadaires sont **Time** et **Newsweek**.

• Météo

Comme tous les motels et hôtels sont équipés de la télévision, vous pourrez quotidiennement consulter la chaîne météo. Un site Internet permet de se tenir au courant (www.weather.com), sinon consultez les journaux quotidiens à l'accueil de l'hôtel. Surveillez surtout les conditions au printemps et à l'automne et avant d'entamer de longues randonnées dans les parcs (pluie, orage, crue, état des sentiers). Dans ce cas, interrogez les *rangers* au *Visitor Center* du parc.

• Photographie

Vous n'aurez aucun mal à acheter des pellicules pour photo papier, n'importe où. Pour les diapos, en revanche, cela peut s'avérer difficile, voire impossible dans les parcs et les zones rurales. Approvisionnez-vous avant de partir ou dans les grandes villes. On achète les pellicules dans les drugstores, les pharmacies, les boutiques de souvenirs et les magasins de matériel photo. En matière de sujet de photographie, soyez respectueux des personnes dont vous désirez le portrait et demandez toujours la permission. Dans les réserves indiennes et les *pueblos*, le droit de photographier est limité et souvent accordé moyennant un paiement. Pour les portraits de personnes ou de maisons privées, demandez la permission (on vous demandera hélas! parfois de l'argent) et n'insistez pas en cas de refus. Les photos ne sont en général pas tolérées durant les cérémonies sacrées (renseignez-vous avant). Dans tous les cas, ne passez pas devant ni entre les participants et respectez ce qui est pour eux une manifestation rituelle.

• Pourboire

Le pourboire est **incontournable**, car il fait partie de la rémunération des employés, dont le salaire de base est ridiculement bas. La coutume veut qu'on laisse 15 % de la note dans les restaurants (sauf si le service est inclus) et les taxis. Dans les hôtels, il convient de laisser 1 $ par nuit pour la gouvernante (*housekeeper*) et 1 $ par valise pour le porteur. Dans les restaurants, si vous payez par carte bancaire, le bordereau

De A à Z

comporte une case spéciale pour le pourboire *(tip)*. La somme correspond à la note avec les taxes. Vous devez écrire dans la case correspondante le montant du pourboire que vous laissez et faire l'addition totale avant de signer. Quoi que vous laissiez, remplissez toujours à la main la case total pour éviter des indélicatesses après votre départ…

• Radio et télévision

Vous serez assez consterné par le niveau de la plupart des radios : beaucoup de publicité, de talk-shows racoleurs, de sport et d'émissions religieuses, peu d'informations importantes en dehors des faits-divers plus ou moins sordides. Dans les grandes villes, vous capterez quelques bons programmes de jazz ou de rock. Dans les zones rurales du Sud-Ouest, c'est la musique country qui l'emporte.

Tous les hôtels et motels disposent d'une télévision dans les chambres. Vous recevrez quasi systématiquement ABC, FoxTV ou CBS. Si vous êtes rattaché au réseau câblé, les chaînes se multiplient : CNN, Weather Channel, sports, télé évangélisme, télé achat, séries, talk-shows, films…

• Sécurité

Les zones très fréquentées sont en général bien surveillées et éclairées la nuit, mais cela ne vous dispense pas de la plus élémentaire prudence. Évitez les quartiers mal famés à la nuit tombée, et si vous êtes seul, prenez un taxi pour regagner votre hôtel tard le soir. Méfiez-vous du **vol à la tire**, très pratiqué à proximité des distributeurs de billets, et si vous exhibez nonchalamment un matériel photo ou vidéo luxueux et des bijoux de prix. Ne laissez pas d'objets de valeur dans votre voiture ni dans votre chambre d'hôtel (déposez-les dans le coffre à la réception). Ne gardez dans vos poches ou votre sac qu'un minimum de monnaie. Gardez le reste, vos cartes de crédit et vos papiers, dans une poche spéciale, sous vos vêtements. En cas d'agression, cédez tout de suite ce que vous avez dans vos poches.

• Taxes

À l'exception de l'essence, la plupart des denrées ou services sont soumis à des taxes. Comme elles varient beaucoup d'un État à l'autre (de 3 à 8,5 %), les prix sont toujours indiqués hors taxes. À cette première taxe d'État se rajoutent les taxes locales, variables elles aussi selon les villes. Enfin, les restaurants et les hôtels facturent des taxes particulières. L'ensemble majore la facture de 10 à 15 %. Tenez-en compte en faisant vos achats et vos réservations. Pour les hôtels, demandez le prix *including tax*.

• Unités de mesure

1 once (oz) : 28,35 gr	1 gr : 0,035 oz
1 pound (lb) : 450 gr	1 kg : 2,21 lb
1 gallon US : 3,79 l	1 l : 0,26 gallon US
1 inch : 2,5 cm	1 cm : 0,39 inch
1 mile : 1,6 km	1 km : 0,62 mile
1 yard (yd) : 0,91 m	1 m : 1,09 yd
1 foot : 0,30 m	1 m : 3,28 feet
1 acre : 0,4 ha	1 ha : 2,47 acres

LIRE, VOIR, ÉCOUTER

Vous pouvez trouver une foule de titres en anglais dans des domaines très variés auprès de deux excellentes librairies parisiennes. **Brentano's**, 37 avenue de l'Opéra, 75002 Paris, ☎ 01 42 61 52 50, www.brentanos.fr. **The Village Voice**, 6 rue Princesse, 75006 Paris, ☎ 01 46 33 36 47.

• Histoire et société
L'Histoire des États-Unis, coll. Que sais-je, PUF, 1990.
Hollywood, l'usine à rêves, Découvertes Gallimard, 1992.
Le Western, quand la légende devient réalité, Découvertes Gallimard, 1995.
La Beat Generation, Découvertes Gallimard, 1997.
CRÉTÉ Liliane, *La Vie quotidienne en Californie au temps de la ruée vers l'or, 1848-1856*, Hachette, 1982.
DAVIS William, *La Conquête de l'Ouest*, Solar, 1994.
KASPI André, *Les Américains*, Points Seuil, 1986. 2 tomes.
TROCMÉ Hélène, *Les Américains et leur architecture*, Aubier, 1981.

• À propos des Indiens
Traditions indiennes, Nathan, 1997.
Histoire des Indiens d'Amérique du Nord, Larousse, 2001.
Arts traditionnels des Amérindiens, Éd. Hurtubise HMH, 2001.
Pieds nus sur la terre sacrée, Denoël. Textes du patrimoine écrit et oral des Indiens, illustrés de photos d'Edward Curtis.

• Beaux livres, paysages
Heart of a Nation, National Geographic, 2001. Regards croisés d'écrivains et de photographes sur les paysages américains (en anglais).
Itinérances dans l'ouest des USA, Éd. de la Boussole, 2001. De très belles images des grands paysages mythiques de l'Ouest.
L'Ouest américain, coll. Grands Voyageurs, Éd. du Chêne. 1996.

• Littérature générale
Romans
BOYLE T.C., *America*, Livre de Poche, 1999. La rencontre improbable entre deux couples, l'un blanc, américain et bourgeois, l'autre latino, clandestin et pauvre…
KEROUAC Jack, *Sur la route* (1957), *Les Clochards célestes* (1963), *Big Sur* (1966), Folio Gallimard.
KINGSOLVER Barbara, *L'Arbre aux haricots*, suivi de *Les Cochons au paradis*, Rivages Poche, 1998. Un beau roman par un écrivain sensible, installé en Arizona.
MAUPIN Armistead, *Chroniques de San Francisco*, 10/18, 1994. Les aventures d'une poignée de colocataires dans le San Francisco des années 1970 (6 tomes).
OTTO Whitney, *Le Jour du patchwork*, Rivages Poche, 1996. Au fil d'un patchwork fait en commun, les vies parallèles de quelques femmes conventionnelles au cœur de la Californie profonde.
STEINBECK John, *Rue de la sardine* (1947), *Les Raisins de la colère* (1947), *Des souris et des hommes* (1955), *Tortilla Flat* (1961), Folio Gallimard.
UDALL Brady, *Le Destin miraculeux d'Edgar Mint*, Albin Michel, 2001. Belle et émouvante histoire d'un enfant apache handicapé, par l'un des écrivains les plus talentueux, vivant en Arizona.
Nouvelles
CARVER Raymond, *Les Vitamines du bonheur*, Livre de Poche, 1985. Récits amers de la vie américaine, sous la plume sobre et minimaliste d'un maître de la nouvelle.
Tais-toi, je t'en prie, Bibliothèque cosmopolite Stock, 1987.
SHEPARD Sam, *Balades au paradis*, 10/18, 1997. Cliches sans concession des mondes factices américains.
UDALL Brady, *Lâchons les chiens*, 10/18, 1998. Morceaux de vie ordinaire en Arizona et Utah.

Policiers

CHANDLER Raymond, **Le Grand Sommeil** (1998), **Fais pas ta rosière!** (1999), **Adieu ma jolie** (1948), Folio policier.
CONELLY Michael, **Les Égouts de Los Angeles** (1993), **La Blonde en béton** (1994), Points Seuil. Polars noirs par un chroniqueur judiciaire du Los Angeles Times.
ELLROY James, **White Jazz** (1992), **L.A. confidential** (1997), **Le Dahlia noir** (1999), **Le Grand Nulle Part** (1999), Rivages Noir. Une série noire située à Los Angeles.

Récits de voyage ou d'aventure

ABBEY Edward, **Désert solitaire**, Payot, 1995. Récits d'une saison passée comme ranger à l'Arches National Park.
BRYSON Bill, **Motel Blues**, Payot, 1995. Traversée de l'Amérique profonde, et notamment d'une partie de l'Ouest, décrite sur un ton humoristique et doux-amer.
CENDRARS Blaise, **L'Or**, Folio Gallimard, 1997. L'épopée en Californie de John Suter, le fondateur de Sacramento.
GORIN François, **L'Amérique**, Éd. de l'Olivier, 1998. Carnet de route d'une traversée des États-Unis, d'est en ouest.
STEVENSON Robert Louis, **La Route de Silverado**, Payot, 1991.

Littérature indienne

ALEXIE Sherman, **Phoenix, Arizona**, 10/18, 2001. Des nouvelles tendres et drôles en forme de portraits savoureux, écrites par un Indien vivant à Seattle.
HILLERMAN Tony, **Le Vent sombre** (1986), **Là où dansent les morts** (1986), **La Voie de l'ennemi** (1990), **Porteurs-de-peau** (1990), **Coyote attend** (1991), Rivages Noir. Cet écrivain indien met en scène un détective navajo, Joe Leaphorn, et explore du même coup les traditions des réserves indiennes. Quelques uns de ses romans parmi d'autres, bourrés de détails passionnants.
MOMADAY Scott, **La Maison de l'aube**, Folio Gallimard, 1993. Entre sacré et profane, toute l'ambiguïté du monde indien. Prix Pulitzer 1969.
TALAYESVA Don, **Soleil Hopi**, coll. Terre humaine, Éditions Pocket, 1982. Autobiographie d'un Hopi dans sa tribu durant la première moitié du 20e s.
TREUER David, **Little**, 10/18, 1998. La bouleversante histoire d'une poignée d'Indiens marginaux dans le froid du nord des États-Unis.
TREUER David, **Comme un frère**, Albin Michel, 2002. Cette balade désenchantée dans les tribus indiennes est la chronique amère d'un jeune auteur bourré de talent.
WATERS Frank, **L'Homme qui a tué le cerf**, Folio Gallimard, 1992. Roman initiatique situé dans le monde des Pueblos.

• **Musique indienne**

Tribal Waters, music from native americans (1998). Musique en l'honneur de l'eau.
ALLEN Michael et STRAMP Barry, **Coyote Oldman** (1989).
MIRABAL Robert, **Land** (1995), **Song Carrier** (1995), **Native Suite** (1996), **Taos Tales** (1999). Ce flûtiste de Taos propose des arrangements riches et innovants.
NAKAI Carlos, **Canyon Trilogy** (1989), **Desert Dance** (1990), **Migration** (1992), **Mythic Dreamer** (1998). Ne manquez pas les albums de ce flûtiste navajo-ute.
SHENANDOAH Joanne, **Orenda** (1998). Chants rituels.

• **Films**

À voir ou revoir pour retrouver paysages et ambiances de l'Ouest : **La Chevauchée fantastique** (1939) ou **Le Massacre de Fort Apache** (1948) de John Ford, **Le train sifflera trois fois** (1952) de Fred Zinnemann, **La Captive aux yeux clairs** (1953) de Howard Hawks, **La Rivière sans retour** (1954) d'Otto Preminger, **Little Big Man** (1970) d'Arthur Penn, **Danse avec les loups** (1989) de Kevin Costner. Ne pas manquer **Citizen Kane** (1941) d'Orson Welles, **Rain Man** (1988) de Barry Levinson, **Bagdad Cafe** (1988) de Percy Adlon, **Thelma et Louise** (1991) de Ridley Scott, **Casino** (1996) de Martin Scorsese.

Lire, voir, écouter

LEXIQUE

Les formules courantes

Bonjour	good morning, hello, hi	Oui	yes
Au revoir	goodbye	Non	no
S'il vous plaît	please	Excusez moi	excuse me
Merci	thank you	Je ne parle	
Merci beaucoup	thank you very much	pas anglais	I don't speak english

Le temps

Quelle heure		Année	year
est-il ?	what time is it ?	Mois	month
Maintenant	now	Jour	day
Aujourd'hui	today	Lundi	monday
Hier	yesterday	Mardi	tuesday
Demain	tomorrow	Mercredi	wednesday
Matin	morning	Jeudi	thursday
Après-midi	afternoon	Vendredi	friday
Soir	evening	Samedi	saturday
Nuit	night	Dimanche	sunday

Les adjectifs courants

Bon	good	Ouvert	open
Mauvais	bad, wrong	Chaud	hot, warm
Grand	tall, big	Froid	cold, cool
Petit	small, little	Sale	dirty
Fermé	closed	Propre	clean

Les transports

Aller simple	single fare	Station-service	gas station
Billet aller-retour	return ticket	Permis de conduire	driving licence
Tarif	fare	Bateau	boat
Aéroport	airport	Embarcadère	pier
Enregistrement	check-in	Port	harbor
Vol	flight	Bus	bus
Correspondance	transfert, connection	Gare routière	bus depot
Bagage	baggage	Train	train
Consigne	locker	Gare ferroviaire	train station / depot
Voiture	car	Vélo	bicycle
Essence		Moto	motorbike
(sans plomb)	(unleaded) gas	Métro	subway

À la poste

Annuaire	directory	Envoyer	to send
Boîte aux lettres	mail box	Par avion	air mail
Carte postale	post-card	PCV	collect call
Carte téléphonique	phonecard	Timbre	stamp
Colis	parcel	Recommandé	registered mail
Code postal	zip code		

À l'hôtel

Lit double (140)	double bed	Berceau	cot
Lit double (150)	queen bed	Lits superposés	bunk beds
Lit double (160)	king bed	Dortoir	dormitory
Chambre à deux lits	double double/	Salle de bains	
	double queen/	commune	shared bath
	double king	WC	restroom, toilet

Papier hygiénique	toilet tissue	Fer à repasser	iron
Couverture	blanket	Chauffage	heater
Oreiller	pillow	Climatisation	air conditioning
Sèche-cheveux	hair dryer		

Au restaurant

Manger	to eat	Dinde	turkey
Boire	to drink	Saignant	rare
Apéritif	aperitive	À point	medium
Hors-d'œuvre	starter, appetizer, hors d'œuvre	Bien cuite	well done
		Bar	bass
Plat principal	entree	Espadon	sword fish
Assiette	plate	Thon	tuna
Cuiller	spoon	Coquilles	
Fourchette	fork	Saint-Jacques	scallops
Couteau	knife	Crevettes	shrimps ou prawns
Verre	glass	Huîtres	oysters
Poulet	chicken	Homard	lobster
(blanc, aile)	(breast, wing)	Truite	trout
Bœuf	beef	Saumon	salmon
(steak, entrecôte, côte, faux-filet)	(steak, T-bone, rib, sirloin)	Calmars	squids
		Palourdes	clams
Porc (travers de)	pork (spare ribs)	Flétan	halibut
Agneau (côtelettes)	lamb (chops)		

Urgences

Accident de voiture	car crash	Mal de tête	headache
Dentiste	dentist	Mal de ventre	belly ache
Docteur	doctor	Pharmacie	pharmacy
Hôpital	hospital	Rhume	cold
Malade	sick	Toux	cough
Mal de dent	toothache	Vol	theft
Mal de gorge	throat ache		

Les chiffres

1	one	15	fifteen
2	two	16	sixteen
3	three	17	seventeen
4	four	18	eighteen
5	five	19	nineteen
6	six	20	twenty
7	seven	21	twenty one
8	eight	30	thirty
9	nine	40	fourty
10	ten	50	fifty
11	eleven	100	hundred
12	twelve	200	two hundred
13	thirteen	1 000	thousand
14	fourteen		

Visiter le Sud-Ouest américain

Le Golden
Gate Bridge

La Californie

Surnom : Golden State (l'État d'or)
Superficie : 403 971 km²
Population : 33 871 600 habitants
Capitale : Sacramento
Fuseau horaire : Pacific Time
Animal emblème : l'ours gris (grizzli)
Oiseau emblème : la caille
Arbre emblème : le séquoia
Fleur emblème : le pavot

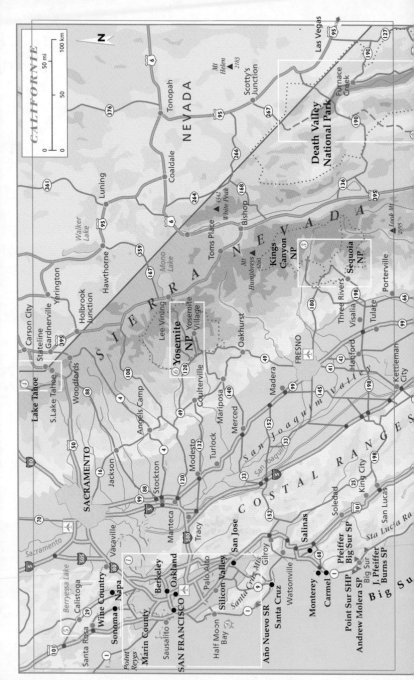

CALIFORNIE

0   50   100 km
0   50   100 mi

N

NEVADA

Las Vegas

Death Valley National Park

Furnace Creek

Scotty's Junction

Mt Helen
2163

Tonopah

Coaldale

Luning

Walker Lake

Hawthorne

Yerington

Gardnerville
Stateline
Carson City

Holbrook Junction

S.Lake Tahoe
Woodfords

Lake Tahoe

Woodfords

White Peak
4342

Bishop

Toms Place

Mt Humphreys
4264

Kings Canyon NP

Sequoia NP

Lone Mt
2095

Porterville

Three Rivers

Visalia
Tulare

Hanford

Kettleman City

66

99

Mono Lake

Lee Vining

Yosemite Village

Yosemite NP

Oakhurst

FRESNO

Madera

Merced

Mariposa

Coulterville

Angels Camp

Jackson

SACRAMENTO

Stockton

Modesto

Turlock

San Joaquim Valley

San Joaquim

Manteca

Tracy

San Jose

Gilroy

Silicon Valley

Palo Alto

Berkeley
Oakland

SAN FRANCISCO

Sausalito

Marin County

Point Reyes

Half Moon Bay

Santa Cruz

Año Nuevo SR

Watsonville

Salinas

Soledad

King City

Sta Lucia Ra

Sta Lucas

COSTAL RANGES

Monterey

Carmel

Point Sur SHP

Andrew Molera SP

Pfeiffer Big Sur SP

J. Pfeiffer Burns SP

Big Sur

Big Su

Wine Country

Sonoma
Napa

Santa Rosa

Calistoga

Berryessa Lake

Vacaville

Sacramento

Santa Cruz Mts

126

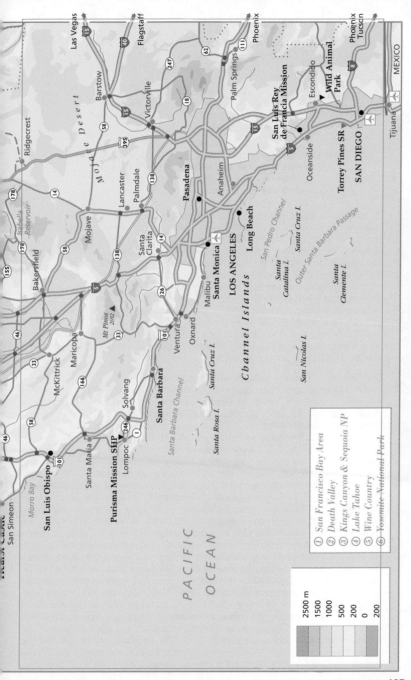

PACIFIC OCEAN

Channel Islands

San Pedro Channel

Santa Catalina I.

Santa Cruz I.

Outer Santa Barbara Passage

Santa Clemente I.

San Nicolas I.

Santa Cruz I.

Santa Rosa I.

Santa Barbara Channel

MEXICO

Mojave Desert

① San Francisco Bay Area
② Death Valley
③ Kings Canyon & Sequoia NP
④ Lake Tahoe
⑤ Wine Country
⑥ Yosemite National Park

2500 m
1500
1000
500
200
0
200

Las Vegas
Flagstaff
Phoenix
Phoenix Tucson
Palm Springs
Escondido
Wild Animal Park
San Luis Rey de Francia Mission
Oceanside
Torrey Pines SR
SAN DIEGO
Tijuana
Anaheim
Long Beach
LOS ANGELES
Santa Monica
Malibu
Pasadena
Santa Clarita
Oxnard
Ventura
Santa Barbara
Solvang
Lompoc
Purisma Mission SHP
Santa Maria
San Luis Obispo
San Simeon
Morro Bay
McKittrick
Maricopa
Mt Pinos 2692
Bakersfield
Mojave
Lancaster
Palmdale
Victorville
Barstow
Ridgecrest
Isabella Reservoir
Phoenix
Tucson

15
10
62
111
247
18
15
5
8
58
395
178
14
178
155
58
46
33
166
46
33
5
126
138
14
138
101
246
1

127

SAN FRANCISCO★★★

788 300 hab. environ – 6,9 millions d'hab. dans la baie
395 miles de Los Angeles – Climat tempéré – Carte Michelin n° 943 A8
Voir plan I p. 130, plan II p. 132, plan III p. 140 et plan IV p. 154

À ne pas manquer

Prendre le « cable car » tôt le matin.
Traverser le Golden Gate à pied au coucher du soleil.
Alcatraz à la tombée de la nuit.

Conseils

Visitez Chinatown le matin, à l'heure où les Chinois font leur marché.
Évitez le quartier de Tenderloin à la nuit tombée.
Prévoyez toujours un pull et un coupe-vent,
car la baie est souvent noyée dans le brouillard.

Au bord du Pacifique, à la pointe d'une péninsule qui ferme son immense baie, San Francisco est d'abord connue pour ses paysages splendides et son climat océanique qui lui garantit une lumière toujours changeante, soleil doré ou écharpes de brouillard accrochées aux ponts. La quatrième ville de Californie (après Los Angeles, San Diego et San Jose) est pourtant la véritable capitale culturelle de la côte Ouest, seulement supplantée dans le pays par New York. On la vante comme la plus européenne et la plus tolérante des villes américaines, on aime son histoire en forme d'épopée, l'air incontestable de liberté qui flotte dans les rues, son atmosphère cosmopolite et bigarrée, son relief accidenté, tout en collines vertigineuses, l'inénarrable grincement de ses *cable cars*, sortes d'antiques funiculaires qui dévalent les pentes à une vitesse grisante, l'élégance surannée et colorée de ses demeures victoriennes, le patchwork culturel de ses quartiers, chinoiseries parfumées et multicolores, rythmes sensuels et latinos, blues et saxo black…

Des tribus indiennes aux moines espagnols

Bien avant l'arrivée des colons européens, les environs étaient occupés par les **Indiens miwoks**, au nord et à l'est, et les **Ohlones**, au sud, qui vivaient de la pêche, de la chasse et du troc. En 1542, l'Espagnol Juan Rodriguez Cabrillo explora la côte californienne et la décréta propriété de la couronne d'Espagne, mais il ne remarqua même pas la baie de San Francisco, qui resta largement ignorée, abritée par les collines, invisible du large et noyée dans les brouillards. On doit sa découverte officielle à **Francis Drake**, en 1579, qui explorait, lui, pour le compte de la reine d'Angleterre. Isolée et difficile d'accès, elle resta toutefois loin des préoccupations générales. Il fallut attendre 1769 pour qu'une nouvelle expédition espagnole la redécouvre par hasard. À l'époque, la rumeur d'expéditions russes venant d'Alaska faisait craindre que la colonie de Monterey ne soit menacée. Faute d'une bonne cartographie, les troupes espagnoles dépêchées pour la défendre manquèrent Monterey et se retrouvèrent à San Francisco… Très vite, les autorités espagnoles qui gouvernaient la Californie depuis leur colonie du Mexique devinèrent tout l'intérêt de cet avant-poste défensif au nord. En 1776, on y installa donc un *presidio* pour héberger une garnison militaire, et on y fonda une mission accueillant les **moines évangélisateurs**. Dans un premier temps, San Francisco n'était qu'un village de pionniers et un centre spirituel pour les moines qui convertissaient activement les Indiens. On s'y livrait à l'élevage, à la culture, à l'artisanat et au commerce du cuir et du suif. Puis, quand en 1821 le Mexique devint indépendant de l'Espagne, des **colons mexicains** s'y installèrent. Mais en 1846, lors de la guerre contre les États-Unis, le Mexique, vaincu, renonça à la Californie, et une nouvelle vague de colons arriva alors de la côte Est. Le village, qui ne comptait que quelques centaines d'âmes, Mexicains, Européens et Indiens, se nommait alors **Yerba Buena**, « la bonne herbe », désignant la menthe sauvage qui poussait là en abondance.

La Californie

La ruée vers l'or et l'or des chemins de fer

Le destin de la ville bascula en janvier 1848, lorsque la nouvelle de la découverte d'or dans la Sierra Nevada toute proche se répandit comme une traînée de poudre. Le paisible village fut pris d'assaut par des hordes de chercheurs d'or et la population atteignit très vite 40 000 habitants. Dix ans plus tard, c'est un filon d'argent, toujours dans la Sierra, qui attira de nouveaux spéculateurs. Les navires se comptaient par centaines dans le port. La ville tira sa richesse du commerce à destination des chercheurs d'or et de leurs familles. Son isolement l'obligea à développer son industrie et elle ne cessa de s'étendre. Pour rompre cet isolement, on décida de construire des chemins de fer. Des hommes d'affaires prospères investirent. La communauté chinoise de San Francisco, concentrée dans le quartier de Chinatown, fournit le gros de la main-d'œuvre. On évalue à 15 000 le nombre d'ouvriers chinois qui travaillèrent à la pose des rails, beaucoup y perdant la vie. Après sept ans de travaux, la voie fut achevée en 1869. La population de la ville atteignit dès lors 150 000 habitants. Celle-ci s'était tellement étendue qu'un moyen de transport fiable et adapté aux reliefs du terrain devint nécessaire : le *cable car* fit alors son apparition en 1873, desservant les zones résidentielles de la ville.

Peace and love...

Le 20ᵉ s. est celui de la croissance économique, malgré la crise de 1929. Après l'horreur du grand **tremblement de terre** de 1906, ce fut la période des innovations architecturales, des buildings toujours plus hauts, et la construction, dans les années 1930, des deux grands ponts de la baie, l'Oakland Bridge et le Golden Gate Bridge. Avec la Seconde Guerre mondiale et la guerre contre le Japon, le port et ses constructions navales redevinrent un enjeu majeur, entraînant un formidable renouveau industriel et urbain. La population recommença à croître. San Francisco fut alors le théâtre de durs affrontements entre les syndicats de dockers et les toutes-puissantes compagnies de navigation. Pourtant, le vent de rébellion le plus étonnant vint des intellectuels et des étudiants, qui conditionnèrent pour les générations à venir la réputation de San Francisco. Le mouvement des **beatniks** naquit en 1955, au cœur de North Beach, le quartier italien. Il ouvrit la voie aux mouvements estudiantins hippies des années 1960, dont Berkeley et ses célèbres *sit in* sont le symbole. À son apogée, lors du *Summer of love* de 1967, le mouvement hippie s'est répandu dans le monde entier. Les années 1970 marquèrent ensuite l'affirmation de l'identité de la **communauté homosexuelle**, qui s'épanouit dans l'ambiance générale de tolérance.

San Francisco

Les quartiers de la ville

La ville s'étend sur une longue presqu'île, fermant la baie au sud. Elle occupe une succession de collines qui forment des quartiers au caractère bien distinct. Son plan quadrillé est organisé en blocs réguliers le long de rues qui la traversent du nord au sud et d'est en ouest. Elle est coupée par un grand axe diagonal, **Market Street**, qui marque le passage des quartiers financiers et résidentiels au nord vers les zones populaires et d'immigration au sud, bien que ces distinctions tendent à s'estomper. Le centre de la ville, ou Downtown, s'organise autour d'**Union Square** (Plan II), son pouls commercial,

Quand la terre tremble...

5 h 13 du matin, ce 18 avril 1906 : la terre tremble à San Francisco. Durant 48 secondes interminables, le sol ondule et se crevasse, rompant les canalisations de gaz, engloutissant les maisons. 52 incendies éclatent en même temps, achevant de ravager la ville qui n'est plus qu'un champ de ruines fumantes. Durant trois jours, le brasier est tel qu'on l'aperçoit à plus de 80 km 28 000 édifices disparaissent, 10 km² sont réduits à l'état de gravats, plus de 3 000 personnes perdent la vie, les deux tiers des habitants sont sans logis. Pourtant, il ne faudra que six ans pour que la ville renaisse de ses cendres. 17 octobre 1989 : le cauchemar recommence, mais les dégâts sont moindres. Une autoroute et une travée du pont d'Oakland s'effondrent ; 11 victimes sont à déplorer. Les normes antisismiques des constructions modernes font leurs preuves.

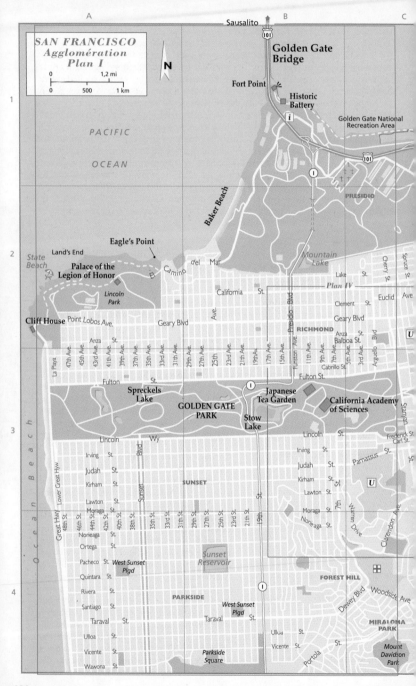

Sausalito

SAN FRANCISCO
Agglomération
Plan I

N

Golden Gate Bridge

Fort Point

Historic Battery

i

Golden Gate National Recreation Area

PACIFIC

OCEAN

PRESIDIO

Baker Beach

Eagle's Point

Land's End

State Beach

Palace of the Legion of Honor

d'el Mar

Mountain Lake

El Camino

Lake St.

Cherry St.

Spruce St.

Plan IV

Lincoln Park

California St.

Clement St.

Euclid Ave

Cliff House Point Lobos Ave.

Geary Blvd

Geary Blvd

RICHMOND

Ave.

Clement St.

Anza St.

Balboa St.

Arguello Blvd

Anza St.

La Playa

47th Ave.

45th Ave.

43rd Ave.

41th Ave.

39th Ave.

37th Ave.

35th Ave.

33rd Ave.

31th Ave.

29th Ave.

27th Ave.

25th

23rd Ave.

21th Ave.

19th Av.

17th Ave.

15th Ave.

Funston Ave.

11th Ave.

9th Ave.

7th Ave.

5th Ave.

3rd Ave.

Cabrillo St.

U

Fulton St.

Fulton St.

Presidio Blvd

Ocean Beach

Spreckels Lake

GOLDEN GATE PARK

i

Japanese Tea Garden

Stow Lake

California Academy of Sciences

Stanyan

Lincoln Wy

Lincoln St.

Frederick St

Carl St.

St.

Irving St.

Irving St.

Parnassus

Sunset Blvd

Judah St.

Judah St.

U

Kirham St.

Kirham St.

Warren Drive

7th St.

Lawton St.

Lower Great Hwy

Great HW

48th St.

46th St.

44th St.

42th St.

40th St.

38th St.

35th St.

33rd St.

31th St.

29th St.

27th St.

25th St.

23rd St.

21th St.

19th St.

SUNSET

Lawton St.

Moraga St.

Moraga St.

Norieaga St.

Norieaga. St.

Ortega St.

Clarendon Ave

Pacheco St.

West Sunset Plgd

Quintara St.

Sunset Reservoir

FOREST HILL

Rivera St.

PARKSIDE

Dewey Blvd

Woodside Ave

Santiago St.

West Sunset Plgd

Taraval St.

Taraval St.

MIRALOMA PARK

Ulloa St.

Ulloa St.

St.

Vicente St.

Vicente St.

Mount Davidson Park

Wawona St.

Parkside Square

Portola

130

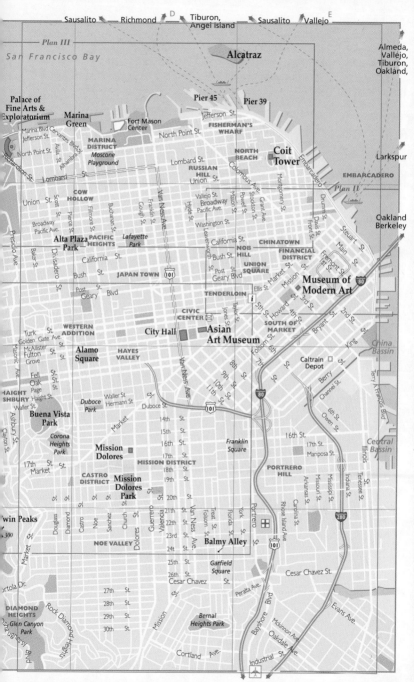

Sausalito — Richmond — D — Tiburon, Angel Island — Sausalito — Vallejo — E

Almeda, Vallejo, Tiburon, Oakland,

Plan III
San Francisco Bay

Alcatraz

Palace of Fine Arts & Exploratorium

Pier 45   Pier 39

Marina Green

Fort Mason Center

Jefferson St.

FISHERMAN'S WHARF

Larkspur

North Point St.

NORTH BEACH

Coit Tower

EMBARCADERO

Plan II

Marina Blvd   Cervantes Blvd.
Jefferson St.

MARINA DISTRICT

Moscone Playground

North Point St.

Lombard St.

RUSSIAN HILL

Union St.

Columbus Ave.

Montgomery St.

Oakland Berkeley

Avila St.   Alhambra

Lombard   St.

Union   St.

COW HOLLOW

Scott St.

Broadway
Pacific Ave.

Pierce St.

Fillmore St.

Buchanan St.

Franklin St.

Gough St.

Van Ness Ave.

Hyde St.

Vallejo St.
Broadway
Pacific Ave.

Washington St.

Mason St.

Powell St.

Stockton St.

Grant Ave.

CHINATOWN

FINANCIAL DISTRICT

Main St.

Steuart St.

Presidio Ave.

Baker St.

Divisadero

Alta Plaza Park

PACIFIC HEIGHTS

California St.

Lafayette Park

Leavenworth St.

California   St.

Bush St.

NOB HILL

Fremont St.

Davis St.
Front St.

Drumm St.

Bush   St.

JAPAN TOWN

101

Post   St.
Geary Blvd

UNION SQUARE

Mission St.

Market St.

Museum of Modern Art

Post   St.

Geary   Blvd.

Ellis St.

TENDERLOIN

i

5th St.

Howard St.

3rd St.

2nd St.

Bryant St.

CIVIC CENTER

Jones St.

Taylor St.

Leavenworth St.

4th St.

SOUTH OF MARKET

Turk   St.

WESTERN ADDITION

City Hall

Asian Art Museum

Folsom St.

King

China Basin

Golden Gate Ave.
McAllister St.
Fulton
Grove

Alamo Square

HAYES VALLEY

Van Ness Ave.

80

7th St.

Caltrain Depot

Berry

Terry A Francois Blvd.

Fell
Oak
Page

9th St.

10th St.

11th St.

Channel St.

6th St.

Owen St.

Central Bassin

HAIGHT ASHBURY

Haight St.

Waller St.

Duboce Park

Waller St.
Hermann St.

Duboce St.

101

16th St.

17th St.
Mariposa St.

Illinois St.

Buena Vista Park

Corona Heights Park

Market

14th   St.
15th   St.
16th   St.

Franklin Square

PORTRERO HILL

17th
Market   St.

Mission Dolores

17th   St.

MISSION DISTRICT

18th   St.
19th   St.

Missouri St.

Mississipi St.

Indiana St.

280

CASTRO DISTRICT

Mission Dolores Park

20th   St.

Arkansas St.

Carolina St.

win Peaks

300

Douglass St.

Diamond St.

Castro St.

Noe St.

Sanchez St.

Church St.

Guerrero St.

Valencia

21st   St.
22nd   St.
23rd   St.
24t   St.

Treat Ave.

Folsom St.

Florida St.

York St.

Portrero

Rhode Island Ave.

NOE VALLEY

Dolores

Balmy Alley

101

DIAMOND HEIGHTS

Portola Dr.

Rock Diamond Heights

27th   St.
28th   St.
29th   St.
30th   St.

25th   St.
26th   St.
Cesar Chavez   St.

Garfield Square

Cesar Chavez St.

Evans Ave.

Glen Canyon Park

s Hughes St.   Blvd

Mission   St.

Bernal Heights Park

Peralta Ave.

Baymore Blvd

Mckinnon Ave.

Oakdale Ave.

Cortland   Ave.

Industrial St.

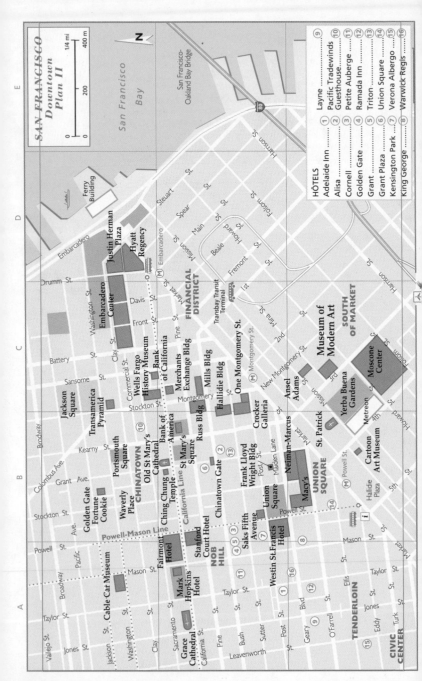

SAN FRANCISCO Downtown Plan II

San Francisco Bay

San Francisco-Oakland Bay Bridge

Ferry Building

FINANCIAL DISTRICT

Justin Herman Plaza

Hyatt Regency

Embarcadero Center

Wells Fargo History Museum

Bank of California

Merchants Exchange Bldg

Mills Bldg

Hallidie Bldg

One Montgomery St.

Russ Bldg

Crocker Galleria

Transbay Transit Terminal

Ansel Adams

Museum of Modern Art

SOUTH OF MARKET

Yerba Buena Gardens

Moscone Center

Metreon

St. Patrick

Cartoon Art Museum

Jackson Square

Transamerica Pyramid

CHINATOWN

Golden Gate Fortune Cookie

Portsmouth Square

Waverly Place

Old St Mary's Cathedral

Bank of America

St. Mary's Square

Ching Chung Temple

California Line

Chinatown Gate

Frank Lloyd Wright Bldg

Maiden Lane

Neiman-Marcus

Macy's

UNION SQUARE

Union Square

Hallidie Plaza

Powell-Mason Line

Cable Car Museum

Grace Cathedral

Mark Hopkins Hotel

Fairmont Hotel

NOB HILL

Stanford Court Hotel

Saks Fifth Avenue

Westin St Francis Hotel

TENDERLOIN

CIVIC CENTER

HÔTELS

Adelaide Inn .... ①	Layne .... ⑨
Alisa .... ②	Pacific Tradewinds Guesthouse ..... ⑩
Cornell .... ③	Petite Auberge ...... ⑪
Golden Gate .... ④	Ramada Inn .... ⑫
Grant .... ⑤	Triton .... ⑬
Grant Plaza .... ⑥	Union Square .... ⑭
Kensington Park ...... ⑦	Verona Albergo .... ⑮
King George .... ⑧	Warwick Regis .... ⑯

132

bordée de boutiques et d'hôtels prestigieux. De part et d'autre se sont installés les deux pôles économiques de la cité : les banques et les gratte-ciel futuristes de **Financial District** (Plan II) à l'est, vers le port et les quais, et les centres administratifs et culturels à l'architecture néo-classique de **Civic Center** (Plan IV) à l'ouest, prolongé par **Hayes Valley** (Plan IV) et ses restaurants. Au nord du centre s'étendent les premiers quartiers de l'immigration chinoise et italienne. **Chinatown** (Plan II), avec ses pagodes colorées et ses échoppes parfumées, se situe autour de l'axe de Grant Avenue. Il est prolongé au nord par **North Beach** (Plan III), le quartier italien, dont les restaurants bruyants et les bars, dominés par la Coit Tower en haut de Telegraph Hill, rappellent l'épopée beatnik. Sur la rive de la baie, vers le nord, le quartier très touristique de **Fisherman's Wharf** (Plan III) aligne boutiques de souvenirs et attractions diverses. Plus à l'ouest, **Marina District** et **Cow Hollow** (Plan III) deviennent les zones résidentielles branchées, telle Union Street. Les collines de la partie nord de la ville, **Nob Hill**, **Russian Hill**, **Pacific Heights** et **Western Addition** (Plan I), présentent maisons victoriennes et ruelles abruptes. À l'ouest, le célèbre **Haight-Ashbury** (Plan IV) est l'ancien repaire des hippies des années 1960, qui se poursuit par **Golden Gate Park** (Plan IV), son Japanese Garden et ses musées. Au sud de Market Street, le quartier de **South of Market** (SoMa) (Plan II), en constante évolution, accueille de prestigieux musées, tel le SF MOMA, et des immeubles futuristes. Toujours au sud, **Mission District** (Plan IV) est la ville latino, où l'on mange des *burritos* au son de la salsa. Tout près, **Castro District** (Plan IV) est le fief branché de la communauté gay, des bars délirants et des boutiques excentriques. Un peu au sud, la paisible enclave de **Noe Valley** (Plan IV), autour de 24th Street, rappelle que San Francisco respire un charme tout provincial. Enfin, pour ne pas oublier que l'on est au bord du Pacifique, le **front de mer** (Plan I), d'Ocean Beach au Golden Gate, permet de superbes balades entre la plage, le musée du Palace of the Legion of Honor et la célèbre silhouette rouge du pont le plus photographié du monde.

Séjourner à San Francisco

1er jour   Visitez Chinatown et le SF MOMA (SoMa) le matin, le Golden Gate Bridge en début d'après-midi, puis faites du shopping dans Downtown et dînez ou prenez un verre dans North Beach.

2e jour   Promenez-vous dans Haight-Ashbury et Golden Gate Park.

3e jour   Faites un peu de shopping sur Union Street et dans Cow Hollow, visitez les musées maritimes à Fisherman's Wharf, faites une croisière dans la baie et allez à Alcatraz.

4e jour   Faites la randonnée du bord de mer, du Palace of the Legion of Honor au Golden Gate Bridge et terminez la journée par Castro ou Mission.

Autour d'Union Square (Plan II B2)
Comptez 2 h.

Délimité par Market Street au sud et Sutter Street au nord, encadré par Kearny Street à l'est et Powell Street à l'ouest, ce quartier concentre les artères les plus commerçantes de la ville, hôtels prestigieux, grands magasins, boutiques de couturiers, joailliers et galeries d'art, ainsi que les principaux théâtres. Au centre, **Union Square** offre une oasis de verdure plantée de quelques palmiers. La place doit son nom aux partisans de l'Union qui s'y rassemblaient au temps de la guerre de Sécession. La haute colonne de 29 m érigée en son centre porte une **statue de la Victoire**, célébrant celle de l'amiral américain Dewey sur la flotte espagnole en 1898. Bien que fréquenté par de nombreux sans-abri, qui goûtent le calme de son enclave, le quartier est le temple du luxe et de la consommation effrénée. À l'ouest d'Union Square, **Powell Street** descend vers Market Street, l'immense avenue qui traverse San Francisco. C'est le trajet emprunté par la plus populaire des lignes du *cable car*.

Sur le côté ouest de la place, le **Westin St Francis Hotel** (*335 Powell St.*) a déterminé l'essor du quartier dès sa construction, en 1904. Très endommagé par le tremblement de terre de 1906, il fut restauré dans un style Renaissance baroque, lourd et imposant. Même si vos finances vous interdisent d'y séjourner (on ne compte plus les personnalités qui y descendent), jetez au moins un œil sur le **hall d'entrée**, avec ses énormes colonnes de marbre, son plafond à caissons et son horloge, point traditionnel de rendez-vous pour les San-Franciscains. Dans la mezzanine, le salon de thé, **The Compass Rose**, le nec plus ultra pour la cérémonie du *high tea* (*voir p. 172*), offre, dans une atmosphère de grandeur révolue, ses velours capitonnés et ses murmures cosy de salon de dames. Enfin, les amateurs de belles vues emprunteront les **ascenseurs de verre** de la tour annexe pour contempler les tours de Financial District (*renseignez-vous auprès du concierge*).

Parmi les plus célèbres enseignes de grands magasins, on retrouve autour de la place les façades de **Macy's**, **Saks Fifth Avenue** et, à l'angle sud-est, **Neiman-Marcus**, qui a remplacé l'ancien magasin *City of Paris*, le plus prestigieux de la ville, ouvert en 1850 par un Français. À sa reconstruction, en 1982, on a décidé de conserver la belle **rotonde** intérieure et ses **vitraux** aux armoiries de Paris.

S'ouvrant à l'est de la place, à l'opposé du Westin St Francis Hotel, Maiden Lane est une étroite ruelle, initialement appelée Morton Street, où les prostituées et filles de mœurs légères faisaient jadis commerce de leurs charmes. De quartier chaud de la cité, elle est devenue l'une de ses adresses les plus exclusives, réunissant des boutiques de luxe, telles que Chanel, Jil Sanders ou Marc Jacobs, des bars huppés et des galeries d'art. Au n° 140, le **Frank Lloyd Wright Building** fut conçu en 1949 par le célèbre architecte qui réalisa dans le même esprit, en 1956, le musée Guggenheim de New York. On remarque notamment la maîtrise incomparable de la lumière au service des œuvres exposées. La galerie héberge une **collection d'art populaire** du monde entier (*dimanche-jeudi 10h-18h, vendredi-samedi 10h-21h. Entrée libre*).

De là, vous pouvez poursuivre jusqu'à Market St. pour rejoindre Financial District.

Financial District★ (Plan II C1-2)
Comptez 2h, un peu plus si vous visitez les musées.
En dehors des heures de bureau, évitez l'endroit, plutôt désert et sinistre.

Longez Market St. vers l'est, jusqu'à l'angle de Montgomery St. et de Post St. Devant vous se dresse une forêt de gratte-ciel.

Le « Wall Street » de San Francisco s'étend sur un triangle délimité par Market Street au sud, Montgomery Street à l'ouest et le front de mer côté baie. L'ensemble du quartier est établi sur une zone remblayée remplaçant les dunes et anciens marécages qui bordaient le rivage. Ce sont des banques, fondées pendant la ruée vers l'or, qui ont donné naissance au San Francisco des affaires.

Le n° 1 de Montgomery Street, où débute votre visite, est occupé par une filiale de la Wells Fargo. Il fut construit pour une autre banque après le tremblement de terre, en 1906, et son grand hall d'accueil restitue la grandeur de l'époque.

Empruntez Post St. Sur votre droite s'ouvre la Crocker Galleria, petite arcade commerçante de luxe surmontée d'une verrière. Traversez-la pour rejoindre Sutter St.

À la sortie de la Crocker Galleria, le **Hallidie Building**★★ (*130-150 Sutter St.*) dresse ses six étages à **parois de verre** et corniches gothiques. Construit en 1917, il est l'un des premiers immeubles de ce type au monde.

Suivez Sutter St. vers l'est et tournez à gauche dans Montgomery St.

R. Mattesi/MICHELIN

La tour Transamerica

Le Mills Building* (*220 Montgomery St.*), de style néo-roman et aux riches sculptures, date de 1892 et fut commandé par l'un des fondateurs de la Bank of California. La tour qui lui fut ajoutée par la suite sur Bush Street a adopté le style d'origine. De l'autre côté de la rue, le **Russ Building**** (*235 Montgomery St.*), bâtiment néo-gothique de 30 étages, fut érigé en 1927. Admirez sa façade en céramique vernissée, ses nombreux décrochements et ses arches en ogives. À l'intérieur, le hall carrelé de **mosaïques**, les couloirs voûtés et les panneaux d'ascenseur très décorés évoquent l'opulence des Années folles.

Suivez Montgomery St. jusqu'à California St., où vous tournez à gauche.

Haut de 237 m, le **Bank of America Center*** (*555 California St.*) est l'un des plus imposants gratte-ciel de la ville, avec 51 étages de verre et de granit. Bâti en 1971, il abrite le siège mondial de cette banque, qui compte parmi les plus importantes du pays. Initialement, elle se nommait Bank of Italy et accueillait la clientèle des immigrés italiens qui lui apportèrent le succès.

Revenez sur vos pas. Traversez Montgomery St. et suivez California St. jusqu'au n° 465.

Le Merchants Exchange Building (*465 California St.*) concentrait jadis les activités commerciales et financières. Dès qu'un bateau arrivait, des vigies postées sur les toits le signalaient aux marchands ou spéculateurs, réunis pour les négociations dans la salle de l'ancienne **Bourse aux grains**, décorée de marines du peintre irlandais Coulter (*salle fermée au public*). Le hall présente une petite **exposition de bateaux** en modèle réduit, clin d'œil au passé maritime de la ville.

Regagnez Montgomery St., où vous tournez à droite.

Le Wells Fargo History Museum* (*420 Montgomery St.,* ☎ *(415) 396 2619. Lundi-vendredi 9h-17h. Entrée libre*) fait revivre l'histoire de la Wells Fargo, une florissante compagnie californienne qui débuta en exploitant des diligences. Avec la ruée vers l'or, elle commença à transporter le précieux minerai, puis à le garder en dépôt et à accorder des prêts aux négociants, jusqu'à devenir l'une des plus riches banques du pays. Photographies d'époque, vieilles monnaies, pépites d'or, maquettes et même une authentique malle-poste raviront les passionnés de conquête de l'Ouest, autant que l'histoire de Black Bart, ce gentleman-cambrioleur qui dévalisait les diligences pour redistribuer l'argent aux pauvres.

En continuant sur Montgomery Street, vous traversez **Commercial Street**, l'une des plus anciennes artères de la ville des affaires. Au début, ce quartier bordait des marécages. Un très long quai prolongeait l'axe de cette rue et menait aux mouillages en eau profonde.

Plus loin encore sur Montgomery Street, à l'angle de Clay Street, vous ne pouvez manquer la silhouette fine et acérée de la **Transamerica Pyramid**** (*600 Montgomery St.*), construite en 1972, le plus haut building de la ville avec ses 260 m et ses 47 étages. On ne le visite pas, mais les écrans de contrôle du **Virtual Observation Deck**, aménagé au rez-de-chaussée, relayent les vues époustouflantes filmées par un jeu de caméras au sommet de l'immeuble.

Poursuivez votre chemin sur Montgomery Street pour gagner la partie la plus ancienne du quartier. Le bloc des numéros 700 compte quelques-uns des premiers gratte-ciel de la ville. En atteignant **Jackson Square****, vous remarquez des immeubles en brique rouge qui ont survécu au tremblement de terre de 1906. Autrefois, cette zone était appelée Barbary Coast et constituait le quartier mal famé, avec ses tripots et ses ruelles coupe-gorge. Aujourd'hui réhabilité, il héberge galeries d'art et antiquaires.

Prenez à droite dans Jackson St., puis à droite dans Sansome St., jusqu'à California St.

À l'angle de Sansome Street et de California Street, la **Bank of California**★ (*400 California St.*) se distingue par sa façade en forme de temple corinthien. Le **hall d'entrée** est impressionnant et le sous-sol abrite le **Museum of Money of the American West**, qui présente les différentes monnaies ayant eu cours dans l'Ouest (☎ *(415) 765 3213. Lundi-vendredi 9h-16h45. Entrée libre*).

Continuez sur California St. vers l'est, le long d'immeubles futuristes, et tournez à gauche dans Davis St. pour rejoindre Embarcadero Center.

Embarcadero Center occupe quatre blocs juxtaposés, constitués de quatre énormes tours de 40 étages, reliées par des passerelles, dont les trois premiers niveaux forment une galerie commerciale assez impersonnelle. Les amateurs de belles vues monteront au **Skydeck**, au sommet de la tour ouest (*1 Embarcadero. Tlj de 9h30 jusqu'au coucher du soleil. Entrée payante*).

Terminez votre périple en ressortant par l'est, sur la **Justin Herman Plaza**. Du côté de Market Street, notez l'élégant hôtel **Hyatt Regency** à l'architecture ambitieuse, et poussez la curiosité jusqu'à admirer à l'intérieur l'atrium qui s'élève sur 17 étages!

South of Market (SoMa)★ (Plan II B-C3)
Comptez une demi-journée.

Pour vous y rendre, prenez n'importe lequel des bus qui longent Market St. Les centres d'intérêt sont à 5mn à pied.

Gagné grâce au remblaiement des terrains au sud de Market Street, ce quartier est longtemps resté celui des usines et des entrepôts, triste et mal famé. On tenta pourtant de l'aménager à plusieurs reprises, notamment autour de South Park au sud, et près de Market Street au nord, pour étendre Financial District. Quelques beaux immeubles témoignent de ces efforts, comme le **Palace Hotel** (*639 Market St.*), remplacé après le séisme de 1906 par le **Garden Court** et son toit de verre. Un autre exemple est le **Pacific Telephone Building** (*140 New Montgomery St.*), reconnaissable à sa belle façade de céramique. Mais l'ensemble du quartier ne fut réhabilité qu'à partir de 1981, avec la construction du palais des Congrès, le **Moscone Center**. On se mit à restaurer des entrepôts, à démolir les bâtiments vétustes et à concevoir un quartier résolument moderne, dont Yerba Buena Gardens et le musée d'Art moderne forment le pivot. Depuis quelques années, le quartier attire de plus en plus les artistes, les galeries, les théâtres avant-gardistes et les bars branchés. En plein essor, il change de physionomie de mois en mois.

Le **San Francisco Museum of Modern Art**★★★ (musée d'Art moderne) ou SF MOMA (*151 3rd St.*, ☎ *(415) 357 4000. 11h-18h/21h le jeudi, ouvre à 10h de Memorial Day à Labor Day; fermé le mercredi. Entrée : 9$, incluse dans le City Pass*) est installé en 1995 dans une ambitieuse **architecture**★★ contemporaine, conçue par Mario Botta, l'architecte de la cathédrale d'Évry, en France. Pour se faire une idée de l'ensemble, montez les marches du jardin, de l'autre côté de la rue. Vous remarquez alors la juxtaposition et le graphisme des blocs de brique, ainsi que l'énorme cylindre tronqué qui permet à la lumière du jour de pénétrer à l'intérieur. L'atrium ouvre sur un escalier monumental qui dessert les différents niveaux jusqu'à la passerelle supérieure au niveau de la rotonde. Mais ce sont surtout les **collections**★★ qui font du SF MOMA le deuxième musée d'Art moderne et contemporain des États-Unis, après celui de New York. Tous les grands courants de la peinture et de la sculpture du 20e s. sont représentés, avec des œuvres européennes, sud et nord-américaines, et une place spéciale pour l'art californien. Parmi les plus célèbres, on note la merveilleuse **Femme au chapeau**★★★ de Matisse, les **Femmes d'Alger**★★★ de Picasso, des tableaux de

L'architecture contemporaine du SF Moma

Braque, Magritte, Mondrian, Kandinsky ou Dali, une **Aube parfumée par la pluie d'or**★★ de Miró, et un remarquable ensemble de travaux sur la couleur par Paul Klee. Au nombre des toiles plus récentes, on retrouve Pollock, Rothko, Warhol ou Rauschenberg, ainsi qu'une importante collection de Clyfford Still. Certaines œuvres respirent un humour délirant, comme le **Michael Jackson & Bubbles** (le chanteur et son chimpanzé assis au milieu des roses) de Jeff Koons. Enfin, ne manquez pas la collection sud-américaine, dont **La Porteuse de Fleurs**★★ de Diego Rivera.

Juste en face, **Yerba Buena Gardens**★★ offre une enclave de verdure et de calme au cœur des gratte-ciel qui poussent de tous côtés. Ses bancs, ses jeux de fontaines, son esplanade ponctuée de sculptures en font le rendez-vous des jeunes cadres à la pause-déjeuner, des enfants et des couples de retraités. Jonquilles, iris, azalées, hortensias, roseaux et saules pleureurs se relaient tout au long de l'année.

Du côté nord, la **St Patrick Church**, une modeste église en brique presque incongrue au milieu du verre et du béton, égrène les heures. Prévu pour la fin 2003, un ambitieux projet architectural abritera près de l'église deux intéressants musées présentant la culture des communautés juive et mexicaine de la ville, le **Jewish Museum San Francisco** et le **Mexican Museum**, aujourd'hui fermés.

Sur le côté opposé au SF MOMA, le **Metreon** est un temple dédié à la technologie Sony où se distraire les jours de pluie, avec bornes d'écoute musicale, jeux vidéo, boutiques de haute technologie, cinéma et IMax. Dans les jardins, on découvre aussi des salles d'expositions temporaires, des espaces de jeux pour enfants et le **Zeum**, un studio de théâtre avant-gardiste.

Parmi les autres curiosités du quartier, l'**Ansel Adams Center for photography**★★ (*655 Mission St., www.friendsofphotography.org. Tlj 11h-17h. Entrée : 5$*) est un musée entièrement consacré à la photographie, en hommage au célèbre photographe san-franciscain. Outre une superbe collection permanente de ses travaux sur l'Ouest américain, la galerie présente des expositions temporaires de belle qualité.

Le **Cartoon Art Museum** (*814 Mission St., 1ᵉʳ étage. 11h-17h, dimanche 13h-17h. Entrée : 5$*) donne à la BD et au dessin animé une valeur de témoin de l'histoire sociale de leur époque. La collection compte plus de 11 000 pièces, remontant jusqu'au 18ᵉ s. Un peu cher tout de même, à moins d'être passionné.

Civic Center et Hayes Valley* (Plan IV D-E1)
Comptez au moins 3 h, avec la visite de l'Asian Art Museum.
Voir plan p. 152

Pour rejoindre Civic Center, empruntez les lignes 5, 9 ou F le long de Market St., ou la ligne 19 si vous venez de Fisherman's Wharf. À pied, vous y serez en moins de 10 mn depuis le bas de Powell St., en longeant Market St.

Depuis Market Street, vous abordez le quartier par l'**United Nations Plaza**, une petite place hantée par les sans-abri, mais qui accueille tous les samedis matin le **Farmers Market**, un sympathique marché du terroir, où les agriculteurs des environs viennent vendre leurs produits.

Dirigez-vous vers l'ouest, le long de la Public Library (bibliothèque municipale), et prenez à droite dans Larkin Street jusqu'à l'ancienne bibliothèque qui abritera, à partir de l'automne 2002, l'**Asian Art Museum***** (☎ (415) 379 8880, www.asianart.org. Entrée : 7 $) et les plus belles collections d'art asiatique du pays. La part la plus importante est consacrée à l'art chinois, mais tous les pays du Sud-Est asiatique sont représentés. Parmi ces trésors, on note un bronze doré figurant un **bouddha assis**** chinois, daté de 338, le plus ancien découvert au monde. Passionnants sont les **ustensiles et vases rituels*****, dont certains remontent à plus de 1000 ans av.-J.C. Le Japon est particulièrement mis en valeur grâce aux **paravents peints**** ou à un ravissant **palanquin** en bois laqué et argent. D'Inde, on remarque une série de délicates peintures de la vie de Krishna ou des sculptures très ouvragées, suivant des thèmes érotiques. La **collection coréenne*** possède de rares poignards de schiste remontant à six siècles avant notre ère.

Face au musée s'étend la vaste **Civic Center Plaza**, dominée par la masse orgueilleuse du **City Hall**** (hôtel de ville). Malgré son allure néo-classique intemporelle et ses multiples colonnes, l'édifice ne date que de 1915. Il est dominé par un énorme dôme de 94 m. À l'intérieur, la **rotonde** est tout aussi impressionnante, avec ses 55 m de haut et son grand escalier en marbre.

Contournez ensuite le City Hall par le sud, sur Grove St.

Derrière le City Hall, le **San Francisco War Memorial and Performing Art Center** (301 Van Ness Ave., ☎ (415) 552 8338. Visite guidée uniquement, le lundi, toutes les heures de 10 h à 14 h. Entrée : 5 $) est constitué de deux bâtiments jumeaux, élevés à la mémoire des soldats morts à la guerre. La **War Memorial Opera House** héberge les prestigieux Opéra et Ballet de San Francisco. Le **Veterans Building** accueille des bureaux administratifs et un théâtre. Au sud de ce complexe, à l'angle de Grove Street et de Van Ness Avenue, le **Davies Symphony Hall** est la salle de l'Orchestre symphonique de San Francisco.

Tout le quartier prend vie à l'heure des spectacles et pour les dîners d'avant-théâtre. Pour goûter son charme discret, mais élégant, poussez jusqu'à Hayes Street qui forme l'axe de **Hayes Valley***, une enclave tranquille et provinciale, avec ses galeries, ses boutiques, ses bâtisses traditionnelles et ses arbres touffus. De là, Hayes Street mène, vers l'ouest, à **Alamo Square****, l'une des cartes postales les plus célèbres de la ville, soulignant ses paradoxes : une rangée de délicieuses maisons en bois victoriennes, les **Painted Ladies***, sert de premier plan à une **vue**** stupéfiante des gratte-ciel de Financial District (*pour y aller en bus, prenez la ligne 21 le long de Market St. : elle longe la place*).

Chinatown*** (Plan II B1-2)
Comptez de 2 à 3 h pour visiter les échoppes, de préférence le matin.

À pied, entrez dans le quartier chinois par Grant Ave., à l'angle de Bush St. Pour le marché du matin sur Stockton St., prenez les lignes de bus 30 ou 45.

Votre périple débute au **Chinatown Gate***, un grand portail coloré, gardé comme dans la tradition des villages chinois par des carpes et des dragons porte-bonheur. C'est la République populaire de Chine qui l'offrit en 1969 à la communauté chinoise

Couleurs et symboles

En Chine, le dragon conduit à l'immortalité et symbolise la toute-puissance, les forces de vie et de la fertilité. La carpe, associée à la longévité, protège les maisons et marque le courage, la persévérance et la supériorité intellectuelle. Le rouge, couleur du feu, représente la vie, la richesse et le bonheur. Le jaune, traditionnellement la couleur de l'empereur et de la divinité, est censé porter chance. Le vert symbolise la longévité et l'immortalité. Le bleu signe la sagesse.

de la ville, la plus importante au monde en dehors de la Chine. Sa forme de pagode et ses tuiles vernissées, les lampadaires assortis, les panneaux en idéogrammes ou les étals chatoyants des bazars vous projettent en plein exotisme. **Grant Avenue**★ est le grand axe touristique du quartier, avec son fouillis de vraies et fausses antiquités, de souvenirs aux couleurs violentes et de porte-bonheur chinois. Rengaines disco aux sonorités asiatiques s'échappent des boutiques, à peine concurrencées par le fumet des *dim sum* et autres canards laqués.

Remontez Grant Ave. vers le nord, jusqu'à California St.

À l'angle de Grant Avenue et de California Street, l'**Old St Mary's Cathedral** *(lundi-samedi 7h-19h, dimanche 7h30-17h. Concert gratuit les mardi et jeudi à 12h30)* est la première cathédrale de la ville, érigée en 1854 grâce à la main-d'œuvre chinoise. Malgré les ravages du feu, elle a survécu au tremblement de terre de 1906. Sur California Street, en face de l'église, **St Mary's Square** sert de paisible écrin à la **statue de Sun Yat-sen**. Le révolutionnaire chinois séjourna deux ans dans la ville et y prépara l'avènement de la république dans son pays.

De retour sur Grant Avenue, en face de la cathédrale, n'hésitez pas à entrer dans le **Ching Chung Temple**★ *(615 Grant Ave., 3ᵉ étage. Tlj 11h-18h)*, où se pratique le culte taoïste. Flânez ensuite le long de l'avenue, au gré des boutiques. Jetez un œil dans le **Wok Shop** *(718 Grant Ave.)*, étonnant déballage d'ustensiles de cuisine chinoise, de sachets d'herbes rares et de recettes traditionnelles. De l'autre côté de la rue, le **Kite Shop** *(717 Grant Ave.)* propose les cerfs-volants chinois les plus colorés et les plus poétiques, clin d'œil à un passe-temps ancestral.

Tournez à droite dans Clay St.

À l'angle des deux rues, imaginez un instant que vous êtes de retour en 1835 : c'est ici que, le premier, un marin anglais aurait planté sa tente, avant que la petite colonie ne devienne une vaste métropole. En descendant Clay Street en direction de la Transamerica Pyramid, vous atteignez **Portsmouth Square**★, une petite place pittoresque, surnommée le « salon de Chinatown ». Tôt le matin, vous y verrez les évolutions hiératiques des pratiquants de tai-chi, remplacés plus tard par les familles et les vieillards. Sous les abris et sur les bancs, les hommes jouent aux cartes ou au mah-jong, les billets verts passant prestement d'un joueur à l'autre. Jadis, ce fut le cœur de la ville naissante, là où, en 1848, la nouvelle de la découverte de l'or se répandit comme une traînée de poudre…

Norton Iᵉʳ, empereur des États-Unis

Au 19ᵉ s., parmi les originaux qui hantaient le quartier, Joshua Norton fait date. Aventurier et homme d'affaires ruiné, il en perdit la tête et s'autoproclama empereur des États-Unis. Complètement démuni, il parcourait la ville en distribuant des feuilles d'impôts. Amusés ou attendris, les habitants lui versaient de modiques sommes pour lesquelles il laissait un pompeux reçu, au nom de « Norton 1er, empereur des États-Unis ». Il prononça aussi nombre de décrets et d'injonctions à l'attention des gouvernants du monde. Les journaux les publiaient complaisamment et des plaisantins lui envoyaient des courriers signés de tel ou tel président. Son cortège funèbre fut suivi par plus de 30000 personnes.

A. Cassidy/MICHELIN

Chinatown, au carrefour des cultures

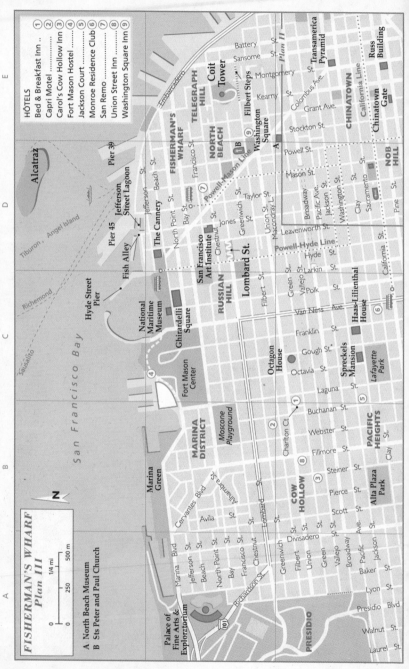

FISHERMAN'S WHARF
Plan III

0   250   500 m
0   1/4 mi

A   North Beach Museum
B   Sts Peter and Paul Church

HOTELS
Bed & Breakfast Inn .. ①
Capri Motel .... ②
Carol's Cow Hollow Inn ③
Fort Mason Hostel ..... ④
Jackson Court .... ⑤
Monroe Residence Club ⑥
San Remo .... ⑦
Union Street Inn .... ⑧
Washington Square Inn ⑨

N

San Francisco Bay

Tiburon, Angel Island

Alcatraz

Richmond

Sausalito

Pier 39

Pier 45

Jefferson Street Lagoon

Fish Alley

Hyde Street Pier

National Maritime Museum

Ghirardelli Square

Fort Mason Center

Marina Green

The Cannery

FISHERMAN'S WHARF

San Francisco Art Institute

Beach St.

Jefferson

North Point St.

Bay St.

Chestnut St.

Jones St.

Greenwich St.

Taylor St.

Francisco St.

NORTH BEACH

Battery

Sansome

Montgomery

Kearny St.

Colombus Ave.

Grant Ave.

Stockton St.

Powell St.

Coit Tower

Filbert Steps

TELEGRAPH HILL

Transamerica Pyramid

Russ Building

CHINATOWN

Chinatown Gate

California Line

Washington Square

⑨

B

A

Powell-Mason Line

Mason St.

Broadway

Pacific Ave.

Jackson St.

Washington St.

Clay

Sacramento

St.

NOB HILL

Pine St.

Powell-Hyde Line

Union St.

Macondray L.

Leavenworth St.

Hyde St.

Larkin St.

Polk St.

Van Ness Ave.

Franklin St.

Gough St.

Octavia St.

Laguna St.

Buchanan St.

Webster St.

Fillmore St.

Steiner St.

Pierce St.

Scott St.

Divisadero St.

Broderick St.

Baker St.

Lyon St.

Presidio Blvd.

Walnut St.

Laurel St.

RUSSIAN HILL

Lombard St.

Green St.

Vallejo St.

Filbert St.

Octagon House

Spreckels Mansion

Haas-Lilienthal House

Lafayette Park

PACIFIC HEIGHTS

Alta Plaza Park

Clay St.

California St.

②

①

⑤

⑥

⑧

③

MARINA DISTRICT

Moscone Playground

Charlton Ct.

COW HOLLOW

Cervantes Blvd.

Avila

Alhambra St.

Lombard St.

Marina Blvd.

Jefferson St.

Beach St.

North Point St.

Bay St.

Francisco St.

Chestnut St.

Greenwich St.

Filbert St.

Union St.

Green St.

Vallejo St.

Broadway

Pacific Ave.

Jackson St.

PRESIDIO

Palace of Fine Arts & Exploratorium

⑩

Richardson St.

④

⑦

Plan II

142

Quittez la place par le nord-ouest et Washington St.

Le long de Washington Street, après avoir goûté à l'un des laits de tapioca aux étranges parfums de la **Washington Bakery** *(733 Washington St., voir p. 172)*, ne manquez pas l'immeuble de la **Bank of Canton**, remarquable par son style chinois exubérant : jusqu'en 1945, il abritait le **Chinese Telephone Exchange**, standard téléphonique de Chinatown, où les opérateurs connaissaient par cœur les numéros et les habitudes de tous les abonnés du quartier.

Traversez Grant Ave. et continuez jusqu'à l'angle de Waverly Place, sur la gauche.

Waverly Place* est une rue étroite et tranquille, dite la « rue des balcons peints », en raison de ses couleurs vives et de ses détails architecturaux, mêlant styles chinois, anglais et coloniaux. Il y flotte un parfum composite d'encens, d'épices et de viandes marinées. On y recense trois temples *(aux n° 106, 125 et 146)*, dont le **Tin How Temple** *(n° 125, 3ᵉ étage. Tlj 9h-16h)*, l'un des plus anciens des États-Unis (1852), bouddhiste, dédié à la reine du Ciel et des Sept Mers, protectrice des marins.

Revenez sur vos pas et prenez à gauche dans Grant Ave.

Parmi les bazars pour touristes, quelques échoppes plus authentiques proposent des potions miracles, à base de racines, de graines ou d'herbes médicinales mystérieuses. L'herboriste de l'**Epicurean chinese tea headquarter** *(919 Grant Ave.)* vous conseillera la cure de jouvence ou de santé idéale… Le **Ten Ren's Tea** *(949 Grant Ave.)* vend pour sa part des thés introuvables ailleurs.

Tournez à gauche dans Jackson St. et montez jusqu'à Ross Alley.

Cette obscure venelle conserve l'atmosphère du vieux Chinatown, avec ses ateliers exigus où travaillent les nouveaux immigrants, remplaçant les anciens tripots. C'est ici qu'officient les ouvrières de la **Golden Gate Fortune Cookie Company*** *(56 Ross Alley. 10h-24h)*. Dans un espace minuscule envahi par une bonne odeur de crêpe chaude, elles enveloppent prestement dans la pâte à biscuit de minuscules messages portant des prédictions. Offerts avec l'addition dans tous les restaurants chinois, les *fortune cookies* ont été inventés à San Francisco.

Reprenez Grant Ave. et tournez à gauche dans Pacific Ave.

Vous quittez l'exotisme un peu factice de Grant Avenue pour pénétrer dans le quotidien des Chinois de la ville. Le long de **Pacific Avenue**, les échoppes sans décor alignent marchandises empilées et idéogrammes. La **Kee Cheung Company** est l'un de ces herboristes à l'ancienne, où les concoctions les plus mystérieuses, comme l'extrait de queue de cerf, se cachent dans des centaines de tiroirs en bois…

Poursuivez jusqu'à Stockton St., où vous tournez à gauche.

Loin des magasins pour touristes, les étals de **Stockton Street*** sont fréquentés par tous les Chinois de la ville, qui viennent tôt le matin s'y ravitailler. Ils sont si nombreux à prendre les bus qui longent cette rue que l'on surnomme cette ligne l'« Orient Express ». Fruits et légumes exotiques, marchands de journaux et traiteurs se succèdent en un kaléidoscope de sons et de couleurs. Les parfums d'épices et de canard laqué planent sur une foule pittoresque, dense et affairée…

North Beach** (Plan III D-E2)

Comptez 3h avec l'ascension de Telegraph Hill.
Allez-y de préférence en soirée, pour l'ambiance et les bars de la beat generation.

À pied, North Beach succède à Chinatown, en suivant Grant Ave. vers le nord. Il s'étend de Broadway et Columbus Ave. jusqu'autour de Washington Square. En bus, les lignes 15 et 30, au départ de Kearny St. (Downtown), longent Columbus Ave. et Washington Square.

Comme son nom l'évoque, North Beach s'étendait à l'origine au bord d'une plage, que l'on a remblayée depuis. Ce fut l'un des premiers quartiers de la ville naissante, d'abord fréquenté par les prostituées que couraient les chercheurs d'or, puis par les

Génération beatnik

Né à New York dans l'immédiat après-guerre, le mouvement «beat» (d'un mot signifiant pulsation ou battement) réunit des poètes et des écrivains désabusés, à la recherche d'un autre souffle, alors que l'Amérique étouffe sous la contrainte du maccarthysme. Jack Kerouac et Allen Ginsberg, deux pionniers de cette remise en cause, prennent la route de l'Ouest et arrivent à San Francisco, ville de tous les possibles. En compagnie de Lawrence Ferlinghetti, libraire et poète, ils y deviennent les chantres d'une génération qui fuit toutes les contraintes, morales, littéraires ou artistiques.

Irlandais. À la fin du 19e s., il se peupla surtout d'Italiens. Dans les années 1950, les intellectuels anticonformistes de la *beat generation* y refaisaient le monde, dans les librairies et les bars enfumés, se nourrissant de pâtes, de vin local et de substances plus hallucinogènes… Malgré l'extension inexorable du quartier chinois, North Beach a conservé son charme latin et bohème, mélange de restaurants intimes où flottent des parfums d'ail, de tomate et de poivron, de cafés intemporels hantés par les artistes et de bars à jazz vibrant tard dans la nuit.

Columbus Avenue est le grand axe du quartier, bordé de restaurants et de bars. Près de l'angle avec Broadway (la rue chaude des peep-shows), au n° 300, par exemple, se tenait jadis le **Condor Club**, où pour la première fois, en 1964, une danseuse se produisit les seins nus! Presque en face, moins scandaleux mais tout aussi marginal à l'époque, le **City Lights Bookstore*** (*261 Columbus Ave. Tlj 10h-minuit*) était la librairie de Ferlinghetti, l'un des premiers poètes *beat* de la ville, qui lança en 1953 sa propre maison d'édition, les City Lights Books, petits ouvrages brochés bon marché publiant les auteurs avant-garde. Écrivains et artistes s'y retrouvaient pour des lectures et des manifestations culturelles. Toujours active aujourd'hui, la maison reste l'un des derniers vestiges de cette époque, avec le **Vesuvio Cafe**** , au coin de l'impasse voisine (*255 Columbus Ave. Ouvert jusqu'à 2h du matin*). Tenu par Henri Lenoir, un Français, ce bar était un repaire beatnik, envahi par la fumée des joints et par les habitués les plus étonnants : on y a même vendu de façon humoristique le kit du parfait beatnik, sandales de cuir, pull et lunettes noirs… Plusieurs cafés des environs reflètent cette atmosphère funky, comme le **Tosca Cafe** (*242 Columbus Ave.*), qui vibre au son de la musique d'opéra, ou le **Spec's** (*12 Saroyan St., près de Columbus*), aussi propriété du même Lenoir et conservant un bric-à-brac digne d'un musée.

Suivez Columbus Ave. vers le nord-ouest, et prenez à gauche dans Stockton St.

Le North Beach Museum (*1435 Stockton St., dans la mezzanine de l'Eureka Bank. Lundi-jeudi 9h-15h30, vendredi 9h-17h. Entrée libre*) présente une collection de souvenirs de la grande époque du quartier, depuis sa création, en passant par l'arrivée des Italiens et des Chinois et le tremblement de terre de 1906.

Retournez sur Columbus Ave., que vous suivez vers le gauche, jusqu'à Washington Square.

Washington Square est un agréable petit parc verdoyant, où les Chinois matinaux pratiquent le tai-chi, tandis que les vieux Italiens préfèrent tailler une bavette, assis sur les bancs. Au centre, l'effigie de Benjamin Franklin rivalise avec l'autre statue du parc, l'étonnant groupe de **pompiers de bronze**, offert par Lillie Coit, richissime admiratrice des soldats du feu. Inattendues, les deux flèches blanches de la **Sts Peter and Paul Church** ressemblent à un montage en sucre. C'est la grande église italienne de la ville, datant de 1924 et attestant l'économie florissante de la communauté. Les messes y sont dites en anglais, mais aussi en italien et en chinois. Comme Pierre et Paul, ainsi que la Vierge Marie (sa statue est à l'intérieur), sont les patrons des pêcheurs, nombreux parmi les Italiens, une grande procession quitte l'église chaque année en octobre et descend au port bénir les bateaux.

Quittez Washington Square par son angle nord-est et remontez Filbert St. pour rejoindre Telegraph Hill. Attention, l'ascension est pénible. Vous pouvez aussi vous y rendre par le bus 39, que vous prenez à l'angle sud-est du parc, au coin de Stockton St. et d'Union St.

La Californie

Telegraph Hill★★ se reconnaît facilement à la silhouette caractéristique de la fine tour qui la couronne. La colline ne s'élève qu'à 86 m, mais ses flancs abrupts et ses ruelles escarpées forment l'un des sites les plus charmants de la ville. Elle doit son nom à un ancien sémaphore, construit en 1850 pour avertir les habitants de l'arrivée des bateaux. Le terrain peu pratique et très accidenté, la proximité du port et des rues chaudes en firent longtemps le quartier des pêcheurs et des dockers, piqué de modestes masures. Du côté est et nord-est, les versants furent même exploités comme carrières de pierre, laissant des falaises inhabitables. Les **vues**★★ de la ville, du port et de la baie qui se déroulent au sommet font désormais de Telegraph Hill un quartier cher et très couru. La célébrité de la colline est surtout due à la curieuse **Coit Tower**★★★ *(tlj 10h-19h30/18h d'octobre à avril. Visite du hall gratuite, mais entrée payante pour accéder au sommet : 3,75 $)*, une tour de 65 m en béton cannelé, construite en 1933. Bien que ses concepteurs s'en défendent, beaucoup y reconnaissent la forme d'une lance à incendie, ce qui serait d'autant plus approprié qu'elle est dédiée aux pompiers ! Tout comme les statues de Washington Square, on la doit à un legs de **Lillie Coit**, qui voulait laisser à la postérité un hommage bien visible de sa ferveur… L'ascenseur qui mène au sommet permet d'embrasser la **vue spectaculaire**★★ sur la ville. De toute façon, ne manquez pas le hall du rez-de-chaussée et ses **fresques murales**★★, financées par le gouvernement dans le cadre des grands travaux du New Deal pour embellir l'Amérique. Près d'une trentaine d'artistes exécutèrent sur 340 m² un ensemble de tableaux nettement inspiré de l'art populaire de rue mexicain. Les thèmes abordés, s'ils figurent des scènes banales de la vie quotidienne, économique ou sociale, véhiculent une critique à peine voilée de la société à l'époque de la Grande Dépression. Les commanditaires fédéraux n'apprécièrent pas du tout ce réalisme, d'autant que la ville était alors agitée par une grève des dockers. On suspendit même l'ouverture de la tour durant plusieurs mois.

La petite fille et les pompiers

Lillie Hitchcock avait 7 ans lorsqu'elle échappa de justesse à la mort dans un incendie qui tua ses amies. Dès l'adolescence, elle se lia avec une brigade de pompiers, dont elle devint la mascotte. Elle se fit faire un uniforme et porta le casque de la brigade n° 5 dont elle était devenue un membre honoraire. Excentrique et indépendante, elle fumait le cigare, jouait au poker et tirait au pistolet. Elle épousa le riche Howard Coit, mais ne changea rien à son style de vie. À sa mort, elle se fit enterrer avec son badge et les honneurs de la brigade. Elle légua le tiers de sa fortune pour ériger un monument à ses chers pompiers. Ce fut la Coit Tower…

En ressortant de la Coit Tower, dirigez-vous vers l'est en suivant les panneaux « Filbert Steps ».

Les Filbert Steps★ sont un lacis d'escaliers en brique ou en bois qui dégringolent de la colline au milieu des arbres et des massifs de fleurs. Le voisinage est depuis longtemps un repaire d'artistes. Tout près de là, dans Alta St., résidait Armistead Maupin, écrivain désormais célèbre de la série des *Chroniques de San Francisco* dans le *San Francisco Chronicle*. La seconde partie des Filbert Steps ouvre sur **Napier Lane**, une allée en bois datant de l'époque où les marins occupaient le quartier. Vous atteignez la **Levi Strauss Plaza**, siège du célèbre fabricant de jeans qui démarra à San Francisco.

De la mine à la ville

Levi Strauss est un immigré allemand, arrivé à San Francisco en pleine ruée vers l'or. Il conçoit un pantalon robuste, muni de poches pour les mineurs. Initialement prévu en toile de bâche, il se fabrique après 1860 en toile de Nîmes (qui se déforme en « Denim ») de couleur bleue (« blue »), comme en portaient les marins de Gênes (dévié en « jeans ») : le blue-jean est né. Pour rendre les poches plus solides, on y ajoute les fameux rivets de métal, puis l'étiquette de cuir à la taille et la petite étiquette rouge de la poche arrière droite. À partir des années 1940, les films sur le Far West et les stars du cinéma feront du jean un vêtement universel et indémodable.

Fisherman's Wharf et la baie★ (Plan III)

Comptez une demi-journée (une journée si vous faites une croisière dans la baie).
La visite d'Alcatraz est plus impressionnante le soir.

Pour vous rendre à Fisherman's Wharf, vous pouvez prendre le cable car Powell-Hyde ou Powell-Mason et descendre au terminus, ou prendre les bus 30, 15 (descendre à North Point St.), 19 (descendre à Polk St.) ou 39. Une option pittoresque : prendre la F-line, le vieux trolley qui vient de Downtown depuis Market St. en longeant Embarcadero.

Balade le long des quais

Fisherman's Wharf (quai du Pêcheur) est très fréquenté par les touristes et vous serez sans doute déçu par son côté artificiel. Il regroupe plusieurs jetées (piers), envahies par les bazars, les restaurants, les musées et les centres commerciaux. Le fumet des soupes de poissons évoque l'océan voisin, mais les embarcations de pêcheurs deviennent de plus en plus rares dans les bassins et il vous faudra venir tôt le matin pour les voir débarquer leur cargaison.

Le Pier 39★ (D1) est annoncé par les cris assourdissants des **otaries★** qui ont élu domicile sur les pontons flottants. Ce sont surtout des mâles et des jeunes, car les femelles restent avec leurs petits au large, sur les Channel Islands, où elles se reproduisent. Pour des raisons mal connues, la troupe a colonisé cette partie de la baie après le tremblement de terre de 1989. Grands paresseux devant l'Éternel, les mâles apprécient de ne pas avoir à bouger lors des marées. Ils dorment beaucoup, affectueusement empilés les uns sur les autres, paressent énormément, jouent parfois, crient ou plongent, jetant un œil placide sur la foule de leurs admirateurs (ne les nourrissez surtout pas, car ils deviendraient dépendants des humains et moins méfiants à l'égard des pêcheurs et des embarcations!). Le reste de la jetée est aménagé en centre commercial et d'attractions. **Underwater World★** *(tlj 9h-21h de Memorial Day à Labor Day/9h30-17h hors saison. Entrée : 12,95 $)* rassemble plusieurs aquariums présentant les milieux marins de la région. Un long tunnel traverse les deux plus vastes, permettant d'évoluer sous l'eau, comme en plongée.

Pour rejoindre le Pier 45, longez les quais vers l'ouest et passez les Piers 41 et 43, d'où partent les vedettes de croisière dans la baie (voir p. 175).

C'est le fumet des crabes chauds et de la soupe de poissons qui indique le chemin du **Pier 45** (D1), le long de ce que l'on appelle ici les **seafood grottos** (cavernes à fruits de mer), succession d'étalages de fruits de mer, proposant en saison *(de novembre à juin)* le célèbre crabe Dungeness que l'on cuit sous vos yeux. Juste en face, sur la petite place, entrez dans la **boulangerie Boudin** pour goûter une délicieuse soupe de coquillages servie dans une boule de pain au levain évidée *(clam chowder in sourdough bread)* : pendant que les chercheurs d'or s'épuisaient dans les mines, un Français, Isidore Boudin, lança la mode de ce pain, devenu depuis l'une des spécialités locales.

Otarie

G. de Benoist/MICHELIN

Adjacente au Pier 45, la Fishermen's Chapel (chapelle des Pêcheurs) évoque la mémoire des marins disparus en mer. C'est le long du Pier 45 qu'est amarré l'**USS Pampanito★★** *(tlj 9h-18h/20h les vendredi et samedi. Entrée : 7 $, possibilité de billet combiné avec les navires* *de Hyde Street Pier).* Construit en 1943, il patrouilla les eaux du Pacifique et coula six navires japonais. La visite du bâtiment, du pont supérieur à la salle des torpilles, fait revivre l'angoisse d'un équipage calfeutré par 200 m de fond dans les eaux ennemies…

Pour gagner le Jefferson St. Lagoon et Fish Alley, tournez à droite dans Jefferson St et longez les docks.

Fish Alley (D1) et les docks qui l'entourent sont le refuge des derniers pêcheurs de San Francisco. Dès les années 1850, les immigrants asiatiques et italiens, principalement des Génois et des Siciliens, laissèrent tomber la course à l'or pour se consacrer à la pêche. Ils ramènent chaque matin dans leurs soutes crabes, crevettes, soles, bars ou seiches, qui seront dégustés dans les nombreux restaurants des quais. C'est le long du bassin de **Jefferson Street Lagoon** (D1) que se termine la procession sacrée de la fête des pêcheurs de Santa Maria del Lume, le premier dimanche d'octobre *(voir p. 142).*

De l'autre côté de Jefferson Street, **The Cannery★** (D2) est un centre commercial installé dans les anciennes conserveries de pêche Del Monte, construites en 1907. Du bâtiment d'origine, il ne reste que l'extérieur, l'intérieur ayant été habilement reconverti en boutiques. Au 2ᵉ étage, le **Museum of the City of San Francisco** présente la vie colorée de la ville à travers les années, au moyen d'expositions d'objets et de documents anciens *(Mercredi-dimanche 10h-16h. Entrée libre).*

Suivez Jefferson St. jusqu'à Hyde St.

Au bout de Hyde Street, le **Hyde Street Pier-San Francisco Maritime National Historical Park★★** (C1) *(au bout de Hyde St. Tlj 9h30-17h, dernière admission à 16h30; fermé pour Thanksgiving, Noël et le 1ᵉʳ janvier. Entrée : 5$ pour les navires de Hyde Street Pier, 10$ en combiné avec le sous-marin USS Pampanito)* est un ancien quai en bois où l'on embarquait pour Sausalito et Berkeley avant la construction des deux grands ponts de la ville. Aujourd'hui transformé en musée à ciel ouvert, il réunit une rare collection de navires anciens. Une évocation très vivante de la vie à bord, sur les voiliers qui passaient le cap Horn, les navires qui croisaient en Alaska ou les anciens remorqueurs. Construit en 1890, l'**Eureka★** était le plus grand ferry à aubes et à vapeur de son époque. Il pouvait embarquer jusqu'à 2300 passagers et 120 véhicules, et sillonna la baie jusqu'en 1941. Très différent, le trois-mâts en bois **C.A. Thayer★** est l'un des deux derniers d'une flotte de 900 goélettes qui convoyaient le bois pour la construction des villes depuis la côte nord-ouest. Le **Balcutha★★**, le plus beau de tous, est un autre trois-mâts, mais à coque d'acier et à voiles carrées. Construit en Écosse en 1886, il suivit initialement la route du cap Horn entre l'Europe et la Californie, avant de convoyer le saumon entre l'Alaska et la Californie. Comparez les quartiers élégants du capitaine et ceux, rudimentaires, de l'équipage, tout en imaginant les terribles tempêtes des quarantièmes rugissants! L'**Hercules**, remorqueur de haute mer, fut construit en 1907 dans le New Jersey. Il tirait les voiliers vers la haute mer ou remorquait des radeaux de grumes, des troncs bruts qu'il acheminait vers les scieries le long de la côte. L'**Alma** est une sorte de barge, goélette à fond plat et à faible tirant d'eau, pratique pour transporter le bois et le foin dans les recoins peu profonds de la baie. L'**Eppleton Hall**, lancé en Angleterre en 1914, est un autre remorqueur, à aubes et à vapeur.

Le musée gère aussi trois autres navires : le *Wapama*, une goélette à vapeur en cours de restauration à Sausalito ; le sous-marin *USS Pampanito*, amarré au Pier 45 *(voir ci-dessus)* ; et le *Jeremiah O'Brien*, dernier Liberty Ship rescapé de la Seconde Guerre mondiale, amarré au Pier 3, au pied de Fort Mason *(voir p. 149)*, ou au Pier 32.

Remontez Hyde Street et prenez à droite dans Beach St. pour rejoindre Larkin St., à l'angle de Ghirardelli Square.

Le Ghirardelli Square★ (C2) est un autre ensemble industriel superbement réhabilité en espace commercial. Ces bâtiments en brique, qui abritaient des filatures de laine, furent rachetés en 1893 par un chocolatier italien, **Domingo Ghirardelli**, qui avait réussi et voulait développer sa chocolaterie. Jusqu'en 1916, il agrandit petit à petit ces locaux de façon originale et ambitieuse : une pelouse centrale permettait aux ouvriers de prendre l'air, et une imposante **tour-horloge**, à l'image du clocher du château de Blois, fut érigée en 1916 à l'angle de North Point et de Larkin Street. La production de chocolat se poursuit de l'autre côté de la baie depuis 1962, mais les bâtiments ont échappé à la démolition et ont bénéficié d'un lifting réussi. Parmi les nombreuses boutiques et cafés, ne manquez pas de goûter aux célèbres chocolats, à croquer, à boire, ou sous forme glacée tout à fait pantagruélique…

Traversez Beach St. en face de Polk St. pour rejoindre le Maritime Museum.

Le National Maritime Museum* (C2) *(tlj 10 h-17 h; fermé pour Thanksgiving, Noël et le 1ᵉʳ janvier. Entrée libre)* est installé dans un édifice de style Art déco rappelant la silhouette d'un paquebot. Il fut conçu à l'origine comme un casino, lors des grands travaux du New Deal, après la crise des années 1930. Devenu musée en 1951, il expose de très belles maquettes qui racontent de façon passionnante l'histoire maritime de San Francisco depuis la découverte de l'or, du bateau à roue à l'engin à vapeur en passant par les barques des baleiniers. On y découvre d'émouvants objets, comme les délicates gravures réalisées sur des dents de baleine par des marins embarqués pour quatre ans, ou les ingénieuses huttes de voyage fabriquées par les Indiens en écorce de *redwood* contre le vent et la pluie. Au dernier étage, devant la baie, vous relèverez la météo détaillée par ordinateur comme un vrai marin…

La baie** et Alcatraz***

2 compagnies assurent des minicroisières autour du Golden Gate et d'Alcatraz, et assurent la traversée vers Sausalito (voir p. 186). Billet compris dans le forfait City Pass, sinon comptez 17 $ pour un adulte et 9 $ pour un enfant; coupons de réduction dans les dépliants publicitaires. Prévoyez un coupe-vent et un pull.

La baie est bien sûr ce qui fait le charme du port et on apprécie mieux depuis le large le plan en damier de la ville qui monte à l'assaut des collines. La lumière est le plus agréable en seconde moitié d'après-midi. Vous croiserez voiliers ou cargos et serez impressionnés par le Golden Gate vu du dessous.

Alcatraz*** (D1), le plus célèbre pénitencier du monde, est aussi le site le plus mystérieux et fascinant de la baie *(s'adresser à la Blue & Gold Fleet, Pier 41 ou 39. Départ toutes les 30-45 mn de 9 h 30 à 16 h 15/14 h 15 d'octobre à avril. Entrée : 12,25 $ (avec cassette audio), 8,75 $ (sans cassette), 19,75 $ (visite en nocturne avec cassette). Réservation indispensable en saison et le soir, ☏ (415) 705 5555. Comptez 3 h. Prévoyez vêtements chauds et bonnes chaussures).* D'une superficie de 5 ha, cette île est à moins de 2,5 km du rivage, mais les courants glaciaux qui la cernent en ont rendu l'évasion quasiment impossible. Ne manquez pas sa visite, si possible celle du soir, encore plus impressionnante. Les Espagnols l'avaient initialement nommée Yerba Buena Island, mais, par suite d'une méprise cartographique, elle prit en 1826 le nom d'**Isla de Alcatraces** (île des Fous de Bassan), qui désignait une langue de terre voisine. En 1850, elle devint une réserve militaire et fut fortifiée, servant parfois de prison à partir de 1861. Quand les fortifications s'avérèrent obsolètes, elle perdit son rôle de poste de défense pour devenir officiellement une prison militaire en 1907. En 1934, elle fut vendue au Service fédéral des prisons qui en fit un pénitencier. Les conditions extrêmement dures de l'incarcération la destinèrent rapidement aux criminels les plus endurcis, dont les plus célèbres gangsters comme Al Capone ou Alvin Karpis. Fermée en 1963, car

L'enfer des voyous

On ne plaisantait pas avec la discipline à Alcatraz. Chaque gardien avait en moyenne trois prisonniers sous sa responsabilité, mais jamais plus de cinq. Les fouilles étaient fréquentes et on faisait treize appels par jour. Les infractions au règlement étaient immédiatement punies, et les responsables envoyés dans une cellule d'isolement. On réservait le travail, la lecture et la promenade aux détenus exemplaires, et on les supprimait à la moindre incartade.

trop chère à entretenir, l'île fut réclamée par des Indiens qui l'occupèrent de 1969 à 1971. Alcatraz fait partie du Golden Gate National Recreation Area depuis 1972. Les passionnés de cinéma se rappelleront *L'Évadé d'Alcatraz* avec Clint Eastwood (1979), ou encore *The Rock* avec Nicolas Cage et Sean Connery (1996).

Après 15 mn de traversée, la visite d'Alcatraz propose la découverte de l'île et de ses jardins créés par les prisonniers, la projection d'un court **film documentaire** et l'exploration du **pénitencier*****, que l'on rejoint par un sentier raide. En progressant dans le sinistre bâtiment, vous imaginez les conditions de vie épouvantables des prisonniers, les cellules terriblement exiguës (1,50 m x 3 m), et les pièces d'isolement (*dark holes*) où l'on jetait les pensionnaires récalcitrants. La cassette audio fournie pour la visite, très réussie, rend l'atmosphère encore plus pesante.

Marina District et Cow Hollow* (Plan III)
Comptez une demi-journée.

Ces quartiers s'étendent à l'ouest de Fisherman's Wharf, le long de la baie. Cette visite s'enchaîne facilement à pied à partir du National Maritime Museum, en suivant le sentier qui longe la baie jusqu'à Fort Mason. En bus, selon l'endroit où vous vous rendez, empruntez les lignes 30, 41 ou 45.

Fort Mason (C2)
Fort Mason occupe une avancée de terre, à l'extrémité est de Marina District. Le site servit de base défensive aux Espagnols, puis aux Américains pendant les guerres indiennes du 19e s. Durant la Seconde Guerre mondiale, surtout après l'attaque de Pearl Harbour en 1941, Fort Mason devint une base stratégique d'embarquement et de commandement de la flotte du Pacifique où transitèrent 1,5 million de soldats. Encore utilisée pendant le conflit coréen, la base fut abandonnée par l'armée en 1962. En 1977, elle accueillit le siège du **Golden Gate National Recreation Area** (*cartes et informations sur les activités au Fort Mason Center. Lundi-vendredi 9 h 30-16 h 30*). L'ensemble accueille des manifestations culturelles, comme le **San Francisco Blues Festival** (*en septembre*), mais aussi des ateliers, des expositions et des musées, tel le **Craft & Folk Art Museum** (musée d'Artisanat et d'Art populaire) (*building A, ☎ (415) 775 0991. Mardi-dimanche 11 h-17 h. Entrée : 3 $, gratuite le samedi de 10 h à 12 h*). C'est le long de l'une des jetées de Fort Mason qu'est fréquemment amarré le Liberty Ship **Jeremiah O'Brien***, petit cargo conçu pour ravitailler les troupes et qui fut l'un des 5 000 navires impliqués dans le débarquement du 6 juin 1944 (*inclus dans la visite de Hyde Street Pier; voir p. 147. Le bateau est parfois transféré au Pier 32*).

Marina District (A-B2)
Cet agréable quartier résidentiel s'est développé après le tremblement de terre de 1906. La prairie marécageuse qui bordait la baie a été remblayée pour gagner du terrain en vue de l'édification des bâtiments de l'Exposition internationale Panama-Pacifique, en 1915. À la clôture de l'exposition, ils furent tous détruits, à l'exception du Palace of Fine Arts. Des maisons particulières de style néo-méditerranéen prirent leur place, mais le quartier souffrit beaucoup lors du tremblement de terre de 1989. Le rivage, colonisé par un port de plaisance, est aménagé en promenade familiale verdoyante, **Marina Green**, très fréquentée par les rollers, joggers et marcheurs. À pied, on peut ainsi rejoindre le Golden Gate Bridge et les plages au-delà.

Le Palace of Fine Arts** (pavillon des Beaux-Arts) est l'une des images fétiches de la ville, avec son énorme rotonde néo-romaine et ses élégantes colonnades se mirant dans les eaux d'un étang. Il s'agit de la reconstitution en béton (de 1962 à 1975) de l'un des bâtiments de l'exposition de 1915, initialement construit en bois et en plâtre pour présenter les collections impressionnistes. Œuvre conçue par **Bernard Maybeck**, un architecte réputé de l'époque, elle mêle les inspirations romantiques et romaines. Notez les nymphes éplorées au sommet des colonnes : elles symbolisent la tristesse de la vie sans l'art et tournent le dos aux passants, car leurs larmes devaient arroser des plantes dans les grands bacs auxquels elles s'appuient (*accès direct de Downtown par la ligne de bus 30*).

Derrière le pavillon des Beaux-Arts, l'**Exploratorium**** est un musée des Sciences particulièrement vivant que les enfants adorent (*de Memorial Day à Labor Day : tlj 10h-18h/21h le mercredi. En hiver : mardi-dimanche 10h-17h/21h le mercredi; fermé le lundi. Entrée payante, incluse dans le City Pass : 9$. Tactile Dome : 3$ en sus et réservation recommandée, ☎ (415) 661 0362*). Les lois de la physique, de la biologie et de la chimie sont présentées et expliquées dans plus de 600 stands interactifs, où le visiteur est invité à reproduire une expérience et à en comprendre les lois. Vous jouerez ainsi à Alice au pays des merveilles grâce à des illusions d'optique dans la **Distorted room**, ou tenterez de vous orienter à travers le **Tactile Dome**, insonorisé et obscur.

En sortant de l'Exploratorium, vous pouvez rejoindre Union St. à pied (20 mn) en suivant Baker St. vers le sud. Union St. est desservie par les lignes de bus 41 et 45.

Cow Hollow (B3)
Vers l'intérieur des terres, au pied des collines du Presidio, de Pacific Heights et de Russian Hill, s'étend une vallée jadis occupée par des pâturages, d'où son nom de **Cow Hollow** (creux des vaches). Transformée en faubourg résidentiel à la fin du 19e s., c'est aujourd'hui l'un des quartiers commerciaux les plus branchés, surtout autour de l'axe d'**Union Street**, entre Steiner Street et Gough Street. Parmi les nombreuses boutiques à la mode, jetez un œil à **A Bed of Roses** (*2274 Union St.*), une fleuriste originale au charme très Nouvelle-Angleterre, ou à **Images of the North** (*1782 Union St.*), une galerie spécialisée dans l'art inuit, où découvrir la culture étonnante des peuples du Grand Nord. Les rues perpendiculaires, comme Steiner Street, sont riches de belles maisons victoriennes ou de folies exubérantes, comme l'incroyable faux palais de maharajah à l'angle de Filbert Street.

Les collines de San Francisco*
Nob Hill – Russian Hill – Pacific Heights
Comptez une demi-journée.

Les distances ne sont pas énormes, mais les pentes abruptes rallongent les temps de déplacement à pied. Le bus et le cable car ne vous éviteront pas un minimum d'effort.

Nob Hill** (Plan II A1-2)
Cette colline escarpée, au nord d'Union Square, offre des vues spectaculaires sur la ville et la baie. Elle resta inhabitée jusqu'à la création du *cable car*, les voitures à cheval ne pouvant y monter. Très vite, elle devint le quartier le plus chic de la ville, où vivaient les nababs (Nob viendrait d'une contraction de ce mot). Les plus connus sont les **Big Four** (les quatre grands) de la Central Pacific Railroad Company, Stanford, Huntington, Hopkins et Crocker, qui ont laissé leurs noms en de multiples endroits (*voir p. 28*). Bien que la plupart des palais grandioses aient disparu lors du grand tremblement de terre, le quartier reste très élitiste, comme l'attestent ses hôtels luxueux.

La meilleure façon de partir à l'assaut de Nob Hill est de prendre le cable car le long de Powell St. et de descendre au niveau de California St. Vous pouvez aussi prendre le cable car de California St. dans Financial District et vous arrêter à Mason St.

La portion de California Street entre Powell Street et Mason Street rassemble les plus prestigieux hôtels. Le **Fairmont Hotel*** (*à l'angle nord-est de California et Mason St.*) doit son nom au propriétaire originel du terrain, James Fair, qui avait fait fortune dans les mines d'argent. Le premier hôtel était presque terminé lorsqu'il fut ravagé par les incendies du tremblement de terre de 1906. Par la suite, il accueillit des hôtes de marque et servit de cadre à la signature de la **charte des Nations unies** en 1945.

Un ascenseur extérieur mène au 24e étage, au restaurant Crown Room (très cher) d'où le **panorama**** est époustouflant. De l'autre côté de California Street, le **Stanford Court Hotel** occupe l'emplacement de la résidence de Leland Stanford, magnat des chemins de fer et fondateur de la célèbre université. À côté, à l'angle de Mason Street, le **Mark Hopkins Hotel** a remplacé le manoir d'origine des Hopkins. Le restaurant huppé qui occupe le dernier étage offre également des vues superbes.

Suivez California St. vers l'ouest jusqu'à l'angle de Taylor St. et de la Grace Cathedral.

Les architectes de la **Grace Cathedral** se sont visiblement inspirés de Notre-Dame de Paris. Commencée en 1929, sa construction ne fut achevée qu'en 1964, pour des raisons financières et

Tintement de la cloche et câbles grinçants

Son de la cloche qui danse avec vigueur, vibration des rails et grondement poussif du câble qui circule en permanence dans sa gorge annoncent l'approche du « cable car ». Ce vénérable moyen de transport est l'un des symboles de San Francisco. En service depuis 1870, ce funiculaire urbain est inspiré des wagons qui transportaient l'or des mines californiennes. Presque inchangé depuis lors, classé monument historique dès 1964, il sillonne dans un joyeux tintamarre les deux grands axes entre le centre-ville et les quais. Notez les efforts fournis pour freiner ou relancer la machine… Pour faire avancer la voiture, le chauffeur actionne le levier de commande d'une pince qui accroche le câble ; pour s'arrêter, il le lâche et actionne les freins. Uniquement adapté aux lignes droites, le « cable car » achève son parcours sur une plate-forme tournante et doit être réorienté dans l'autre sens par la force des bras de son chauffeur. Un tintement de cloche signale le départ, deux annoncent l'arrêt.

Le cable-car

G. de Benoist/MICHELIN

techniques. Outre les particularités copiées ailleurs, tels le **portail est**, identique aux portes du baptistère de la cathédrale de Florence, et la rosace, inspirée de celle de Chartres, notez les **vitraux** et les **peintures murales** où les saints sont remplacés par des figures modernes comme Roosevelt, Einstein ou même le cosmonaute John Glenn! Ne manquez pas non plus le très beau **retable des Flandres**, en bois sculpté, de la fin du 15ᵉ s.

Revenez sur vos pas et prenez à gauche dans Mason St. jusqu'à Washington St.

Le Cable Car Museum** *(1201 Mason St.,* ☎ *(415) 474 1887. Tlj 10h-18h d'avril à octobre/17h de novembre à mars; fermé pour Thanksgiving, Noël et le 1er janvier. Entrée libre)* est en fait le bâtiment où est logée la **machinerie** du *cable car*. Depuis la mezzanine, vous verrez, dans un vacarme assourdissant, les énormes roues autour desquelles s'enroulent les cables qui tractent les voitures. Ne manquez pas non plus le **film documentaire** d'explication, les objets historiques et les **voitures anciennes**, dont l'une remonte à la création du système en 1873.

Russian Hill* (Plan III D2-3)

Située au nord de Nob Hill, cette autre colline doit son nom à la découverte de tombes marquées en caractères cyrilliques, sans doute celles de marins ou de trappeurs russes descendus d'Alaska. Tout comme sa voisine, elle se développa surtout à la fin du 19ᵉ s. Ce fut alors le fief des artistes et des écrivains, dont Mark Twain ou Robert Louis Stevenson. La colline se caractérise par nombre de ruelles en pente et d'escaliers qui atteignent les deux sommets et dégagent un superbe panorama. Au fil de la balade, vous découvrirez de nombreux exemples de maisons anciennes. Prenez par exemple les **Vallejo Steps**, ces escaliers de Vallejo Street qui joignent Mason Street et Taylor Street en passant par l'adorable **Florence Street***. Empruntez aussi la pittoresque **Macondray Lane***, un peu plus au nord, entre Taylor Street et Jones Street. Enfin, Russian Hill se vante de posséder la rue la plus sinueuse du monde, **Lombard Street*****, rendue célèbre par l'incroyable poursuite impliquant Steve McQueen dans le film *Bullitt*. Pour adoucir une pente à 27 %, on a construit une chaussée avec huit virages en épingle à cheveux, qui conserve toutefois une déclivité de 16 %! Émotion garantie pour les conducteurs qui l'empruntent. D'en haut la vue est belle, mais la perspective vue d'en bas est aussi impressionnante (*pour la prendre en voiture, venir de Hyde St. En cable car, ligne Powell-Hyde, arrêt Lombard. En bus, ligne 30 le long de Columbus St., arrêt Lombard : c'est à 5 mn à pied*).
Terminez votre périple par une visite au **San Francisco Art Institute** *(800 Chestnut St. Lundi-vendredi 9h-17h)*. L'école des beaux-arts abrite des expositions de qualité et, de la terrasse, la vue sur la Coit Tower et le front de mer est plaisante.

Pacific Heights et Japantown* (Plan III B-C3)

Les lignes de bus 22 et 42 traversent le quartier du nord au sud, le long de Fillmore St. et de Van Ness Ave. La ligne 38 longe Geary Blvd entre Japantown et la St Mary's Cathedral.
S'élevant à l'ouest de Nob Hill et de Russian Hill, Pacific Heights domine la cuvette de Cow Hollow. Au nord, les rues escarpées dégringolent vers Marina District, tandis qu'au sud la pente descend moins sévèrement vers Japantown. Il s'agit de l'un des quartiers les plus prisés de San Francisco et l'on y dénombre encore d'énormes demeures ou manoirs. **Fillmore Street*** constitue l'axe commerçant, mais le principal intérêt du quartier réside dans son architecture très éclectique.

Octagon House *(2645 Gough St., entre Union St. et Green St.)* est l'une des cinq maisons de forme octogonale construites à San Francisco, comme ce fut la mode au milieu du 19ᵉ s. Plus au sud, **Haas-Lilienthal House**** *(2007 Franklin St., près de Washington St. Mercredi 12h-15h, dimanche 11h-16h; visite guidée de 1h toutes les 15 mn. Entrée : 5 $)* est une imposante demeure victorienne tout en bois peint, gris et blanc. C'est un exemple des belles villas de la classe moyenne au 19ᵉ s. On reconnaît le style Queen Anne grâce à sa tourelle et à ses nombreux pignons ornés. L'intérieur est entièrement meublé dans le style de l'époque.

Longez Washington St. vers l'ouest jusqu'à Lafayette Park, à l'angle d'Octavia St.

Spreckels Mansion★★, autre exemple d'architecture orgueilleuse, est l'une des plus belles demeures privées de la côte avec ses colonnades et ses frontons sculptés. Construite en 1913 par un planteur de canne à sucre, elle compte 26 salles de bains et une piscine. C'est aujourd'hui la maison de l'auteur de romans à l'eau de rose Danielle Steel. Plus à l'ouest, **Alta Plaza Park** offre un panorama sur la Marina et sur Japantown et constitue une étape idéale pour pique-niquer.

Japantown (Plan IV D1), le quartier japonais de la ville, s'étire le long de Post Street, entre Fillmore Street et Gough Street. La communauté japonaise, très importante au début du 20e s., a toujours été victime d'ostracisme, bien qu'elle se soit progressivement intégrée. Durant la Seconde Guerre mondiale, après l'attaque de Pearl Harbour, tous les Nippo-Américains, même ceux qui étaient nationalisés, furent internés dans des camps. Après la guerre, la plupart d'entre eux avaient tout perdu, et les générations suivantes durent reconquérir leur place malgré la xénophobie ambiante. Aujourd'hui, les mariages mixtes et la vitalité économique de la communauté garantissent une bonne assimilation. Cependant, les valeurs traditionnelles japonaises d'honneur, de famille, d'ordre et de travail restent des règles très vivantes qui transparaissent dans la vie du quartier, dominé par la haute silhouette de la **pagode de la Paix**, offerte par le Japon. Chaque année en avril, le quartier s'anime pour le **Cherry Blossom Festival**.

Juste à côté de Japantown, la **St Mary's Cathedral**★ (Plan IV D1) (*à l'angle de Geary Blvd et de Gough St. Tlj 6 h 45-16 h 30*) est un chef-d'œuvre de l'architecture contemporaine, une immense nef carrée dont la voûte nervurée s'élève en pointe vers le ciel, à 58 m de haut. L'intérieur est clair et serein. Notez à droite l'orgue sur son piédestal et les spectaculaires baies vitrées dominant la ville.

Haight-Ashbury★ (Plan IV C2)
Comptez une demi-journée.

Commencez la visite à Buena Vista Park, desservi par les lignes de bus 7 et 71.

Devenu célèbre dans les années 1960 pour sa contre-culture et ses hippies adeptes du *peace and love* et du *flower power*, ce quartier doit son nom à Haight Street qui en est l'axe commerçant et à Ashbury Street qui la croise. Très populaire après la création du Golden Gate Park tout proche, il a relativement peu souffert du séisme de 1906 et conserve un grand nombre de maisons victoriennes. Dans les années 1950, les loyers bon marché attirèrent artistes et beatniks, amoureux du charme des vieilles demeures. Puis, en 1965, ce fut le tour des **hippies**. Cafés, boutiques de fripes, de livres et de disques d'occasion se sont multipliés, tandis que la marijuana laissait peu à peu la place aux drogues dures et à la violence. Parallèlement, les belles maisons victoriennes reprirent des couleurs, en écho à la culture alternative qui régnait dans le quartier. San Francisco devint alors un temple de la nouvelle scène rock. Les Grateful Dead emménagèrent dans le quartier, de même que Janis Joplin et bien d'autres. Outre la musique, les arts graphiques connurent une éclosion formidable avec les artistes dits psychédéliques qui réalisaient affiches, pochettes de disques, bandes dessinées, aux caractères gonflés et violemment colorés. Un paroxysme fut atteint durant l'été 1967, le **Summer of Love**, quand 500 000 jeunes hippies affluèrent de tout le pays. Mais la drogue et la violence infiltrèrent le mouvement pacifique, et un groupe d'idéalistes décida d'enterrer symboliquement le mouvement dans Buena Vista Park, le 6 octobre 1967.

Après un long déclin, Haight-Ashbury entama sa renaissance dans les années 1980, lorsque les investisseurs réalisèrent la valeur potentielle des superbes maisons victoriennes. Friperies et autres bazars indiens laissèrent peu à peu la place à des boutiques plus élégantes et plus rangées, même si Haight Street garde sans conteste un indéniable charme baba cool. N'hésitez pas à flâner dans les rues adjacentes pour découvrir des perles architecturales, amoureusement peintes de toutes les couleurs.

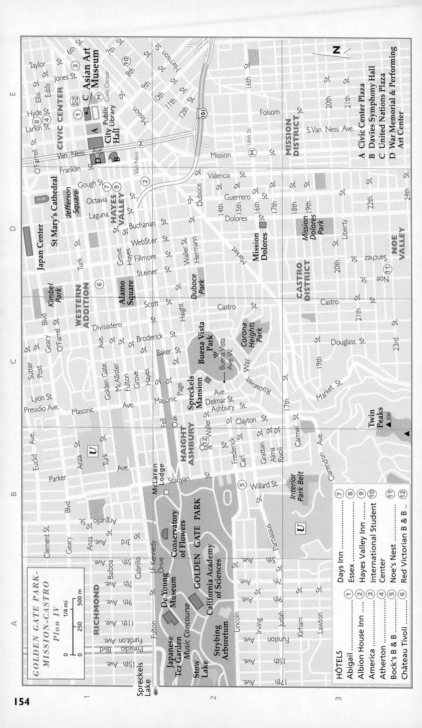

154

GOLDEN GATE PARK-
MISSION-CASTRO
Plan IV

0   250   500 m

0   1/4 mi

RICHMOND

Spreckels
Lake

Japanese
Tea Garden

Stow
Lake

Strybing
Arboretum

De Young
Museum

Conservatory
of Flowers

Music Concourse

GOLDEN GATE PARK

California Academy
of Sciences

McLaren
Lodge

HAIGHT
ASHBURY

Interior
Park Belt

Spreckels
Mansion

Buena Vista
Park

Buena Vista
Ave. W.

Corona
Heights
Park

WESTERN
ADDITION

Kimbel
Park

Alamo
Square

Duboce
Park

Japan Center

St Mary's Cathedral

Jefferson
Square

HAYES
VALLEY

CIVIC CENTER

Asian Art
Museum

City Hall

Public
Library

Civic Center

Mission Dolores

Mission Dolores
Park

MISSION DISTRICT

CASTRO
DISTRICT

NOE
VALLEY

Twin
Peaks
▲ 300

Δ

A Civic Center Plaza
B Davies Symphony Hall
C United Nations Plaza
D War Memorial & Performing
   Art Center

N

HÔTELS

Abigail .... ①
Albion House Inn .... ②
America .... ③
Atherton .... ④
Bock's B & B .... ⑤
Château Tivoli ..... ⑥

Days Inn .... ⑦
Essex .... ⑧
Hayes Valley Inn ... ⑨
International Student
Center .... ⑩
Noe's Nest .... ⑪
Red Victorian B & B . ⑫

Commencez votre balade par les pentes verdoyantes de **Buena Vista Park**, où l'on enterra le mouvement hippie. Face au parc, à l'angle de Baker Street et de Haight Street, notez une belle maison de style Queen Anne. Plus à l'ouest, c'est dans Lyon Street, au nord du parc, que s'installa Janis Joplin.

Prenez ensuite Buena Vista Avenue West pour voir **Spreckels Mansion** (*n° 737*), où aurait écrit Jack London. Vous pouvez aussi parcourir les rues au sud-ouest du parc, notamment Delmar Street pour sa grande variété de styles architecturaux.

Revenez ensuite vers **Haight Street****, où quelques magasins ont gardé l'esprit de la grande époque hippie, comme l'étonnant **Pipe Dreams** (*1376 Haight St. Lundi-samedi 10h-19h30, dimanche 11h-18h30*), qui vend depuis 1969 des pipes en tout genre à usage plus ou moins légal et des affiches psychédéliques… En continuant vers l'ouest, vous atteignez **Ashbury Street**. À gauche, le n° 710 est une belle maison victorienne, autrefois quartier général des Grateful Dead.

Golden Gate Park** (Plan IV A-B2)
Comptez une journée.

Le parc est desservi par les bus 7, 21, 33 ou 71. Nous vous conseillons de louer un vélo ou des rollers à l'entrée du parc, côté Haight St., car les distances sont grandes. Le dimanche est particulièrement agréable, car John F. Kennedy Drive est fermée aux voitures. S'il fait beau, prévoyez un pique-nique, car à l'exception des musées il n'y a pas de restaurants.

Alors que le centre-ville est tristement dépourvu de parcs, cette immense coulée verte se déroule depuis Haight-Ashbury jusqu'à l'océan Pacifique, sur une distance de 5 km et une largeur de 800 m. Il n'y avait à l'origine que des dunes mouvantes et arides. En 1870, on confia leur aménagement à **William Hall**, qui définit le plan général des collines, dessina des rues incurvées et commença des plantations pour fixer le sable toujours déplacé par le vent. Il fut remplacé en 1890 par **John McLaren**, un paysagiste écossais qui donna au parc son allure actuelle en plantant de nombreuses essences rares venues du monde entier. Il acheva de fixer les dunes et les fertilisa en utilisant le crottin de tous les chevaux de la ville. Désigné par le surnom affectueux d'Uncle John, il présida aux destinées de Golden Gate Park pendant 53 ans, jusqu'à sa mort. Durant cette période, le parc connut de nombreux épisodes. En 1894, il accueillit la **Midwinter Fair**, une grande foire internationale dans l'esprit des Expositions universelles. De nombreux pavillons plus ou moins exotiques furent construits pour représenter une vingtaine de pays. Le Japanese Tea Garden (jardin japonais) en reste le plus bel exemple. Lors du **séisme de 1906**, la zone fut relativement épargnée et servit de refuge à plus de 200 000 personnes qui fuyaient les incendies. Des milliers d'entre elles y restèrent dans les semaines et les mois qui suivirent, en attendant la reconstruction. Enfin, au cours du **Summer of Love** de 1967, ce sont les concerts et les manifestations hippies qui animèrent les vastes pelouses. Sa superficie (400 ha) permet des activités variées, des musées au polo, en passant par le roller, le tennis, l'aviron ou la pêche…

Visite du parc
Entrez par Stanyan St., au bout de Haight St., car la plupart des musées et sites d'intérêt se situent à l'est du parc. La partie ouest, du côté de l'océan, est occupée par les équipements sportifs et de loisirs. Le City Pass comprend l'entrée des musées. Sinon, le Golden Gate Explorer Pass (12,50 $) inclut les musées et le jardin japonais.

À droite de l'entrée, **McLaren Lodge**, l'ancienne résidence d'Uncle John, offre toutes les informations utiles sur le parc et ses activités.

Prenez à droite après le tunnel qui passe sous Kennedy Drive et continuez sur 800 m.

L'immense serre victorienne du **Conservatory of Flowers**** (serre tropicale) *(fermée, mais visible de l'extérieur)* est le plus ancien bâtiment du parc (1878). Initialement élevée pour une propriété privée, elle fut importée d'Irlande et rachetée pour le parc. Destinée aux nénuphars et aux fleurs tropicales, elle doit être rénovée.

La serre tropicale du Golden Gate Park

Revenez sur Kennedy Drive et suivez les panneaux vers Music Concourse et les musées.

Music Concourse est une vaste esplanade aménagée à la française, autour de laquelle s'organisent les musées. Le pavillon de musique, une large coquille en béton construite en 1899, accueille des démonstrations de tai-chi ou des concerts municipaux (*le dimanche après-midi en été*).

La California Academy of Sciences★★, fondée en 1853, s'installa dans le parc en 1915 (☎ *(415) 750 7145. Tlj 10 h-17 h/9 h-18 h de Memorial Day à Labor Day. Entrée : 8,50 $, comprise dans le City Pass*). Elle compte trois départements distincts. Le **Natural History Museum★★** (musée d'Histoire naturelle) est l'un des dix plus grands au monde, avec une succession de salles passionnantes sur la vie sauvage en Californie, les minéraux, la vie sauvage en Afrique, l'évolution des espèces vivantes, de l'homme et de sa culture à travers les âges, les secrets de la terre et de l'espace. Les phénomènes géologiques et les séismes sont expliqués de façon remarquable et une petite salle, *Earthquake Theater*, vous permet de revivre le tremblement de terre de 1906 de façon saisissante. Le **Steinhart Aquarium★** rassemble plus de 6 000 spécimens aquatiques répartis dans 189 aquariums, ainsi que des vivariums pour les amphibiens et les reptiles. Dans l'entrée, on a reconstitué le milieu marécageux tropical pour héberger alligators et tortues. Enfin, le **Morrison Planetarium**, le premier construit dans le pays, présente des spectacles sur les phénomènes astronomiques et atmosphériques (*programmes au ☎ (415) 750 7141. Entrée : 2,50 $*).

De l'autre côté de Music Concourse, le très beau **M.H. de Young Memorial Museum★★** (*informations sur www.thinker.org*) doit être complètement refait et ne rouvrira ses portes qu'au printemps 2005. Il est principalement consacré à l'art d'Amérique, d'Afrique et d'Océanie (*l'Asian Art Museum sera quant à lui transféré dans Civic Center à l'automne 2002*).

Le Japanese Tea Garden★★ (Jardin de thé japonais) (*au sud-ouest de Music Concourse. Tlj 9 h-18 h d'avril à octobre/17 h le reste de l'année. Entrée : 3,50 $*) est l'un des endroits les plus enchanteurs du parc. Créé pour la Midwinter Fair de 1894, il réunit un jardin zen, une rocaille de bonsaïs, une jolie **pagode** à cinq étages, un **Wishing Bridge** (pont des souhaits), si bombé qu'il forme un cercle avec son reflet dans l'eau, et un beau **bouddha** de bronze de 3 m de haut, daté de 1790. Ne manquez pas de goûter à une tasse de thé vert, servie avec des *fortune cookies*, à la maison de thé.

Le Strybing Arboretum ** (entrée au sud du Japanese Tea Garden. Lundi-vendredi 8 h-16h30, week-end et jours fériés 10 h-17 h. Entrée libre, mais contribution suggérée) occupe 28 ha de relief vallonné rassemblant une large collection de plantes de tous les continents. Son originalité tient à son organisation par thèmes qui permet de voyager à tra-

Les tribulations d'un Japonais
Makato Hagiwara était le jardinier japonais en charge de l'entretien du jardin entre 1895 et 1942. C'est lui qui, à la fin du 19e s., inventa les «fortunes cookies» mis à la mode par les restaurants chinois. Malgré 50 ans de bons et loyaux services, il fut interné dans un camp avec sa famille pendant la Seconde Guerre mondiale. Il n'eut même pas le droit de se réinstaller dans son jardin à la fin du conflit. Pour compenser et enfin reconnaître le mérite de la famille, on leur éleva par la suite une statue dans le parc...

vers paysages et parfums. On passe ainsi du jardin biblique à celui du Chili ou de l'Afrique du Sud, du jardin des parfums où tout est expliqué en braille à la forêt de séquoias, typiques de la côte californienne.

Si vous venez ici à la saison des roses (de mai à septembre), revenez sur vos pas jusqu'à Kennedy Drive et tournez à gauche pour traverser le **Rose Garden** et jouir de ses fragrances.

À l'ouest de l'arboretum, **Stow Lake***, la plus grande pièce d'eau de Golden Gate Park, encercle **Strawberry Hill**, une colline de 130 m de haut. Le sentier qui fait le tour de l'étang et monte au sommet de l'île est l'une des promenades favorites des familles. Le petit **pavillon chinois** que vous apercevez au passage près de la cascade artificielle est un don de la ville de Taipei (Taiwan).

Au-delà de Stow Lake, vers l'océan, se succèdent d'autres pièces d'eau, comme **Spreckels Lake**, populaire auprès des fans de modèles réduits téléguidés, des terrains de sport, un parc à bisons, **Buffalo Paddock**, et un moulin à vent hollandais, **Dutch Windmill**, souvenir de l'ancienne alimentation en eau du parc.

Mission District* (Plan IV)
Comptez une demi-journée.

Le quartier est accessible par les bus 14 ou 49 et le tramway J.

Taquerias aux odeurs de *chili*, tempo de salsa, fresques murales violemment colorées, bandes de machos gominés défilant dans leurs vieilles voitures rutilantes, villas un peu fanées et grands plumeaux des palmiers plantent un cadre très éloigné des tours de verre de Downtown. Mission District est le quartier latino de la ville. Lorsque la péninsule commença à être colonisée, les militaires choisirent la colline du Presidio au nord, qui gardait l'entrée de la baie. Les premiers missionnaires espagnols, arrivés à San Francisco en 1776, fondèrent la mission Dolores. Les colons arrivèrent peu à peu du Mexique et s'installèrent tout près, le long de ce qui est aujourd'hui 16th Street. Le quartier fut ensuite progressivement intégré à la ville, mais il resta le lieu d'immigration des populations latinos. Bien que très prisé par les autres communautés immigrantes, irlandaise, scandinave ou allemande, Mission District a gardé son atmosphère méditerranéenne et vibre toujours en espagnol. Ses deux axes les plus vivants sont Mission Street et 16th Street, tandis que Dolores Street et ses hauts palmiers sont l'un des endroits les plus reposants de la ville.

La mission Dolores* (D2) (*à l'angle de Dolores St. et de 16ᵗʰ St. Tlj 9h-16h30 de mai à octobre/10h-16h le reste de l'année; fermée pour Pâques, Thanksgiving et Noël. Contribution recommandée*), fondée par les moines franciscains, est la 6e des 21 missions édifiées dans toute la Californie. Elle se composait à l'origine d'une chapelle, de logements, d'une école, d'ateliers, de communs, d'un jardin clos et d'un cimetière, mais elle n'existe plus en l'état.

La **chapelle** ** actuelle date de 1791 et est le plus ancien monument de la ville. Construite en adobe (briques de terre séchées au soleil) et couverte de tuiles roses, elle illustre parfaitement l'influence espagnole. Les moines utilisèrent la main-d'œuvre

San Francisco

157

B. Pérousse/MICHELIN

indienne pour la bâtir et on reconnaît certaines de leurs techniques, comme les dessins du plafond que l'on retrouve sur leurs poteries. Les énormes poutres en bois de séquoia sont assemblées au moyen de bandes de cuir (on suppose que la souplesse de l'ensemble sauva la chapelle des tremblements de terre). L'autel somptueux de style mexicain date du 18e s. Un petit **musée** rassemble des objets sacrés et un émouvant registre des baptêmes de l'époque. Le paisible **cimetière**, gardé par la statue du moine franciscain Junípero Serra, est, avec la chapelle, le seul vestige de la mission d'origine. Contrastant avec la modestie de l'ensemble primitif, la **basilique** fut érigée juste à côté en 1918 dans un impressionnant style baroque : elle sert aujourd'hui d'église paroissiale.

Une fresque murale de Mission District

Remontez Dolores Street pour atteindre **Mission Dolores Park** (D3), qui fut jadis un cimetière juif. Les palmiers ont été plantés par John McLaren, le paysagiste du Golden Gate Park (*voir p. 155*). La vue sur la ville y est particulièrement agréable.

Les fresques murales★★ de Mission District sont réparties dans tout le quartier. Il vous suffit d'ouvrir l'œil pour voir ici et là des exemples de cet art populaire plein d'humour et de poésie. Parmi les plus belles fresques, ne manquez pas celles situées à l'angle nord-est de Mission Street et de 24th Street, et à l'angle de 24th Street et de South Van Ness Avenue. Vous en verrez également de superbes le long de 24th Street et dans les rues perpendiculaires. Mais la plus grande concentration se trouve dans **Balmy Alley★★**, une venelle défraîchie qui joint 24th à 25th Street au niveau de Garfield Square. L'art de la fresque étant de plus en plus populaire, de nouvelles œuvres fleurissent un peu partout et s'offriront à vous au fil de la marche. *Le Precita Eyes Mural Art Center (2981 24th St., ☎ (415) 285 2287)* s'attache à préserver ou restaurer les fresques existantes, à soutenir la création d'œuvres nouvelles et à promouvoir la découverte de ce patrimoine populaire en fournissant des plans de visite ou en organisant des excursions guidées.

Castro District et Noe Valley (Plan IV D3)
Comptez une demi-journée.

Pour rejoindre Castro, prenez le tramway ligne F ; pour Noe Valley, prenez la ligne J.

Castro Street, au sud de Market Street, est le cœur de la **communauté gay** de San Francisco, sans aucun doute la plus libérée des États-Unis. Le nombre d'homosexuels augmenta considérablement à San Francisco du temps où la ville était un grand port militaire. De nombreux soldats furent refoulés pour leurs préférences sexuelles et s'installèrent sur place, profitant de la tolérance ambiante. Chaque fois qu'une épuration avait lieu dans une administration ou une autre, la communauté s'enrichissait de nouvelles recrues. Finalement, le vent de liberté qui souffla sur la ville dans les années 1960 et 1970 permit aux homosexuels de sortir de l'ombre et de s'afficher. C'est à cette époque que Castro District devint leur quartier général, comme l'annoncent sans équivoque les nombreux drapeaux arc-en-ciel. En 1977, Harvey Milk fut le premier conseiller municipal gay à être élu. Son assassinat l'année suivante par un ancien policier homophobe et la déferlante du sida après 1981 mirent toutefois un terme à l'euphorie générale, obligeant la commu-

Exotique ou érotique...

San Francisco n'engendre pas l'ennui. Tolérance ambiante et diversité ethnique garantissent des fêtes colorées et délirantes. L'année commence avec les parades bruyantes et les dragons géants du Nouvel An chinois, puis ce sont les Irlandais de la St-Patrick et leur vert agressif, les Japonais pour la fête des Cerisiers, suivis des Mexicains et de leurs danses indiennes. La communauté homosexuelle, active et libérée, rivalise quant à elle d'imagination pour les défilés provocateurs, mais bon enfant, de la Gay Freedom Day Parade ou de Halloween.

nauté à se discipliner et à s'organiser pour offrir un front efficace contre la maladie. Aujourd'hui, l'atmosphère s'est allégée et les homosexuels sont très actifs dans la ville, où ils évoluent ouvertement et sans complexes. En 2001, un transsexuel (ils sont plus de 30 000 à San Francisco et dans les environs) a pour la première fois été nommé dans une instance municipale.

Pour visiter Castro District, contentez-vous de flâner le long de **Castro Street** en faisant de petits détours dans les rues adjacentes, qui ont conservé bon nombre de jolies demeures victoriennes. **Liberty Street*** compte par exemple une belle rangée de ces cottages en bois multicolores. En haut de Castro Street, tournez à gauche dans **24th Street** pour redescendre doucement dans Noe Valley, un quartier qui a gardé le charme d'un village. De part et d'autre de cet axe, vous découvrirez d'autres superbes maisons, des jardins exubérants et des ruelles aux pentes vertigineuses.

Si vous voulez embrasser la ville d'un seul regard, faites l'ascension des **Twin Peaks**** (C3) (*bus 37 ou ligne K, L, M. et bus 36*), les deux collines jumelles qui culminent à 300 m d'altitude au sud-est de Castro District. Les Espagnols, beaucoup plus poétiques, les nommaient « les seins de la jeune Indienne ». Le **panorama***** englobe l'ensemble de San Francisco et de la baie.

De Cliff House au Golden Gate Bridge** (Plan I)
Comptez une journée.

L'idéal est de commencer par Cliff House et le Palace of the Legion of Honor le matin, de déjeuner à Cliff House ou de pique-niquer au bord de l'océan, puis de faire la randonnée côtière (2 h environ) et d'arriver au Golden Gate Bridge pour le coucher du soleil. Prendre les bus 5, 31 ou 38 pour Cliff House, et les bus 28 ou 29 pour le Golden Gate Bridge.

Cliff House (A2) est l'un des buts de promenade favoris des San-Franciscains (*1090 Point Lobos Ave.,* ☎ *(415) 386 3330. Dimanche-jeudi 9 h-22h30, vendredi-samedi 8 h 30-23 h. On peut manger sur place et se procurer diverses brochures sur le Golden Gate National Recreation Area*). Ce fut d'abord une auberge, remplacée par un manoir prétentieux de sept étages, lui-même dévasté par les flammes en 1907. Le bâtiment actuel ne présente pas d'autre intérêt que son site grandiose et la **vue**** sur la côte, du cap Pedro au sud au cap Reyes au nord, en passant par les îles Farallon, à une cinquantaine de kilomètres au large. Un petit **musée mécanique** présente d'anciens jouets animés (*fonctionnement avec des pièces de monnaie*).

Empruntez le bus 38 et descendez à 33rd Ave., où vous pouvez prendre le bus 18 vers le Palace of the Legion of Honor ou finir à pied en 15 mn.

San Francisco

Au cœur de Lincoln Park, le **Palace of the Legion of Honor**∗∗ (palais de la Légion d'honneur) (A2) (✆ *(415) 863 3330, www.legionofhonor.org. Mardi-dimanche 9h30-17h. Entrée : 8$, comprise dans le City Pass ; réduction de 2$ sur présentation du ticket de bus)* est à plus d'un titre l'un des plus beaux musées de la ville. Son architecture et son cadre exceptionnel invitent déjà à une balade de charme, mais ses magnifiques collections d'art européen en font une étape incontournable.

L'édifice est une copie à l'identique du palais de la Légion d'honneur de Paris. Il fut érigé dans les années 1920 sur l'initiative d'Alma Spreckels, épouse du magnat du sucre, qui était tombée en admiration devant le pavillon de la France à l'exposition Panama-Pacifique de 1915. Passionnée par la France, elle y rencontra Rodin qui devint son artiste fétiche. Le musée est d'ailleurs le plus riche en œuvres du sculpteur (106) en dehors du musée Rodin à Paris. Il possède aussi toutes les collections léguées par Alma Spreckels, notamment celle des arts égyptiens.

La visite vous conduit dans chacune des 19 salles qui s'organisent autour d'une rotonde centrale. Les **sculptures de Rodin** sont évidemment au cœur du musée, ainsi que de nombreuses et fascinantes études préparatoires aux grandes œuvres. La peinture européenne est très bien représentée avec une salle splendide réservée aux **primitifs italiens**∗∗ marqués encore par l'influence byzantine. L'évolution est passionnante entre cette période et la Renaissance, comme le montrent successivement la *Madone à l'Enfant*, raide et majestueuse, de Bartolo (1400), celle déjà plus réaliste de Vivarini (1481) et une autre *Madone*, tendre, gironde et respirant l'émotion, exécutée en 1515 par Granaci.

La salle consacrée à la **Renaissance** du nord de l'Europe permet de mesurer les différences avec le Sud : ici, Byzance est loin, mais le gothique austère très présent. Parmi les autres œuvres majeures, on note le *Saint Jean-Baptiste* du Greco (vers 1600), une *Madone à l'Enfant* du Tintoret, mais aussi un merveilleux **triptyque** en émail de Limoges (1500) représentant le mariage de Louis XII et d'Anne de Bretagne. Les **peintures flamande**, **anglaise** et **française** sont représentées par Rubens, Van Dyck, Van Ruysdael, Gainsborough, Constable, Reynolds, Watteau et Fragonard. Les **impressionnistes** occupent une salle, avec Monet, Renoir, Pissarro, Sisley, Seurat, Degas et Manet, tandis qu'Émile Bernard, Cézanne, Matisse, Picasso et Braque annoncent déjà la **période moderne** et l'évolution du 20ᵉ s. Enfin, n'oubliez pas les collections de mobilier des 17ᵉ et 18ᵉ s., de tapisseries médiévales et de porcelaines.

Si vous souhaitez rejoindre directement le Golden Gate Bridge, le sentier côtier passe en contrebas du musée.

La promenade côtière∗∗ qui permet de rejoindre le Golden Gate Bridge *(comptez de 1h30 à 2h)* part du Palace of the Legion of Honor, traverse le golf et mène à **Eagle's Point**∗∗ (A2). Un escalier descend vers la falaise d'où on a un splendide panorama sur les plages, le Golden Gate Bridge et Marin Head, de l'autre côté du pont. Ensuite, la balade suit **El Camino del Mar**, une jolie avenue bordée de maisons luxueuses de style néo-méditerranéen. Suivez la rue parallèle à la côte, puis tournez à gauche dans 25ᵗʰ Avenue North pour rejoindre **Baker Beach**∗∗ (B2), balayée par les énormes vagues du Pacifique. Au bout de la plage, un escalier assez raide vous ramène en haut de la dune. La promenade suit alors la route, se perdant parfois dans un labyrinthe de sentiers verdoyants qui dominent les falaises. Très loin en contrebas, la houle se brise en blanc pur sur des rochers noir et vert. On devine entre les arbres la silhouette du Golden Gate Bridge qui se rapproche, puis soudain le sentier passe sous le pont *(méfiez-vous des cyclistes qui roulent à toute allure !)*.

Le Golden Gate Bridge∗∗∗ (B1) est le symbole par excellence de San Francisco. Il faut l'approcher pour mesurer son énormité, alors même que sa silhouette gracile et élégante semble enjamber sans peine le détroit qui sépare San Francisco du Marin County. Le projet de réunir ces deux rivages remonte au 19ᵉ s., mais il ne se concrétisa qu'en 1916 et il fallut encore de longues études pour qu'un plan soit arrêté.

La grande crise de 1929 acheva de ralentir les choses et ce n'est qu'en janvier 1933 que la construction débuta. Le brouillard fréquent, les vents violents, les courants, l'alternance des marées, la houle étaient autant d'éléments hostiles qui compliquaient le travail des équipes. Il était particulièrement difficile aux plongeurs qui devaient ancrer les piles du pont d'opérer par 30 m de fond dans ces conditions. Les tours d'acier, hautes de 227 m, étaient exposées aux rafales, à la pluie ou à un soleil de plomb. Malgré ces dangers, la construction ne fit que neuf morts durant tous les travaux. Le 27 mai 1937, pour l'inauguration, une foule de 200 000 curieux envahit le tablier, ouvrant une semaine de festivités. Depuis, le Golden Gate Bridge fait l'objet d'une attention constante et possède une équipe d'inspecteurs et de techniciens à l'affût du moindre défaut. 25 peintres le repeignent en permanence pour le protéger de la corrosion. Sa célèbre couleur, appelée *international orange* et choisie parce qu'elle est visible même dans le brouillard, est fixée une fois pour toutes et on en consomme 2 tonnes par semaine…

Les vues les plus spectaculaires du pont se déroulent depuis le pied des falaises, côté océan pour ceux qui auront longé le rivage par le bas (*difficile et escarpé*), ou de l'autre côté du pont, sur le promontoire de Vista Point. En voiture, le passage est gratuit à l'aller, mais il vous faudra acquitter 3 $ au retour. Les vues depuis les bateaux qui croisent dans la baie sont impressionnantes, car on voit l'énorme structure du dessous (*pour les croisières, voir p. 175*). Le plus agréable reste la **traversée à pied***** par la voie piétonnière, surtout au coucher du soleil (*ouverte de 6 h à 21 h. Comptez 1 h AR. Prévoyez des vêtements chauds et un coupe-vent*).

Des chiffres qui laissent rêver…
2,6 km de chaussée à 67 m au-dessus de l'eau, deux piles jumelles de 227 m de haut, 520 000 m³ de béton, 1 million de tonnes d'acier et 129 000 km de câbles donnent une image de la grandeur de l'ouvrage. Les énormes câbles qui portent le tablier mesurent 1 m. de diamètre…

Après le pont, vous pouvez continuer sur le sentier côtier en suivant les panneaux vers *Picnic Area* et **Historic Battery** (B1). Passez ces anciennes fortifications défensives du 19ᵉ s., où les munitions étaient conservées dans des dépôts souterrains, et descendez sur la gauche, en direction de la baie, pour jouir d'un beau **point de vue**** sur le Golden Gate Bridge. Après 10 mn, vous atteignez **Fort Point** (B1), puis le *Marina's Visitor Center*, qui explique l'environnement naturel des îles Farallon.

San Francisco pratique

ARRIVER-PARTIR

En avion – Le *San Francisco International Airport* (SFO) est situé au bord de la baie, à 14 miles au sud de la ville, Hwy 101, ☎ (650) 794 4001. Vous y trouverez un guichet de la Bank of America, ouvert tlj 7 h-23 h, et des distributeurs de billets.
Il est desservi par les lignes de bus *Sam-Trans* n° 7B (1 h ; 2,20 $) et l'express 7F (35 mn ; 3 $) qui s'arrêtent au Transbay Terminal, 425 Mission St., entre 1ˢᵗ St. et Fremont St., et à l'angle de Mission St. et de 5ᵗʰ St. (toutes les 30 mn). Plus rapides, les navettes privées («shuttle») assurent la liaison avec les hôtels de la

ville pour un prix variant de 12 à 14 $ selon le nombre de valises. Les compagnies sont nombreuses et très concurrentielles, n'hésitez donc pas, surtout le soir, à prendre celles qui sont déjà devant l'aéroport. Pour le retour, pensez à guetter leurs coupons de réduction dans tous les magazines publicitaires et appelez pour réserver : *Quake City Shuttle*, ☎ (415) 255 4899 ; *American Airporter Shuttle*, ☎ (415) 202 0733 ; *Supershuttle San Francisco*, ☎ (415) 558 9593.
Les taxis sont plus chers (de 30 à 40 $) et uniquement valables si vous êtes plus de deux.

En train – *Amtrak* (☎ (510) 238 2685, www.amtrak.com) dispose d'un guichet d'information et d'une billetterie dans le Ferry Building (Plan II D1), au bout de Market St. vers la baie. Les départs pour la Californie se font de la gare d'Emeryville (navette gratuite depuis le Ferry Building) à l'est de la baie. Le réseau ferroviaire est peu dense. Trains pour Sacramento (2 h-2 h 30), Los Angeles (15 h), San Diego (18 h).

En bus – Les bus ***Greyhound*** et les bus régionaux partent et arrivent au Transbay Terminal, 425 Mission St. (Plan II C2), ouvert 24h/24 (consigne). Le réseau de bus est beaucoup plus dense que celui des chemins de fer. Berkeley et Oakland sont desservis par la compagnie ***AC Transit***, ☎ (510) 839 2882. Sausalito et le Marin County le sont par ***Golden Gate Transit***, ☎ (415) 923 2000.

COMMENT CIRCULER

N'utilisez pas de voiture. Le réseau de transports en commun est très développé et assez bon marché. Dans les quartiers très vallonnés, la marche à pied est un peu sportive, mais demeure agréable, car les centres d'intérêt sont concentrés dans des périmètres restreints. Pour les zones éloignées du centre, nous vous indiquons la ligne de bus la plus pratique.

En voiture – Si vous tenez à vous déplacer en voiture, sachez que la circulation est dense et que les bus, cable cars et piétons sont toujours prioritaires. Le stationnement est rare et cher. En raison des rues très pentues, une règle absolue s'impose (faute de quoi vous risquez une amende) : face à la montée, braquez vos roues vers la chaussée ; face à la pente, braquez les vers le trottoir. Les autorisations de stationner sont matérialisées par des couleurs le long du trottoir. Pas de couleur : stationnement autorisé, mais qui peut être payant (voir les panneaux). Évitez absolument tout ce qui comporte du rouge, du jaune ou du noir. Le vert autorise un arrêt de 10 mn, le blanc un arrêt de 5 mn pour embarquer ou débarquer les passagers. Ne prenez pas le risque d'ignorer ces règles, il vous en coûterait la fourrière ou, au mieux, une amende de plus de 200 $!

En bus et tramway – Dès votre arrivée, procurez-vous à l'office de tourisme la « Street & Transit Map » (2,75 $) qui répertorie les lignes de bus et de tramways. Le prix du billet est fixe (1 $) : prévoyez le compte exact, car on ne rend pas la monnaie. Si vous devez prendre une correspondance, demandez le « transfer ticket » au chauffeur en précisant où vous allez. Ce ticket vous sera demandé dans le bus suivant (le transfert n'est pas valable sur le cable car). Notez bien l'heure mentionnée sur le ticket : elle indique la limite de validité du billet ; durant ce temps, souvent plus de 2 h, vous avez droit à autant de transferts que vous voulez, y compris le retour sur la même ligne. À vous de calculer si cela est plus intéressant que le forfait à la journée. Les forfaits illimités, valables sur les bus, Muni Metro, et cable cars, sont vendus à l'office de tourisme : 1 jour (6 $), 3 jours (10 $) et 7 jours (15 $). Le « City Pass » (33,25 $) est aussi valable 7 jours et comprend, en plus, des billets d'entrée pour le SF MOMA, l'Academy of Sciences, l'Exploratorium, le Palace of the Legion of Honor, l'Asian Art Museum, le Steinhart Aquarium et une croisière dans la baie.

Les chauffeurs de bus sont en général très aimables et acceptent volontiers de vous renseigner ou de vous prévenir lorsque vous arrivez à la destination demandée. Tirez sur le cordon qui court le long des vitres pour demander l'arrêt suivant. La plupart des lignes passent le long de Market St. Les lignes 7 et 71 s'arrêtent dans Market St. et conduisent à Haight-Ashbury et à l'entrée de Golden Gate Park. La ligne 30 part de Kearny, dans le centre-ville, longe Stockton et Chinatown, North Beach, au pied de la Coit Tower, et dessert Fisherman's Wharf et Ghirardelli Sq. La ligne 15 part aussi de Kearny et suit le même parcours dans Chinatown et North Beach, mais mène au Pier 39. La ligne 21 longe Market St., puis Civic Center et Hayes Valley vers le Golden Gate Park, via Alamo Square. La ligne F, utilisant des trolleys historiques, dessert Castro à partir de Market St. Attention, les lignes J, K, L, M. et N longent Market St. sous terre. On les prend aux stations souterraines du BART.

En cable car – Préparez-vous à attendre 45 mn au moins en saison. Trois axes sont desservis par cet incontournable moyen de transport. Le premier, **Powell-Mason**, part de Powell St. au niveau de Market St., en direction de Fisherman's Wharf. Le second, **Powell-Hyde**, conduit à l'ouest de celui-ci, près de l'Aquatic Park. Le troisième longe California St., entre Market St., dans Financial District, et Van Ness Ave. Ce dernier est le moins fréquenté, idéal pour goûter au trajet sans faire trop de queue. Les correspondances entre les trois lignes se font à l'arrêt Powell & California. Attention : en raison de la très forte déclivité, le cable car s'arrête au milieu des carrefours où la pente est interrompue. Méfiez-vous du trafic en descendant. Le billet vaut 2 $; le forfait est très vite amorti, car il n'y a pas de « transfer ticket » vers les bus.

En métro et BART – 5 lignes souterraines, appelées **Muni Metro**, partent de Market St. On y accède par les stations du métro interurbain BART. La ligne J mène à Mission Dolores Park puis à Noe Valley. La ligne N conduit au front de mer, au sud du Golden Gate Park. Sur ces lignes, le prix est de 1 $, les forfaits et le système du transfert s'appliquent comme pour les bus.

Le **BART** est l'équivalent du RER et applique une tarification à part. Il dessert les banlieues et les autres villes de la baie. Toutes les lignes passent sous Market St. par les stations d'Embarcadero, Montgomery, Powell, Civic Center, et 24th St. et Mission. Les billets s'achètent dans les stations, à des machines automatiques qui rendent la monnaie.

Le **Caltrain** est un train de banlieue qui couvre les comtés de San Mateo et de Santa Clara. C'est le moyen de transport indiqué en direction de San Jose et de la Silicon Valley. Le terminal est situé à l'intersection de 4th St. et de King St., au sud de SoMa (Plan I E3) (relié au réseau Muni par les lignes 30, 32, 38, 42, 45, 76).

En taxi – Vous en trouverez devant les grands hôtels, sinon placez-vous au bord de la chaussée et faites un signe bien visible. **Yellow Cab**, ☎ (415) 626 2345 ; **Veteran's Cab**, ☎ (415) 552 1300.

Au départ d'Union Sq., comptez environ 10 $ pour Fisherman's Wharf, 15 $ pour le Golden Gate Bridge ou Golden Gate Park. Ajoutez 15 % de pourboire.

Location de voitures – Réservez de préférence votre véhicule avant de partir en faisant appel à un organisme national qui négociera les prix (voir p. 100). Sinon, toutes les grandes compagnies sont représentées à l'aéroport (transfert gratuit par navette vers le centre de location où sont réunies toutes les enseignes) et dans le centre-ville. **Alamo Rent-a-car**, 687 Folsom St. (Plan II D2-3), ☎ (415) 882 9440, www.goalamo.com. **Budget Rent-a-car**, 321 Mason St. (Plan II A2), ☎ (415) 292 8400. **Thrifty Car Rental**, 520 Mason St. (Plan II A2), ☎ (415) 788 8111, www.thrifty.com.

Location de motos, vélos, rollers – Pour chevaucher une Harley Davidson le long des rues mythiques (75 à 125 $ par jour), adressez-vous à **Eaglerider**, 1060 Bryant St. (Plan I E2), dans SoMa, ☎ 1-888 389 7300, www.eaglerider.com. Pour les vélos, l'une des adresses les plus pratiques est **Blazing Saddles**, 1095 Columbus Ave. (Plan III D2), près du terminus du cable car Powell-Mason, ☎ (415) 202 8888, www.blazingsaddles.com. **New World Sports**, 1365 Columbus Ave. (Plan III D2), en face de The Cannery, ☎ (415) 776 7801, loue vélos électriques (40 $/jour), VTT (25 $/jour) ou trottinettes à moteur (40 $/jour), ainsi que des rollers (20 $/jour). Une tradition fort sympathique pour les fans de roller : chaque vendredi soir, une foule de « rollerbladers » traverse la ville à partir de 20 h 30, depuis Union St., pour finir dans Financial District, désert le soir. Une randonnée sportive en raison des nombreuses collines !

ADRESSES UTILES

Office de tourisme – **San Francisco Convention & Visitor's Bureau**, Hallidie Plaza (Plan II B3), à l'angle de Market St. et de Powell St., au pied des marches qui mènent au BART. ☎ (415) 391 2000 / (415) 391 2003 pour les informations en français, Fax (415) 974 1992, www.sfvisitor.org. Lundi-vendredi 9h-17h, samedi, dimanche et fêtes 9h-15h ; fermé pour Noël, le 1er janvier, le dimanche de Pâques et Thanksgiving. Cet office de tourisme est un modèle du genre : personnel multilingue, infos et plans gratuits dans toutes les langues, nombreuses documentations touristiques et promotionnelles. C'est là que l'on achète l'indispensable « Street & Transit Map ». Vous pouvez aussi consulter en ligne les programmes culturels, voire réserver. D'autres sites Internet offrent des informations diverses sur la ville et ses programmes culturels, tels www.citysearch.com ou le site de l'hebdomadaire « San Francisco Bay Guardian », www.sfbg.com.

Banque / Change – Les principales banques disposent d'agences aux environs d'Union Square, le long de Market St. et dans Financial District. On compte d'innombrables distributeurs automatiques dans les rues, restaurants et centres commerciaux. Ils sont signalés par le sigle ATM (Automatic Teller Machine). Les chèques de voyage sont acceptés partout en paiement et on vous rendra la monnaie.

Poste – Main Post Office, 101 Hyde St. (Plan I D2), à l'angle de Golden Gate Ave. 6h-17h30/20h30 les mardi et jeudi/15h le samedi ; fermée le dimanche. Poste restante de 10h à 14h. Nombreux bureaux en ville, notamment au 150 Sutter St. (Downtown) et à Washington Square (North Beach).

Téléphone – Les cabines à pièces sont très nombreuses partout, mais peu pratiques pour appeler l'international (voir p. 99).

Internet – On peut se connecter gratuitement dans les bibliothèques municipales, mais il y a souvent la queue et le temps de connexion est limité. **Main Library**, 100 Larkin St. (Plan IV E1), en face de Civic Center. Lundi 10h-18h, mardi-jeudi 9h-20h, vendredi 12h-18h, samedi 10h-18h, dimanche 12h-17h. Le Visitor's Bureau propose aussi quelques terminaux payants (1 $ pour 5 mn), ainsi que la liste des cybercafés, tels **Brainwash Café and Laundry** (1122 Folsom St., 7h30-23h) ou **Café. com** (970 Market St., 8h-22h).

Consulats – France, 540 Bush St. (Plan II B2), ☎ (415) 397 4330. Lundi-vendredi 9h-13h/14h-17h. **Belgique**, 625 3rd St. (4e étage) (Plan II C3), ☎ (415) 882 4648. Lundi-vendredi 14h-18h. **Suisse**, 456 Montgomery Suite 1500 (Plan II C1-2), ☎ (415) 788 2272. Lundi-vendredi 9h-12h.

Compagnies aériennes – Pour tous renseignements ou pour confirmer votre vol : **Air France**, ☎ 1-800 237 2747 ; **Continental Airlines**, ☎ 1-800 523 3273 ; **United Airlines**, ☎ 1-800 241 6522 ; **British Airways**, ☎ 1-800 247 9297 ; **KLM**, ☎ 1-800 374 7747.

Santé – Pour toute urgence, appelez le 911 qui vous transférera sur les pompiers, un service médical ou la police. Pour les problèmes médicaux ne relevant pas de l'urgence absolue, appelez le **San Francisco Medical Service**, ☎ (415) 431 2800. Pour une consultation à votre hôtel, **In Hotel Medical Care**, ☎ 1-800 DOCS 911, est un service 24h/24 qui accepte les cartes de crédit.

Sécurité – Après la nuit tombée, évitez les rues mal éclairées, même dans le centre-ville. Union Square et Market St. peuvent être très mal fréquentées, de même que le quartier de Tenderloin, entre Civic Center et Downtown. Si vous sortez le soir dans Mission District ou SoMa, les nouveaux quartiers branchés, rentrez à plusieurs ou prenez un taxi. Évitez Golden Gate Park la nuit. En cas de problème, appelez le 911. Les innombrables sans-abri sont rarement agressifs, mais peuvent devenir un problème s'ils sont sous l'emprise de l'alcool ou de la drogue.

OÙ LOGER

San Francisco est horriblement chère et très touristique de mai à septembre. Réservez à l'avance et demandez les offres spéciales (« special offers ») ou une réduction si vous restez plus de 3 ou 4 nuits. Si vous souhaitez parcourir toute la ville, les abords d'Union Square et de Market St. sont les plus pratiques pour prendre les transports en commun. Union Square est cependant la zone la plus chère. Les meilleurs rapports qualité-prix se trouvent un peu à l'écart, dans les quartiers résidentiels bien desservis. La ville étant assez étendue, tenez compte des problèmes de transport. Certains quartiers mal fréquentés, comme Tenderloin, sont nettement moins chers, mais pour votre sécurité, vous devrez sans doute rentrer en taxi tard le soir. Faites donc vos comptes avant de vous décider.

- **Union Square et Downtown** (Plan II)

Moins de 20 $ par personne
Pacific Tradewinds Guesthouse, 680 Sacramento St., ☎ (415) 433 7970, www.hostels.com/pt/ – 32 lits CC Dans Financial District, près de Chinatown, une adresse vite complète. Pas de réservations en été : arrivez le matin. Laverie et consigne.

De 40 à 60 $
Adelaide Inn, 5 Isadora Duncan Court, ☎ (415) 441 2261 – 18 ch. CC Située au fond d'une impasse donnant sur Taylor St., un quartier très fréquenté par les sans-abri, une pension très simple et calme, à l'ambiance chaleureuse. Petit-déjeuner léger inclus.

De 80 à 100 $
Grant Plaza, 465 Grant Ave., ☎ (415) 434 3883, www.grantplaza.com – 72 ch. ⁂ 𝒫 TV CC Bien située, tout près du China Gate, une adresse centrale et confortable, dans un quartier relativement sûr. Les prix varient en fonction des périodes ; faites-vous bien préciser le tarif et négociez hors saison. Très bon rapport qualité-prix.

Layne Hotel, 545 Jones St., ☎ (415) 441 9317 – 40 ch. ⁂ 𝒫 TV CC À trois blocs et 5 mn à pied à l'ouest d'Union Square, à la limite de Tenderloin, hôtel agréablement remis à neuf dans des couleurs chaudes et gaies. Porte sur la rue fermée en permanence. Frigo, micro-ondes et fer à repasser dans chaque chambre. Prix très intéressants hors saison.

Alisa Hotel, 447 Bush St., ☎ (415) 956 3232, www.alisahotel.com – 52 ch. 𝒫 TV CC Établissement clair et agréable, très bien situé. Les chambres les moins chères n'ont qu'un lavabo et partagent les douches communes. Celles qui ont une salle de bains privée coûtent 160 $ en haute saison.

De 100 à 150 $
Ramada Inn, 345 Taylor St., ☎ (415) 673 2332 – 119 ch. ⁂ 𝒫 TV ✗ CC À 5 mn à pied d'Union Square, tout près des théâtres, cet hôtel se révèle assez impersonnel, comme tous les grands hôtels, mais pratique et très confortable.

De 150 à 200 $
King George Hotel, 334 Mason St., ☎ (415) 781 5050, Fax (415) 895 5991, www.kinggeorge.com – 141 ch. ⁂ 𝒫 TV CC Déco très britannique, tout en acajou, vert et bordeaux, pour un établissement sobre et élégant, idéalement aménagé dans un bel immeuble traditionnel. Petit-déjeuner continental compris.

Warwick Regis Hotel, 490 Geary Blvd, ☎ (415) 928 3000, Fax (415) 441 8788, www.warwickhotel.com – 80 ch. ⁂ 𝒫 TV ✗ CC Associé à l'une des bonnes tables de la ville, cet élégant hôtel situé en face des théâtres offre en plus la détente d'un piano-bar. Chambres vastes et dotées de tout le confort d'un hôtel de luxe.

Hotel Union Square, 114 Powell St., ☎ (415) 397 3000, Fax (415) 399 1874, www.hotelunionsquare. com – 131 ch. ⁂ 𝒫 TV ✗ CC Un hôtel élégant et chaleureux, décoré de brique et d'acajou, à deux pas d'Union Square. Les chambres sur l'arrière sont sombres, mais celles sur la rue très agréables. Toutes sont équipées d'un réfrigérateur. Petit-déjeuner continental, journaux, thé et café inclus.

De 200 à 250 $
Hotel Triton, 342 Grant Ave., ☎ (415) 394 0500, www.hotel-tritonsf.com – 140 ch. ⁂ 𝒫 TV ✗ CC L'un des hôtels les plus branchés de la ville, où il est bon de se montrer. Décor élégant, plutôt classique dans les chambres, au design très coloré dans les parties communes. Confort maximal, apéro, thé et café, fitness club…

Kensington Park Hotel, 450 Post St., ☎ (415) 788 6400, Fax (415) 399 1874, www.kensingtonparkhotel. com – 89 ch. ⁂ 𝒫 TV ✗ CC Hôtel de luxe, avec un hall d'entrée superbe et le nec plus ultra du confort dans chacune des chambres. Petit-déjeuner servi en salle à chaque étage, fitness club et prix intéressants en hiver. Le restaurant **Farallon** est l'un des plus cotés de la ville.

• Nob Hill (Plan II)

De 60 à 80 $

Grant Hotel, 753 Bush St., ☎ (415) 421 7540, www.granthotel.citysearch. com – 62 ch ⌐ 🛏 🖉 TV CC Dans ce quartier très calme de Nob Hill, tout près des lignes de cable car, ce grand hôtel est très bien tenu par une famille asiatique. Les chambres sont spacieuses, mais les moins chères très sombres. Préférez celles qui donnent sur Bush St., la différence de prix est justifiée.

De 100 à 150 $

Golden Gate Hotel, 775 Bush St., ☎ (415) 392 3702, www.goldengatehotel.com – 25 ch 🖉 TV CC Seules 14 des chambres ont leur propre salle de bains. Elles sont meublées avec goût et spacieuses, tandis que les autres sont très petites. Petit-déjeuner inclus.

Cornell Hotel de France, 715 Bush St., ☎ (415) 421 3154 – 54 ch ⌐ 🖉 ✕ CC Situé à mi-hauteur de Nob Hill, cet hôtel est tenu par une Française, et presque tout le personnel de réception parle français. Les chambres, très calmes, sont décorées dans les tons pastel ou fleuris. Forfait à la semaine très intéressant (7 nuits et 5 dîners pour deux, 1 050 $).

Plus de 150 $

Petite Auberge, 863 Bush St., ☎ (415) 928 6000 – 26 ch ⌐ 🖉 CC Cette petite auberge a vraiment du charme avec sa jolie façade et son décor romantique très américain. Meubles anciens, gravures, coussins, nounours, et copieux buffet pour le petit-déjeuner. Un peu cher, mais tellement agréable…

• Autour de Civic Center et Hayes Valley (Plan IV)

Moins de 20 $ par personne

San Francisco International Student Center, 1188 Folsom St. ☎ (415) 255 8800 – 55 lits CC Proche du centre, dans le SoMa. Un peu bruyant, car situé juste au-dessus d'une boîte de nuit, mais pratique. Grande cuisine. Pas de réservations en saison.

De 40 à 60 $

Verona Albergo, 317 Leavenworth St., ☎ (415) 771 4242 – 65 ch 🖉 TV CC Cette adresse, située dans le Tenderloin,

est indiquée pour ceux qui veulent le confort d'un hôtel à petit prix et la proximité du centre. Certaines chambres, plus chères, ont une salle de bains. Le quartier, peuplé de SDF, peut être impressionnant le soir, mais un commissariat vient d'ouvrir à une cinquantaine de mètres.

De 60 à 80 $

Hotel America (ancien Aida), 1087 Market St., ☎ (415) 863 4141 – 174 ch. ⌐ 🖉 TV CC Bien réhabilité par un Italien amoureux de la ville, ce grand hôtel très propre et pratique offre un accueil chaleureux. Parking et petit-déjeuner continental. Même propriétaire que le précédent.

Essex Hotel, 684 Ellis St., ☎ (415) 474 4664, Fax (415) 441 1800 – 100 ch. ⌐ 🖉 TV CC La moitié des chambres possèdent salles de bains privatives et TV et sont un peu plus chères. Français et espagnol parlés à la réception. Déco démodée, mais impeccable.

De 80 à 100 $

Hayes Valley Inn, 417 Gough St., ☎ (415) 431 9131, www.hayesvalleyinn.com – 30 ch. 🖉 TV CC À l'ouest de Civic Center, dans un quartier calme et verdoyant, un petit hôtel impeccable, fort bien tenu, et tout proche des théâtres et de l'Opéra. Le prix inclut le petit-déjeuner, et une belle cuisine est mise à disposition. 10 $ de moins hors saison.

De 100 à 150 $

Days Inn, 417 Grove St., ☎ (415) 864 4040, Fax (415) 861 5848 – 40 ch. ⌐ 🖉 TV CC Petit motel tout propre et calme, à 2 mn de Civic Center, dans Hayes Valley. Les chambres, très grandes, ont toutes un frigo, un micro-ondes et un fer à repasser. Pour un peu plus cher, vous aurez même un jacuzzi.

Hotel Atherton, 685 Ellis St., ☎ (415) 474 5720, Fax (415) 474 8256, réservations par e-mail : reservations@hotel-latherton.com – 75 ch. ⌐ 🖉 TV CC Chambres très confortables et claires, disposant d'un coffre-fort. Petit-déjeuner en sus.

Albion House Inn, 135 Gough St., ☎ (415) 621 0896, www.subtleties. com – 9 ch. ⌐ 🖉 TV CC Être reçu comme à la maison, avec un tas de jolies attentions, voilà ce qu'offre ce B & B chaleureux, décoré avec les propres toiles du propriétaire. Petit-déjeuner copieux, thé, café, biscuits et vin servis au fil de la journée.

Abigail Hotel, 246 McAllister St., ☎ (415) 861 9728, Fax (415) 474 8256 – 60 ch. ⁑ ℰ [TV] ✗ [CC] Un hall sans prétention, mais des chambres confortables, surtout intéressantes en dehors de l'été ou lors des offres spéciales, quand les prix descendent nettement. Petit-déjeuner compris. Le restaurant végétarien **Millenium** est très bon.

De 150 à 200 $

⌂ **Château Tivoli**, 1057 Steiner St., ☎ (415) 776 5462, www.chateautivoli. com – 9 ch. ⁑ ℰ [TV] [CC] Ligne de bus 22 ou 5 à Steiner St. Une allure extérieure complètement folle, tout en tourelles multicolores, et un intérieur façon château hollywoodien, mélange de boiseries sombres, de style gothique et de couleurs violentes, des lits à baldaquin, meubles anciens et tableaux signent une étape hors norme. Abordable en semaine, beaucoup plus cher le week-end.

• **North Beach et Fisherman's Wharf** (Plan III)

De 60 à 80 $

⌂ **San Remo**, 2237 Mason St., ☎ (415) 776 8688, www.sanremohotel. com – 60 ch. [CC] Petit hôtel agréable à l'accueil familial, tout près de Fisherman's Wharf. Préférez les chambres à l'étage ou celles qui ouvrent sur l'extérieur, un peu plus chères (comme les 42, 43, 44 et 45), car certaines donnent sur les couloirs intérieurs et sont sombres.

Plus de 150 $

⌂ **Washington Square Inn**, 1660 Stockton St., ☎ (415) 981 4220 – 15 ch. ⁑ ℰ [TV] [CC] En face de la jolie église St Peter & Paul, au pied de Telegraph Hill, une adresse calme et raffinée, meublée d'antiquités et agréablement fleurie. Apéritif le soir et copieux petit-déjeuner compris.

• **Les collines résidentielles du nord** (Plan III)

Moins de 20 $ par personne

⌂ **Fort Mason Hostel**, building 240, Fort Mason, ☎ (415) 771 7277, www.norcalhostels.com – 172 lits [CC]

Bien qu'éloignée du centre, c'est la plus agréable des auberges de jeunesse de la ville, tout près de la Marina et de Fisherman's Wharf. Elle est desservie par les bus (ligne 42). Belle vue et agréables balades aux environs. Strictement non-fumeur. Laverie et consigne. Réservez à l'avance.

De 80 à 100 $

Capri Motel, 2015 Greenwich St., ☎ (415) 346 4430 – 46 ch. ⁑ ℰ [TV] [CC] Au pied de Pacific Heights, vers la Marina, un motel très années 1950, calme, sans prétention, spacieux et impeccable. Idéal si vous avez une voiture. Pas cher hors saison.

Monroe Residence Club, 1870 Sacramento St., ☎ (415) 474 6200 – 60 ch [CC] Grand immeuble, entre pension de famille et résidence hôtelière. Prix par personne avec petit-déjeuner et dîner. Bien préciser si vous venez en couple (demandez une suite avec salle de bains, pour le même prix, vous aurez deux pièces). Très intéressant à la semaine.

De 150 à 200 $

⌂ **Jackson Court**, 2198 Jackson St., ☎ (415) 929 7670 – 10 ch. ⁑ ℰ [TV] [CC] Pas un panneau n'indique ce B & B chic et discret, aussi a-t-on l'impression d'arriver chez des amis. Tout est d'un goût exquis, meubles, fauteuils profonds, coussins, livres et tableaux. Petit-déjeuner plantureux, des tas de conseils avisés et une cuisine à disposition. Une excellente adresse.

Carol's Cow Hollow Inn, 2821 Steiner St., ☎ (415) 775 8295, www.subtleties.com – 10 ch. ⁑ ℰ [TV] [CC] Ligne de bus 22. Belle maison couverte de bardeaux dans une rue très pentue. Déco très américaine, avec une profusion de tableaux modernes et un joli jardinet à l'arrière. Chambres soignées.

The Bed & Breakfast Inn, 4 Charlton Court, ☎ (415) 921 9784 – 10 ch. ⁑ ℰ [TV] [CC] Ligne de bus 45. Dans une jolie impasse donnant sur Union St., plusieurs maisons aménagées par un jeune couple franco-américain. L'adorable Sara parle français et la plupart des langues européennes. Les chambres sont chères, mais les plus grandes sont de véritables appartements, pouvant accueillir 6 personnes. Petit-déjeuner continental inclus.

Union Street Inn, 2229 Union St., ☎ (415) 346 0424, www.unionstreetinn.com – 6 ch. ⌆ ✎ TV CC Ligne de bus 45. On n'a vraiment plus envie de partir de cette maison chaleureuse, au décor parfait et au confort douillet. Petit-déjeuner copieux, thé, gâteaux et toutes sortes d'attentions charmantes. Ravissant petit jardin.

• **Haight-Ashbury et Golden Gate Park** (Plan IV)
De 80 à 100 $
Bock's Bed & Breakfast, 1448 Willard St., ☎ (415) 664 6842 – 3 ch. ✎ TV CC Lignes N, 6 et 43. Une petite maison de famille à l'accueil chaleureux, à deux blocs de Golden Gate Park, près de l'université, au cœur d'un quartier résidentiel très calme.

De 100 à 150 $
Red Victorian Bed & Breakfast, 1665 Haight St., ☎ (415) 864 1978, www.redvic.com – 18 ch. CC Seules six des chambres ont une salle de bains privée, mais celles à partager sont originales et très propres. La décoration vibrante et personnelle réalisée par la propriétaire, une artiste, signe une adresse de charme où l'on se sent vite membre de la communauté. Copieux petit-déjeuner à déguster dans la grande salle commune. Un peu cher tout de même.

• **Noe Valley** (Plan IV)
De 100 à 150 $
Noe's Nest, 3973 23rd St., ☎ (415) 821 0751, www.noesnest.com – 6 ch. ⌆ CC Une adresse très conviviale, dans un quartier agréablement provincial. Sheila mène sa maison avec dynamisme et propose toutes sortes de services pour la découverte de la ville. Petit-déjeuner très copieux. Chambres originales, comme la « Garden Suite » et son patio privé, ou la « Treehouse », tout en peaux de léopard avec un arbre en plein milieu…

OÙ SE RESTAURER
Comme les hôtels, les restaurants sont assez chers. Les San-Franciscains sortent beaucoup et les meilleures adresses sont souvent complètes. Venez tôt ou pensez à réserver.

• **Autour d'Union Square** (Plan II)
Moins de 5 $
Blondie's Pizza, 51 Powell St. (B3). Tout près d'Union Square et du cable car, ces pizzas à emporter, épaisses et moelleuses, vraiment très bon marché.
De 10 à 15 $
Johnny Foley's, 243 O'Farrell St. (B3), ☎ (415) 954 0777. Dimanche-jeudi 11 h 30-22 h, vendredi-samedi 11 h 30-23 h. Cet immense pub irlandais, partagé en multiples recoins par des cloisons en bois et des vitraux colorés, propose les plats du terroir, comme l'« Irish stew », mais aussi de robustes soupes ou salades. Bien sûr, le bar (ouvert jusqu'à 1 h 30) sert toutes les bières imaginables, à commencer par les brunes irlandaises.
Kim Thanh, 607 Geary Blvd (A3), ☎ (415) 928 6627. Lundi-samedi 11 h-23 h, dimanche 17 h-23 h. Cuisine vietnamienne ultrafraîche et familiale pour un petit restaurant très fréquenté par les familles asiatiques de la ville. En saison, goûtez absolument le crabe.
David's Deli, 480 Geary Blvd (A3), ☎ (415) 276 5950. Tlj 8 h-24 h. Un « delicatessen » à l'image de celui qui existe déjà à New York, proposant les recettes traditionnelles, bortsch, chou farci, « corned beef and cabbage » (le mercredi soir), à déguster en salle ou autour du comptoir. Chacun des plats est tour à tour en promo, le même jour de la semaine. Au dessert, grand choix de pâtisseries juives très riches !
De 15 à 20 $
La Scène, 490 Geary Blvd (A3), ☎ (415) 292 6430. Tlj 7 h-10 h/17 h-22 h. Juste en face des théâtres. Une table raffinée, d'inspiration européenne et méditerranéenne, dans un décor classique, élégant et sobre. Piano-jazz du jeudi au samedi. Un coup de cœur pour le menu spécial « après 20 h » à moins de 20 $, avec entrée, plat, dessert et un verre de vin. Excellent rapport qualité-prix.
Café Bastille, 22 Belden Place (B2), ☎ (415) 986 5673. 11 h 30-23 h ; fermé le dimanche. Ambiance et déco résolument parisiennes pour ce bistro où déguster les classiques de la cuisine fran-

çaise, comme la soupe à l'oignon, les moules, les crêpes ou le poisson grillé. Tables en terrasse dès qu'il fait beau.

Plus de 30 $

🐝*Fleur de Lys*, 777 Sutter St. (A2), ☎ (415) 673 7779. Dîner seulement. Régulièrement élue parmi les trois meilleures tables de la ville, c'est aussi l'une des plus chères. Un chef très inventif, inspiré par les cuisines française, californienne, voire japonaise, mais fidèle à son terroir alsacien, ce qui donne un mariage savoureux, comme une salade de pommes de terre et choucroute au saumon, ou un filet de biche aux pommes rôties. Pensez à réserver.

Postrio, 545 Post St., Prescott Hotel (A2), ☎ (415) 776 7825. Tlj 10 h-24 h. Une adresse très à la mode depuis des années. Déco de l'un des plus célèbres architectes d'intérieur de la ville, Pat Kuleto, et clientèle ultra-chic, dans une atmosphère assez décontractée. La cuisine traduit des influences variées, méditerranéennes et asiatiques, voire hawaïennes. Un peu moins cher que le précédent. Réserver.

• **Chinatown et Nob Hill** (Plan II)

De 5 à 10 $

House of Nanking, 919 Kearny St., à l'angle de Columbus St. (B1), ☎ (415) 434 1345. 11 h-22 h ; fermé le dimanche midi. Pas de cartes de crédit. Toujours bondé, fréquenté surtout par les étudiants et les touristes, ce restaurant propose une cuisine chinoise à très bon prix.

• **SoMa**

De 5 à 10 $

🐝*Mel's Drive In*, Mission St. et 4th St. (Plan II B3), ☎ (415) 227 4477. Pas de cartes de crédit. Pour retrouver l'ambiance de « Happy Days » ou d'« American Graffiti », une cafétéria style années 1950, tout en néons colorés, moleskine, acier dépoli et juke-box. Salades, burgers et milk-shakes à petit prix pour se rejouer l'âge d'or du rock & roll…

🐝*Hamburger Mary's*, 1582 Folsom St., près de 12th St. (Plan IV E2), ☎ (415) 626 1985. Tlj 11 h 30-1 h (2 h les vendredi et samedi). Une adresse branchée, idéale pour le brunch du dimanche.

Cuisine américaine copieuse avec bien sûr tout un choix de sompteux burgers maison. Décor chaleureux, joyeux fouillis pour brocanteur.

Brain Wash Cafe, 1122 Folsom St., entre 11th St. et 12th St. (Plan IV E2), ☎ (415) 861 3663. Tlj 7 h-23 h. Boire, manger un snack pendant que votre lessive tourne et que vous surfez sur le Net, tout en écoutant de la bonne musique… Voilà le concept de ce lieu inattendu où les rencontres sont souvent originales et sympathiques.

• **Autour de Civic Center** (Plan IV)

De 5 à 10 $

🐝*Ananda Fuara*, 1298 Market St. (E1), ☎ (415) 621 1994. Tlj 8 h-20 h/15 h le mercredi. Restaurant strictement végétarien, avec serveuses en sari et ambiance post-baba cool, pour un large éventail de salades, curries, sandwichs, pizzas… Souvent bondé.. Très bien aussi pour le petit-déjeuner.

De 15 à 20 $

Millenium, 246 McAllister St., Abigail Hotel (E1), ☎ (415) 487 9800. Dîner uniquement. Restaurant végétarien à la cuisine très éclectique, asiatique et européenne. Les plats, très élaborés, sont délicieusement travaillés et on ne ressent pas du tout l'absence de viande. À noter le très spécial menu aphrodisiaque les soirs de pleine lune… (à réserver à l'avance).

Plus de 30 $

Jardinière, 300 Grove St. (D1), ☎ (415) 861 5555. Dîner seulement. Dans le quartier de Hayes Valley, une table raffinée, élégante et chère, mélangeant avec bonheur les notes françaises et californiennes : foie gras et salade de poires, carpaccio de thon à la niçoise ou crêpes fourrées de « mascarpone » aux prunes sautées…

• **North Beach et Telegraph Hill** (Plan III)

De 5 à 10 $

🐝*Mo's Burgers*, 1322 Grant Ave. (E3), ☎ (415) 788 3779. Dimanche-jeudi 11 h-22 h 30, vendredi-samedi 11 h-2 h, brunch les samedi et dimanche 9 h-14 h. Le chef grille sa viande sous vos yeux. Poulet ou burgers gigantesques et succulents. Les petits budgets se contenteront d'un bol de « chili », très nourrissant, pour moins de 3 $. Pour boire, goûtez l'« old fashion shake » ou la « root beer ». Une autre adresse dans Folsom St.

Mama's, 1701 Stockton St. (E3), ☎ (415) 362 6421. 8 h-15 h ; fermé le lundi. Dans un angle de Washington Square, une adresse fameuse pour le petit-déjeuner ou le déjeuner, dans un décor très plaisant. Les œufs, les crêpes, le « french toast » (pain perdu) sont réputés. Salades, quiches et plats végétariens également.

De 15 à 20 $

The Stinking Rose, 325 Columbus Ave. (E3), ☎ (415) 781 7673. Tlj 11 h-23 h. Très romantique le soir, avec des lumières tamisées et un chaleureux décor à l'italienne, composé d'un bric-à-brac de bouteilles, de guirlandes de bouchons et de tresses d'ail. Car l'ail est ici roi : maniaques de l'haleine fraîche s'abstenir. On l'utilise à profusion, parfois trop, mais on se régale. Gnocchis au brie, raviolis à l'agneau, salades, pizzas, pâtes…

De 20 à 30 $

🐚 **Enrico's**, 504 Broadway (E3), ☎ (415) 982 6223. Tlj 11 h 30-2 h. Jazz live tous les soirs à partir de 20 h pour une ambiance vibrante et décontractée. La terrasse, dans la grande tradition italienne, est chauffée en hiver. Cuisine méditerranéenne, tapas, saumon grillé au gingembre, osso buco d'agneau ou espadon poêlé à la tapenade et à la polenta.

Moose's, 1652 Stockton St. (E2), ☎ (415) 989 7800. Décor sobre et clair pour une table très courue. Le chef s'inspire des cuisines italienne et méditerranéenne pour le déjeuner (nettement moins cher que le soir), tandis que tout est beaucoup plus sophistiqué pour le dîner, avec un clin d'œil à la gastronomie française. Bonne musique jazz.

Plus de 30 $

Cypress Club, 500 Jackson St. (E3), ☎ (415) 296 8555. Dîner à partir de 18 h. C'est le décor et l'atmosphère qui ont fait de ce restaurant l'un des lieux branchés où il faut être vu. Cuivre, velours, colonnes et lampes en forme de seins

encadrent une table élaborée : tartelettes au chou-fleur caramélisé, tartare de thon et desserts inoubliables. Bon jazz live.

● **Fisherman's Wharf et Marina** (Plan III)

De 10 à 15 $

Rain Forest Cafe, 145 Jefferson St. (D2), ☎ (415) 440 5610. Pour les fans de Disneyworld et autres attractions spectaculaires, un lieu incroyable, en forme de grotte tropicale, avec cascades, arbres et simulacre d'orage. Bruyant, un peu cher pour une nourriture convenue, mais le décor enchante les enfants.

De 15 à 20 $

McCormick & Kuleto's et **Crabcake Cafe**, 900 N. Point St., Ghirardelli Square (C2), ☎ (415) 929 1730. Rien ne semble différencier ces deux restaurants logés sous le même toit. Le premier, plus cher, a vue sur la mer, tandis que le second propose des plats tout aussi bons, mais avec vue sur le complexe. Bonne cuisine de la mer. Possibilité de se composer une assiette dégustation d'huîtres, vendues à la pièce.

🐚 **Greens**, Fort Mason, building A (C1), ☎ (415) 771 6222. Fermé les dimanche soir et lundi midi. Excellente cuisine végétarienne gastronomique, à base de produits bio ultrafrais. Le menu change tous les jours et ne déçoit même pas les carnivores convaincus. Vue superbe sur le Golden Gate Bridge. Réservation indispensable.

● **Pacific Heights et Cow Hollow**

De 15 à 20 $

🐚 **Betelnut**, 2030 Union St. (Plan III B3), ☎ (415) 929 8855. Tlj 11 h 30-23 h. Cuisine asiatique très éclectique, fusionnant ici et là avec le savoir-faire européen. Endroit très à la mode, avec beaucoup de monde. Essayez les anchois séchés sautés avec cacahuètes et piments ou le bar fumé au concombre et au gingembre.

Vivande Porta Via, 2125 Fillmore St. (Plan I D2), ☎ (415) 346 4430. Un classique italien de qualité, célèbre pour ses pâtes fraîches et ses somptueux desserts. Avantage : on peut aussi emporter son repas, façon traiteur, et c'est moins cher.

De 20 à 30 $

⊛ **Cafe Kati**, 1963 Sutter St., entre Webster et Fillmore St. (Plan I D2), ☎ (415) 775 7313. Dîner seulement ; fermé le lundi. Très bonne table à la croisée des cultures, genre nouvelle cuisine californienne. Goûtez le bar mariné à la japonaise ou le saumon rôti au confit de tomate. Choix rare de vins californiens.

⊛ **The Meeting House**, 1701 Octavia St., à l'angle de Bush St. (Plan I D2), ☎ (415) 922 6733. Dîner seulement ; fermé le lundi. Déco claire et dépouillée. Peu de choix au menu, mais des plats simples et bien préparés, tels les galettes de crevettes au cresson et leur condiment, ou le magret de canard au confit d'oignons rouges. Belle carte de desserts.

• **Haight-Ashbury** (Plan IV)

De 5 à 10 $

Squat & Gobble, 1428 Haight St. (C2). ☎ (415) 864 8484. Tlj 8 h-22 h. On fait la queue au comptoir pour passer commande : omelettes, salades classiques, gros sandwichs, « bagels » avec toutes sortes de garnitures, crêpes, pâtisseries sont au menu de ce restaurant à l'atmosphère vivante et sans façon. Ventes à emporter. Bon café.

⊛ **Taqueria El Balazo**, 1654 Haight St. (C2), ☎ (415) 864 8608. Tlj 10 h-23 h. Petite salle aux couleurs très vives et agréable jardinet à l'arrière pour déguster à tout petit prix les « tacos », « burritos » et autres spécialités mexicaines. Bon choix de salades et de plats plus consistants de même inspiration. Délicieux menu végétarien.

De 10 à 15 $

Magnolia Pub & Brewery, 1398 Haight St. (B2), ☎ (415) 864 7468. Le principal attrait de ce pub reste son grand choix de bières, y compris celle qui est brassée sur place. Cuisine classique américaine, avec burgers plantureux, moules à la bière ou plats d'inspiration méditerranéenne. Le brunch y est particulièrement populaire.

• **Castro et Noe Valley** (Plan IV)

De 5 à 10 $

Pasta Pomodoro, 4000 24th St. (D3), ☎ (415) 920 9904. Neuf adresses en ville pour ce restaurant italien aux plats copieux et abordables, dans un décor

sobre et agréable. Celle de Noe Valley est similaire à celles d'Union St. (n° 655 et 1875), de Haight St. (n° 598) ou de Castro (2304 Market St.).

⊛ **Miss Millie's**, 4123 24th St. (D3), ☎ (415) 285 5598. Très populaire pour le petit-déjeuner ou le brunch du week-end, ce petit restaurant style bistro propose des recettes traditionnelles américaines, des œufs à toutes les sauces, des plats de viande ou de poisson, et des crêpes et pâtisseries à oublier tous les régimes. Souvent bondé.

De 10 à 15 $

The Firefly, 4288 24th St. (D3), ☎ (415) 821 7652. Dîner seulement. Une robuste cuisine comme à la maison, mais en bien meilleur, voilà la réputation de ce chef de Noe Valley. Les menus changent souvent, mais les plats restent copieux et soignés, dans un décor agréable. Les salades composent un délicieux repas léger. Plats végétariens également.

2223, 2223 Market St. (D2), ☎ (415) 431 0692. Lundi-samedi 18 h-22 h (23 h le samedi), dimanche 11 h-15 h. Cuisine américaine traditionnelle, avec quelques écarts exotiques. L'endroit à la mode pour manger du poulet rôti ou du porc laqué aux noix de pékan. Au cœur de Castro, populaire parmi la communauté gay, mais clientèle cosmopolite.

De 20 à 30 $

⊛ **Zuni Cafe**, 1658 Market St. (D2), ☎ (415) 552 2522. Vers Castro, trois blocs après Van Ness Ave., l'un des hauts lieux branchés, pour jeunes beaux, riches et décontractés. Ambiance vibrante et cuisine néo-méditerranéenne. Les plats les plus simples sont les meilleurs, comme la salade César ou les joues de bœuf braisées au vin blanc.

• **Mission District** (Plan IV)

Moins de 5 $

La Palma Mexicatessen, 2884 24th St. (E3), ☎ (415) 647 1500. À mi-chemin entre épicerie et fast-food mexicain, voici un endroit où les tortillas sont faites maison et où l'on mange des « tacos » à partir de 2 $. La plupart des employés ne parlent qu'espagnol.

La Taqueria, 2889 Mission St. (E3), ☎ (415) 285 7117. Tlj 11 h-21 h. Des spécialités mexicaines à prix plancher dans cette cafétéria à l'allure banale. Les « burritos » (moins de 4 $) sont parmi les meilleurs de la ville, comme la nombreuse clientèle locale le prouve.

De 5 à 10 $

Cafe Ethiopia, 878 Valencia St. (D2), ☎ (415) 285 2728. Cadre simple et cuisine africaine, servie avec des galettes de pain qui servent de couverts. Cela va des salades au ragoût de bœuf, d'agneau ou de poulet, avec des sauces très parfumées et épicées.

Dolores Park Cafe, 501 Dolores St., à l'angle de 18th St. (D2), ☎ (415) 621 2936. Tlj 7 h-20 h. Un café face au parc, pour manger des sandwichs chauds plantureux au poulet ou au « pastrami », des salades, des « bagels », et choisir l'un des jus de fruits bien frais.

Cafe Macondo, 3159 16th St. (D2), ☎ (415) 431 7516. Lundi-vendredi 10 h-22 h, samedi-dimanche 11 h-22 h. Une adresse coup de cœur, où on se sent chez soi, entre murs colorés tapissés de livres, affiches, vieilles réclames, tables et fauteuils dépareillés, grandes effigies de papier mâché... On y grignote des « bagels » ou des salades, des quiches ou des plats du jour style « fusion food » à prix très doux. Du jazz cool en fond musical, et le bruissement des pales du ventilateur pour lire, rêver, discuter...

Pintxos, 557 Valencia St. (D2), ☎ (415) 565 0207. Ce restaurant d'inspiration basque est devenu l'un des plus courus du quartier pour ses tapas, sa paella et sa polenta. Mais le service est lent.

Slanted Door, 584 Valencia St. (D2), ☎ (415) 861 8032. Fermé le lundi. Restaurant vietnamien très à la mode, où il faut réserver à l'avance. La nourriture y est excellente, librement inspirée par la créativité du chef. Essayez le poulet au caramel, le bœuf sauté, les crêpes délicieuses ou même le gâteau au chocolat.

Où acheter à manger

Les prix prohibitifs des restaurants et le farniente dans les parcs vous pousseront à acheter de délicieux pique-niques dans les épiceries ethniques ou les boutiques d'aliments bio.

Cala foods, 690 Stanyan St. (Plan IV B2), ☎ (415) 752 3940. Tlj 24 h/24.

Supermarché très bien fourni, juste en face de l'entrée de Golden Gate Park, au bout de Haight St. Un rayon traiteur sympathique, grand choix de salades et de grillades. Prix raisonnables.

Harvest Market, 2285 Market St. (Plan IV D2), ☎ (415) 626 0805. Grande épicerie fine, très sympathique. Au rayon traiteur, grand choix de salades, soupes, plats chauds (de 5 à 6 $). On trouve aussi différents pains, des fromages, de la charcuterie, des muffins.

Où sortir, où boire un verre

Cafés, salons de thé

Que ce soit la mode grandissante du café ou des thés parfumés, celle des énormes glaces à l'américaine ou encore des boissons aux fruits ou autres milk-shakes, les longues marches dans les rues en pente vous obligeront à faire des haltes.

• Downtown et Chinatown (Plan II)

Café de la Presse, 352 Grant Ave., en face du Chinatown Gate (B2), ☎ (415) 398 2680. Tlj 7 h-23 h. Point d'ancrage des Français, une adresse où le café et les croissants sont bien de chez nous, où l'on achète la presse française et où les serveurs parlent français. Un bain pour les nostalgiques du pays. On y mange à toute heure, mais c'est un peu cher.

The Compass Rose, 335 Powell St., Westin St Francis Hotel (B2), ☎ (415) 397 7000. Selon que vous y commandiez un thé aux petits fours ou un véritable repas, il vous faudra débourser de 10 à 35 $ pour l'« afternoon tea » dans le restaurant légendaire du Westin St Francis. Le cadre suranné est exceptionnel, riche des souvenirs de rois et de reines compassés, d'un Aga Khan romantique, d'inaccessibles stars hollywoodiennes...

Washington Bakery, 733 Washington St. (B1), ☎ (415) 397 3232. Au cœur de Chinatown, une grande cafétéria, spécialisée dans les pâtisseries asiatiques et le « pearl milk » (lait de tapioca), une sorte de milk-shake à tous les parfums imaginables, du litchi au melon en passant par le haricot...

Virgin Megastore Cafe, 2 Stockton St. (B3), ☎ (415) 397 4525. Tlj 9 h-23 h. Une grande verrière dominant Market St., au fond du rayon livres, très agréable pour la pause du matin. Cafés, cookies, muffins, quiches, sandwichs.

Frjtz, 579 Hayes St. (Plan IV D1), ☎ (415) 864 7654. Dimanche-jeudi 8 h-22 h, vendredi-samedi 8 h-24 h. Petite salle en longueur avec un adorable jardinet à l'arrière. Très bon café, énormes salades, crêpes, sandwichs et frites belges avec un grand choix de sauces. Ventes à emporter.

• **Haight-Ashbury, Noe Valley** (Plan IV)

Coffee, Tea & Spice, 1630 Haight St. (B2), ☎ (415) 861 3953. Lundi-vendredi 7 h-19 h, samedi 8 h-18 h, dimanche 9 h 30-17 h. Joli petit salon de thé avec salle à l'étage et bow-window sur jardin. Bonne sélection de cafés, thés, pâtisseries et quiches.

Martha & Bros Cafe, 24th St. (D3), ☎ (415) 431 7516. Au cœur de Noe Valley, l'endroit où boire son café pour les 30 sortes de grains grillés et moulus sur place. Possibilité de les aromatiser à la cannelle, à la noisette, à la noix de coco, à l'orange, au chocolat. Et quand il fait beau, on le boit dehors, sur un banc, en regardant passer le monde…

• **Fisherman's Wharf, Cow's Hollow** (Plan III)

Buena Vista Cafe, 2765 Hyde St. (C2), ☎ (415) 474 5044. Tlj 9 h-2 h. Entre Fisherman's Wharf et le Ghirardelli Square, ce bar s'est devenu célèbre pour son « Irish Coffee », dont on vous dit que le patron a inventé la recette. On peut aussi y manger des snacks.

La Nouvelle Pâtisserie, Union St. (B3), ☎ (415) 346 4430. Tlj 6 h 30-20 h (plus tard les vendredi et samedi). Un vrai pâtissier français, dont les gâteaux, les croissants et l'expresso ont le goût que l'on aime. Fait aussi de délicieuses quiches, avec ou sans salade.

Bars

• **Downtown et Chinatown** (Plan II)

Blue Lamp, 561 Geary Blvd (A3), ☎ (415) 885 1464. Tlj 11 h-2 h. Musique blues, rock ou acoustique tous les soirs à partir de 22 h. Petit bar un peu enfumé à la clientèle très variée.

Biscuits & Blues, 401 Mason St., près de Geary Blvd (A3), ☎ (415)

292 2583. Lundi-vendredi 17 h-0 h 30, samedi-dimanche 18 h-0 h 30. Un temple à la musique blues du Sud, sorte de club de jazz en sous-sol, où l'on peut manger une cuisine typique (avant 22 h). Entrée payante selon les concerts. Tenue décontractée.

Fillmore, 1805 Geary Blvd, à l'angle de Fillmore St. (Plan IV D1), ☎ (415) 346 6000, www.thefillmore.com. C'est dans cette salle mythique des années 1960 qu'ont débuté Carlos Santana et Janis Joplin. Rendez-vous obligé de toute la scène rock mondiale. Se renseigner à l'avance sur les programmes.

Li Po, 916 Grant Ave. (B1), ☎ (415) 982 0072. Tlj 14 h-2 h. Pas du tout touristique, un bar de quartier en plein Chinatown. Lumière avare sous le regard d'un énorme bouddha composent l'ambiance d'un film de Hong Kong. Pour déguster une bière chinoise au son du mandarin…

• **North Beach** (Plan III)

Vesuvio, 255 Columbus Ave., près de Broadway (E3), ☎ (415) 362 3370. Tlj 6 h-2 h. À côté du City Lights Bookstore, ce bar au décor patiné, envahi par les vieilles photos, fut le repaire des beatniks qui refaisaient le monde dans les années 1960. Artistes et écrivains s'y donnent rendez-vous, dans une ambiance délicieusement « funky ».

The Spec's, 12 Saroyan St., près de Columbus (E3), ☎ (415) 421 4112. Tlj 17 h-2 h. Dans une impasse, non loin du Vesuvio, tout aussi envahi par les héritiers de la « beat generation », un bar d'intellos en goguette, où l'on boit de la bière en écoutant du blues et des conversations métaphysiques ou avinées. Fouillis de souvenirs pleins de charme.

Caffe Trieste, 601 Vallejo St., à l'angle de Grant Ave. (E3), ☎ (415) 392 6739. Tlj 6 h 30-23 h 30. Café italien fréquenté par les intellos nostalgiques de la « beat generation », de Kerouac et de Ginsberg. On y refait le monde en buvant un café et en mangeant une pâtisserie. Le samedi après-midi, concert familial à l'italienne.

Tosca's Cafe, 242 Columbus Ave. (E3), ☎ (415) 391 1244. Tlj 17 h-2 h. Décor en bois et banquettes rouges en moleskine pour un café-bar qui vibre au son de l'opéra, sorti du vieux juke-box. Boissons alcoolisées ou non, à base de café, chocolat, whisky… Beaucoup d'atmosphère, surtout en début de soirée. Après, le bruit de la boîte voisine gâche tout.

🎵 **1232 Saloon**, 1232 Grant Ave. (E3), ☎ (415) 986 7666. Musique live tous les soirs, une déco qui semble dater de son ouverture en 1861, et une clientèle d'habitués qui balancent entre blues et rock. Un caractère certain…

• **SoMa**

Thirsty Bear, 661 Howard St., près de 3rd St. (Plan II C3), ☎ (415) 974 0905. On brasse la bière sur place dans ce pub proche du SF MOMA. Les tapas et plats espagnols sont très bons, et l'atmosphère est chaleureuse et décontractée, attirant de plus en plus de yuppies dans un quartier qui monte.

• **Mission**

Doc's Clock, 2575 Mission St., entre 21st St. et 22nd St. (Plan IV E3), ☎ (415) 824 3627. Ambiance assurée par les habitués branchés et par une clientèle latino qui vibre sur la musique salsa.

LOISIRS

Journaux – Le **San Francisco Examiner** est un quotidien local dont l'édition du vendredi contient les programmes culturels (www.examiner.com). Autre titre, le **San Francisco Chronicle**, consacre son numéro du dimanche aux loisirs et sorties (www.sfgate.com/chronicle/). Gratuit, disponible dans les distributeurs de rue, les commerces et les restaurants, le **San Francisco Bay Guardian** liste les restaurants branchés, les sorties incontournables du moment et la liste des films et pièces de théâtre.

Balades d'exception – Pour découvrir la ville et les environs, vous serez peut-être tenté par une limousine de star, toute en longueur et vitres fumées. Le luxe sera plus abordable à plusieurs (on y tient à 6 ou 8). **All City Limousine**, ☎ 1-800 723 7854 ; **Celebrity Limousine**, ☎ 1-800 307 7974.

Pour survoler la ville et la baie en hélicoptère, appelez **San Francisco Helicopter Tours**, ☎ 1-800 400 2404. Comptez plus de 100 $ par personne pour un survol de la ville, du Golden Gate Bridge et d'Alcatraz (20 mn).

Roller – **Golden Gate Park Skate & Bike**, 3038 Fulton St. (Plan IV A2), ☎ (415) 668 1117. Permet de louer son équipement pour parcourir le parc. Idéal le week-end, quand la circulation y est coupée. Pour les autres sites, voir la rubrique « location de vélos ».

Base-ball / Football – Pour les fans de base-ball, la célèbre équipe des **San Francisco Giants** est basée au Pacific Bell Park, sur la baie, au sud de l'Oakland Bay Bridge. Le stade est ouvert à la visite tous les jours de 10 h à 14 h. Infos sur www.sfgiants.com. Saison de juillet à septembre.

Tout aussi populaire, le football américain est représenté par les célèbres **San Francisco 49ers** (fortyniners), qui jouent au 3Com Park. La saison court de août à décembre, le dimanche à 13 h. Comptez 45 $. Infos sur www.sf49ers.com.

ACHATS

Souvenirs – **Route 66**, 2633 Taylor St., près de Fisherman's Wharf (Plan III D2), ☎ (415) 749 0781. Pour ramener une jolie réclame rétro en tôle peinte. Tout y est à la gloire de Coca-Cola, Chevrolet et Harley Davidson, mais c'est pour ça qu'on l'aime.

Vêtements – **Ross Dress for Less**, 799 Market St. (Plan II B3), ☎ (415) 957 9222. Grand magasin spécialisé dans les vêtements de marque de second choix ou de la collection passée. On y fait de bonnes affaires en fouillant bien, côté jeans, chemises ou tee-shirts de marque (Ralph Lauren, Tommy Hilfiger, Liz Claiborne, DKNY…).

Chaussures – **DSW**, 11 Powell St. (Plan II B3), ☎ (415) 445 9511. Chaussures de marque à prix cassés. Grand choix pour les tenues habillées et les chaussures de sport.

Librairie – **Rizzoli Bookstore**, 117 Post St. (Plan II B2), ☎ (415) 984 0225. Superbe librairie spécialisée dans les beaux livres et l'art.

Musique – **Amoeba Music**, 1855 Haight St. (Plan IV B2), ☎ (415) 831 1200, www.amoeba-music.com.

Un magasin de disques, vinyles et CD, rassemblant tout ce que vous pouvez imaginer en matière de création musicale sur les cinq continents. Vente aussi sur Internet.

FÊTES/FESTIVALS

Le programme culturel de la ville est l'un des plus riches des États-Unis. Renseignez-vous sur Internet dès que vous connaissez vos dates de séjour.

Chinese New Year : entre février et mars, selon les années. C'est l'une des plus vivantes et colorées des États-Unis. Elle dure presque une semaine et la grande parade finale traverse le centre-ville pendant toute une journée.

Cinco de Mayo : la semaine précédant le 5 mai. Cette fête latine célèbre la victoire des Mexicains sur Napoléon III. Elle est prétexte à des danses, concerts et festins dans les rues de Mission District. La parade finale se déroule le dimanche le plus proche du 5 mai. Le dernier week-end de mai, la communauté latine célèbre aussi le *Carnaval*, une grande fête colorée.

Gay Pride : la dernière semaine de juin. Elle prend tout son relief à San Francisco, où la communauté gay est importante et influente. Le défilé final constitue le clou du spectacle et attire plus de 300 000 spectateurs chaque année, dans un fouillis coloré et bon enfant.

San Francisco Blues Festival : sur deux jours, la dernière semaine de septembre. C'est l'un des plus anciens des États-Unis. Les meilleurs bluesmen du monde se produisent à Fort Mason.

San Francisco Jazz Festival : sur deux semaines de fin octobre à début novembre. Un rendez-vous incontournable pour les amateurs, accueillant des groupes du monde entier.

EXCURSIONS D'UNE JOURNÉE

De San Francisco, il est possible d'organiser une excursion vers Oakland et Berkeley (voir p. 176), le Marin County (voir p. 186), la Napa Valley (voir p. 192) ou la Silicon Valley (voir p. 182). *Tower Tours* (☎ (415) 434 8687) organise des excursions en autocar à la journée vers Monterey et Carmel (voir p. 232), Yosemite Park (voir p. 208) ou la Napa Valley (voir p. 192). Comptez de 50 à 100 $ par personne. Pour une minicroisière dans la baie, autour du Golden Gate et d'Alcatraz, adressez-vous à *Blue & Gold Fleet* aux Piers 39 et 41, ou à *Red & White Fleet* au Pier 43. Billet compris dans le forfait City Pass, sinon comptez 17 $ pour un adulte et 9 $ pour un enfant.

EAST BAY★

OAKLAND ET BERKELEY

En face de San Francisco par le Bay Bridge
Carte Michelin n° 493 A8

À ne pas manquer

L'étonnante galerie d'art Expressions et le Museum of California à Oakland.
Prendre un café à la terrasse du Free Speech Movement Cafe de Berkeley.

Conseils

Si vous tenez à voir les deux villes en une journée,
commencez par Oakland tôt le matin
et visitez ensuite Berkeley, plus chaleureuse le soir.

De l'autre côté de l'immense Bay Bridge, achevé en 1936, Oakland, le grand port cosmopolite, rivalise avec sa voisine, Berkeley, pôle universitaire et intellectuel. Longtemps simples pâturages sur une longue crête de collines boisées, leurs terres devinrent vers 1820 la propriété de Luís María Peralta, dont le ranch englobait la quasi-totalité de l'est de la baie. Comme à San Francisco, c'est la ruée vers l'or qui changea le destin de cette région. Indissociables de leur grande voisine, ces deux villes ont façonné l'histoire de la baie : Oakland, gardienne de son identité ouvrière, en est le véritable port, tandis que Berkeley reste le symbole universel de la contestation intellectuelle des années 1960.

Oakland★

10 miles à l'est de San Francisco. 405 400 hab.
Comptez une demi-journée.

Au début du 19e s., il n'y avait là qu'un embarcadère privé du ranch Peralta pour le négoce du cuir de vache. Avec l'afflux des chercheurs d'or, après 1850, beaucoup découvrirent cette rive de la baie, plus fertile et plus boisée que les collines sablonneuses de San Francisco (Oakland signifie « pays du chêne »). La spéculation immobilière eut finalement raison de l'immense ranch. Après l'arrivée du chemin de fer reliant les côtes Est et Ouest, Oakland devint une importante plate-forme de transport, concentrant tout le commerce de la région, entre le terminal ferroviaire et un port florissant. Moins touchée que sa voisine par le tremblement de terre de 1906, la ville accueillit plus de 150 000 réfugiés. Malgré un grave déclin au cours du 20e s., Oakland resta l'un des vingt plus grands ports de commerce du monde et une métropole ouvrière multiethnique. Éprouvée par la crise économique du milieu du 20e s., elle souffrit longtemps d'une image négative, liée à la drogue et à la violence. C'est dans ce terreau de pauvreté et de ségrégation raciale qu'est né le mouvement des **Black Panthers**, symbole de la résistance politique de la population noire. Aujourd'hui, l'urbanisation ambitieuse et le dynamisme des communautés multiraciales en font une cité attrayante et en plein essor.

Si vous venez à Oakland par le Bart (voir p. 163), descendez à la station 12th Street et empruntez l'escalator vers la sortie 14th St.

Au sortir du Bart, le nouveau centre d'Oakland est une zone piétonne très fleurie, encadrée à l'est par la tour-horloge de l'Oakland Tribune, et à l'ouest par les deux tours jumelles du Federal Building. L'architecture est résolument contemporaine, mais conserve une taille humaine, avec des bancs et des arcades.

Traversez le Federal Building et dirigez-vous vers Preservation Park.

Preservation Park★★ *(entrée libre)* est une ancienne rue du 19e s. Chacune des 16 maisons amoureusement réhabilitées illustre les styles d'architecture entre 1870 et 1911 : tourelles Queen Anne, corniches et moulures italianisantes, frontons, bow-

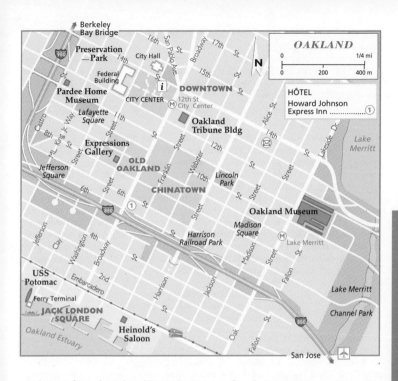

windows et frises du Colonial Revival… Juste en face, le **Pardee Home Museum***
(☎ *(510) 444 2187. Visite guidée les vendredi et samedi à 12 h. Entrée : 5 $), de style*
italianisant, était la demeure de dirigeants de la ville. Elle rassemble une riche collection d'objets et de meubles de l'époque victorienne.

*De 12ᵗʰ St., prenez à droite dans Martin Luther King Jr. Way, puis à gauche dans 10ᵗʰ St.,
pour rejoindre Washington St. et Old Oakland.*

Old Oakland* est le vieux centre-ville, principalement organisé autour de
Washington Street. Notez les élégants immeubles en brique, sur deux étages, avec
leurs parements de fenêtres italianisants et leurs bow-windows. Ne manquez pas la
délirante galerie d'art **Expressions**** et ses expositions d'« humanoïdes », comme les
appelle l'artiste : tout un monde fantaisiste de sculptures colorées retrace des scènes
de vie de la communauté noire. À l'est de Washington Street, à partir de Broadway,
s'étend le **quartier chinois** d'Oakland.

Suivez Broadway vers le sud et passez sous l'I-880 pour rejoindre Jack London Square.

Au-delà des grands entrepôts de fruits et légumes *(marché le dimanche matin),* la voie
ferrée longe la rue qui sépare la ville du port. Le grondement du train et son pittoresque sifflement participent au charme du quartier. De l'autre côté des rails s'ouvre
Jack London Square, le front de mer entièrement réhabilité, avec marina, hôtels et
restaurants. À droite est amarré l'**USS Potomac***, l'ancien yacht présidentiel, surnommé la « Maison Blanche flottante », où le président Roosevelt passa de longs
moments de détente et organisa des réunions informelles. Il y reçut les souverains
britanniques, George VI et la reine Elizabeth, en 1939 (☎ *(510) 627 1502. Visite
guidée les mercredi et vendredi de 10 h à 14 h et le dimanche de 12 h à 16 h, dernier billet
45 mn avant la fermeture ; fermé la 2ᵉ quinzaine de décembre. Entrée : 3 $).*

À l'autre extrémité du square, le **Heinold's First and Last Chance Saloon*** est le bar que fréquentait Jack London à la fin du 19ᵉ s. L'écrivain, qui grandit à Oakland, venait y vendre des journaux quand il était enfant. Il y rencontra toutes sortes de personnages qui firent naître plus tard son goût pour l'aventure. Apprécié de même par Robert L. Stevenson ou Ambrose Pierce, ce bar est reconnu comme un véritable monument littéraire national.

Quittez le port par Jackson St., à l'est, remontez jusqu'à 10ᵗʰ St. et prenez à droite jusqu'à Oak St.

L'Oakland Museum of California** *(à l'angle d'Oak St. et de 10ᵗʰ St., ☎ (510) 238 2200, www.museumca.org. Mardi-samedi 10h-17h, dimanche 12h-17h, ouvert jusqu'à 21h le vendredi; fermé les lundi, 1ᵉʳ janvier, 4 juillet, pour Thanksgiving et Noël. Entrée : 13 $)* est un passionnant musée, évoquant tous les thèmes de l'histoire naturelle, humaine et artistique de la Californie. Au rez-de-chaussée, différents **écosystèmes** ont été reconstitués. Au premier étage, c'est l'**histoire des populations**** successives, depuis les Indiens et les premiers missionnaires jusqu'aux inventeurs du futur de la Silicon Valley, en passant par les colons et les aventuriers (chercheurs d'or ou rêveurs hollywoodiens). Le second étage est consacré aux **collections d'art****, avec des photographies ou des peintures, de nombreux paysages californiens et des œuvres contemporaines d'artistes vivant ou travaillant sur la côte Ouest, tel Richard Diebenkorn.

Berkeley*
12 miles à l'est de San Francisco. 104 300 hab.
Comptez une demi-journée.

Ancienne terre agricole, Berkeley doit son essor à l'implantation d'une université en 1868, qui supplanta rapidement celle d'Oakland, dont les intellectuels fuyaient l'intense activité ouvrière. La ville prit le nom d'un théologien philosophe irlandais et gagna peu à peu la réputation d'une localité calme et verdoyante, peuplée d'universitaires. Malgré son architecture prestigieuse et ses musées exceptionnels, c'est surtout dans les années 1960 que l'université de Berkeley devint célèbre, devenant le symbole universel de la contestation étudiante. Toutes les grandes luttes sociales y étaient défendues, celles des droits civiques, de la liberté d'expression, de l'égalité raciale. People's Park, l'un des jardins de la ville, devint le centre de ralliement de toute la jeunesse gauchiste, et l'université elle-même le siège de sit-in très politisés. De cette époque, Berkeley a gardé un profil de tolérance et d'ouverture sur les communautés multiethniques, tout en se plaçant parmi les meilleures universités du pays, avec près de 1 500 enseignants et 8 Prix Nobel.

À la sortie du Bart, longez Shattuck Ave. vers le sud et prenez à gauche dans Bancroft Way.

L'UC Berkeley Art Museum** *(2626 Bancroft Way, ☎ (510) 642 0808. Mercredi-dimanche 11h-17h/21h le jeudi; fermé pendant les vacances universitaires. Entrée : 6 $)* possède une très belle collection d'**art asiatique***, dont de rares objets sacrés en céramique témoignant des rites mortuaires (3ᵉ-1ᵉʳ s. av. J.-C.) et de ravissantes peintures indiennes ou musulmanes (15ᵉ-19ᵉ s.). La **peinture occidentale*** est mise à l'honneur, depuis le 19ᵉ s. jusqu'aux artistes contemporains, comme Bacon, Pollock, Clyfford Still ou Alechinsky.

De l'autre côté de la rue, le **Phoebe Hearst Museum of Anthropology**** *(103 Kroeber Hall sur Bancroft Way, ☎ (510) 643 7648. Mercredi-dimanche 10h-16h30/21h le jeudi; fermé pendant les vacances universitaires. Entrée : 2 $)* s'enorgueillit de l'une des plus belles collections anthropologiques du monde. Quatre millions d'objet, accompagnés d'explications passionnantes *(en anglais)*, témoignent des coutumes de toutes les peuplades de la terre. Les salles, malheureusement trop exiguës, accueillent des expositions temporaires, privilégiant plusieurs thèmes à la fois.

Telegraph Avenue est la grande rue perpendiculaire à Bancroft Way, face à l'entrée du campus. L'atmosphère est chaleureuse et conviviale, entre les cafés d'intellectuels, les « cantines » d'étudiants, les librairies et les boutiques de fripes ou de musique, baignés de parfums d'expresso ou de senteurs d'encens. À deux pas de là, le long de Haste Street, **People's Park** est devenu un repère de marginaux et n'est plus que le pâle reflet de l'épopée des années 1960, quand les hippies y campaient.

University of California★★

On pénètre dans le campus par le **Sather Gate** *(face à Telegraph Ave.)*, un massif portail de bronze de 1910. Avant de le franchir, les nostalgiques pourront faire un détour par la **Sproul Plaza**, où furent organisés les célèbres sit-in des années 1960. Au début du 20ᵉ s., Phoebe Hearst (la mère du magnat de la presse) contribua à l'aménagement de ce campus prestigieux, grâce à ses dons et aux subventions qu'elle fit obtenir. L'ensemble s'inspire de l'architecture de la Grèce antique. Les différents bâtiments de l'université, qui portent tous le nom de mécènes, sont dispersés sur une étendue boisée de 500 ha, mais les plus spectaculaires se trouvent autour de sa partie centrale, comprise entre les deux bras du Strawberry Creek.

Prenez le temps de flâner le long des allées, bordées d'imposants édifices de styles néo-classique. Le massif **Life Sciences Building**, qui se dresse à l'ouest, abrite un **musée de Paléontologie** *(tlj 8h-17h. Entrée libre)*. Pour goûter l'ambiance du campus, arrêtez-vous au **Free Speech Movement Café**★ *(à côté de la Doe Library. Lundi-jeudi 7h-22h, vendredi-samedi 7h-17h, dimanche 13h-22h)*, dont le nom rappelle l'épopée estudiantine de 1964, lorsque les intellectuels de la « beat generation » de San Francisco s'allièrent aux étudiants pour exiger le droit à la propagande politique sur le campus. Avec sa terrasse dominant le parc, c'est l'un des points de rencontre de l'université, idéal pour un café ou un snack.

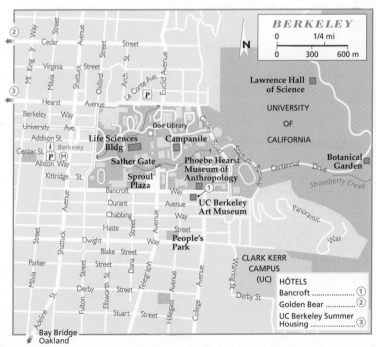

L'université de Berkeley

L'édifice le plus emblématique reste le **Campanile**★ (Sather Tower), inspiré de celui de la place St-Marc de Venise. Les 61 cloches du carillon s'animent régulièrement pour de pittoresques concerts (*7h50, 12h et 18h en semaine, 14h le dimanche*). On peut aussi monter jusqu'au 8ᵉ étage pour embrasser le panorama sur tout le campus et la baie (*lundi-vendredi 10h-16h, dimanche 10h-14h/15h-17h. Entrée : 1$*).

Si vous disposez d'un peu de temps, empruntez Centennial Drive (*à l'est du Campanile, à partir de Stadium Rimway*) pour visiter l'**UC Botanical Garden** (*tlj 9h-16h45. Entrée libre*) et ses agréables jardins des cinq continents.

Un peu plus loin, sur la même route, le **Lawrence Hall of Science** (*tlj 10h-17h. Entrée : 6$*) est un musée des Sciences interactif abordant de façon vivante et concrète les mathématiques, la physique, la chimie et l'astronomie.

Vous pouvez quitter le campus par le North Gate et rejoindre ainsi **Euclid Avenue**. Ce quartier résidentiel vert et tranquille est bordé de cafés et de restaurants.

East Bay pratique

Arriver-partir

En voiture – Traversez le Bay Bridge par l'I-80. Oakland est à 10 miles (sortie 12th Street), Berkeley à 12 miles.

En Bart – Certaines lignes desservent les villes de la baie, voir p. 163. Comptez 15 mn de Downtown San Francisco jusqu'à Oakland-12ᵗʰ Street (4,40 $ AR) et 25 mn jusqu'à Berkeley (5,30 $ AR). Vous pouvez acheter le billet AR en mettant le double de la somme de l'aller simple. À l'arrivée, la machine vous restituera le ticket que vous réutiliserez pour le retour.

En ferry – La compagnie **Alameda-Oakland Ferry** relie le Ferry Building de San Francisco à Oakland et Jack London Square. 12 départs quotidiens en semaine (entre 6h30 et 20h45), 6 le week-end (de 9h25 à 19h). Comptez 9,50 $ AR.

Où loger

• **Oakland**

De 80 à 100 $

Howard Johnson Express Inn, 423 7ᵗʰ St., ☎ (510) 451 6316 – 110 ch. ⌖ ✆ TV CC Sans caractère, mais pratique si l'on est en voiture, près de la bretelle d'autoroute, à mi-chemin du port et du centre. Petit-déjeuner léger inclus. Négocier le prix hors saison.

● **Berkeley**

De 40 à 60 $
UC Berkeley Summer Housing, 2700
Hearst Ave., ☎ (510) 642 5925 – CC
Entre juin et août, chambres d'étudiants
style résidence universitaire. Laverie et
parking payants.

De 80 à 100 $
Golden Bear Motel, 1620 San Pablo
Ave., ☎ (510) 525 6770 – ☜ ℱ TV CC
Agréable motel de style pseudo espa-
gnol, dans une avenue perpendiculaire à
University Ave. du côté de la baie. Bon
rapport qualité-prix.

De 100 à 120 $
☗ **Bancroft Hotel**, 2680 Bancroft
Way, ☎ (510) 549 1000 – 22 ch. ☜ ℱ
TV CC En face du musée de Paléontologie, à deux pas du campus, un petit
hôtel de charme très confortable et
agréablement décoré. De la terrasse du
toit, jolie vue sur la baie et les collines.
Petit-déjeuner inclus.

Où se restaurer

● **Oakland**

Moins de 5 $
Ratto's, 821 Washington St., ☎ (510)
832 6503. Lundi-vendredi 9 h-18 h, samedi 9 h 30-17 h. Un traiteur-épicerie
fine où acheter de délicieux sandwichs,
pains variés, fromages et charcuteries du
monde entier, de même que des soupes
ou des salades.

De 5 à 10 $
Caffe 817, 817 Washington St.,
☎ (510) 271 7965. Petit café aux murs
en brique couverts de toiles contemporaines, pour de copieux petits-déjeuners,

salades et snacks légers. On y trouve
aussi d'excellents cookies et un choix de
thés et cafés.

☗ **Battambang**, 850 Broadway,
☎ (510) 839 8815. Lundi-jeudi 10 h 30-
21 h 30, vendredi-samedi jusqu'à 22 h,
dimanche 17 h-21 h 30. Considéré
comme le meilleur restaurant cambod-
gien des environs, ce petit établissement
familial sert une cuisine simple et
réussie, selon les meilleures recettes
traditionnelles et à prix très raisonnable.

● **Berkeley**

De 5 à 10 $
The Musical Offering, 2430 Bancroft
Way, ☎ (510) 849 0211. Entre cafétéria
et boutique de CD, on y mange à petit
prix des salades ou quiches le midi, des
plats un peu plus élaborés le soir, au son
de la musique classique.

☗ **Blakes**, 2367 Telegraph Ave.,
☎ (510) 848 0886. 11 h 30-22 h, bar
jusqu'à 2 h du matin. Vaste salle chaleureuse avec d'immenses toiles multicolores et une excellente ambiance musicale (principalement du blues). Bon
choix de salades et de plats classiques
américains, « tex-mex » ou latinos. Le
soir, le sous-sol fait night-club et l'ambiance est éminemment sympathique.
Un des « musts » de la ville.

Cafe Tibet, 2020 University Ave.,
☎ (510) 548 5553. Lundi-vendredi 11 h 30-14 h 30/17 h-22 h, samedi
et dimanche 17 h-22 h. Rare et inhabi-
tuel, ce petit restaurant tibétain propose
des recettes traditionnelles de ce pays,
adaptées au goût occidental par une cui-
sinière hors pair. Seuls les desserts sont
d'inspiration… française.

East Bay pratique

LA SILICON VALLEY★

Au sud de la péninsule de San Francisco,
autour de Palo Alto et San Jose – Carte Michelin n° 493 A8

Plus qu'une vallée, la région au sud de la baie est une petite plaine fertile d'environ 80 km de long, exploitée très tôt par les Espagnols pour fournir en denrées comestibles les cantonnements de San Francisco et Monterey. C'est désormais une vaste zone urbanisée englobant Palo Alto et l'université Stanford, l'une des plus prestigieuses du monde, ainsi que la ville de San Jose. Sous l'impulsion des chercheurs, des inventeurs et des jeunes chefs d'entreprise, les environs se sont peu à peu tournés vers la haute technologie. Les nombreuses firmes informatiques implantées dans la région, comme Apple, Intel, Hewlett-Packard ou Netscape, lui ont valu le nom de Silicon Valley (en référence au silicium, un semi-conducteur utilisé pour la fabrication des microprocesseurs). Aucun gratte-ciel pourtant ne pointe à l'horizon : la vallée ressemble plus à un immense quartier résidentiel.

Palo Alto★
59500 hab. Comptez une demi-journée.

El Camino Real (Hwy 82) est l'axe central de la Silicon Valley. Le centre-ville de Palo Alto est situé à l'est de la route, l'université Stanford à l'ouest. Pour parvenir au cœur du campus, suivez la direction Quadrangle.

Parmi les célébrités qui ont « fait » la réputation de la Silicon Valley, beaucoup sont originaires de Palo Alto ou ont étudié à Stanford University. Parmi eux, William Hewlett et David Packard, dont la compagnie est devenue l'un des symboles de la « vallée », ou encore Steve Jobs, génial inventeur du MacIntosh… Encore étudiants, ils firent leurs débuts dans de modestes garages des environs, avant de donner naissance à d'énormes multinationales. Depuis, on ne compte plus les entreprises de high-tech, laboratoires de recherche et sociétés de capital-risque installés dans la région, même si la crise de l'e-économie a un peu calmé les ardeurs…

Le centre de Palo Alto s'organise autour d'University Avenue, perpendiculaire à El Camino Real, à l'est. C'est là que s'alignent les boutiques et les restaurants fréquentés par les étudiants. Vous n'y retrouverez pas cependant l'atmosphère vibrante et contestataire de Berkeley. Ici, tout est beaucoup plus sérieux et plus policé.

Stanford University★★

Inaugurée en 1891, l'université couvre un immense campus de 3 300 ha et se vante de compter des chercheurs et des universitaires mondialement reconnus, dont 12 Prix Nobel et 4 Pulitzer. Ses départements de physique, de chimie et d'économie accueillent ceux qui se disent la future élite du monde. C'est en 1885, un an après la mort de son fils unique de 15 ans, que **Leland Stanford**, roi des chemins de fer, décida de créer cette université à sa mémoire, sur ses terres de Palo Alto. Le président de la Central Pacific Railroad, qui fut aussi gouverneur de Californie, voulait ainsi consacrer sa fortune à l'éducation des jeunes Californiens. À sa mort, en 1893, son épouse prit la suite. L'architecte s'inspira, comme pour beaucoup de bâtiments officiels, de styles composites, néo-roman, byzantin, espagnol.

Au bout de l'impressionnante avenue bordée d'immenses palmiers s'ouvre le **Quadrangle*** (surnommée *the Quad*), une place entourée d'arcades et de bâtiments à colonnades. L'énorme **Memorial Church*** (1903), dont la coupole et la façade sont couvertes de mosaïques, ajoute à la grandeur de la cour. Elle fut bâtie par Jane Stanford en souvenir de son mari. Son **orgue** est réputé pour ses 7 777 tuyaux.

Dominant le Quadrangle, la **Hoover Tower**, grande tour-horloge à carillon (87 m), veille sur le campus. Consacrée à l'histoire militaire, elle doit son nom à l'ancien président des États-Unis, qui étudia à Stanford. On a du sommet une vue sur tous les environs *(tlj 10 h-16 h 30 ; fermée durant les vacances universitaires. Entrée : 2 $).*

Ressortez du Quadrangle. Sur l'avenue d'accès, à moins de 100 m sur la gauche, un panneau signale le Cantor Museum.

Le Cantor Museum** *(Lomita Drive,* ☎ *(650) 723 4177. Mercredi-dimanche 11 h-17 h/20 h le jeudi ; fermé les lundi, mardi et jours fériés. Entrée libre)*, ancien Leland Stanford Jr Museum, fut à l'origine fondé par les Stanford en mémoire de leur fils. Achevé par Jane Stanford après la mort de son mari, il hérita des collections rares du couple. Très endommagé par les tremblements de terre de 1906 et 1989, il a pris à sa réouverture (1998) le nom de ses plus importants mécènes. Au noyau constitué par les collections Stanford se sont ajoutées d'autres collections inestimables. De l'architecture néo-classique en vogue à l'époque, on remarque sur la façade les **mosaïques** figurant l'évolution des arts à travers les âges. Notez aussi les lourdes **portes de bronze** à la gloire de l'architecture antique.

Une petite salle du rez-de-chaussée est consacrée aux Stanford : malgré leur réussite sociale et matérielle, on y lit tout le désespoir de parents ayant perdu leur unique enfant, arrivé tard dans leur vie. Le reste du musée se partage entre les salles des cinq continents, trésors d'Afrique, d'Océanie, d'Asie, d'Amérique du Nord et du Sud. Parmi les nombreux objets remarquables, on note une rare collection de 163 **netsuke japonais****, des objets rituels de la Chine préhistorique, de ravissants **autels portatifs japonais*** du 17ᵉ s., des manuscrits médiévaux, des objets de jade d'une stupéfiante finesse… Parmi les œuvres européennes, remarquez les **primitifs italiens****, des émaux de Limoges (13ᵉ s.) et les peintres flamands (16ᵉ et 17ᵉ s.). Une partie du musée, à l'arrière, est consacrée à l'**art contemporain** : Andy Warhol, Willem De Kooning, Duane Hanson, Roy De Forest…

Les abords du musée sont occupés par le **Rodin Sculpture Garden***, qui présente sur 4 000 m² une vingtaine de grands bronzes du sculpteur français. On note entre autres les personnages des *Bourgeois de Calais* ou *La Porte d'enfer*.

Escapade à Filoli**

13,5 miles à l'ouest de Palo Alto. ☎ *(650) 364 8300, www.filoli.org. Jeudi-samedi 10 h-15 h, du 15 février au 31 octobre. Quittez Palo Alto vers le nord par El Camino Real, puis prenez la Hwy 84 W. (attention, la route est à droite), puis la Hwy 280 N. Empruntez la sortie Edgewood Rd et suivez la direction Cañada Rd, à droite en bas de la colline. À un peu plus de 1 mile, un long grillage annonce le portail de Filoli sur la gauche.*

Cette immense propriété s'étend au pied des Coast Ranges, une chaîne de collines boisées séparant la Silicon Valley de l'océan. L'endroit donne une idée des conditions de vie des riches hommes d'affaires au tournant du 20ᵉ s. Le propriétaire tira sa fortune d'une mine d'or et se fit construire un imposant **manoir*** en U, de style georgien, entouré d'énormes chênes. L'agencement intérieur témoigne d'un goût certain pour les antiquités et les objets d'art, tels les lustres, tapis précieux et tapisseries. Dans la cuisine, le fourneau a été récupéré sur un paquebot transatlantique, rien de moins… Les **jardins****, d'inspiration française et italienne, s'étirent sur 6,5 ha. Les rythmes de floraison ont présidé au choix des espèces, et le parc offre une profusion de couleurs qui varient et se renouvellent à chaque saison.

San Jose★

908 300 hab. Comptez une demi-journée.

C'est autour de San Jose que la vallée s'est d'abord développée. Fondée en 1797, la mission prospéra grâce à son agriculture florissante (on la surnommait la « vallée des merveilles » pour ses superbes vergers), et la nouvelle communauté devint même brièvement en 1849 la capitale de la Californie. Au milieu du 20ᵉ s., l'agriculture céda peu à peu la place à des entreprises de haute technologie, d'électronique et d'informatique. À partir des années 1960, le nom de Silicon Valley finit par désigner l'ensemble des communes entourant San Jose, qui reste la troisième ville de Californie.

Les principaux centres d'intérêt sont regroupés dans Downtown, autour de l'intersection entre les deux grands axes de 1ˢᵗ St. et de San Carlos St. Nombreux parkings couverts.

Le Tech Museum of Innovation★★ *(201 S. Market St., ☏ (408) 294 8324, www.thetech.org. Tlj 10h-17h; fermé pour Thanksgiving et Noël. Entrée : 9 $, 16 $ avec le film. Bons pour le Tech Parking, auquel on accède par 2ⁿᵈ St. ou 3ʳᵈ St.),* s'inspirant de la proximité de la Silicon Valley, s'intéresse aux innovations technologiques. Des **stands interactifs** permettent de comprendre les lois de sciences aussi variées que l'électronique, la robotique, la modélisation par ordinateur ou les plus récentes techniques de communication ou d'exploration de l'univers. Un **cinéma IMAX** propose des documentaires divers, projetés sur un immense écran hémisphérique.

Le San Jose Museum of Art *(110 S. Market St., de l'autre côté de la place par rapport au Tech, ☏ (408) 294 2787, www.sjmusart.org. Mardi-dimanche 10h-17h/20h le jeudi; fermé le lundi. Entrée : 7 $, gratuite le premier jeudi du mois)* se consacre entièrement à l'art du 20ᵉ s. Outre sa collection permanente de peintures et de photographies, il organise des expositions temporaires de qualité reconnue.

Le San Jose Historical Museum★ *(1650 Senter Rd, à 2 miles du centre. Suivez Market St. vers le sud, prenez à gauche dans Keyes St. jusqu'à Senter Rd. ☏ (408) 287 2290. Mardi-dimanche 12h-17h; fermé le lundi. Entrée : 6 $)* rassemble 28 maisons et ateliers, restaurés ou reconstitués comme ceux du 19ᵉ s. Répliques de trolleys, de rues pavées et d'artisanats anciens retracent la vie quotidienne des débuts de San Jose.

Les passionnés d'Égypte ancienne se rendront au **Rosicrucian Egyptian Museum**★, dont l'architecture évoque celle d'un temple égyptien *(1342 Naglee Ave. Remontez l'une des rues principales vers le nord, et prenez à gauche dans Taylor St., qui devient Naglee Ave. ☏ (408) 947 3636, www.rosicrucian.org. Tlj 10h-17h; fermé les jours fériés. Entrée : 7 $).* Sous l'égide de l'ordre de la Rose-Croix, ce musée a réuni une importante collection d'objets d'art de l'ancienne Égypte. Une attention particulière est portée aux rites funéraires, à la momification et à la conception des tombeaux.

À l'ouest du centre-ville, la **Winchester Mystery House**★ est l'une de ces folies architecturales nées de l'excentricité de leur riche propriétaire *(525 S. Winchester Blvd. Suivez San Carlos St. puis San Carlos Blvd vers l'ouest, et tournez à gauche dans Winchester Blvd. ☏ (408) 247 2101. Tlj 9h-17h de septembre à mi-juin; fermeture à 19h les vendredi et samedi de mai à mi-juin et en septembre/9h-18h de mi-juin à août. Entrée : 15 $ pour la maison ou les pièces annexes, 22 $ pour les deux. Visites guidées).* Celle-ci naquit des excès de **Sarah Winchester**, dont le mari fabriquait les célèbres carabines. Elle fit construire cette étrange demeure entre 1884 et 1922. Ce ne sont pas les 160 pièces qui sont étonnantes, malgré leur surprenante modernité et leur confort inattendu pour l'époque, mais plutôt leur agencement délirant : fenêtre dans le sol, escaliers ne menant nulle part, cheminée montant sur quatre étages pour s'arrêter juste en dessous du toit, portes ouvrant sur des murs… On a expliqué la folie bâtisseuse de la pauvre femme par le choc de la mort de sa petite fille et de son mari. Un médium peu scrupuleux la convainquit que les esprits des malheureux tués par les inombrables carabines de son défunt époux ne la laisseraient en vie que si elle bâtissait sans répit. Pièce après pièce, les ouvriers ne cessèrent jamais de travailler, nuit et jour, parfois en dépit du bon sens architectural. Selon la légende, c'est une tempête qui interrompit finalement les travaux, en 1922. La même nuit, Sarah Winchester mourait…

La Silicon Valley pratique

ARRIVER-PARTIR

En voiture – La vallée est desservie par deux routes : la Hwy 101, le long de la baie, et l'I-280, au pied des collines. Pour Palo Alto, quittez l'I-280 au sud de San Francisco à la sortie Hwy 82 (El Camino Real). Cette dernière se prolonge vers San Jose, où elle devient Alameda, puis Santa Clara St.

Pour San Jose, prendre la Hwy 101, puis la Hwy 87, et sortir à Market St. Depuis la Hwy 280, prendre la Hwy 87 N., puis la sortie Santa Clara St. Attention, nombreux embouteillages le matin et à partir de 16 h. Il peut vous falloir plus de 2 h pour atteindre San Jose, à seulement 50 miles de San Francisco.

En train – Le **Caltrain** dessert la Silicon Valley au départ de San Francisco (terminal à l'angle de 4ᵗʰ et King St.), avec 39 trains quotidiens en semaine, 15 le samedi et 10 le dimanche. Comptez 1 h pour rejoindre Palo Alto (7,50 $ AR) et 1 h 40 pour San Jose Diridon (9,50 $ AR). À San Jose, la gare du Caltrain est en dehors du centre, mais une navette gratuite, le DASH, vous y conduit.

OÙ LOGER

Le prix des hôtels dans la Silicon Valley est prohibitif. Évitez de séjourner à Palo Alto à la mi-juin, car la saison de remise des diplômes à Stanford est chargée. San Jose est fréquentée en semaine par les hommes d'affaires, mais le week-end, vous pouvez séjourner dans un hôtel grand luxe pour le prix d'un petit motel. Il existe des coupons de réduction, sinon demandez les « week-end rates ».

• **Palo Alto**

De 70 à 100 $

Motel 6, 4301 El Camino Real, à 3,8 miles au sud du centre de Palo Alto, ☎ (650) 949 0833 – 71 ch. 🛏 ℰ 📺 📺 À l'écart d'El Camino Real, dans une petite rue ombragée, ce motel pratique des prix abordables pour des chambres banales, mais pas trop bruyantes.

⊛ **California Hotel**, 2431 Ash St., ☎ (650) 322 7666 – 20 ch. 🛏 ℰ 📺 📺 À 1,5 mile au sud du centre-ville, suivez El Camino Real et tournez à gauche dans California St. L'hôtel est à l'angle d'Ash St. Cet établissement familial, chaleureux et très plaisant, offre un bon rapport qualité-prix. Les chambres sont petites, mais calmes et très gaies. Cuisine, machine à laver et jolie terrasse fleurie. Petit-déjeuner inclus. Réservez absolument.

• **San Jose**

De 70 à 100 $

Ramada Hotel, 455 S. 2ⁿᵈ St., ☎ (408) 298 3500 – 72 ch. 🛏 ℰ 📺 📺 L'un des motels les plus abordables en semaine, tout près du centre-ville.

Wyndham Hotel, 1350 N. 1ˢᵗ St., près de l'aéroport, ☎ (408) 453 6200 – 355 ch. 🛏 ℰ 📺 ✕ 📺 Cet hôtel impersonnel mais très luxueux est intéressant les vendredi et samedi, car les prix peuvent passer de plus de 200 $ à moins de 80 $. Parking gratuit.

Crowne Plaza, 282 Almaden Blvd, ☎ (408) 998 0400 – 239 ch. 🛏 ℰ 📺 ✕ 📺 Tout aussi luxueux que le précédent, cet établissement très central présente la même absence de caractère. Ristournes fracassantes le week-end.

OÙ SE RESTAURER

• **Palo Alto**

De 10 à 15 $

University Cafe, 271 University Ave., ☎ (650) 322 5301. Une grande salle aux murs en brique couverts de tableaux colorés, pour des menus simples et sains, à base de salades et de plats internationaux. Souvent bondé.

⊛ **Nola's**, 535 Ramona St., ☎ (650) 328 2722. Le soir uniquement. Bonne musique live à partir de 20 h. Cuisine cajun-créole originale dans un décor chaleureux et coloré.

• **San Jose**

De 10 à 20 $

⊛ **Eulipia**, 374 S. 1ˢᵗ St., ☎ (408) 280 6161. Fermé le lundi, dîner seulement le week-end. Un endroit branché et design avec un restaurant au rez-de-chaussée et un bar à l'étage. Bons plats à la mode, comme l'autruche grillée.

Plus de 30 $

Emile's, 545 S. 2ⁿᵈ St., ☎ (408) 289 1960. Décor élégant et fleuri, lumières tamisées, pour une cuisine française classique mais raffinée et de très bonne qualité.

MARIN COUNTY★★
DE SAUSALITO À POINT REYES
Itinéraire de 110 miles environ, au nord de San Francisco
Compter 2 ou 3 jours – Carte Michelin n° 493 A8
Hébergement à Sausalito, Stinson Beach, Bolinas ou Point Reyes Station

À ne pas manquer
Faire une randonnée sous les grands séquoias de Muir Woods.
Boire un verre en écoutant du blues à Bolinas.
Le phare de Point Reyes.

Conseils
N'espérez pas vous baigner,
à moins d'aimer l'eau très froide et les énormes vagues.
Prenez toujours un pull, car il fait humide sous les arbres.
En fin d'après-midi, attention au soleil dans les yeux sur la route côtière.

La Californie

Il suffit de traverser le Golden Gate Bridge pour respirer l'aventure. Vous êtes aux portes de ce que l'on nomme le Redwood Empire, l'empire des séquoias, une terre sauvage et accidentée de forêts épaisses, de falaises vertigineuses et de villages aux maisons en bois. Le Marin County n'occupe qu'une péninsule au sud de ce vaste territoire, mais celle-ci offre un avant-goût du Nord, paradis des trappeurs, des bûcherons et des chercheurs d'or.

Quittez San Francisco par le Golden Gate Bridge. Empruntez la Hwy 101 sur 6 miles et sortez à « Alexander Avenue ». Si vous préférez arriver à Sausalito par le nord, quittez la Hwy 101 par la sortie « Marin City ».

■ **Sausalito**★ – À l'extrême sud du Marin County, cette petite ville pittoresque est l'une des plus touristiques et des plus élégantes de la baie. Initialement zone de mouillage pour les navires et centre de fret pour les cargaisons de bois du Nord, elle était jadis reliée à San Francisco par un bac. La construction du Golden Gate Bridge et l'essor de la construction navale lors de la Seconde Guerre mondiale ont dopé le développement du village. Délaissé par les industriels, le site fut par la suite envahi par une colonie d'artistes et de marginaux qui habitaient sur des maisons flottantes. Grâce à sa marina et à son cadre enchanteur, le village devint peu à peu un quartier résidentiel huppé et une destination prisée pour les week-ends.

Bridgeway, l'avenue qui longe le front de mer et le port de plaisance, offre une agréable promenade au bord de l'eau, tandis que des rues verdoyantes partent à l'assaut des collines boisées, piquées de belles villas. À environ 1,5 mile au nord du centre, le **San Francisco Bay Model** *(2100 Bridgeway, ☎ (415) 332 3871. De Memorial Day à Labor Day : mardi-vendredi 9h-16h, samedi-dimanche 10h-18h ; fermé le lundi. Hors saison : mardi-samedi 9h-16h ; fermé les dimanche et lundi. Entrée et parking gratuits)* propose une intéressante maquette de 8000 m², représentant la baie de San Francisco et les différents flux des courants, rivières et marées. À 0,5 mile plus au nord se trouve **Marin City** et ses incroyables **maisons flottantes**★. Les plus excentriques ont disparu, remplacées par de véritables villas sur l'eau, mais l'ensemble a conservé un peu du charme bohème revendiqué par les premiers hippies.

Reprenez Bridgeway vers le sud et suivez les panneaux « East Fort Baker/Marin Headlands », puis « Marin Headlands », en empruntant un tunnel à circulation alternée qui passe sous la Hwy 101 (attention aux bouchons le week-end quand il fait beau). Marin Headlands est à 3 miles du tunnel.

■ **Marin Headlands**★★ – Ce promontoire rocheux, qui fut longtemps une zone militaire, offre les plus belles vues sur San Francisco et le Golden Gate Bridge. La route mène à **Rodeo Beach**, après avoir longé un petit lagon. Le **Marin Headlands Visitor Center** présente la faune, la flore et les sentiers de randonnée des environs *(Demandez le dépliant du Golden Gate National Park qui comporte une bonne carte).*

Juste avant le lagon, une petite route bifurque vers **Point Bonita**★★, un cap rocheux surmonté d'un coquet petit **phare** *(ouvert à la visite le week-end en saison).*

Vous pouvez aussi suivre à pied **Conzelman Road**★★, la route qui rejoint East Fort Baker, pour les splendides **panoramas**★★★ sur San Francisco et le Golden Gate *(la route est fermée à la circulation pour travaux de longue durée).*

Reprenez la Hwy 101 vers le nord jusqu'à la sortie Hwy 1 (Shoreline Hwy). Suivez celle-ci sur 2,5 miles et prenez à droite la Panoramic Hwy. Surveillez les panneaux et empruntez Muir Woods Rd, sur votre gauche, 0,8 mile plus loin. L'entrée du parc est à 2 miles.

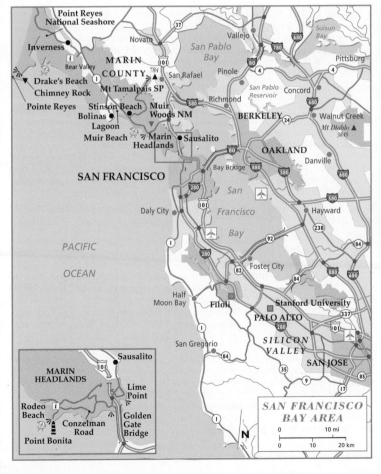

■ Les séquoias géants du **Muir Woods National Monument**✷✷ (☎ *(415) 388 1540. Tlj de 8 h au coucher du soleil. Entrée : 2 $ par véhicule si vous ne possédez pas le National Parks Pass)*, sur les flancs du mont Tamalpais, sont les derniers vestiges de la forêt primitive qui bordait la baie de San Francisco avant que les bûcherons n'abattent les arbres pour la construction des villes. Beaucoup d'entre eux ont plusieurs centaines d'années (jusqu'à près de 1000 ans) et le plus haut atteint 80 m. Des sentiers sillonnent la forêt, le long des ruisseaux, dont le **Main Trail Loop** *(1,5 km)*, qui permet d'admirer les plus beaux séquoias.

■ Muir Woods Road rejoint ensuite la Shoreline Highway et mène à **Muir Beach**✷ *(2,5 miles)*, une plage de sable nichée au pied des falaises, puis à **Muir Beach Overlook**✷✷ *(1,7 mile)*, qui offre un **panorama** époustouflant sur la côte déchiquetée, ses falaises et San Francisco, plus au sud.

Reprenez la Shoreline Hwy vers le nord, en direction de Stinson Beach. À un peu moins de 5 miles, à l'entrée de Stinson Beach, prenez à droite la Panoramic Hwy et suivez-la jusqu'à Pan Toll Station, qui marque l'entrée du Mt Tamalpais State Park (4 miles).

■ Culminant à 784 m, le **Mt Tamalpais State Park**✷✷ est un petit éden pour les randonneurs et les adeptes du VTT (☎ *(415) 388 2070. Tlj de 8 h au coucher du soleil; fermé en cas de risque d'incendie. Entrée : 5 $ par véhicule. Plan des sentiers à Pan Toll Station).* L'**ascension**✷ du mont Tamalpais, entre pâturages et ruisseaux, séquoias et chênes, est facile et permet d'admirer la **vue**✷✷ sur toute la région. Pour les Indiens miwoks, c'est une montagne sacrée, habitée par leur dieu Coyote.

Revenez sur vos pas jusqu'à Stinson Beach.

■ **Stinson Beach**, une langue de sable clair s'étirant au pied des montagnes, au bord de Bolinas Bay, est un paradis pour les amateurs de pêche et pour les surfeurs *(à 15 miles de Sausalito par la Shoreline Hwy)*. Les courants et l'eau froide la rendent dangereuse en hiver *(poste de secours ouvert de fin mai à mi-septembre)*.
Passé le village, la route longe une lagune très poissonneuse, isolée de l'océan par un cordon littoral. **Bolinas Lagoon** accueille chaque année des milliers d'oiseaux migrateurs, que vous pourriez observer depuis le sanctuaire d'**Audubon Canyon Ranch** *(tlj 10 h-16 h de mars à juillet. Entrée libre)*, à 3 miles au nord de Stinson Beach.

Prenez la route qui part à gauche après la lagune, puis suivez toujours à gauche. Il n'y a aucun panneau, mais la route mène à Bolinas, village vestige de la grande époque hippie.

■ **Bolinas**✷✷ – S'il reste un sanctuaire pour les marginaux, hippies et excentriques « post beat », c'est bien Bolinas, qui se targue de faire perdurer l'esprit de bohème des années contestataires *(à 7 miles environ de Stinson Beach)*. Pour preuve, l'acharnement que mettent ses habitants à arracher tous les panneaux de signalisation menant à leur village pour que l'on ne vienne pas les déranger. Il y a d'ailleurs longtemps que l'on a renoncé à les remplacer… Cela ne veut pas dire que Bolinas est désert ou seulement occupé par d'insolites reclus. De plus en plus de citadins en mal de nature et d'authenticité y rachètent de modestes maisons, mais personne n'a encore gâché le charme baba cool des lieux… Une minuscule **église** en bois, un chapelet de maisons sur pilotis, un lagon peuplé d'oiseaux et une immense plage composent un cadre échappé de la conquête de l'Ouest. De cette lointaine époque, quand les habitants étaient pêcheurs, bûcherons ou chercheurs d'or désabusés, le village a conservé des bars où la bière coule à flots et où le blues se fait mélancolique (peut-être est-ce pour se faire pardonner l'abus d'alcool que le village a construit de si jolies églises). Les **galeries d'art** et un intéressant petit **musée d'Art et d'Histoire locale** *(ouvert uniquement le week-end dans l'après-midi. Entrée : 1 $)* confirment la présence d'artistes et de touristes.

Revenez sur vos pas jusqu'à la Shoreline Hwy et prenez à gauche en direction d'Olema (à 15 miles), porte d'entrée du Point Reyes National Seashore.

Les maisons sur pilotis de Sausalito

■ **Point Reyes National Seashore**★★ – ☎ *(415) 663 1092. Tlj de l'aube au coucher du soleil. Entrée libre.* Ce parc de plus de 29 000 ha offre une grande diversité de paysages, mariant longues dunes et falaises, landes noyées de brouillard et marécages, étendues désertiques et forêts, propices à de splendides randonnées.

Commencez votre visite par le **Bear Valley Visitor Center** *(Bear Valley Road. Tlj 9h-17h)*, où vous trouverez toutes les informations concernant la faune, la flore et la géologie du parc, ainsi que des plans pour les randonnées. De là, *vous pouvez* visiter la reconstitution d'un **village miwok** et *suivre* l'**Earthquake Trail**★, un sentier qui longe la faille San Andreas.

Empruntez Sir Francis Drake Boulevard qui traverse le hameau d'**Inverness** et de belles landes à l'atmosphère romantique. Plusieurs plages s'offrent à vous, notamment **Drake's Beach** et **Point Reyes Beach** *(attention aux courants)*, envahies par les otaries.

Au bout de Sir Francis Drake Boulevard, le **Point Reyes Lighthouse**★★ *(à 20 miles environ d'Olema)* est l'un des phares les plus attachants de toute la côte Ouest. Il surplombe le Pacifique, perché à mi-hauteur d'une falaise haute de 180 m. Il faut descendre quelque 300 marches, dans le vent et le brouillard, pour l'atteindre *(l'escalier est fermé s'il fait trop mauvais)*. Si le temps est clair, vous bénéficierez d'un **panorama**★★★ à couper le souffle sur toute la côte. C'est aussi un excellent point pour observer la migration des **baleines grises** *(de décembre à avril).*

Mouvements de plaques

La longue péninsule du cap Reyes s'est formée le long de la faille San Andreas. Appartenant à la plaque pacifique, elle se déplace de 5 cm par an vers le nord-ouest, tandis que la plaque américaine, à laquelle appartient le reste du Marin County, dérive peu à peu vers l'ouest. La zone de rencontre de ces deux plaques, le long de la vallée d'Olema, subit des contraintes énormes. Lors du tremblement de terre de 1906, la péninsule de Reyes est remontée de 5 m d'un seul coup ! Il y a plusieurs millions d'années, elle se situait au nord de Los Angeles. Elle est appelée à se détacher du continent et à dériver peu à peu en direction de l'Alaska.

Tout près, **Chimney Rock**, une formation rocheuse en forme de cheminée, est une plate-forme dédiée à l'observation des mammifères marins : de fin décembre à mars, on peut assister à leur accouplement ou aux évolutions des femelles avec leurs petits.

Reprenez Sir Francis Drake Blvd jusqu'à Olema, puis la Hwy 101, qui vous ramène à San Francisco, à un peu plus de 40 miles au sud. À partir d'Olema, vous pouvez aussi gagner le Wine Country en prenant la Shoreline Hwy jusqu'à Point Reyes Station (2 miles au nord), puis en suivant les panneaux vers Petaluma (18 miles).

Marin County pratique

En voiture – La Hwy 101, qui traverse le Golden Gate Bridge, longe le Marin County par l'intérieur des terres. La route côtière, Shoreline Hwy, est la seule qui permette de découvrir les splendeurs de la côte.

En bus – *Golden Gate Transit* dessert Sausalito à partir du Transbay Terminal de San Francisco (lignes 10, 20 et 50), et Marin Headlands à partir du Golden Gate Bridge, côté San Francisco (ligne 76, uniquement le week-end et en été). Pour Mt Tamalpais et Stinson Beach, prenez le bus 63 à Sausalito-Marin City. Pour Point Reyes, via Olema, suivez les lignes 20 ou 50 jusqu'à San Rafael, et changez pour le bus 65.

En ferry – *Blue & Gold Ferry* dessert Sausalito depuis Fisherman's Wharf (Pier 41). *Golden Gate Ferry* assure la liaison à partir du Ferry Building à Embarcadero (6 $ aller).

OÙ LOGER

Attention, les hôtels sont peu nombreux, et donc très chers. Réservez impérativement.

• **Sausalito**

Moins de 15 $ par personne

🛏️*Marin Headlands Hostel*, Building 941, Fort Barry, ☎ (415) 331 2777/1-800 909 4776 – 90 lits CC Cette auberge de jeunesse nichée en pleine nature a beaucoup de charme. Elle propose également 6 chambres. Pour la rejoindre, suivez les panneaux « Marin Headlands », puis « Visitor Center », ou prenez le bus 76 (le dimanche uniquement). Laverie.

De 150 à 250 $

🛏️*The Gables Inn*, 62 Princess St., ☎ (415) 289 1100, www.gablesinnsausalito.com – 9 ch. ⁊ ℘ TV CC Cette

grande maison de style colonial américain, pleine de charme et décorée avec goût, est à deux pas de Bridgeway et des boutiques. Apéritif et petit-déjeuner inclus.

Plus de 250 $

The Inn above Tide, 30 El Portal, ☎ (415) 332 9535, www.innabovetide.com – 30 ch. ⁊ ℘ TV CC Un hôtel très luxueux en bardeaux de châtaignier, construit directement au-dessus de l'eau. Les vastes chambres, la plupart avec cheminée ou balcon, ont toutes vue sur la baie et San Francisco. Apéritif et petit-déjeuner compris.

• **Stinson Beach**

De 150 à 250 $

Casa del Mar, 37 Belvedere Ave., ☎ (415) 868 2124, www.StinsonBeach.com – 6 ch. ⁊ CC Portail bleu dans la petite rue à droite, à l'entrée du village, vers le Community Center. Nichée au milieu d'une rocaille à flanc de colline, cette jolie maison bleu et blanc comporte différents niveaux. Elle ménage de belles vues sur la baie. Petit-déjeuner plantureux. N'hésitez pas à négocier en hiver.

• **Bolinas**

De 80 à 100 $

Smiley's Schooner Saloon and Hotel, 41 Wharf Rd, ☎ (415) 868 1311 – 7 ch. ⁊ CC Située au centre du village, cette adresse propose des chambres un peu sombres, mais confortables. Attention au bruit le week-end, car le saloon accueille des musiciens.

• **Olema et Point Reyes Station**

Moins de 15 $ par personne

Point Reyes Hostel, 1380 Limantour Rd, Point Reyes Station, ☎ (415) 663 8811 – 44 lits CC Une auberge très simple à proximité des sentiers de randonnée, 6 miles à l'intérieur du parc et à 2 miles de la mer. Pensez à apporter vos provisions.

De 100 à 150 $

Point Reyes Seashore Lodge, 10021 Shoreline Hwy, Olema, ☎ (415) 663 9000, www.pointreyesseashore.com – 21 ch. ⟨icons⟩ Un joli bâtiment en bois entouré d'un agréable jardin au bord du ruisseau. Les chambres sont très grandes et confortables. Petit-déjeuner inclus.

⟨icon⟩ **Olema Inn**, 10000 Sir Francis Drake Blvd et Shoreline Hwy, ☎ (415) 663 9559 – 6 ch. ⟨icons⟩ Une adresse qui a du caractère avec son décor chaleureux et son mobilier à l'ancienne. Le restaurant est bon et le petit-déjeuner continental copieux.

Où se restaurer

• Sausalito

De 5 à 10 $

Caffe Tutti, 12 El Portal, ☎ (415) 332 0211. Une adresse encore abordable où vous trouverez soupes, salades, pâtes ou de copieux sandwichs.

De 15 à 25 $

Christophe, 1919 Bridgeway, ☎ (415) 332 9244. Ce bistro d'inspiration française propose une cuisine classique de qualité. Le menu « Early Bird » (dîner avant 19 h) ou les plats du jour sont moins chers.

• Bolinas

De 10 à 20 $

Blue Heron Inn, 11 Wharf Rd, ☎ (415) 868 1102. Pour dîner uniquement. Un petit restaurant sympa proposant des salades et des entrées copieuses à des prix raisonnables. Les plats sont plus chers, mais la cuisine est de qualité. Fait aussi B & B.

• Olema et Point Reyes Station

De 5 à 10 $

Olema Farmhouse, à l'angle de la Shoreline Hwy et de Sir Francis Drake Blvd, ☎ (415) 663 1264. Un bar chaleureux servant toute la journée des salades et plats variés. Il est surtout connu pour ses huîtres rôties, vendues par 3 ou 6.

⟨icon⟩ **Cafe Reyes**, Shoreline Hwy, Point Reyes Station, à 2 miles au nord d'Olema, ☎ (415) 663 9493. Le point de rendez-vous des locaux, où déguster une cuisine mexicano-américaine simple et copieuse (« burritos », plats de poulet, huîtres grillées ou sautées).

Achats

⟨icon⟩ **Scrimshaw Gallery**, 30 Princess St., Sausalito, ☎ (415) 331 1409. Une foule d'objets typiques du nord de l'Amérique et d'Alaska, comme de fines sculptures ou gravures sur ivoire fossile : dents de baleine, défenses sculptées, bibelots délicats…

Marin County pratique

WINE COUNTRY★★

LES VALLÉES DE SONOMA ET DE NAPA

Circuit de 180 miles au nord-est de San Francisco
Compter 2 jours – Carte Michelin n° 493 A8
Hébergement à Sonoma, Calistoga, Yountville ou Napa

À ne pas manquer
Une séance de dégustation de vin.
Flâner autour de la Plaza de Sonoma.

Conseils
Pour vous éviter de revenir à San Francisco,
vous pouvez enchaîner ce circuit après la visite du Marin County.
Attention, les dégustations dans les propriétés sont le plus souvent payantes.

Les meilleurs vins de Californie sont produits dans les vallées de Sonoma et de Napa, dont le climat doux et ensoleillé et la terre poreuse héritée des anciens volcans composent un terroir favorable à la viticulture. Bien que des vignes aient déjà été implantées par les missionnaires, le vignoble californien doit son essor à un Français, qui s'installa près de Los Angeles vers 1830. Dans la région, c'est le Hongrois **Agoston Haraszthy** qui introduisit à Sonoma des plants et des méthodes importés d'Europe, forma de nouveaux viticulteurs – beaucoup étaient eux-mêmes des immigrants européens – et contribua à imposer le vin de Californie du Nord comme le meilleur des États-Unis. Parallèlement, les chercheurs de l'université de Californie contribuèrent à combattre le phylloxéra et à adapter des cépages européens aux terroirs californiens. Au début du 20e s., après la grande crise du vignoble en Europe, un grand nombre de vignerons européens vinrent ici tenter leur chance. Malgré la Prohibition, puis la crise économique des années 1930, la viticulture californienne demeure très prospère, grâce à des méthodes de production ultramodernes et à un marketing

Une autre culture
Marketing et commerce obligent, le vin n'est pas conçu ici comme un produit savamment élaboré à partir de subtils mélanges et selon une ancienne tradition. La notion de terroir est nettement moins importante qu'en France. C'est le cépage qui détermine le vin : zinfandel, cabernet sauvignon, pinot noir, chardonnay… De cette façon, le vin est typé, au goût franc et simple, à boire immédiatement et de qualité relativement constante. Les bouteilles répondent au goût des consommateurs (petits formats, bouchons à vis, étiquettes attrayantes, formes et matières originales) pour séduire une clientèle jeune, élevée au Coca-Cola.

adroit. Avec 900 domaines (*wineries*) et 1,9 milliard de bouteilles en 2000, la Californie est le quatrième producteur mondial et certains des vins locaux figurent désormais parmi les meilleurs du monde.

Quittez San Francisco par le Golden Gate Bridge et suivez la Hwy 101 jusqu'à Petaluma (41 miles).

■ **Petaluma★** – Cette petite ville pittoresque et tranquille s'étire le long de la rivière. Son imposant **moulin**, transformé en galerie commerciale, rappelle le passé agricole de la vallée. Le centre-ville, autour de Kentucky Street, Petaluma Boulevard et Western Avenue, conserve de beaux **immeubles victoriens★**, avec ossature, sculptures et colonnades en fonte, tandis que les quartiers résidentiels offrent une belle palette des styles en cours à la fin du 19e s.

Quittez Petaluma par la Hwy 116, en direction de Sonoma. 4 miles plus loin, tournez à gauche et suivez Adobe Rd sur 2,5 miles.

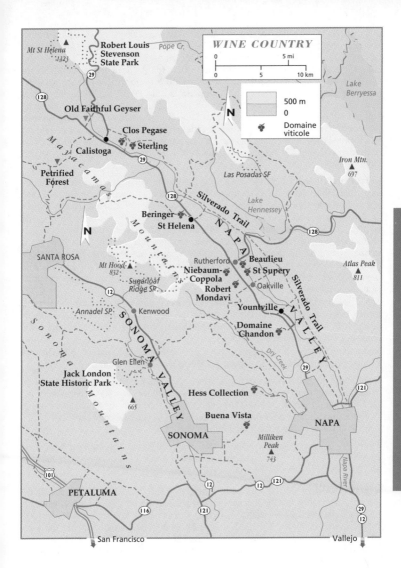

WINE COUNTRY

500 m
0

Domaine viticole

■ **Le Petaluma Adobe State Historic Park★** *(tlj 10h-17h; fermé pour le Nouvel An, Thanksgiving et Noël. Entrée : 2 $)* est un ancien ranch de la période mexicaine, fondé en 1834 par le commandant Vallejo, qui avait reçu 17 800 ha de terres en rétribution pour ses services. Les bâtiments traditionnels en adobe donnent une idée de la vie que l'on menait dans ces grandes exploitations.

Revenez sur la Hwy 116, que vous suivez vers l'est, puis empruntez la Hwy 12 vers le nord. Sonoma est à 12 miles au nord-est de Petaluma.

■ **Sonoma** ** – La plus charmante des villes du vignoble est aussi la plus importante sur le plan historique. En 1823, une mission y fut fondée, puis on bâtit une caserne pour les soldats chargés de défendre cet avant-poste de la Californie (on craignait alors une invasion russe venue du nord). Le tout jeune commandant mexicain du *presidio* de San Francisco, **Mariano Vallejo**, prit la tête du détachement en 1834 et supervisa la fondation de la ville. Mais, en 1846, les colons américains se soulevèrent contre le joug mexicain et hissèrent sur la Plaza de Sonoma un drapeau frappé d'un ours et d'une étoile : c'était la **Bear Flag Revolt**. Ils proclamèrent même une république indépendante en Californie. La révolte fut vite réprimée par l'armée américaine, qui enleva la Californie au Mexique. La ville se contente depuis du commerce et de la viticulture, et possède le plus ancien vignoble de la région.

Autour de la **Plaza** * centrale, à l'atmosphère toute mexicaine avec ses palmiers, sont rassemblés les édifices historiques regroupés au sein du **Sonoma State Historic Park** * *(un billet incluant l'entrée à la mission, aux Barracks et à la maison de Vallejo est en vente à la mission. Tlj 10h-17h. Entrée : 1 $).* À l'angle nord-est de la place, la **San Francisco Solano Mission** *, avec ses épais murs blanchis à la chaux, ses tuiles roses et ses lourdes poutres noircies par le temps, est la 21ᵉ et la dernière des missions construites en Californie par les missionnaires espagnols. Elle abrite une modeste chapelle au décor naïf (les tableaux retraçant les 14 étapes de la Passion sont d'origine) et une collection d'aquarelles contant l'épopée des missions de Californie.

Sur le côté nord de la place, les **Sonoma Barracks** (casernes) accueillaient les troupes mexicaines *(on peut visiter le dortoir)*, tandis que le **Toscano Hotel** *(visite guidée de 13h à 16h, sauf le lundi)* servit de magasin général jusqu'en 1880, puis abrita une pension pour les immigrés de la région.

En quittant la place par West Spain Street, puis 3ʳᵈ Street, vous parvenez à **Lachryma Montis** * (les larmes de la montagne), la maison de Vallejo à Sonoma.

En quittant la place par East Napa Street, puis en prenant à gauche dans Old Winery Road, vous rejoignez la **Buena Vista Winery** * *(18000 Old Winery Rd, ☎ 1-800 926 1266. Tlj 10h30-17h).* Fondée en 1857 par Agoston Haraszthy, le Hongrois qui importa des cépages européens, c'est la plus ancienne exploitation viticole de la vallée et elle produit encore des vins rouges réputés.

Empruntez la Hwy 12 vers le nord sur 5 miles, tournez à gauche dans Madrone Rd, à droite dans Arnold Dr., puis encore à gauche dans London Ranch Rd, pour atteindre le ranch de Jack London (à 10 miles de Sonoma).

■ **Jack London State Historic Park** ** – ☎ *(707) 938 5216. Tlj 9h30-19h d'avril à octobre/9h30-17h de novembre à mars. Entrée : 6 $ par véhicule.* C'est dans ce ranch paisible que le célèbre écrivain, journaliste et aventurier passa les dernières années de sa vie. En 1905, à l'âge de 29 ans, déjà fatigué par ses périples, il acheta un domaine délabré du village de Glen Ellen. En 1911, il entreprit avec sa seconde femme, Charmian, la construction d'une imposante demeure en pierre et en bois, Wolf House, qu'un incendie dévasta en 1913, au moment où ils s'apprêtaient à emménager. Renonçant à leur projet, le couple se contenta du vieux cottage. Jack London y mourut en 1916, à 40 ans. Six ans plus tard, sa veuve fit construire la **House of Happy Walls** *, où sont rassemblés objets personnels, souvenirs de voyages, photographies et courriers de l'écrivain (elle y vécut jusqu'en 1945). Plusieurs sentiers bucoliques sillonnent le domaine et mènent au **cottage** où Jack London écrivait, aux ruines de **Wolf House** et à la **tombe** du couple.

À la sortie du parc, vous pouvez vous arrêter au **Jack London Saloon** (1905), pour retrouver l'ambiance de l'Ouest…

Reprenez la Hwy 12 vers le nord et Santa Rosa. À un peu plus de 11 miles, à l'entrée de Santa Rosa, tournez à droite dans Calistoga Rd et, quelque 7 miles plus loin, empruntez à droite Petrified Forest Rd.

■ **Petrified Forest*** (la Forêt pétrifiée) *(tlj 10h-18h/17h d'octobre à mai. Entrée : 4$)* regroupe des séquoias qui se sont pétrifiés, après avoir été ensevelis, il y a 3 millions d'années, sous les cendres du volcan St Helena. Le plus gros a un diamètre d'1,80 m.

Poursuivez votre route jusqu'à Calistoga (6 miles).

■ **Calistoga** – Située au nord de la vallée de Napa, au pied du mont St Helena (1 323 m), Calistoga est une station thermale riche en geysers et en sources chaudes. Si elle est le point de départ de belles randonnées vers l'ancien volcan, la ville est aussi réputée pour ses bains de boue relaxants, ses bains d'eau thermale ou ses enveloppements d'herbes, proposés par les très nombreux établissements *(appelés springs ou spas ; comptez entre 60 et 100$ selon les formules)* et les hôtels.

À 2 miles au nord-ouest de la ville par la Highway 128, l'Old **Faithful Geyser*** *(tlj 9h-18h/17h de novembre à mars. Entrée : 6$)* projette sa colonne d'eau brûlante à 18 m de haut toutes les 40 mn C'est l'un des trois geysers au monde qui jaillissent avec une telle régularité.

À 7 miles au nord-est de la ville par la Highway 29, le **Robert Louis Stevenson State Park** *(tlj du lever au coucher du soleil. Entrée libre)* offre de belles balades dans la forêt qui couvre les flancs du mont St Helena. L'auteur de *L'Île au trésor* y passa sa lune de miel en 1880 et s'en inspira pour son livre *La Route de Silverado*.

Empruntez la Hwy 29 vers le sud et prenez à gauche dans Dunaweal Lane.

Avant de quitter Calistoga, visitez le **Clos Pegase*** *(1060 Dunaweal Lane, ☎ (707) 942 4981. Tlj 10h30-17h. Dégustation : 2,50$)*, une winery fondée par un éditeur et collectionneur d'art, qui mérite le détour pour son opulente architecture néoclassique et ses vins réputés (sauvignon ou chardonnay pour les blancs, merlot ou pinot noir pour les rouges).
De l'autre côté de la route, l'étonnante propriété des **Sterling Vineyards** est perchée en haut d'une butte que l'on atteint en télécabine ! *(1111 Dunaweal Lane. Tlj 10h30-16h30. Entrée + télécabine : 6$)*. Vous y découvrirez un intéressant cabernet sauvignon ou un bon sauvignon.

Si vous voulez éviter la route principale, vous pouvez quitter Calistoga en suivant le **Silverado Trail***, une petite route touristique à l'est de la Highway 29, qui serpente entre vignobles et collines jusqu'à Napa.

Les propriétés les plus célèbres sont situées le long de la Hwy 29, que vous reprenez jusqu'à St Helena (8 miles). Des routes transversales permettent également de rejoindre cette ville à partir du Silverado Trail.

■ **St Helena** – Cette petite bourgade viticole s'étire le long d'une rue aux allures de Far West avec ses boutiques à frontons en bois, ses rues verdoyantes et ses jolies maisons colorées. On peut y visiter le **Robert L. Stevenson Silverado Museum** *(1490 Library Lane, ☎ (707) 963 3757. Mardi-dimanche 12h-16h ; fermé le lundi. Entrée libre)*, qui expose divers objets ayant appartenu à l'auteur, mais la ville concentre surtout un nombre impressionnant de *wineries*. Les **Beringer Vineyards**** *(le long de la Hwy 29, au nord de St Helena, ☎ (707) 963 7115. Tlj 9h30-17h. Dégustation payante)*, fondés par une famille allemande en 1876, sont l'une des plus anciennes exploitations de la vallée. Elle a échappé à la Prohibition en fabriquant du vin de messe. Son vin blanc chardonnay est réputé, de même que ses cabernets rouges, très bien construits.

Poursuivez sur la Hwy 29 jusqu'à Rutherford, à environ 4 miles au sud de St Helena.

■ Dans un style plus convivial, les **Beaulieu Vineyards** (*1960 Hwy 29,* ✆ *(707) 967 5200. Tlj 10h-17h*), initialement fondés par un couple de Français en 1900 et très réputés, proposent une visite de leur propriété et une dégustation gratuites. Leur chardonnay et leur cabernet sauvignon sont considérés parmi les meilleurs de la région.

De l'autre côté de la route, **Niebaum-Coppola*** (*1991 Hwy 29,* ✆ *(707) 968 1100. Tlj 10h-17h. Dégustation : 7,50$, ou 20$ avec la visite*) est la superbe propriété du cinéaste Francis Ford Coppola, qui la racheta en 1975 et s'attacha à placer ses vins parmi les meilleurs de Californie. Outre les cépages classiques de la région, goûtez le rubicon, très réussi.

■ Un peu plus au sud, à Oakville, **St Supery*** (*8440 Hwy 29,* ✆ *(707) 963 4507. Tlj 9h30-18h. Entrée : 3$*) ne se contente pas de produire du vin. La propriété abrite un **centre de découverte du vin** où les novices apprendront comment s'élabore le vin et s'essaieront à humer les différents bouquets.

■ Un peu plus loin encore, la **Robert Mondavi Winery*** (*7801 Hwy 29,* ✆ *(707) 259 9463. Tlj 9h-17h/9h30-16h30 de novembre à avril. Dégustation payante*) est l'exemple type de la réussite californienne : des vins réputés (les habituels merlot, cabernet sauvignon, pinot noir, chardonnay, et surtout les superbes Réserves), un marketing sans faille et un mécénat actif en faveur d'artistes locaux.

Reprenez la Hwy 29 jusqu'à Yountville, à 8 miles au sud de St Helena.

■ **Yountville** – Le village ressemble à un décor de théâtre avec ses coquettes maisons, tout droit sorties d'une carte postale. Il compte plusieurs propriétés prestigieuses, dont le célèbre **Domaine Chandon** (*1 California Dr., à droite de la Hwy 29,* ✆ *(707) 944 8844. Tlj 10h-19h; fermé les lundi et mardi du 15 septembre à fin avril. Entrée payante*), créé en 1973 par la société française Moët-Hennessy (champagne Moët et Chandon). On y retrouve la tradition champenoise et des mousseux de qualité.

Poursuivez sur la Hwy 29 jusqu'à Napa (11 miles).

■ **Napa** – La «capitale» de la vallée ne présente guère d'intérêt, mais elle compte un certain nombre de propriétés qui méritent la visite.

À l'entrée nord de Napa, quittez la Hwy 29 vers l'ouest, en direction de Redwood Rd/Trancas Ave., et poursuivez sur 6 miles à l'ouest.

La Hess Collection Winery**, située à l'écart sur les coteaux, est l'une des plus imposantes propriétés de la région (*4411 Redwood Rd,* ✆ *(707) 255 1144. Tlj 10h-16h. Entrée ou dégustation payante : 3$*). Fondé par les Frères chrétiens en 1930, l'énorme ensemble de pierre rappelle les monastères mexicains. Au-dessus des chais, il abrite une **galerie d'art contemporain** de grande qualité. Parmi les cépages traditionnels, découvrez le zinfandel, typique de Californie, ou le syrah.

Pour rejoindre San Francisco (36 miles), reprenez la Hwy 29, puis l'I-80 qui mène à San Francisco vers l'ouest et à Sacramento vers l'est.

Wine Country pratique

ARRIVER-PARTIR

En voiture – Les routes principales suivent l'axe des vallées : la Hwy 101 sépare le Wine Country du Marin County et traverse Petaluma et la Russian River Valley, la Hwy 12 longe la Sonoma Valley et la Hwy 29 dessert la Napa Valley.

En bus – *Golden Gate Transit* assure la liaison de San Francisco vers Sonoma et Petaluma. *Greyhound* dessert deux fois par jour la Napa Valley, via Oakland, Napa, St Helena et Calistoga.

En vélo – *Sonoma Valley Cyclery*, 20093 Broadway, Sonoma, ☎ (707) 935 3377. Comptez 25 $ par jour et 30 $ pour un tandem.

OÙ LOGER

Les hôtels sont très chers, surtout le week-end (jusqu'à + 20 %).

• Sonoma

De 100 à 150 $

Swiss Hotel, 18 W. Spain St., Plaza, ☎ (707) 938 2884 – 5 ch. ⁝ ♪ ꝑ TV ✕ CC Fondé en 1840 dans le style colonial, cet hôtel au charme suranné, avec balcons donnant sur la Plaza, est digne d'un western. Dégustation de vin et petit-déjeuner compris.

⌂ *Sonoma Hotel*, 110 W. Spain St., Plaza, ☎ (707) 996 2996 – 16 ch. ⁝ ⤬ ꝑ TV ✕ CC Décor de charme et meubles très Nouvelle-Angleterre pour un établissement de caractère. Dégustation de vin et petit-déjeuner compris.

• Calistoga

De 100 à 150 $

Roman Spa, 1300 Washington St., ☎ (707) 942 4441 – 60 ch. ⁝ ⤬ ꝑ TV ⌇ CC Situé dans une rue calme, ce petit établissement thermal, de style motel, propose une grande variété de chambres, certaines avec cuisine ou jacuzzi à eau thermale. Piscine agréable, entourée d'arbres et de quelques palmiers. Bains de boue, massages, etc.

• Yountville

Plus de 200 $

⌂ *Vintage Inn*, 6541 Washington St., ☎ (707) 944 1112 – 80 ch. ⁝ ⤬ ꝑ TV ⌇ ✂ CC Luxe intégral pour ces grandes villas à l'élégance très sobre, disséminées dans un parc boisé. Cheminée, patio ou balcon, jacuzzi, dégustation de vin, gâteaux et cookies, petit-déjeuner au champagne… Le rêve !

• Napa

De 80 à 100 $

⌂ *Wine Valley Lodge*, 200 S. Coombs St., ☎ (707) 224 7911 – 54 ch. ⁝ ꝑ TV ⌇ CC À l'entrée sud de Napa, sortez par « Imola exit », puis tournez à gauche avant le pont. Un motel sans prétention, tenu par une équipe fort sympathique. Les chambres sont impeccables. Piscine au milieu du parking. Hors saison, les prix chutent de 60$.

OÙ SE RESTAURER

• Sonoma

Moins de 10 $

Rin's Thai Restaurant, 139 E. Napa St., ☎ (707) 938 1462. Tlj 11h-21h. À l'écart de la Plaza, une jolie maison dotée d'un agréable patio propose une cuisine thaïlandaise légère et authentique. Délicieux curries ou « satay ».

De 10 à 20 $

Maya, à l'angle d'E. 1ˢᵗ St. et d'E. Napa St., ☎ (707) 935 3500. Un décor chaleureux pour une cuisine mexicaine relevée et des grillades au feu de bois.

• Calistoga

De 10 à 20 $

Wappo Bistro, 1226 Washington St., ☎ (707) 942 4712. Toutes les cuisines du monde et une carte de vins régionaux, dans un cadre cosy et accueillant. *Catahoula*, Mount View Hotel, 1457 Lincoln Ave., ☎ (707) 942 2275. Le chef, originaire de Louisiane, propose une cuisine cajun inventive.

• Yountville

Plus de 50 $

⌂ *The French Laundry*, 6640 Washington St., ☎ (707) 944 2380. Ce restaurant est considéré comme l'un des meilleurs du pays. Réservez absolument et préparez-vous à une addition salée, mais la cuisine vaut le détour…

ACHATS

Magasins d'usine – *Petaluma Village Factory Outlets*, Hwy 101. Tlj 10h-18h. Concentration de magasins d'usine de grandes marques américaines. *Napa Premium Outlets*, Hwy 29, au nord de Napa. Tlj 10h-18h. Magasins d'usine. *The Wine Exchange of Sonoma*, 452 E. 1st St., Plaza, ☎ 1-800 938 1794. Idéal pour connaître tous les vins des environs, les goûter et les acheter…

SACRAMENTO★★

Capitale de l'État de Californie – 413 100 hab.
87 miles au nord-est de San Francisco – Carte Michelin n° 493 A-B8

À ne pas manquer
Le musée des Chemins de fer.
Flâner dans les boutiques de la vieille ville.

Conseils
Une journée suffit pour visiter la ville.
Évitez de séjourner à Sacramento le week-end,
car le centre est vide et la vieille ville envahie par les visiteurs.

Loin de l'agitation des villes de la côte, à l'écart des modes et des excentricités de Hollywood ou de San Francisco, Sacramento est une capitale un peu compassée, rectiligne et ouverte comme beaucoup de grandes villes américaines. Seuls les vieux quartiers en bordure de la rivière évoquent son passé.

La clé de la vallée centrale
La création de la ville remonte à 1839, quand **John Sutter**, un Suisse ambitieux qui rêvait de fonder un empire commercial, entreprit la construction d'un fort. Il réussit à convaincre le gouverneur mexicain, alors basé à Monterey, de lui confier la colonisation de la vallée centrale de Californie. On lui accorda 19 355 ha de terres, qu'il rebaptisa Nouvelle-Helvétie. La main-d'œuvre indienne et la présence d'artisans fraîchement immigrés d'Europe contribuèrent à faire de **Fort Sutter** une destination attrayante pour les nombreux colons qui arrivaient de l'est par caravanes entières. Sutter entretenait une armée privée et menait ses affaires avec grand succès. Il reçut même plus de 39 000 ha supplémentaires en 1844, pour avoir aidé les Mexicains à réprimer une révolte indienne. Comme pour confirmer sa bonne étoile, c'est dans le cours d'eau de l'une de ses scieries que furent découvertes les pépites qui allaient déclencher la **ruée vers l'or**.

Ce sera pourtant le début des ennuis pour Sutter. La plupart de ses ouvriers désertèrent tout d'abord leur poste pour partir chercher de l'or. Puis le tout nouveau gouvernement américain de Californie renâcla à reconnaître ses droits de propriété et, lorsqu'il le fit enfin, il n'en reconnut qu'une partie. Le propre fils de Sutter refusa par ailleurs de fonder ce qui devait être la future Sutterville autour du fort, et préféra rejoindre ceux qui choisirent logiquement un site au bord de la Sacramento River, à 2 miles du fort. La rivière constituait en effet un axe incontournable pour le transport des hommes et le ravitaillement : commerces, hôtels, saloons et autres baraquements en bois ne tardèrent pas à pousser le long des quais précaires. Inondations et incendies ravageant régulièrement la communauté, il fut décidé de construire des levées, de remblayer les berges et de recourir à la brique plutôt qu'au bois. La vieille ville actuelle date de cette époque. De son côté, le vieux Sutter ne lâcha pas prise et partit pour Washington essayer de convaincre les plus hautes autorités que son emplacement était le meilleur. Il ne revint jamais en Californie et mourut dans la capitale en 1880.

La capitale de la Californie
Sacramento, qui était déjà un port fluvial actif, fut désignée en 1860 pour devenir le terminus du nouveau chemin de fer construit à travers la Sierra Nevada. Son destin était ainsi scellé : elle devint un carrefour majeur entre l'est et l'ouest du continent, de même qu'entre le nord et le sud. Déjà choisie comme capitale de l'État en 1854, elle s'équipa peu à peu de bâtiments grandioses, comme le Capitole. Malgré la délocalisation de la Cour suprême à San Francisco en 1869, elle conserve le pouvoir fédéral et les principales institutions. Administrations, industries agroalimentaires et transport des denrées agricoles de la vallée centrale sont les trois piliers de la vie économique.

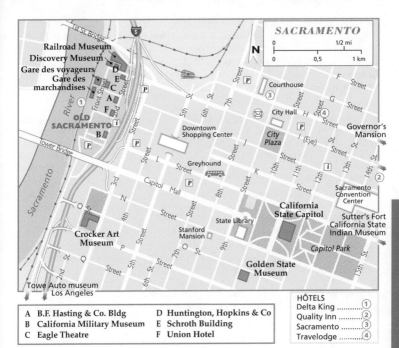

A B.F. Hasting & Co. Bldg	**D** Huntington, Hopkins & Co
B California Military Museum	**E** Schroth Building
C Eagle Theatre	**F** Union Hotel

HÔTELS
Delta King ....①
Quality Inn ....②
Sacramento ....③
Travelodge ....④

Visite de la ville

Comptez une journée.

À l'exception de Sutter's Fort, qui est un peu à l'écart, il est préférable de parcourir la ville à pied. Un simple regard sur le plan permet de se repérer. D'ouest en est, les rues sont numérotées, tandis que du nord au sud elles portent le nom d'une lettre. Les parkings sont très centraux et concentrés au nord du Capitol Mall.

Old Sacramento★★

Le quartier s'inscrit entre la rivière et 2ⁿᵈ St., à l'ouest de l'I-5, et entre I St. et L St. Parkings sous l'autoroute, entre I St. et J St.

Old Sacramento est le plus important et le mieux préservé des vieux quartiers américains, et malgré les nombreux visiteurs, on se croirait en plein Far West. Construit autour de l'ancien embarcadère de la colonie Sutter, il conserve trois blocs parfaitement restaurés qui ressuscitent l'atmosphère bourdonnante d'une ville du 19ᵉ s. Trottoirs en bois surélevés et couverts, immeubles à fronton et saloons rescapés de la grande époque de la ruée vers l'or constituent un ensemble remarquablement homogène, avec boutiques de souvenirs et restaurants. Pour ajouter au charme, d'anciens bateaux sont encore amarrés sur la rivière et, près des quais, une somptueuse locomotive rappelle la grande épopée du chemin de fer.

Débutez la visite au nord du vieux Sacramento, à l'angle de I St. et de 2ⁿᵈ St.

Le passionnant **California State Railroad Museum★★** *(125 I St., ☎ (916) 445 7387. Tlj 10 h-17 h. Entrée : 3 $, gratuite pour les moins de 17 ans. Film en anglais, mais documentation en différentes langues)* raconte tout ce que l'on rêve de savoir sur l'épopée du chemin de fer. On apprend notamment quels furent les problèmes rencontrés lors

Sacramento

de la construction de la ligne qui traverse la Sierra Nevada. Le musée abrite aussi une superbe collection de **wagons** et de **locomotives****, dont un train de 1929, mis en scène avec simulation des sons et vibrations.

De l'autre côté de la rue, à l'angle de I St. et de 2nd Street, s'élève toujours le **Schroth Building**, qui accueillait un établissement de bains dans les années 1850 : à l'époque, on ne changeait l'eau que tous les dix bains !

Reprenez I St. en direction de la rivière.

Plus loin, sur la droite, notez la façade en brique du magasin **Huntington, Hopkins & Co**, une reconstitution du bâtiment qui se trouvait à l'origine sur le tracé de l'autoroute. Il permit à Collis Huntington et à Mark Hopkins de faire fortune, avant de s'associer à Stanford et Crocker pour former le groupe des « Big Four », ces riches hommes d'affaires qui investirent dans les chemins de fer et fondèrent la **Central Pacific Railroad Company** *(voir p. 28).*

Non loin de là, le **Discovery Museum*** *(101 I St., ☎ (916) 264 7057. Mardi-dimanche 10h-17h ; fermé le lundi. Entrée : 4 $)* est aménagé dans un bâtiment qu'occupaient jadis le bureau du maire, celui de la police, le service des eaux et la prison… On y découvre la vie de Sacramento à l'époque des chercheurs d'or.

Face au musée s'ouvre Front Street, seconde grande rue de la vieille ville. En la descendant vers le sud, vous trouvez sur votre droite la **gare des voyageurs**. De l'autre côté de la rue, au n° 975, l'**Eagle Theatre** fut la toute première salle de spectacle de Californie. C'est en fait une reconstitution d'un bâtiment de 1849. Un peu plus loin, sur la droite, l'ancienne **gare des marchandises** de la Central Pacific est le point de départ de circuits en train à vapeur le long de la rivière *(billets en vente au Railroad Museum. Départ toutes les heures de 11h à 17h, les samedi et dimanche d'avril à septembre. Entrée : 6 $).*

Au bord du quai, juste derrière la gare, le **Delta King** est un ancien bateau des années 1930, transformé en hôtel. Il faut imaginer que les berges de la rivière étaient initialement beaucoup plus basses qu'aujourd'hui. Pour résister aux inondations, on rehaussa l'ensemble des rues de la vieille ville de plus de 3 m, avec de la boue draguée au fond de l'American River, un affluent de la Sacramento River. Beaucoup des sous-sols de la ville étaient jadis des rez-de-chaussée.

Ch. Legrand/MICHELIN

Descendez Front St. jusqu'à L St., et prenez à gauche jusqu'à 2ⁿᵈ St.

Le California Military Museum *(1119 2ⁿᵈ St., ☎ (916) 442 2883. Mardi-dimanche 10h-16h; fermé le lundi. Entrée : 3$)*, avec ses riches collections d'uniformes, d'armes et de documents divers intéressera ceux qui se passionnent pour l'histoire militaire des États-Unis.

Plus loin sur la gauche, l'**Union Hotel** servait de lieu de rencontre aux hommes politiques : on y pratiquait, autour d'un verre, un lobbying acharné…

Plus loin encore, sur la gauche, le **B.F. Hastings & Co Building** abritait le terminus du Pony Express (courrier à cheval). La Wells Fargo y avait également ses bureaux et vous pouvez visiter aujourd'hui le **Wells Fargo History Museum** *(1000 2ⁿᵈ St., ☎ (916) 440 4263. Tlj 10h-17h. Entrée libre)*, où sont exposés quelques souvenirs de l'époque des diligences et de la ruée vers l'or.

Downtown Sacramento

Dominé par la haute silhouette du Capitole, ce quartier compris entre l'autoroute et 16ᵗʰ St. accueille les grandes administrations et les musées.

Vous ne pourrez manquer le **California State Capitol**✶✶ *(10ᵗʰ St., entre L St. et N St. Tlj 9h-17h. Entrée libre)*, dont l'orgueilleuse **coupole** néo-classique, typique de beaucoup d'édifices publics américains, s'élève à 64 m au cœur du centre-ville. On remarque d'emblée sa ressemblance avec celle de Washington. La construction du siège du gouvernement de Californie débuta en 1860. Le parti pris néo-classique se confirme sur la **façade** principale, côté ouest, avec les colonnes, les frontons et les allégories qui entourent la déesse Minerve. À l'intérieur, on est impressionné par le dallage de mosaïques, ainsi que par la **rotonde** et sa coupole décorée. Depuis le palier du 2ᵉ étage, notez la vue sur la perspective du *Mall*, en direction de la rivière. Un **musée** *(entrée libre)* retrace l'histoire de la construction et du gouvernement de l'État. À l'extérieur, les jardins s'étendent sur 10 ha, plantés d'arbres très variés.

En quittant le Capitole par le *Mall*, vous rejoignez une petite place circulaire encadrée par deux bâtiments néo-classiques ressemblant à des temples antiques (1926) : celui de gauche abrite la bibliothèque de l'État, celui de droite l'administration de la Poste.

Empruntez 10ᵗʰ St. jusqu'à O St.

Le Golden State Museum✶ *(1020 O St., ☎ (916) 653 7524. Mardi-samedi 10h-17h, dimanche 12h-17h; fermé le lundi. Entrée : 5$)* est consacré à l'histoire du peuplement de la Californie et se révèle passionnant si vous maîtrisez l'anglais. Les salles sont organisées par thèmes : **The Place and The People** (le site et les gens) s'intéresse aux conditions géographiques et météorologiques, ainsi qu'aux immigrations successives; la seconde partie, **The Promise and The Politics** (la promesse et les politiques), s'attache aux institutions et à leur fonctionnement, ainsi qu'aux progrès technologiques et sociaux.

Retournez sur vos pas et prenez N St. que vous suivez en direction de la rivière. Tournez à gauche dans 3ʳᵈ St. pour rejoindre O St.

Créé en 1872, le **Crocker Art Museum**✶ *(216 O St., au sud d'Old Sacramento, ☎ (916) 264 5423. Mardi-dimanche 10h-17h/21h le jeudi; fermé le lundi. Entrée : 5,50$)* fut le premier musée public d'Art de l'Ouest américain. Aménagé dans une belle **demeure italianisante**✶✶, il rassemble une importante collection de tableaux allemands et américains du 19ᵉ s., ainsi que des dessins d'artistes européens. L'art contemporain californien est également bien représenté.

Les amoureux de voitures américaines ne manqueront pas le **Towe Auto Museum**✶ et ses expositions tournantes de modèles rares *(2200 Front St., à un peu plus de 1 mile au sud d'Old Sacramento, ☎ (916) 442 6802. Tlj 10h-18h. Entrée : 6$. Parking gratuit).*

Au nord-est du Capitole, le **Governor's Mansion** (1526 H St., entre 15th St. et 16th St., ☎ (916) 323 3047. Tlj, visite guidée toutes les heures de 10 h à 16 h. Entrée : 3 $) servit de résidence aux gouverneurs de Californie jusqu'à la fin du mandat de Ronald Reagan. Ce manoir victorien très sophistiqué contient une foule d'objets ayant trait à la vie des gouverneurs et de leurs épouses, dont une collection de robes du soir…

Quittez le centre par Capitol Ave. vers l'est. Tournez à gauche dans 28th St., puis encore à gauche dans L St.

Sutter's Fort State Historic Park★★

2701 L St., ☎ (916) 445 4422. Tlj 10 h-17 h. Entrée : 1 $. Cette forteresse est celle que construisit John Sutter en 1839. Autour d'une vaste cour centrale, les bâtiments en adobe regroupent les logements et les ateliers des premiers colons, mais seuls les quartiers de Sutter sont d'époque. À la porte de chaque pièce, un commentaire audio explique les activités du fort. On découvre ainsi l'atelier du charpentier, du forgeron, du boulanger, la cuisine, la chambre de Sutter, celles des colons… Deux fois par semaine hors saison, et tous les jours en été, des figurants en costume d'époque, parents et enfants, font revivre le vieux fort. On les voit fabriquer des bougies, apprendre à tisser, à faire des paniers ou du pain.

Tout près, le **California State Indian Museum★** (2618 K St., ☎ (916) 324 0971. Tlj 10 h-17 h. Entrée : 3 $) présente des objets quotidiens et sacrés, ainsi que des costumes appartenant aux Indiens des environs. Une partie est consacrée aux conséquences dramatiques pour la culture indienne de la ruée vers l'or.

— Sacramento pratique —

ARRIVER-PARTIR

En voiture – La ville est desservie par l'I-80 en provenance de San Francisco (sortez à 10th Street) et l'I-5, qui longe Old Sacramento en arrivant de Los Angeles (sortez à J Street). Pour rejoindre le lac Tahoe, prenez 16th St. vers le sud, puis la Hwy 50 vers l'est.

En train – *Amtrak Station*, à l'angle de 4th St. et de H St., ☎ (916) 444 7094. Plusieurs départs quotidiens vers San Francisco (3 h) et Los Angeles (8 h).

En bus – *Greyhound Station*, à l'angle de 7th St. et de L St., tout près du State Capitol, ☎ (916) 482 4993/444 7220. De nombreuses villes sont desservies à partir de Sacramento, notamment San Francisco (2 h) et Los Angeles (7 h 30-9 h).

COMMENT CIRCULER À SACRAMENTO

En bus – Le centre est desservi par le DASH bus (ligne 30), qui passe par la gare Amtrak, la vieille ville, la gare Greyhound, le Capitole et Sutter's Fort. Il circule toutes les 15 mn en semaine, toutes les 20 à 30 mn le soir et le week-end (0,50 $; prévoir la monnaie).

ADRESSES UTILES

Office de Tourisme – *Sacramento Visitor's Bureau*, 1303 J St., Suite 600, ☎ (916) 264 7777/1-800 292 2334, www.sacramentocvb.org. ***Old Sacramento Visitor's Bureau***, 1102 2nd St., ☎ (916) 442 7644.

Banque / Change – Nombreux distributeurs de billets partout en ville. Bureaux de change dans Old Sacramento.

Poste – *Main Post Office*, I St., entre 8th St. et 9th St. Lundi-samedi 9 h-16h.

OÙ LOGER

Vous trouverez un large choix de motels bon marché aux abords de la ville, le long de l'I-80 ou de l'I-5.

• Downtown

Moins de 15 $ par personne
Sacramento Hostel, 900 H St., à l'angle de 9th St., ☎ (916) 443 1691 – 70 lits [CC] Aménagée dans un magnifique manoir victorien, cette auberge de jeunesse propose aussi quelques chambres familiales. À 5 mn à pied des gares. Laverie.

De 60 à 80 $

Quality Inn, 818 15th St., à l'angle de I St., ☎ (916) 444 3980 – 40 ch. ⌁ ⌂ TV CC Un motel classique, mais c'est le plus abordable du centre-ville et il présente l'avantage de disposer d'un parking. Fer à repasser et sèche-cheveux dans les chambres. Petit-déjeuner compris. Négociez un rabais hors saison.

De 80 à 100 $

Travelodge, 1111 H St., ☎ (916) 444 8880 – 71 ch. ⌁ ⌂ TV CC Un motel sans caractère, mais commode et bien tenu, à 5 mn à pied du Capitole et de la vieille ville. Parking et petit-déjeuner compris.

De 100 à 150 $

Delta King Hotel, 1000 Front St., ☎ (916) 444 5464 – 44 ch. ⌁ ⌂ TV ✕ CC Les incurables romantiques apprécieront de dormir dans ce bateau à aubes, aux petites cabines joliment décorées. Charme supplémentaire : on entend siffler le train qui passe sur le pont un peu plus loin… Tarifs plus intéressants pour les offres « couples ». Restaurant un peu cher (plats autour de 20 $).

OÙ SE RESTAURER

Moins de 10 $

☻**Fanny Ann's Saloon**, 1023 2nd St., ☎ (916) 441 0505. Un vrai saloon du Far West, avec son grand comptoir en bois, ses vieux objets pendus au plafond et ses néons multicolores. Une cuisine américaine simple et copieuse (burgers, plats de poulet, salades, sandwichs) est servie de 11 h 30 à 22 h, mais le bar reste ouvert jusqu'à 23 h en semaine et minuit le week-end.

De 10 à 15 $

☻**Grapes**, 815 11th St., ☎ (916) 447 6272. Un bar au décor design, blanc et brique, baigné de musique jazz et de lumières tamisées. On y déguste des salades raffinées et copieuses, ainsi qu'une cuisine éclectique européenne de qualité. Moins cher pour le déjeuner. Menu complet avant théâtre pour 22,50 $.

LOISIRS

Croisière sur la rivière – Riverboat Cruises, L St. Landing (ponton), dans la vieille ville, ☎ (916) 552 2933. Croisière à bord d'un vieux bateau à roue sur la Sacramento River. Diverses formules : balade de 1 h (10 $), comprenant le déjeuner (30 $), l'apéritif (15 $) ou le dîner (32,50 $).

ACHATS

Magasins d'usine – Folsom Premium Outlets, Folsom, à 25 miles environ à l'est de Sacramento, sur la Hwy 50. Prenez la sortie Folsom Blvd, à gauche, et suivez les panneaux. Un complexe regroupant les magasins d'usine de plusieurs grandes marques (Gap, Donna Karan, Nike, Levi's, Calvin Klein).

Divers – Old Sacramento Pop Corn, 1106 2nd St., dans la vieille ville, ☎ (916) 442 2676. Il se dégage une odeur incroyable de cette boutique, où on trouve les pop-corn les plus fous. Couleurs psychédéliques et parfums innombrables, il y en a pour tous les goûts (rouge à la cannelle, bleu à la myrtille, orange au melon, vert vif à la pomme, etc).

The Village Hat Shop, 545 Downtown Plaza, Suite 1065, dans le grand centre commercial qui sépare Downtown d'Old Sacramento, ☎ (916) 444 7475. Des galurins pour tous les goûts, de préférence américains. Grand choix de casquettes et « stetsons » à essayer pour le fun.

Sacramento pratique

LAKE TAHOE★★

104 miles à l'est de Sacramento – Carte Michelin n° 493 B8
Alt. 1 868 m – Climat montagnard

À ne pas manquer
Pique-niquer et se baigner à Sand Harbor.
La vue depuis Inspiration View Point à Emerald Bay.

Conseils
En été, malgré la chaleur, les nuits restent fraîches.
En hiver, interrogez la météo pour ne pas être coincé par une tempête de neige.
Vérifiez si vous avez le droit de mettre des chaînes à votre voiture de location,
car c'est rarement le cas.

Destination favorite des riches citadins pour ses stations de sports d'hiver ou sa fraîcheur estivale, le lac Tahoe offre une enclave inattendue au cœur de la sierra. Eaux transparentes, gros rochers ronds et doux, plages bordées de conifères aux allures de Grand Nord : les contrastes sont étonnants. Occupant un vaste bassin créé par une faille puis érodé par les glaciers, le lac atteint plus de 500 m de profondeur (c'est le deuxième des États-Unis à cet égard), 35 km de long et 19 km de large. À cheval entre la Californie et le Nevada, Tahoe se partage de la même manière entre les rives ouest, nord et est, encore sauvages, et le sud, envahi par les casinos. La route panoramique qui l'encercle déroule une succession de sites et de paysages enchanteurs.

De l'argent des mines à celui des casinos
Bien que parcourue par l'homme depuis 8 000 ans, puis occupée par les Indiens washoes comme campement estival, la région du lac Tahoe ne fut explorée par les Américains qu'en 1844. À l'époque où les chercheurs d'argent s'installèrent dans les environs, ses forêts fournirent le bois de construction des maisons et de soutènement des mines. Mais c'est surtout le tourisme qui lui apporta la notoriété. La législation du Nevada autorisa l'ouverture de nombreux casinos, tandis que les sports d'hiver furent dopés par les Jeux olympiques organisés en 1960 dans la Squaw Valley toute proche.

Balade autour du lac
Itinéraire de 72 miles. Comptez de 1 à 2 jours si vous randonnez.

La Hwy 50 qui vient de Sacramento passe par South Lake Tahoe puis rejoint le Nevada.

■ **South Lake Tahoe** – *24 000 hab.* Située à la frontière de la Californie et du Nevada, cette ville sans aucun charme occupe la rive sud du lac, où se concentrent hôtels et commerces. Vous serez sans doute surpris du grand nombre de *wedding chapels*, toutes très kitsch, que compte South Lake Tahoe, mais les Américains considèrent qu'il est très romantique de se marier au bord du lac avant de passer une lune de miel dans un chalet des alentours... Côté Nevada, État qui a légalisé les jeux, l'agglomération s'appelle Stateline et aligne d'immenses casinos-hôtels, ouverts jour et nuit, regroupant salles de jeu, boîtes de nuit et salles de spectacle.

Juste au sud de South Lake Tahoe, **Heavenly Ski Resort** est une station de sports d'hiver très populaire. Le téléphérique **Heavenly Aerial Tramway★** *(tlj 10h-21h de juin à septembre/9h-16h de décembre à avril. Billet : 12 $)* permet de monter au Pic Monument (3 098 m), d'où l'on jouit d'un très beau panorama sur le lac, niché dans son écrin montagneux. Au sommet, les randonneurs suivront le **Tahoe Vista Trail★** (3,5 km AR) pour profiter d'autres très belles vues.

De South Lake Tahoe, empruntez la Hwy 89 qui longe la rive ouest du lac vers le nord, jusqu'à Emerald Bay (8 miles).

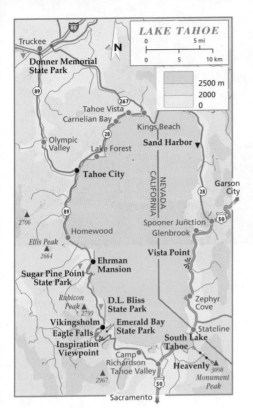

■ **Emerald Bay State Park**★★ – *Tlj du lever au coucher du soleil. Entrée : 5 $ par véhicule.* Ce parc encadre **Emerald Bay**★★, une baie profonde et presque fermée qui doit son nom à la couleur de ses eaux vertes. C'est l'un des sites les plus célèbres du lac. Avant d'y accéder, la route longe le petit **lac Cascade**, puis atteint **Inspiration View Point**★, qui offre un superbe panorama sur la baie.

Passé les **Eagle Falls** (chutes de l'Aigle) qui se déversent en contrebas, la route mène ensuite aux abords de **Vikingsholm** *(accès par un sentier pédestre de 1,6 km Visite guidée uniquement, tlj 10 h-16 h de juin à septembre. Entrée : 2 $)*, un surprenant château aux allures scandinaves, construit dans les années 1920 par une riche Américaine qui s'imaginait dans un fjord. Les 48 pièces du manoir abritent une collection d'objets tradi-tionnels et d'antiquités. Au milieu de la baie, sur le petit **îlot Fannette**, une maison de thé était réservée aux après-midi d'été.

Poursuivez le long de la Hwy 89.

■ **D.L. Bliss State Park**★ – *À 10 miles de South Lake Tahoe, 2 miles après Emerald Bay. Tlj du lever au coucher du soleil, de mai à septembre. Entrée : 5 $ par véhicule.* Ce parc attire surtout les amoureux de la nature pour sa jolie plage de sable et ses sentiers de randonnée, comme le **Rubicon Trail**★ *(7,2 km)*, qui serpente à flanc de montagne au-dessus du lac, passe en surplomb d'Emerald Bay et aboutit aux Eagle Falls, dans l'Emerald Bay State Park.

■ **Sugar Pine Point State Park**★ – *À 18 miles de South Lake Tahoe. Tlj du lever au coucher du soleil. Entrée : 5 $ par véhicule.* Cet autre joli parc de la rive ouest s'étire autour d'un promontoire dominant le lac et se prête à de jolies randonnées. Il fut occupé dès la fin du 19ᵉ s. par un riche colon, puis c'est un San Franciscain qui décida d'y faire construire sa résidence d'été, baptisée **Ehrman Mansion**, un bel exemple de « chalet de vacances » pour richissime citadin *(visite guidée, tlj 11 h-16 h de juillet à Labor Day. Entrée : 2 $)*.

Suivez la Hwy 89 jusqu'à Tahoe City (10 miles).

■ **Tahoe City** – Plus modeste que South Lake Tahoe, mais beaucoup plus chic, ce village est surtout l'un des plus anciens des environs. On peut d'ailleurs y visiter la **Watson Cabin** *(N. Lake Blvd, 800 m à l'est du Visitor's Bureau. Tlj 12 h-16 h, de*

Lake Tahoe

R. Galen/Mountain Light/EXPLORER-HOA QUI

Croisière sur le lac Tahoe

mi-juin à Labor Day. Entrée : 2 $), une cabane en rondins de 1909, abritant un petit **musée** consacré à l'histoire locale. Dans le même esprit, la **Gatekeeper's Log Cabin** *(sur la Hwy 89, au sud du village. Tlj 11 h-17 h de mai à mi-octobre. Entrée libre)* rassemble quelques souvenirs des Indiens et des premiers colons.

Les passionnés de conquête de l'Ouest pourront faire l'excursion du **Donner Memorial State Park★★** *(à 17 miles de Tahoe City. Suivez la Hwy 89 en direction de Truckee, puis prenez l'I-80 vers l'ouest. Tlj 9 h-16 h. Entrée : 2 $).* C'est dans ce campement mythique des immigrants qu'une expédition de 87 pionniers se trouva coincée par l'hiver en 1846. Quarante d'entre eux moururent et les survivants durent manger les morts pour survivre. Un **musée★★** est consacré à cette épopée *(tlj 9 h-17 h de Memorial Day à Labor Day. Entrée : 2 $).*

Empruntez la Hwy 28 pour rejoindre Sand Harbor, sur la rive est du lac (20 miles).

■ Ce sont les énormes blocs de granit polis par le temps qui donnent à **Sand Harbor★** tout son caractère. Le paysage est plein de charme, curieux mélange de Grand Nord et de criques corses ou bretonnes. On peut pique-niquer le long du rivage et nager dans l'eau claire *(le lac est ici peu profond),* car l'anse est abritée.
La route se poursuit ensuite vers le sud et Stateline. Elle passe **Vista Point★** d'où l'on embrasse la vue sur la rive ouest du lac.

ARRIVER-PARTIR

En voiture – De Sacramento, vous pouvez arriver par la Hwy 50 et South Lake Tahoe ou par l'I-80 et Tahoe City. Dans les deux cas, des chaînes sont souvent nécessaires en hiver et la Hwy 89 est parfois fermée le long du lac. Pour toute information sur l'état des routes : **South Lake Tahoe**, ☎ (530) 542 4636 ; **North Lake Tahoe**, ☎ (530) 546 5253.

En bus – **Greyhound** relie Stateline (près des casinos) à Sacramento et San Francisco 5 fois par jour. **Amtrak** propose 3 liaisons par jour entre South Lake Tahoe (au carrefour des Hwys 50 et 89) et Sacramento. Autour du lac et de South Lake Tahoe, plusieurs services locaux assurent les déplacements. Enfin, les casinos disposent tous de navettes gratuites les reliant aux différents motels et hôtels.

ADRESSES UTILES

Office de tourisme – **South Lake Tahoe Visitor's Bureau**, 13066 Lake Tahoe Blvd, ☎ (530) 541 5255. **Tahoe City Visitor's Bureau**, 245 N. Lake Blvd, ☎ (530) 581 6900. Pensez à demander les différents itinéraires de randonnée autour du lac. Des plans plus précis sont aussi fournis à l'entrée des parcs.

Poste – **South Lake Tahoe**, 1046 Tahoe Blvd. Lundi-vendredi 8 h 30-17 h, samedi 12 h-14 h. **Tahoe City**, 950 N. Lake Blvd, dans la galerie commerciale. Lundi-vendredi 8 h 30-17 h.

Santé – **Barton Memorial Hospital**, ☎ (530) 541 3420.

OÙ LOGER

Les prix varient considérablement selon la saison et augmentent sensiblement en été et les week-ends. Les grandes chaînes de motels (Motel 6, Travelodge) sont représentées à South Lake Tahoe. Les parcs proposent quelques emplacements de camping, mais ils sont souvent complets. Renseignements, ☎ (530) 542 6055. Réservations, ☎ 1-800 280 2267.

• **South Lake Tahoe**

De 80 à 100 $

🏨 **Americana Vacation Club**, 3845 Pioneer Trail, ☎ (530) 541 8022 – 74 ch. ⬛➤➤ ⬛ ⬛ ⬛ Ce village de vacances dispose de studios, agréables et très confortables, avec kitchenette. Le principe est celui de la propriété partagée et les disponibilités dépendent du moment. Plus cher le week-end, mais les prix descendent en dessous de 50 $ hors saison.

Royal Valhalla, 4104 Lakeshore Blvd, ☎ (530) 544 2233 – 91 ch. Situé à l'écart du grand boulevard de la ville, près de Stateline, l'établissement est très calme. Décor impersonnel, mais tout confort. La plupart des chambres disposent d'un balcon ; celles qui donnent sur le lac jouissent d'une belle vue, mais sont plus chères. Petit-déjeuner continental inclus.

De 100 à 150 $

Camp Richardson Hotel & Inn, Hwy 89, le long de la rive ouest du lac, à 3 miles de la Hwy 50, ☎ (530) 541 1801, www.camprichardson.com – 29 ch. ⬛ ✕ ⬛ Un complexe de vacances, comprenant une marina, un petit hôtel rustique près de la route et une auberge plus moderne au bord de l'eau, des chalets à louer à la semaine, et même des tentes toutes montées. Chambres à partir de 70 $ en hiver et en semaine. Fait camping.

• **Tahoe Vista**

Plus de 150 $

🏨 **The Shore House**, 7170 N. Lake Blvd, ☎ (530) 546 7270, www.tahoeinn.com – 9 ch. ⬛ ⬛ ⬛ Des chambres agréablement décorées et dotées du meilleur confort (lecteur CD dans les chambres et jacuzzi en plein air), un cadre paradisiaque, un jardin plein de charme. Apéritif et petit-déjeuner somptueux.

OÙ SE RESTAURER

De 15 à 20 $

Riva Grill at The Lake, 900 Ski Run Blvd, ☎ (530) 588 6610 ⬛ Proche de Stateline, ce restaurant dispose d'une terrasse surplombant le lac et propose une cuisine très variée à tous les prix (moins cher le midi).

The Beacon Bar and Grill, Camp Richardson, Hwy 89, ☎ (530) 541 0630. Jolie salle au bord du lac où on sert des plats simples, mais très frais. Le midi, salades et copieux sandwichs pour moins de 10 $.

YOSEMITE NATIONAL PARK ★★★

Carte Michelin n° 493 B8
214 miles de San Francisco, 105 miles de Fresno
Alt. 610-3 963 m – Été chaud, plus frais en altitude

À ne pas manquer
Glacier Point au coucher du soleil.
Les sommets de la High Sierra.

Conseils
Évitez la foule en commençant tôt votre journée d'exploration.
Stockez impérativement vos denrées hors de portée des ours,
dans les boîtes métalliques marron prévues à cet effet.
Pensez à faire le plein avant d'arriver dans le parc.

Crée en 1890, le parc national de Yosemite protège 3 000 km² d'espace sauvage au cœur de la Sierra Nevada. Sommets acérés culminant à près de 4 000 m, dômes de granit dénudés, falaises et chutes d'eau vertigineuses, futaies de séquoias géants, prairies parsemées de fleurs et d'arbustes touffus, la nature exprime ici toute sa démesure. Ces paysages grandioses firent naître l'idée même de « parc national », et la vallée de Yosemite fut la première, en 1864, à faire l'objet d'un décret gouvernemental visant à la préservation d'espaces sauvages pour l'agrément de tous. Si la vallée de Yosemite demeure le point de mire du parc, la route de Tuolumne Meadows offre des panoramas d'altitude qui donnent un avant-goût des terres sauvages dans lesquelles s'aventurent les randonneurs épris de silence et de solitude. Avec plus de 800 miles de sentiers, Yosemite est un véritable paradis pour le marcheur et accueille un nombre toujours croissant de visiteurs.

L'héritage glaciaire de Yosemite

Avant l'ère glaciaire, seule la puissante rivière Merced était parvenue à tailler un canyon digne de ce nom au cœur des monts de la Sierra Nevada, vieux de 5 à 10 millions d'années. Il y a 3 millions d'années, le refroidissement de la planète donna naissance à des glaciers qui s'engouffrèrent dans ce canyon et sculptèrent progressivement de nombreuses vallées en U. L'une d'entre elles, la vallée de Yosemite, joyau du parc, est nichée au pied de falaises de granit de plus de 1 000 m de haut. Après la fonte du dernier glacier, il y a 10 000 ans, un lac s'installa dans la dépression. Il était délimité à l'ouest par les talus qui bordent les flancs d'El Capitan et des Bridalveil Falls, formés par les moraines terminales du glacier. Il s'est peu à peu rempli de sédiments et de débris charriés par les cours d'eau des montagnes et a fini par s'assécher, offrant un sol riche et propice à la végétation. De là naquit la jolie forêt de chênes et de conifères qui couvre la vallée.

Droit d'entrée de 20 $ par véhicule si vous ne possédez pas le National Parks Pass. Du côté ouest de la Sierra Nevada, le parc de Yosemite est doté de trois entrées principales : Big Oak Flat au nord par la Hwy 120, Arch Rock par la Hwy 140, et South Entrance au sud par la Hwy 41. De mai à novembre, il est aussi possible de pénétrer dans le parc par l'est, au niveau de la Tioga Pass (3 030 m).

La vallée de Yosemite ★★★
Comptez 2 jours avec les randonnées.

L'entrée d'Arch Rock, sur la Hwy 140 en venant de Merced, offre le chemin le plus direct pour la vallée, qui s'étend sur plus de 10 km de long. Tous les services sont regroupés à Yosemite Village, à l'extrémité de la route à sens unique qui dessine une boucle de part et d'autre de la rivière Merced.

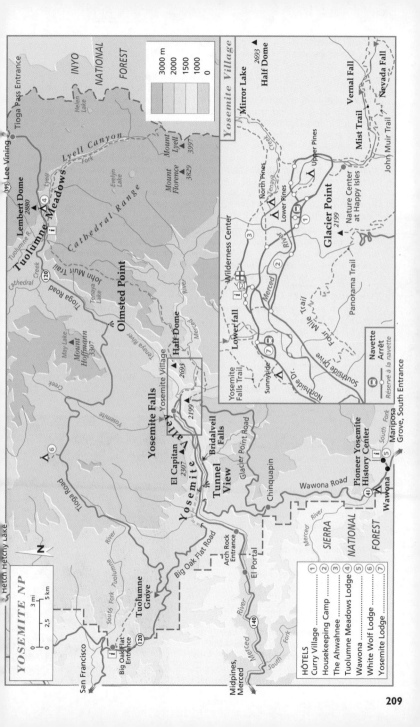

YOSEMITE NP

INYO

NATIONAL FOREST

Tioga Pass Entrance

(395) Lee Vining

Helen Lake

Lyell Canyon

Lyell Fork

Mount Lyell 3997

Tuolumne R.

Lembert Dome 2880

i ⚑ ⛺ (4)

Tuolumne Meadows

Evelyn Lake

Mount Florence 3829

Cathedral Creek

(120)

Cathedral Range

John Muir Trail

Tioga Road

Tenaya River

Olmsted Point

Tenaya Lake

Mount Hoffmann 3307

May Lake

Creek

⛺ (6)

Tioga Road

Hetch Hetchy Lake

South Fork

Tuolumne River

Tuolumne Grove

(120)

Big Oak Flat Entrance

i

San Francisco

Midpines, Merced

(140)

Merced River

South Fork

Arch Rock Entrance

El Portal

Big Oak Flat Road

Half Dome 2693 ▲

Yosemite Village

▲ 2199

Yosemite Falls

Yosemite Valley

El Capitan 2307 ▲

⛺

Bridalveil Falls

Tunnel View

Glacier Point Road

Chinquapin

Wawona Road

SIERRA

NATIONAL

FOREST

Merced River

South Fork

Pioneer Yosemite History Center

i (5)

⛺ (41)

Wawona

Mariposa Grove, South Entrance

N

0   2,5   5 km
0   3 mi

3000 m
2000
1500
1000
0

Yosemite Village

▲ 2693 **Half Dome**

Mirror Lake

Vernal Fall

Tenaya Creek

Mist Trail

Nevada Fall

North Pines ⛺

Upper Pines ⛺

Lower Pines ⛺

(3)

Wilderness Center

✉

i ☒

(2)

Lower fall

Merced River

Yosemite Falls Trail

Sunnyside

(7) 🅷

Northside Dr.

Southside Drive

Four Mile Trail

Nature Center at Happy Isles

Glacier Point 2199 ▲

John Muir Trail

Panorama Trail

(1) 🅷

HÔTELS
Curry Village .... (1)
Housekeeping Camp .... (2)
The Ahwahnee .... (3)
Tuolumne Meadows Lodge .... (4)
Wawona .... (5)
White Wolf Lodge .... (6)
Yosemite Lodge .... (7)

Navette
Arrêt
Réservé à la navette 🅷

209

Tunnel View★★★

Avant de vous engager dans la vallée, obliquez à droite à la première intersection que vous rencontrez après l'entrée d'Arch Rock, et prenez à droite la route pour Glacier Point et Wawona. Le point de vue est situé à 1 mile, juste avant l'entrée du tunnel.

Le point de vue de Tunnel View embrasse toute la vallée de Yosemite, dont l'ampleur contraste avec la vallée encaissée que longe la Hwy 140 pour accéder au parc. Ici, les glaciers ont creusé les falaises et considérablement élargi le canyon amorcé par la rivière Merced qui serpente en contrebas, masquée par l'épais tapis vert qui recouvre le fond de la vallée. Sur la droite, l'impétueuse et intarissable chute d'eau des **Bridalveil Falls**★★ (le voile de la mariée) s'élance d'une falaise de 189 m de haut. De l'autre côté de la route, la silhouette d'**El Capitan**★★ (2 307 m) impressionne davantage et seuls les grimpeurs chevronnés se mesurent à cette falaise, remarquable par son absence de fractures, qui compte parmi les plus grands monolithes de granit du monde. Dans le lointain se détache également le profil si particulier du **Half Dome**★★ (2 693 m), un monolithe gigantesque, comme coupé en son milieu, et dont la tranche est striée d'une bande noire.

Après cette vue d'ensemble et la découverte de quelques figures de Yosemite, faites demi-tour et engagez-vous sur la route à sens unique qui mène dans la vallée (n'empruntez pas la première route à gauche qui vous ferait revenir en arrière). Divers parkings permettent de s'arrêter pour contempler les formations rocheuses. Après une poignée de miles, un pont bifurque sur la gauche, ralliant directement Yosemite Village.

Yosemite Falls★★★

Le sentier qui mène au pied des chutes d'eau (facile; 30 mn AR) débute non loin du Yosemite Lodge, à l'ouest de Yosemite Village. Vous pouvez vous y rendre à pied depuis le Visitor Center ou emprunter le shuttle. Un sentier de randonnée, le Yosemite Falls Trail, longe les cascades. Il part de la Northside Drive, peu après le Yosemite Lodge, où vous pouvez laisser votre véhicule (le parking le plus proche du départ est réservé aux campeurs du Sunnyside Campground). Comptez 6-8h AR.

Serties dans une écrin de velours vert, trois cascades se succèdent pour former les Yosemite Falls (740 m), la plus haute chute d'eau des États-Unis et la cinquième dans le palmarès mondial. Alimentée par les eaux de pluie et la fonte des neiges, elle atteint son plus fort débit à l'approche de l'été. Au bout du chemin apparaissent les écumes bouillonnantes de l'**Upper Fall** qui se jette du haut de la falaise, et le filet plus sage de la **Lower Fall** coulant un peu plus bas.

Randonner à l'est de la vallée★★

Pour rejoindre l'est de la vallée, où se trouve le Nature Center at Happy Isles, un centre d'activités dédié aux enfants, proposant diaporamas et expositions interactives (tlj 10h-16h de juin à octobre, fermé à l'heure du déjeuner), vous devez laisser votre véhicule au parking et prendre le shuttle, ou emprunter à pied le chemin qui longe la route.

Diverses randonnées permettent de découvrir Tenaya Canyon et la vallée de la Merced River, situés de part et d'autre du Half Dome. L'une des plus prisées, le **Mist Trail**★★, part de Happy Isles et mène à la **Vernal Fall**, où la Merced River plonge de plus de 97 m (*comptez 2h-3h AR. Vous pouvez aussi redescendre par le John Muir Trail en obliquant à*

droite). Le sentier se poursuit jusqu'au sommet de la **Nevada Fall** *(difficile ; comptez 6 h AR de Happy Isles),* encore plus spectaculaire du haut de ses 182 m. De là, vous pouvez aussi redescendre vers Happy Isles par le **John Muir Trail** *(possibilité de rejoindre le Panorama Trail qui mène jusqu'à Glacier Point, voir ci-après)* ou continuer jusqu'au sommet du **Half Dome**✶✶ qui domine la vallée et les pics environnants du haut de ses 2 693 m *(très difficile et déconseillé aux personnes sujettes au vertige. Comptez 12 h AR à partir de Happy Isles ; prévoyez de camper en route).*

John Muir

Le nom de John Muir est très intimement lié à plusieurs parcs nationaux, particulièrement celui de Yosemite. Né en Écosse en 1838, John Muir grandit dans le Wisconsin avant de partir voyager. Ayant perdu la vue pendant un mois suite à un accident de travail, il se promit de dédier sa vie à la nature. Arrivé en Californie en 1868, il tomba en admiration devant les richesses naturelles de la Sierra Nevada et fut le premier à émettre l'hypothèse de l'origine glaciaire de Yosemite. Grâce à ses nombreux écrits, il participa activement aux mouvements visant à protéger les espaces sauvages. L'un de ses livres, « Nos parcs nationaux », attira l'attention du président Theodore Roosevelt qui vint lui rendre visite à Yosemite en 1903. John Muir s'éteignit en 1914. Deux ans plus tard, le Congrès votait la création de l'Organisme des parcs nationaux, le NPS (National Park Service).

D'agréables chemins invitent par ailleurs à randonner dans la prairie qui borde la rivière Tenaya et le **lac Mirror**✶✶ *(facile ; 2 h AR ; départ de la station « Mirror Lake » du shuttle jusqu'en octobre, sinon rejoindre le sentier depuis le parking du Curry Village).* Aux abords du lac, les parois des falaises se rapprochent et vous pénétrez dans Tenaya Canyon, que surplombe le Half Dome. L'imposante falaise de ce monolithe se reflète habituellement dans le lac, mais à la fin de l'été, celui-ci est généralement asséché.

Glacier Point✶✶✶

À l'entrée de la vallée, empruntez la route pour Wawona et prenez à gauche au niveau de Chinquapin. Comptez 75 mn. Attention, cet accès est fermé de novembre à mai. Deux sentiers de randonnée mènent aussi au point de vue : le Four Mile Trail (difficile ; 6 h AR)

B. Pérousse/MICHELIN

qui débute au parking du même nom sur la *Southside Drive*, et le *Panorama Trail (moins abrupt ; 10 h AR)* qui part de *Happy Isles* et suit une partie du *Mist Trail (voir ci-dessus). Les marcheurs expérimentés peuvent emprunter un chemin à l'aller et l'autre au retour ; comptez alors une bonne journée. En réservant vos billets à l'avance au Yosemite Lodge, vous pouvez redescendre dans la vallée en bus ou, inversement, monter à Glacier Point en bus et randonner vers la vallée.*

À proximité du parking et de la boutique *(souvenirs, snacks. Tlj 9 h-19 h)*, un premier point de vue permet d'apercevoir les deux chutes de la Merced River : **Nevada Fall** et **Vernal Fall**. Un sentier mène à Glacier Point proprement dit, qui offre un panorama exceptionnel sur la vallée, très prisé au coucher du soleil. À la tombée de la nuit, la vallée sombre dans le noir, tandis que les sommets s'illuminent et se parent de tons rouge-rosé. Point de mire de ce ballet chatoyant, le **Half Dome** s'impose avec une majesté certaine.

La High Sierra★★★

Comptez une journée.

Tioga Rd, qui débute à quelques miles au sud de l'entrée de Big Oak Flat, traverse le parc d'ouest en est via Tuolumne Meadows. Depuis la vallée, vous la rejoignez en suivant la direction de Crane Flat. Attention, la route n'est ouverte que de mai à octobre.

La route des crêtes★★

Les paysages qui se déroulent le long de Tioga Road impressionnent par leur dénuement et leur immensité. À l'extrémité ouest de Tioga Road, **Tuolumne Grove**, auquel on accède par un petit sentier *(1 mile ; 1 h AR)*, offre une halte agréable au milieu d'une futaie de séquoias géants. Puis les forêts cèdent la place aux falaises et aux **dômes de granit** qui se détachent dans le ciel bleu azur. Ces derniers comptent parmi les plus anciens du parc (environ 200 millions d'années) et subissent l'action de l'érosion depuis les mouvements tectoniques qui ont donné naissance à la Sierra Nevada il y a de 15 à 25 millions d'années *(voir p. 13)*. Par endroits, le granit se présente en strates parallèles, séparées par des fissures qui apparaissent lorsque les couches supérieures érodées libèrent la pression exercée sur les couches inférieures (exfoliation). Dans ce paysage dénudé par les glaciers, les conifères s'accrochent aux fractures ou dépressions qui peuvent retenir un maigre sol et semblent ainsi sortir de la pierre.

À **Olmsted Point★★★**, la vue panoramique sur Tenaya Canyon offre un exemple saisissant de l'action d'un glacier sur la vallée environnante. Au loin se profile le Half Dome sous un angle peu habituel.

Tuolumne Meadows★★★

Comptez 1 h pour accéder à cette magnifique prairie d'altitude par la route des crêtes. Le Visitor Center (tlj 9 h-17 h) est le premier bâtiment que vous rencontrez, sur la droite. Le camping et la cafétéria sont situés en aval de la route.

Peu après avoir longé le lac Tenaya, vous parvenez à la plus grande **prairie subalpine** de la Sierra Nevada, vaste étendue d'herbe dorée parsemée de conifères, au milieu de laquelle la Tuolumne River coule paisiblement. Pendant la courte saison d'été, des buissons aux fleurs d'un rouge prononcé font leur apparition. De tous les animaux qui peuplent le parc, les **cerfs** et les **marmottes** sont les moins farouches, les *bighorns* (mouflons), les pumas et les coyotes préférant les lieux plus reculés. De nombreux chemins de randonnée invitent à parcourir la région *(renseignez-vous au Visitor Center)*. Le paysage est dominé par le **Lembert Dome★** (2 880 m), du sommet duquel on jouit d'une vue imprenable sur la prairie *(2-3 h AR ; départ du parking situé après le pont, sur la gauche)*.

La route se poursuit vers l'est jusqu'à la Tioga Pass, puis rejoint Lee Vining et la Rte 395 qui mène à la Death Valley (à 200 miles au sud).

Wawona*
Comptez 2 h.

Au sud du parc, à 1 h de route de la vallée, Wawona dispose d'un petit Visitor Center (8 h 30-16 h ; fermé en hiver), d'un magasin et d'une station-service.

Wawona Village

Wawona est dédié à l'histoire humaine de Yosemite, bien qu'il soit fait peu de cas des Indiens, qui habitaient dans le parc depuis au moins 4 000 ans. En arrivant, vous remarquez d'abord le magnifique **Wawona Hotel**, tout de blanc vêtu, qui trône au milieu d'une pelouse impeccable. Construit en 1879, cet établissement de luxe a été depuis restauré sans rien perdre de son charme.

À gauche de l'hôtel, derrière le bâtiment qui abrite le *Visitor Center*, le **Pioneer Yosemite History Center*** s'étire de part et d'autre de la rivière. Outre une collection de carrioles et de wagons, ce musée en plein air expose différentes maisons, provenant pour la plupart de la vallée. L'édifice le plus impressionnant demeure le **pont** qui enjambe la rivière. Élevée en 1857, cette structure est couverte d'un toit en bois, car, en cas de dommages, il était plus facile de reconstruire le toit que le pont dans son ensemble.

Mariposa Grove**

En été, pour éviter les embouteillages, une navette gratuite relie le magasin de Wawona à la futaie de Mariposa Grove, située 6 miles plus au sud. Vous pouvez également vous y rendre à pied en suivant le sentier qui débute à l'arrière de l'hôtel (1 h 30-2 h aller ; possibilité de revenir en navette l'été). Un tramway (payant) parcourt la futaie depuis le parking (départ toutes les 20 mn entre 9 h et 17 h 30 ; comptez 1 h). Au départ du sentier, prenez la brochure en français comportant une traduction des panneaux qui jalonnent le parcours. Mariposa Grove, la plus grande futaie de séquoias géants du parc, compte environ 500 spécimens, dont le plus imposant, le **Grizzly Giant**, avoisine les 64 m de haut (âge estimé : 2 700 ans). Laissez-vous surprendre par les bruits de la forêt, un écureuil mutin ici, une branche qui craque par là. Véritables forces de la nature, ces arbres apparaissent toutefois étonnamment souples au toucher, et leur écorce rousse se révèle friable. Cette particularité a d'ailleurs empêché que l'on en fasse une exploitation intensive, leur bois étant trop fragile pour les constructions. Leurs cousins de la côte californienne, les Redwoods, dont la circonférence est nettement moins importante, n'ont pas eu cette chance, car le cœur de leur tronc offre un bois rouge très résistant. Sur le trajet, un petit **musée** rend hommage à l'un des premiers protecteurs des séquoias, **Galen Clark**, qui a découvert la futaie en 1857 et ne l'a jamais quittée : il avait édifié ici une petite cabane en 1861.

Yosemite pratique

COMMENT CIRCULER DANS LE PARC

Yosemite Village est réservé aux piétons et aux cyclistes. Un bon moyen de découvrir la vallée sans souffrir des embouteillages consiste à louer un vélo et à parcourir les 12 miles de pistes cyclables (il est interdit de rouler en dehors des voies pavées). Afin de limiter le nombre de véhicules circulant dans la vallée, une navette gratuite, le « shuttle », dessert l'ensemble du village et certains départs de randonnée (toutes les 10-15 mn de 7 h à 22 h en été, toutes les 20 mn de 9 h à 22 h le reste de l'année ; consultez le trajet dans le journal remis à l'entrée du parc).

Location de vélos – Location au *Yosemite Lodge*, ☎ (209) 372 1208, et au *Curry Village*, ☎ (209) 372 8319 (jusqu'à octobre). Tlj 10 h-17 h.

ADRESSES UTILES

Office de tourisme – *Visitor Center*, Yosemite Village, www.nps.gov/yose. Tlj 8 h 30-18 h (horaires réduits en hiver). Renseignez-vous auprès des rangers pour les randonnées à la journée et les marches à thème qu'ils organisent. Le *Wilderness Center*, voisin du Visitor Center, délivre les permis de camper en pleine nature, obligatoires et gratuits (nombre limité par jour). Le *musée* (tlj 9 h-12 h/13 h-16 h 30) et le village indien reconstitué derrière le Visitor Center sont dédiés à la civilisation des Miwoks et des Paiutes qui habitaient la vallée à l'origine.

Banque / Change – Distributeurs dans l'épicerie de Yosemite Village, à la réception du Yosemite Lodge, dans les magasins du Curry Village et de Wawona, ainsi qu'à l'hôtel Yosemite View Lodge d'El Portal, sur la Hwy 140.

Poste – Le bureau de poste principal est situé dans Yosemite Village, non loin du Visitor Center. Lundi-vendredi 8 h 30-17 h, samedi 10 h-12 h. Antennes au Yosemite Lodge et à Wawona, ainsi qu'à Tuolumne Meadows de mi-juin à mi-septembre.

Santé – *Medical Clinic*, Ahwahnee Drive, ☎ (209) 372 4637. Tlj 8 h-21 h.

Stations-service – 24 h/24 à Crane Flat, Tuolomne Meadows et Wawona.

OÙ LOGER

Pour réserver un hébergement dans le parc, appelez le ☎ (559) 252 4848, www.yosemitepark.com.

● **Dans le parc**

Moins de 20 $

Campings, ☎ (301) 722 1257 / 1-800 436 7275, www.reservations. nps.gov. Attention, pour la plupart des campings, il est impératif de réserver 5 mois à l'avance. Dans la vallée, trois campings se trouvent aux abords de la Merced River, à l'est de Yosemite Village : *Upper Pines* (240 sites) est ouvert toute l'année, tandis que *Lower Pines* (87 sites) et *North Pines* (96 sites) ne sont ouverts qu'en été. À l'ouest de Yosemite Village, le *Sunnyside Campground* dispose de 35 sites réservés aux tentes toute l'année (3 $/pers. ; pas de réservation). Huit autres campings dans le reste du parc, dont ceux de *Wawona* (93 sites) et de *Hodgdon Meadow* (105 sites) sont ouverts toute l'année. Ceux des montagnes ferment en hiver, dont celui de *Tuolumne Meadows* (300 sites), où il est possible de se présenter sans réservation. Il est impératif de ranger toute nourriture et tous objets dégageant une odeur dans les conteneurs prévus à cet effet.

De 40 à 60 $

Curry Village, Southside Drive, Yosemite Valley – 700 ch. ✗ ⌷ cc Un véritable petit village, créé en 1899, où tentes (avec plancher en bois et lits) et cabanes en bois (avec ou sans douche) entourent les restaurants, la piscine et l'épicerie.

Housekeeping Camp, Southside Drive, Yosemite Valley, ☎ (209) 372 8338 – 266 ch. cc Ouvert de mai à octobre. Chaque cabane, équipée de deux lits superposés et d'un lit double, peut accueillir quatre personnes. Constituée de trois murs en béton et d'un pan de toile, elle ouvre sur une terrasse avec une table et un barbecue. La literie n'est pas fournie, mais il est possible d'en louer une. Sanitaires communs, laverie, épicerie.

White Wolf Lodge, Tioga Rd, au nord du parc – 28 ch. ✗ cc Cabanes de toile montées pour l'été, à proxi-

La Californie

mité du camping. Seules quatre sont en dur et disposent d'une salle de bains privée.

Tuolumne Meadows Lodge, Tuolumne Meadows – 69 ch. ✕ cc
Ouvert en été. Tentes de toile, similaires à celles du Curry Village, comprenant un poêle. Confort rustique. Sanitaires communs.

Plus de 100 $
Yosemite Lodge, Yosemite Valley – 254 ch. ⚐ 🍴 ⚲ ✕ ⚒ cc Des chambres tout confort, réparties dans plusieurs bâtiments ombragés. Terrasses privatives pour les « lodge rooms ». Épicerie.
Wawona Hotel, Wawona, ☎ (209) 375 6556 – 104 ch. ✕ ⚑ ⚒ cc Cet hôtel de la fin du 19ᵉ s. a été élégamment restauré et chacun de ses bâtiments en bois blanc dispose de chambres de caractère, à la décoration soignée. La moitié d'entre elles ne possèdent toutefois pas de salle de bains privée.

Plus de 250 $
The Ahwahnee, à l'est de Yosemite Village – 127 ch. ⚐ 🍴 ⚲ 📺 ✕ ⚑ ⚒ ✖ cc Un établissement très luxueux, installé dans une immense demeure admirablement aménagée dans le style indien. Grandes cheminées et hauts plafonds.

• **El Portal**
El Portal est situé à 1,3 mile de l'entrée ouest du parc.

De 80 à 100 $
Cedar Lodge, 9966 Hwy 140, ☎ (209) 379 2612, Fax (209) 379 2712, reservations@yosemite-motels.com – 206 ch. ⚐ 🍴 ⚲ 📺 ✕ ⚒ cc Motel en bois rouge accueillant, sur deux niveaux. Chambres bien équipées, avec canapé et réfrigérateur. Possibilité de prendre le bus YARTS pour se rendre dans le parc.
Yosemite View Lodge, 11136 Hwy 140, ☎ (209) 379 2681, Fax (209) 379 2704, reservations@yosemite-motels.com – 278 ch. 🍴 ⚲ 📺 ✕ ⚒ cc Les bâtiments ont moins d'allure que ceux du Cedar Lodge, mais la qualité des services y est équivalente (même chaîne). Demandez le bâtiment n° 7, qui offre les meilleures vues.

• **Midpines**
L'auberge de jeunesse de Midpines, un hameau situé à 25 miles à l'ouest du parc, est remarquable, mais les motels alentour sont peu engageants.

De 20 à 40 $ par personne
Yosemite Bug Hostel, 6979 Hwy 140, à 10 miles de Mariposa, ☎ (209) 966 6666, Fax (209) 966 6667, bughost@sierratel.com – 88 lits ⚲ ✕ ⚑ cc Cette auberge de jeunesse accueillante s'inscrit dans un cadre idyllique et ombragé, bien qu'un peu isolé. Chambres de 2 et 5 lits dans le bâtiment principal et dans quelques-unes des cabanes installées sur les hauteurs. Camping et cabanes de toile disponibles (17-40 $). Accès Internet, laverie et restaurant sympathique. Auberge desservie pas le bus YARTS.

OÙ SE RESTAURER DANS LE PARC

La plupart des restaurants sont rassemblés dans la vallée de Yosemite, mais vous trouverez une cafétéria aux abords de chacun des logis détaillés ci-dessus (comptez 10 $). Ils ouvrent vers 7h-8h et ferment avant 21h. Pour un dîner plus formel, **The Mountain Room**, dans le Yosemite Lodge (15-20 $), bénéficie d'un cadre chaleureux et d'une vue panoramique, et le **Pavilion** du Curry Village propose un buffet à volonté pour 10-15 $. Pour un dîner gastronomique dans une salle somptueuse, réservez à l'**hôtel Awahnee**, ☎ (209) 372 1489 (comptez 40-50 $). À Wawona, l'**hôtel Wawona** (30-40 $) comprend une petite salle à manger à la décoration victorienne.

LOISIRS

Randonnée – Une multitude de sentiers balisés attendent les randonneurs de tous niveaux. Renseignements sur les chemins et les permis au Visitor Center. Pour tout achat de matériel, adressez-vous à **Sport Shop**, Yosemite Village. Tlj 9h-17h.
Équitation – Dans la vallée de Yosemite, à côté du **North Pines Campground**, ☎ (209) 372 8348, à **Tuolumne Meadows**, ☎ (209) 372 8427, et à **Wawona**, ☎ (209) 375 6502. En été uniquement, réservation nécessaire.

Kings Canyon
et Sequoia National Parks★★

Carte Michelin n° 493 B9
80 miles de Fresno, 222 miles de Los Angeles
Alt. 427-4 117 m – Été chaud, plus frais en altitude

À ne pas manquer
La vue du Moro Rock.
Les futaies de séquoias géants de Grant Grove.

Conseils
Faites le plein d'essence avant de vous aventurer dans les parcs.
Si vous arrivez par le sud, bifurquez à Visalia
pour rejoindre d'abord le Sequoia National Park.

Enclaves protégées au sein de la Sierra Nevada, les parcs de Kings Canyon et de Sequoia sont un véritable paradis pour les randonneurs, avec 700 miles de sentiers qui tutoient des pics de plus de 3 000 m. Le mont Whitney (4 418 m) est d'ailleurs le plus haut sommet des États-Unis, hors Alaska et Hawaï. Le versant est de la sierra étant très abrupt, l'accès aux parcs est aménagé à l'ouest. Les routes traversent d'abord une végétation aride et broussailleuse qui laisse place à une forêt mixte de conifères, prélude aux futaies de séquoias géants. Créé en 1890, Sequoia est l'un des plus anciens parcs nationaux des États-Unis. Les sommets, les canyons, les lacs et les vallées glaciaires de Kings Canyon ne furent rattachés à cet ensemble qu'en 1940, créant ainsi, avec Sequoia, une étendue sauvage de 3 600 km². Les deux parcs sont reliés par la Generals Highway, achevée en 1935, qui serpente à travers les étendues majestueuses de la Sequoia National Forest.

Kings Canyon National Park★★

Comptez une journée.

L'entrée du parc s'effectue à partir de la Hwy 180. Entrée : 10 $ par véhicule si vous ne possédez pas le National Parks Pass, mais le billet donne aussi accès au Sequoia NP.

Le parc de Kings Canyon se compose de deux parties, la futaie de Grant Grove, qui se trouve juste après l'entrée du parc, et Kings Canyon, plus à l'est. Distantes de 36 miles, elles sont reliées par la superbe Kings Canyon Scenic Byway *(comptez 1 h 30 ; cette route est fermée de la mi-novembre à la fin du mois d'avril).*

La futaie de Grant Grove★★

Avant de rejoindre le canyon qui a donné son nom au parc, faites halte au Visitor Center de Grant Grove (☎ (559) 565 4307, www.nps.gov/seki. Tlj 8 h-18 h en été, 8 h-17 h aux intersaisons, 9 h-16 h 40 en hiver) qui propose des brochures très détaillées. Le General Grant Tree Trail (facile ; 30 mn) débute à environ 1,5 mile du Visitor Center (prendre la bifurcation à gauche). Des promenades plus longues à travers la forêt de conifères démarrent de l'extrémité ouest du parking.

En suivant au petit matin le sentier pavé du **General Grant Tree Trail★★**, la brume qui enveloppe les troncs couleur cannelle confère encore plus de solennité à la découverte de cette futaie de séquoias démesurés, d'où s'exhale un parfum puissant, à la fois sucré et ambré. Beaucoup de futaies ayant été découvertes peu après la guerre de Sécession, on donna à ces arbres le nom de généraux illustres. Le plus imposant d'entre eux, le **General Grant Tree**, trône dans son enclos du haut de ses 80 m. Monument dédié à la mémoire des Américains morts au combat, il est également l'« arbre de Noël » de la Nation depuis 1926 et, chaque année, une cérémonie s'y tient le deuxième dimanche de décembre. Lorsque c'est autorisé, n'hésitez pas à toucher du doigt l'écorce étonnamment souple et légère de ces géants vivants.

La Californie

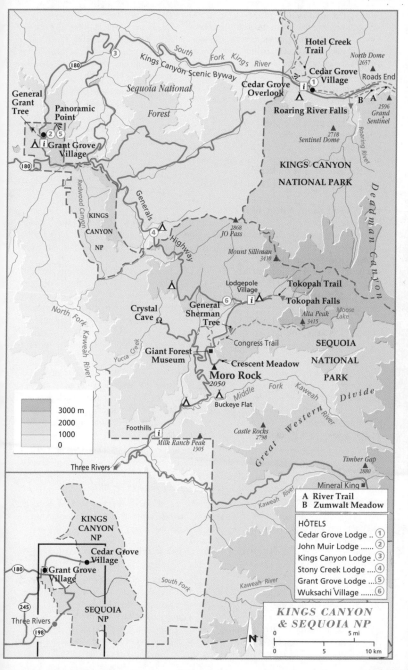

KINGS CANYON & SEQUOIA NP

Hotel Creek Trail

North Dome
2657

Cedar Grove Village

Roads End

Kings Canyon Scenic Byway

South Fork Kings River

Cedar Grove Overlook

Sequoia National Forest

Roaring River Falls

B A

2596
Grand Sentinel

180

3

General Grant Tree

Panoramic Point

2 5

Grant Grove Village

Sentinel Dome
2718

Roaring River

KINGS CANYON

NATIONAL PARK

Deadman Canyon

180

KINGS CANYON NP

Generals Highway

Redwood Canyon

4

JO Pass
2868

Mount Silliman
3410

North Fork Kaweah River

Lodgepole Village

Tokopah Trail

6

Tokopah Falls

Alta Peak
3415

Moose Lake

Crystal Cave

General Sherman Tree

Yucca Creek

Congress Trail

SEQUOIA

NATIONAL

PARK

Giant Forest Museum

Crescent Meadow

Moro Rock
2050

Middle Fork Kaweah River

Great Western Divide

3000 m
2000
1000
0

Buckeye Flat

Foothills

Castle Rocks
2798

Milk Ranch Peak
1905

Three Rivers

Kaweah River

Timber Gap
2880

Mineral King

A River Trail
B Zumwalt Meadow

HÔTELS
Cedar Grove Lodge .. 1
John Muir Lodge 2
Kings Canyon Lodge . 3
Stony Creek Lodge 4
Grant Grove Lodge ... 5
Wuksachi Village 6

KINGS CANYON
& SEQUOIA NP

0   5 mi

0   5   10 km

N

KINGS CANYON NP

Cedar Grove Village

180

Grant Grove Village

245

Three Rivers

198

SEQUOIA NP

South Fork

Kaweah River

Le talon d'Achille des géants

Les séquoias possèdent des défenses naturelles qui leur permettent de lutter contre les maladies et les insectes. Leurs troncs contiennent par ailleurs un acide tannique qui les protège efficacement contre le feu, celui-ci n'attaquant que superficiellement leur écorce. Ils n'en demeurent pas moins fragiles, car leur haute taille n'est pas contrebalancée par un réseau de racines suffisamment profondes. Celles-ci peuvent s'étendre sur plusieurs dizaines de mètres, mais elle atteignent rarement plus de 2 m de profondeur. Certains finissent ainsi par tomber sous l'action du vent ou le poids de la neige, comme le Fallen Monarch de Grant Grove.

Du Visitor Center, une route mène à Panoramic Point (2 miles). De retour du General Grant Tree Trail, vous pouvez également la rejoindre en continuant tout droit après l'intersection avec la Hwy 180.

À quelques centaines de mètres du parking, **Panoramic Point**** offre une superbe vue sur Kings Canyon. Un panneau indique les noms des sommets et des vallées que vous pouvez admirer en suivant le chemin qui part vers le sud. Par temps clair, on aperçoit également la vallée de San Joaquin, à l'ouest.

Le canyon de la Kings River***

Empruntez la Hwy 180 (Kings Canyon Scenic Byway) vers le nord pour rejoindre Cedar Grove (comptez 1 h 30). Le bureau des rangers est situé à Roads End, 6 miles après Cedar Grove Village (7 h-16 h). C'est un passage obligé pour qui veut s'engager sur les hauteurs (conseils, cartes et permis).

Enchâssée entre de hautes falaises de granit de plus de 1 000 m, la vallée glaciaire du bras sud de la Kings River contraste avec l'étroit défilé de la route qui y conduit. À partir de Cedar Grove, le panorama s'élargit et apparaissent les prairies dorées qui tapissent le fond de la vallée, où les *mule deers* (cerfs mulets) n'hésitent pas à s'aventurer. Le **North Dome** (2 657 m) au nord et le **Grand Sentinel** (2 596 m) au sud encadrent **Roads End** qui marque la fin de la route, et où débutent les randonnées de haute montagne : ici commencent les grands espaces auxquels l'homme se mesure à pied.

Au sud de Roads End, un sentier mène à un pont qui enjambe la Kings River. En prenant ensuite à droite, vous rejoignez le **Zumwalt Meadow Trail**** *(facile; comptez 1 h; au départ du sentier une brochure détaille l'itinéraire)*, une boucle qui fait le tour d'une prairie nichée entre les falaises et la rivière, bordée de pins Ponderosa, de saules et de trembles. Le sentier continue le long du **River Trail*** qui mène jusqu'à la **cascade**** impétueuse de la Roaring River *(2 h AR)*.

Pour une vue panoramique du canyon, engagez-vous sur le **Hotel Creek Trail**** qui débute au nord de Cedar Grove Village et grimpe jusqu'à **Cedar Grove Overlook**, perché à 1 855 m d'altitude *(400 m de dénivelé; 3 h AR. Possibilité de continuer et de redescendre par le Lewis Creek Loop, comptez alors 5 h AR)*.

De Grant Grove Village, la Generals Hwy mène au parc de Sequoia, situé à 2 h de route. Peu après être entrée dans le parc de Sequoia, la route coupe la futaie de Lost Grove, où 400 séquoias géants occupent une vingtaine d'hectares.

Sequoia National Park**
Comptez une journée.

Si vous arrivez par le nord, rendez-vous directement au Visitor Center de Lodgepole (☎ (559) 565 3782, www.nps.gov/seki. 8 h-18 h en été, 9 h-17 h aux intersaisons, 9 h-16 h 30 les week-ends uniquement en hiver), où vous obtiendrez toutes les informations nécessaires pour organiser votre visite de la Giant Forest. Si vous entrez dans le parc par le sud, le Visitor Center de Foothills (☎ (559) 565 3135. 8 h-17 h en été, 8 h-16 h 30 le reste de l'année) dispose des mêmes renseignements et vous pourrez vous acquitter du droit d'entrée de 10 $ (si vous ne possédez pas le National Parks Pass), valable égale-

ment pour la visite du parc de Kings Canyon. De juin à septembre, le complexe hôtelier de Wuksachi propose des navettes gratuites reliant le Visitor Center de Lodgepole et le General Sherman Tree (départ toutes les heures de 10h à 18h).

Lodgepole Village est avant tout une étape idéale pour se ravitailler, préparer votre visite du parc et obtenir un permis de camper. Plusieurs grands chemins de randonnée débutent au bout de la route de Lodgepole, dont le plus facile, le **Tokopah Trail** (3-4h AR), longe une vallée glaciaire et mène aux **Tokopah Falls**, une cascade de plus de 360 m.

Giant Forest★★

À 2 miles au sud de Lodgepole, la Giant Forest est traversée par la Generals Hwy. Grâce à un climat plutôt doux et un apport d'eau et de soleil suffisant, le versant ouest de la Sierra Nevada (entre 1500 et 2700 m) a permis la croissance de séquoias géants, répartis dans 75 futaies, dont 30 dans les parcs de Kings Canyon et de Sequoia. La Giant Forest, qui s'étend sur près de 8 km², est l'une des plus grandes et abrite certains des spécimens les plus imposants.

Deux miles au sud de Lodgepole Village, un sentier balisé mène au **General Sherman Tree**. Avec une hauteur de 84 m, une circonférence au sol de 31 m et un volume total de 1 487 m³, cet arbre constitue le plus grand organisme vivant du monde. De là, vous pouvez suivre le **Congress Trail**, une boucle qui permet d'approcher ces géants (1h-2h ; voir au Visitor Center pour les autres balades).

Pour rejoindre Moro Rock, empruntez la Crescent Meadow Rd qui croise la Generals Hwy au niveau du Giant Forest Museum.

Préparez-vous à l'ascension des 400 marches qui gravissent l'étonnant dôme de granit du **Moro Rock★★★** (2 050 m) (déconseillé aux personnes sujettes au vertige). Cet énorme rocher dénudé a été taillé par un processus d'érosion appelé l'exfoliation, qui libère des pans entiers de granit, dessinant des pentes lisses. La **vue** englobe les parties basses du parc, la bourgade de Three Rivers et la vallée de San Joaquin, mais surtout les hauts sommets de la ligne de partage des eaux, The Great Western Divide, ainsi que la vallée boisée de la Middle Fork Kaweah River.

Passé le Moro Rock, la route se poursuit au sein de la Giant Forest et passe notamment à l'intérieur d'un séquoia géant. Au bout de la route vous attend la superbe prairie de **Crescent Meadows★**.

H. Choimet/MICHELIN

Coquetteries

Les séquoias géants datent de la période postglaciaire, mais il est difficile de connaître exactement leur âge, car il est impossible de prélever un échantillon au centre de leurs troncs. Au début du 20ᵉ s., fondant leurs calculs sur ce qu'ils avaient pu extraire de l'arbre, les scientifiques estimaient que le General Sherman Tree était vieux de 5400 ans environ. Des recherches ont cependant démontré que, une fois parvenu à l'âge adulte, le tronc du séquoia se recouvre bon an mal an du même volume de bois, expliquant ainsi que les cercles concentriques soient de moins en moins espacés, la circonférence de l'arbre augmentant au fil des années. Par conséquent, le General Sherman Tree n'aurait qu'entre 2400 et 2700 ans.

L'embranchement pour Crystal Cave se trouve sur la Generals Hwy, à environ 1,5 mile au sud du Giant Forest Museum. La route menant à la grotte ne fait que 13 miles, mais il faut compter 45 mn pour la parcourir vu l'état de la chaussée et le nombre de virages.

Crystal Cave** (Grotte de Cristal)

Visite guidée tous les jours en été de 9h à 16h; départ toutes les 30 mn; comptez 45 mn Entrée : 6$. Attention, les billets sont en vente uniquement aux Visitor Centers de Lodgepole et de Foothills. Prévoyez des vêtements chauds, car il fait froid dans la grotte.

Un sentier abrupt *(15 minutes)* descend vers la grotte, à l'intérieur de laquelle des galeries parées de volutes de marbre déploient une féerie de formes et de couleurs. Faites l'expérience du noir total, avec pour seul repère le bruit de l'eau qui s'égoutte inexorablement et sculpte les parois de la grotte.

Mineral King, une vallée située au sud du parc, ne justifie les 639 virages de la route d'accès (3h AR; fermée de novembre à mai) que si vous avez le temps d'y randonner.

Kings Canyon et Sequoia pratique

ADRESSES UTILES

Banque / Change – Distributeurs automatiques à Grant Grove Village, à Cedar Grove Village et à Three Rivers.

Stations-service – Attention, aucune pompe dans l'enceinte des parcs. Ravitaillement possible au Kings Canyon Lodge (très cher et rationné. Tlj 8h-19h30 de mi-avril à mi-novembre) et à Three Rivers.

OÙ LOGER

Dans les deux parcs, à l'exception du Kings Canyon Lodge, les hébergements sont gérés par le même organisme. Les réservations se font au ☎ (559) 335 5500, Fax (559) 335 5502. www.sequoia-kingscanyon.com.

• Kings Canyon NP

Moins de 20$

Vous trouverez dans le parc plusieurs campings avec toilettes et douches (3$). Pas de réservation possible. Ravitaillement à proximité. Trois terrains à Grant Grove Village : **Azalea** (113 sites; ouvert toute l'année), **Crystal Springs** (62 sites; de fin mai à fin septembre) et **Sunset** (200 sites; de fin mai à mi-septembre).

À Cedar Grove, **Sentinel** (82 sites) et **Sheep Creek** (111 sites) sont ouverts de fin avril à mi-novembre, selon l'état de la route menant vers les hauteurs.

De 40 à 60$

Grant Grove Lodge, Grant Grove Village, à l'entrée du parc, ☎ (559) 335 5500, ext. 1643 – 52 ch. 🍴 ✖ 💳 Des cabanes très simples, composées d'un toit de toile supporté par des murs en bois, et comportant deux lits et une table. Les douches sont installées à proximité. Une dizaine de cabanes, plus chères, sont équipées d'une salle de bains et du chauffage.

De 60 à 80$

Kings Canyon Lodge, sur la Hwy 180, à 17 miles au nord de Grant Grove Village, ☎ (559) 335 2405 – 12 ch. 🍴 ✖ 💳 Ce petit établissement privé situé sur la route du Kings Canyon NP propose un hébergement familial dans la Sequoia National Forest. Restauration légère.

Plus de 100 $

John Muir Lodge, Grant Grove Village, ☎ (559) 335 5500, ext. 1643 – 30 ch. 🛏 🍴 🅿 💳 Un grand bâtiment en bois à la décoration rustique proposant des chambres confortables.

Cedar Grove Lodge, Cedar Grove Village, ☎ (559) 565 0100 – 21 ch. 🛏 🍴 ✖ 💳 Ouvert de fin avril à mi-novembre. Des chambres tout confort dans un cadre exceptionnel. Trois d'entre elles bénéficient, pour le même prix, d'une kitchenette et d'une terrasse privative.

- **Sequoia NP**

Moins de 20 $

Il est impératif de réserver pour le camping de ***Lodgepole*** (214 sites ; ouvert toute l'année) et pour celui de ***Dorst*** (204 sites ; ouvert de fin mai à fin août), situé au nord de Lodgepole, sur la Generals Hwy, ☎ (301) 722 1257 / 1-800 365 2267. Tous deux disposent de toilettes et de douches (3 $). Deux campings disposant uniquement de toilettes, ***Potwisha*** (42 sites ; ouvert toute l'année) et ***Buckeye Flat*** (28 sites, ouvert de mi-mai à fin septembre), sont situés à 6 miles au nord du Visitor Center de Foothills.

De 80 à 100 $

Stony Creek Lodge, à 14 miles au sud-est de Grant Grove sur la Generals Hwy, non loin du Sequoia NP, ☎ (559) 565 3909 – 11 ch. ⌁ 🍽 ✕ cc Ouvert de la mi-mai à la mi-octobre, cet hôtel isolé au milieu de la Sequoia National Forest est un peu triste. Camping à proximité (48 sites, 14 $).

Wuksachi Village, près de Lodgepole Village, ☎ (559) 253 2199 / 565 4078 – 102 ch. ⌁ 🍽 ✕ ✕ cc Un complexe moderne et aéré, dont les chambres, réparties dans trois bâtiments, sont spacieuses et décorées avec goût. Les prix augmentent en hiver.

- **Three Rivers**

Le hameau de Three Rivers, porte d'entrée du parc de Sequoia, est tout entier dédié aux visiteurs. Seuls 3,5 miles le séparent de l'entrée sud, mais la route qui mène à la Giant Forest est constamment en travaux et tourne beaucoup. Quand vous venez de Sequoia, ne vous arrêtez pas dans les premiers motels que vous rencontrez, mais continuez quelques miles plus loin où les établissements sont plus sympathiques et plus proches des stations-service et des épiceries.

De 40 à 60 $

📶***Sierra Lodge***, 43175 Sierra Drive, ☎ (559) 561 3681, Fax (559) 561 3264 – 72 ch. ⌁ 🍽 ✕ ✕ cc Un motel très sympathique et à l'accueil chaleureux. Les chambres, à la décoration un brin désuète, sont charmantes.

Sequoia Motel, 43000 Sierra Drive, ☎ (559) 561 4453, Fax (559) 561 1625, sequoiamotel@thegrid.net – 14 ch. ⌁ 🍽 ✕ ✕ cc Un motel familial à l'atmosphère chaleureuse, où chaque chambre est aménagée selon un thème différent.

OÙ SE RESTAURER

Vous trouverez des cafétérias (7 h-20 h) et des épiceries (9 h-18 h) dans les villages des parcs. Si vous souhaitez dîner dans un lieu plus confortable, deux possibilités : ***Meadows View Fine Dining*** à Grant Grove (samedi, comptez 20 $) et dans le bâtiment principal du ***Wuksachi Village*** (comptez plus de 25 $).

- **Three Rivers**

De 10 à 15 $

River View, 42323 Sierra Drive, ☎ (559) 561 2211. Grand choix de burgers, de pizzas et de sandwichs, servis le midi et le soir. La salle du restaurant ouvre sur une terrasse qui surplombe la rivière. Service de ventes à emporter.

DEATH VALLEY NATIONAL PARK★★★
(LA VALLÉE DE LA MORT)
120 miles de Las Vegas – Carte Michelin n° 493 C9
Alt. de -86 m à 3 368 m – Climat sec et torride

À ne pas manquer
Le point de vue de Dante.
La lumière du lever et du coucher du soleil sur les dunes de sable.

Conseils
Planifiez bien votre circuit, car les distances sont longues.
N'oubliez pas que cette région est la plus chaude des États-Unis,
et qu'il convient de toujours emporter beaucoup d'eau avec vous.

Vestige d'un lac asséché s'étirant entre deux hautes chaînes de montagnes, la Vallée de la Mort est une terre d'extrêmes avec des températures moyennes avoisinant les 45 °C en été. Le regard se perd dans l'immensité de ce paysage de bout du monde où se dessinent canyons découpés, pentes ravinées, dunes de sable, collines chamarrées et champs de sel… La légende veut que le nom de «Vallée de la Mort» ait été donné à cette longue plaine saline au 19ᵉ s. par un visiteur qui s'était égaré dans cet univers inhospitalier. Pourtant, les Indiens shoshones vivent ici depuis près de 1000 ans. Confinés dans un minuscule village voisin de Furnace Creek, ils revendiquent toujours leurs terres parmi les 13 500 km² d'espace protégé que compte le parc national de la Death Valley, le plus grand des États-Unis (hors Alaska et Hawaï). Les deux routes qui traversent le parc offrent un bon aperçu de ce vaste désert qui se pare de fleurs quand les pluies ont été assez généreuses. En dépit de son nom effroyable, la Vallée de la Mort recèle en effet une nature d'une richesse insoupçonnée.

Entrée : 10 $ par voiture si vous ne possédez pas le National Parks Pass. Six points d'entrée (2 à l'ouest et 4 à l'est) donnent accès aux deux routes principales qui traversent la vallée selon des axes perpendiculaires et mènent au Visitor Center de Furnace Creek.

Furnace Creek★

À l'approche de Furnace Creek, le bouquet vert de la palmeraie révèle la présence d'eau, une ressource vitale dans cette contrée. Organisé comme un grand ranch, le village constitue à ce titre le centre névralgique du parc.

Avant de vous lancer sur les routes de la Death Valley, ne manquez pas de visiter le **Borax Museum★★** pour apprécier la richesse de la flore et de la faune du parc (*Furnace Creek Ranch. Ouvert tlj le matin, mais horaires variables. Entrée libre*). Construit en 1883, le bâtiment dans lequel il est aménagé est le plus vieil édifice de Furnace Creek. Le musée est dédié aux hommes et aux mules qui œuvrèrent dans la vallée entre 1883 et 1888, âge d'or de l'exploitation du **borax**. Ce sel cristallin blanc, qui constituait à l'époque un remède familial (notamment contre les problèmes digestifs et l'épilepsie), est toujours utilisé dans l'industrie, notamment pour la fabrication du verre, de céramiques et de détergents. À l'extérieur du musée sont exposés des locomotives et des wagons, ainsi que divers machines et ustensiles qui servaient autrefois dans les mines. *À 1 mile au nord de Furnace Creek, un petit sentier balisé, le Harmony Borax Works Interpretive Trail mène aux ruines de la mine.*

L'équipage des 20 mules
«Figure» mythique de la fin du 19ᵉ s., le «20-Mule Team» fut mis sur pied pour acheminer le borax hors de la vallée. Cet équipage robuste, mené par 20 mules, devait effectuer un voyage d'une dizaine de jours jusqu'au chemin de fer de Mojave, qui nécessitait l'ascension des monts Panamint – soit près de 1200 m de dénivelé – dans des conditions extrêmes. Les wagons, qui pouvaient transporter chacun 10 tonnes de borax, trônent maintenant devant le ranch de Furnace Creek.

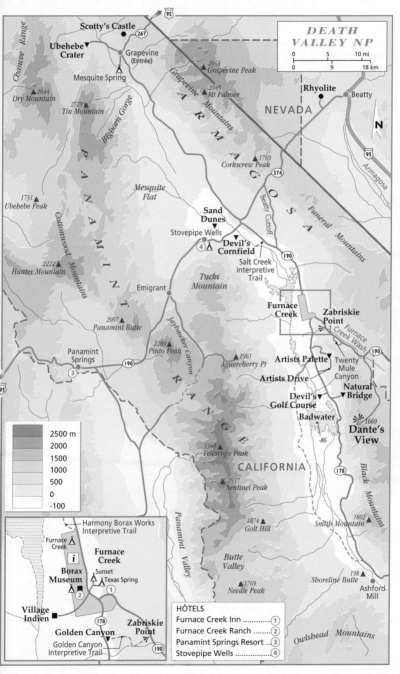

DEATH VALLEY NP

| 0 | 5 | 10 mi |
| 0 | 9 | 18 km |

Scotty's Castle
267
95
Ubehebe Crater
Grapevine (Entrée)
Mesquite Spring
▲ 2663 Grapevine Peak
Rhyolite
Beatty
NEVADA
Chancee Range
▲ 2644 Dry Mountain
2729 ▲ Tin Mountain
▲ 2045 Mt Palmer
Bighorn Gorge
ARMARGOSA
1731 Ubehebe Peak
Mesquite Flat
▲ 1769 Corkscrew Peak
374
Funeral Mountains
Cottonwood Mountains
95
Sand Dunes
Stovepipe Wells
4
Devil's Cornfield
Salt Creek Interpretive Trail
Beatty Cutoff
190
2222 ▲ Hunter Mountain
Tucki Mountain
Emigrant
Furnace Creek
Zabriskie Point
Furnace Creek Wash
190
2007 ▲ Panamint Butte
Jayhawker Canyon
2289 ▲ Pinto Peak
▲ 1961 Aguereberry Pt
Artists Palette
Twenty Mule Canyon
Panamint Springs
190
3
Artists Drive
Natural Bridge
Devil's Golf Course
Badwater
-86
Dante's View
☀ 1669
2500 m
2000
1500
1000
500
0
-100
3368 ▲ Telescope Peak
CALIFORNIA
178
Black Mountains
▲ 2937 Sentinel Peak
1802 ▲ Smith Mountain
Panamint Range
1874 ▲ Golt Hill
Butte Valley
Harmony Borax Works Interpretive Trail
Furnace Creek
i
Furnace Creek
Borax Museum
Sunset
Texas Spring
2
1
198 ▲
Shoreline Butte
Ashford Mill
Village Indien
178
Zabriskie Point
▲ 1769 Needle Peak
Owlshead Mountains
Golden Canyon
Golden Canyon Interpretive Trail
190

HÔTELS
Furnace Creek Inn ....①
Furnace Creek Ranch ....②
Panamint Springs Resort ...③
Stovepipe Wells ....④

Quelques centaines de mètres au sud du ranch, vous apercevez sur la droite un **village indien** qui n'est indiqué sur aucune carte officielle *(il ne se visite pas, à moins que vous ne souhaitiez rencontrer les gens du Tribal Council, dans le bâtiment central)*. Les Indiens natifs de la Death Valley, la tribu des Timbishas Shoshones, ont été évincés de leurs terres quand, en 1933, le site a été déclaré parc national. Une cinquantaine de personnes (15 familles) ont été relogées dans le «village» voisin, mais beaucoup ont préféré quitter les lieux. Le Congrès étudie toujours diverses propositions visant à rendre des terres aux Shoshones en créant une réserve.

Au sud de Furnace Creek★★★
Comptez une demi-journée.

Au sud du ranch, la route bifurque au pied de la colline du Furnace Creek Inn. Prenez à droite la Rte 178 et réservez les points de vue des hauteurs pour la fin de journée.

Badwater Road★★
À environ 1,5 mile de Furnace Creek, un parking sur la gauche indique le point de départ d'un chemin de randonnée qui traverse **Golden Canyon** (Canyon doré) selon trois itinéraires différents *(vous trouverez un descriptif détaillé de ces randonnées au Visitor Center)*. Vous pouvez monter jusqu'au point de vue de **Red Cathedral** *(moyenne montée ; 2 h AR)*, rallier **Zabriskie Point** *(difficile ; 3 h 30 AR)* ou suivre la boucle du **Gower Gulch Loop** *(moyenne montée ; 3 h)*.

Quelque 8 miles plus loin, un panneau sur votre droite indique la piste au bout de laquelle s'étend le **Devil's Golf Course★★** (terrain de golf du Diable) *(comptez 10 mn)*, un champ de sel cristallisé, vestige d'un lac asséché depuis 2 000 ans.

En prenant à gauche au carrefour suivant *(la route est particulièrement mauvaise)*, vous atteignez le **Natural Bridge**. On peut rejoindre cette arche naturelle par un petit sentier qui serpente à travers un canyon *(30 mn AR)*. *Revenez sur la Rte 178.*

Parvenu à **Badwater★** *(17 miles de Furnace Creek)*, vous vous situez à 86 m au-dessous du niveau de la mer, le point le plus bas des États-Unis. Le sol d'un blanc immaculé réfléchit le soleil, créant un miroir de sel dont vous pouvez fouler du pied.

La route se poursuit vers le sud en longeant les **Black Mountains** pour arriver à l'**Ashford Mill** (moulin d'Ashford), dont seuls subsistent quelques pans de mur. Bâti au début du 20e s., il servait à extraire l'or des minerais provenant de la mine des frères Ashford, située 1 000 m plus haut.

Sur le chemin du retour, à l'approche de Furnace Creek, empruntez sur la droite la boucle (9 miles) à sens unique menant à Artists Palette.

L'étroite route d'**Artists Drive★** serpente entre des collines très colorées qui révèlent une partie de l'histoire de la vallée. Lors des mouvements tectoniques qui donnèrent naissance aux Black Mountains, il y a entre 40 et 3 millions d'années, de nombreux débris de roches sédimentaires ou volcaniques furent projetés vers le bas des montagnes, dessinant sur les pentes décharnées la saisissante mosaïque d'**Artists Palette★★** (palette des artistes).

Pour rallier les points de vue panoramiques sur la vallée, rejoignez le Furnace Creek Inn et prenez à droite la Rte 190.

Le long du Furnace Creek Wash
Cette route qui longe le **Furnace Creek Wash**, un cours d'eau saisonnier, permet de rejoindre deux points de vue panoramiques sur la Vallée de la Mort.

À 4,5 miles du *Visitor Center*, ne manquez pas de faire halte à **Zabriskie Point★★**, un site idéal pour admirer le coucher du soleil. Un sentier mène jusqu'au point de vue, d'où vous surplombez les collines dorées aux formes érodées qui déploient une féerie de teintes ocre et moutarde. De là, le **Golden Canyon Interpretive Trail** vous permet de randonner dans les collines et de rejoindre le Golden Canyon *(voir plus haut. Demandez le descriptif de cette randonnée au Visitor Center)*.

Passé Zabriskie Point, n'hésitez pas à vous engager sur la droite dans **Twenty Mule Canyon** (canyon des Vingt Mules), même si vous n'avez qu'une voiture de ville : la piste à sens unique *(2 miles)* est praticable, mais une conduite attentive est requise pour négocier les virages serrés et les pentes abruptes entre les collines dorées. *De retour sur la route principale, ne manquez pas l'embranchement pour Dante's View, 4 miles plus loin.*

En route pour le point de vue de **Dante's View★★★**, vous apercevez au loin la seule mine d'extraction de borax encore en activité dans le parc. Une fois au sommet (1 669 m), le regard embrasse la plaine moutonneuse qui apparaît en contrebas. Au loin, les sommets enneigés des **Panamint Mountains** se dressent tel un rempart infranchissable. Un sentier invite à s'engager plus avant sur le bord de la falaise, formée de roches parmi les plus anciennes du parc (environ 2 milliards d'années).

Au nord de Furnace Creek★★
Comptez une demi-journée.

À 15 miles au nord de Furnace Creek, le **Salt Creek Interpretive Trail** *(30 mn AR)* longe un mince filet d'eau salée où vous pourrez peut-être apercevoir, au printemps et à l'automne, les *pupfishs*, une espèce de poissons ayant survécu ici depuis l'ère des glaciations.

Zabriskie Point

B. Pérousse/MICHELIN

La légende de Scotty

Personnage atypique et volubile, Walter Scott, alias Scotty, se lia d'amitié avec un riche investisseur de Chicago, Albert Johnson, et lui proposa de financer des travaux de prospection d'or dans la Vallée de la Mort. L'entreprise n'aboutit pas, mais, contre toute attente, Johnson s'éprit de l'endroit et décida d'y installer sa résidence secondaire. Les travaux qui débutèrent en 1922 ne furent jamais achevés, mais cela n'empêcha pas les Johnson et leur ami Scotty d'y séjourner régulièrement. Ce dernier est d'ailleurs enterré sur une colline en surplomb de la propriété.

La portion de route qui mène au **Stovepipe Wells** traverse un paysage singulier : d'un côté, les **Sand Dunes**★ (dunes de sable) au relief changeant selon le gré du vent, de l'autre, le **Devil's Cornfield**★★ (champ de blé du Diable), où de petits buissons d'*arrowweed* (*Pulchea sericea*) échevelés, disposés de façon étrangement régulière, indiquent que les couches supérieures du sol contiennent suffisamment d'eau pour le développement de cette espèce, malgré une forte teneur en sel (1 %).

Rebroussez chemin et empruntez la Rte 190 qui mène au nord du parc (35 miles).

L'histoire de **Scotty's Castle**★★ (château de Scotty) participe au mythe de la Vallée de la Mort. Cette surprenante propriété comprend une bâtisse de style espagnol abritant 25 pièces, magnifiquement aménagées avec des meubles importés d'Espagne et d'Italie *(visite guidée tlj de 9 h à 16 h ; comptez 1 h. Entrée : 8 $, 4 $ pour les enfants. Pas de cartes de crédit. Brochure disponible en français).*

Avant de redescendre vers Furnace Creek, vous pouvez aller jeter un œil à l'**Ubehebe Crater**, situé à 8 miles à l'ouest de Scotty's Castle. Ce cratère de 800 m de diamètre et de 210 m de profondeur est la plus récente des formations volcaniques de la Vallée de la Mort. Il a été façonné il y a 2000 ans, suite à des explosions de vapeur.

Reprenez la route en direction de Furnace Creek et empruntez sur votre gauche la Rte 374 sur une vingtaine de miles.

La ville fantôme de **Rhyolite**★★ est située en dehors du parc, mais son histoire est étroitement liée aux fièvres minières qui enflammèrent la Vallée de la Mort. Créée suite à la découverte de filons d'or dans le quartz rhyolite en 1904, la ville connut son apogée entre 1905 et 1912 et compta jusqu'à 10 000 habitants. De nombreuses constructions en pierre subsistent, mais le bois de construction étant une denrée rare, la plupart des éléments en bois ont été récupérés quand la ville fut abandonnée.

Death Valley pratique

ADRESSES UTILES

Office de tourisme – *Furnace Creek Visitor Center*, Furnace Creek, www.nps.gov/deva. Tlj 8 h-18 h. Nombreuses informations pour que la visite du parc se fasse dans les meilleures conditions.

Banque / Change – Distributeurs automatiques à la réception du Furnace Creek Ranch et au Stovepipe Wells.

Poste – Furnace Creek Ranch, Greenland Blvd. Lundi, mercredi et vendredi 8 h 30-15 h, mardi et jeudi 8 h 30-17 h.

Stations-service – Stations au Furnace Creek Ranch (7 h-19 h), au Stovepipe Wells (7 h-21 h) et à Scotty's Castle (9 h-17 h 30).

OÙ LOGER

Les prix ont tendance à augmenter pendant l'hiver, haute saison dans la Vallée de la Mort. Le camping est déconseillé pendant les mois d'été, car les températures sont insoutenables sans air conditionné, même la nuit.

De 40 à 60 $

Panamint Springs Resort, Hwy 190, à 59 miles à l'ouest de Furnace Creek,

☎ (775) 482 7680, Fax (775) 482 7882, panamint@ix.netcom.com – 15 ch. ⚑ ☆ ✗ CC Motel un peu vieillot et isolé, mais l'accueil est vraiment chaleureux. La réception est située dans le bar-restaurant qui s'ouvre sur une terrasse ombragée. Camping un peu ombragé, avec douches, de l'autre côté de la route (10$).

De 60 à 80$

Stovepipe Wells, Hwy 190, à 28 miles au nord-ouest des Furnace Creek Inn & Ranch, ☎ (760) 786 2387, Fax (760) 786 2389 – 83 ch. ⚑ ▤ ✗ ⌕ CC Un complexe sympathique aménagé à la façon d'un ranch, avec saloon et restaurant. Les chambres sont simples et confortables. Épicerie bien approvisionnée, à côté de la station-service. Camping ouvert d'octobre à avril (200 sites; 10$ par tente).

Plus de 100$

Furnace Creek Ranch, Furnace Creek, ☎ (760) 786 2345, Fax (760) 786 2423 – 224 ch. ⚑ ▤ ✎ TV ✗ ⌕ ✻ ⚘ CC À proximité du Visitor Center, le ranch est une véritable petite bourgade, comptant une épicerie (7h-21h), des restaurants, et même un golf! Hébergement dans de petites maisons individuelles ou dans des bâtiments de style motel (plus cher). 135 emplacements de camping (16$ par tente). Deux autres campings, situés face au Furnace Creek Ranch, ouvrent d'octobre à avril, le Sunset (100 sites; 10$) et le Texas Spring (92 sites; 12$).

Furnace Creek Inn, Furnace Creek, ☎ (760) 786 2361, Fax (760) 786 2423 – 66 ch. ⚑ ▤ ✎ TV ✗ ⌕ ✻ CC Fondée en 1927, cette magnifique bâtisse de style Mission Revival ac-

cueille un hôtel grand luxe. Nichée au milieu des palmiers, elle est située sur une colline à l'écart du ranch. Demandez la vue sur les jardins étagés.

OÙ SE RESTAURER

De 5 à 10$

Scotty's Castle Cafeteria, dans la propriété du même nom, à 55 miles au nord de Furnace Creek. Restauration rapide.

Corckscrew Saloon, Furnace Creek Ranch. Un lieu à l'ambiance Far West avec son grand bar circulaire, ses néons et sa table de billard.

De 10 à 20$

49ers Cafe, Furnace Creek Ranch. Cafétéria agréable pour déjeuner ou dîner.

Plus de 20$

Wrangler House, Furnace Creek Ranch. Deux salles un peu sombres dans ce restaurant ouvert toute la journée.

LOISIRS

Équitation – Furnace Creek Stables, Furnace Creek Ranch, ☎ (760) 786 2345, propose différentes formules de balades de début octobre à la mi-mai (30$/h, 45$ les 2h).

Fête / Festival – Death Valley Encampment (www.deathvalley49ers. com) organise chaque année, début novembre, un rassemblement festif sur le thème des pionniers, avec des spectacles en costume, à Furnace Creek et des visites guidées à thème dans le parc. Les hôtels et les campings sont alors pris d'assaut.

CENTRAL COAST★★★
DE SAN FRANCISCO À SANTA BARBARA

Itinéraire de 450 miles environ – Compter au moins une semaine
Carte Michelin n° 943 A8-9-10 – Hébergement à Santa Cruz, Monterey,
Carmel, San Simeon, San Luis Obispo ou Santa Barbara

À ne pas manquer
17-Mile Drive et Carmel au coucher du soleil.
Pique-niquer sur l'une des plages de Big Sur.
Se prendre pour une star à Hearst Castle.

Conseils
Attention, la côte est souvent noyée dans le brouillard le matin.
Même en été, prévoyez une petite laine et un coupe-vent.
La côte étant déserte, faites vos provisions à l'avance pour vos pique-niques,
et réservez absolument votre hébergement.

Quelques-uns des plus spectaculaires paysages côtiers du pays s'égrènent au fil de la route qui relie les deux grandes cités californiennes. La portion la plus célèbre, Big Sur, déroule criques escarpées, falaises boisées et canyons touffus sur 90 miles complètement sauvages. Le littoral est doublé sur toute sa longueur d'une chaîne montagneuse, les Coast Ranges, rythmée par des vallées agricoles fertiles où se concentrent les habitants. Le relief accidenté est dû à la faille de San Andreas, qui traverse cette région. À l'écart du développement économique de San Francisco et de Los Angeles, la côte centrale dut surtout sa notoriété aux artistes et aux écrivains qui tombèrent sous son charme, comme John Steinbeck, Henry Miller ou Jack Kerouac.

Des plumes des Indiens à celles des écrivains...

Initialement occupée par plusieurs tribus indiennes, la côte centrale (*Central Coast*) fut colonisée très tôt par les **Mexicains**, qui choisirent le havre de Monterey pour y établir, en 1770, la capitale du nouveau territoire. Chaque vallée fertile accueillit une petite colonie et les missions fleurirent le long de la côte. En 1848, après le rattachement de la Californie aux États-Unis, on transféra les centres de décision vers le nord : San Jose remplaça Monterey comme capitale avant de céder la place à Benicia, puis à Sacramento. La ruée vers l'or acheva de drainer les populations vers le nord, et la bande côtière retourna à l'agriculture et à la pêche. Entre les crêtes acérées qui bordent l'océan s'étendent de paisibles vallées à vocation agricole, capitales «mondiales» de l'artichaut ou de l'ail.

Pour longer la côte centrale, il vous faut suivre la mythique Hwy 1 qui longe l'océan. De San Francisco, quittez le centre-ville par Geary Blvd. Prenez vers l'ouest jusqu'à l'océan, puis empruntez la Great Hwy vers le sud; elle devient ensuite la Hwy 1. Si vous venez de la Silicon Valley ou de Palo Alto, une petite route très pittoresque relie Woodside et Half Moon Bay sur la côte (11 miles environ).

De Half Moon Bay à Santa Cruz★
Itinéraire de 49 miles. Comptez de 1 h 30 à 2 h.

C'est à partir de **Half Moon Bay** que la route devient pittoresque. Les collines dénudées ondulent le long de la petite vallée côtière. La côte reste basse et les plages se succèdent. Passé **San Gregorio Beach**, la route s'élève et domine la large houle du Pacifique qui vient se briser au pied des falaises beiges. Les jours de tempête, les vagues bouillonnantes sont particulièrement impressionnantes, étalant leur écume au bord d'une campagne désertique hantée par quelques vaches. Au sud du Pescadero

La Californie

Creek et de sa petite lagune, **Pescadero Beach** est une autre plage battue par les déferlantes. La route longe ensuite une côte basse et déchiquetée, entrecoupée de criques de sable comme **Bean Hollow Beach**. Plus loin, le cap de **Pigeon Point**★ porte un grand phare blanc dominant une jolie plage.

■ À 27 miles environ de Half Moon Bay, l'**Año Nuevo State Reserve**★ héberge une importante colonie d'**éléphants de mer** *(tlj de 8h au coucher du soleil. Entrée : 5$ par véhicule pour la réserve. Un poste d'observation aménagé est accessible d'avril à novembre, de 8h30 à 15h30, après obtention d'un permis à l'entrée. Durant la période des naissances, seules les visites guidées sont autorisées. Durée : 2h30. Billet : 4$; réservation obligatoire 2 mois à l'avance, ☎ 1-800 444 4445).* Ce cap rocheux est le seul endroit de la côte en dehors des îles où vous pourrez observer ces animaux. Les femelles y mettent bas entre novembre et mars, et on assiste à d'impressionnants combats de mâles pour la suprématie sur les harems.

Santa Cruz et ses environs★
65 miles au sud de San Francisco. 55 400 hab. Comptez une journée.

Entre montagnes verdoyantes et anses sablonneuses, Santa Cruz fut longtemps une paisible bourgade blottie autour de sa mission, vivant de l'agriculture, de la pêche et de l'exploitation du bois. À la fin du 19ᵉ s., avec l'arrivée du chemin de fer de la Southern Pacific, elle profita de la nouvelle mode des bains de mer et du plein air et devint une importante station balnéaire. Très vite, on y créa le premier parc d'attractions de Californie. Dans les années 1960, c'est l'installation d'un campus universitaire qui lui donna une nouvelle jeunesse et attira toute une population d'artistes et d'intellectuels. L'université compte aujourd'hui 10 000 étudiants. Très affectée par le tremblement de terre de Loma Prieta en 1989 – l'épicentre du séisme était tout proche de la ville –, elle fut largement réaménagée. Moins réputée et moins chic que sa rivale de la côte, Santa Barbara, Santa Cruz est pourtant une ville jeune, animée et très anticonformiste.

Le front de mer★★
En arrivant à Santa Cruz, la Hwy 1 devient Mission St. Attention, la ville comporte de nombreuses rues à sens unique. Pour accéder au front de mer, prenez Bay St., Chestnut St. ou, plus loin, Ocean St. Le centre-ville est séparé de l'océan par une zone peu attrayante de parkings et de motels.

Le Santa Cruz Beach Boardwalk★★ *(Beach St. Suivez les panneaux depuis le centre-ville. Tlj à partir de 11h de Memorial Day à Labour Day/samedi-dimanche à partir de 12h le reste de l'année; fermé en décembre. Le soir, les horaires de fermeture sont variables. Entrée gratuite, mais attractions payantes),* classé monument historique, fait partie intégrante de la civilisation de loisirs de la Californie. Bien que jugées un peu dépassées par les fans des parcs du troisième millénaire, les attractions ont gardé la saveur délicieusement kitsch du début du 20ᵉ s. : **manèges** en couleurs, **montagnes russes** en bois, **carrousel** à miroirs… Une jolie façon de retomber en enfance.

Suivez le bord de mer vers l'ouest jusqu'à **Municipal Wharf**, un long ponton qui s'avance de près de 1 km dans la baie, où s'alignent restaurants et boutiques pour pêcheurs *(ouvert de 5h à 2h du matin).* Dirigez-vous ensuite vers **West Cliff Drive**★, l'avenue qui longe l'océan. Surplombant **Steamer Lane**, le spot favori des surfeurs, l'adorable petit phare en brique rouge qui garde la pointe de la baie abrite le **Santa Cruz Surfing Museum** *(12h-16h; fermé les mardi et mercredi. Entrée : 1$),* où est exposée une modeste collection de souvenirs liés à diverses personnalités du surf, de même qu'une planche entamée par les dents d'un requin !

West Cliff Drive se double ainsi d'un agréable sentier dominant la mer. Il mène à **Natural Bridges State Beach**★★ *(à 2,5 miles de Municipal Wharf),* une belle plage qui doit son nom à des arches creusées dans les falaises par l'océan. Ces ponts naturels

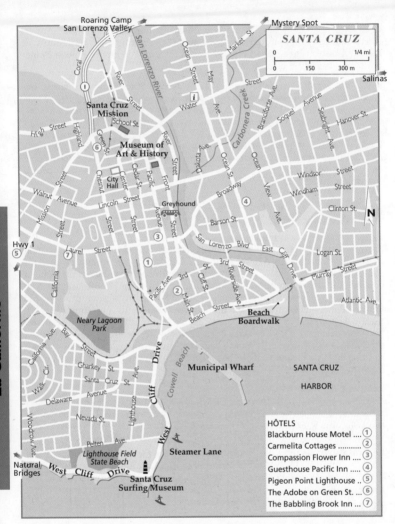

HÔTELS
Blackburn House Motel .... ①
Carmelita Cottages .... ②
Compassion Flower Inn .... ③
Guesthouse Pacific Inn ..... ④
Pigeon Point Lighthouse .. ⑤
The Adobe on Green St. ... ⑥
The Babbling Brook Inn ... ⑦

se sont effondrés les uns après les autres, sous les coups de boutoir du Pacifique. Les
îlots qui en résultent sont peuplés d'oiseaux marins. Autre curiosité : à l'arrière de la
plage, la **forêt d'eucalyptus** est un sanctuaire pour les **papillons monarques★** qui
s'y agglutinent par milliers d'octobre à février.

Le centre-ville

Pacific Avenue est l'axe principal du nouveau centre-ville, reconstruit après les terribles dommages causés par le tremblement de terre de 1989. Les anciens bâtiments
Art déco ont fait place à un quartier aéré et planté d'arbres. Dans Front Street (*parallèle à Pacific Ave.*), le **Museum of Art & History** (*705 Front St.,* ☎ *(831) 429 1964.
11h-17h ; fermé le lundi. Entrée : 3$*) accueille des expositions temporaires ayant trait
à la vie, l'histoire et l'art locaux.

Au nord de Pacific Avenue, le **Santa Cruz Mission State Historic Park** *(144 School St., ☎ (831) 425 5849. Jeudi-dimanche 10h-16h. Entrée : 2$)* est tout ce qui reste de la 12ᵉ des 21 missions californiennes, fondée en 1791. Le seul bâtiment d'origine date de 1824 : il servait à héberger les Indiens convertis et abrite désormais des exposi-tions sur l'histoire de la mission. Malgré son importance initiale, la mission de Santa Cruz tomba progressivement en désuétude en raison de nombreux sinistres, incen-dies, inondations, tremblements de terre… La petite église en adobe n'est qu'une réplique construite en 1931.

The Mystery Spot*

465 Mystery Spot Rd. Prenez la route en face du Visitor's Bureau de Santa Cruz. Au 2ᵉ « Stop », tournez à gauche puis suivez tout droit : c'est à 3 miles. ☎ (831) 457 2814. Tlj 9h-17h. Entrée : 5$. C'est un endroit très étrange, défiant l'imagination, où les lois de la physique (gravité, champs magnétiques, perspectives…) ne semblent plus s'appli-quer. Toutes sortes d'hypothèses ont été avancées pour expliquer ces phénomènes, mais ils restent mystérieux…

La Roaring Camp & Big Trees Narrow-Gauge Railroad*

Roaring Camp, village de Felton, à 6 miles au nord de Santa Cruz par la Hwy 9. Billets vendus sur place : 14,50$ AR. 4 à 5 trains par jour en été; 1 train par jour, à 11h, en semaine et 5 trains par jour le week-end au printemps et en automne; 3 trains par jour le week-end en hiver. Renseignements au ☎ (831) 335 4484.

Cette ligne de train à vapeur du 19ᵉ s. relie Roaring Camp, un ancien camp de bûche-rons de la San Lorenzo Valley, et le Bear Mountain *(comptez 1h15).* La voie serpente entre des séquoias presque millénaires. On peut faire étape au sommet pour un pique-nique et redescendre plus tard.

La Big Trees & Pacific* relie le Santa Cruz Boardwalk et Roaring Camp en suivant la plus ancienne ligne de chemin de fer en activité de Californie *(billets en vente près du Boardwalk : 16$ AR. 2 trains par jour en été; le week-end seulement en automne et au printemps).*

La San Lorenzo Valley*

Cette pittoresque vallée, à laquelle on parvient en suivant la Hwy 9, traverse les Santa Cruz Mountains. Verte et sauvage, elle est plantée de séquoias et offre une grande variété de balades en forêt.

À 6 miles de Santa Cruz, le **Henry Cowell Redwoods State Park** *(tlj du lever au coucher du soleil. Entrée : 6$ par véhicule)* abrite de grands séquoias, hauts de plus de 90 m, et dispose d'aires de pique-nique.

Plus loin, on passe le **Fall Creek State Park** et ses 30 km de sentiers de randonnée, le **Loch Lomond Recreation Area** *(à 10 miles de Santa Cruz)*, son petit lac et ses circuits pédestres à la découverte de la vie naturelle, puis, au-delà du Boulder Creek, le **Big Basin Redwoods State Park** *(à 23 miles de Santa Cruz)*, dont certains séquoias ont près de 2000 ans, et qui compte 80 km de sentiers.

Pour rejoindre Salinas, quittez la Hwy 1 environ 12 miles au sud de Watsonville et empruntez la Hwy 183.

Sur la route de Monterey

■ **Salinas –** *153 300 hab. Comptez une demi-journée.* Cette paisible ville agricole tire sa richesse des cultures maraîchères et des vignobles, mais elle doit sa célébrité à un enfant du pays, **John Steinbeck**, Prix Nobel de littérature en 1962, qui a largement mis Salinas et la région de Monterey en avant dans ses romans.

Le National Steinbeck Center★★ *(1 Main St., ☎ (831) 796 3828, www.steinbeck.org. Tlj 10h-17h; fermé pour le 1ᵉʳ janvier, Pâques, Thanksgiving et Noël. Entrée : 7,95$)* est un temple contemporain dédié à celui qui écrivit À l'est d'Eden, Des souris et des hommes

Des petits et des humbles...

Né en 1902 dans une famille aisée, John Steinbeck découvre le monde ouvrier en occupant une série d'emplois saisonniers dans la vallée de Salinas. Il y rencontre les humbles, ouvriers agricoles ou victimes de la crise des années 1930. Dès son premier roman, « Tortilla Flat », il décrit les marginaux de Monterey, une ville qui sert souvent de cadre à ses œuvres, mais quand il raconte les difficiles conditions de travail et les grèves des saisonniers, les habitants de la vallée le rejettent et l'accusent de socialisme. Malgré sa célébrité, il demeure incompris dans sa ville, où le conservatisme reste fermé à son réalisme social et à sa sensibilité à la misère humaine. Son prix Nobel n'y change rien et il faudra attendre six ans après sa mort pour qu'une fondation l'honore enfin dans son pays. Le musée qui lui est consacré n'a ouvert ses portes qu'en 1998...

ou encore *Les Raisins de la colère*. Le musée se partage en trois axes : les **archives Steinbeck** (photos, articles, manuscrits) sont présentées à travers des expositions et des documentaires, un court **film** retrace la vie de l'écrivain, et plusieurs salles sont consacrées aux différents **thèmes** abordés dans ses romans. On découvre ainsi la vie rurale dans la vallée, la période de la Grande Dépression, le milieu ouvrier des conserveries de Monterey...

Empruntez la Hwy 68 pour regagner Monterey (17 miles à l'ouest de Salinas).

■ Monterey★★

45 miles de Santa Cruz. 30 100 hab. Comptez 2 jours avec les environs.

Les Mexicains, les pêcheurs et les écrivains ont, chacun à leur manière, fait la célébrité de Monterey. Côte rocheuse spectaculaire plantée de cyprès, architecture éclectique, entre style colonial et victorien, parfums de port de pêche, cris rauques des otaries se conjuguent pour faire le charme de la ville. Flâner le long des bâtiments en adobe ou sur les vieux pontons en bois, goûter les spécialités du marché du soir, se faire peur devant les requins de l'aquarium, se croire milliardaire le long de la 17-Mile Drive : tout un programme qui fait de Monterey l'une des destinations les plus touristiques de la côte.

Des moines et des soldats

Il y eut d'abord les Indiens ohlones qui vivaient de la pêche, de la chasse et de la cueillette. En 1542, un premier explorateur espagnol repéra la baie, mais ce n'est qu'en 1602 qu'un second y débarqua et décida de baptiser l'endroit du nom du vice-roi de l'époque, le comte de Monte Rey. On en resta là jusqu'en 1770, date à laquelle les Espagnols, qui gouvernaient sur le Mexique, décidèrent d'installer une garnison dans cette baie abritée. On dépêcha **Gaspar de Portolá**, qui fut chargé de fonder un *presidio*. Il était accompagné d'un missionnaire, **Junípero Serra**, qui devait évangéliser les nouvelles possessions. L'un construisit une forteresse, l'autre édifia une mission et entreprit de convertir les Indiens. Comme les soldats étaient un bien piètre exemple pour ces nouveaux chrétiens, le moine décida de déménager un peu plus au sud, le long de la côte, à Carmel. Pendant ce temps, Monterey prit de l'importance et devint la **capitale de la Californie**. Elle le resta après l'indépendance du Mexique et le port s'enrichit encore, grâce à la levée des restrictions commerciales. Mais la ruée vers l'or sembla la faire tomber dans l'oubli. Deux activités nouvelles la ressuscitèrent à la fin du 19e s. : le tourisme qui démarra grâce aux magnats californiens, et la pêche que les Chinois et les Italiens venaient pratiquer dans les fonds très poissonneux des environs. Au début du 20e s. on créa une sardinerie et Monterey fut très vite promue capitale mondiale de la sardine... Depuis, les sardines ont déserté la baie, la conserverie a fermé, mais la création d'une réserve marine et le charme des paysages ont permis à la ville de se concentrer sur les activités touristiques.

Le centre historique*

Procurez-vous la brochure « The Path of History » à l'office du tourisme ou dans les hôtels ; circuit d'environ 3 km des bâtiments historiques, marqués d'une plaque dans le trottoir et d'un panneau explicatif. La plupart des monuments sont regroupés au sein du Monterey State Historic Park et ne sont ouverts que lors des visites organisées (billets au Maritime Museum, Custom House Plaza, horaires au ☏ (831) 649 7118. Entrée : 5 $, incluant la visite des principaux monuments). Pour le circuit par vous-même, commencez sur le front de mer, près de Custom House, en raison des nombreux parkings à proximité.

C'est près des quais que débarquèrent les premiers explorateurs il y a quatre siècles, et le port fut la première raison d'être de la colonie. **Fisherman's Wharf** (quai du Pêcheur), ses échoppes colorées et le fumet du poisson grillé sont tout ce qui reste du passé pêcheur de Monterey, évanoui quand les sardines ont quitté la baie. Heureusement, on entend toujours le cri insistant des mouettes, celui, plus rauque et plus bruyant, des otaries, et le claquement des drisses sur les mâts des voiliers.

Les dents de la mer

Lorsque les marins embarquaient jadis pour la pêche à la baleine, ils partaient parfois pour plusieurs années, se résignant à vivre confinés sur les navires ou dans les sinistres campements des terres du Nord. Pour tuer l'ennui, ils gravaient ou sculptaient les dents de baleines ou de morses. On appelle « scrimshaws » ces délicats objets, simplement décoratifs ou plus usuels, tels que peignes pour la fiancée lointaine, dés à coudre, manches de couteau, modestes bijoux ou boîtes à pilules, tous ornés de minutieuses gravures représentant des scènes maritimes et des animaux.

En face du quai, la Custom House Plaza est le centre de la ville historique. **Custom House*** était le bureau des douanes, construit en 1827, quand le gouvernement mexicain autorisa le commerce international à partir du port de Monterey. Ce serait le plus vieux bâtiment administratif de Californie. Il voisine avec le **Maritime Museum** (*5 Custom House Plaza. Tlj 10 h-17 h. Entrée : 3 $*), ses collections de maquettes de navires, ses dents de baleine sculptées et ses souvenirs de la pêche à la sardine. Un **documentaire** sur l'histoire de la ville y est diffusé (*toutes les 20 mn, de 10 h 10 à 16 h 30 ; gratuit même si vous ne visitez pas le musée*).

Au sud de la place, **Pacific House** (1847), parfait exemple de l'architecture coloniale en adobe, servit au stockage des fournitures militaires, puis abrita diverses administrations ou entreprises, y compris une taverne. On y célébra même la messe. C'est devenu un **musée de l'Histoire californienne** (*tlj 10 h-17 h. Entrée : 2 $*).

Au nord-ouest de la place, sur Oliver Street, **First Brick House** (1847) est la première maison construite en brique (cuite) et non en adobe (crue). L'intérieur permet de découvrir comment on vivait autrefois. À côté, **Whaling Station** (1847), une maison en adobe à étage, rappelle le passé baleinier de Monterey.

Plus au sud, à l'angle de Pacific Street et Scott Street, vous atteignez le **First Theatre** qui abritait dans les années 1840 un saloon. Il accueillait à l'époque des pièces de théâtre montées par les soldats (*on y donne encore des spectacles en été et le week end*). En descendant Pacific Street vers le sud, vous passez devant la **Casa Soberanes** (*336 Pacific St. Visite guidée uniquement, entre avril et septembre*), une demeure en adobe construite en 1840 dans le style colonial à balcons.

Plus loin sur Pacific Street, **Colton Hall** (*entre Jefferson et Madison St. Tlj 10 h-12 h/13 h-17 h, 16 h en hiver. Entrée libre*), avec son porche à fronton caractéristique de l'architecture néo-classique, joua un rôle important dans l'histoire de l'État : c'est ici que fut élaborée et signée la première Constitution de Californie, en 1849. À côté de l'édifice, on peut encore voir l'**Old Monterey Jail**, l'ancienne prison en pierre, et ses cellules.

De l'autre côté de la rue, le **Monterey Museum of Art*** *(559 Pacific St. Mercredi-samedi 11h-17h, dimanche 13h-16h; fermé les lundi et mardi. Entrée : 3$; billet combiné avec le Mirada Adobe Museum : 5$)* est consacré à l'art californien, de l'art populaire indien jusqu'aux photos d'Ansel Adams, en passant par les peintres paysagistes.

À l'angle de la Calle Principal et de Pearl Street, **Larkin House*** *(visite guidée uniquement à 11h, 14h et 15h. Billet en vente au Maritime Museum)* est une autre grande demeure en adobe du 19e s. Elle fut construite en 1834 par un riche marchand, Thomas Larkin, qui devint ensuite le consul américain de Californie. Venu de l'Est,

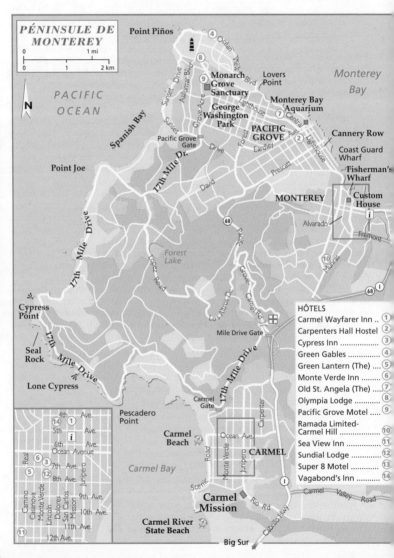

HÔTELS

Carmel Wayfarer Inn .. ①
Carpenters Hall Hostel ②
Cypress Inn .... ③
Green Gables .... ④
Green Lantern (The) .... ⑤
Monte Verde Inn .... ⑥
Old St. Angela (The) ..... ⑦
Olympia Lodge .... ⑧
Pacific Grove Motel ..... ⑨
Ramada Limited-
Carmel Hill .... ⑩
Sea View Inn .... ⑪
Sundial Lodge .... ⑫
Super 8 Motel .... ⑬
Vagabond's Inn .... ⑭

il adapta l'architecture de sa région (toit presque plat, corridor central, galeries) aux coutumes et aux matériaux locaux (adobe et bois de séquoia), donnant ce que l'on a appelé le style colonial de Monterey.

Suivez Pearl St. vers l'est jusqu'à Polk St.

Cooper-Molera Adobe★ *(525 Polk St. Visite guidée uniquement à 10h, 12h et 14h. Billet en vente au Maritime Museum)* comprend la maison de la famille Cooper, un exemple d'architecture et de décoration californiennes sur trois générations, ainsi qu'une remise à voitures, un joli potager à l'ancienne et une boutique.

Alvarado Street, qui remonte vers la Custom House Plaza, accueille chaque mardi soir *(16h-20h)* un pittoresque **marché★** en plein air, proposant des produits fermiers tout frais, des côtelettes grillées et d'autres délicieux en-cas, chinois ou mexicains.

Empruntez Pearl St. et tournez à droite dans Houston St.

Stevenson House *(530 Houston St. Visite guidée uniquement, d'avril à septembre, à 10h, 15h et 16h. Billet en vente au Maritime Museum)* abritait jadis la résidence du percepteur des douanes. Devenue pension de famille, elle accueillit durant plusieurs mois l'auteur de *L'Île au trésor*, Robert L. Stevenson, pendant qu'il faisait la cour à Fanny Osborne, rencontrée en France (on dit qu'il écrivit une partie de son célèbre roman dans cette maison).

Descendez Houston St., prenez à gauche dans Webster St., à droite dans Figueroa St., puis à gauche dans Church St.

La Royal Presidio Chapel est la seule chapelle de *presidio* encore existante en Californie (1795). C'est là que Junípero Serra célébra la première messe. Non loin de là, le **Mirada Adobe Museum of Art★** *(720 Via Mirada. Mercredi-samedi 11h-17h, dimanche 13h-16h; fermé les lundi et mardi. Entrée : 3$; billet combiné avec le Monterey Museum of Art : 5$)* rassemble au cœur d'un beau jardin d'intéressantes collections d'arts asiatique ou californien.

Reprenez votre véhicule et longez le front de mer vers l'ouest. Passé Fisherman's Wharf, suivez les panneaux à gauche vers le Presidio.

Le Presidio Museum *(Corporal Ewing Rd, Building 113. Mercredi-samedi 11h-17h, dimanche 13h-16h; fermé les lundi et mardi. Entrée : 3$)* retrace **l'histoire militaire** des environs depuis l'époque des Indiens.

Reprenez le front de mer en direction de Cannery Row, vers l'ouest.

Cannery Row★

Immortalisé par John Steinbeck dans ses romans *Rue de la Sardine* (1945) ou *Le Beau Jeudi* (1954), ce quartier de Monterey était jadis celui des sardineries *(cannery* veut dire conserverie), qui firent la richesse de la ville. Plus de 4000 ouvriers travaillaient alors

A Casa Soberanes
B Colton Hall
C Cooper-Molera Adobe
D First Brick House
E First Theatre
F Larkin House
G Old Monterey Jail
H Maritime Museum
I Mirada Adobe
   Museum of Art
J Monterey
   Museum of Art
K Pacific House
L Royal Presidio Chapel
M Stevenson House
N Whaling Station

dans une trentaine d'usines. Comme tous les ports du monde, il grouillait de vie et d'activité, résonnant du bruit des usines et des bagarres entre deux verres, des rires des saloons ou des hôtels de passe, imprégné de l'odeur forte des retours de marée et du diesel des bateaux. Toute cette animation s'éteignit brutalement lorsque les sardines désertèrent la baie vers 1950. Les usines fermèrent et le quartier s'assoupit. Rajeuni pour le bénéfice du tourisme, il n'a jamais retrouvé son charme pittoresque, mais les boutiques et les restaurants de poissons en font le rendez-vous des touristes. Ne manquez pas le **Monterey Bay Aquarium**★★, l'un des plus beaux au monde (*au bout de Cannery Row,* ☎ *(831) 648 4888, www.montereybayaquarium.org. Tlj 10h-18h, 9h30-18h en été et pendant les vacances; fermé à Noël. Entrée : 15,95 $*). Il présente les **milieux marins** de la baie de Monterey, y compris la faune et la flore des environs, soit plus de 300 000 animaux et 600 espèces végétales. Les expositions sont classées par thèmes et par milieux, du rivage aux profondeurs abyssales. Vous découvrirez ainsi les oiseaux côtiers, les poissons, les crustacés et les gracieuses méduses rencontrés dans l'océan tout proche, puis voyagerez au cœur d'une **forêt d'algues** peuplée de sardines ou de requins, et rencontrerez des otaries, des phoques et des loutres de mer… Le plus étrange est la section **Mysteries of the Deep**★★ (les mystères des profondeurs) qui présente le canyon sous-marin de Monterey, une faille de 1 000 m de profondeur, et ses espèces animales et végétales, très rarement montrées au public.

Passé Cannery Row, suivez Ocean View Blvd jusqu'à l'extrémité nord-ouest de la péninsule.

La péninsule de Monterey

Pacific Grove★

Après l'agitation de Cannery Row, **Ocean View Boulevard**★ épouse le littoral déchiqueté en longeant d'opulentes villas. Vers le nord, on distingue la silhouette des Santa Cruz Mountains. Ici et là, des surfeurs glissent sur le tube transparent des déferlantes. Dès le printemps, les bords de la route se couvrent du tapis flamboyant rose fluo ou orange vif des *ice plants*, une sorte d'asters très robustes, adaptés au climat marin et implantés pour retarder la progression des incendies (leurs feuilles épaisses sont très riches en eau). À l'extrême nord de la péninsule, **Point Piños** porte, en retrait du rivage, le plus ancien **phare** de Californie encore en activité.

La rue principale de Pacific Grove, **Lighthouse Avenue**, est bordée de belles **demeures victoriennes**. Le village est parfois surnommé *Butterfly Town* en raison du nombre invraisemblable de papillons monarques qui viennent y passer les mois d'hiver (*entre novembre et mars*) et forment dans les arbres de larges grappes orange. Vous pourrez en observer à **George Washington Park** (*dans Adler St., au sud de Lighthouse Ave.*) ou au **Monarch Grove Sanctuary** (*sur Ridge Rd, une rue parallèle à l'ouest d'Adler St.*).

Le papillon monarque

G. de Benoist/MICHELIN

Après Point Piños, la route côtière prend le nom de Sunset Drive. Suivez-la jusqu'au Pacific Grove Gate qui marque l'entrée de la 17-Mile Drive.

La 17-Mile Drive★★

Route privée ouverte tlj du lever au coucher du soleil. Entrée : 7,25 $ par véhicule, gratuite pour les vélos. Cette ravissante route privée traverse l'un des plus riches et des plus célèbres quartiers résidentiels de la côte Ouest. Elle relie Pacific Grove à Carmel en serpentant au cœur d'une **forêt de cyprès**. Ici et là, le panorama s'ouvre sur le Pacifique, ses grandes vagues blanches et ses rochers dorés. **Spanish Bay** doit son nom à l'Espagnol Portolá, fondateur de Monterey, qui y campa. Juste au sud, **Point Joe** est battue par de violents courants qui eurent raison de plus d'un explorateur. Au-delà de cette pointe, un sentier côtier, le **Coastal Bluffs Walking Trail★**, longe le littoral. **Seal Rock** est une aire de pique-nique et d'observation des otaries. Ne manquez pas non plus les belvédères suivants, notamment ceux de **Cypress Point★** et de **Lone Cypress★**, qui offrent des vues caractéristiques de la côte de Monterey.

■ Carmel★★

4 000 hab. Comptez une journée.

Le village est bondé à la haute saison et le week-end. N'espérez pas y loger si vous n'avez pas réservé. Attention, repérez votre logement quand il fait encore jour, car les noms de rues sont très discrets, les maisons n'ont ni numéro ni boîte aux lettres et les rues ne sont pas éclairées la nuit.

Symbole, s'il en est un, de l'art de vivre californien (faut-il préciser : si vous êtes très fortuné…), Carmel ressemble à un décor de théâtre. Devenu un repaire de célébrités – Clint Eastwood en fut le maire durant quatre ans –, le village est admirablement préservé et ultraprotégé : pas de trottoirs, pas de lampadaires, aucun panneau, pas de publicité. Son charme tient surtout à ses villas noyées dans les arbres et les fleurs, à son atmosphère de luxe décontracté (le summum, dit *casual chic*), à ses boutiques raffinées et aux paysages sauvages des environs. Dès la création de la petite station, au début du 20ᵉ s., l'accent fut mis sur l'esthétique, mais ce sont les poètes, artistes et écrivains qui fréquentaient le village qui en firent la notoriété. George Sterling, Jack London, Joaquin Miller, Edward Weston ou Ansel Adams ne sont que quelques-uns d'entre eux. Tout cela ne doit pas faire oublier que le cœur de Carmel fut d'abord la mission que fonda Junípero Serra après avoir quitté Monterey, et qui devint le centre spirituel des missions californiennes.

Carmel s'articule autour d'**Ocean Avenue**, de part et d'autre de laquelle les rues ombragées sont bordées de boutiques, et qui conduit à une plage bordée de pins, **Carmel Beach★** (*attention, si vous vous baignez, les vagues sont énormes et les courants assez violents*). De là, vous pouvez suivre la **Scenic Road★**, bordée de cyprès aux troncs tourmentés, qui longe la baie entre rochers et villas aux architectures les plus éclectiques. Elle conduit à **Carmel River State Beach**, plus sauvage que la précédente avec sa lagune peuplée d'oiseaux migrateurs.

Remontez Ocean Ave. vers l'est et tournez à droite dans Junípero St. Suivez-la jusqu'à Rio Rd. La mission est sur la droite.

La Mission San Carlos Borromeo de Carmelo★★★ est l'une des plus belles de Californie. Il s'en dégage surtout un charme et une sérénité intemporels, à peine gâchés par l'affluence touristique. Fondée par le père Junípero Serra en 1771, elle est la deuxième de Californie après San Diego. Construite sur une terre fertile, au bord de la Carmel River, elle fut longtemps un avant-poste spirituel majeur, au nord des colonies espagnoles. Serra y établit sa résidence et en fit le quartier général des missionnaires californiens. À sa mort, en 1784, plus de 700 personnes y vivaient, Espagnols ou Indiens convertis. Sécularisée en 1834, la mission faillit disparaître complètement avant qu'un artisan passionné, Harry Downie, n'entreprit une patiente restauration qui dura 50 ans. La première chapelle n'existe plus et

G. de Benoist/MICHELIN

La mission de Carmel

l'**église**★ actuelle date de 1797. Parmi ses particularités, on note son clocher en dôme et sa magnifique voûte intérieure, inhabituelle dans les églises des missions. Le mobilier sacré date de la fondation de la première église (18ᵉ s.) et reflète bien l'influence méditerranéenne, avec ses statues habillées ou la crèche et ses petits santons vêtus à la mode de l'époque. On remarque aussi des tableaux et un très beau retable. L'émouvante petite chapelle latérale est vouée à la Vierge de Bethléem, un culte importé par des marins portugais débarqués à Monterey. Dans l'ancienne **résidence des moines**★, des pièces usuelles ont été reconstituées, comme la cuisine, la salle à manger, la bibliothèque ou la cellule monacale de Junípero Serra. N'hésitez pas à flâner dans les **jardins** pour retrouver le calme qu'offrait la mission en période troublée.

Située à l'embouchure de la rivière du même nom, la **Carmel Valley** est une petite vallée riche et fertile, où le vignoble a trouvé une terre d'élection. Carmel Valley Road (*la route quitte la Hwy 1 juste au nord de la mission*) s'enfonce entre les collines rondes et vertes des Santa Lucia Mountains, au milieu des golfs et des vignobles (*nombreuses dégustations de vin*). Elle passe le **Garland Ranch Regional Park**, idéal pour pique-niquer ou randonner dans les collines, et se poursuit jusqu'à **Carmel Valley Village**.

Reprenez la Hwy 1 vers le sud jusqu'à Point Lobos.

■ À 4 miles au sud de Carmel, la péninsule de la **Point Lobos State Reserve**★★ (*tlj 9 h-19 h d'avril à septembre/17 h le reste de l'année. Entrée : 7 $ par véhicule, gratuite pour les vélos et piétons*) doit son nom à la présence d'otaries, dont les cris rappelaient ceux des loups (*lobos*) aux explorateurs espagnols. Vous pouvez visiter la **Whalers Cove** (anse des Baleiniers), qui abrita une station baleinière au 19ᵉ s., puis emprunter les sentiers côtiers : le **Bird Island Trail**★ offre les plus jolies vues sur le littoral, et le **Sea Lion Point Trail** permet d'observer les otaries (*prévoyez des jumelles*).

Big Sur★★★

Itinéraire de 90 miles. Comptez de 1 à 2 jours.
Prévoyez de bonnes chaussures pour les balades.

La Hwy 1 entre Carmel et San Simeon est l'une des plus belles routes de l'Ouest américain. Elle ne quitte pratiquement pas le bord de mer, se faufilant entre pentes boisées vertigineuses, falaises abruptes et criques battues par les vagues. Big Sur désigne la bande de terre comprise entre l'océan Pacifique et les Santa Lucia Mountains. Son nom vient de l'espagnol *El Sur Grande* (le Grand Sud), comme les habitants de Monterey nommaient cette région sauvage (c'est aussi devenu le nom de son seul hameau). Longtemps mal desservi par une piste cahoteuse (la Hwy 1 ne fut achevée qu'en 1937), Big Sur ne reçut l'électricité que dans les années 1950 ! C'est son caractère intact qui séduisit des artistes un peu bohème et des écrivains, tel **Henry Miller** qui vécut là dans une modeste cabane entre 1947 et 1964 et y écrivit plusieurs de ses romans. Malgré le développement du tourisme et la construction de quelques propriétés de milliardaires, Big Sur reste isolé (moins de 1000 hab.), surtout lorsque la tempête fait rage. Ne vous attendez pas à traverser des villages ; tout au plus verrez-vous des bouquets de maisons. L'habitat est très dispersé, accentuant l'impression de terre inexplorée. La côte est encore plus attachante en automne, lorsque l'été indien la pare de couleurs flamboyantes, ou durant les beaux jours d'hiver, quand la lumière rasante dore les rochers et que les baleines passent au large. En été, un épais brouillard noie souvent la route le matin, conséquence du choc thermique entre les eaux froides du Pacifique et la terre chaude des collines, mais il se lève en général l'après-midi.

De Carmel à Big Sur

Passé Point Lobos, la route s'élève peu à peu à flanc de montagne, surplombant l'océan. Si vous aimez les belles étendues de sable, ne manquez pas **Garrapata Beach**★, l'une des rares plages que l'on atteigne facilement.

■ À 3,5 miles de là, vous traversez le **Bixby Creek Bridge**, un impressionnant pont jeté au-dessus d'un profond canyon, offrant un **panorama**★★ splendide vers le sud. C'est juste avant le pont, sur la gauche, que part **Old Coast Road**★★, l'ancienne piste des pionniers qui reliait Monterey au village de Big Sur avant la construction du pont et de la Hwy 1 en 1937. Cette piste non goudronnée, idéale pour les randonneurs ou les vététistes, traverse une forêt de séquoias, offre de stupéfiantes vues du Pacifique et rejoint l'Andrew Molera State Park *(11 miles)*.

■ En suivant la Hwy 1, vous arrivez au **Point Sur State Historic Park** *(5 miles)*. Perché sur un énorme rocher volcanique, au bout d'une immense langue de sable, le **phare** de Point Sur se dresse à 108 m au-dessus de la mer. On décida de sa construction en 1889 pour en finir avec les naufrages dans ces eaux dangereuses (☎ (831) 625 4419. *Visite guidée le samedi à 10 h et 14 h, le dimanche à 10 h. En été, visite supplémentaire le mercredi à 10 h et 14 h et le jeudi à 10 h. Fermé par mauvais temps. Entrée : 5 $. Comptez 3 h et prévoyez de bonnes chaussures pour monter sur le rocher)*.

■ Un peu moins de 3 miles plus loin, l'**Andrew Molera State Park** *(tlj de 8 h au coucher du soleil. Entrée : 4 $ par véhicule)* occupe une partie du ranch acheté en 1840 par Cooper, un colon de Monterey. Un joli sentier, le **Headlands Trail** *(4,5 km AR)*, passe devant l'ancienne cabane de Cooper et mène à la **pointe Molera**, qui surplombe une belle **plage**. D'autres balades sont possibles le long des falaises.

■ En continuant au sud du parc, la route pénètre à l'intérieur des terres pour prendre une allure montagnarde et boisée. Après 4,5 miles, elle arrive au **Pfeiffer Big Sur State Park**★ *(tlj 8 h-19 h. Entrée : 7 $ par véhicule)*, qui s'étend de part et d'autre de

Big Sur

la Big Sur River. Il doit son nom à l'une des premières familles de colons. Au 19ᵉ s., la richesse des ranchs venait de l'exploitation du bois de séquoia, très utilisé dans le bâtiment. Le parc compte de nombreux sentiers de randonnée, tel le **Pfeiffer Falls Trail★** qui conduit à des chutes d'eau, ou le **Valley View Trail** qui mène à un beau point de vue sur la côte.

■ Autrefois peuplé de bûcherons, le hameau de **Big Sur**, peu après le parc, est installé au cœur d'un paysage luxuriant de grands séquoias et de conifères. Plus qu'un village, il s'agit juste d'un groupe de maisons éparpillées, comptant un bazar, une station-service et un bureau de poste…

De Big Sur à Hearst Castle

Moins de 1 mile après le village de Big Sur, passé le Pfeiffer Canyon Bridge, guettez sur la droite Sycamore Canyon Rd, une route non goudronnée indiquée « narrow road ». Le parking de la plage est à 2 miles.

■ Ne manquez surtout pas **Pfeiffer Beach★★** *(entrée : 5 $ par véhicule)*, composée de deux plages successives battues par la houle et le vent *(attention aux courants)*.

■ En reprenant la route, vous passez devant le restaurant **Nepenthe** *(voir p. 256)*. Même si vous ne souhaitez pas y manger, arrêtez-vous pour prendre un café et profiter des splendides **panoramas★★★** que l'on a depuis ses terrasses. Un peu plus loin sur la gauche, la **Henry Miller Memorial Library** *(jeudi-dimanche 11 h-17 h. Entrée : 1 $)* rassemble les œuvres et souvenirs du célèbre écrivain.

■ 8 miles plus loin, le **Julia Pfeiffer Burns State Park★** *(entrée sur la gauche de la route. Tlj 8 h-19 h. Entrée : 6 $ par véhicule)* est traversé par le ruisseau McWay. Un sentier bordé d'eucalyptus passe sous la route et rejoint un joli point de vue sur la plage et la **McWay Fall**, qui chute de 25 m dans l'océan.

Vers le sud, la route n'en finit plus de tourner, traversant d'autres paysages splendides et déserts, surplombant de hautes falaises de granit et les eaux vertes ou bleues du Pacifique. Ce n'est qu'en approchant de San Simeon que les montagnes cèdent la place à des collines plus douces et à de larges pâturages.

Hearst Castle★★★

2,5 miles au nord-est de San Simeon, par la Hwy 1.
Comptez une demi-journée.

Difficile d'imaginer, en quittant les crêtes sauvages de Big Sur, un domaine aussi fou que ce château démesuré, dominant le Pacifique du haut de sa colline. Hearst Castle illustre à la perfection les contrastes et les paradoxes de la Californie, de même que les ambitions parfois démesurées de certains milliardaires américains. Sans aucune considération de coût ou de difficulté, le magnat de la presse **William Randolph Hearst** fit construire ce palais hétéroclite et flamboyant, empruntant de par le monde ce que l'art avait produit de plus beau et ce que la technique avait inventé de plus performant. Il en résulte un invraisemblable Versailles californien, qui marie sans complexe les mosaïques romaines au gothique flamand, l'Art nouveau à la Renaissance espagnole… Le tout dans un cadre bucolique de larges collines rondes.

De l'or des mines à l'argent du papier

Fils unique de George Hearst, un chercheur d'or californien devenu milliardaire, et de son épouse Phoebe, une intellectuelle passionnée de culture, William Randolf Hearst hérita à la fois du sens des affaires de son père et du goût de sa mère pour les arts. Ce n'est pourtant pas dans les mines d'or qu'il multiplia la fortune familiale. Forte tête, renvoyé de Harvard, il se fit engager comme journaliste au *New York World*, un journal à sensation. Un an plus tard, à seulement 25 ans, il réussit à convaincre son père de lui confier la direction du *San Francisco Examiner*, racheté en 1880. Bien lui en prit, car ce fut le début de l'énorme **empire de presse Hearst** qui compta jusqu'à 42 journaux ou magazines, 11 stations de radio, 5 agences de presse et une société de production de cinéma. Rien ne semblait arrêter William Hearst qui se présenta même à deux reprises à la présidence des États-Unis. À noter que le héros du film d'Orson Welles, *Citizen Kane*, est nettement inspiré par Hearst qui tenta d'ailleurs en vain de faire interdire le film…

Le bungalow de Camp Hill

Durant son enfance, William Hearst venait passer ses vacances dans un immense ranch de San Simeon, acquis par son père en 1865. Après son mariage avec une starlette du cinéma muet et la naissance de ses cinq enfants, il fit installer sur ces terres un imposant village de tentes, appelé **Camp Hill**. À la mort de sa mère, Hearst devint propriétaire du ranch et décida d'y faire construire un « petit quelque chose », pour en finir avec le camping. Pour mener à bien son projet, il choisit une architecte, **Julia Morgan**, première femme admise en section architecture aux Beaux-Arts de Paris. De fil en aiguille, durant 28 ans, ce qui devait être un modeste bungalow prit des proportions gigantesques : une immense demeure de 6 000 m², la **Casa Grande**, est dotée de 115 pièces, 38 chambres, 41 salles de bains, de salons, de bibliothèques, d'un théâtre, d'un salon de beauté, et est entourée de trois maisons d'invités, de deux incroyables piscines et d'un zoo. Le tout constitue un assemblage hétéroclite de styles, allant du grec à l'étrusque, de l'européen à l'arabe. Peu

Deux poids, deux mesures

William Hearst aimait les jolies femmes. Il en épousa une, Millicent, une ancienne actrice qui lui donna cinq fils. Mais celle-ci refusa toute sa vie de quitter la côte Est. Qu'à cela ne tienne ! À San Simeon, Hearst installa sa maîtresse, Marion Davies, une autre jolie starlette du muet à qui l'arrivée du cinéma parlant avait fait perdre son emploi. C'est elle qui dirigeait le ranch, si bien que certains invités parlaient des deux Mrs Hearst. Pourtant, William n'épousa jamais Marion. Son mode de vie peu conventionnel ne l'empêcha pas de rester très conservateur et de refuser que ses amis amènent leur maîtresse en visite. Ses journaux montaient d'ailleurs régulièrement en épingle le moindre scandale…

importe que les styles se mélangent mal ou que l'ensemble signe une ostentation de mauvais goût, pourvu que ce soit cher et d'époque! Plus personne ne peut se mesurer à Hearst qui possède désormais la plus énorme résidence privée des États Unis. Elle contient des **collections d'antiquités** dignes d'un musée, depuis la Grèce antique, Rome, la période gothique, la Renaissance française ou italienne… Cette opulence attira les hôtes les plus prestigieux, Charlie Chaplin, Gloria Swanson, Greta Garbo, Cary Grant, et nombre d'hommes d'affaires et de politiciens avec qui l'on pratiquait un actif lobbying… Le milliardaire mégalomane ne quitta sa propriété qu'en 1947, à 84 ans. Le château et ses 50 ha furent légués à l'État de Californie en 1957. Le reste du ranch (près de 10 000 ha) appartient toujours à la famille, qui possède encore 6 000 têtes de bétail.

Visite de la propriété

La propriété est si grande que la visite s'organise en 4 circuits différents. Visites guidées uniquement (1 h 45) de 8 h 20 à 15 h 20 (un peu plus tard en été). Réservez impérativement en été ou le week-end, ☎ 1-800 444 4445 / (916) 638 5883. Brochures en plusieurs langues, mais tours en anglais; téléphonez pour connaître les horaires des visites en d'autres langues. Entrée : 14 $ par circuit, 25 $ pour le circuit nocturne (2 h 10).

Circuit 1 – Le plus intéressant pour ceux qui ne connaissent pas l'endroit et qui ne souhaitent suivre qu'une visite. Il comprend l'incroyable **piscine gréco-romaine Neptune***, la **Casa del Sol**, une maison d'invités comptant 18 pièces pour

Hearst Castle : le bassin de Neptune

4 chambres, et le **rez-de-chaussée de la Casa Grande**★, objet de tous les excès. La façade ressemble à celle d'une cathédrale, avec portail gothique, gargouilles et clochers, tandis qu'à l'intérieur les pièces et les styles se suivent et ne se ressemblent pas : le hall est carrelé d'une mosaïque romaine authentique, la salle à manger gothique est garnie de stalles du 16e s. récupérées dans une cathédrale espagnole, et la salle de billard est ornée de tapisseries flamandes du 16e s. La visite se termine par le **théâtre**, où l'on projette un petit film sur la vie au château, et par la **piscine romaine**★ couverte et ses mosaïques d'or.

Circuit 2 – Il inclut les deux **piscines**, mais est consacré aux **étages de la Casa Grande**, que l'on ne visite pas dans le circuit 1. Vous visiterez notamment la **suite privée de Hearst**★, sa chambre, son bureau et sa bibliothèque, ainsi que les immenses **cuisines**.

Circuit 3 – Outre les deux **piscines**, il comprend la **Casa del Monte**, une maison d'invités, et l'**aile nord de la Casa Grande** qui se compose de suites réservées aux invités. Un film retrace par ailleurs la construction du domaine.

Circuit 4 – *D'avril à octobre uniquement.* Il se consacre à la **Casa del Mar**, la première et la plus importante des trois maisons d'invités, aux **caves à vin** et aux 17 **cabines de bain** de la piscine Neptune, couvertes de fresques colorées.

Circuit nocturne – Un circuit original, animé par des figurants, qui constitue un cocktail des quatre circuits précédents, et durant lequel on revit l'atmosphère de fête qui flottait sur le château à la grande époque.

Reprenez la Hwy 1 vers le sud, en direction de San Luis Obispo.

San Luis Obispo et ses environs
33 miles au sud de San Simeon. 44 800 hab. Comptez une demi-journée.

■ À **Morro Bay**, quelque 13 miles avant San Luis Obispo, s'élève l'étonnante silhouette en forme de pain de sucre du **Morro Rock**★. Il s'agit du sommet arrondi d'un ancien volcan, le premier d'une série de neuf autres, les **Nine Sisters**, qui se succèdent entre Morro Bay et San Luis. C'est un repaire de faucons pèlerins.

■ **San Luis Obispo** – C'est la fondation d'une mission en 1772 qui est à l'origine de la ville. Junípero Serra choisit cet endroit car la terre y était fertile, arrosée par deux rivières, et placée stratégiquement sur la route de Monterey, avant les montagnes de Santa Lucia. La région tirait naturellement sa richesse de l'agriculture, puis, après l'arrivée du chemin de fer en 1894, du commerce. C'est aujourd'hui une petite ville active, orientée surtout vers le tourisme, grâce à sa position centrale entre San Francisco et Los Angeles.

Traversez le centre par Higuera St. Les parkings sont situés entre Osos St. et Chorro St.

Le centre-ville s'organise autour de la **Mission Plaza**, bordée de nombreux bâtiments ayant gardé la trace des styles architecturaux successifs, depuis les maisons en adobe jusqu'aux immeubles Art déco. Elle est traversée par le joli ruisseau San Luis, auprès duquel fut installée la **mission San Luis Obispo de Tolosa** *(tlj 9h-16h/17h de Memorial Day à Labor Day. Entrée : 2 $).* Dédiée à saint Louis, évêque de Toulouse au 13e s., elle ne répondit pas vraiment aux attentes des missionnaires. Ravagée par plusieurs sinistres, elle ne devint autonome qu'à la fin du 18e s., avant de subir un tremblement de terre en 1830. Elle ne cessa par la suite de décliner, comme la plupart des autres missions californiennes. Un peu partout, les Indiens convertis tombaient malades, décimés par les maladies des colons. Les missions coûtaient de plus en plus cher et furent peu à peu sécularisées. Le gouvernement avait alors l'autorisation de vendre les terres. Le domaine de San Luis Obispo partit pour 500 $. Certaines des pièces furent transformées en cour de justice et en prison. Il ne reste aujourd'hui que l'**église** (1793), très sobre, avec son retable en bois peint. La statue de saint Louis est d'origine. Plus intéressant, le petit **musée*** attenant contient quelques objets sacrés ou usuels ayant appartenu aux premiers colons et aux Indiens autochtones, les Chumashs.

Quittez le centre-ville en suivant Higuera St., prenez à droite dans Madonna Rd et traversez la Hwy 101.

Le Madonna Inn* *(100 Madonna Rd, voir p. 256)* est l'une des curiosités les plus populaires de San Luis. À mi-chemin entre une maison en pierre sortie d'un conte de Grimm et un pastiche digne de Las Vegas, cette auberge née des rêves fantaisistes d'un certain Alex Madonna mérite une escale, ne serait-ce que pour admirer les photos de la centaine de chambres psychédéliques. Attention, violence des couleurs et kitsch garantis, depuis la chambre de l'homme des cavernes jusqu'aux grappes de raisins, angelots et rubans qui ornent les restaurants, en passant par l'inénarrable portrait du fondateur…

Passé San Luis Obispo, empruntez la Hwy 101 vers le sud, sur 27 miles. Bifurquez ensuite sur la Hwy 1 en direction de Lompoc (58 miles de SLO). En arrivant dans la ville, suivez les panneaux vers la gauche : la mission est à 2 miles.

■ **Purísima Mission**** – *Tlj 9h-17h ; fermée pour le 1ᵉʳ janvier, Thanksgiving et Noël. Entrée : 2$ par véhicule. Comptez 2h.* Bien que les environs ne présentent guère d'intérêt, ne manquez pas cette mission, la plus émouvante de toutes, qui restitue à la perfection l'atmosphère des années missionnaires. On imagine sans mal la ruche que devait être la mission et le temps passé par les moines à convaincre les Indiens d'adopter leur mode de vie et de culture…

Perdue dans les collines, comme au premier jour, cette mission admirablement restaurée est la seule à conserver l'ensemble de ses bâtiments et à ne pas être défigurée par la proximité d'une ville ou l'afflux touristique. Pour y accéder, il faut traverser un vaste champ où sèchent encore des peaux de bêtes. L'**église*** est d'une belle simplicité. Notez la charpente en bambou de la sacristie et les jolies fresques murales naïves. À côté du sanctuaire, les **quartiers militaires** et les **ateliers*** des anciens artisans semblent avoir été abandonnés hier. La **résidence des moines*** a conservé ses épais murs d'adobe, sa galerie à larges piliers et ses pièces d'origine (cuisine, salle à manger, bureau, bibliothèque). Jetez un œil aux toilettes, de simples bancs percés disposés dans trois cabines protégées des regards par un rideau de paille tressée… Le bureau, d'où l'on administrait les 120000 ha du ranch et les quelque 1000 employés, est particulièrement impressionnant. Le **jardin potager** donne une idée du travail effectué par les colons et on y découvre le système d'approvisionnement en eau. Des **dépendances** séparées permettaient d'héberger les nouveaux convertis et les femmes.

Quittez Lompoc par la Hwy 246 jusqu'à Buellton, puis Solvang, à 20 miles au sud-est de Lompoc et à 3,5 miles à l'est de la Hwy 101 sur la Hwy 246.

■ **Solvang*** – Des moulins à vent et des maisons à colombage au milieu des collines californiennes : ce n'est pas un parc d'attractions, mais une authentique petite colonie danoise, fondée par un groupe d'immigrants en 1911. C'est devenu depuis une destination très touristique, envahie de boutiques de porcelaine, de poupées et de décoration et de pâtisseries danoises.

Le peuplement des environs par les colons remonte en fait à 1804, lorsque la **mission Santa Inés*** *(1760 Mission Drive, à la sortie est de Solvang. Tlj 9h-17h30 en hiver/19h de Memorial Day à Labor Day. Entrée : 3$)*, la 19ᵉ des missions californiennes, fut créée pour servir de relais entre celle de Santa Barbara et la Purísima Mission. Cet établissement était particulièrement florissant grâce à l'élevage (il produisait du cuir et des objets en argent), mais la dureté des moines envers les Indiens convertis poussa ces derniers à la révolte et Santa Inés fut incendiée en 1824.

Elle déclina ensuite progressivement et fut abandonnée après la sécularisation. Moins intéressante que la Purísima, elle mérite toutefois une visite pour le mobilier sacré de l'**église***, exécuté au 17ᵉ s. en Amérique du Sud. Notez la **statue** de sainte Inès (Mexique) et l'**ecce** homo (Pérou). Les salles adjacentes abritent désormais un petit **musée** consacré à l'histoire de la mission. Le plus émouvant est le **jardin***, d'une grande sérénité, et le petit cimetière où reposent quelque 1700 convertis.

De Solvang, il y a deux façons de rejoindre Santa Barbara. La plus

Des baleines aux casinos
La Santa Ynez Reservation réunit les descendants des Indiens chumashs qui occupaient la région entre San Luis Obispo et Santa Barbara. Vivant principalement de la pêche, ils construisaient des barques en planches recouvertes de peau ou d'écorce pour aller chasser les mammifères marins aux Channel Islands. À l'arrivée des Espagnols, les missionnaires les convertirent au christianisme et à l'agriculture et les utilisèrent comme main-d'œuvre. Ils perdirent peu à peu leurs traditions et s'avérèrent incapables de retrouver leur culture ancestrale après la sécularisation et leur retour à la liberté. On attribua la réserve aux survivants, qui s'orientèrent vers les affaires et le jeu, même si certains s'évertuent à faire revivre les anciennes légendes et les artisanats oubliés.

évidente et la plus courte est de suivre la Hwy 101 le long de la côte et des plages, mais préférez la Hwy 154 qui traverse la **Santa Ynez Valley**, une riche région viticole, et les splendides paysages des **Santa Ynez Mountains**. Passé le San Marcos Pass, la descente vers la ville et le Pacifique est spectaculaire. Déjà, en dévalant les pentes vers l'océan, la végétation vous parle du Sud. Maquis rocailleux, eucalyptus odorants, gros rochers chauds et dorés préparent à l'allure très méditerranéenne de Santa Barbara.

Santa Barbara**
97 miles de San Luis Obispo par la Hwy 101.
93 700 hab. Comptez 2 jours.

Immortalisée par les séries télévisées, Santa Barbara est surtout célèbre pour ses stars de cinéma, ses demeures splendides et son interminable jetée en bois. Elle s'étire le long d'un chapelet de plages blondes, sertie par l'écrin boisé des Santa Ynez Mountains. Jardins noyés de fleurs, architecture mexicaine éclatante de blancheur, larges avenues bordées d'arbres et de palmiers, patios secrets où chantent des fontaines : on a vraiment laissé le Nord derrière…

Des missionnaires aux universitaires
Juan Cabrillo, un explorateur portugais, avait découvert Santa Barbara dès 1542 pour le compte des Espagnols. En 1602, lors d'un second voyage, ceux-ci avaient envisagé d'utiliser le site comme port, mais les véritables débuts de la colonie ne remontent qu'à 1782. Cette année-là, l'infatigable **Junípero Serra**, accompagné d'un détachement militaire, décida que l'une des collines dominant l'océan serait idéale pour installer la quatrième forteresse de Californie. Un *presidio* fut donc construit, très vite suivi de la 10ᵉ mission californienne.

Les **Indiens chumashs** occupaient quant à eux les lieux depuis déjà 10000 ans. Comme toujours, les moines entreprirent de les convertir et de leur inculquer les modes de vie et d'agriculture de la société espagnole. L'abondance et la richesse des terres attirèrent un grand nombre de colons espagnols et mexicains, largement suivis par les pionniers américains intéressés par l'or de l'Ouest. À la fin du 19ᵉ s., l'arrivée du chemin de fer amena les riches touristes de la côte Est.

Longtemps hétéroclite, le style architectural de la ville se transforma peu à peu à partir des années 1920 pour revendiquer clairement l'**héritage espagnol**, les tuiles roses et l'adobe. Les urbanistes furent aidés dans leur tâche par un violent tremblement de terre qui, en 1925, eut raison de tout le centre-ville.

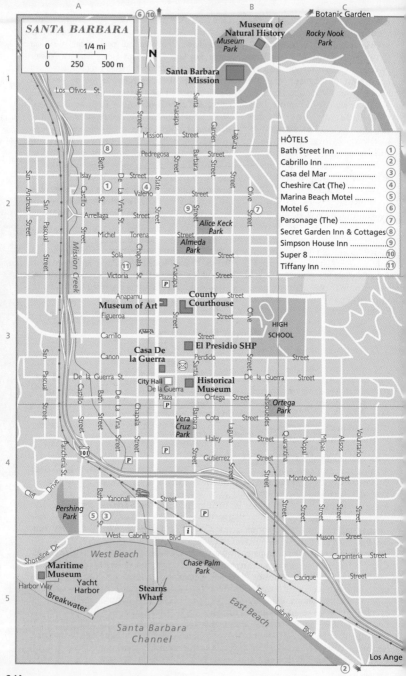

SANTA BARBARA

0   1/4 mi

0   250   500 m

N

Botanic Garden

Museum of
Natural History

Rocky Nook
Park

Museum
Park

Santa Barbara
Mission

Los Olivos St.

Chapala Street

Santa

Anacapa

Garden

Street

Street

Laguna

Mission

Street

Pedregosa

Olive

Street

Beth

De La Vina St.

Islay

Castillo St.

State

Street

Valerio

Barbara

Street

Arrellaga

Michel

Street

Street

Street

Alice Keck
Park

Torena

Almeda
Park

Street

Chapala St.

Sola

Street

Victoria

Street

San Andreas Street

San Pascual Street

Mission Creek

Anapamu

Street

Museum of Art

County
Courthouse

Figueroa

Olive

HIGH
SCHOOL

Carrillo

Casa De
la Guerra

Canon

El Presidio SHP

Street

Perdido

Street

De la Guerra

Street

De la Guerra St.

City Hall

Historical
Museum

De la Guerra
Plaza

Ortega

Street

San Pascual Street

Castillo

Bath

De La Vina Street

Chapala Street

Anacapa

Santa

Barbara

Laguna

Salsipuedes

Ortega
Park

Vera
Cruz
Park

Cota

Street

Haley

Street

Quarantina

Nopal

Milpas

Alisos

Voluntario

101

Gutierrez

Street

Montecito

Street

Street

Street

Street

Street

Panchería St.

Cliff Drive

Yanonali

Street

Street

Pershing
Park

Bath St.

West Cabrillo Blvd

i

Mason

Street

Shoreline Dr.

West Beach

Chase Palm
Park

Carpinteria Street

Maritime
Museum

Harbor Way

Yacht
Harbor

Stearns
Wharf

Cacique

Street

Breakwater

East Beach

East Cabrillo Blvd

Santa Barbara
Channel

Los Ange

HÔTELS

Bath Street Inn	①
Cabrillo Inn	②
Casa del Mar	③
Cheshire Cat (The)	④
Marina Beach Motel	⑤
Motel 6	⑥
Parsonage (The)	⑦
Secret Garden Inn & Cottages	⑧
Simpson House Inn	⑨
Super 8	⑩
Tiffany Inn	⑪

Au fil des ans beaucoup de films furent tournés dans les environs et de nombreuses stars du show-biz, dont Madonna, Kevin Costner, Michael Jackson, Brad Pitt et Jennifer Aniston, résident maintenant dans la région. Toutefois, outre le tourisme, c'est surtout le prestige de l'université de Santa Barbara (UCSB) qui apporte dynamisme et jeunesse à la ville.

Le centre-ville* (B3)

Santa Barbara s'organise autour de State Street. Le centre-ville est délimité au sud par Ortega Street et au nord par Victoria Street. Vous apprécierez le charme de ses petits passages agréablement transformés en zones piétonnes fleuries, en patios carrelés, ou en *arcadas* et *paseos* à l'espagnole où il fait bon se détendre au soleil.

El Presidio State Historic Parc (*123 E. Canon Perdido St. Tlj 10h30-16h30. Entrée libre*), la forteresse construite par les Espagnols, constitue le cœur historique de la ville. Il ne reste des bâtiments d'origine qu'**El Cuartel** (1788), la caserne, et la **Cañedo Adobe** (1782), où se tiennent des expositions sur l'histoire du site. La **chapelle** et les quartiers militaires, de l'autre côté de la rue, ne sont que des reconstitutions fidèles. Une rue à l'ouest du *presidio*, le **Santa Barbara Historical Museum*** (*136 E. De la Guerra St., ☏ (805) 966 1601. Mardi-samedi 10h-17h, dimanche 12h-17h; fermé le lundi. Entrée libre*) occupe une très belle demeure en adobe du 19e s. et se consacre à l'histoire locale, exposant des souvenirs des pionniers du ranchs, de l'importante colonie chinoise ou même de splendides costumes victoriens.

Tout près de là, la **Casa de la Guerra** (*15 E. De la Guerra St. Entrée par le centre commercial. Jeudi-dimanche 12h-16h. Entrée libre*) illustre parfaitement l'architecture espagnole de Santa Barbara. C'était la demeure de José de la Guerra, un ancien commandant du *presidio*.

Remontez State Street jusqu'au **Santa Barbara Museum of Art**** (*1130 State St., à l'angle d'Anapamu St., ☏ (805) 963 4364. Mardi-samedi 11h-17h/21h le jeudi, dimanche 12h-17h; fermé le lundi et les jours fériés. Entrée : 5 $*), qui est l'un des plus intéressants de Californie. Le rez-de-chaussée rassemble des **antiquités grecques** et **romaines**, une rare collection de **dessins*** (16e-19e s.) de grands maîtres, comme Tiepolo, Toulouse-Lautrec ou Picasso. La **peinture française**** est à l'honneur avec Chagall, Matisse, Monet, Braque, Derain ou Dufy, et la **peinture américaine** avec Sargent ou Georgia O'Keefe, ainsi que des artistes sud-américains comme Rufino Tamayo ou Alfredo Ramos Martinez. À l'étage, les collections d'**art asiatique**** sont exceptionnelles (céramiques, lithographies, sculptures, costumes).

Prenez à droite après le musée pour rejoindre le **Santa Barbara County Courthouse**** (*1100 Anacapa St. Tlj 8h30-16h30, samedi-dimanche 10h-16h30. Entrée libre*). Érigé en 1929 dans un style hispano-mauresque, le palais de justice s'ordonne selon un plan en U autour d'un ravissant jardin dominé par une haute **tour-horloge** (on a du sommet une belle vue sur la ville). L'intérieur est joliment décoré de ferronneries d'art, de mosaïques tunisiennes et de bois sculpté.

Le front de mer**

Descendez State St. vers la mer. Il y a des parkings sur la droite, avant et après le croisement avec la Hwy 101.

Bordé de hauts palmiers, **Cabrillo Boulevard** longe le front de mer et la plage. C'est l'une des balades les plus agréables de la ville, à faire à pied, en roller ou à vélo. Face à State Street, **Stearns Wharf*** (B5), rendu célèbre par nombre de films, est la plus ancienne jetée en bois de Californie (1872). Occupée par des boutiques et des restaurants de fruits de mer, elle sépare la plage en deux : **East Beach**, la plus agréable, et **West Beach**, vers le port et la marina. C'est sur le port que vous trouverez le **Maritime Museum** (A5) (*113 Harbor Way, ☏ (805) 962 8404. Entrée : 5 $*), qui retrace l'histoire maritime de Santa Barbara et évoque la vie et les techniques de pêche des Chumashs. Plus à l'ouest, Cabrillo Boulevard se double d'une très agréable promenade surplombant la mer.

Pour découvrir les magnifiques **quartiers ouest**, suivez Cabrillo Boulevard qui devient Shoreline Drive, puis Cliff Drive et Marina Drive. Ne manquez pas de vous arrêter à **Arroyo Burro Beach***, l'une des plages favorites des gens du coin, avec ses falaises blondes, son sable fin et ses jolis galets rayés. Plus à l'ouest encore, vous parvenez à Hope Ranch, quartier résidentiel de luxe, et à Las Palmas Drive. L'avenue traverse d'opulents terrains de golf, bordés d'immenses palmiers et de propriétés extravagantes.

Las Palmas Dr. rejoint State St. plus au nord. Prenez à droite pour regagner le centre-ville.

Mission Canyon**

Suivez State St. jusqu'à Mission St. que vous prenez à droite. Suivez ensuite les panneaux vers la Santa Barbara Mission.

Nichée sur les hauteurs de la ville, au pied des Santa Ynes Mountains, la **Santa Barbara Mission**** (B1) *(2201 Laguna St. Tlj 9h-17h. Entrée : 3$)* ne fut fondée qu'en 1786, deux ans après la mort de Junípero Serra. Ce dernier aurait bien voulu la bâtir plus tôt, mais le gouverneur, qui s'inquiétait de la puissance des missionnaires, s'occupa d'abord du *presidio*. On la surnomme souvent la « reine des missions », mais il s'agissait à l'origine d'un simple édifice en adobe. Au fur et à mesure que la colonie s'agrandit, on bâtit une nouvelle église, plus imposante que la précédente. L'édifice actuel fut conçu après le tremblement de terre de 1812. Sa taille est à l'image du pouvoir et de la richesse qu'avait acquis la mission à cette époque. À l'achèvement des travaux, en 1820, elle surpassait sans peine le *presidio*. C'est ce rayonnement qui lui valut son surnom. Malgré un autre séisme dévastateur en 1925, elle fut restaurée à l'identique.

La **façade**, avec son fronton central, ses colonnes, et les deux dômes jumeaux de ses tours, dénote clairement l'influence romaine antique. La grande **fontaine** voisine était autrefois utilisée par les Indiennes comme lavoir. L'intérieur de l'**église**, avec ses couleurs vives et son style mexicain, n'a presque pas changé. On remarque au sol deux dalles de pierre portant le nom des moines enterrés dans la crypte. L'ancienne résidence des moines a été transformée en **musée***, consacré

La jetée de Santa Barbara

à l'histoire de la mission et aux Indiens chumashs. Environ 4 000 d'entre eux sont enterrés dans le **cimetière**, à côté de l'église.

Pour rejoindre le musée d'Histoire naturelle en sortant de la mission, suivez les panneaux.

Au nord de la mission, le **Museum of Natural History*** *(2559 Puesta del Sol,* ☎ *(805) 682 4711. Lundi-samedi 9 h-17 h, dimanche 10 h-17 h. Entrée : 5 $)* s'intéresse à la faune, à la flore et aux habitants des environs. On y apprend notamment les coutumes des Indiens chumashs.

Reprenez vers le nord. Tournez à droite dans Foothill Rd (Hwy 192), puis à gauche dans Mission Canyon Rd, et suivez les panneaux pour le Botanical Garden.

Le Botanical Garden (jardin botanique) *(1212 Mission Canyon Rd. Lundi-vendredi 9 h-17 h, samedi-dimanche 9 h-18 h/16 h en hiver. Entrée : 5 $)* occupe 26 ha de canyons à la végétation très variée, sillonnés de 8 km de sentiers de découverte. Des cactus aux séquoias, toutes les espèces végétales de Californie sont représentées.

À partir de Mission Canyon Rd, vous pouvez suivre les panneaux « Scenic Drive », qui vous conduiront dans les hauts résidentiels de Santa Barbara, au cœur d'une végétation luxuriante, pour de beaux panoramas sur la côte ou pour faire des randonnées.

Il est possible d'entreprendre plusieurs randonnées dans la montagne aux environs de Mission Canyon Rd. Le **Seven Falls Trail** *(suivez Mission Canyon Rd. Arrivé à la fourche qui signale le Botanical Garden, prenez à gauche dans Tunnel Rd, allez jusqu'au bout et garez-vous. Comptez 1 h 30-2 h)* offre des vues fantastiques sur la ville et la mer.

Une autre option consiste à suivre le **Hot Springs Trail**, le long duquel, en plus des vues splendides, vous pourrez observer divers spécimens de la faune et de la flore de Santa Barbara. L'excursion aller-retour aux sources chaudes prend la journée, mais le sentier est très agréable *(suivez Mission Canyon Rd vers le nord. Au carrefour avec Tunnel Rd, prenez à droite en direction du Botanical Garden. Passez un pont en pierre et tournez tout de suite à droite vers Skofield Park sur Las Canoas Rd. Garez-vous juste après le St Mary's Seminary, avant le petit pont. La promenade commence au panneau « Skofield Park, Rattlesnake Canyon ». Comptez 5-6 h AR).*

ARRIVER-PARTIR

En voiture – Pour venir de San Francisco ou Los Angeles, la route la plus pittoresque est la Hwy 1, le long de la côte. La voie la plus rapide est la Hwy 101, à l'intérieur des terres.

En bus – Greyhound (425 Front St.) assure 4 liaisons par jour pour San Francisco (3 h) et 7 pour Los Angeles (10-11 h).

ADRESSES UTILES

Office de tourisme – Visitor's Bureau, 1211 Ocean St., ☎ (831) 425 1234, www.santacruzca.org.

Banque / Change – Les principales banques sont situées le long de Pacific Ave.

Poste – 850 Front St. Lundi-vendredi 8 h 30-17 h, samedi 9 h-16 h.

Santé – Dominican Hospital, 1555 Soquel Drive, ☎ (831) 462 7700.

OÙ LOGER

Moins de 20 $ par personne

Pigeon Point Lighthouse Hostel, Hwy 1, Pescadero, à 21 miles au sud de Half Moon Bay, ☎ (650) 879 0633 – 52 lits CC L'établissement se compose de quatre maisons, situées face au Pacifique et à proximité du phare. Il compte également 4 chambres propres et agréables. L'hôtel est desservi en semaine par le bus 96C de la compagnie SamTrans (renseignements au ☎ 1-800 660 4287).

Carmelita Cottages Hostel, 321 Main St., Santa Cruz, ☎ (831) 423 8304 – 40 lits CC Hébergement dans des cottages victoriens de 1870, entourés d'arbres, à mi-chemin entre le centre-ville et la plage, et à 5 mn à pied de la gare Greyhound. Couvre-feu à 23 h. Dispose aussi de 2 chambres privées.

De 80 à 100 $

Guesthouse Pacific Inn, 330 Ocean St., ☎ (831) 425 3722 – 37 ch. ⌐¶ ℘ TV ⌷ CC À 10 mn à pied de la plage et du centre. Un joli motel d'architecture mexicaine très bien équipé : sèche-cheveux, table à repasser, machine à café, piscine couverte et chauffée. Petit-déjeuner continental compris.

Blackburn House Motel, 152 Center St., ☎ (831) 423 1804 – 32 ch. ⌐¶ TV CC Petit motel calme et fleuri, entre le centre et la plage. Décoration un peu vieillotte, mais la plupart des chambres disposent d'une kitchenette. Tarifs intéressants à la semaine. Pas de réservations de plus de 8 jours.

De 100 à 150 $

Compassion Flower Inn, 216 Laurel St., ☎ (831) 4660 420, www.compassionflowerinn.com – 4 ch. ⌐¶ ℘ CC Un B & B peu conventionnel, accueillant et convivial, tenu par Andrea et sa compagne Maria, militantes pour l'usage thérapeutique du cannabis. La déco, réalisée par Maria, est entièrement dédiée à la plante : mosaïques de l'entrée, frises sur les murs ou les assiettes, jusqu'au chanvre des rideaux et des jetés de lit… Petit-déjeuner plantureux et bio à partir de produits maison.

Plus de 150 $

The Adobe on Green Street, 103 Green St., ☎ 1-888 878 2789, www.adobeongreen.com – 4 ch. ⌐¶ ℘ TV CC Une adorable petite maison nichée dans les arbres, au-dessus de la ville. Décoration très plaisante, de style mexicain. Jacuzzi et hammam. Petit déjeuner complet, très copieux. Deux des chambres disposent d'une cheminée et d'un jacuzzi privé.

The Babbling Brook Inn, 1025 Laurel St., ☎ 1-800 866 1131, www.babblingbrookinn.com – 13 ch. ⌐¶ ℘ TV CC Une ancienne tannerie et un moulin à l'architecture typique en bardeaux de châtaignier, construits au-dessus d'un petit torrent. Déco très chic. Certaines chambres sont toutefois un peu près de la rue. Apéritif, thé, café, biscuits et petit-déjeuner plantureux inclus.

OÙ SE RESTAURER

Moins de 10 $

Lulu Carpenter's, 1545 Pacific Ave., ☎ (831) 429 9804. Tlj 6 h 30-24 h. Ce café fréquenté par les étudiants propose un grand choix de salades, quiches, sandwichs et soupes.

La Californie

De 10 à 15 $
Costa Brava, 1222 Pacific Ave., ☎ (831) 425 7871. Cuisine hispano-mexicaine, servie dans un cadre sobre et élégant à l'ambiance tamisée.

De 15 à 20 $
🐌 **Gabriella's Cafe**, 910 Cedar St., ☎ (831) 457 1677. Une cuisine californienne aux influences méditerranéennes marquées, à déguster dans une atmosphère intime et conviviale.
Pearl Alley Bistro, 110 Pearl Alley, ☎ (831) 429 8070. « Fusion food » d'inspiration française, espagnole ou asiatique et large choix de vins. Atmosphère chaleureuse.

OÙ SORTIR, OÙ BOIRE UN VERRE

The Poet and The Patriot, 320 Cedar St., ☎ (831) 426 8620. Un vrai pub irlandais, tenu par un irréductible gouailleur. Pour preuve : c'est le seul bar où l'on fume ouvertement malgré l'interdiction légale !
99 Bottles of Beer, 110 Walnut Ave., ☎ (831) 459 9999. Comme son nom l'indique, LE spécialiste incontesté de la bière… qui coule à flots !
Palookaville, 1133 Pacific Ave., ☎ (831) 454 0600. Un bar convivial spécialisé dans le blues, le jazz, voire le rap, et où on peut aussi danser. Ouvert jusqu'à 2 h du matin.

The Catalyst, 1011 Pacific Ave., ☎ (831) 423 1338. Bar club ouvert jusqu'à 2 h du matin. Musique live tous les soirs, rock, blues, jazz, reggae…
Kuumbwa Jazz Center, 320 Cedar St., ☎ (831) 427 2227. Une salle de concerts où écouter du jazz de qualité les lundi et vendredi soir.

LOISIRS

Location de deux-roues – The Bicycle Shop, 1325 Mission St., ☎ (831) 454 0909.
Big Twin Adventure Motorcycle, 1144 Soquel Ave., ☎ (831) 466 9836. Location de Harley Davidson.

Surf – Club Ed Surf School, Cowell Beach, au pied du West Coast Santa Cruz Hotel, ☎ (831) 459 9283. Location de matériel de surf et leçons.

ACHATS

Gilroy Prime Outlets, à 36 miles de Santa Cruz. Suivre la Hwy 1 S. jusqu'à Watsonville, puis la Hwy 152 vers l'est. À Gilroy, prenez la Hwy 101 en direction de San Jose, puis tournez à droite dans Leavesley Rd. Tlj 10h-20h/18h le dimanche. Gilroy est devenu un important centre de shopping, grâce à sa concentration en magasins d'usine : Gap, Calvin Klein, Ralph Lauren, Jones, Columbia, Esprit, Levi's, Guess, Timberland, Birkenstock, Crabtree & Evelyn…

Monterey et Carmel pratique

ARRIVER-PARTIR

En bus – Greyhound dessert Monterey 4 fois par jour depuis San Francisco (3 h 30-4 h) et 3 fois depuis Los Angeles (9 h 30). Arrêt à la station-service, au 1024 Del Monte Ave.

En train – Amtrak assure la liaison San Diego-Seattle via Salinas, où la correspondance pour Monterey est assurée par les compagnies **Greyhound** ou **Monterey-Salinas Transit** (arrêt à l'extrémité sud d'Alvarado St.)

ADRESSES UTILES

Office de tourisme – Monterey Visitor's Bureau, à l'angle de Del Monte Ave. et de Camino el Estero, ☎ (831) 649 1770, www.monterey. org. Très bien organisé. Demandez la carte « The Path of History » et les bons de réduction pour les attractions. Les hôtels et B & B de Monterey et Carmel sont listés, et des bornes téléphoniques permettent de les appeler gratuitement pour réserver.

Carmel Visitor's Bureau, San Carlos St., entre 5th et 6th Ave., ☎ (831) 624 2522, www.carmelcalifornia.org. Les consulter pour trouver un hébergement si tous les hôtels sont complets.

Banque / Change – Banques le long de Pacific St. et d'Alvarado St., à Monterey.

Poste – 565 Hartnell St., Monterey. Lundi-vendredi 8h45-17h.

Santé – *Monterey Community Hospital*, Hwy 68 et Hwy 1, ☎ (831) 624 5311.

OÙ LOGER

• **Monterey**
Les grandes chaînes de motels bon marché se trouvent le long de Fremont St.

Moins de 20$ par personne
Carpenters Hall Hostel, 778 Hawthorne St., dans une rue parallèle à Cannery Row, au sud de Lighthouse Ave., ☎ (831) 649 0375 – 45 lits CC Auberge de jeunesse très simple, le seul hébergement bon marché de la ville. Dispose aussi de 2 chambres.

De 80 à 100$
Ramada Limited-Carmel Hill, 1182 Cass St, à l'angle de Munras Ave., ☎ (831) 375 2679 – 19 ch. ⌂ ✐ TV ☰ CC Un joli petit motel fleuri, situé non loin du centre de Monterey, en retrait de la grand-rue. Plus cher le week-end.

Super 8 Motel, 2050 N. Fremont St., à environ 2 miles du centre en direction de l'aéroport, ☎ (831) 373 3081 – 48 ch. ⌂ ✐ TV CC Ce motel n'a guère de caractère, mais il est très fleuri et bien équipé (frigo et micro-ondes pour 5$ de plus). En hiver, le prix chute à moins de 50$.

• **Pacific Grove**
De 100 à 150$
Pacific Grove Motel, à l'angle de Lighthouse Ave. et de Grove Acre St., près du golf, ☎ (831) 372 3218 – 30 ch. ⌂ ✐ TV CC Un motel très calme, au milieu des arbres, à 800 m de la côte. Des chambres très fonctionnelles (frigo et machine à café), mais un peu démodées.
Olympia Lodge, 1140 Lighthouse Ave., ☎ (831) 373 2777 – 38 ch. ⌂ ✐ TV CC Un motel en bois aux allures de

chalet, aménagé au milieu des arbres. Les chambres sont grandes et certaines ont vue sur la mer. Les moins chères, tout aussi bien, donnent sur la forêt.

🖉 **The Old St. Angela**, 321 Central Ave., ☎ (831) 372 3246, www.sueandlewinns.com – 9 ch. ⌂ ✐ CC Un B & B au charme Nouvelle-Angleterre et à l'accueil chaleureux et raffiné. Les plus petites chambres sont les moins chères. Sinon, demandez la « Crow's Nest » pour la vue et son ravissant décor nautique ou, pour une folie, la suite « Whale Watch », avec balcon, vue sur la mer, cheminée et jacuzzi (210$). Petit-déjeuner copieux.

Plus de 150$
🖉 **Green Gables**, 105 5th St., à l'angle d'Ocean View Blvd, ☎ (831) 375 2095 – 11 ch. ⌂ ✐ CC Un splendide manoir Queen Anne faisant face à la mer. Décoration très british, chaleureuse et luxueuse. Chaque chambre est différente ; les moins chères partagent une salle de bains. Plantureux petit-déjeuner maison et apéritif le soir. Le même propriétaire possède une autre adresse tout près, dans le même style : *Gosby House*, 643 Lighthouse Ave., ☎ (831) 375 1287 (22 ch. Même gestion, réservation possible de l'une pour l'autre).

• **Carmel**
Hors saison, tentez les B & B ou les hôtels de charme qui proposent des discounts.

De 100 à 150$
Carmel Wayfarer Inn, à l'angle de 4th Ave. et de Mission St., ☎ (832) 624 2711 – 17 ch. ⌂ ✐ TV CC Une adresse à l'accueil chaleureux. Les chambres sont un peu tristes, mais elles sont vastes et disposent d'une baignoire. Petit-déjeuner inclus.

Monte Verde Inn, à l'angle d'Ocean Ave. et de Monte Verde St., ☎ (831) 624 6040 – 10 ch. ⌂ ✐ TV CC Des chambres fraîches et gaies ; demandez la 2, la 7 ou la 3. Petit-déjeuner et parking gratuits.

De 150 à 200$
🖉 **Vagabond's Inn**, à l'angle de 4th Ave. et de Dolores St., ☎ (831) 624 7738, www.vagabondshouseinn. com – 11 ch. ⌂ ✐ TV CC Cette adresse a un charme

fou avec son ravissant jardin-patio fleuri agrémenté de fontaines. Déco de style colonial. Apéritif et petit-déjeuner en chambre compris.

🐚 **Sea View Inn**, Camino Real, entre 11th Ave. et 12th Ave., ☎ (831) 624 8778, www.seaviewinncarmel.com – 8 ch. 🛏 CC Une maison de caractère du début du 19e s., à la décoration victorienne très cosy. Le salon est particulièrement chaleureux. Deux des chambres, très mignonnes, sont toutes petites et partagent une salle de bains (moins de 100 $). Copieux petit-déjeuner, surtout le week-end.

The Green Lantern, à l'angle de 7th Ave. et de Casanova St., ☎ (831) 624 4392, www.greenlanterninn.com – 18 ch. 🛏 🚿 TV CC De petits bungalows aux allures de cottage sont réunis autour de la maison principale. Accueil chaleureux. Frigo dans les chambres. Copieux petit-déjeuner. Pas cher en hiver.

Plus de 200 $

Sundial Lodge, à l'angle de Monteverde St. et de 7th Ave., ☎ (831) 624 8578, www.sundiallodge.com – 19 ch. 🛏 🚿 TV CC Des chambres spacieuses et élégantes réunies autour d'un patio de style mexicain. Certaines disposent d'une cuisine et d'un frigo. Apéritif et copieux petit-déjeuner.

🐚 **Cypress Inn**, près de l'angle de Lincoln St. et de 7th Ave., ☎ (831) 624 3871, www.cypress-inn.com – 33 ch. 🛏 🚿 TV CC Un hôtel à l'architecture mexicaine très réussie avec un joli patio fleuri. Chambres vastes et claires, à la décoration sobre et raffinée. Apéritif et petit-déjeuner copieux.

OÙ SE RESTAURER

• Monterey

De 10 à 15 $

The Mucky Duck, 479 Alvarado St., ☎ (831) 655 3031. Un pub anglais très apprécié des locaux. Grand choix de bières et de plats traditionnels américains et anglais, du « cajun chicken » au « cottage pie ». « Happy Hour » de 16h à 19h, sauf le week-end. Karaoké ou soirée dansante le week-end après 20h. Élu meilleur bar de rencontre par les célibataires !

Bubba Gump, 720 Cannery Row, ☎ (831) 373 0354. Cette adresse très touristique dispose d'une grande salle bruyante, mais bénéficiant d'une vue superbe sur la baie. Très large choix de plats de crevettes, servies à toutes les sauces, à la vapeur de bière, sautées, marinées, en beignets…

De 15 à 20 $

🐚 **Stokes Adobe**, 500 Hartnell St., ☎ (831) 373 1110. Cette maison historique en adobe abrite l'une des meilleures tables des environs. Cuisine californienne éclectique : saumon mariné à la grappa, côtelettes d'agneau grillées à la polenta sauce au bleu, porc mariné à la lavande et grillé avec chutney de figues… Cadre intime et traditionnel.

Plus de 20 $

🐚 **Fresh Cream**, 99 Pacific St., ☎ (831) 375 9798. Voilà près d'un quart de siècle que ce restaurant français obtient les meilleures critiques. Cuisine classique et impeccable, cadre élégant avec vue sur le port.

• Pacific Grove et 17-Mile Drive

Moins de 10 $

Red House Cafe, à l'angle de Lighthouse Ave. et de 19th St., ☎ (831) 643 1060. Mardi-dimanche 8h-15h, dîner de 17h à 20h du jeudi au samedi ; fermé le lundi. Snacks, salades, soupes ou plats plus élaborés, servis dans un délicieux décor américain, avec cretonnes fleuries et meubles en bois peint.

Plus de 30 $

🐚 **Roy's at Pebble Beach**, The Inn at Spanish Bay, 2700 17-Mile Drive, ☎ (831) 647 7423. Roy Yamaguchi est originaire d'Hawaï, et sa cuisine inventive et raffinée s'inspire d'un subtil mélange entre les grandes traditions culinaires, de la France à l'Asie. Le cadre, exceptionnel au coucher du soleil, ne gâche rien. Salle un peu bruyante parfois.

• Carmel

Moins de 10 $

🐚 **The Village Pub**, San Carlos St., entre Ocean Ave. et 7th Ave., ☎ (831) 626 6821. Un vrai bar de village, tout simple et fort sympathique, où grignoter des snacks ou des plats copieux et bon marché. Le «chili» et les burgers sont délicieux. Vin au verre et «Happy Hour» de 16h à 19h.

Pâtisserie Boissière, Mission St., entre Ocean Ave. et 7th Ave., ☎ (831) 624 5008. Les dames de Carmel adorent déjeuner dans ce petit salon-bonbonnière, où l'on vient entre copines pour manger des salades, des quiches, curieusement accompagnées de fruits frais, ou des pâtisseries honteusement riches... Ouvert aussi pour le dîner, mais un peu plus cher.

De 15 à 20$

Toot's Lagoon, Dolores St., entre Ocean Ave. et 7th Ave., ☎ (831) 625 1915. Ce restaurant américain typique, familial et vivant, connu surtout pour ses «BBQ ribs» et ses steaks, propose un grand choix de plats à un peu tous les prix, et des salades ou des pizzas à moins de 10$.

Flying Fish Grill, Mission St., entre Ocean Ave. et 7th Ave., ☎ (831) 625 1962. La meilleure table pour les amateurs de poissons, accommodés au style californien mâtiné d'asiatique. Essayez le thon ou le saumon au sésame.

The Gem, San Carlos St., entre Ocean Ave. et 7th Ave., ☎ (831) 625 4367. Des plats copieux d'inspiration européenne, dans un décor intime et chaleureux, surtout le soir.

Chez Félix, à l'angle de Monteverde St. et de 7th Ave., ☎ (831) 624 4707. Bistro de style français à l'ambiance conviviale et cuisine de qualité encore abordable.

LOISIRS

Kayak de mer – **Adventures by the Sea**, 299 Cannery Row et 201 Alvarado Mall (près du Maritime Museum), ☎ (831) 372 1807. Location de kayaks de mer (25 $/pers.) et sorties accompagnées (45 $) pour observer les otaries et les criques de la côte.

AB Seas Kayaks, 32 Cannery Row, ☎ (831) 647 0191. Services similaires, mais aussi tour en kayak et nage avec masque et tuba pour observer les fonds marins (79 $/pers.).

Plongée – La plongée est le seul moyen de découvrir le canyon sous-marin de Monterey, deux fois plus profond que le Grand Canyon du Colorado! Renseignez-vous au **Monterey Bay Dive Center**, 225 Cannery Row, ☎ (831) 656 0454, ou à l'**Aquarius Dive Shop**, 2040 Del Monte Ave. et 32 Cannery Row, ☎ (831) 375 1933.

Location de deux-roues – **Monterey Moped**, 1250 Del Monte Ave., Monterey, ☎ (831) 373 2696. Location de vélos à l'heure (6 $), à la demi-journée (15 $) ou à la journée (20 $). Pour les mobylettes, comptez 20, 40 et 50$.

FÊTES / FESTIVALS

Le **Monterey Jazz Festival**, qui se tient chaque année à la mi-septembre, est l'un des plus célèbres de la côte Ouest. Renseignements sur www.montereyjazzfestival.org.

Big Sur et San Simeon pratique

ARRIVER-PARTIR

En voiture – Attention au ravitaillement en essence, car il y a très peu de stations-service sur la Hwy 1, entre Carmel et San Simeon, et elles sont chères. En cas de problème, vous trouverez un garage à Big Sur, sur la Hwy 1 : **Big Sur Garage and Towing**, ☎ (831) 667 2181.

En bus – La ligne n° 22 du **Monterey-Salinas Transit** (☎ (831) 899 2555.

Arrêt principal à l'extrémité sud d'Alvarado St., à Monterey) assure la liaison de Monterey à Big Sur deux fois par jour entre Memorial Day et Labor Day.

ADRESSES UTILES

Office de tourisme – **Big Sur Information Center**, Hwy 1, au sud du Pfeiffer Big Sur State Park, ☎ (831) 667 2100, www.bigsurcalifornia.org.

Banque / Change – Prévoyez de prendre de l'argent liquide avant de quitter Monterey ou Carmel, car il n'y a pas de banques sur Big Sur.

Poste – Minuscule bureau de poste au village de Big Sur, mais on vous déconseille d'y poster vos lettres, qui mettront une bonne semaine supplémentaire…

OÙ LOGER

• Big Sur

De 40 à 60 $

Big Sur Campground & Cabins, Hwy 1, ☎ (831) 667 2322 – 17 bungalows 🛏 [CC] Ce «village» niché dans la forêt se compose de chalets pour 2 à 6 personnes de différents niveaux de confort. Comptez de 95 à 150 $ pour un chalet très confortable pour 4, et moins de 50 $ pour une tente avec base en dur et sanitaires communs. Camping.

De 80 à 100 $

Glen Oaks Motel, Hwy 1, ☎ (831) 667 2105, www.glenoaksbigsur.com – 15 ch. 🛏 [CC] Le meilleur rapport qualité-prix de Big Sur, où tout est par ailleurs très cher. Chambres assez spacieuses, alignées en retrait de la route.

De 100 à 150 $

Big Sur River Inn, Hwy 1, ☎ (831) 667 2700, www.bigsurriverinn.com – 20 ch. 🛏 [CC] Les chambres les moins chères donnent du côté de la route. Les suites pour quatre personnes, avec balcon sur la rivière, offrent un bon rapport qualité-prix.

Ragged Point Inn, Hwy 1, 45 miles au sud du village de Big Sur, ☎ (805) 927 4502, www.raggedpointinn.net – 22 ch. 🛏 [TV] [X] [CC] Surplombant les falaises, les chambres de ce motel tout en bois offrent des vues splendides sur la côte. Celles du second étage sont plus chères.

Plus de 300 $

Ventana Inn, Hwy 1, au sud de Big Sur, ☎ (831) 624 4812, www.ventanainn.com – 62 ch. 🛏 [TV] [X] [CC] Le luxe absolu : de jolis bâtiments dispersés entre mer et montagne, des chambres disposant de tout le confort, avec balcon, kitchenette, minibar. Plusieurs piscines, saunas, jacuzzis. Le restaurant, **Cielo**, est l'un des meilleurs de la côte.

• San Simeon

De 80 à 100 $

Silver Surf Motel, 9360 Cabrillo Drive, ☎ (805) 927 4661 – 72 ch. 🛏 [TV] [CC] Situé dans le village le plus proche de Hearst Castle, ce motel est agencé autour d'une grande pelouse, en retrait de la route. Jacuzzi commun à disposition. Machine à café dans les chambres. Meilleur marché en semaine.

Motel 6, 9070 Cabrillo Drive, ☎ (805) 927 8691 – 100 ch. 🛏 [TV] [X] [CC] Un motel sans charme, fonctionnel et vraiment moins cher (40 $ hors saison).

De 100 à 150 $

San Simeon Lodge, 9520 Castillo Drive, ☎ (805) 927 4601 – 68 ch. 🛏 [TV] [X] [CC] Un motel classique et sobre, très confortable, un peu à l'écart de la route principale.

Plus de 150 $

Fog Catcher Inn, 6400 Moonstone Beach Drive, Cambria, ☎ (805) 927 1400 – 60 ch. 🛏 [TV] [CC] À 12 miles au sud de Hearst Castle, dans une rue qui longe la plage, cette auberge chic est constituée de petits cottages fleuris à la déco très «british». Les chambres sont spacieuses et disposent toutes d'une cheminée, d'un frigo, d'une machine à café et d'un micro-ondes. Les moins chères sont très bien (130 $). Petit-déjeuner copieux.

OÙ SE RESTAURER

• Big Sur

Moins de 10 $

Ripplewood Cafe, Hwy 1, ☎ (831) 667 2242. Petit café rustique et convivial, idéal pour brunch ou déjeuner léger.

Café Kevah, Hwy 1, ☎ (831) 667 2344. Situé au pied du célèbre restaurant «Nepenthe», ce café dispose d'une terrasse agréable, mais d'où la vue est un peu moins spectaculaire. Pour des snacks légers, le matin ou à midi.

De 10 à 15 $

Big Sur River Inn Restaurant, Hwy 1, ☎ (831) 667 2700. Située à côté du motel du même nom, cette grande salle rustique en rondins possède une agréable terrasse donnant sur la rivière. Plats simples et copieux. Déjeuner pour moins de 10 $.

Big Sur et San Simeon pratique

Nepenthe, Hwy 1, ☎ (831) 667 2345. On a depuis les terrasses ou la salle du restaurant l'une des plus belles vues de Big Sur. La cuisine est honnête, mais sans originalité et un peu chère le soir. On vous le recommande plutôt pour déjeuner. Pensez à réserver.

De 25 à 50 $

🍴 **Sierra Mar**, Post Ranch Inn, Hwy 1, ☎ (831) 667 2800. Cette adresse, qui passe pour être l'une des meilleures tables des environs, propose une cuisine franco-californienne raffinée, légère et inventive. Belle carte des vins. La vue est sublime. L'addition se révèle un peu lourde, mais cela le vaut bien…

• **San Simeon**

De 10 à 15 $

Castle Cafe, 9070 Cabrillo Drive, près du Motel 6, ☎ (805) 927 8101. Le décor est un peu pompeux, mais l'adresse est bon marché et la cuisine très honnête.

LOISIRS

Équitation – Molera Horseback Tours, Andrew Molera State Park, ☎ (831) 625 5486. Propose des excursions en groupe (à partir de 25 $/h) ou seul (36 $/h), à travers les forêts de séquoias ou sur la plage, y compris au coucher du soleil…

San Luis Obispo et ses environs pratique

ARRIVER-PARTIR

En bus – San Luis Obispo est partout surnommée SLO. **Greyhound**, 150 South St., rue perpendiculaire à Higuera, ☎ (805) 543 2121. La compagnie assure 5 liaisons quotidiennes avec San Francisco (6-7 h), Santa Barbara (2-3 h) et Los Angeles (4-5 h). La **Central Coast Area Transit** (☎ (805) 541 2228) relie quant à elle SLO à San Simeon.

En train – **Amtrak**, 1011 Railroad Ave. La ligne côtière San Diego-Seattle dessert SLO. 1 trajet par jour pour San Francisco (8 h 30) et 2 pour Los Angeles (6 h).

ADRESSES UTILES

Office de tourisme – San Luis Obispo Chamber of Commerce, 1039 Chorro St., ☎ (805) 781 2777, www.visitslo.com/www.sanluisobispocounty.com. Très efficace pour vous aider à trouver un hébergement.

Banque / Change – Banques le long de Higuera St.

Poste – 893 Marsh St. Lundi-vendredi 8 h 30-17 h 30, samedi 10 h-17 h.

Santé – French Hospital Medical Center, 1911 Johnson Ave., ☎ (805) 543 5353.

OÙ LOGER

Attention, à part San Luis Obispo et Solvang, les environs sont peu touristiques. Il est donc prudent de réserver en été, surtout le week-end. Les prix varient beaucoup en fonction de l'affluence. On trouve toutes les grandes chaînes de motels à SLO, au nord de Monterey St. Sinon, Santa Maria, une petite ville sans attrait à 27 miles au sud de SLO, peut être une solution de rechange.

• **San Luis Obispo**

Moins de 20 $ par personne

🍴 **Hostel Obispo**, 1617 Santa Rosa St., ☎ (805) 544 4678 – 22 lits. Cette auberge de jeunesse aménagée dans un cottage victorien est située près du centre-ville. Possède aussi 2 chambres privées. Ne prend pas les cartes de crédit.

De 60 à 80 $

Rose Garden Inn, 1585 Calle Joaquin, ☎ (805) 544 5300 – 35 ch. 🛏 𝄢 TV CC Un petit motel à l'accueil agréable, dans une impasse près de la Hwy 101, au sud du centre-ville.

Super 8 Motel, 1951 Monterey St., ☎ (805) 544 7895 – 49 ch. 🛏 𝄢 TV CC Une adresse sans surprise, mais tout confort et parmi les moins chères.

Plus de 150 $

Madonna Inn, 100 Madonna Rd., ☎ (805) 543 3000, www.madonnainn.com – 109 ch. 🛏 𝄢 TV ✗ CC Si vous rêvez de dormir dans un décor des films Walt Disney, demandez la «Cave Man Room». Sinon, consultez toutes les photos sur le web pour vérifier que les autres chambres sont bien à votre goût. Grand confort pour style très kitsch…

🏠 **Apple Farm**, 2015 Monterey St., ☎ 1-800 374 3705 – 103 ch. 🛏 ♒ 📺 ✕ CC Une grande villa victorienne au charme certain, dans laquelle chaque chambre est décorée avec goût. Petit-déjeuner copieux inclus, pouvant être servi dans la chambre. Bon restaurant.

• **Solvang**
De 80 à 100 $
🏠 **Solvang Garden Lodge**, 293 Alisal Rd, ☎ (805) 688 4404, www.solvangarden.com – 22 ch. Un adorable petit motel style danois, fleuri et très calme, aménagé autour d'un joli jardin. Accueil sympathique. Accès à la cuisine. Petit-déjeuner le week-end.

Où SE RESTAURER

• **San Luis Obispo**
Moins de 10 $
Tortilla Flats, 1051 Nipomo St., ☎ (805) 544 7575. Cuisine «tex-mex» copieuse et bien préparée. Fait aussi bar et club le soir. L'endroit est très fréquenté par les jeunes.
SLO Brewing Co, 1119 Garden St., ☎ (805) 543 1843. Un bar à l'atmosphère sympathique, offrant un grand choix de bières et de snacks. Musique live certains soirs.

• **Buellton-Solvang**
Solvang compte de très nombreux cafés et restaurants, chers et très «pièges à touristes». Pour les éviter, préférez retourner à Buellton.
Moins de 10 $
Baker's Square, 321 McMurray Rd, Buellton, au croisement des Hwys 101 et 246, en allant vers Solvang, tournez à gauche, ☎ (805) 688 3513. Tlj 6 h à 23 h. Un restaurant très familial et bon marché, disposant d'un large choix de salades et de grillades. Les desserts sont énormes…

ACHATS

Marché – Un marché très vivant se tient chaque jeudi soir sur Higuera St., à SLO.

Artisanat – Si vous êtes passionné de patchwork et de «crafts», la bonne adresse pour les modèles et tissus est **Beverly's**, 876 Higuera St., SLO. Lundi-vendredi 9 h-20 h, samedi-dimanche 10 h-18 h. Pour les acheter tout faits, ne manquez pas **The Quilt Shoppe**, 1693 Mission Drive, à Solvang, et son vaste choix de jetés de lit à tous les prix.

Santa Barbara pratique

ARRIVER-PARTIR

En bus – **Greyhound**, 34 West Carrillo St. (A3). 9 liaisons par jour pour Los Angeles (2 h 30-3 h 30) et 6 pour San Francisco (8 h 30).

En train – La ligne côtière qui longe toute la Californie s'arrête à Santa Barbara. **Gare Amtrak**, 209 State St. (A4).

COMMENT CIRCULER

En voiture – State Street constitue l'axe central de la ville. Les rues qui la coupent sont précédées de West à l'ouest et d'East à l'est. Attention aux nombreux «Stop 4 ways» (voir p. 102). La plupart des parkings du centre-ville ont une franchise de paiement de 75 mn. Pour éviter de payer, il vous faudra déplacer votre véhicule.

En bus et trolley – Le **Downtown Waterfront Shuttle** relie le haut de State St. et la plage toutes les 10 à 15 minutes, de 10 h à 18 h (0,25 $). Le **Santa Barbara Old Town Trolley** dessert les sites importants et propose deux circuits (5 $) ou un billet à la journée (11 $). Départ toutes les 90 mn (se renseigner à l'office du tourisme).

Location de vélos – C'est le moyen le plus agréable de profiter du front de mer et des avenues ombragées. **Beach Rentals**, 22 State St., ☎ (805) 966 2282. (B4).

ADRESSES UTILES

Office de tourisme – Visitor's Bureau, 1 Garden St., face à la plage, à l'angle de Cabrillo Blvd et de Santa Barbara St. (B4), ☎ (805) 965 3021, www.santabarbaraca.com. Tlj 9 h-17h/16h en décembre et janvier. Possibilité d'y réserver votre hébergement.

Banque / Change – Les principales banques sont situées le long de State St.

Poste – 836 Anacapa St. (B3). Lundi-vendredi 8h-17h30, samedi 10h-17h.

OÙ LOGER

Si votre budget vous le permet, les B & B sont de loin la meilleure formule. Dans tous les cas, l'été et les week-ends sont très chers en bord de mer. Les motels des grandes chaînes sont concentrés loin du centre, le long de State Str. et de Hollister Ave., vers Goleta. Hors saison, quand les prix chutent vraiment, préférez le centre.

De 60 à 80 $

Motel 6, 5897 Calle Real, Goleta (sortie « Fairview Ave. », côté montagne), près de l'aéroport, ☎ (805) 964 3596 – 87 ch. 🛏️ 🍴 🅿️ 📺 🏊 CC L'un des moins chers, mais il est près de la Hwy 101.

De 80 à 100 $

Super 8, 6021 Hollister Ave., Goleta (sortie « Fairview Ave. », côté océan), ☎ (805) 967 5591 – 65 ch. 🛏️ 🍴 🅿️ 📺 🏊 CC Un peu plus cher et à peine plus loin de la route que le précédent, mais il est moins bruyant et le petit-déjeuner continental est compris.

De 100 à 150 $

Marina Beach Motel, 21 Bath St., ☎ (805) 963 9311, www.marinabeachmotel.com – 32 ch. 🛏️ 🍴 🅿️ 📺 CC Un joli petit motel fleuri, tout près de la plage. Petit-déjeuner et location de vélos inclus.

🐾 **Casa del Mar**, 18 Bath St., ☎ (805) 963 4418, www.casadelmar.com – 21 ch. 🛏️ 🍴 🅿️ 📺 CC Une adresse à deux pas de la plage et du port. Toutes les chambres ont une entrée séparée et sont réparties dans plusieurs jolis bâtiments de style mexicain. La plupart sont équipées d'un frigo et d'un micro-ondes. Apéritif et petit-déjeuner inclus.

Cabrillo Inn, 931 E. Cabrillo Blvd, ☎ (805) 966 1641, www.cabrillo-inn.com – 39 ch. 🛏️ 🍴 🅿️ 📺 🏊 CC Un hôtel situé face à la plage, mais les chambres avec vue sont les plus chères. Frigo dans les chambres. Petit-déjeuner compris. À partir de 60 $ hors saison.

The Bath Street Inn, 1720 Bath St., ☎ (805) 682 9680 – 12 ch. 🛏️ 🅿️ 📺 CC Une jolie petite maison en bois peint, au décor très victorien, et réservant un accueil sympathique. Copieux petit-déjeuner. Certaines chambres sont un peu petites.

Plus de 150 $

The Parsonage, 1600 Olive St., ☎ (805) 962 9336, www.parsonage.com – 6 ch. 🛏️ 🅿️ CC Une belle maison Queen Anne, avec meubles anciens et décoration de style classique, située dans un quartier très calme. Copieux petit-déjeuner.

The Cheshire Cat, 36 West Valerio St., ☎ (805) 569 1610, www.cheshirecat.com – 18 ch. 🛏️ 🍴 🅿️ CC Ces trois belles villas victoriennes en bois peint, au décor frais et chaleureux, proposent des chambres, des suites ou des cottages très différents. Apéritif et petit-déjeuner plantureux. Jacuzzi à l'extérieur.

Secret Garden Inn & Cottages, 1908 Bath St. ☎ (805) 687 2300, www.secretgarden.com – 11 ch. 🛏️ 📺 CC Nichée au fond d'un grand jardin plein de charme, la maison principale, tenue par une Française, est entourée de petits cottages, dont certains avec un jacuzzi extérieur privé. Dégustation de vins, amuse-gueules et fromages français, et somptueux petit-déjeuner.

🐾 **Tiffany Inn**, 1323 De la Vina St., ☎ (805) 963 2283, www.sbinns.com/tiffany – 7 ch. 🛏️ 🅿️ CC Une belle maison en bois à la décoration chaleureuse et au mobilier ancien. On a l'impression d'être accueilli chez des amis. Petit-déjeuner très copieux.

Plus de 250 $

🐾 **Simpson House Inn**, 121 E. Arrellaga St., ☎ (805) 963 7067, www.simpsonhouseinn.com – 150 ch. 🛏️ 🅿️ CC Très, très cher, mais ce B & B est considéré comme l'un des plus luxueux des États-Unis. Jardin de rêve, service irréprochable, décoration de goût, apéritif et petit-déjeuner plantureux et raffinés. Vélos, jeu de croquet et équipement de plage sont inclus. On peut aussi se faire masser.

OÙ SE RESTAURER

Moins de 10 $

Cafe D'Angelo, 25 W. Gutierrez (A4), ☎ (805) 962 5466. Une délicieuse boulangerie italienne où prendre son petit-déjeuner (tlj) ou déjeuner (du lundi au vendredi) de copieuses spécialités (salades, sandwichs, pizzas).

Cajun Kitchen, 1924 De la Vina ou 901 Chapala St. (A3), ☎ (805) 687 2062. Une adresse très bon marché, appréciée des jeunes, pour le petit-déjeuner ou le déjeuner. Spécialités cajun et bonnes omelettes.

Cafe New Orleans, 213 Paseo Nuevo (B3), ☎ (805) 899 9111. Cuisine cajun copieuse et honnête, servie midi et soir jusqu'à 22 h.

De 10 à 15 $

Mimosa, 2700 De la Vina St. (A2), ☎ (805) 682 2272. Un restaurant agréable au service attentif, tenu par une Française. Le menu à 14 $ est d'un excellent rapport qualité-prix.

The Brown Pelican, 29811 Cliff Drive, Arroyo Burro Beach, ☎ (805) 687 4550. Tlj. Un endroit très plaisant, sur la plage, face aux vagues, pour le petit-déjeuner ou pour déguster fruits de mer, « clam chowders » et poissons grillés. Plus cher le soir.

De 15 à 20 $

Cold Spring Tavern, 5995 Stagecoach Rd, sur la Hwy 154 en direction de Santa Ynez, ☎ (805) 967 0066. Remontez au temps des westerns en faisant halte dans cet ancien relais des diligences de la Wells Fargo, une cabane en rondins perdue dans la montagne. L'occasion de manger de bonnes grillades autour de la cheminée. Beaucoup moins cher à midi. Réservez absolument le soir.

Arts & Letters Café, 7E Anapamu St. (B3), ☎ (805) 730 1463. Tlj, fermé le lundi soir. Une table raffinée (salades originales) dans un cadre élégant et reposant, baigné de musique classique. Expositions de peinture et musique live le soir, du mardi au jeudi.

Brophy Bros, 119 Harbor Way (A5), ☎ (805) 966 4418. Les produits de la mer sont ultra frais et bien préparés, servis dans une grande salle dominant le port. Moins cher le midi.

OÙ BOIRE UN VERRE

Old King's Road, 532 1/2 State St. (B4), ☎ (805) 884 4085. Grand choix de bières de tous les pays. « Happy Hour » de 16 h à 19 h. On y vient pour les concerts donnés 3 fois par semaine, de 18 h à 21 h : jazz le mardi, rock blues le jeudi, jazz et blues le dimanche.

LOISIRS

Observation des baleines – Un grand classique, car elles sont nombreuses à passer au large : baleines grises (décembre-avril), baleines bleues et baleines à bosse (mai-septembre), loutres de mer (février-mai). Plusieurs compagnies proposent des sorties en bateau de 2 à 3 h. On les trouve toutes sur Stearns Wharf. Horaires et tarifs variables. Moins cher et plus intéressant en dehors de l'été.

Santa Barbara pratique

LOS ANGELES★★

3,7 millions d'hab. – 9,5 millions d'hab. dans le comté de L.A.
395 miles de San Francisco – Climat méditerranéen – Carte Michelin n° 943 B10-11
Voir plan I p. 260, plan II p. 262, plan III p. 273 et plan IV p. 278

À ne pas manquer
L'atmosphère cosmopolite de Downtown.
Arpenter le « Walk of Fame » sur Hollywood Boulevard.
Le Getty Center, pour ses collections et son architecture exceptionnelles.
Une balade à pied, en roller ou à vélo, sur le front de mer de Venice.

Conseils
Il est vivement conseillé de circuler en voiture, car les distances sont importantes.
Louez votre véhicule à l'aéroport, car les tarifs y sont plus intéressants.
Commencez votre visite par Hollywood ou Downtown L.A.,
où vous trouverez des bureaux d'information très compétents.

Le seul nom de Los Angeles évoque Hollywood, son boulevard pavé d'étoiles, ses villas féeriques aux formes de temple grec, et ses starlettes rêvant devant les portes des studios à leurs prestigieuses aînées, gardiennes du culte hollywoodien. Pourtant, la « cité des Anges » est loin de pouvoir se réduire à ce cliché. De Downtown, berceau historique de la ville aujourd'hui reconverti en quartier administratif et des affaires, aux stations balnéaires à l'atmosphère décontractée qui jalonnent la côte pacifique, L.A. ne se laisse pas facilement apprivoiser. Mégapole atypique à la réputation sulfureuse, elle fascine dès l'abord par son gigantisme : une mosaïque de quartiers et de banlieues dessine un réseau urbain ininterrompu sur plus de 10 500 km². Près de 10 millions de personnes vivent dans le comté de Los Angeles, véritable tour de Babel où sont recensées 140 nationalités et où résonnent une centaine de langues différentes. Peu de tours disgracieuses qui viennent crever le ciel, l'agglomération se présente comme un vaste jardin verdoyant piqueté de maisons individuelles, d'où seules émergent les gratte-ciel de Downtown. On comprendra donc que la clé de Los Angeles réside dans son impressionnant réseau autoroutier. Les mauvaises langues prétendent même que les Angelinos passent plus de temps dans leur voiture que chez eux. Il est vrai que l'humeur est rarement à la flânerie et que l'on travaille surtout d'arrache-pied pour réussir. Cette ville du bout des États-Unis, ultime étape de la conquête de l'Ouest, continue de cristalliser les rêves de prospérité qui animèrent les premiers arrivants. Vieille d'un siècle seulement, elle est animée d'une énergie créatrice, d'un esprit conquérant et visionnaire qui en a fait le deuxième pôle économique du pays et continue de générer une activité débordante.

Des origines espagnoles
Juan Rodriguez Cabrillo fut vraisemblablement le premier étranger à arriver en vue de la côte de Los Angeles en 1542, mais c'est l'expédition du capitaine **Gaspar de Portolá**, en 1769, qui attira l'attention sur le site de la future « cité des Anges ». Il était accompagné du père Juan Crespi dont les récits décrivent une large vallée boisée, traversée par une rivière et habitée par des Indiens accueillants. Il réussit à convaincre Felipe de Neve, alors gouverneur de haute Californie (*Alta California*), de demander au roi Charles III d'Espagne la permission d'y établir un village. **El Pueblo de la Reina de Los Angeles** (le village de la Reine des anges) vit ainsi le jour en 1781, sur un site proche de l'« El Pueblo » d'aujourd'hui (*voir p. 269*). Il accueillit onze familles, d'origine indienne, espagnole ou noire, dont le rôle était d'assurer l'approvisionnement des forts installés sur la côte. La population qui s'élevait à 139 habitants en 1790, en comptait 315 dix ans plus tard.

Un comté et une ville se créent

Quand en 1821 le Mexique gagna son indépendance, El Pueblo était déjà la ville la plus importante de la région. Elle passa sous domination mexicaine jusqu'en 1848, date à laquelle les Américains remportèrent la guerre et les territoires disputés aux Mexicains. Deux ans plus tard, le **comté de Los Angeles** était institué, peu avant la création de la **ville de Los Angeles** et l'entrée de la Californie dans l'Union. Durant cette période, la Californie vit affluer les chercheurs d'or, et quelques Américains ambitieux épousèrent les filles de grands propriétaires de ranchs mexicains, mais la culture de la ville resta majoritairement hispanique. Les périodes de sécheresse du début des années 1860 causèrent la perte de 70 % du bétail, qui assurait la richesse de l'économie du sud de la Californie. Les terres passèrent aux mains d'entrepreneurs venus de San Francisco, liés à l'industrie des **chemins de fer**.

Une terre d'abondance

Après l'ouverture de la ligne ferroviaire Los Angeles-San Francisco en 1876, la **compagnie Southern Pacific** inaugura au début des années 1880 la première liaison transcontinentale. Elle était alors concurrencée par la **compagnie Santa Fe**, avec laquelle s'engagea une guerre commerciale. La Californie était célébrée, à grand renfort de publicité, comme le pays des orangers, une région ensoleillée où il fait bon vivre et où les terres abondent. Avec l'arrivée d'immigrants du Midwest et de la côte Est, la population passa de 11 000 habitants en 1880 à 50 000 en 1890. La spéculation immobilière battait alors son plein.

En 1887, **Harvey Wilcox** acheta des terres sur lesquelles il imagina une ville, où des demeures cossues de style victorien s'alignaient au milieu des vergers. Il laissa à sa femme le soin de baptiser l'ensemble : Hollywood était né (Hollywood fut rattaché à la ville de Los Angeles en 1910 afin de bénéficier de l'acheminement d'eau). De même, en 1892, le quartier de Venice naquit sous l'impulsion d'**Abbot Kinney**, qui acquit une partie du littoral et projeta d'y construire des canaux et un parc de loisirs (Venice intégra Los Angeles en 1925).

Naissance d'une grande ville

Au tournant du siècle, la ville entreprit les grands travaux qui s'imposaient : la construction d'un aqueduc, l'agrandissement du port et l'élaboration d'un système de transport public marchant à l'électricité. Les premières voitures firent leur apparition, phénomène déterminant pour une cité construite sur le modèle de la propriété individuelle : en 1904, on recensait à Los Angeles 1600 véhicules, et en 1925 la ville comptait le taux d'automobiles par habitant le plus élevé du pays. L'**industrie du cinéma** s'installa à Hollywood et devint un véritable pouvoir économique régional dès les années 1920. Les professionnels délaissèrent New York pour Los Angeles, où ils bénéficiaient de conditions naturelles exceptionnelles et d'une importante main-d'œuvre *(voir p 82)*. De nombreuses entreprises vinrent s'y installer, comme Ford, qui choisit la ville pour construire sa première usine d'assemblage dans le Sud californien. Les années 1920 connurent un afflux important d'émigrés mexicains. En 1924, Los Angeles atteignait le million d'habitants, dont, fait notable, 43 000 agents immobiliers !

La Grande Dépression et la reprise de l'après-guerre

Les années qui suivirent le **krach de 1929** n'épargnèrent pas Los Angeles. Durant cette période de crise où le chômage allait croissant, des Mexicains furent massivement reconduits dans leur pays. Des brigades furent envoyées à la frontière du Nevada pour empêcher l'entrée en Californie des sans-emploi venus des régions de l'Est, qui voulaient fuir la misère et pensaient trouver dans l'Ouest un Eldorado. Dans les années 1940, Los Angeles retrouva un nouveau souffle avec les industries de guerre, particulièrement dans le **domaine aéronautique**. Les vagues d'immigration reprirent et la population atteignit 2,4 millions d'habitants en 1960.

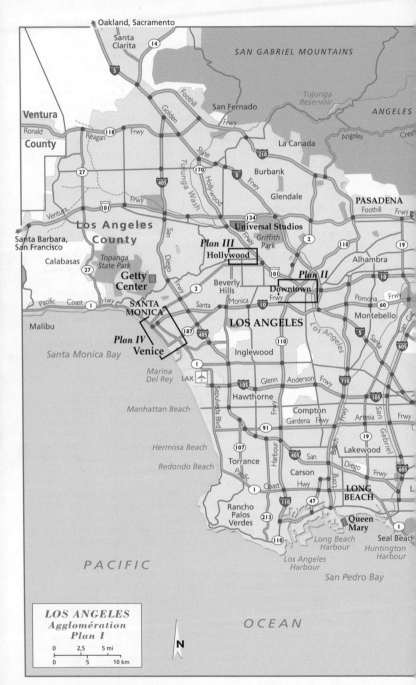

Oakland, Sacramento
Santa Clarita
14
5
SAN GABRIEL MOUNTAINS
Tujunga Reservoir
ANGELES
Foothill Frwy
Golden State Frwy
San Fernado
Hollywood Frwy
118 Frwy
Ronald Reagan
Ventura County
27
101
Ventura Frwy
La Canada
Angeles Cres
210
Burbank
5
Glendale
170
PASADENA
Foothill Frwy
Los Angeles County
Tujunga Wash
San Diego Frwy
405
Santa Barbara, San Francisco
Calabasas
Topanga State Park
27
Getty Center
Pacific Coast Hwy
Malibu
134
Universal Studios
Griffith Park
2
110
19
Alhambra
10
Pomona Frwy
60
Montebello
5
San Gab
Santa
605
Plan III
Hollywood
Plan II
Beverly Hills
101
Downtown
2
Santa Monica Frwy
10
SANTA MONICA
Santa Monica
LOS ANGELES
Los Angeles
Plan IV
Venice
187
405
Inglewood
110
Santa Monica Bay
Marina Del Rey
LAX
1
Glenn Anderson Frwy
710
105
105
Manhattan Beach
Hawthorne
Sepulveda Blvd
Compton
Gardena Frwy
Artesia Frwy
Frwy
19
91
Lakewood
Harbour Frwy
605
Hermosa Beach
107
San Diego Frwy
San Gabriel
Redondo Beach
405
Torrance
Carson
LONG BEACH
L
Pacific Coast Hwy
1
110
47
Queen Mary
1
Rancho Palos Verdes
213
Long Beach Harbour
Seal Beach
Huntington Harbour
110
Los Angeles Harbour
PACIFIC
San Pedro Bay

LOS ANGELES
Agglomération
Plan I
0   2,5   5 mi
0   5   10 km

OCEAN

N

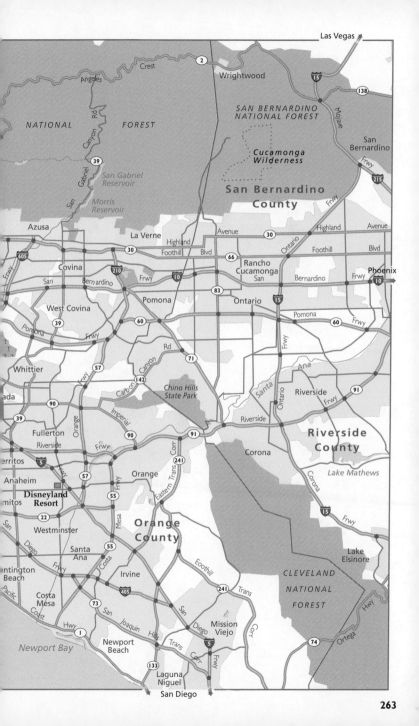

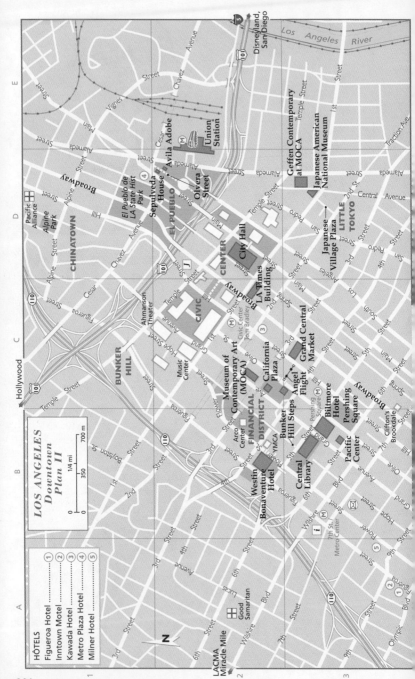

LOS ANGELES
Downtown
Plan II

HÔTELS
Figueroa Hotel .... ①
Inntown Motel .... ②
Kawada Hotel .... ③
Metro Plaza Hotel .... ④
Milner Hotel .... ⑤

264

Une métropole cosmopolite

Depuis le milieu des années 1980 les terres disponibles se font plus rares, mais la ville n'en continue pas moins de grossir : avec plus de 3,7 millions d'habitants, c'est aujourd'hui la deuxième plus grande ville des États-Unis. Métropole cosmopolite s'il en est, Los Angeles compte une importante **communauté hispanique** (46,5 %) devenue la plus importante de la ville, devant les Blancs d'origine non hispanique (29,7 %), les Noirs (10,9 %) et les Asiatiques (9,9 %). Elle demeure toutefois prisonnière de son découpage en banlieues communautaires qui attise les tensions et les ressentiments. Le quartier noir de Watts qui avait déjà connu des émeutes sanglantes en 1965 (34 morts) suite à annonce de l'abrogation de la loi Rumford interdisant la discrimination raciale en matière de logement, fut de nouveau mis à feu et à sang en 1992 lors de l'**affaire Rodney King** (plus de 50 morts et 1 milliard de dollars de dégâts), quand des policiers blancs, filmés par une caméra amateur en train de passer à tabac un automobiliste noir, furent acquittés. À Los Angeles, la plus grande richesse côtoie l'extrême pauvreté. Néanmoins, Los Angeles n'en finit pas d'exercer une réelle fascination auprès des candidats du « tout est possible », attirés par les feux de l'industrie cinématographique ou de la réussite, présumée facile, dans une ville qui reste un mythe vivant.

Une mosaïque urbaine

L'agglomération de Los Angeles occupe une plaine côtière bordée de montagnes sur ses franges septentrionales et orientales. Pas moins de 72 miles de littoral délimitent l'ouest de la mégalopole, où se succèdent les stations balnéaires, de **Malibu** au nord à **Long Beach** au sud, en passant par **Santa Monica** et **Venice**. Plus au sud, les villes qui jalonnent la côte appartiennent à l'Orange County et non plus à celui de Los Angeles. Dans l'inextricable toile des autoroutes desservant l'agglomération, un nœud se dessine à **Downtown**, le centre-ville historique, où voisinent les plus anciennes demeures en adobe et les gratte-ciel du quartier des affaires et du centre administratif. À sa périphérie se sont établies les communautés asiatiques : le discret **Chinatown**, au nord, le dynamique **Little Tokyo**, à l'est, et **Koreatown** le branché, à l'ouest. Également à l'ouest, le long de **Wilshire Boulevard**, se succèdent une poignée de musées, dont l'imposant musée d'Art du Comté de Los Angeles (LACMA). Dans un rayon plus large, au nord et à l'ouest du centre-ville, cohabitent des enclaves au caractère bien distinct, comme **Pasadena**, chargée d'histoire et de culture, **Hollywood** qui reste emblématique d'une époque même si le quartier est un peu défraîchi, enfin la luxueuse **Beverly Hills** et les collines très exclusives de **Bel Air**, de **Westwood** et de **Brentwood**, dans le voisinage desquelles se dresse le remarquable Getty Center, véritable château fort des temps modernes. Au sud de Downtown, à l'est de l'aéroport, **South Central Los Angeles** abrite les quartiers majoritairement noirs, notamment ceux de **Hawthorne** et de **Watts**, tristement célèbres pour les émeutes sanglantes qui y ont éclaté en 1965 et 1992. Enfin, à l'est, **East Los Angeles** regroupe l'importante communauté d'origine mexicaine, la plus grande hors du Mexique.

Séjourner à Los Angeles

1er jour	En raison des distances, il est difficile de découvrir les différents visages de Los Angeles en si peu de temps : optez pour la douceur de vivre et les plages de Venice ou de Santa Monica, avec une visite du Getty Center, ou choisissez de vous plonger dans le mythe hollywoodien, en passant la journée aux Universal Studios après un passage rapide sur Hollywood Boulevard.
2e jour	Consacrez la journée à la visite de Downtown. Une balade au milieu des gratte-ciel de Financial District, suivie d'un détour dépaysant par El Pueblo et d'un déjeuner dans Little Tokyo, est un bon prélude à la visite du LACMA.
3e jour	Offrez-vous une escapade à Pasadena, Long Beach ou Disneyland.

Los Angeles

Downtown Los Angeles** (Plan II)

Comptez 2 jours.

Souvent critiquée pour son morcellement extrême, la ville de Los Angeles comprend néanmoins un vrai centre-ville, au croisement des Highways 101 et 110, où s'élève une forêt de gratte-ciel dominant les quartiers alentour. Les immeubles de brique édifiés au début du 20ᵉ s. dans le «vieux» Downtown côtoient les buildings aux lignes épurées, construits à partir des années 1960. Centre financier et quartier des affaires, Downtown est très animé pendant la journée, mais ses grandes artères se vident dès la nuit venue. Au nord de Financial District et de Civic Center, le quartier administratif, le «village» d'El Pueblo, aux airs de piège à touristes, constitue néanmoins le berceau historique de la ville.

Bunker Hill et Financial District**

Bâti à la fin du 19ᵉ s. par l'homme d'affaires Prudent Beaudry, Bunker Hill fut jusque dans les années 1920 un quartier résidentiel huppé. Sévèrement dégradé au cours des décennies suivantes, il a été remanié et totalement reconstruit à partir des années 1960 pour accueillir le quartier des affaires de Los Angeles.

Débutez votre visite à la station de métro 7ᵗʰ St./Metro Center (intersection des lignes bleue et rouge), face au Visitor Center. Remontez Figueroa St. et prenez à droite dans 6ᵗʰ St.

Au n° 523 W. 6ᵗʰ Street, vous ne pouvez manquer le bâtiment du **Pacific Center** (B3), construit par les architectes John Parkinson et Edwin Bergstrom pour le compte de la Pacific Mutual Life Insurance Company. Édifié entre 1908 et 1929, il présente une façade néo-classique assez surprenante, avec des colonnes d'allure corinthienne, uniques dans le quartier.

Poursuivez votre chemin et prenez à gauche dans Olive St.

Le Biltmore Hotel** (B3) était le plus grand hôtel de la ville lors de son ouverture en 1923, avec plus de 1 000 chambres. Rénové à plusieurs reprises, il a conservé les peintures murales et les plafonds exécutés par Giovanni Smeraldi, un artiste italien réputé pour ses œuvres inspirées de la Renaissance. Dans les vastes salons du rez-de-chaussée, des vases japonais et des meubles antiques parachèvent l'impression de luxe désuet et envoûtant. La convention démocrate de 1960, qui désigna John F. Kennedy comme candidat à la présidence, se déroula dans l'enceinte de l'hôtel.

Au pied du Biltmore Hotel, **Pershing Square** (B3) a perdu de sa superbe. Aménagé en 1866, le plus vieux parc de Los Angeles fut un temps un lieu de rendez-vous très prisé, mais un aménagement résolument moderne lui confère aujourd'hui un air un peu froid et triste *(des concerts sont organisés dans le parc de mai à septembre)*.

Traversez la place pour rejoindre Hill St., que vous redescendez jusqu'à 7ᵗʰ St. Vous êtes alors au cœur du quartier des joailliers. Prenez à gauche pour gagner Broadway.

Broadway** (C3) n'est pas sans rappeler Hollywood et un âge d'or aujourd'hui révolu. Cette avenue connut son heure de gloire au début du 20ᵉ s. quand une quinzaine de théâtres et de cinémas fleurirent dans le quartier, dont le **Million Dollar Theater** de Sid Grauman (1918), où se tenaient les grandes avant-premières. Les cartes postales de l'époque nous permettent d'imaginer quelque peu l'ambiance qui régnait alors, les trolleys dévalant la chaussée, la foule des employés se pressant sur les trottoirs et dans les grands magasins alentour. Dès les années 1920, Broadway fut cependant supplantée par Hollywood, développé sous l'impulsion du même Sid Grauman. Aujourd'hui, seules subsistent les façades décrépies des premiers buildings et des salles de spectacle, remplacés par des boutiques tapageuses et sans originalité. Au n° 648, le **Clifton's Brookdale** *(6h30-19h)* mérite le coup d'œil. Cette cafétéria à la décoration «kitschissime», dans le style montagnard, avec ours, cascades et cerf empaillé, est depuis 1935 une véritable institution dans le quartier.

Angel's Flight, le plus petit funiculaire du monde

Remontez l'avenue jusqu'au Grand Central Market.

Vu de l'extérieur, le **Grand Central Market**** (C3) *(317 S. Broadway, ☎ (213) 624 2378. Tlj 9h-18h)* se devine à peine derrière les premières enseignes lumineuses qui scintillent dans la pénombre. Depuis 1917 il règne sous cette grande halle une animation incroyable, pimentée d'une certaine promiscuité qui se rencontre rarement dans les magasins américains. À l'intérieur, une profusion d'étals de produits frais, de viandes et de poissons, d'épices et de fleurs colorées voisinent avec de petits stands qui proposent une cuisine variée et bon marché. À gauche en entrant, vous pouvez également observer une fabrique de tortillas. Vous êtes plongé dans une atmosphère cosmopolite, où se côtoient de vieux Mexicains affublés de chapeaux de cow-boy venus faire leur marché, des Asiatiques affairés à faire frire nouilles et légumes, et les employés des bureaux du quartier en quête d'un déjeuner *(si vous souhaitez déjeuner ici, commandez au stand de votre choix et allez vous attabler dans Market Court, à l'extérieur du marché, sur Hill St.).*

Sortez du côté de Hill St., face au funiculaire d'Angel Flight.

Les deux wagons roses d'**Angel Flight**** (C3) *(0,25 $ l'aller simple ; il est doublé d'une rampe d'escaliers)* constituent le plus petit funiculaire du monde. Ils gravissent les 96 m de dénivelé de la colline de Bunker Hill (33 % de déclivité !) pour déboucher sur la California Plaza. Mis en service en 1901, ils permettaient aux habitants des beaux quartiers de Bunker Hill de se rendre dans les artères commerçantes, d'affaires et de loisirs de Spring St., Hill St. et Broadway. Démantelé et rénové en 1969, quand Bunker Hill fut totalement reconstruit, le funiculaire a été remis en activité en 1996.

L'amphithéâtre de la **California Plaza**** (C2), ensemble conçu en 1983 et achevé dix ans plus tard, est un lieu fort apprécié des visiteurs et des employés des bureaux voisins qui viennent ici se détendre ou siroter leur café en terrasse. En bas des marches se dessine un **bassin** parsemé d'îlots fleuris, sur lequel veille un ange aux larges ailes. L'esplanade est encadrée par deux hautes tours jumelles de verre et d'acier, **California Plaza One** et **Two**, qui ont longtemps été fustigées pour leur manque d'originalité architecturale.

Pour rejoindre le MOCA, au nord de la California Plaza, empruntez à droite l'allée qui passe devant l'hôtel Inter-Continental.

Le MOCA** (C2) (musée d'Art contemporain de Los Angeles), occupe un bâtiment en brique rouge surmonté d'une pyramide de verre conçu par l'architecte japonais Arata Isozaki *(250 S. Grand Ave., ☎ (213) 626 6222, www.moca.org. Mardi-*

Los Angeles

dimanche 11 h-17 h/20 h le jeudi ; fermé le lundi. Entrée : 6 $, gratuite le jeudi après 17 h. Le billet donne accès, le jour même, au « MOCA at Geffen », situé dans Little Tokyo).

Des expositions tournantes permettent d'apprécier une collection riche de près de 5 000 œuvres (peintures, photos, sculptures) d'artistes de renommée internationale, tels Roy Lichtenstein, Mark Rothko, Robert Rauschenberg, Alberto Giacometti, Piet Mondrian, Jackson Pollock, Jean-Michel Basquiat et David Hockney.

Prenez à gauche en sortant du musée pour rejoindre la California Plaza et traversez Grand Ave. à hauteur du Wells Fargo Center. Gagnez ainsi la tour carrée de l'Arco Center et obliquez à gauche dans Hope St.

Au croisement de Hope Street et de 4th Street (*souterraine*), vous apercevez à l'ouest les cinq tours cylindriques du **Westin Bonaventure Hotel*** (B2), auquel on accède en passant derrière la YMCA. Construit en 1978, cet immense hôtel de 1368 chambres a été conçu selon un plan atypique. N'hésitez pas à vous aventurer à l'intérieur (*une galerie marchande occupe les huit premiers étages*) et à emprunter les ascenseurs vitrés qui offrent une superbe vue sur la ville.

Revenez sur Hope St. et prenez à droite la rue bordée d'arbres qui descend vers les escaliers de Bunker Hill (dans le virage).

Les charmantes marches des **Bunker Hill Steps*** (B3) (1983) conduisent à la **Central Library**** (*bibliothèque municipale*) (B3), dont vous apercevez la façade Art déco à travers les feuillages. Construite en 1926, elle est surmontée d'un toit pyramidal décoré d'une superbe **mosaïque** scintillante, figurant un soleil. Dévastée par deux incendies en 1986, la bibliothèque a été totalement restaurée depuis, mais les décorations murales d'origine ont été préservées. Passé les portes de la bibliothèque (*630 W. 5th St., ☎ (213) 228 7000. Lundi-jeudi 10 h-20 h, vendredi-samedi 10 h-18 h, dimanche 13 h-17 h*), vous parvenez dans le hall central. Au deuxième étage, une grande rotonde surplombe une **fresque** (1932) qui raconte quatre grandes étapes de l'histoire californienne : la découverte, les missions, l'arrivée des Anglais et le début des arts et de l'industrie. La partie est, **Bradley Wing**, s'organise autour d'un vaste atrium orné de sculptures monumentales et de trois lustres étonnants pesant chacun une tonne !

Sortez par l'entrée principale, sur Flower St., et prenez à gauche si vous souhaitez rejoindre la station de métro, à l'angle de 7th St.

Civic Center et Little Tokyo* (Plan II D2-3)

Civic Center, le quartier administratif, regroupe les bureaux des instances dirigeantes de la ville, ainsi que celles du comté, de l'État, et même du gouvernement fédéral, dont c'est le second plus grand centre après Washington D.C.

Débutez votre visite à la station de métro Civic Center (ligne rouge) et empruntez 1st St. vers l'est jusqu'à Broadway St., à l'angle de laquelle se tient l'immeuble du L.A. Times.

L'imposant **Los Angeles Times Building**** (*202 W. 1st St. Lundi-vendredi 7 h-19 h*), abrite les bureaux du grand quotidien de la ville depuis 1935. Sa large façade blanche percée de hautes fenêtres est surmontée de l'une des rares horloges encore en fonctionnement dans Downtown. Le style Art déco s'exprime également dans la majestueuse entrée en marbre rosé. N'hésitez pas à franchir ses larges portes vitrées pour jeter un œil au vaste hall, dans lequel une **exposition** retrace l'histoire du journal à travers ses unes les plus célèbres.

En sortant, remarquez sur la droite un immeuble de même trempe, mais plus élevé et plus effilé, le **City Hall***, qui abrite le conseil de la ville depuis 1928 (*il est actuellement en rénovation*). Ce bâtiment, symbole du pouvoir municipal, a été protégé par décret pendant plusieurs décennies afin qu'aucun gratte-ciel ne puisse dépasser ses 27 étages.

Poursuivez votre chemin sur 1ˢᵗ St. pour rejoindre Little Tokyo. Depuis Figueroa St. (à l'angle de Wilshire Blvd), il vous faut prendre le bus DASH A en semaine et le DASH DD (Downtown Discovery) le week-end.

Les premiers immigrants japonais débarquèrent à Los Angeles à la fin du 19ᵉ s., où ils fondèrent un quartier connu aujourd'hui sous le nom de **Little Tokyo**. Ce dernier fut fortement ébranlé au cours de la Seconde Guerre mondiale du fait des déportations massives de Japonais vers les camps de détention, et il ne reste que très peu d'édifices du début du siècle, mis à part les quelques bâtiments en brique de 1ˢᵗ Street, entre San Pedro Street et Central Avenue *(au 307 E. 1ˢᵗ St., un Visitor Center semble surtout destiné à renseigner les habitants ou les touristes japonais. Lundi-samedi 10h-18h)*. Depuis 1977, Little Tokyo a retrouvé son dynamisme industrieux et la plupart des 200 000 personnes que compte aujourd'hui la communauté japonaise de L.A. se sont installées dans ce quartier où sont rassemblés nombre de commerces et d'institutions financières et culturelles.

Remontez 1ˢᵗ Street vers l'est jusqu'à Central Avenue. Au croisement des deux rues s'étire une vaste esplanade sur laquelle voisinent deux musées. Le **Japanese American National Museum*** *(369 E. 1ˢᵗ St., ☎ (213) 625 0414, www.janm.org. Mardi-dimanche 10h-17h/20h le jeudi. Entrée : 6$, gratuite le jeudi de 17h à 20h et le 3ᵉ jeudi de chaque mois)* est consacré à la culture nippone aux États-Unis. Le musée accueille des expositions variées et propose un programme d'ateliers dédiés notamment aux enfants et aux familles.

Aménagé dans d'anciens entrepôts, un peu en retrait de 1ˢᵗ Street, le **Geffen Contemporary at MOCA**** *(152 N. Central Ave., ☎ (213) 626 6222, www.MOCA-LA.org. Mardi-dimanche 11h-17h/20h le jeudi. Entrée : 6$, gratuit le jeudi après 17h)* accueille quant à lui, comme le MOCA de la California Plaza *(voir plus haut)*, des expositions d'art contemporain.

Au sud de 1ˢᵗ Street, une énorme porte en bois marque l'entrée de la **Japanese Village Plaza**, une petite rue piétonne animée où sont concentrés tous les restaurants du quartier *(voir «Downtown Los Angeles pratique»)*.

El Pueblo de Los Angeles** (Plan II D2)
Pour rejoindre El Pueblo en métro, empruntez la ligne rouge et descendez à Union Station. Il est également desservi en semaine par le DASH B et le week-end par le DASH DD. Le «village» d'Olvera St. est accessible tous les jours de 5h à 22h30. Comptez 2-3h.

Union Station**, la superbe gare ferroviaire de L.A., occupe un imposant bâtiment blanc couvert de tuiles rouges, apparenté au style néo-colonial espagnol. Achevée en 1939, elle conserve un hall somptueux, baigné de lumière, orné de mosaïques de marbre, de magnifiques lustres et de larges fauteuils en cuir et en bois vernis.

Traversez Alameda St. et empruntez N. Los Angeles St. jusqu'à la place qui marque le cœur d'El Pueblo.

La trentaine de bâtiments protégés du site historique d'El Pueblo, dont Olvera Street constitue l'axe principal, datent pour la plupart de la seconde moitié du 19ᵉ s. Ils ont été édifiés près de l'emplacement où les premiers colons espagnols fondèrent un village en 1781. Ce dernier avait alors pour charge de procurer nourriture et vêtements aux missions et aux forts *(presidios)* établis en Californie pour contrer d'éventuelles incursions russes et anglaises. Le village prospéra, mais après le grand boom démographique des années 1880, l'activité de Los Angeles se recentra plus au sud, aux abords de Pershing Square, et le quartier fut laissé à l'abandon jusqu'à la fin des années 1920. Réhabilitée en 1930 à l'initiative de **Christine Sterling**, une passionnée d'histoire qui se battit pour empêcher la démolition des vieux bâtiments, Olvera Street fut transformée en village mexicain afin d'attirer les touristes et redonner vie au berceau historique de la ville.

Fresques et frasques

En 1932, David Alfaro Siqueiros (1896-1974), un peintre mexicain réfugié à Los Angeles, exécuta pour le compte de la galerie d'art de l'Italian Hall une large fresque murale (24 m par 5 m) intitulée « Tropical America ». Visible depuis Olvera St. (à l'angle de Main St.), la peinture représentait un Indien crucifié par l'impérialisme américain. Dans l'année qui suivit, l'œuvre, jugée subversive, fut badigeonnée à la chaux. Dans les années 1970, un comité fut toutefois créé pour sauvegarder cette fresque qui, assez ironiquement, avait été préservée des intempéries. Toujours masquée, elle devrait être restaurée et dévoilée prochainement.

Sur la large place couverte de figuiers touffus, les odeurs de café et de chocolat chaud (*goûtez celui de « La Luz del Dia »*) vous invitent à vous enfoncer plus avant dans **Olvera Street****, une allée piétonne envahie de petites échoppes en bois coloré, regorgeant de poteries, de peintures et de sacs en cuir mexicains.

À 50 m sur la droite, vous parvenez aux abords d'une maison blanche en adobe précédée d'un porche en bois : **Avila Adobe** (*tlj 9h-16h. Entrée libre*), la plus ancienne habitation de Los Angeles (1818), a été aménagée en demeure californienne des années 1840. La cour intérieure, où poussent toujours cactus et autres plantes locales, était le foyer de l'activité familiale ; elle servait à la fois d'atelier, de cuisine et de jardin. Les pièces de la maison conservent un mobilier d'époque et un petit **musée** retrace l'histoire du site autour de la question de l'eau.

La gare d'Union Station

G. de Benoist/MICHELIN

De l'autre côté de la rue, **Sepulveda House** *(lundi-samedi 10h-15h. Entrée libre)* témoigne d'un syncrétisme propre à la Californie, mélange d'architectures mexicaine et américaine. Reconstruite en 1887 dans un style victorien, la maison était alors divisée en deux parties, avec une boutique ouvrant sur Main Street et les habitations donnant sur Olvera Street. La cuisine et la chambre de la Señora Sepulveda reflètent le style des années 1890. La maison abrite également un *Visitor Center* où vous pouvez demander à visionner un film *(18 mn, gratuit)* retraçant l'histoire des premiers habitants d'El Pueblo et de Los Angeles *(de nombreuses brochures renseignent par ailleurs sur l'architecture et l'histoire des constructions du quartier)*.

Au nord d'El Pueblo, de l'autre côté de Cesar Chavez Avenue, s'étire le quartier de **Chinatown**, entièrement financé et contrôlé par les Chinois de Los Angeles. Le vieux Chinatown ayant été détruit lors de la construction de la gare Union Station, seules subsistent quelques rues commerçantes peu pittoresques. Le quartier possède toutefois quelques bâtiments hauts en couleur le long de Broadway, passé College Street, aux abords de l'Easy Gate.

Le «Miracle Mile» de Wilshire Boulevard (Plan II A2)

Six miles à l'ouest de Downtown, la portion de Wilshire Boulevard comprise entre les avenues La Brea et Fairfax compte de nombreux musées. Son surnom de **Miracle Mile** date des années 1930, quand l'entrepreneur A.W. Ross réussit le pari d'installer des bureaux et des commerces sur ce bout de désert. *Les bus 20 et 21 qui desservent 7th St. empruntent Wilshire Blvd jusqu'au LACMA; comptez 45 mn.*

Le LACMA★★★ (musée d'Art du Comté de Los Angeles)

5905 Wilshire Blvd, ☎ (323) 857 6000, www.lacma.org. Lundi, mardi et jeudi 12h-20h, vendredi 12h-21h, samedi-dimanche 11h-20h. Entrée : 7\$, gratuite le second mardi de chaque mois. Pas de cartes de crédit. Prenez le temps d'étudier le plan afin de vous orientez selon vos préférences.

Dominant le boulevard, l'immense édifice qui abrite le LACMA ne manque pas d'élégance avec son entrée monumentale et ses façades vitrées qui reflètent la lumière. Il impressionne par sa taille, mais sitôt que l'on passe son porche, les fontaines, les arbres et la douceur des couleurs pastel procurent une agréable sensation de bien-être. Avec près de 100 000 pièces, il est l'un des plus importants musées d'Art des États-Unis. Aéré et très bien aménagé, il s'organise en plusieurs bâtiments distincts où sont exposées des œuvres du monde entier.

Le bâtiment principal, l'**Ahmanson Building**, abrite la majeure partie des collections du musée. Au 1er étage, une intéressante collection d'**œuvres précolombiennes** (statuettes, poteries, textiles) voisine avec les galeries consacrées aux **arts décoratifs américains** de la fin du 19e s. et du début du 20e s. (beau mobilier du mouvement Arts & Crafts signé Green and Green), et celles dédiées aux **peintures et sculptures américaines**. Vous pourrez notamment y admirer *Mother About to Wash Her Sleepy Child* (1880) de Mary Cassatt, qui travailla beaucoup sur le thème de la maternité et contribua largement à propager l'impressionnisme aux États-Unis, un *Portrait of Mrs Edward L. Davis and Her Son* (1890) du portraitiste John Singer Sargent et le *Horse's Skull with Pink Rose* (1931) de Georgia O'Keefe.

Le second étage est plus largement consacré aux arts européens (peintures, sculptures, arts décoratifs), du 12e au 19e s. La **peinture italienne** est illustrée par un *Portrait de Giacomo Dolfin* (1531) de Titien, et par des toiles de Jacopo Bellini, Rosso Fiorentino, Lorenzo Lotto, du Tintoret et de Véronèse.

Parmi les **tableaux de maîtres français**, une très belle *Madeleine à la chandelle* (1636-1638) de Georges de La Tour, un délicat *Bulles de savon* (1739) de J.-B. Siméon Chardin, des toiles de Boucher et Fragonard, mais aussi des œuvres du 19e s. et du début du 20e s. avec un *Portrait des sœurs Bellelli* (1862-1864) de Degas, un *Sous-Bois* (1894) de Cézanne, et des peintures de Monet, Pissarro, Van Gogh, Renoir, Sisley et Gauguin pour ne citer qu'eux.

La **peinture flamande et hollandaise** n'est pas en reste avec une *Résurrection de Lazare* (1630) et le *Portrait de Marten Looten* (1632) de Rembrandt, ainsi que des œuvres signées Rubens et Frans Hals.

Enfin, la **sculpture européenne** est bien représentée à travers des œuvres de la Renaissance, des polychromes baroques, des pièces en terre cuite du 18ᵉ s., mais surtout une galerie entièrement dédiée au travail d'Auguste Rodin.

Le musée consacre par ailleurs une place importante à l'**art islamique**, du sud de l'Espagne à l'Asie Centrale, avec une collection regroupant plus de 1000 pièces, la plus riche qui soit aux États-Unis (poterie vernissée, verre émaillé, bois et pierre sculptés, manuscrits enluminés, calligraphie).

Un second bâtiment, l'**Anderson Building**, est consacré à l'**art moderne et contemporain**. On peut notamment y admirer un *Portrait de Sebastian Juñer Vidal* (1903) et diverses œuvres appartenant à la période bleue de Picasso, *La Trahison des images* (*Ceci n'est pas une pipe*) (1928-1929) de Magritte, ainsi que des toiles de Matisse, Kandinsky, Braque, Kirchner, Miró, Andy Warhol, Mark Rothko, Anselm Kiefer ou David Hockney…

Ne manquez pas la visite du **Pavilion for Japanese Art** (pavillon d'art japonais), conçu de manière à recréer l'atmosphère d'une maison japonaise. Une lumière toute particulière, tamisée et douce, filtre à travers les panneaux de Plexiglas blanc-gris. Afin de profiter au mieux de l'exceptionnelle **collection Shin-enkan**, composée de **paravents** et de peintures sur rouleaux de la période d'Edo (1615-1868), vous êtes invité à monter jusqu'au deuxième étage et à redescendre le long d'une rampe qui offre différentes perspectives. *À l'extérieur, les jardins japonais sont assez décevants.*

L'aile ouest du LACMA, **LACMA West**, située sur le même trottoir, est consacrée quant à elle à l'**art du sud-ouest des États-Unis** et comprend quelques salles dédiées à l'art d'Amérique latine.··

Les autres musées du « Miracle Mile »

Voisin du LACMA, le **Page Museum at the La Brea Tar Pits** (*5801 Wilshire Blvd,* ☎ *(323) 934 7243. Lundi-vendredi 9h30-17h, samedi-dimanche 10h-17h. Entrée : 6$),* construit non loin d'un site d'excavation toujours en activité, est dédié aux fossiles des ères glaciaires retrouvés sur le terrain.

De l'autre côté du boulevard, le **Craft & Folk Art Museum** (*5814 Wilshire Blvd,* ☎ *(323) 937 4230. Mercredi-dimanche 11h-17h. Entrée : 3,50$)* s'intéresse aux arts populaires américains *(le musée possède également une boutique).*

En face du LACMA, un bâtiment qui apparaît minuscule en regard du musée accueille le **Museum of Miniatures** (*5900 Wilshire Blvd,* ☎ *(323) 937 6464. Mardi-samedi 10h-17h, dimanche 11h-17h. Entrée : 3$),* où toutes les représentations à échelle réduite sont à vendre.

À proximité se tient le **Holocaust Museum** (*6006 Wilshire Blvd,* ☎ *(323) 761 8170. Lundi-jeudi 10h-17h/20h le mardi, vendredi 10h-14h, dimanche 12h-16h. Entrée libre)* qui rassemble des documents et des objets témoignant du génocide juif perpétré pendant la Seconde Guerre mondiale. Enfin, le **Petersen Automotive Museum** (*6060 Wilshire Blvd,* ☎ *(323) 930 2277. Mardi-dimanche 10h-18h. Entrée : 7$),* expose des automobiles de collection.

Hollywood★★ (Plan III)
Comptez 2 jours.

Le nom de Hollywood évoque le crépitement des flashs à ampoules et les frasques de stars en noir et blanc, mais seules les lettres capitales, accrochées sur l'une des collines qui bordent le nord du quartier, n'ont pas pris une ride. À l'instar de la société Universal, la plupart des studios de cinéma, venus s'installer ici au début du siècle afin de profiter de l'espace et d'un climat clément toute l'année, ont maintenant déménagé à Burbank, au nord-est de Hollywood. Comme tous les quartiers qui ont connu un âge d'or, Hollywood Boulevard n'est plus que l'ombre de ce qu'il fut. Nombre de ses édifices sont aujourd'hui à l'abandon, remplacés par des boutiques tapageuses débordant de souvenirs de pacotille destinés aux touristes qui se pressent sur ses trottoirs pavés d'étoiles. D'aucuns disent que le coin est mal famé ; il est vrai qu'à la nuit tombée le quartier est plutôt désert et vous croiserez beaucoup de sans-logis en quête de quelques dollars. Malgré tout, un effort notable de préservation et de revitalisation anime le boulevard, marqué par la rénovation et la réouverture de salles de spectacle à la décoration somptueuse, et par la construction d'un immense complexe destiné notamment à accueillir prochainement la cérémonie de remise des Oscars, à deux pas du lieu où s'est tenue la grande première de cette manifestation emblématique.

Hollywood Boulevard★★

La portion la plus intéressante de Hollywood Blvd s'étire sur 1 mile environ, entre La Brea Ave. et Vine St. Débutez votre visite à Jane's House, le centre d'information, où vous trouverez un plan détaillé du quartier. Le long du boulevard, des panneaux explicatifs vous invitent à faire halte devant certains édifices. Les bus DASH parcourent Hollywood Blvd toutes les 30 mn, du lundi au samedi (25 cents).

Seule maison victorienne qui ait résisté aux promoteurs, **Jane's House**★ (1903) témoigne de la période précédant l'arrivée de l'industrie du cinéma à Hollywood, du temps où la plaine était couverte de vergers et de cultures. Au tournant du 20e s., le propriétaire du terrain de Hollywood, un certain **Harvey Wilcox**, vendit des parcelles à des retraités du Middlewest, qui y construisirent des villégiatures d'hiver. La demeure la plus célèbre de l'époque appartenait à un peintre français, Paul de Longpré, qui accueillait les visiteurs dans son jardin paysager et dans l'atelier de la maison qu'il avait fait construire dans le style mauresque *(une plaque commémorative se dresse à l'angle de Hollywood Blvd et de Cahuenga Blvd).*

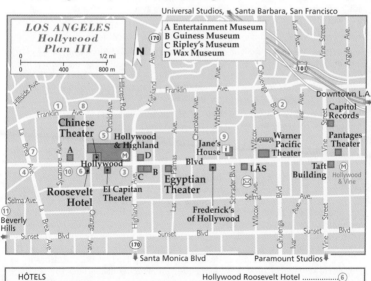

Los Angeles

En sortant de l'impasse, prenez à gauche sur Hollywood Blvd.

Dès lors, le mythe hollywoodien devient réalité : le boulevard est éclairé par des spots de plateau et chaque mètre parcouru dévoile une étoile du **Walk of Fame** (promenade des Célébrités). Ces plaques incrustées dans le trottoir rendent hommage aux grands noms du monde du spectacle, tels que réalisateurs, producteurs, acteurs ou chanteurs. La première date de 1960 et célèbre l'actrice Joanne Woodward.

Passé Wilcox Avenue se dresse l'imposante façade du **Warner Pacific Theater**, dont l'enseigne bleue est en partie dissimulée par les arbres qui bordent le trottoir. Les deux tourelles métalliques qui encadrent le bâtiment servaient à transmettre des émissions de radio *(cette salle est aujourd'hui fermée et ne se visite pas)*.

En traversant Ivar Avenue, vous apercevez sur votre gauche les **lettres Hollywood***, perchées sur une colline dans le lointain. Installées en 1923 par un promoteur immobilier, elles disaient à l'origine « Hollywoodland ». Véritables emblèmes de la ville, elles sont interdites d'accès pour prévenir les actions désespérées.

Poursuivez jusqu'à Vine Street où se dresse la silhouette cylindrique du **Capitol Records**, un studio d'enregistrement construit en 1956 et figurant une pile de 45 tours. De l'autre côté de Hollywood Boulevard, observez l'imposant **Taft Building**, premier gratte-ciel du quartier, édifié en 1924 pour accueillir des bureaux.

Quelques mètres plus loin s'élève le **Pantages Theater**** *(6233 Hollywood Blvd, ☎ (213) 365 5555. Billetterie ouverte tlj à 10 h)*, dont l'enseigne bleue se détache de la façade récemment rénovée. Premier cinéma entièrement dédié au style Art déco (1930), il est doté d'une entrée majestueuse, ornée de statues et de motifs dorés rehaussés par des lustres pittoresques. Il est également l'un des premiers à s'être adapté aux besoins du **cinéma parlant**, apparu au milieu des années 1920. La cérémonie de remise des Oscars y a élu domicile de 1949 à 1959. Récemment rénové, l'édifice a retrouvé son panache d'antan et renoue avec la tradition des spectacles de Hollywood en présentant une comédie musicale.

Traversez Hollywood Blvd et remontez le boulevard dans le sens inverse.

Passé Wilcox Avenue, offrez-vous un petit détour par **LÃS****, une surprenante galerie d'art contemporain *(6522 Hollywood Blvd. Mercredi-samedi 12 h-16 h. Entrée libre)*. N'hésitez pas à pousser les portes en verre opaque qui s'ouvrent sur l'une des deux immenses pièces où se tiennent des expositions temporaires. À l'abri de la frénésie mercantile qui agite le boulevard, ce lieu s'avère tout à fait rafraîchissant.

Un peu plus loin, dans un tout autre style, un bâtiment Art déco de 1935 abrite **Frederick's of Hollywood*** *(6608 Hollywood Blvd)*, une boutique de lingerie farfelue. Frayez-vous un chemin parmi les petites culottes colorées pour jeter un œil au petit **musée** qui retrace l'histoire de la lingerie et expose les sous-vêtements de plusieurs stars, dont le caleçon de Robert Redford !

Deux rues plus loin, l'**Egyptian Theater***** *(6712 Hollywood Blvd)* est précédé d'une cour plantée de palmiers, où se déroulent des fresques et des colonnes égyptiennes « à la mode hollywoodienne ». Pour son inauguration en 1922, l'édifice accueillit la première de *Robin Hood* (Robin des Bois), avec Douglas Fairbanks, ouvrant la voie à la tradition des grandes premières, où apparaissait tout le gratin de Hollywood. Il abrite depuis 1998 la cinémathèque américaine, qui organise des projections dans l'immense et très belle salle restaurée. Ne manquez pas *Forever Hollywood*, un film réalisé à la gloire des hommes et des stars qui ont fait Hollywood, et célébrant plus d'un siècle de cinéma *(film de 55 mn, projeté du mardi au dimanche à 14 h et 15 h 30. Entrée : 8 $)*.

Au croisement de Hollywood Boulevard et de Highland Avenue, trois musées tapageurs essayent de se partager les faveurs des touristes, à grand renfort de néons tapissant les devantures classées : le **Guinness World of Records Museum** *(6764 Hollywood Blvd, ☎ (323) 463 6433. Tlj 10 h-24 h. Entrée : 9,95 $)* met en scène les records du monde les plus fous, tandis que son voisin, le **Ripley's Believe It or Not** *(6780 Hollywood Blvd, ☎ (323) 466 6335. Tlj 10h-22h. Entrée : 9,95 $)* se targue d'être le musée de l'étrange, du bizarre et de l'absurde. Sur le trottoir d'en face, les statues de cire attendent patiemment les visiteurs dans le **Hollywood Wax Museum,** *(6767 Hollywood Blvd, ☎ (323) 462 5991. Dimanche-jeudi 10h-24h, vendredi-samedi 10h-1h. Entrée : 15,95 $).*

En continuant sur le trottoir pair de Hollywood Boulevard, vous parvenez à **El Capitan Theater**★★ *(6834 Hollywood Blvd)*, le plus extravagant des théâtres du boulevard. Achevé en 1926, il combine le style espagnol colonial à l'extérieur et une décoration intérieure chatoyante. Reconverti en cinéma en 1942, il propose surtout des films pour enfants et organise diverses rétrospectives.

Le Roosevelt Hotel★★★ *(7000 Hollywood Blvd)*, qui se dresse à l'intersection d'Orange Avenue, a été édifié en 1927. Passez les portes de l'immense hall d'entrée décoré dans le style colonial espagnol. Les larges fauteuils invitent à la détente, au son de mélodies jouées au piano. Fondé par une pléiade de célébrités, dont Mary Pickford, Douglas Fairbanks et Louis B. Mayer, l'hôtel servit de cadre en 1929 à la première cérémonie de remise des Oscars. Dans la galerie du premier étage, ne manquez pas l'**exposition**★★ de photos et de documents d'époque retraçant l'épopée de Hollywood à travers plusieurs thèmes : les théâtres, les restaurants, les clubs et la radio, sans oublier le cinéma.

De l'autre côté du boulevard, à l'angle de Sycamore Avenue, un complexe moderne abrite le **Hollywood Entertainment Museum** *(7021 Hollywood Blvd, ☎ (323) 465 7900. En hiver, 11h-18h, fermé le mercredi; En été, lundi-samedi 10h-18h, dimanche 11h-18h. Entrée : 7,50 $).* Ce petit musée interactif se visite avec un guide et vous entraîne notamment dans les coulisses du bruitage de films.

Le Chinese Theater★★★ *(6915 Hollywood Blvd, ☎ (323) 464 8111. Billetterie ouverte tlj à 10h)*, avec son toit recourbé, ses peintures murales et ses colonnes laquées, fait partie du paysage depuis 1927. Ce cinéma d'exception fut construit par Sid

Le Chinese Theater sur Hollywood Boulevard

Des empreintes de légende

Le soir de l'ouverture du Chinese Theater, alors que le ciment n'avait pas encore fini de sécher, le trébuchement heureux d'une star empressée aurait donné l'idée à Sid Grauman, propriétaire du lieu, de demander à d'autres célébrités d'apposer leur marque. La légende dit que lorsqu'un artiste ne suivait pas une carrière aussi prometteuse que pressentie, Sid Grauman faisait enlever sa dalle afin de laisser place à des noms plus en vogue. Une grande partie des empreintes qui ornent le trottoir appartiennent à des célébrités des années 1930 et 1940, mais elles voisinent avec celles de Clint Eastwood, Steven Spielberg, et même C-3PO et R2-D2, les robots de « La Guerre des étoiles »...

Grauman suite au succès de l'Egyptian Theater et rien n'a été laissé au hasard dans l'ornementation des lieux. Malheureusement, la salle de projection ne se visite pas en dehors des séances, mais le spectacle est également à l'extérieur, tous les visages étant rivés sur le sol à la recherche des **empreintes** de pas et de mains laissées dans le ciment par plus de 170 stars.

La visite s'achève devant le gigantesque complexe **Hollywood & Highland**, qui jouxte le Chinese Theater. Cet édifice, qui a ouvert ses portes en novembre 2001, est emblématique des efforts menés depuis quelques années pour revaloriser ce quartier. Il abrite un grand hôtel, une pléiade de boutiques et de restaurants, ainsi qu'une salle de spectacle destinée à accueillir la cérémonie de remise des Oscars.

Paramount Studios**

5555 Melrose Ave., ☎ (323) 956 1777. Visite guidée du lundi au vendredi, toutes les heures de 9 h à 14 h. Comptez 2 h. Une bonne compréhension de l'anglais est recommandée pour profiter des commentaires. Les enfants de moins de 10 ans ne sont pas admis. Entrée : 15 $ (économie de 2 $ avec un coupon de réduction). Situés au sud de Hollywood, les studios se rejoignent facilement en bus (20 mn). De Hollywood Blvd, le n° 210 descend Vine St. jusqu'à Melrose Ave. où il faut changer pour le n° 10 (sur le trottoir d'en face) ou marcher vers l'est jusqu'à Gower St.

Après avoir passé la guérite des gardiens, vous parvenez devant la célèbre arche qui marque l'entrée des studios et devant laquelle attendaient les acteurs en quête de gloire. La société Paramount s'installa ici en 1927, au début d'une décennie qui consacra l'âge d'or des studios : les productions s'enchaînaient alors à un rythme effréné et les cinq grandes compagnies (dont elle faisait partie depuis l'ère du muet) sortaient à elles seules un film par jour. Aujourd'hui, Paramount travaille à 90 % pour la télévision.

Il règne une grande agitation dans les allées où se croisent des voiturettes chargées de bobines, des chariots, des menuisiers outils à la main ou des acteurs qui répètent leur texte. Au cours de la visite, vous naviguez entre les immenses bâtiments qui abritent les **studios** proprement dits et les caravanes qui se tiennent à proximité (*sachez que vous n'êtes pas assuré d'assister à un tournage lors de votre visite*). La partie la plus spectaculaire reste toutefois la découverte des **décors sur pied** qui figurent Londres, Paris ou New York. L'illusion est parfaite, mais en les touchant du doigt, vous vous apercevrez qu'ils sont tous moulés dans une matière plastique. Ainsi, ces plaques sont peu encombrantes et faciles à stocker.

Ne manquez pas non plus la visite de la **réserve** des studios, où sont entreposés une quantité impressionnante d'objets et de mobiliers de toutes les époques, soigneusement étiquetés. Selon ses besoins, la production vient ici louer une commode Louis XIV ou un ordinateur des années 1980.

Universal Studios** (Plan I)

Universal City, ☎ (818) 622 3801. Tlj 8 h-22 h (été)/9 h-19 h (hiver) ; fermés pour Noël et Thanksgiving (le 4e jeudi de novembre). Entrée : 43 $ (coupons de réduction à l'office de tourisme). Plan en français, mais les horaires des attractions n'apparaissent que sur l'édition anglaise. En voiture, à partir de Hollywood Blvd, remontez Highland Ave. vers le nord, *empruntez la Hwy 101 N. et sortez à Universal Center Drive. Suivez ensuite les panneaux jusqu'au parking (7 $). Les studios sont également desservis par le métro; empruntez la ligne rouge jusqu'à la station Universal City, d'où une navette gratuite (toutes les 10-15 mn de 7h à 23h) vous conduit à Universal CityWalk. Comptez une journée.*

Que vous arriviez en voiture ou en métro, tous les chemins mènent à **Universal CityWalk**, une rue piétonne où se succèdent restaurants et boutiques. Elle mène à la majestueuse entrée du parc d'attractions qui porte l'inscription **Universal Studios Hollywood** et abrite les studios proprement dits. La visite des **studios★★★** s'effectue en bus (*départ continu de 9h à 16h15*). Elle offre l'occasion d'apercevoir l'envers des décors, où rien n'est laissé au hasard, et le parcours est ponctué de surprises et d'animations dont nous ne dévoilerons pas la teneur.

Après ce circuit guidé, vous avez tout loisir de découvrir les diverses **attractions** du parc, conçues pour tous les âges et tous les goûts (*reportez-vous au plan en anglais ou aux panneaux lumineux pour les horaires*). Si vous êtes amateur de sensations fortes, faites un tour dans les salles de **Back to the Future★★** (simulation de vol dans la voiture du film *Retour vers le futur*) et de **Terminator 2 : 3D★** (film en trois dimensions). Ne manquez pas la magnifique **vue panoramique** sur les collines de Los Angeles depuis l'esplanade située derrière le bâtiment de *Terminator* et profitez-en pour vous balader dans les décors installés à proximité.

En bas des escalators, à l'extrémité ouest du parc, vous pouvez suivre la mise au point d'effets spéciaux et de bruitage de films dans le bâtiment **Cinémagic** ou vous laisser porter sur les flots du **Jurassic Park Ride**.

Venice★★★ <small>(Plan IV)</small>
Comptez une journée.

Los Angeles est délimitée à l'ouest par la côte pacifique, le long de laquelle s'égrainent des stations balnéaires agréables qui font oublier le gigantisme de la mégalopole. Parmi toutes ces destinations, Venice, quartier bohème et pittoresque, est appréciée des surfeurs, des joggers, des cyclistes, des adeptes du roller ou du body-building, pour sa douceur de vivre «à la californienne».

Les canaux★★ <small>(Plan IV B5)</small>

Si Venice est aujourd'hui plus célèbre pour son front de mer et sa longue plage de sable fin, la cité balnéaire doit son nom aux canaux que l'entrepreneur **Abbot Kinney** fit creuser au début du 20e s. dans ce quartier jadis couvert de marécages.

Venice, paradis de la glisse

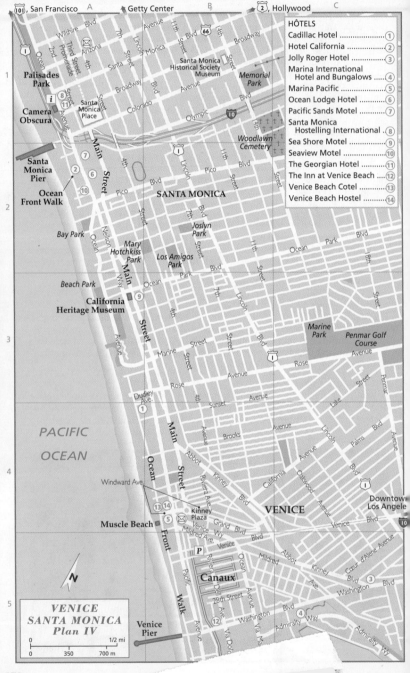

HÔTELS

Cadillac Hotel .... ①
Hotel California .... ②
Jolly Roger Hotel .... ③
Marina International
   Hotel and Bungalows ..... ④
Marina Pacific .... ⑤
Ocean Lodge Hotel .... ⑥
Pacific Sands Motel .... ⑦
Santa Monica
   Hostelling International . ⑧
Sea Shore Motel .... ⑨
Seaview Motel .... ⑩
The Georgian Hotel .... ⑪
The Inn at Venice Beach .... ⑫
Venice Beach Cotel .... ⑬
Venice Beach Hostel .... ⑭

PACIFIC

OCEAN

VENICE
SANTA MONICA
Plan IV

0   1/2 mi
0   350   700 m

En 1900, il conçut cette «Venise de l'Amérique» comme un véritable parc d'attractions, avec d'authentiques gondoles et gondoliers importés d'Italie. Aujourd'hui, seuls 3 miles de canaux ont été préservés et délimitent un espace résidentiel pittoresque, à deux pas du front de mer *(ils s'étirent entre Venice Blvd S. à l'ouest, Ocean Ave. au nord, 28th St. à l'est et Pacific Ave. au sud)*. Les petites allées fleuries qui longent ces eaux dormantes offrent l'occasion d'une charmante promenade à la découverte de **fantaisies architecturales** de toute nature : habitations modernes aux larges baies vitrées, demeures de style espagnol, bungalows en bois ou maison en pierre plus cossues. Les barques amarrées sur les rives, les petits ponts vénitiens et les canards qui se dandinent sur le chemin soulignent davantage encore l'atmosphère champêtre du lieu.

Rejoignez le front de mer de Venice. Il part de la jetée qui prolonge Washington Blvd et se poursuit vers le nord-ouest jusqu'à Rose Ave., où débute la plage de Santa Monica.

Ocean Front Walk** (promenade du front de mer) (Plan IV B4-5)
Bienvenue dans le monde délirant de la Californie! Univers haut en couleur où se côtoient pêcheurs du dimanche, saltimbanques en tout genre, sportifs aux formes sculpturales, touristes et sans-abri déclamant la Bible à qui veut bien les écouter, Ocean Front Walk s'anime dès que le soleil pointe son nez. Baptisée «capitale mondiale des rollers» à la fin des années 1970, Venice regagna la popularité qu'elle avait connu au début du 20e s. Le front de mer devint une piste de choix pour les adeptes des petites roulettes. **Harry Perry**, véritable figure emblématique, arpente ainsi la promenade au rythme de sa guitare électrique. Avec les diseurs de bonne aventure, les cracheurs de feu et les jongleurs, il anime la scène de la rue sans discontinuer.

À l'extrémité sud d'Ocean Front Walk, **Venice Pier** (la jetée) offre un joli point de vue sur le front de mer, aux abords calmes et résidentiels. Sur la plage, joggeurs et flâneurs viennent profiter de l'air frais de l'océan, tandis que sur la promenade pavée l'agitation se fait plus vive. Passé Venice Boulevard, **Muscle Beach***, où les corps sculptés s'exposent avec ostentation en pleine séance de body-building, constitue le paroxysme de la grande foire exhibitionniste californienne.

Plus au nord, aux abords de **Windward Avenue**, se pressent les marchands du Temple et les boutiques de tatoueurs, d'où s'échappent des flots de musique tonitruante. L'artère principale de Venice abrite des façades colorées, derrière lesquelles se cachent des auberges de jeunesse, des restaurants et des magasins branchés qui participent à l'atmosphère bohème de Venice. À l'angle de Windward Avenue et de Pacific Avenue, des cafés accueillants offrent une halte agréable pour profiter de la douceur du bord de mer.

Santa Monica* (Plan IV)
Comptez une journée.

Moins excentrique que Venice, sa voisine, Santa Monica est une station balnéaire à l'allure cossue qui accueille les vacanciers et les visiteurs venus assister à un séminaire ou à un salon professionnel. Elle s'organise autour du front de mer, doublé d'un parc verdoyant bordé d'élégants hôtels, et d'un centre-ville très animé. Santa Monica dispose par ailleurs d'un système de bus performant qui permet notamment de rejoindre facilement le Getty Center, un immense musée aux allures de château fort des temps modernes, construit sur les hauteurs de Los Angeles.

À l'extrémité sud de Colorado Ave., un pont permet de rejoindre à pied la jetée.

Ultime prolongement de la fameuse Route 66, artère historique reliant Chicago à Los Angeles, **Santa Monica Pier**** (la jetée) (Plan IV A2) reste le symbole de la ville, notamment lorsqu'elle s'illumine à la nuit venue. Édifiée en 1912, elle abrite aujourd'hui un parc d'attractions, dont un manège datant de 1922. Du bout de la jetée, on a une jolie **vue** sur la côte et les hauteurs de Los Angeles.

Au nord de la jetée, **Palisades Park*** (Plan IV A1) longe le littoral et surplombe la Pacific Coast Highway. Ce parc très verdoyant, parsemé de hauts palmiers, est très apprécié des habitants qui viennent y flâner et faire leur jogging. Au sud de la promenade, un petit bâtiment carré blanc abrite une attraction surprenante, la **Camera Obscura**** (*1450 Ocean Ave. Lundi-vendredi 9h-16h, samedi-dimanche 11-16h. Entrée gratuite. Pour obtenir la clé du lieu, adressez-vous au centre d'activité des retraités, dans le bâtiment voisin*). Au milieu d'une pièce plongée dans le noir, un disque mobile fixé au sol réfléchit les images de l'extérieur grâce à un système de miroirs installé au plafond et actionné par une petite roue cannelée. Adaptée d'un principe antique, duquel a dérivé la photographie, cette installation a été ouverte au public en 1899 et déplacée sur ce site en 1955.

Parcourez Palisades Park jusqu'à Santa Monica Blvd, que vous empruntez pour rejoindre Third Street Promenade, à deux rues au nord d'Ocean Ave.

Rue piétonne commerçante, **Third Street Promenade** (Plan IV A1) est bordée de boutiques branchées sans grande originalité. Elle aboutit au Santa Monica Place, un grand centre commercial (*lundi-samedi 10h-21h, dimanche 11h-18h*).

Rejoignez Broadway où vous pouvez prendre le Tide Shuttle pour gagner Main St.

Main Street** (Plan IV A-B3), l'autre artère commerçante de Santa Monica, court plus au sud, parallèlement au front de mer, entre Pico Boulevard et Marine Street (*stationnement gratuit pendant 2h dans les rues perpendiculaires à Main St., ou parkings payants sur le front de mer*). Particulièrement pittoresque avec ses bâtiments en brique peu élevés, ses boutiques originales et ses galeries dignes d'intérêt, cette rue typique du 19ᵉ s. bénéficie d'une ambiance à la fois chic et décontractée. Au n° 2612, une maison d'allure victorienne, construite en 1894, abrite les expositions temporaires du **California Heritage Museum** (*mercredi-dimanche 11h-16h. Entrée : 3\$*). Située à l'origine sur le front de mer, elle a été déplacée ici en 1977, en même temps que sa voisine, une imposante demeure de 1903.

Le Getty Center*** (Plan I)

Le musée est situé sur une colline, à une dizaine de miles au nord-ouest de Santa Monica, ☎ (310) 440 7300, www.getty.edu. En voiture, empruntez la sortie « Getty Center Drive » de l'I-405, mais en semaine il est impératif de réserver à l'avance votre place de parking (5\$) par téléphone. Le musée est desservi par le Metro Bus n° 561 et le Big Blue Bus n° 14 (correspondance avec le bus n° 3 en provenance du centre de Santa Monica). Au pied de la colline, une navette gratuite conduit les visiteurs à l'esplanade. Mardi-mercredi 11h-19h, jeudi-vendredi 11h-21h, samedi-dimanche 10h-18h. Entrée gratuite. Des plans en français du musée et des jardins sont disponibles à l'accueil. Visite guidée des bâtiments et des jardins en anglais et en espagnol (compter 1h environ).

Dressant sa silhouette d'un blanc immaculé sur le ciel azuré, au milieu des collines verdoyantes des quartiers de Bel Air et de Brentwood, le Getty Center trône sur un site d'exception (269 m) et offre un point de vue remarquable sur Los Angeles. Construit en 1998 sur un terrain de 315 ha, le musée vaut autant pour son architecture et ses jardins que pour ses collections. L'architecte **Richard Meier** a pris le parti de la simplicité, privilégiant des formes épurées, mais jouant sur la rupture entre lignes courbes et planes. Les bâtiments se répondent avec grâce par l'utilisation du verre et d'un matériau remarquable importé d'Italie, le travertin, taillé pour obtenir un aspect lisse ou rugueux selon les emplacements.

L'âme du musée

Féru d'art antique et de mobilier français, le magnat du pétrole J. Paul Getty (1892-1976), milliardaire à 23 ans et personnage haut en couleur, fit l'acquisition de nombreuses œuvres d'art, avec pour règle d'or de ne jamais dépenser plus de 10 000 \$ pour chacune d'entre elles. À sa mort, une bonne partie de sa fortune fut léguée à sa fondation qui, depuis, continue d'enrichir les collections. Il s'était fait construire à Malibu une villa sur le modèle des demeures romaines antiques, qui servit de musée jusqu'à la construction du centre. Elle est actuellement en rénovation.

Conçu comme un complexe culturel, le Getty Center comprend quatre pavillons où sont rassemblées les collections permanentes, un bâtiment accueillant les expositions temporaires et un institut de recherche. Les collections du **musée J. Paul Getty★★★** sont présentées de manière chronologique, et les peintures sont toujours exposées dans les étages supérieurs, afin d'être éclairées par la lumière du jour.

Le pavillon nord (avant 1600) expose des bronzes et des céramiques, ainsi qu'une superbe collection de **manuscrits enluminés**. À l'étage sont regroupées des **peintures italiennes** de Fra Bartolomeo, Titien, du Pontormo et de Véronèse. Les pavillons est et sud couvrent quant à eux la période de 1600 à 1800. Le premier présente des **esquisses** de Daumier, Goya, Watteau, Ingres, Dü-

C. Hugon/MICHELIN

Le Getty Center

rer, Leonard de Vinci ou encore Raphaël, ainsi que des **peintures flamandes et hollandaises,** dont un *Vieil homme en costume militaire* (1630) et un *Saint Barthélemy* (1661) de Rembrandt. Le second se consacre aux **arts décoratifs français**, avec une collection extrêmement riche (commodes, tables, vases, pendules, tapisseries), comportant notamment des œuvres signées André Charles Boulle. Enfin, le pavillon ouest (après 1800), dédié à la **peinture impressionniste**, regroupe diverses toiles de maîtres, dont *La Promenade* (1870) de Renoir, *Les Iris* (1889) de Van Gogh et des tableaux de Cézanne, Manet, Pissarro et Monet.

À l'extérieur du musée, un chemin bordé de sycomores descend jusqu'au **Jardin central★★**, conçu par le paysagiste Robert Irwin comme une véritable œuvre d'art. Un superbe **miroir d'eau** est entouré de plus de 300 variétés de plantes et de 400 **azalées**, des créations végétales auxquelles il est apporté le plus grand soin. À l'extrémité du jardin, ne manquez pas le superbe **panorama★★** sur la ville qui s'étire à perte de vue.

Long Beach★ (Plan I)
Comptez une demi-journée.

Long Beach est située à 20 miles au sud de Downtown Los Angeles. En voiture, empruntez l'I-710, qui prend fin sur le port et devient Shoreline Drive à l'est. Long Beach est desservie par le métro (ligne bleue ; comptez 45 mn de Downtown L.A.). En ville, des navettes gratuites (minibus rouges ou blancs appelés « Passport ») relient les différentes attractions. Prendre la ligne C pour rejoindre l'aquarium ou le Queen Mary. Un Aquabus (2 $) relie par ailleurs l'aquarium au Queen Mary par la mer (départ toutes les heures de 11 h à 18h).

Long Beach bénéficie d'un site remarquable, avec un littoral de plus de 5 miles, regardant plein sud l'océan Pacifique. Devenue la cinquième plus grande ville de Californie, la cité balnéaire est dotée d'une marina moderne et d'un front de mer bétonné, le long duquel de larges complexes hôteliers sont venus écraser les grands hôtels du début du 20ᵉ s. La jetée, les manèges et la promenade animée d'antan ont fait place à des attractions de taille comme le grand aquarium du Pacifique, au toit ondulant comme des vagues, et le fameux paquebot de luxe, le *Queen Mary*.

Remarquable par son imposante carrure et ses trois cheminées rouges légèrement inclinées, le **Queen Mary**★★ est l'emblème de Long Beach depuis 1967, date à laquelle il a élu domicile dans ce port du Pacifique *(1126 Queens Hwy,* ☎ *(562) 435 3511, www.queenmary.com. Tlj 10h-18h. Entrée : 17$. Vous pouvez acheter un billet combiné qui comprend la visite de l'aquarium. Comptez 2-3h. Parking payant).* Après 33 années de service sur les mers, ce paquebot construit en Écosse pour accueillir près de 2000 passagers a été transformé en hôtel de luxe avec 365 chambres rénovées dans le style Art déco d'origine.

Commencez votre visite par le **pont-promenade**, qui a conservé son parquet ciré et ses photos d'époque. Ne manquez pas, à la proue du navire, la somptueuse salle Art déco de l'**Observation Bar**, ainsi que celle des **trésors du Queen Mary** *(pont B, entrée à l'avant du pont-promenade),* où sont exposés de la vaisselle, des étoffes et divers objets des années 1930. À l'étage supérieur, des reconstitutions redonnent vie à différentes pièces (chambres, salle à manger privative, quartier du barbier) du temps où le paquebot effectuait des croisières transatlantiques. Une seconde partie est consacrée à la période 1940-1946, quand le *Queen Mary* avait pour nom « le Fantôme gris » et qu'il servait au transport des troupes alliées.

Pour accéder à la **salle des machines**, descendez du bateau et rejoignez la poupe par l'extérieur. À l'autre extrémité du bâtiment, l'attraction *Ghosts & Legends* attend les plus téméraires pour un circuit d'épouvante relatant diverses histoires de noyés et de mystères inexpliqués attachés au *Queen Mary*. Certaines scènes sont très saisissantes *(comptez 3/4 h environ).*

Prenez l'aquabus ou la navette Passport C pour rallier l'Aquarium (voir ci-dessus).

Plus de 550 espèces marines sont présentées dans l'**Aquarium of the Pacific**★★ *(100 Aquarium Way,* ☎ *(562) 590 3100, www.aquariumofpacific.org. Tlj 9h-18h. Entrée : 14,95$. Comptez 2h).* Divisé en trois grands pôles géographiques, il s'attache à recréer les milieux naturels propres aux poissons et aux mammifères de l'océan Pacifique. La plus grande des trois sections est consacrée au Sud californien et à la basse Californie (Mexique), puis viennent les galeries du Pacifique Nord, qui regroupent notamment des pingouins, et enfin celles des eaux tropicales de l'océan Pacifique. L'aquarium comprend également une salle de projection *(adressez-vous à l'accueil pour connaître le programme)* et un centre de découverte à l'attention des enfants.

De l'aquarium, longez la baie vers l'est pour rejoindre **Shoreline Village** *(tlj 10h-19h, plus tard pour les restaurants),* une jetée commerçante bordée de petits bâtiments en bois coloré abritant boutiques et restaurants.

Empruntez Shoreline Drive vers l'est et poursuivez sur Alamitos Ave.

Long Beach est également dotée d'un musée d'art contemporain, le **MOLAA**★★ (musée des Arts d'Amérique latine), dont les collections présentent les œuvres d'artistes du Mexique, d'Amérique centrale et d'Amérique du Sud *(628 Alamitos Ave., non loin de 7ᵗʰ St.,* ☎ *(562) 437 1689, www.molaa.com. Mardi-samedi 11h30-19h30, dimanche 12h-18h. Entrée : 7$. Ce musée est en pleine phase d'expansion jusqu'en 2003).*

Disneyland Resort*** (Plan I)
Disneyland et California Adventure
Comptez une journée pour chacun des parcs.

Disneyland est installé à Anaheim dans l'Orange County, au sud du comté de Los Angeles. En voiture, empruntez l'I-5 (Santa Ana Frwy) et sortez à Disneyland Drive (si vous venez du nord) ou à Katella Ave. (si vous venez du sud). En semaine, le réseau de trains de banlieue Metrolink relie Union Station à la gare d'Anaheim (45 mn ; 6 $; départ à 6 h 44 et 7 h 44), d'où il faut prendre le bus 430 pour rejoindre Disneyland (15 minutes). Greyhound affrète des bus au départ de Downtown à partir de 5 h 15 (comptez 1 h de trajet ; 8 $), mais il faut ensuite prendre le bus 47 à Anaheim et changer pour le 205 à Katella Ave. Bureau d'information à Anaheim, à l'angle de Harbor Blvd et de Katella Ave. (1770 S. Harbor Blvd, ☎ (714) 239 1340 / 1-877 239 1340. Tlj 8 h-21 h 30), qui s'avère utile pour trouver une chambre d'hôtel (plans et conseils). Les parcs sont ouverts tlj, mais les horaires sont variables : appelez avant de venir. L'entrée de chacun des deux parcs, Disneyland et California Adventure, coûte 43 $ (33 $ pour les enfants de 3 à 9 ans). Des billets combinés de trois ou quatre jours permettent d'entrer chaque jour dans un parc différent (mais jamais dans les deux le même jour). Le système Fastpass consiste à retirer un billet à l'avance, sur lequel est indiquée une tranche horaire pendant laquelle vous pouvez accéder à l'attraction choisie en empruntant une file d'attente spéciale, plus rapide.

Conçu par Walt Disney comme « l'endroit le plus joyeux de la terre », le parc de Disneyland a vu le jour en 1955 à Anaheim, une bourgade alors couverte de cultures d'orangers. Avant tout destiné aux enfants, avec un grand nombre d'attractions adaptées à leur taille, le parc compte aussi des spectacles pour adultes. À son ouverture, Disneyland offrait une vingtaine d'attractions : il y en a plus d'une soixantaine aujourd'hui. California Adventure, qui a ouvert ses portes en 2001, est plus particulièrement destiné aux adultes et aux adolescents et s'inscrit dans un cadre qui illustre différents aspects de la Californie.

Disneyland***
Bienvenue dans l'univers enchanté et acidulé de Walt Disney ! À l'entrée du parc, vous débouchez sur **Main Street, USA**, grand-rue typique des villes américaines du 19ᵉ s. Sur la place s'élève la gare d'où part le train qui fait le tour du parc.
Main Street débouche sur le **château de la Belle au bois dormant***, entouré de douves où barbotent quelques canards, et dans lequel des attractions mettent en scène les héros favoris de la firme Disney. Passé le château, vous entrez dans **Mickey's Toontown***, un village sorti tout droit d'un dessin animé, avec ses maisons biscornues et son tramway qui avance cahin-caha. Ouverte à tous, la maison de Mickey est l'occasion de s'émerveiller de l'attention portée aux détails.

À l'ouest de Main Street, le parc décline des thèmes empruntés à l'histoire du pays. Walt Disney ne déclarait-il pas dans son discours d'inauguration : « Disneyland est dédié aux idéaux, aux rêves et à la dure réalité qui ont forgé l'Amérique… » ? L'attraction phare de **Frontierland*** est le train fou des chercheurs d'or, **Big Thunder Mountain Railroad***, qui serpente au milieu des montagnes. **Adventu-**

Où il est question de cacahuètes
Lorsque Walt Disney chercha un lieu pouvant accueillir son parc d'attractions, il essuya un premier refus de la ville de Burbank, où il avait ses studios. Son maire voulait en effet éviter que la ville ne devienne un lieu de débauche et de carnaval permanent. Anaheim, une petite ville couverte d'orangers fondée en 1857 par des Allemands, retint finalement son attention. Avant de donner son accord, le maire de l'époque imposa que l'on ne retrouve pas de cacahuètes partout. Walt Disney s'engagea alors à ne vendre ni cacahuètes entières ni chewing-gum, et il renonça à l'installation d'un cirque. De 14 556 habitants en 1955, la ville passa à plus de 100 000 en 1960, générant un intérêt jamais démenti jusqu'à ce jour et comptant des millions de visiteurs chaque année.

reland, au centre duquel s'élève l'arbre de Tarzan, explore des régions plus sauvages avec la fameuse équipée en Jeep **Indiana Jones Adventure****. Juste à côté, **New Orleans Square** recrée l'ambiance des rues de Louisiane autour d'un large plan d'eau où se déroulent les feux d'artifice et les animations nocturnes (*les vendredi, samedi et pendant les vacances*). Ne manquez pas non plus la traversée en barque de **Pirates of the Caribbean****.

À l'est de Main Street, derrière la grande montagne qui se dévale en bobsleigh, s'étend **Tomorrowland**, la terre du futur. Vous y découvrirez notamment **Space Mountain**** (super huit sous un globe plongé dans le noir) et **Star Tour*** (simulation de vol spatial).

Disney's California Adventure**

Le ton est donné dès l'entrée du parc où se dresse le Golden Gate Bridge, symbole de San Francisco : le dernier-né des parcs Disney s'attache à faire revivre les hauts lieux touristiques de la Californie. Parcourez tout d'abord **Hollywood Boulevard**** et ne manquez pas **Disney Animation**, véritable antre d'apprenti sorcier, où vous pouvez enregistrer votre voix sur les passages les plus célèbres de dessins animés.

Prenez à gauche en sortant de Hollywood Blvd.

Vous parvenez ensuite dans **Golden State*** dont l'attraction phare, **It's tough to be a bug**, est un film en 3-D consacré aux petites bêtes vivant sous terre. Puis vous découvrez l'immense plan d'eau de **Paradise Pier*****, où les amateurs de sensations fortes tenteront le looping géant de **California Screamin'**, la surprenant grande roue de **Sun Wheel**, ou encore **Maliboomer**, qui vous permet de faire l'expérience des sensations d'une chute libre. Quelques manèges sont accessibles aux enfants. La tournée s'achève par le thème des grands parcs nationaux avec, entre autres, un parcours aquatique en raft, **Grizzly River Run**, et un film très réussi proposant une balade en hélicoptère, **Soarin'Over California**.

Pasadena** (Plan I)
Comptez une journée.

Pasadena est située à 20 miles au nord-est de Downtown Los Angeles. En voiture, empruntez l'US-110 N. (Pasadena Freeway), qui débouche dans Arroyo Parkway. En ville, des navettes gratuites (ARTS Bus) relient le quartier d'Old Pasadena à South Lake District et Playhouse District (lundi-jeudi 11h-19h, vendredi 11h-22h, samedi-dimanche 12h-20h).

Nichée au pied des San Gabriel Mountains, Pasadena était une bourgade agricole tranquille avant que la douceur de son climat n'en fasse un lieu de villégiature privilégié. Au début du 20ᵉ s., la haute société s'y fit construire de luxueuses demeures, qui comptent aujourd'hui encore parmi les curiosités de la ville. Si Pasadena est réputée pour son charme tout provincial, elle n'en demeure pas moins l'une des principales banlieues de Los Angeles et une ville dynamique, accueillant de nombreuses manifestations et activités culturelles. Mais elle est surtout connue dans tout le pays pour sa **Rose Parade**, un défilé de chars décorés de fleurs, et le **Rose Bowl Game**, le championnat universitaire de football américain, organisés tous deux chaque année pour le 1ᵉʳ janvier.

Partez du Visitor's Bureau (171 S. Los Robles Ave., ☎ (626) 795 9311, www.pasadenal. com. Lundi-vendredi 8h-17h, samedi 10h-16h), où vous trouverez un plan de Pasadena et de multiples informations sur les attractions et l'actualité culturelle de la ville. Remontez Los Robles Ave. jusqu'à Colorado Blvd, à l'angle duquel s'élève le Pacific Asia Museum.

Bâti en 1971 dans le style des palais impériaux chinois, le **Pacific Asia Museum**, (46 N. Los Robles Ave., ☎ (626) 449 2742, www.pacasiamuseum.org. Mercredi-dimanche 10h-17h, jeudi 12h-19h. Entrée : 3 $) rassemble une collection riche de plus de 12 000 objets et œuvres d'art, représentatifs de l'art et des cultures d'Asie et des îles du Pacifique. À noter, une belle collection de **céramiques chinoises**, des sculptures bouddhiques, des bronzes et des statues en bois d'Inde et d'Asie du Sud-Est, ainsi que des objets rituels d'Irian Jaya et de Papouasie-Nouvelle-Guinée. Le Japon est représenté par une intéressante collection d'objets décoratifs (laque, céramique) et de peintures. Une agréable cour intérieur, dessinée selon les principes traditionnels chinois, constitue par ailleurs un véritable havre de paix.

Remontez Colorado Blvd vers l'ouest.

Aujourd'hui réhabilité, le quartier d'**Old Pasadena** s'est offert une nouvelle jeunesse. De part et d'autre de Colorado Boulevard, ses bâtiments de style colonial espagnol, Revival ou Art déco, abritent désormais boutiques chic, galeries d'art et restaurants raffinés. On vient ici faire du shopping ou profiter de la douceur de vivre à la terrasse d'un café. Très animé en journée, le quartier est aussi particulièrement vivant le soir, avec ses salles de spectacle, ses clubs et ses nombreux bars branchés.

À l'extrémité ouest de Colorado Boulevard, ne manquez pas le **Norton Simon Museum**** *(411 W. Colorado Boulevard, ☎ (626) 449 6840, www.nortonsimon.org. Mercredi-lundi, 12 h-18 h/21 h le vendredi. Entrée : 6$. Parking gratuit. Comptez 2 h).* Entièrement réaménagé en 1999, il rassemble depuis 1974 l'une des plus importantes collections privées d'arts européen et asiatique au monde, patiemment réunie par l'industriel Norton Simon (1907-1993). De vastes galeries offrent un assez large panorama de l'**art européen** du 14e au 20e s. La Renaissance est notamment représentée par des peintures de Jacopo Bassano et une belle *Vierge à l'Enfant avec un livre* (1503) de Raphael. Les écoles italiennes, espagnoles et françaises du 17e et 18e s. sont illustrées par des œuvres de Guercino, Baciccio, Tiepolo, Zurbaran, Goya, Fragonard et Poussin, tandis que la peinture hollandaise et flamande est évoquée par de beaux portraits de Rembrandt et Frans Hals, et quelques toiles de Rubens. Dans la galerie consacrée aux Impressionnistes et post-Impressionnistes, vous pouvez admirer *Les Repasseuses* (1884) de Degas et quelques œuvres inspirées de sa passion pour la danse, dont son bronze le plus connu, *La Petite danseuse de quatorze ans*. Ces œuvres voisinent avec une toile de Monet figurant son jardin de Vétheuil (1881), et d'autres tableaux signés Manet, Pissaro (*Marché aux poulets à Pontoise*, 1882), Renoir (*Le Pont des Arts*, 1868), Van Gogh (*Portrait d'un paysan*, 1888 ; *Le Mûrier*, 1889), Cézanne ou Gaugin. Enfin, le 20e s. est également bien représenté, avec des travaux de Picasso (*Femme avec une guitare*, 1913 ; *Femme au livre*, 1932), Kandinsky, Klee, Matisse et Rousseau.

Ne manquez pas, au sous-sol du musée, la remarquable collection d'**art asiatique**, qui compte notamment de superbes sculptures bouddhiques et hindouistes de l'Inde et d'Asie du Sud-Est : bronzes du Tamil Nadu (*Shiva, roi de la danse*, 10e s.), du Kerala et du Sri Lanka (9e-17e s.), quelques beaux exemples de l'art khmer (*Vishnu* en grès du 10e s.), ainsi que la plus importante collection de bronzes Chola en dehors de l'Inde. Des **sculptures** de toutes époques, dont une copie du *Penseur* (1880) et des *Bourgeois de Calais* de Rodin, mais aussi des œuvres de Maillol et Henry Moore, sont par ailleurs disséminées à l'extérieur du musée, sur les pelouses et dans l'agréable **jardin fleuri**, inspiré de celui de Monet à Giverny, qui s'organise autour d'un petit étang couvert de nymphéas.

Prenez à droite en sortant du musée, puis encore à droite sur Orange Grove Blvd. la Gamble House se dresse au milieu d'une large pelouse verdoyante à gauche de la route.

Bâtie en 1908 pour David et Mary Gamble (de la firme Procter and Gamble), la **Gamble House**** *(4 Westmoreland Pl., ☎ (626) 793 3334, www.gamblehouse.usc.edu. Visites guidées (1 h) toutes les 20 mn de 12 h à 15 h du jeudi au dimanche. Entrée : 8 $)* est l'un des plus beaux exemples du travail des frères **Charles** et **Henry Greene**, deux célèbres architectes, dont le mouvement *Arts and Crafts* influença beaucoup l'architecture américaine du 20ᵉ s. (*voir p. 39*). Plus d'une douzaine d'essences de bois, parmi les plus rares (cèdre, séquoia, acajou, teck de Birmanie, érable, pin douglas, ébène, chêne…), ont été utilisées pour permettre à cette demeure exceptionnelle de s'intégrer parfaitement à l'environnement. Aucun détail n'est ici laissé au hasard, dans l'agencement extérieur comme dans la décoration intérieure, pièces en bois ouvragé et mobilier témoignant d'un extrême raffinement.

Reprenez Orange Grove Blvd vers le sud.

Orange Grove Boulevard a été surnommé **The Millionaire's Row** (la rue des Millionnaires), en raison des nombreuses demeures luxueuses qui le bordent. Parmi celles-ci, **Tournament House** (*391 S. Orange Grove Blvd*, ☎ *(626) 449 4100. Visite guidée de la maison le jeudi de 14h à 16h*), construite en 1906, appartenait à l'industriel William Wrigley, Jr., magnat du chewing-gum. Elle abrite l'association chargée de l'organisation de la **Rose Parade**. Admirez surtout son superbe **jardin** qui ne compte pas moins de 1500 variétés différentes de roses (*un plan est disponible dans les bureaux situés à l'arrière de la maison. Attention, il n'y a pas de fleurs de février à avril*).

Poursuivez sur Orange Grove Blvd et tournez à gauche dans California Blvd. 3 miles plus loin, prenez à droite dans Allen Ave. pour rejoindre l'entrée de la bibliothèque Huntington.

Bibliothèque Huntington, collections d'art et jardins botaniques***
1151 Oxford Rd; autre entrée sur Orlando Rd, à l'intersection d'Allen Ave. ☎ *(626) 405 2100, www.huntington.org. Mardi-vendredi 12h-16h30/10h30-16h30 de Memorial Day à Labor Day, samedi-dimanche 10h30-16h30. Entrée : 8,50 $, mais gratuite le premier jeudi de chaque mois. Parking gratuit. Comptez une demi-journée.*

L'homme d'affaires Henry E. Huntington, neveu de Collis P. Huntington (l'un des « Big Four », copropriétaire de la Central Pacific Railroad), était un féru d'art, de lecture et de botanique. Les œuvres remarquables qu'il a acquises au cours de sa vie sont rassemblées au sein de la fondation qu'il créa en 1919.

La **bibliothèque**, l'une des plus importantes des États-Unis, est consacrée à la littérature et à l'histoire anglo-américaines. Elle renferme une collection exceptionnelle de **livres rares**, de lettres, de dessins, de cartes et de **manuscrits enluminés**, parmi lesquels une bible de Gutenberg (1430) imprimée sur vélin, les premières éditions de certaines œuvres de Shakespeare (*Beaucoup de bruit pour rien*, 1600; *Henry IV*, 1599), la première édition d'*Ulysse* (1922) de J. Joyce, ainsi qu'une édition grand format des *Oiseaux d'Amérique* de J. J. Audubon, en quatre volumes.

Les collections d'art sont disséminées dans trois bâtiments : la **Huntington Art Gallery**, aménagée dans la demeure de style Beaux-Arts où résidait la famille Huntington, accueille une collection d'**arts britannique et français** du 18ᵉ s. et du 19ᵉ s., dont le célèbre *Blue Boy* (1770) de Thomas Gainsborough et *Pinkie* (1795) de Thomas Lawrence, ainsi que des toiles de Joshua Reynolds et George Romney. Le musée **Virginia Steel Scott** se consacre à la **peinture américaine** du 18ᵉ et du 19ᵉ s., avec des œuvres de John Singer Sargent (*Mrs William Playfair*, 1887), Mary Cassatt (*Petit-déjeuner au lit*, 1897) et Gilbert Stuart (*George Washington*), ainsi qu'une exposition consacrée aux créations des architectes Charles S. et Henry M. Greene et au mouvement *Arts and Crafts*. L'**aile ouest de la bibliothèque** est dédiée à la mémoire d'Arabella Huntington, la seconde épouse d'Henry Huntington, avec qui il partageait sa passion pour l'art. Elle abrite des peintures italiennes et flamandes de la Renaissance (15ᵉ-16ᵉ s.), dont une *Vierge à l'Enfant* de Roger van der Weyden, des sculptures et du mobilier français du 18ᵉ s. (un superbe buste de Houdon), et une très belle collection de porcelaines de Sèvres (18ᵉ s.).

Prenez le temps de flâner dans les magnifiques **jardins botaniques**, aménagés sur plus de 50 ha. Ils comptent 15000 variétés de plantes différentes, disséminées dans 12 jardins thématiques. Ne manquez pas surtout son superbe **jardin du désert** et sa vaste collection de cactus et plantes grasses, le jardins des camélias, des nénuphars, le très zen jardin japonais, le plus exubérant jardin tropical, le jardin australien, mais aussi le jardin des Fines Herbes, la Jungle, la Roseraie et la Palmeraie…

ARRIVER-PARTIR

En avion – LAX, l'aéroport de Los Angeles (www.lawa.org), est situé au sud-ouest de l'agglomération, près du littoral, à 17 miles de Downtown (Plan I). Vous trouverez à l'extérieur du terminal, à l'arrêt « LAX shuttle », des navettes gratuites qui assurent la liaison vers les terminaux de bus (lettre C) et la station de métro « Aviation Station » sur la ligne verte (lettre G). Pour prendre une navette affrétée par une compagnie de location de voitures (elles sont toutes situées à l'extérieur de l'aéroport) ou un hôtel, attendez sous le panneau « Tram Stop ». L'arrêt « Van Stop » est réservé aux compagnies de minibus-taxis, qui sont à partager avec d'autres passagers (les trois principales sont Prime Time, Super Shuttle et X-Press). En cas de problème dans l'aéroport, composez le (310) 646 2270. Reportez-vous au quartier qui vous intéresse pour des indications plus précises d'itinéraires.

En train – Union Station, 800 N. Alameda St., au nord de Downtown, est la principale gare ferroviaire de la ville (Plan II E2). **Amtrak** (www.amtrak.com) propose des trains à destination de San Francisco (10 h-12 h), San Diego (3 h), Flagstaff (11 h 30), Tucson (11 h) et Albuquerque (17 h).

En bus – La compagnie **Greyhound** (www.greyhound.com) dispose de deux gares à Los Angeles. La principale est située à l'est de Downtown, au croisement avec Alameda Ave., dans un quartier industriel peu engageant : 1716 E. 7th St., ☎ (213) 629 8401 (Plan II C3). Des taxis (6 $) ou le bus 60 vous conduiront au cœur de Downtown. À Hollywood, la gare se trouve au 1715 N. Cahuenga Blvd (Plan III), ☎ (323) 466 6382 / 1-800 231 2222. Préférez cette dernière, car le quartier est plus avenant et vous pouvez rejoindre à pied les auberges de jeunesse et les hôtels du quartier. Des bus relient les deux gares tout au long de la journée (30 mn, 7 $). Nombreux départs quotidiens pour San Francisco (7 h-8 h), San Diego (2 h 30-4 h 35), Las Vegas (5 h 15-8 h 35), Flagstaff (11 h 30-12 h), Albuquerque (18 h-19 h), Phoenix (6 h 35-9 h 20), Tucson (10 h-12 h).

Location de voitures – Vous obtiendrez les meilleurs prix en louant votre véhicule à l'aéroport (voir ci-dessus). **Avis**, ☎ (310) 646 5600 / 1-800 331 1212 ; **Dollar**, ☎ (310) 645 9333 / 1-800 800 4 000 ; **Enterprise**, ☎ (310) 649 5411 ; **Hertz**, ☎ 1-800 654 3131 ; **National**, ☎ (310) 417 8240 ; **Trifty**, ☎ (310) 645 1880.

COMMENT CIRCULER

En voiture – La voiture est sans conteste le moyen de locomotion le plus approprié, à condition de vous munir d'un bon plan de la ville. La circulation est dense aux heures de pointe sur les 527 miles d'autoroutes qui sillonnent l'agglomération, mais vous pouvez emprunter les voies de gauche (« Car Pool »), plus rapides, si vous transportez au moins un passager. L'autre difficulté consiste à se garer, mais la ville comporte de nombreux parkings. Attention, « public parking » (par opposition à « private parking ») signifie que ce parking est ouvert à tous, mais il est payant. Veillez à rester en règle, car les contrôles sont fréquents et la compagnie de location de voitures débitera directement votre compte si vous omettez de payer une amende. De même, prêtez attention aux panneaux indiquant les jours et heures de nettoyage de la rue, pendant lesquels les plages de parking autorisées sont restreintes.

En bus – MTA, l'organisme de transports publics de Los Angeles (www.mta.net), possède un réseau de bus assez développé, mais lent. Un trajet coûte 1,35 $ (supplément de 0,25 $ si vous effectuez un changement). Dans Santa Monica, préférez les **Big Blue Bus** (www.bigbluebus.com) qui sont particulièrement performants. Ils desservent également l'aéroport, Downtown L.A. et le Getty Center. Le prix du billet est de 0,50 $ et de 1,25 $ pour l'express (ligne 10). Procurez-vous les plans et horaires des lignes dans les offices de tourisme et prévoyez toujours la monnaie exacte. Downtown et Hollywood sont desservis par les **bus DASH** (www.la dottransit.com). Comptez 0,25$. Reportez-vous à ces deux quartiers pour plus de détails.

En métro – Trois lignes de métro se partagent le territoire de Los Angeles (www.mta.net) sans le couvrir complètement. La ligne rouge relie Downtown à North Hollywood (San Fernando Valley). La ligne bleue part de Downtown pour rejoindre Long Beach, et la ligne verte dessert Redondo Beach, l'aéroport et Norwalk. Le métro fonctionne de 5 h à 23 h. Le prix du billet est de 1,35 $ (supplément de 0,25 $ si vous effectuez un changement).

En taxi – Vous pouvez contacter **United Independent Taxi Drivers**, ☎ (213) 462 1088, Fax (213) 462 7664, ou **Independent Taxi Company**, ☎ (323) 666 0040, Fax (323) 666 9180. Pour se rendre à l'aéroport et à Hollywood, il existe également **Yellow Cab Company**, ☎ (310) 715 1968 / 1-888 793 5569, Fax (310) 327 1703. Attention, à l'aéroport, seuls les taxis marqués du logo officiel « City of Angeles » sont autorisés. Comptez 1,90 $ de base de départ puis environ 1,80 $ par mile parcouru.

Où loger à Los Angeles

Mieux vaut disposer d'un véhicule pour se déplacer dans Los Angeles mais, dans le cas contraire, il est préférable de résider dans Downtown ou à Hollywood, desservis par le métro, ou à Venice et à Santa Monica, facilement accessibles en bus depuis l'aéroport. Même en voiture, les trajets sont longs, voire interminables aux heures de pointe, aussi privilégiez un hébergement dans le ou les quartiers que vous comptez visiter. Pensez que Downtown, bien que pratique car central, est un quartier d'affaires et se vide le soir venu. Les noctambules apprécieront davantage Venice, Santa Monica ou Hollywood.

Adresses utiles

Consulats – **France**, 10990 Wilshire Blvd, Suite 300, L.A. 90024, ☎ (310) 235 3200, Fax (310) 479 4813. **Belgique**, 6100 Wilshire Blvd, Suite

1200, L.A. 90048, ☎ (323) 857 1244, Fax (323) 936 2564. **Suisse**, 11766 Wilshire Blvd, Suite 1400, L.A. 90025, ☎ (310) 575 1145, Fax (310) 575 1982. **Canada**, 550 S. Hope St., 9th Floor, L.A. 90071, ☎ (213) 346 2700, Fax (213) 346 2767.

Sécurité – Los Angeles est réputée dangereuse, mais, comme dans toute grande ville il suffit de faire preuve de bon sens et d'un minimum de prudence. Préparez soigneusement vos itinéraires afin d'éviter de vous aventurer hors des quartiers touristiques.

Achats

• Beverly Hills (Plan I)
Réputée pour son luxe tapageur, la petite ville de Beverley Hills est située à quelques miles à l'ouest de Hollywood. Facilement accessible par Santa Monica Blvd, le cœur commerçant de Beverly Hills couvre un triangle délimité par Santa Monica Blvd au nord, Wilshire Blvd au sud et Rexford Drive à l'est. Son artère la plus célèbre, **Rodeo Drive**, est une voie piétonne bordée d'enseignes aussi prestigieuses que Cartier, Charles Jourdan, Gianni Versace, Gucci, Lalique, Prada pour ne citer qu'elles. Des parkings proposent 2 h de stationnement gratuit (245 N. Beverly Dr. ; 9510 Brighton Way ; 440 N. Camden Dr.).

• Santa Monica (Plan IV)
Cette station balnéaire est devenu un lieu très à la mode pour faire son shopping. Bordée de palmiers et de terrasses, **Montana Avenue** (entre 7th St. et 17th St.) regroupe quelques boutiques de grand luxe et des adresses très « confidentielles » qui ne sont pas sans déplaire aux stars qui, dit-on, affectionnent ce cadre paisible pour y faire leurs emplettes. Vous trouverez également des boutiques et des galeries intéressantes le long de **Third Street Promenade**, au **Santa Monica Place** et sur **Main Street**. **Bergamot Station**, 2525 Michigan Ave., au niveau de 26th Ave., près du croisement entre Olympic Blvd et Cloverfield Blvd (Big Blue Bus n°5, 7 et 11). Renseignements sur www.bergamotstation. com. Horaires variables selon les galeries (généralement 10h-18h) ; certaines ferment le lundi et le dimanche. Une trentaine de galeries d'art contemporain voi-

sinent sous de grands hangars et proposent peintures, sculptures, photographies, collages, mobilier ou installations. Profitez-en pour visiter le **Santa Monica Museum of Art**, connu pour ses expositions aux thèmes audacieux. ☎ (310) 586 6488, www.smmoa.org. Mardi-samedi 11h-18h, dimanche 12h-17h. Entrée libre.

FÊTES / FESTIVALS

Tournament of Roses : Le 1 et 2 janvier, à Pasadena. La parade des roses est l'un des grands événements du début d'année. Renseignements au ☎ (626) 795 4171.

Marathon de Los Angeles : ce grand rendez-vous sportif se déroule chaque année en mars. Renseignements au ☎ (310) 444 5544, www.lamarathon.com.

Cinco de Mayo Celebration : le premier week-end de mai. Animations festives dans Olvera Street. Onformations au ☎ (213) 624 3660.

Venice Art Walk : à la mi-mai. Visite des ateliers de Venice Beach. Renseignements au ☎ (310) 392 9255.

Nisei Week : du 1er au 15 août. Festival japonais dans Little Tokyo. ☎ (213) 687 7193.

Long Beach Blues Festival : le week-end du Labor Day, ☎ (562) 985 5566.

Hollywood Christmas Parade : le dernier dimanche de novembre ou le premier dimanche de décembre. Parade de stars sur Hollywood Blvd. ☎ (323) 469 2337.

Las Posadas : à la mi-décembre. Procession familiale dans Olvera Street.

EXCURSIONS D'UNE JOURNÉE

Josuah Tree National Park – À 140 miles à l'est de Los Angeles par l'I-10 et la Hwy 62. Oasis Visitor Center (au nord), tlj 8h-17h. Cottonwood Visitor Center (au sud), tlj 8h-16h. ☎ (760) 367 5500, www.nps.gov/jotr. Entrée : 10$. Ce vaste parc abrite de surprenantes forêts de Josuah Trees («Yucca brevifolia») (voir p. 19). De la Hwy 62, Park Blvd fait une boucle au nord-ouest du parc et rejoint Pinto Basin Rd qui traverse le parc du nord au sud, où elle rallie l'I-10.

Mission San Luis del Rey – La mission est située à 85 miles au sud de Los Angeles, sur la Hwy 76 (Mission Ave.), entre l'I-5 et l'I-15. Pour les détails, voir p. 310.

Downtown Los Angeles pratique

ARRIVER-PARTIR

En voiture – Pour rejoindre Downtown depuis l'aéroport, prenez l'I-105 puis l'I-110 N., sortez à 9th St., et remontez Figueroa St.

En métro – Une navette gratuite (ligne G) vous conduit de l'aéroport à la station LAX d'où il vous faut prendre la ligne verte en direction de Norwalk. Changez à Imperial/Wilmington/Rosa Parks et empruntez la ligne bleue jusqu'à 7th Street/Metro Center. De la gare ferroviaire d'Union Station, vous êtes à quatre stations de métro de 7th Street/Metro Center.

En bus – Pour gagner le centre depuis la gare routière Greyhound, vous pouvez prendre le bus n° 60 ou un taxi (6$ environ).

ADRESSES UTILES

Office de tourisme – **Visitor Center Information**, 685 Figueroa St., entre Wilshire Blvd et 7th St., face à la station de métro 7th Street/Metro Center (Plan II B3), ☎ (213) 689 8822, Fax (213) 624 1992, www.downtownla.com. Lundi-vendredi 8h-17h, samedi 8h30-17h. Renseignez-vous pour tous les quartiers que vous souhaitez visiter, notamment Venice et Santa Monica qui n'ont pas de bureaux d'information.

Banque / Change – **Bank of America**, 525 S. Flower St. (Plan II B3), ☎ (213)

312 9000. Lundi-vendredi 9 h-17 h. Une agence est ouverte le samedi au 550 S. Hill St. (Plan II B3). Lundi-vendredi 9 h-18 h, samedi 9 h-14 h. Distributeurs automatiques 24 h/24 au 660 S. Figueroa St.

Poste – MCI Center, 750 W. 7th St. (Plan II B3). Lundi-vendredi 8 h 30-17 h 30.

OÙ LOGER (Plan II)

De 60 à 80 $

Inntown Motel, 913 S. Figueroa St., ☎ (213) 628 2222, Fax (213) 623 1350, inntownla@prodigy.net – 170 ch. ⌧🖵 ♪ TV ⌧ CC Un motel fonctionnel et économique, avec de vastes chambres, où descendent principalement les grossistes venus s'approvisionner en vêtements dans Fashion District..

Milner Hotel, 813 S. Flower St., ☎ (213) 623 6981 / 1-800 827 0411, Fax (213) 623 9751 – 177 ch. ⌧🖵 ♪ TV ✕ CC Un grand hôtel à la mine défraîchie, mais à l'accueil professionnel, en plein cœur de Downtown. Petit-déjeuner compris.

Metro Plaza Hotel, 711 N. Main St. ☎ (213) 680 0200, Fax (213) 620 0200, www.metroplazahotel.com – 80 ch. ⌧ 🖵 ♪ TV CC Situé au nord d'El Pueblo, non loin de la gare ferroviaire, cet hôtel sans charme particulier est néanmoins impeccable et fonctionnel. Parking gratuit.

De 80 à 100 $

Kawada Hotel, 200 S. Hill St., ☎ (213) 621 4455, Fax (213) 687 4455, www.kawadahotel.com – 116 ch. ⌧🖵 ♪ TV ✕ Bien qu'un peu vieillot et sombre, ce bel hôtel offre un excellent service à des tarifs raisonnables (sauf pendant les périodes de séminaires, renseignez-vous à l'avance). Prix avantageux le week-end et pour les détenteurs d'un billet de train.

🛍 **Figueroa Hotel**, 939 S. Figueroa St., ☎ (213) 627 8971 / 1-800 421 9092, Fax (213) 689 0305, www.figueroahotel.com – 285 ch. ⌧🖵 ♪ TV ⌧ ✕ ☗ CC L'extérieur ne paye guère de mine, mais cet hôtel est décoré avec goût dans le style hispano-mauresque et possède beaucoup de caractère. Chambres agréables avec un beau mobilier en bois et de larges tentures aux murs. Grande terrasse verdoyante où trône la piscine.

OÙ SE RESTAURER

De 5 à 10 $

🍴 **Grand Central Market**, 317 S. Broadway (Plan II C3). Tlj 9 h-18 h. Marché couvert où vous attendent de savoureux plats mexicains et asiatiques à petit prix, à déguster sur les tables de Market Court (à l'extérieur).

Philippe's, 1001 N. Alameda St., à la lisière de Chinatown (Plan II D1), ☎ (213) 628 3781. Tlj 6 h-22 h. Une adresse « historique » puisque c'est Philippe qui inventa le fameux « French Dip » sandwich en 1918, après la chute fortuite d'un bout de pain dans la poêle à viande. Depuis, plus de 3500 clients viennent chaque jour déguster cette spécialité dans un vaste self à l'ambiance familiale.

🍴 **La Luz Del Dia**, 107 Paseo de la Plaza, à l'entrée d'Olvera St., face à la croix (Plan II D2), ☎ (213) 628 7495. Mardi-dimanche 11 h-21 h. Un restaurant mexicain traditionnel très sympathique, où les femmes préparent les tortillas à la main et où les Mexicains aiment se retrouver le dimanche. Parmi les sept plats proposés, spécialités de porc (« carnitas ») et de salade de cactus (« nopales »).

De 10 à 15 $

De nombreux restaurants japonais se succèdent dans la rue piétonne de la Japanese Village Plaza, dans Little Tokyo. Vous aurez l'embarras du choix (10 h-20 h). À noter :

Oiwake, 122 Japanese Village Plaza, en haut des escaliers (Plan II D3), ☎ (213) 628 2678. Dimanche-jeudi 8 h-minuit, vendredi-samedi 8 h-2 h. Karaoké.

Flower Street Cafe Sports Bar, 615 S. Flower St. (Plan II B3), ☎ (213) 623 47777. Lundi-vendredi 6 h 30-21 h 30. Un « bar des sports » un peu atypique puisque la décoration fleurie, dans les tons pastel, fait plutôt penser à un salon de thé… avec écran de télévision ! Grand choix de plats simples (soupes, salades, burgers, pâtes, sandwiches).

De 15 à 20 $

La Golondrina, 17 Olvera St. (Plan II D2), ☎ (213) 628 4349. Tlj 9 h 30-21 h 30. Menu mexicain arrangé à la sauce américaine, dans un cadre dépaysant, au cœur d'El Pueblo. Musique live le vendredi soir.

McCormick & Schmicks, 633 W. 5th St., à droite en descendant les marches de Bunker Hill (Plan II B3), ☎ (213) 629 1929. Lundi-vendredi 11 h-22 h, samedi-dimanche 16 h 30-21 h 30. Cet élégant restaurant à l'atmosphère feutrée propose un large choix de fruits de mer.

Hollywood pratique

ARRIVER-PARTIR

En voiture – Hollywood est situé au nord-ouest de Downtown. De l'aéroport, empruntez l'I-105 pour rejoindre l'I-405 puis l'US-101 N. (Hollywood Frwy) et sortez à Hollywood Blvd.

En métro – Deux stations de métro (ligne rouge) desservent le quartier : Hollywood & Vine et Hollywood & Highland.

ADRESSES UTILES

Office de tourisme – Jane's House, 6541 Hollywood Blvd, ☎ (213) 624 8822. Lundi-samedi 9 h-12 h/14 h-17 h. Le Visitor Center est situé dans une maison victorienne, au fond d'une allée piétonne. Brochures, plans et horaires des lignes de bus, coupons de réduction pour les attractions et les hébergements. Français parlé.

Banque / Change – Bank of America, 6300 Sunset Blvd, à l'angle de Vine St., ☎ (323) 730 9140. Lundi-vendredi 9 h-18 h, samedi 9 h-14 h. Distributeurs automatiques 24 h/24 au Roosevelt Hotel et au 7050 Hollywood Blvd.

Poste – 1615 Wilcox Ave. Lundi-vendredi 8 h 30-17 h 30, samedi 8 h 30-15 h 30.

OÙ LOGER (Plan III)

Moins de 20 $ par personne

Pour les auberges de jeunesse, on peut venir vous chercher à l'aéroport ou à la gare si vous prévenez à l'avance (service gratuit si vous restez plusieurs nuits). Peu éloignées l'une de l'autre, elles voisinent avec la station de métro Hollywood & Highland.

Student Inn International Hostel, 7038 1/2 Hollywood Blvd, ☎ (213) 469 6781 / 1-800 557 7038, www.studentinn.com – 50 lits ⌨ CC Très bien située, en face du Hollywood Entertainment Museum, cette petite auberge un peu défraîchie se rattrape par un accueil chaleureux. Dortoirs de 4 ou 6 lits et 2 chambres doubles (35 $). Casiers et petit-déjeuner gratuits. Cuisine, salle TV, téléphones et accès Internet. Réservez par e-mail deux semaines à l'avance.

Hollywood International Hostel, 6820 Hollywood Blvd, entrée un peu en retrait, à côté de « Budget », ☎ (323) 463 0797 / 1-800 750 6561, hollywoodintlhostel@travelbase.com – 160 lits CC Cette auberge impeccable et très claire dispose de dortoirs de 4 ou 6 lits, de 6 chambres doubles (40 $), de deux grandes salles de bains et d'une belle salle commune avec télévision. Petit-déjeuner gratuit. Cuisine, casiers, laverie, accès Internet. Renseignez-vous sur les circuits organisés.

De 40 à 60 $

Hollywood Best Inn, 1822 N. Cahuenga Blvd, ☎ (323) 467 2252, Fax (323) 465 8316 – 23 ch. ⌨ ▤ ℘ TV CC Un petit motel très central dont les chambres ont été rénovées. Pratique si vous voyagez en voiture, car il dispose d'un parking gratuit.

Hollywood La Brea Motel, 7110 Hollywood Blvd, ☎ (323) 876 8000, Fax (323) 874 6490 – 42 ch. ⌨ ▤ ℘ TV CC À l'ouest du croisement de Hollywood Blvd et de La Brea Ave., ce motel rose et bleu sur deux étages propose des chambres propres. Petit-déjeuner et parking gratuits. Jacuzzi à l'extérieur.

Hollywood pratique

Hollywood 7 Star Motel, 1730 N. La Brea Ave., ☎ (323) 850 0831 / 876 2714, Fax (323) 874 6671 – 30 ch. 🍽️ 📺 ♪ 📺 ♨️ CC Un vieux motel à la décoration un peu kitsch, mais les chambres sont impeccables. Parking gratuit.

Motel 6, 1738 N. Whitley Ave., ☎ (323) 464 6006, Fax (323) 464 4645 – 125 ch. 🍽️ 📺 ♪ 📺 CC Le motel est bien placé, au cœur de Hollywood. Parking couvert surveillé.

De 60 à 80 $

😷 **Hollywood Orchid Suites**, 1753 N. Orchid Ave., ☎ (323) 874 9678 / 1-800 537 3052, Fax (323) 874 9931, www.orchidsuites.com – 35 ch. 🍽️ 📺 ♪ 📺 ♨️ CC Grandes chambres modernes et fleuries, comprenant presque toutes une kitchenette. Bon petit-déjeuner et parking gratuits. Laverie.

😷 **Highland Gardens Hotel**, 7047 Franklin Ave., ☎ (323) 850 0536, Fax (323) 850 1712, www.highlandgardenshotel.com – 80 ch. 🍽️ 📺 ♪ 📺 ♨️ CC Cet hôtel bien entretenu s'organise autour d'une cour centrale très verdoyante où trône la piscine. Petit-déjeuner, Internet et parking gratuits. Laverie.

De 80 à 100 $

Magic Hotel, 7025 Franklin Ave., à l'angle d'Orange Ave., ☎ (323) 851 0800 / 1-800 741 4915, Fax (323) 851 4926, www.magichotel.com – 44 ch. 🍽️ 📺 ♪ 📺 ♨️ CC Bel hôtel rénové à l'accueil très professionnel, dont les chambres entourent la piscine centrale. Une dizaine de chambres à 69 $. N'hésitez pas à négocier le prix des suites si vous êtes plus de deux personnes. Parking gratuit et laverie.

Plus de 100 $

Hollywood Roosevelt Hotel, 7000 Hollywood Blvd, ☎ (323) 466 7000 / 1-800 950 7667, Fax (323) 462 8056, www.hollywoodroosevelt.com – 350 ch. 🍽️ 📺 ♪ 📺 ✕ ♨️ CC Ce superbe hôtel construit en 1927 propose des chambres et un service qui se veulent à la hauteur de ce lieu prestigieux, même si la clientèle n'est plus triée sur le volet.

😷 **The Secret Garden B & B**, 8039 Selma Ave., ☎ (323) 656 8111 – 5 ch. 🍽️ ♪ 📺 CC À 5 mn à pied de Sunset Strip, tout près du croisement de Sunset Blvd et de Laurel Canyon, cette belle villa, plantée au milieu d'un opulent jardin, est une oasis de tranquillité en plein cœur de Hollywood : un immense salon envahi d'objets et d'antiquités chinées au fil des ans, une atmosphère conviviale et décontractée, des chambres exactement comme chez soi et, surtout, l'accueil du propriétaire, Raymond, et de son compagnon, qui vous concocteront un somptueux petit-déjeuner et seront aux petits soins pour vous… Détail d'importance : les deux chats qui règnent sur le foyer font partie de la famille ! Parking à disposition.

OÙ SE RESTAURER

Les établissements de restauration rapide ne manquent pas le long de Hollywood Blvd, mais quelques adresses sortent un peu du lot.

De 15 à 20 $

Miceli's, 1646 N. Las Palmas, ☎ (323) 466 3438, non loin de Hollywood Blvd. Tlj 16 h-23 h. Ambiance et déco italiennes pour ce restaurant où l'on déguste les grands classiques de la « cucina italiana ». Animation musicale la plupart des soirs.

De 20 à 30 $

Musso & Franck Grill, 6667 Hollywood Blvd, ☎ (323) 467 7788. Mardi-samedi 11 h-23 h. Le plus vieux « bistro » de Hollywood est une adresse incontournable. Il dispose de deux salles à l'atmosphère feutrée et propose une cuisine américaine traditionnelle, avec de bons plats de viande.

Moun of Tunis, 7445 _ Sunset Blvd, juste après Gardner, sur la droite, ☎ (323) 874 3333. Tlj pour le dîner uniquement. Pour déguster un couscous de qualité au son des sequins des danseuses du ventre, dans un remarquable décor nord-africain.

OÙ SORTIR, OÙ BOIRE UN VERRE

Knitting Factory Hollywood, 7021 Hollywood Blvd (entrée dans Sycamore Ave.), ☎ (323) 463 0204. Tlj 11 h-2 h. Bar et restaurant en sous-sol, avec deux salles de concerts à l'arrière. Cet établissement sophistiqué dispose par ailleurs d'une dizaine d'accès Internet gratuits et très rapides.

ARRIVER-PARTIR

En voiture – Empruntez l'I-405 pour rejoindre la Hwy 187 W. qui devient Venice Blvd et conduit au front de mer. Vous pouvez vous garer au Venice Beach Parking (gratuit, 5h-23h), dont l'entrée se trouve à gauche dans Venice Blvd N., peu après Riviera Dell Ave. Les parkings situés près du front de mer sont payants (3$), mais vous pouvez stationner gratuitement dans les rues qui partent du rond-point à l'est de Windward Ave.

En bus – De l'aéroport, des navettes gratuites (ligne C) vous déposent au terminal de bus. De là, prenez le bus n° 3 de la compagnie Big Blue Bus, puis changez au niveau de Venice Blvd pour le n° 2 qui mène directement à Venice (comptez 1h, demandez un billet avec « transfer »). La course coûte environ 30$ en taxi et 20$ en « shuttle ».

De la gare ferroviaire, le bus n° 10 de la compagnie Big Blue Bus vous conduit à Santa Monica, d'où le bus n° 2 rejoint Venice (comptez 1h30, billet avec « transfer »).

ADRESSES UTILES

Office de tourisme – Venice ne possède plus de Visitor Center, mais vous pouvez contacter le ☎ (310) 396 7016, www.venice.net et www.westland.net/venice.

Banque / Change – *Bank of America*, 121 Windward Ave. (Plan IV B4), ☎ (310) 247 2080. Lundi-vendredi 9h-18h, samedi 9h-14h.

Poste – 1601 Main St., sur la Kinney Plaza (Plan IV B4). Lundi-vendredi 8h30-17h30, samedi 9h-15h.

OÙ LOGER (Plan IV)

Beaucoup moins cossue que Santa Monica, Venice n'offre qu'un choix restreint d'hébergements. Elle abrite une foule interlope et il est recommandé de ne pas s'aventurer tout seul dans les coins déserts à la nuit tombée.

Moins de 20$ par personne

🕭 **Venice Beach Cotel**, 25 Windward Ave., ☎ (310) 399 7649, Fax (310) 399 1930, www.venicebeachcotel. com – 80 lits **CC** Une auberge de jeunesse sympathique où l'on est un peu à l'étroit, mais qui est bien organisée et

très bien située, à deux pas de la plage. 16 chambres privées de 35 à 50$. Coin cuisine, bar et accès Internet.

Venice Beach Hostel, 1515 Pacifiv Ave., ☎ (310) 452 3052, Fax (310) 821 3469, www.caprica.com/venice-beach-hostel – 72 lits ⌁ Dortoirs de 4, 6 ou 10 lits et quelques chambres privées (55$). Beaucoup plus spacieuse que la précédente, avec une belle salle commune et une cuisine, mais une ambiance beaucoup moins sympathique. Laverie, casiers, salle de télévision.

De 60 à 80$

Jolly Roger Hotel, 2904 Washington Blvd, Marina del Rey, ☎ (310) 822 2904 / 1-800 822 2904, Fax (310) 301 9461 – 80 ch. ⌁ 🖭 🖉 TV CC Outre son prix attractif, ce petit motel agréable propose un parking et un petit-déjeuner gratuits.

De 80 à 100$

Cadillac Hotel, 8 Dudley Ave., ☎ (310) 399 8876, Fax (310) 399 4536, www.thecadillachotel.com – 40 ch. ⌁ 🖭 🖉 TV ✕ ⚄ CC Arborant une façade rose et turquoise, l'ancienne auberge de jeunesse est en passe de rénovation afin de retrouver son charme d'hôtel du début de 20e s. Donnant sur la promenade de Venice, l'établissement comporte des petites chambres avec vue, un peu défraîchies mais propres. Parking gratuit, terrasse sur le toit, laverie, accès Internet. 3 chambres de quatre pour 25$ par personne.

Plus de 100$

The Inn at Venice Beach, 327 Washington Blvd, ☎ (310) 821 2557, Fax (310) 827 0289, www.innatvenice-beach.com – 43 ch. ⌁ 🖭 🖉 TV CC Très belles chambres au mobilier de bois clair, décorées avec goût. Certaines donnent sur une jolie cour et celles du troisième étage bénéficient d'une vue sur l'océan, situé à deux rues de là. Petit-déjeuner compris.

Marina Pacific, 1697 Pacific Ave., ☎ (310) 452 1111 / 1-800 421 8151, Fax (310) 452 5479, www.mphotel. com – 88 ch. ⌁ 🖭 🖉 TV CC Un hôtel tout confort situé tout près de la plage. La plupart des chambres possèdent un balcon. Petit-déjeuner gratuit et parking (5$).

Marina International Hotel and Bungalows, 4200 Admiralty Way,

Marina del Rey, ☎ (310) 301 2000, Fax (310) 301 6687, www.marinaintlhotel.com – 135 ch. ⁂ ▤ ✎ ▣ ✗ CC Un grand hôtel au service irréprochable, mais dont les prix sont surévalués compte tenu du cadre un peu vieillot.

OÙ SE RESTAURER
De 5 à 10 $
The Rose, 220 Rose Ave., à l'angle de Main St. (Plan IV B3), ☎ (310) 399 0711. Lundi-samedi 7 h-21 h, dimanche 8 h-17 h. Un vaste espace, où voisinent un snack (pour croquer une salade sur le pouce), un restaurant et une boutique, a été aménagé dans un entrepôt restauré. Ambiance « artistico-jazz » branchée où les gens de coin aiment se donner rendez-vous.
Mao's Kitchen, 1512 Pacific Ave., près de Winward Ave. (Plan IV B4), ☎ (310) 581 8305. Tlj 11 h 30- 22 h 30, vendredi et samedi jusqu'à 3 h. Cantine « populaire » au cadre désuet savamment étudié. Des assiettes copieuses à déguster autour d'une grande tablée.
De 15 à 20 $
Joe's, 1023 Abbot Kinney Blvd (Plan IV B4), ☎ (310) 399 5811. Fermé le lundi. Pour un dîner intime dans un cadre

sophistiqué, ce très joli restaurant est romantique à souhait. Cuisine californienne. Brunch le week-end.
Lilly's et **Fabio**, les deux restaurants voisins, sont deux bonnes adresses également. Le premier est tenu par un Français, tandis que le second propose des spécialités italiennes.
De 20 à 30 $
5 Dudley, 5 Dudley Ave., en face du Cadillac Hotel (Plan IV A3-4), ☎ (310) 399 6678. Un endroit charmant et convivial pour un agréable dîner aux chandelles. La carte est renouvelée toutes les semaines. Bonne carte des vins.

OÙ SORTIR, OÙ BOIRE UN VERRE
☕ **Joni's Coffee Roaster Cafe**, 552 Washington Blvd, Marina del Rey (Plan IV B5). Tlj 6 h-16 h. Des fleurs fraîches sur les tables, une ancienne scène de théâtre, de la musique classique et un excellent café, torréfié sur place. Essayez le muffin au potiron, l'une des spécialités de ce salon de thé très apprécié des habitants.
Van Go's Ear, 796 Main St., à l'angle d'Abbot Kinney Blvd (Plan IV B4), ☎ (310) 314 0022. Tlj 24h/24. Les discussions vont bon train dans ce repaire pour noctambules, aménagé dans une maison aux couleurs vives.

Santa Monica pratique

ARRIVER-PARTIR

En voiture – Empruntez l'I-405 pour rejoindre la Hwy 2 W., qui devient Santa Monica Blvd et conduit directement au front de mer.

En bus – De l'aéroport, des navettes gratuites (ligne C) mènent au terminal de bus, d'où vous pouvez prendre le bus n° 3 de la compagnie Big Blue Bus pour Santa Monica (comptez 1 h). La course coûte 30 $ en taxi et 20 $ en « shuttle ». De la gare ferroviaire, le bus n° 10 de la compagnie Big Blue Bus conduit également à Santa Monica.

ADRESSES UTILES

Office de tourisme – Visitor Center, 1400 Ocean Ave. (Plan IV A1), ☎ (310)

393 7593, www.santamonica.com. Tlj 10 h-16 h. Bureau aménagé dans une minuscule baraque en bois blanc, sur le front de mer, sur la gauche quand vous venez de Santa Monica Blvd, face au Georgian Hotel.

Banque / Change – Bank of America, 1301 4th St. (Plan IV A1), ☎ (310) 247 2080. Lundi-vendredi 9 h-18 h, samedi 9 h-14 h.

Poste – Post Office, 1248 5th St. (Plan IV A1). Lundi-vendredi 9 h-18 h, samedi 9 h-15 h.

OÙ LOGER (Plan IV)
En dehors de la pleine saison (printemps et été), comptez sur une baisse significative des prix, qui demeurent relativement élevés le reste de l'année.

De 20 à 40 $ par personne

Santa Monica Hostelling International, 1436 2nd St., ☎ (310) 393 9913, Fax (310) 393 1769, www.hilosangeles.org – 228 lits. Organisée comme un vrai village, cette auberge colorée et impeccable n'en finit pas de s'aménager. Chambres de 4, 6 ou 8 lits, un peu plus chères pour les non-membres. Belle cuisine, salle commune, salon de télévision et nombreuses activités proposées.

De 60 à 80 $

Seaview Motel, 1760 Ocean Ave., ☎ (310) 393 6711, Fax (310) 458 6685 – 17 ch. ⚑ 🖳 📺 CC Ce petit motel économique et sympathique ne paye pas de mine, mais ses chambres, un peu vieillottes, donnent sur une cour verdoyante.

Pacific Sands Motel, 1515 Ocean Ave., ☎ (310) 395 6133, Fax (310) 395 7206 – 57 ch. ⚑ 🖳 🖉 📺 ⬛ CC Un grand motel impeccable bien qu'un peu défraîchi.

De 80 à 100 $

Ocean Lodge Hotel, 1667 Ocean Ave., ☎ (310) 451 4146, Fax (310) 393 9621, www.twinnet.com/olhotel – 16 ch. ⚑ 🖳 🖉 📺 CC Un petit motel tout rose et bien entretenu. 15 mn d'accès Internet offertes. Parking gratuit assuré.

🔖 **Sea Shore Motel**, 2637 Main St., ☎ (310) 392 2787, Fax (310) 392 5167, www.seashoremotel.com – 20 ch. ⚑ 🖉 📺 CC Niché en plein cœur de Main St., ce petit motel familial est propre et accueillant. Parking gratuit.

Plus de 150 $

🔖 **Hotel California**, 1670 Ocean Ave., ☎ (310) 393 2363 / 1-866 571 0000, Fax (310) 393 1063, www.hotelca.com – 26 ch. ⚑ 🖳 🖉 📺 CC Située à deux pas de la plage, cette adresse de charme propose de véritables petits appartements, arrangés avec goût dans le style rustique américain et donnant sur des terrasses privatives.

The Georgian Hotel, 1415 Ocean Ave., ☎ (310) 395 9945, Fax (310) 451 3374, www.georgianhotel.com – 84 ch. ⚑ 🖳 🖉 📺 ⬛ CC Avec sa très jolie façade Art déco bleu ciel, cet hôtel est un monument incontournable de

l'avenue et ravira les inconditionnels du luxe à l'ancienne.

OÙ SE RESTAURER

De 5 à 10 $

Philly's Steack, 1551 Ocean Ave., à l'angle de Colorado Ave. (Plan IV A1), ☎ (310) 434 9668. Tlj 10h-21h30. Petite cafétéria à la décoration quelconque, mais vous vous souviendrez de leurs burgers ! Ne vous laissez pas distraire par le McDonald's voisin.

De 15 à 20 $

Border Grill, 1445 4th St. (Plan IV A1), ☎ (310) 451 1655. Mardi-dimanche 11h30-22h. Une cuisine mexicaine inventive, à déguster dans une vaste salle à la décoration colorée.

Renee Courtyard, 522 Wilshire Blvd (Plan IV A1), ☎ (310) 451 9341. On ne soupçonne pas la présence de ce lieu étonnant derrière l'auvent bleu qui cache l'entrée. Ambiance décalée dans une succession de petites cours à la décoration vieillotte, illuminées par de petites loupiotes.

OÙ SORTIR, OÙ BOIRE UN VERRE

Casa del Mar Hotel, 1910 Ocean Way (Plan IV A2), ☎ (310) 581 5533. Ce grand hôtel dispose d'un magnifique hall d'entrée Art déco, feutré et luxueux, agrémenté de mosaïques, de plantes vertes et de bois foncé. Vous pouvez vous attabler devant les grandes baies vitrées donnant sur l'océan pour prendre un verre en fin de journée.

Harvelle's Home of the Blues, 1432 4th St. (Plan IV A1), ☎ (310) 395 1676. Tlj à partir de 20h. Petit club réputé où se produisent des artistes de blues, de R & B et de rock depuis 1931.

Toppers, 1111 2nd St. (Plan IV A1), ☎ (310) 393 8080. Situé au dernier étage du Radisson Hotel, ce bar-restaurant propose un large choix de cocktails, à siroter en profitant de la vue.

The Library Alehouse, 2911 Main St. (Plan IV B3). Une salle tout en longueur, à la décoration sobre, pour déguster l'une des nombreuses bières servies à la pression, dont une cuvée maison.

Santa Monica pratique

SAN DIEGO★★

1,2 million d'hab. – 2,8 millions d'hab. dans le comté de San Diego
132 miles de Los Angeles, 389 miles de Phoenix – Climat méditerranéen
Carte Michelin n° 943 B11 – Voir plan I p. 297, plan II p. 298, plan III p. 303

À ne pas manquer
Se promener sur le front de mer pour admirer la baie et la marina.
La serre et le musée des arts populaires de Balboa Park.
Une soirée conviviale à la terrasse d'un café du Gaslamp Quarter.

Conseils
N'hésitez pas à laisser votre voiture, car le centre se visite facilement à pied.
Attention, certains musées de Balboa Park ferment le lundi.

Baignée de soleil plus de 300 jours par an, bénéficiant d'une situation exceptionnelle à l'extrémité sud de la côte californienne, la deuxième plus grande agglomération de l'État, la septième du pays, surprend par son charme tout provincial et sa douceur de vivre. San Diego est une ville étonnamment plaisante qui, en dépit de son étendue et d'une population cosmopolite en croissance constante, conserve une taille humaine. Les principales curiosités sont finalement rassemblées dans des quartiers très délimités, que l'on parcourt aisément à pied. Si elle doit faire face aux problèmes que connaissent aujourd'hui la plupart des grandes villes, elle offre toutefois une qualité de vie que lui envient beaucoup de métropoles américaines, et ses différents attraits lui valent de figurer parmi les principales destinations touristiques des États-Unis. Siège de la première mission de Californie, elle a su préserver son héritage historique et mettre en valeur son patrimoine et ses richesses culturelles, comme le magnifique parc de Balboa, où voisinent une quinzaine de musées, des salles de spectacle et un grand zoo, ou le site d'Old Town et ses demeures restaurées du 19e s. Les superbes plages qui s'étirent autour de sa large baie protégée font le bonheur des habitants de la région, adeptes de sports nautiques et d'activités de plein air.

La première mission de Californie
En 1542, les Indiens tipais-kumeyaays qui vivaient sur la côte et dans la vallée de San Diego virent débarquer **Juan Rodriguez Cabrillo**, le premier Européen à mettre le pied sur cette terre avant de faire route plus au nord. En 1602, **Sebastián Vizcaíno** fit à son tour escale dans cette baie protégée et la baptisa du nom du saint que l'on fêtait ce jour là, San Diego (Saint Jacques). Aucun campement ne fut toutefois établi avant 1769, date à laquelle la Couronne espagnole organisa « l'expédition sainte » afin d'établir des avant-postes destinés à contrer l'avancée des Russes sur la côte. Une colline, appelée aujourd'hui Presidio Hill, fut choisie pour bâtir la mission et le fort, qui furent bénits par le père **Junípero Serra** et dédiés aussi à San Diego. Contraints de déplacer la mission 5 miles plus à l'est en 1774 pour trouver des terres cultivables, les franciscains tentèrent de convertir les Indiens, qui résistaient avec vigueur et mirent la mission à sac en 1775. Cependant, en 1800, ils étaient près de 1500 convertis à vivre et à travailler aux abords de la mission.

La période mexicaine
Au début du 19e s., certains soldats à la retraite s'installèrent au pied de Presidio Hill, autour d'une place qui devint le centre du village : **Old Town** était née. Sous contrôle mexicain depuis l'accession du Mexique à l'indépendance en 1821, San Diego prospéra grâce au commerce des peaux provenant de l'important bétail hérité des missionnaires. Le trafic maritime lié au transport de ces « billets de banque californiens » se développa rapidement. San Diego se défit alors de son statut militaire pour accéder à celui de *pueblo* (ville) en 1834, mais elle ne comptait que 140 habitants en 1840.

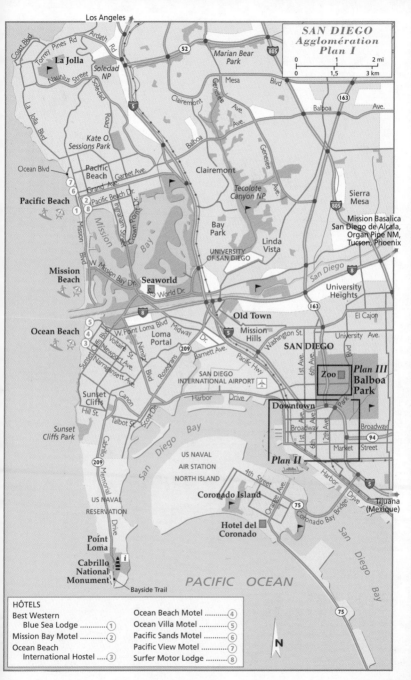

SAN DIEGO
Agglomération
Plan I

0		1		2 mi
0	1,5		3 km	

Los Angeles

Coast Blvd
Torrey Pines Rd
Ardath Rd
52
Marian Bear Park
805

La Jolla
Soledad NP
Nautilus Street
Mesa Blvd
163
Clairemont
Genesee Ave.
Balboa Ave.
La Jolla Blvd

Soledad Road
Kate O. Sessions Park
Balboa Ave.

Ocean Blvd
⑦
⑥
Pacific Beach
Garnet Ave.
Grand Ave.
Clairemont
Tecolote Canyon NP
Genesee Ave.
Sierra Mesa

Pacific Beach
②
①
⑧
Pacific Beach Dr.
Ingraham Street
Crown Point Dr.
Bay Park

Mission Bay
UNIVERSITY OF SAN DIEGO
Linda Vista
Mission Basilica San Diego de Alcala, Organ Pipe NM, Tucson, Phoenix
805

Mission Beach
W. Mission Bay Dr.
Mission Blvd
Seaworld
Sea World Dr.
8
San Diego
I-8
University Heights

Ocean Beach
⑤
④
③
Bacon St
W. Point Loma Blvd
Midway
Loma Portal
Old Town
163
El Cajon

Voltaire St
Nimitz Blvd
Rosecrans
Barnett Ave.
Mission Hills
Washington St.
University Ave.

Sunset Cliffs
Newport Ave.
Narragansett Ave.
Dr.
Pacific Hwy
SAN DIEGO
1st Ave.
6th Ave.
12th Ave.

Canon
Talbot St
Scott Dr.
SAN DIEGO INTERNATIONAL AIRPORT ✈
Harbor Drive
Zoo
Plan III Balboa Park

Sunset Cliffs Park
Hill St.
Cabrillo Memorial Drive
209
San Diego Bay
Downtown
Broadway
1st
6th
12th
Park
Broadway
94

Plan II
Market Street
Harbor Drive
5

US NAVAL AIR STATION NORTH ISLAND
4th Street
Orange Ave.
75
Coronado Bay Bridge Dr.
Tijuana (Mexique)

US NAVAL RESERVATION
Coronado Island

Point Loma
Hotel del Coronado

Cabrillo National Monument
ℹ
Bayside Trail
San Diego Bay

PACIFIC OCEAN

75

N

HÔTELS

Best Western Blue Sea Lodge .... ①	Ocean Beach Motel .... ④
Mission Bay Motel .... ②	Ocean Villa Motel .... ⑤
Ocean Beach International Hostel .... ③	Pacific Sands Motel .... ⑥
	Pacific View Motel .... ⑦
	Surfer Motor Lodge .... ⑧

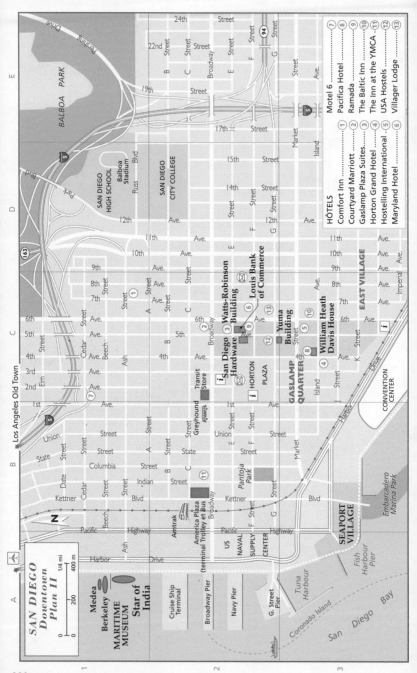

SAN DIEGO
Downtown
Plan II

0   200   400 m
0   1/4 mi

MARITIME MUSEUM
Medea
Berkeley
Star of India

Cruise Ship Terminal
Broadway Pier
Navy Pier
G. Street Pier

Tuna Harbour
Fish Harbour Pier

Coronado Island

San Diego Bay

Embarcadero Marina Park

SEAPORT VILLAGE

CONVENTION CENTER

EAST VILLAGE

GASLAMP QUARTER

William Heath Davis House
Yuma Building
Louis Bank of Commerce
Watts-Robinson Building
San Diego Hardware

HORTON PLAZA

Transit Store
Greyhound
Amtrak
America Plaza (terminal Trolley et Bus)

Pantoja Park

BALBOA PARK

SAN DIEGO HIGH SCHOOL
Balboa Stadium
SAN DIEGO CITY COLLEGE

Los Angeles · Old Town

Pershing Drive

US NAVAL SUPPLY CENTER

298

Sous la bannière étoilée

La Californie passa aux mains des Américains en 1848, mais San Diego, qui ne comptait que 650 habitants en 1850, vivait toujours à l'heure mexicaine. Une poignée d'entrepreneurs, dont **William Heath Davis**, un investisseur de San Francisco, initièrent un projet de développement des terrains qui bordaient le port. Jusqu'alors, San Diego était centrée autour d'Old Town, plus au nord. À partir de 1850, il fit construire quelques bâtiments, dont un entrepôt, des quais et la maison qui porte encore son nom *(voir ci-dessous)*, mais, ruiné, il dut abandonné son projet trois ans plus tard. En 1867, **Alonzo Horton** reprit le flambeau. Il acheta 400 ha de terrain et créa **New Town**. Le feu qui, en 1872, ravagea plusieurs bâtiments d'Old Town sonna définitivement le glas de la suprématie de la vieille ville. Les habitants de San Diego, au nombre de 2300 en 1870, s'installèrent dorénavant dans New Town, qui se para d'élégantes demeures victoriennes. Cette «américanisation» de San Diego s'accéléra d'autant plus après l'arrivée du chemin de fer en 1885, même si Los Angeles restait le nœud principal des communications. À la même époque, un grand nombre de Chinois s'installèrent dans le sud de New Town et une école missionnaire chinoise vit le jour en 1885. La ville continua à se développer, notamment au nord de Market Street et de Broadway, où les commerces s'installèrent peu à peu. La population atteignait 40 000 en 1887.

Une ville militaire

San Diego se distingua par l'organisation de deux **Expositions internationales** en 1915 et 1935 dans Balboa Park *(voir p. 302)*, mais l'activité qui détermina la croissance de la ville est liée à l'**implantation de l'armée**, notamment la marine, qui s'accéléra avec la Première Guerre mondiale et ne cessa de grandir. La population passa de 17 700 habitants en 1900 à 333 865 en 1950. La pureté du ciel qui prévaut la majeure partie de l'année à San Diego permit à l'**aviation** de s'y développer et c'est là que s'implantèrent les premières compagies aériennes, comme Ryan Airlines et Consolidated Aircrafts. La ville attira aussi de grands noms, comme Charles Lindbergh, qui, en 1927, y fit construire le *Spirit of St Louis*, avec lequel il traversera l'Atlantique sans escale. Dans les années d'après-guerre, les ressources municipales provenaient toujours à 78 % des investissements militaires de l'État fédéral à San Diego, mais, grâce à la douceur du climat, une situation exceptionnelle, la richesse culturelle et le développement des infrastructures de la ville, le **tourisme** joua, et jour toujours, un rôle de plus en plus important dans ses ressources et son économie.

Downtown**

Comptez une journée à pied.

Gaslamp Quarter** (Plan II)

Rénové avec brio, Gaslamp Quarter (quartier des Réverbères), en souvenir des becs de gaz qui éclairaient la ville au 19ᵉ s., se compose de 16 pâtés de maisons, compris entre Harbor Drive et Broadway. Avec la crise immobilière survenue à partir de 1888, ce quartier historique jadis très dynamique tomba en décrépitude. Il se transforma peu à peu, hébergeant principalement des établissements de jeu et des maisons de passe. En vue de l'Exposition de 1915, les autorités municipales décidèrent de le «nettoyer» et il perdit alors de sa popularité auprès des marins. Il fallut attendre 1975 pour que ces bâtiments historiques, laissés à l'abandon depuis près de 50 ans, soient enfin restaurés. La plupart des édifices qui subsistent aujourd'hui datent de la fin du 19ᵉ s. et leur architecture victorienne donne une charme tout particulier à ce nouveau **centre urbain**, par ailleurs réputé pour sa vie nocturne et ses nombreux commerces, le long de 5ᵗʰ Avenue. Le cœur historique de Downtown, particulièrement animé le week-end, se découvre aisément à pied. On flâne dans les boutiques et grands magasins du **Horton Plaza**, l'immense *mall* coloré, agrémenté de plaisantes cours et de petites places en plein air où se produisent des artistes de rues. On se promène le long des avenues

San Diego

Un pari un peu fou

Alonzo Horton (1813-1909) est une grande figure de San Diego. Né dans le Connecticut, il vient s'établir en Californie en 1851 pour des raisons de santé. En 1867, il débarque dans la baie et acquiert, pour une somme dérisoire, la majeure partie de ce qui constitue aujourd'hui le centre-ville de San Diego. De retour à San Francisco, il informe sa femme qu'il souhaite céder son commerce de meubles afin de construire une ville. Il vend alors des parcelles de terre et initie le développement de New Town. Malgré l'incrédulité de ses contemporains, il parvient à monter une chambre de commerce et à promouvoir la «nouvelle ville» avec succès.

bordées d'arbres ou on vient chiner chez les antiquaires. Les conversations vont bon train aux terrasses des cafés et, le soir venu, théâtres, restaurants et bars branchés attirent une clientèle plus jeune, faisant du quartier l'un des endroits les plus vivants de la ville.

William Heath Davis House (C3), *une jolie bâtisse en bois blanc entourée d'un petit parc, est la doyenne de Gaslamp Quarter (410 Island Ave., ☎ (619) 233 4692). Visite guidée de la maison (30 mn), mardi-vendredi 11 h-15 h, samedi-dimanche 10 h-16 h. Entrée : 3 $. Le samedi à 11 h et 13 h et le dimanche à 13 h, un guide propose une visite de Gaslamp Quarter au départ de William Heath Davis House. Comptez 2 h. Billet : 8 $).* C'est l'une des dix maisons, commandées par William Heath Davis en 1850, qui furent acheminées depuis la côte Est en passant par le cap Horn. Habitée jusqu'en 1981, elle a été restaurée et aménagée en demeure des années 1850-1880.

Remontez 4th Ave., prenez à droite dans Market St., puis à gauche dans 5th Ave.

5th Avenue★★ (C2-3), l'artère principale de Gaslamp Quarter, compte un grand nombre d'immeubles du 19e s., habilement restaurés, abritant aujourd'hui commerces et restaurants. Ne manquez pas, au n° 631, le **Yuma Building**★★ (1888), à la jolie façade victorienne, qui est le premier édifice en brique de la ville. Au n° 835, la **Louis Bank of Commerce**★★ (1888), premier bâtiment en granit de San Diego, déploie en façade une ornementation typique du renouveau baroque. De l'autre côté de la rue, le magasin **San Diego Hardware**★★, édifié en 1910, abrita une salle de bal jusqu'en 1923, avant de se spécialiser dans la vente d'accessoires de bricolage. Il a conservé son parquet d'origine, ainsi que ses plafonds en métal travaillé. À l'angle d'E Street, le **Watts-Robinson Building**★★ (1913), l'un des premiers gratte-ciel, est représentatif de l'école d'architecture de Chicago. Il domine tout le pâté de maisons et abrite un restaurant qui a tiré parti des beaux espaces intérieurs.

À l'est de 6th Avenue, **East Village** (C-D3) ne fait pas partie de Gaslamp Quarter proprement dit. Longtemps délaissé et fréquenté par de nombreux sans-abri, ce secteur en pleine rénovation est en passe de devenir le nouveau quartier à la mode. Il est notamment fort prisé des artistes qui peuvent louer des lofts à des prix encore raisonnables dans les anciens entrepôts du port. Un immense stade pouvant accueillir 36 000 spectateurs est actuellement en construction.

Promenade le long des quais★

À partir du Convention Center, situé au sud de Gaslamp Quarter, vous pouvez emprunter à pied la promenade qui longe les quais pour rallier le Seaport Village et, plus au nord, le San Diego Maritime Museum.

Non loin du centre-ville, le **Seaport Village** (Plan II B3) rassemble une quinzaine de restaurants et près de 75 boutiques autour de trois places très verdoyantes (849 W. Harbor Drive, ☎ (619) 235 4014, www.spvillage.com. Tlj 10 h-22 h en juillet-août/10 h-21 h le reste de l'année). Quoiqu'un peu surfait, cet agréable centre commercial est un lieu de rendez-vous particulièrement animé le week-end, quand les orchestres de jazz et de rock se succèdent dans le kiosque d'East Plaza (à partir de 12 h) et que les promeneurs improvisent quelques pas de danse.

F. Gohier/EXPLORER-HOA QUI

La marina de San Diego

Le San Diego Maritime Museum★★ (Plan II A1) consiste en trois bateaux amarrés le long des quais (*1306 N. Harbor Drive, ☎ (619) 234 9153, www.sdmaritime.com. Tlj 9h-20h. Billet combiné pour la visite des trois bateaux : 6$*). Le plus ancien, le **Star of India**★★★, est un trois-mâts originaire d'Écosse, construit en 1863. Il effectua plusieurs traversées commerciales vers l'Inde avant de faire 21 fois le tour du monde, pour acheminer notamment des émigrants en Nouvelle-Zélande. À partir de 1900, sa carrière se poursuivit sous les couleurs américaines et le navire fut dépêché de 1906 à 1923 en Alaska pour la pêche du saumon. Depuis 1927, il est amarré dans le port de San Diego, où sa restauration a été achevée en 1976. Vous pouvez arpenter les ponts qui donnent notamment accès aux cabines des passagers, des matelots, du capitaine et du médecin-chirurgien. Les vitrines du bateau exposent maquettes, instruments de musique et outils, et un espace est consacré aux expositions temporaires.

Le **Berkeley**★, un ferry-boat victorien de 1898, a conservé son intérieur d'origine et sa jolie verrière en vitraux sur le pont supérieur. Il a assuré le transport de passagers entre San Francisco et Oakland jusqu'en 1958. Ne manquez pas la salle des machines, très impressionnante. Une exposition de maquettes de bateaux et de peintures maritimes complète la visite.

Le plus petit bateau du musée, le **Medea**, est également le plus récent. Ce joli yacht à vapeur fut construit en 1904 pour un Écossais, avant d'être racheté par la Marine française qui l'utilisa pendant la Première Guerre mondiale. En 1946, il retourna aux mains d'un particulier britannique. Magnifiquement restauré, l'intérieur du bateau, tout en bois, est fermé au public, mais il est possible d'apercevoir la cuisine, le fumoir et la salle à manger, qui conservent leur mobilier d'origine.

Balboa Park★★★ (Plan III)
Comptez une journée.

De Downtown, vous rejoindrez facilement Balboa Park par la Hwy 163 N. (sortie 200). Vous pouvez également prendre le bus 7, au départ du terminal America Plaza (voir p. 310). Entrée libre. Le Visitor Center est situé au cœur du parc, dans la House of Hospitality, Plaza de Panama, ☎ (619) 239 0512, www.balboapark.org. Tlj 9h-16h. Si vous prévoyez de visiter plusieurs musées, vous pouvez acheter un billet combiné (30$), valable une semaine. Attention, certains musées sont fermés le lundi ; en revanche, plusieurs sont gratuits le mardi. Un tramway gratuit circule dans El Prado et rejoint la Pan American Plaza et le parking d'Inspiration Point dans Park Blvd (tlj 8h15-18h30 en été, 9h30-17h30 le reste de l'année).

Véritable poumon de San Diego, Balboa Park s'étire sur 486 ha en plein cœur de la ville. Ce magnifique espace vert fut dédié au public par décret en 1868 et abrite depuis les principaux musées, ainsi qu'un grand nombre d'attractions pouvant satisfaire les goûts de chacun. Mais on ne vient pas ici que pour se cultiver… Les sentiers et allées sillonnant le parc constituent un havre de paix pour les joggers, cyclistes ou adeptes du roller souhaitant s'isoler un peu de l'agitation urbaine. On vient ici en famille profiter d'une végétation luxuriante, pique-niquer sur de vastes pelouses verdoyantes ou se promener le long des larges avenues ombragées, tandis qu'artistes et étudiants en beaux-arts croquent le passant ou s'inspirent de l'extraordinaire variété architecturale des lieux.

D'une exposition à l'autre

En 1915, le parc accueillit l'**Exposition internationale Panama-California**, organisée pour célébrer l'ouverture du canal de Panama. À cette occasion, d'imposants édifices de style colonial espagnol furent construits de part et d'autre d'El Prado, l'axe qui traverse une partie du parc d'ouest en est. Ces monuments remarquables abritent aujourd'hui des musées et des salles de spectacle. Pendant la Première Guerre mondiale, le parc fut investi par l'armée aéronavale américaine, inaugurant ainsi une implantation militaire pérenne à San Diego. Après le départ des militaires, dans les années 1920-1930, les bâtiments du parc durent être restaurés et deux nouveaux édifices furent achevés au nord du Prado : le Museum of Art, dans un style Renaissance espagnole, et le Natural History Museum, plus imposant mais plus sobre. En 1935 fut organisée une seconde Exposition internationale, **California Pacific International**, pour laquelle Balboa Park se dota de nouveaux bâtiments. On développa un nouvel axe, au sud du Prado, autour de la Pan American Plaza. Durant la Seconde Guerre mondiale, l'armée s'installa de nouveau dans le parc et y établit un hôpital, pour accueillir notamment les blessés de Pearl Harbor. En 1948, la restauration des édifices était achevée. Joyau de San Diego, Balboa Park est depuis un pôle culturel de premier ordre.

Visite du parc

L'entrée la plus spectaculaire s'effectue par le **Cabrillo Bridge**, premier pont cantilever à plusieurs arches édifié en Californie. Situé à l'ouest du parc, il mène au **West Gate** (porte ouest), une arche en pierre représentant la jonction des océans Atlantique et Pacifique grâce au canal de Panama.

Vous débouchez sur la **Plaza de California**, à gauche de laquelle se trouve l'entrée du **Museum of Man*** *(tlj 10h-16h30. Entrée : 6 $)*. Il est aménagé dans le **California Building** (1915), un très joli bâtiment en pierre à la façade richement ouvrée, considéré comme l'un des meilleurs exemples du style Renaissance espagnole. Le musée s'ouvre sur un vaste hall, surmonté d'une grande coupole, où sont exposées des stèles

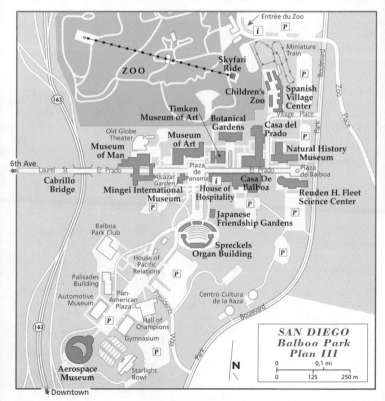

mayas. L'ensemble des collections retrace l'**histoire des premiers hommes** à travers une galerie de l'Évolution et des salles consacrées à l'Égypte ancienne et aux Indiens du sud-ouest des États-Unis. Le musée accueille également de grandes expositions temporaires.

Quittez la Plaza de California vers l'est et remontez El Prado.

Longez **Alcazar Garden** (1915), de superbes jardins paysagers égayés de belles fontaines colorées, pour parvenir au **Mingei International Museum★** (1996), auquel on accède par une galerie couverte *(mardi-dimanche 10 h-16 h. Entrée : 5 $)*. Là, des **objets artisanaux**, traditionnels et contemporains, du monde entier sont présentés à l'occasion d'expositions tournantes dans de vastes espaces éclairés par la lumière naturelle. Au sous-sol du même édifice, le **San Diego Art Institute** *(mardi-samedi 10 h-16 h, dimanche 12 h-16 h. Entrée : 3 $)* expose les œuvres d'artistes locaux contemporains, sélectionnées par un jury toutes les six semaines.

Plus à l'est s'ouvre la **Plaza de Panama**, la grand-place du Prado. Au sud de celle-ci se dresse l'imposante scène en plein air du **Spreckels Organ Building** (1915), où des concerts d'orgue sont donnés gratuitement le dimanche *(14 h-15 h)*. Il côtoie **Japanese Friendship Gardens** *(mardi-dimanche 10 h-16 h. Entrée : 3 $)*, un petit jardin japonais comprenant un pavillon et une mare aux carpes.

Plus au sud encore, la route rejoint la **Pan American Plaza**, autour de laquelle s'élèvent les bâtiments construits pour la seconde Exposition internationale. Le Ford Building (1925) abrite l'**Aerospace Museum★★** *(tlj 10 h-16 h 30. Entrée : 8 $. Les ateliers où sont remis en état les avions peuvent être visités les lundi, mercredi et vendredi. Entrée : 3 $)*. Très vivant et bien documenté, ce vaste musée circulaire est un passage obligé pour les passionnés. Il retrace l'**histoire de l'aviation** depuis ses origines, avec des copies et des modèles grandeur nature.

Revenez sur la Plaza de Panama.

Au nord de la Plaza de Panama, le **Museum of Art★★** (1926) *(mardi-dimanche 10 h-18 h, jeudi jusqu'à 21 h. Entrée : 8 $)* présente une façade richement travaillée, de style platteresque, inspirée de celle de l'université de Salamanque. Outre ses expositions temporaires, le musée d'Art de San Diego propose des **peintures sacrées et profanes** d'Europe (14ᵉ-18ᵉ s.), parmi lesquelles *L'Arrestation de Santa Engracia* de Bartolomé Bermejo, ainsi que des œuvres du Greco, de Frans Hals, Francisco de Zurbaran, Goya et Toulouse-Lautrec. Vous pourrez également y admirer des tableaux d'**artistes américains** renommés, tels que John Sloan ou Georgia O'Keefe. Enfin, ne manquez pas les collections d'**art asiatique**, avec des jades chinois, et la collection Binney rassemblant des peintures d'Asie du Sud-Est. Le musée est particulièrement reconnu pour ses collections d'**art contemporain**, notamment *Le Bouquet* de Matisse, *Le Spectre du soir* de Dali, et trois sculptures remarquables : *L'Idea des cavaliere* de Marino Marini, *Torso-l'île de France* d'Aristide Maillol, et *Cubi XV* de David Smith. Le musée s'attache également à présenter les œuvres d'artistes californiens contemporains.

Le Museum of Art de Balboa Park

À l'est de la Plaza de Panama se tiennent la **House of Hospitality**★ (1915), siège du *Visitor Center*, ainsi que le petit bâtiment moderne en travertin qui abrite le **Timken Museum of Art**★ (1965) *(mardi-samedi 10h-16h30, dimanche 13h30-16h30. Entrée libre)*. Cette galerie présente une trentaine de tableaux de **maîtres européens** (13e-19e s.), parmi lesquels une *Madone à l'Enfant* de Véronèse, *La Parabole du semeur* de Bruegel l'Ancien, un *Saint Barthélemy* exécuté par Rembrandt et une toile de François Boucher. Il regroupe aussi une collection de **peintures américaines** du 19e s., ainsi que sept **icônes russes**.

Derrière le musée se profile l'immense serre rouge du **Botanical Building**★ *(vendredi-mercredi 10h-16h. Entrée libre)*, construite en 1915, qui abrite plus de 200 espèces de **plantes tropicales**. Elle est précédée d'un long bassin couvert de nénuphars, dans lequel les malades de l'hôpital militaire venaient se baigner pendant la Seconde Guerre mondiale.

À l'est du bassin se dresse la **Casa del Prado**★★, une belle demeure de style colonial espagnol dans laquelle différents organismes municipaux ont installé leurs bureaux. Elle ne fut inaugurée qu'en 1971, mais certaines ornementations proviennent d'un bâtiment édifié pour l'Exposition de 1915.

Face à la Casa del Prado, la majestueuse **Casa de Balboa**★ fut construite en 1915 par l'architecte Bertram Goodhue qui s'inspira du palais du gouvernement de Querétaro (Mexique). L'édifice abrite aujourd'hui plusieurs musées. Le **Museum of Photographic Arts** *(tlj 10h-17h. Entrée : 6$)* accueille des expositions temporaires de photographies, consacrées à un artiste ou à un thème, et comporte une salle de cinéma d'art et d'essai. Le **San Diego Historical Society Museum** *(mardi-dimanche 10h-16h30. Entrée : 5$)* s'intéresse quant à lui à l'histoire de San Diego depuis 1950. Des expositions tournantes présentent une partie de ses collections

San Diego

(écrits, photographies, meubles, vêtements). Enfin, un grand nombre de trains miniatures et de maquettes de voies de chemin de fer ou de gares historiques du Sud-Ouest américain se partagent l'espace du **San Diego Model Railroad Museum*** *(mardi-vendredi 11h-16h, samedi-dimanche 11h-17h. Entrée : 4$)*.

À l'extrémité est du Prado s'ouvre la **Plaza de Balboa**, au sud de laquelle se tient le **Reuben H. Fleet Science Center** (1973) *(dimanche-jeudi 9h30-17h, vendredi-samedi 9h30-20h. Entrée : 6,50$, 11$ avec une séance de cinéma IMAX)*. Conçu principalement pour les enfants, ce musée interactif propose de s'initier à certains mécanismes et réactions scientifiques. Des projections sur **écran IMAX** ont lieu toutes les heures *(à partir de 12h)*.

Au nord de la place, le **Natural History Museum** (1933) *(tlj 9h30-16h30. Entrée : 7$)* expose ses collections de pierres précieuses et s'intéresse à l'écosystème propre aux rivages océaniques. Vous y trouverez notamment des squelettes de baleines.

Empruntez la rue à gauche du musée d'Histoire naturelle pour rejoindre le très coloré et fleuri **Spanish Village Center** (1935) *(tlj 11h-16h. Entrée libre)* qui abrite 35 galeries d'artistes et artisans. Potiers, peintres, sculpteurs, émailleurs, souffleurs de verre et graveurs sur bois y présentent et vendent leurs œuvres.

Le zoo de San Diego** (Plan III)

Le zoo est situé au nord des musées. Vous pouvez le rejoindre directement de Downtown en remontant 12ᵗʰ Ave. puis Park Blvd vers le nord. ☎ (619) 231 1515, www.sandiegozoo.org. Tlj 9h-18h, dernière entrée à 16h (ouverture à 7h30 en été). Entrée : 18$ (adultes) et 8$ (enfants de 3 à 11 ans). Si vous prévoyez de visiter le Wild Animal Park (voir p. 309), il existe un billet combiné pour les deux zoos, valable 5 jours. Un bus propose une visite guidée de plus de la moitié du zoo (comptez 35 mn sans arrêt).

Aménagé en pleine nature, sur un terrain vallonné et boisé de 50 ha, le zoo de San Diego a gagné une solide réputation internationale avec plus de **800 espèces d'animaux**. 5 miles de voies pavées conduisent aux cages *(si vous souhaitez empruntez le bus, prenez à droite et suivez les panneaux jusqu'à la rampe de départ)*. Les **pandas géants**, stars incontestables du zoo, sont généralement visibles en fin de matinée *(10h-13h)*. Ils voisinent notamment avec des singes, des ours, des éléphants, des hyènes et des lions. Le **Children's Zoo** *(à gauche de l'entrée)* s'adresse plus particulièrement aux enfants et leur propose d'observer des animaux de petite taille, ainsi que les bébés de diverses espèces. Le **Skyfari Ride**** *(10h-17h30. 2$ l'aller. Le terminal ouest se trouve à gauche de l'entrée)* permet de se rendre en quelques minutes de l'autre côté du zoo, tout en profitant d'une **vue panoramique** sur le parc.

La baie de San Diego*

Comptez une journée.

Coronado Island (Plan I)

La presqu'île est accessible en voiture par le Coronado Bay Bridge, au sud de Harbor Drive (1$ à l'aller, gratuit si vous êtes plusieurs). Plusieurs compagnies assurent la liaison en ferry depuis Embarcadero, non loin du Maritime Museum (1 départ toutes les heures; comptez 15 mn de traversée; 2$ aller). Ces mêmes agences proposent des sorties en mer pour observer les baleines. Possibilité de louer un vélo à votre arrivée sur l'île. Le Visitor Center est situé 1047 B Ave., à proximité de l'hôtel Del Coronado. ☎ (619) 437 8788, www.coronadovisitors.com. Lundi-vendredi 9h-17h, samedi 10h-17h, dimanche 11h-16h.

Cette presqu'île résidentielle huppée, occupée pour moitié par une base militaire, compte surtout une attraction très populaire, l'**Hotel del Coronado***, affectueusement appelé « The Del » *(1500 Orange Ave., ☎ (619) 435 6611, www.hoteldel.com)*. Édifié en 1888 au sud de Coronado Island et restauré en 1998, cet imposant hôtel quelque peu extravagant se distingue notamment par ses tourelles couvertes de tuiles rouges. Il accueillit de nombreux hôtes célèbres, comme Marilyn Monroe et Jack Lemmon, mis à

C. Hugon/MICHELIN

L'hôtel del Coronado

l'honneur dans le petit **musée** de l'hôtel. Hormis l'élégant hall d'entrée, tout en bois sombre, les restaurants, les bars, et les galeries marchandes qui sont accessibles à tous, les chambres ne se visitent pas, à moins de résider dans le complexe.

Point Loma et Cabrillo National Monument★ (Plan I)

La péninsule de Point Loma est située à l'extrémité ouest de la baie de San Diego. Vous pouvez la rejoindre en voiture par la Hwy 209 ou prendre le bus 26 qui dessert le Visitor Center (départ toutes les 30 mn, de 8 h à 17 h, de la station de trolley Old Town). Le Visitor Center est situé à la pointe de Point Loma, ☎ (619) 557 5450, www.nos.gov/cabr. Tlj 9 h-17 h 15. Entrée : 5 $ par véhicule ou 2 $ par piéton si vous n'avez pas le National Parks Pass.

Longue de 8 miles, la péninsule de Point Loma garde l'entrée de la baie de San Diego. S'élevant à 128 m au-dessus de la mer, elle a toujours été un point de repère pour les marins. L'espace sauvage protégé qui occupe l'extrémité du promontoire porte le nom de **Cabrillo National Monument★** en hommage à **Juan Rodriguez Cabrillo**, l'explorateur portugais qui fut le premier à accoster dans la baie en 1542.

Derrière le *Visitor Center*, une petite esplanade offre une **vue panoramique** sur les installations militaires de Coronado Island et la ville de San Diego. De là, vous pouvez facilement rejoindre à pied l'**Old Point Loma Lighthouse**, un petit phare blanc en activité de 1854 à 1891, dont l'intérieur donne une idée de la vie qu'y menaient les gardiens. Au départ du phare, le **Bayside Trail** *(2 h AR, le sentier ne donne pas accès à la plage)* invite à une balade au sein de l'écosystème préservé du parc : il descend le long de la falaise, à travers les buissons bas et touffus du *chaparral*, la végétation typique de la côte.

En sortant du parc, vous pouvez emprunter la route qui descend sur la côte ouest de la pointe où, à marée basse, des retenues d'eau *(tidepools)* permettent d'observer de près les animaux marins.

Le nord de San Diego (Plan I)

Old Town San Diego★★

Situé à 3,5 miles au nord de Downtown, le parc d'Old Town est accessible en voiture par la Hwy 5 (tournez à droite dans Taylor St.) ou par le trolley (ligne bleue; arrêt « Old Town Transit Center »). Tlj 10 h-17 h. Entrée libre et parking gratuit. Le Visitor Center est installé sur la place centrale. ☎ (619) 220 5244, www.cal-parks.va.gov. Le parc est animé par des personnages costumés le mercredi de 11 h à 14 h, ainsi que le quatrième samedi de chaque mois à partir de 10 h. Comptez une demi-journée.

Véritable **musée en plein air**, le parc historique d'Old Town se présente comme un village à part entière, avec une place centrale et des rues bordées de demeures historiques, en adobe, en bois ou en brique. Elles recréent l'atmosphère qui prévalait en Californie du Sud entre 1821 et 1872, pendant l'occupation mexicaine, puis américaine. En 1872, le feu qui ravagea Old Town accéléra le déplacement du centre actif de San Diego vers New Town.

San Diego

Donnant sur la place principale, la **Casa de Estudillo**★★ (1829), la plus impressionnante des bâtisses d'origine, s'organise autour d'un joli patio intérieur. Les pièces de cette demeure en adobe sont aménagées comme au temps où la famille qui l'occupait dirigeait les affaires de la ville.

Certains bâtiments abritent aujourd'hui des musées, comme le **San Diego Union Building**★ (1851) (*San Diego Ave., derrière la Casa de Estudillo*), où est installé l'ancien bureau du rédacteur du journal local et sa presse d'origine, ou encore la **Mason Street School**★★ (1865) (*Mason Street, entre San Diego Ave. et Congress St.*), qui recrée parfaitement l'ambiance des écoles d'autrefois avec ses petits bancs d'écoliers, son tableau noir et ses affiches d'époque collées au mur.

Au nord d'Old Town, le **Bazaar del Mundo** (*2754 Calhoun St. Tlj 10h-21h*), aux allures de *plaza* mexicaine, regroupe commerces et restaurants, dont la **Casa de Bandini**★★ (1829), un établissement d'une élégante simplicité, installé dans une superbe demeure édifiée par Juan Bandini, un homme politique mexicain d'origine péruvienne. Elle fut transformée en hôtel avant de devenir un restaurant.

De la place centrale, vous apercevez la colline où avait été établie la mission d'origine. Un musée construit en 1929 dans le style des missions californiennes s'y tient toujours, mais la mission historique, la Mission Basilica San Diego de Alcala, se trouve à quelques miles à l'est. Pour la rejoindre, empruntez l'I-8 vers l'est et sortez à « Mission Gorge Rd », que vous remontez vers le nord. Prenez à gauche dans Twain Ave., qui devient rapidement San Diego Mission Rd. La mission se trouve sur la droite, après un virage.

Mission Basilica San Diego de Alcala★

10818 San Diego Mission Rd, ☏ *(619) 281 8449. Tlj 9h-16h45. Entrée : 3$. Messe dominicale toutes les heures, de 7h à 12h.* En 1774, cinq ans après la fondation de la première mission de Californie sur Presidio Hill (au nord d'Old Town), il fut décidé de déplacer la mission de San Diego à quelques miles plus à l'est afin de se rapprocher des villages indiens et des sources d'eau. Elle deviendra la « mère » des 21 missions construites par la suite. Détruite en 1775 par un incendie provoqué par les Indiens, elle fut rebâtie dès l'année suivante par le **père Serra**.

Seul un bâtiment en adobe, la **Casa**★, a été préservé : il abrite une salle qui servait de résidence aux prêtres. L'**église**, ornée d'un plafond et d'un retable en bois peint, donne sur des jardins luxuriants. Au milieu de palmiers, de bougainvilliers, de roses et d'*aloavera* se dresse le **campanario** (campanile), une petite tour blanche qui abrite des cloches du 19ᵉ s. Un **musée** expose par ailleurs des objets de culte, des vêtements sacerdotaux et des reproductions des façades des 21 missions de Californie. Enfin, une collection de pistolets et d'épées rappelle que les lieux furent occupés par l'armée au moment de la sécularisation (1846-1862). Dans la cour, la **St Bernardine Chapel**★ renferme de magnifiques **stalles en bois sculpté**.

Mission Bay et ses plages★

Située à environ 4 miles au nord de San Diego, Mission Bay est facilement accessible par l'autoroute. De Downtown, empruntez l'I-5 vers le nord, puis l'I-8 vers l'ouest.

Avant de prendre le nom de Mission Bay et d'être aménagés en 1944, les marais du nord de la ville étaient appelés False Bay (Fausse Baie) par les marins qui les confondaient avec la baie de San Diego. Depuis, ce parc de loisirs de quelque 2000 ha (composé pour moitié d'eau) draine un nombre croissant de visiteurs, attirés par ses 19 miles de plages, ses multiples activités nautiques et attractions de plein air, ou le parc de Seaworld.

Au nord de Mission Bay, **Pacific Beach**★ possède la plage la plus agréable et la plus animée du littoral, fréquentée par beaucoup de jeunes. Tandis que planches à voile, catamarans ou ski nautique évoluent au large, les surfeurs attendent la vague, sous le regard admiratif des gamins qui n'osent encore s'aventurer trop loin avec leur planche. La promenade du front de mer s'anime d'une foule de cyclistes, de rollers, de marcheurs ou de joueurs de frisbee, mais on vient ici aussi profiter des joies de la baignade et du farniente au soleil sur le sable. Très animé en journée, **Garnet Avenue**, la rue principale de Pacific Beach où se succèdent bars et restaurants, est un quartier particulièrement vivant le soir, apprécié des étudiants. Elle se prolonge par une jetée à l'extrémité de laquelle on bénéficie d'une très belle vue sur la côte. Au sud de Pacific Beach commence **Mission Beach**, abritée sur une étroite langue de terre entre l'océan et Mission Bay et où les petites baraques en bois côtoient de superbes demeures. Elle est bordée au sud par la San Diego River, qu'il faut traverser pour rejoindre **Ocean Beach**. Ces deux plages sont essentiellement fréquentées par les surfeurs.

Seaworld*

De San Diego, le parc est accessible par l'I-5 (suivre les panneaux). Le bus 9 conduit aussi à l'entrée du parc (départ de la station de trolley « Old Town »). ☎ (619) 226 3901. Tlj à partir de 9 h de mi-juin à début septembre/à partir de 10 h le reste de l'année. Entrée : 41,95 $ (adultes), 31,95 $ (enfants de 2 à 11 ans). Parking : 7 $. Étudiez bien le programme remis à l'entrée, car il indique les horaires des spectacles. Comptez une journée.

Ce parc d'attractions dédié à la mer est particulièrement adapté aux enfants. La star incontestée de Seaworld, l'orque Shamu, se produit lors d'un show aquatique enlevé, **The Shamu Adventure***, tandis que les otaries et les loutres de **Fools with Tools*** proposent un spectacle humoristique plaisant, et que les dauphins sont à l'honneur dans la piscine du **Dolphin Discovery***. Un autre spectacle en plein air, **Wings of Discovery**, met quant à lui en scène des oiseaux. Ne manquez pas les pavillons qui abritent requins, pingouins, poissons exotiques, tortues et flamants roses, ni les attractions plus récentes, telles que les films **Pirates 4-D*** et **Wild Arctic***, ou la descente des **Shipwreck Rapids*** à bord de petites embarcations.

Sur la route de Los Angeles*

Quelque 132 miles de route côtière séparent San Diego de Los Angeles *(comptez environ 2 h 30)*. Diverses étapes dignes d'intérêt vous permettront de faire halte en route, mais sachez que la visite du Wild Animal Park occupe à elle seule une bonne partie de la journée.

De San Diego, empruntez l'I-5 vers le nord et sortez à Genesee Ave. Prenez en direction de l'océan et tournez à droite dans Torrey Pines Rd. L'embranchement pour le parc est sur la gauche. Vous passez devant les plages avant de gravir la falaise par une route tortueuse.

■ **Torrey Pines State Reserve*** – *12600 N. Pines Rd, ☎ (858) 755 2063, www. torreypine.org. Tlj de 9 h au coucher du soleil. Entrée libre. Parking : 2 $.* Ce petit parc est le premier espace sauvage accessible sur la côte, au nord de San Diego. Perché en haut de la colline, le *Visitor Center (tlj 9 h-17 h)* propose une exposition consacrée au pin de Torrey (*Pinus torreyana*), une espèce en voie de disparition qui a donné son nom au parc. Quelques sentiers de randonnée invitent à se rapprocher de la falaise et des plages, afin de profiter d'une vue splendide sur l'océan.

Si vous souhaitez faire un détour par le Wild Animal Park (35 miles au nord-est de San Diego) avant de rejoindre Oceanside, reprenez l'I-5 vers le sud pour récupérer la Hwy 52 puis l'I-15 nord. Sortez à « Escondito » et suivez la Hwy 78 vers l'est. Le zoo est à 6 miles.

■ **Wild Animal Park*** – *15500 San Pasqual Valley Rd, Escondido. ☎ (760) 747 8702, www.wildanimalpark.org. Tlj 9 h-17 h, dernière entrée à 16 h. Entrée : 23,95 $ (adultes)/16,95 $ (enfants de 3 à 11 ans). Il existe un billet combiné, valable 5 jours, permettant de visiter également le zoo de San Diego (voir p. 306). Parking : 6 $.*
Ce grand parc vallonné de 900 ha accueille plus de 2 500 **animaux sauvages** du monde entier, dont beaucoup font l'objet de programmes visant à la reproduction et à la survie de l'espèce. Une partie du zoo se visite à pied, mais un **train** parcourt

l'ensemble du parc pour observer les animaux, originaires des plaines d'Asie, d'Afrique ou des steppes de Mongolie, qui vivent ici en semi-liberté *(départ toutes les 20 mn de la station située à 200 m de l'entrée, de 9h30 à 16h; comptez 50-55 mn).*

La mission est située sur la Hwy 76 (Mission Ave.) entre l'I-5 et l'I-15, à 32 miles au nord de San Diego et à 85 miles au sud de Los Angeles.

■ **Mission San Luis Rey de Francia**★ – *4050 Mission Ave., Oceanside,* ☏ *(760) 757 3651, www.sanluisrey.org. Musée ouvert tlj de 10h à 16h30. Entrée : 4$.* Fondée en 1798 par le père Fermin Francisco de Lasuen, la 18e mission de Californie fut l'une des plus importantes. Elle porte le nom de Saint Louis, roi de France (1214-1270), et abrite toujours une communauté de franciscains. Plus de 2000 Indiens luisenos, originaires de la région, y ont vécu et travaillé entre 1798 et 1832. Utilisée comme caserne de 1847 à 1857, puis laissée à l'abandon après le départ des militaires, elle doit sa renaissance à une communauté de franciscains menée par le frère O'Keefe, qui entreprit de la restaurer en 1892.

Très sobre, la mission n'en est pas moins imposante. Sur son côté gauche s'étire une longue galerie où se trouve l'entrée du **musée**. La visite commence par les salles historiques qui retracent l'histoire religieuse, séculaire et militaire de la mission, avant de poursuivre par un enchaînement de pièces aménagées avec des meubles d'époque. Sont également exposés des objets d'art religieux et des vêtements sacerdotaux. Vous accédez ensuite à une petite cour intérieure qui donne d'un côté sur le **cloître** et de l'autre sur l'**église**. À l'extérieur, vous pouvez rejoindre les ruines du campement des soldats, le lavoir et l'aqueduc.

San Diego pratique

ARRIVER–PARTIR

En avion – *San Diego International Airport*, 3225 N. Harbor Drive (Plan I), ☏ (619) 231 2100 / 686 8200, www.portofsandiego.com. Situé au bord de la baie, à 2 miles au nord-ouest du centre-ville, l'aéroport de San Diego accueille des vols en provenance des grandes villes américaines, du Mexique et des capitales européennes. Depuis mars 2001, British Airways assure une liaison directe avec Londres. Le bus 992 (« The Flyer ») relie l'aéroport au centre-ville de 5h50 à 1h (10 mn; 2,25$).

En train – La gare *Amtrak* est située 1050 Kettner Blvd (Plan II B2), non loin du centre-ville. 12 liaisons quotidiennes pour Los Angeles (3h environ).

En bus – La gare routière *Greyhound* se trouve dans Downtown, 120 W. Broadway (Plan II B2), ☏ (619) 239 3266. Tlj 24h/24. Nombreux départs, de 5h à 23h35, pour Los Angeles (3h environ), d'où partent les bus pour San Francisco. Liaisons directes avec Phoenix (8h30), Tucson (8h) et Las Vegas (7h30).

COMMENT CIRCULER

Pour tous renseignements concernant les transports publics locaux, rendez-vous au *Transit Store*, situé face à la gare Greyhound, 102 Broadway, à l'angle de 1st Ave. (Plan II C2), ☏ (619) 234 1060, www.sdcommute.com. Lundi-vendredi 8h30-17h30, samedi-dimanche 10h-16h. Vous pouvez également y acheter vos billets. Les Day Tripper Pass sont valables plusieurs jours dans les bus et trolleys (5$ pour 1 jour, 8$ pour 2 jours, 10$ pour 3 jours, 12$ pour 4 jours).

En bus – Le réseau de bus *MTS* couvre San Diego et les localités environnantes. Le prix du billet varie de 1$ à 3$. Le terminal principal, *America Plaza*, trouve à l'intersection de Kettner Blvd et de C Ave. (Plan II B2), non loin de la gare Amtrak.

En trolley – Le *San Diego Trolley* compte deux lignes, qui se rejoignent dans Downtown. Elles fonctionnent tous les jours de 5h à minuit (plus tard le samedi et en direction du Mexique). Le prix du billet varie de 1$ à 4,50$, en fonction du trajet et de l'heure estimée du retour (plus ou moins 2 h). La ligne bleue vous conduit jusqu'à la frontière mexicaine, que vous traversez à pied pour rejoindre Tijuana.

En taxi – *Yellow Cab of San Diego*, ☎ (619) 234 6161 ; *American Cab*, ☎ (619) 234 1111 ; *San Diego Cab*, ☎ (619) 226 8294 ; *Orange Cab Co*, ☎ (619) 291 3333 (24 h/24). Ils facturent généralement 2 $ pour le premier mile, puis 1,40 $ par mile.

En pousse-pousse – Les étudiants arrondissent leurs fins de mois en promenant les touristes dans des vélopousses, principalement le soir dans Gaslamp Quarter, mais également en journée aux abords du port. Il suffit de les héler pour qu'ils s'arrêtent (2 personnes max. ; tarif à négocier, mais comptez 25 $ pour une visite guidée de 30 mn).

Location de voitures – Vous trouverez à l'aéroport : *Avis*, ☎ (619) 688 5030 / 1-800 852 4617 ; *Budget*, ☎ 1-800 842 5268 ; *Enterprise*, ☎ (858) 457 4909 / 1-800 270 8881 ; *National*, ☎ (619) 497 6777 ; *Thrifty*, ☎ (619) 702 0570.

Location de vélos – *Sunset Pedicab*, 509 5th Ave. (Plan II C3), www.biketours.com. Tlj 8 h-19 h. Location de vélos à la journée (18 $), pour 24 h (20 $) ou 3 jours (30 $). Circuits guidés à Coronado Island (départ à 8 h 30) et dans le Gaslamp Quarter (départ à 13 h). Minimum de quatre personnes requis. *Bike Cab*, 641 17th St. (Plan II E3), www.bikecab.com. Tlj 9 h-17 h. Dispose de bicyclettes et de rollerblades : 5 $ l'heure, 10 $ la demi-journée, 15 $ la journée, 22 $ pour 24 h. *Penny Farthing's*, 314 G St. (Plan II C2). Lundi-vendredi 10 h-17 h, samedi 10 h-16 h. Une carte de crédit est demandée. Location pour 1 h (4 $), 24 h (25 $) ou 1 semaine (150 $).

ADRESSES UTILES

Office de tourisme – San Diego compte trois bureaux d'information dans le centre. Le plus central, *International Visitor Center* (1st Ave., face à F St. (Plan II C2), derrière Horton Plaza,

☎ (619) 236 1212, www.sandiego.org. Lundi-samedi 8 h 30-17 h), dispose d'informations générales sur San Diego et sa région. À l'extrémité sud de Gaslamp Quarter, un autre *International Visitor Center* (170 6th Ave. (Plan II C3), ☎ (619) 232 8582. Mardi-samedi 9 h-14 h) est moins bondé que le précédent. Le *Downtown Information Center* (225 Broadway, dans le bâtiment qui fait face à Horton Plaza (Plan II C2), ☎ (619) 235 2200, www.ccdc.com. Lundi-vendredi 9 h-17 h) se consacre aux attractions du centre.

Banque / Change – *Bank of America*, 450 B St. (Plan II C2), ☎ (619) 452 8400, Lundi-vendredi 9 h-18 h. Nombreux distributeurs automatiques dans Horton Plaza, à Market St. (entre 4th et 5th Ave.) et à l'intersection de Broadway et de 6th Ave.

Poste – *Central Post Office*, 815 E St. (Plan II C2-3). Lundi-vendredi 8 h 30-17 h, samedi 8 h 30-12 h. *Horton Plaza Station*, 51 Horton Plaza (Plan II C2). Lundi-vendredi 8 h-18 h, samedi 9 h-17 h.

Internet – *Space Booth. com*, 867 9th Ave., à l'angle de E St. (Plan II D2). Tlj 9 h-16 h, mais plus tard le week-end selon l'affluence. Il propose les tarifs les plus intéressants (10¢ la minute, 5 $ l'heure). *Internet Cafe*, 800 Broadway, à l'angle de 8th Ave. (Plan II C2), www.internet-coffee.com. Tlj 10 h-minuit. Dispose de 19 ordinateurs (3 $/10 mn, 8 $/h).

Santé – *Mercy Hospital*, 4077 5th Ave., ☎ (619) 294 8111.

OÙ LOGER

Hormis Motel 6 et Comfort Inn, un peu éloignés du centre, les hôtels de Downtown ne disposent pas de parking gratuit. Attention aux panneaux limitant le parking autorisé.

• Dans le centre-ville (Plan II)

Moins de 25 $ par personne

🏠 *Usa Hostels*, 726 5th Ave., ☎ (619) 232 3100 / 1-800 438 8622, Fax (619) 293 3970, www.usahostels.com – 80 lits 📇 Une auberge sympathique et colorée, aménagée dans un ancien hôtel de passe, avec un bel escalier central illuminé par une verrière. Récemment rénovée, elle compte un salon, une salle à manger, une cuisine, une laverie, un accès Internet. 6 chambres privées à 40 $ (pensez à réserver). Petit-déjeuner gratuit.

Hostelling International, 521 Market St., ☎ (619) 525 1531 / 1-800 909 4776, Fax (619) 338 0129, www.hostelweb. com/sandiego – 134 lits CC Derrière les peintures en trompe l'œil de la façade se cache une auberge confortable, avec une jolie salle commune au 3ᵉ étage. Presque chaque dortoir dispose d'une salle de bains. 8 chambres privées à 50 $. Accueil de 7 h à minuit, cuisine, laverie, accès Internet.

De 40 à 60 $

The Baltic Inn, 521 6ᵗʰ Ave., ☎ (619) 237 0687 – 206 ch. TV Cet hôtel propose des chambres fonctionnelles, avec wc et lavabo, dont beaucoup sont louées au mois. Les douches sur le palier sont propres. Réception ouverte 24h/24. Laverie.

The Inn at the YMCA, 500 W. Broadway, ☎ (619) 234 5252, Fax (619) 234 5272 – 219 ch. TV CC Le grand bâtiment, assez vieux, est en rénovation. Les chambres sont rudimentaires, mais propres. Cuisine au 2ᵉ étage, laverie, salle commune, café.

Pacifica Hotel, 551 4ᵗʰ Ave., ☎ (619) 235 9240 – 30 ch. TV Ce petit hôtel de 1910 demeure bien entretenu. Demandez une chambre au 2ᵉ étage, où le couloir est éclairé par un puits de lumière. Quatre salles de bains à chaque étage. Laverie.

Maryland Hotel, 630 F St., ☎ (619) 239 9243, Fax (619) 235 4622 – 282 ch. TV CC Cet ancien grand hôtel a été rénové et propose de petites chambres confortables, dont beaucoup sont louées à long terme. Situé à deux pas de Gaslamp Quarter, il bénéficie d'un accueil professionnel et un gardien est présent 24h/24.

De 60 à 80 $

Motel 6, 1546 2ⁿᵈ St., entre Cedar et Beech St., ☎ (619) 236 9292 / 1-800 466 8356, Fax (619) 236 9988 – 105 ch. TV CC Un peu excentré par rapport à Gaslamp Quarter, ce motel propre et tout confort est conforme aux exigences de la chaîne. Économique si l'on dispose d'une voiture, car le parking est gratuit.

Comfort Inn, 719 Ash St., ☎ (619) 232 2525 / 1-800 228 5150, Fax (619) 687 3024 – 67 ch. TV CC Ce motel accueillant est aménagé sur trois étages, autour d'une cour. Les chambres sont spacieuses et impeccables. Parking et petit-déjeuner gratuits.

De 80 à 100 $

Villager Lodge, 660 G St., ☎ (619) 238 4100 / 1-800 598 1810, Fax (619) 238 5310, www.villager.com – 105 ch. TV CC Cet hôtel comprend de petites chambres neuves, mais tout confort.

Gaslamp Plaza Suites, 520 E St., ☎ (619) 232 9500 / 1-800 874 8770, Fax (619) 238 9945, www.gaslampplaza. com – 64 ch. TV CC Dans cet hôtel historique de 1913, les chambres sont spacieuses et bénéficient de belles vues (la plupart peuvent accueillir quatre personnes). Le petit-déjeuner (compris) est servi sur le toit-terrasse, où trône également un jacuzzi.

Plus de 120 $

Courtyard Marriott Downtown, 530 Broadway, ☎ (619) 446 3000 / 1-800 321 2211, Fax (619) 446 3010, www.courtyard.com/sancd – 246 ch. TV X CC Installé dans un magnifique édifice de 1927, construit pour une banque dont les coffres-forts sont visibles au sous-sol, cet hôtel de luxe est impressionnant, notamment pour son immense hall de réception tout en marbre, rehaussé de bois peint au plafond.

Ramada, 830 6ᵗʰ Ave., ☎ (619) 531 8877 / 1-800 664 4400, Fax (619) 231 8307, www.stjameshotel.com – 99 ch. TV CC Dans cet hôtel construit en 1913 (à l'époque, son ascenseur était le plus rapide au monde!), les chambres ne sont pas très grandes, mais bien aménagées. La superbe vue que l'on a de la terrasse, sur le toit, englobe toute la ville. Possibilité de partager les chambres jusqu'à six personnes.

Horton Grand Hotel, 311 Island Ave., ☎ (619) 544 1886 / 1-800 542 1886, www.hortongrand.com – 132 ch. ⌁ 🍽 ⌁ 📺 ✕ cc Deux hôtels datant de 1886 ont été rassemblés autour d'un patio pour former cette fantaisie victorienne toute de rose, de blanc, de fleurs et de napperons, qui ravira les amateurs de ce style guimauve. Chaque chambre possède un agencement unique et des reproductions de meubles d'époque.

● **Aux abords des plages** (Plan I)
Veillez à réserver longtemps à l'avance pour ces logements fort prisés, notamment l'été.

Moins de 40 $ par personne
Ocean Beach International Hostel, 4961 Newport Ave., ☎ (619) 223 7873 / 1-800 339 7263, Fax (619) 223 7881 – 60 lits cc Une auberge impeccable, mais assez impersonnelle, installée dans un ancien hôtel. Chaque dortoir comporte un lavabo, et 16 disposent d'une salle de bains privée. Petit-déjeuner gratuit, salle TV, barbecue, laverie, accès Internet. Appelez de l'aéroport ou de la gare pour que l'on vienne vous chercher.

De 40 à 60 $
Pacific Sands Motel, 4449 Ocean Blvd, ☎ (858) 483 7555, Fax (858) 273 7090, www.pacificsandsmotel.com – 10 ch. ⌁ 🍽 📺 ✕ cc Ce tout petit motel vert pomme et orange est assez vieux, mais propre et accueillant.

De 60 à 80 $
Pacific View Motel, 610 Emerald St., ☎ (858) 483 6117 – 26 ch. ⌁ 🍽 📺 ✕ cc Si l'accueil laisse à désirer, l'hébergement est en revanche convenable, avec des chambres réparties sur deux étages.

Mission Bay Motel, 4221 Mission Blvd, près de Reed Ave., ☎ (858) 483 6440 – 50 ch. ⌁ ✕ ⌁ 📺 ✕ cc Des chambres simples, mais propres, dans un motel bleu et blanc.

De 80 à 120 $
Ocean Beach Motel, 5080 Newport Ave., ☎ (619) 223 7191, www.ocenbeachsandiego.com – 57 ch. ⌁ 🍽 📺 ✕ ✕ cc Un motel rose à l'accueil sympathique (24 h/24). Le mobilier date

un peu. Certaines chambres bénéficient d'un balcon. Possibilité de partager une chambre à quatre. Parking assuré.

Ocean Villa Motel, 5142 Point Loma Blvd, ☎ (619) 224 3481 / 1-800 759 0012 – 53 ch. ⌁ 🍽 ⌁ 📺 ✕ cc Dans ce motel blanc et bleu (entouré de barbelés !), les chambres sont particulièrement vastes et impeccables. Parking assuré.

Surfer Motor Lodge, 711 Pacific Beach Drive, ☎ (858) 483 7070 / 1-800 787 3373, Fax (858) 274 1670 – 52 ch. ⌁ 🍽 ⌁ 📺 ✕ ✕ cc De grandes chambres un peu vieillottes, mais confortables, avec balcon et vue sur l'océan. Quatre personnes peuvent partager une même chambre.

Plus de 120 $
Best Western Blue Sea Lodge, 707 Pacific Beach Drive., ☎ (858) 488 4700 / 1-800 258 3732, Fax (858) 488 7276, www.bestwestern-bluesea.com – 100 ch. ⌁ 🍽 ⌁ 📺 ✕ ✕ cc Ce grand complexe tout confort propose de grandes chambres pouvant accueillir quatre personnes.

OÙ SE RESTAURER

● **Dans le centre-ville** (Plan II)
Ce quartier, animé de jour comme de nuit, invite tout particulièrement à la balade. Dans 5th Ave., à l'ambiance bon enfant, vous aurez l'embarras du choix entre les restaurants, les bars et les clubs. Certains sont assez chers, aussi veillez à bien consulter les prix.

De 5 à 10 $
Clayton's, 650 F St. (C2). Tlj 6 h 30-20 h/mercredi-samedi jusqu'à 2 h. Tango le dimanche de 16 h à 20 h. Ce café clair et spacieux, décoré de grands tableaux, propose un grand choix de sandwichs et de pâtisseries. « Pancakes » à volonté pour le petit-déjeuner.

Cafe 222, 222 Island Ave. (C3). Tlj 7 h-13 h 45. Un joli café coloré à la décoration éclectique, où déguster de copieux petits-déjeuners (spécialités d'omelettes et de gaufres) ou un sandwich le midi, sur un fond de musique jazz. Pas de cartes de crédit.

San Diego pratique

De 10 à 15 $
The Old Spaghetti Factory, 275 5th Ave. (C3). Lundi-jeudi 11 h 30-14h/17h-21h, vendredi 17h-23h, samedi 11h30-23h, dimanche 11h30-22h. Véritable institution du quartier, ce vaste restaurant fleurant bon le parmesan propose une cuisine italienne familiale, copieuse et peu onéreuse. Des bancs ont été installés à l'extérieur pour vous permettre de patienter.

Royal Thai Cuisine, 467 5th Ave. (C3). Tlj à partir de 11 h. Une cuisine thaïlandaise raffinée, servie dans une grande salle à l'ambiance calme et détendue.

De 15 à 20 $
Dakota Grill & Spirits, 901 5th Ave. (C2). Lundi-vendredi 11h30-14h30, lundi-jeudi 17 h-22 h, vendredi-samedi 17h-23h, dimanche 17h-21h. Une salle à l'ambiance tamisée, où déguster de bonnes viandes grillées ou des pizzas cuites au feu de bois, tandis qu'un musicien joue quelques airs au piano. Club au sous-sol (7 $).

Plus de 20 $
Blue Point, 565 5th Ave. (C3). Tlj à partir de 17 h. Une carte originale qu'apprécieront les amateurs de poissons et de fruits de mer. La salle Art déco comprend de petites alcôves qui préservent un peu d'intimité.

Panevino, 722 5th Ave. (C2). Tlj 11 h-22 h. Parmi la pléiade de restaurants italiens qui se succèdent dans 5th Ave., celui-ci se distingue par sa décoration sobre, mais élégante, et une carte très variée.

• **Sur le port** (Plan II)
De 10 à 15 $
Anthony's Fish Grotto, Harbor Drive, face à Ash St. (A1-2). Tlj 11 h-22 h. Cette grande cafétéria, appréciée des familles pour son ambiance décontractée et ses prix attractifs, est spécialisée dans les plats de poisson. Préparez-vous à attendre.

Sally's, 1 Market Place (B3). Tlj 11 h 30-14h/16h30-22h. Ce restaurant de poissons dispose d'une jolie terrasse avec vue sur la marina, ainsi que d'une grande salle élégante en marbre noir. Comptez 10 $ de plus le soir.

Plus de 20 $
Star Of the Sea, 1360 Harbor Drive (A1-2), ☎ (619) 232 7408. Tlj 16 h-22 h 30. Ce restaurant à l'ambiance feutrée est idéal pour une soirée romantique, avec vue imprenable sur le port. Les plats originaux font la part belle aux poissons et aux viandes en sauce.

• **Aux abords des plages** (Plan I)
Bars et restaurants se succèdent dans Newport Ave.

De 5 à 10 $
Bohemia Strudel Factory, 4879 Voltaire St., à l'angle de Cable St. Lundi-vendredi 7 h 30-16 h 30, samedi-dimanche 8 h-15 h. Un minuscule café-pâtisserie où déguster de savoureux strudels.

De 15 à 20 $
Ortegas Cocina, 4888 Newport Ave. Lundi-samedi 8 h-22 h, dimanche 8 h-21 h. Ce restaurant mexicain envahi de plantes vertes est particulièrement accueillant. Cuisine et ambiance familiales.

OÙ SORTIR, OÙ BOIRE UN VERRE

La plupart des clubs ne font payer l'entrée qu'à partir de 21 h-22 h.

Cafe Bassam, 401 Market St. (Plan II C3). Tlj 10h-3h. Un salon de thé aux allures de boutique d'antiquités, avec fauteuils de style et petites tables rondes. Pas de boissons alcoolisées, mais un large choix de thés et de cafés. Pâtisseries. Établissement fumeur.

Hyatt, 1 Market Place (Plan II B3). Vue splendide sur la ville et la baie depuis le bar-restaurant panoramique de ce grand hôtel. Idéal pour prendre un verre en fin de journée.

Dick's, 345 4th Ave. (Plan II C3). Tlj 11h-2h. Ambiance rock et atmosphère estudiantine, en terrasse comme à l'intérieur. Ailes de poulets, huîtres, crevettes ou bâtonnets de mozzarella frits viendront assouvir quelques fringales.

Dizzy's, 344 7th Ave. (Plan II C3). Tlj sauf le mardi à partir de 20h. Entrée : de 8 à 10 $. Consultez le programme affiché à l'extérieur. Derrière la grande baie vitrée de cet entrepôt reconverti en salle de concerts, une petite scène accueille des artistes de blues et de jazz. Pas de boissons alcoolisées, mais des jus de fruits et des boissons chaudes.

Duke's Joint Cafe, 327 4th Ave. (Plan II C3), www.jukejointcafe.com. Mercredi-dimanche à partir de 17 h. Soirées musicales du jeudi au samedi (house, hip-hop, soul, R & B). Vous pouvez dîner (environ 20 $) ou simplement boire un verre (entrée : 5 $). Brunch sur des airs de gospel tous les dimanches à 13 h (pensez à réserver).

ACHATS

Centre commercial – Westfield Horton Plaza, à l'angle de Broadway et de 4th Ave. (Plan II C2), www.horton plaza.shoppingtown.com. Lundi-samedi 10 h-21 h, dimanche 11 h-19 h. Un complexe agréablement aménagé sur cinq étages, non loin du centre-ville.

FÊTES / FESTIVALS

Boat Show : début janvier. Rassemblement de bateaux dans la marina de San Diego.

Mardi Gras in the Gaslamp : le 27 février. Fête Mardi-Gras avec une grande Parade.

Coronado Flower Show Week-end : en avril. Floralies sous tente sur l'île de Coronado.

Bud'n Blooms : en mai, expositions dans Balboa Park à l'occasion du mois des fleurs.

Fiesta Cinco de Mayo : le 1er week-end de mai. Animations festives dans Old Town.

Pacific Beach Block Party and Street Fair : le 12 mai. Fête de quartier en plein air dans Garnett Ave., à Pacific Beach.

Festival of the Bells : les 14 et 15 juillet. Commémoration de la fondation de la première mission de Californie à la mission San Diego de Alcala.

World Body Surfing Championship : au mois d'août. Compétition internationale de surf à Oceanside Pier.

San Diego Harbor Parade of Light : les décorations de Noël des bateaux illuminent la baie de San Diego.

EXCURSION D'UNE JOURNÉE

À 30 miles au sud de San Diego, **Tijuana** (Mexique) est accessible par l'I-5. Une assurance spéciale est généralement requise pour conduire au Mexique, mais vous pouvez vous garer juste avant la frontière et traverser celle-ci à pied. Il est également possible de s'y rendre en trolley depuis le centre-ville de San Diego (ligne bleue ; 4 $ AR). N'oubliez pas de prendre votre passeport et votre visa touristique (volet vert) afin de pouvoir rentrer aux États-Unis sans encombre. Située à la frontière mexicaine, Tijuana est habituée à recevoir des flots de touristes et de jeunes américains, qui viennent s'enivrer ici le week-end, car la législation en matière de vente d'alcool y est beaucoup plus souple. La ville ne présente pas d'intérêt particulier, si ce n'est le dépaysement et les achats bon marché.

Le plateau du Colorado

Surnom de l'Utah : Beehive State (l'État ruche)
Superficie : 212 816 km^2
Population : 2 233 000 habitants
Capitale : Salt Lake City
Fuseau horaire : Mountain Time
Animal emblème : l'élan des Rocheuses
Oiseau emblème : la mouette
Arbre emblème : l'épinette du Colorado (épicéa bleu)
Fleur emblème : le lis Sego

Surnom du Colorado : Centennial State (l'État centenaire)
Superficie : 268 658 km^2
Population : 4 301 300 habitants
Capitale : Denver
Fuseau horaire : Mountain Time
Animal emblème : le mouflon des Rocheuses (bighorn)
Oiseau emblème : le bruant
Arbre emblème : l'épinette du Colorado (épicéa bleu)
Fleur emblème : l'ancolie

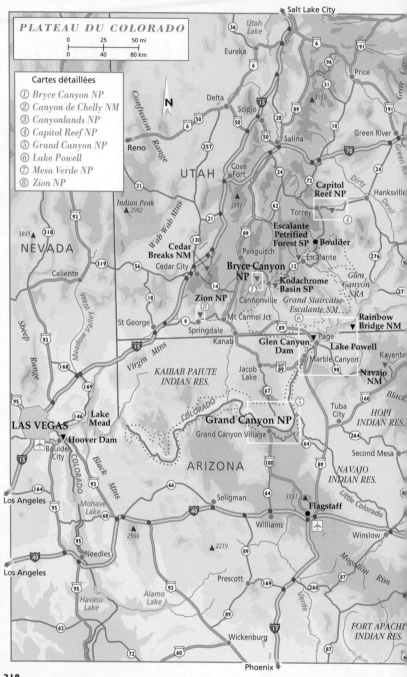

PLATEAU DU COLORADO

0   25   50 mi
0   40   80 km

Cartes détaillées

① Bryce Canyon NP
② Canyon de Chelly NM
③ Canyonlands NP
④ Capitol Reef NP
⑤ Grand Canyon NP
⑥ Lake Powell
⑦ Mesa Verde NP
⑧ Zion NP

Salt Lake City

Utah Lake

Eureka

Price

Delta

Green River

Reno

UTAH

Cove Fort

Capitol Reef NP

Hanksville

Torrey

Indian Peak ▲ 2982

Escalante Petrified Forest SP ● Boulder

Cedar Breaks NM

Panguitch

Escalante

NEVADA

Caliente

Cedar City

Bryce Canyon NP

Kodachrome Basin SP

Glen Canyon NRA

Zion NP

Cannonville

Grand Staircaise-Escalante, NM.

Rainbow Bridge NM

St George

Mt Carmel Jct

Lake Powell

Springdale

Kanab

Glen Canyon Dam

Page

Kayenta

Marble Canyon

Navajo NM

KAIBAB PAIUTE INDIAN RES.

Jacob Lake

Black

HOPI INDIAN RES.

LAS VEGAS

Lake Mead

COLORADO

Grand Canyon NP

Tuba City

Hoover Dam

Grand Canyon Village

Second Mesa

Boulder City

ARIZONA

NAVAJO INDIAN RES.

Los Angeles

Seligman

Flagstaff

Mohave Lake

Williams

Winslow

Los Angeles

Needles

Little Colorado

Prescott

Mogollon Rim

Havasu Lake

Alamo Lake

FORT APACHE INDIAN RES.

Wickenburg

Phoenix

Confusion Range

Wah Wah Mtns

Virgin Mtns

Meadow Valley Wash

Sheep Range

Black Mtns

Verde

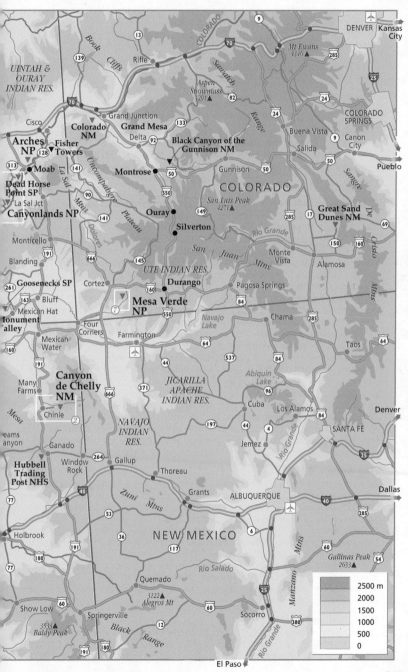

UINTAH & OURAY INDIAN RES.

Book Cliffs

COLORADO

DENVER ✈
Kansas City

13

139

9

70

Rifle

Mt Ewans
4346 ▲

285

70

Cisco

Grand Junction

Colorado NM

Grand Mesa

133

Aspen
Snowmass
4291 ▲

82

Sawatch

Range

24

24

COLORADO SPRINGS

Arches NP
128

Fisher Towers

313

Moab

Delta

92

Black Canyon of the
Gunnison NM

Buena Vista

9

Canon City

La Sal Mtns

141

Montrose

50

550

Gunnison

50

Salida

50

Pueblo

Dead Horse Point SP

90

Uncompahgre

COLORADO

Sangre

La Sal Jct

Canyonlands NP

141

Ouray

San Luis Peak
4271 ▲

149

285

17

Great Sand
Dunes NM

De

69

Monticello

191

Plateau

Dolores

Silverton

Rio Grande

150

160

Cristo

Blanding

666

145

San

Juan

Monte Vista

Alamosa

Mtns

Goosenecks SP

261

Cortez

UTE INDIAN RES.

Durango

Mtns

Pagosa Springs

163

Bluff

160

Mesa Verde
NP

7

84

Chama

285

Taos

64

Mexican Hat

onument
alley

550

Navajo
Lake

Four Corners

Farmington

64

537

84

160

191

44

JICARILLA
APACHE
INDIAN RES.

Abiquin
Lake

Canyon
de Chelly
NM

Many Farms

371

96

Cuba

Los Alamos

84

Denver

Mesa

eams
anyon

Chinle

2

NAVAJO
INDIAN
RES.

197

44

4

Jemez

Rio Grande

SANTA FE

25

Ganado

Hubbell
Trading
Post NHS

Window Rock

264

Gallup

Thoreau

77

40

Zuni

Mtns

Grants

ALBUQUERQUE ✈

40

Dallas

285

53

6

77

36

NEW MEXICO

Manzano

60

Gallinas Peak
2633 ▲

54

Holbrook

191

117

180

Rio Salado

25

Mtns

77

Quemado

3122 ▲
Alegros Mt

60

Socorro

380

Show Low

60

Springerville

12

Rio Grande

	2500 m
	2000
	1500
	1000
	500
	0

3533 ▲
Baldy Peak

Black

Range

180

191

El Paso ⚓

LAS VEGAS ★★★
LAKE MEAD ET HOOVER DAM ★★
Capitale de l'État du Nevada – 483 400 hab.
230 miles de Los Angeles, 290 miles de Phoenix   Carte Michelin n° 943 D10
Climat chaud et aride

À ne pas manquer
Les animations nocturnes du Strip.

Conseils
Arrivez de préférence en milieu de semaine
pour profiter de tarifs avantageux dans les plus grands hôtels.
Faites votre choix parmi les hôtels-casinos situés au sud du Strip,
car ce sont les plus récents.

Au cœur du désert Mojave, le plus aride du pays, se dresse une ville surréaliste, comme sortie d'un conte de fées, où voisinent un New York miniature, un Paris condensé, une pyramide égyptienne et des gondoles vénitiennes. À Las Vegas, la ville sans horloge, la cité qui ne dort jamais, le temps semble s'égrainer au rythme aléatoire des cascades de dollars qui se déversent des bandits manchots. Tout est conçu pour que le visiteur perde la notion du temps et plonge dans un univers irréel de paillettes et de strass : toute la ville, résumée aux trois miles du Strip, est un spectacle permanent. Le boulevard, tapissé de néons multicolores qui clignotent jour et nuit, ne désemplit pas. Chacun y trouve son compte : les joueurs flambent dans les casinos, les amoureux se marient en deux heures, les familles profitent des nombreuses attractions, les étudiants viennent ici décompresser le temps d'un week-end, tandis que les hommes d'affaires peuvent suivre leurs conférences et se distraire au sein d'un même complexe. Mieux vaut toutefois ne pas trop s'attarder dans cette ville d'illusions, véritable miroir aux alouettes, car la réalité est tout autre. Derrière les immenses complexes féeriques s'étendent de vastes terrains à bâtir, à l'abandon, jonchés de bouteilles vides. La misère côtoie de près les édifices les plus somptueux et il n'y a pas un morceau du Strip qui ne compte ses pauvres hères, distribuant quelques publicités de spectacles « pour adultes ». La magie factice de Las Vegas a besoin d'être entretenue et des casinos sont régulièrement rayés de la carte pour mieux refleurir quelques années plus tard. Incarnation contemporaine du rêve américain, cette ville fondée en 1905, fruit d'une croissance ininterrompue depuis le début du siècle, est condamnée à réinventer sans cesse son destin de cité mirage plantée en plein désert.

Une prairie dans le désert
Bien avant que les voyageurs mexicains ne nomment le site Las Vegas (Les Prairies), des **Indiens paiutes** vivaient aux abords des sources d'eau qui constituaient un élément vital dans le désert Mojave. En 1829, l'éclaireur d'un convoi marchand mexicain découvrit par bonheur cette vallée verdoyante, qui permettait de raccourcir considérablement la voie du Old Spanish Trail, menant de Santa Fe (Nouveau-Mexique) à Los Angeles. **John C. Fremont** arriva en 1844, à la tête de l'une des nombreuses expéditions qu'il mena dans l'Ouest américain. Ses récits ont joué un rôle important dans la promotion de ces territoires mal connus. Il fallut cependant attendre 1855 et l'arrivée des **mormons**, dépêchés de Salt Lake City, pour qu'un campement fixe soit construit à Las Vegas, mais le fort était abandonné deux ans seulement après sa construction.

Genèse d'une cité
Comme souvent dans l'Ouest, l'arrivée du **chemin de fer** changea le cours de l'histoire. En 1904, la compagnie chargée de poser des rails dans la vallée de Las Vegas acheta les terrains alentour (une partie du Downtown actuel) et décida d'y établir une

station de ravitaillement : la ville était née. Deux événements majeurs survinrent en 1931, dans les années de la Grande Dépression, et décidèrent du sort de Las Vegas : la construction du **barrage de Hoover**, qui occasionna un afflux immédiat de population, et la **légalisation des jeux d'argent**. Au cours de la Seconde Guerre mondiale, le gouvernement fédéral finança également la création d'une école de pilotes de guerre sur un immense terrain au nord de la ville. Las Vegas passa de 800 habitants en 1911 à 8500 en 1940.

Se marier à Las Vegas

Chaque année, plus de 100 000 couples échangent leurs consentements à Las Vegas. Rien de plus facile en effet : il suffit de se présenter à la Court House du comté muni de 35 $ en espèces afin d'obtenir une autorisation, la «mariage license» (voir «Las Vegas pratique»). Ensuite, libre à chacun de choisir parmi les formules «tout compris» : mariage en grande pompe dans un hôtel de luxe ou dans l'une des chapelles de bois blanc qui jalonnent le haut du Strip, cérémonie fantaisiste dans une limousine ou en compagnie d'un Elvis ressuscité ! Il y en a pour tous les goûts et pour toutes les bourses… Des distributeurs automatiques placés dans le hall des chapelles vous permettent d'acheter en toute dernière minute votre bouquet ou le gâteau de mariage, mais n'oubliez pas le témoin !

Las Vegas devient «Las Vegas»

Au début des années 1940, seuls les hôtels-casinos El Rancho (celui-ci a été détruit par le feu en 1960 et rasé en mars 2000) et The Last Frontier avaient été construits le long de la route qui relie Los Angeles à Las Vegas. L'essentiel de la ville se résume alors à Downtown et à quelques ranchs alentour. En 1946, la construction d'un premier édifice flamboyant, le **Flamingo**, par Benjamin «Bugsy» Siegel *(voir ci-après)* donna le coup d'envoi du développement effréné de l'actuel Strip, tout en liant pour plusieurs décennies le devenir de la cité avec celui des **mafias** de l'est du pays. Les casinos représentent un moyen sûr de blanchir de l'argent et de faire des profits non déclarés. À partir des années 1950, «Sin City» (la cité du vice) se dota de nouveaux hôtels ou assista à l'expansion de ceux déjà édifiés. De 24 624 habitants en 1950, Las Vegas passa à 64 000 en 1960. En 1966, l'arrivée du milliardaire

Le Strip by night

B. Pérousse/MICHELIN

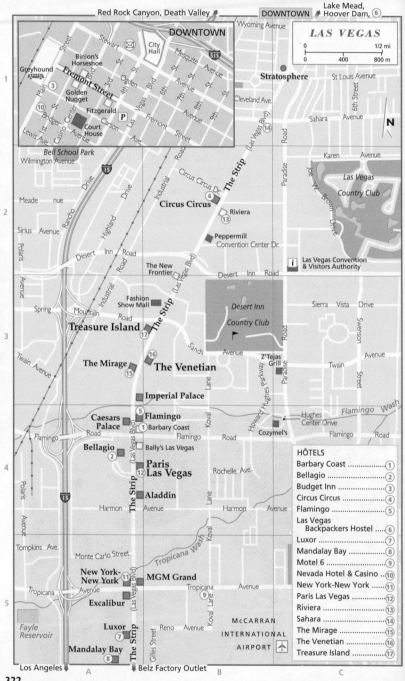

Howard Hughes, qui vécut en reclus dans le Desert Inn, marqua un tournant dans l'histoire de la ville. En rachetant plusieurs casinos, il lui donna la chance de s'offrir une deuxième virginité et de se débarrasser de son image de cité corrompue.

Juste derrière Disneyworld

La population de Las Vegas connaît une croissance ininterrompue depuis les années 1950, et une envolée sans précédent à partir du milieu des années 1980. Aujourd'hui, avec près de 484 000 habitants, 34 millions de visiteurs par an (+61,3 % en 10 ans !), le 7ᵉ plus grand aéroport mondial, plus de 120 000 chambres d'hôtels et un taux d'occupation des chambres toujours supérieur à 74 %, Las Vegas se targue d'être la deuxième destination touristique aux États-Unis, derrière Disneyworld. Outre les congrès, qui représentaient près de 4 millions de visiteurs en 1999, la municipalité a réussi à imposer Las Vegas comme une destination familiale, misant tout autant sur les attractions proposées dans les casinos que sur le seul attrait du jeu, qui reste malgré tout l'activité la plus lucrative.

Visite de la ville
Comptez 2 jours.

Les hôtels-casinos du Strip★★

La marche est sans conteste le meilleur moyen de sillonner le Strip, d'autant que des passerelles facilitent la circulation des piétons entre les casinos au niveau de Tropicana Ave. et de Flamingo Rd. Des trains gratuits circulent par ailleurs entre le MGM Grand et le Bally's, entre le Mandalay Bay, le Luxor et l'Excalibur, ainsi qu'entre le Mirage et le Treasure Island. Chaque établissement dispose d'un parking gratuit et d'un service de voiturier (« valet parking »), ainsi que de nombreux restaurants.

Plus communément appelée le **Strip★★**, la portion de Las Vegas Boulevard qui s'étend sur près de 3 miles au sud de Downtown, entre la tour Stratosphere au nord et le Mandalay Bay au sud, constitue l'axe principal de Las Vegas. Il est jalonné d'immenses hôtels-casinos qui font la réputation de la ville et dont la capacité d'hébergement est démesurée. Dans une cité fondée sur l'attrait de la nouveauté et du spectacle, chaque établissement cherche sans cesse à renouveler ses attractions afin de séduire les visiteurs. Certains mettent l'accent sur le décor des casinos, des piscines et des galeries marchandes de l'hôtel, d'autres misent sur les spectacles et attractions qu'ils proposent.

Anatomie d'un nom

La tentation est grande à Las Vegas de considérer le terme « Strip » comme l'abréviation de « strip-tease » qui signifie mise à nu. Or le surnom du Las Vegas Boulevard South aurait été donné par un officier de police à qui le casino Flamingo (1946) – troisième établissement à avoir vu le jour sur ce qui était alors la Los Angeles Highway – faisait penser aux clubs glamour qui jalonnaient le Sunset Strip de Los Angeles dans les années 1930. Le mot « strip » désigne en fait une bande étroite, ici une portion de route.

À l'extrémité nord du Strip, l'immense tour blanche du **Stratosphere★** (C1) (350 m) domine le boulevard depuis 1979 et offre une **vue panoramique** sur la ville *(dimanche-jeudi 10 h-1 h, vendredi-samedi 10 h-2 h. Entrée : 6 $; billet combiné entrée + les deux attractions : 15 $).* Les amateurs de sensations fortes apprécieront les deux attractions spectaculaires qu'elle propose, dont un **grand huit** installé à son sommet, qui passe pour le plus élevé du monde.

Descendez le Strip sur le trottoir de droite. Vous apercevez de loin la silhouette massive du Circus Circus.

Construit en 1968, le **Circus Circus★★** (B2) est le quatrième plus grand hôtel des États-Unis en nombre de chambres. C'est un établissement festif et familial, dont l'entrée se fait par un grand chapiteau qui abrite une véritable fête foraine et une petite

piste de cirque où les numéros se succèdent *(tlj à partir de 11 h, toutes les 20 mn environ. Spectacle gratuit)*. Installé sous une vaste coupole, **The Adventuredome** propose des attractions plus musclées, dont un grand huit et un parcours aquatique.

En continuant toujours vers le sud, vous passez devant The New Frontier, qui a remplacé The Last Frontier, le deuxième établissement à avoir vu le jour sur le Strip en 1942. Puis vous arrivez à la hauteur du Treasure Island.

Sur le joli plan d'eau qui précède l'entrée du **Treasure Island**★★★ (B3) (1993) sont amarrés deux **trois-mâts**, dont les très spectaculaires batailles comptent parmi les événements les plus prisés du Strip *(tlj 16 h, 17 h 30, 19 h, 20 h 30, 22 h et 23 h 30)*. Derrière la façade aux allures d'île perdue, avec ses petites cabanes colorées, ses rochers et ses palmiers tordus, se cache un très agréable complexe, bien organisé, d'où s'exhale une forte odeur de noix de coco.

De l'autre côté du Strip se dresse un surprenant palais des Doges, précédé du pont Rialto et d'une tour du Campanile.

Avec sa majestueuse esplanade traversée par un canal où voguent des gondoles, **The Venetian**★★★ (B3) (1999) est l'une des imitations les plus réussies de Las Vegas. Passé la porte du «palais des Doges», chandeliers, faux marbre, dorures et peintures murales donnent le ton du casino. Au deuxième étage, n'hésitez pas à flâner dans les **Grand Canal Shoppes**★★, dont les arcades colorées, éclairées par des réverbères et des lampions plus vrais que nature, longent le «Grand Canal». Vous vous prendrez vite au jeu, oubliant que les nuages qui filent dans le ciel ne sont que de très étonnants trompe-l'œil.

The Venetian a véritablement innové en 2001 en ouvrant au sein de son complexe deux musées d'importance, œuvres de l'architecte Rem Koolhaas qui a remporté le prix Pritzker en 2000 *(☎ (702) 414 2440, www.guggenheimlasvegas.org. Tlj 9 h 30-20 h 30. Entrée : 15 $)*. Le **Guggenheim Hermitage Museum**, fruit d'une étroite collaboration entre le musée de l'Hermitage de Saint-Pétersbourg et la fondation Solomon R. Guggenheim, expose des œuvres issues des collections de ces deux institutions. Le **Guggenheim Las Vegas**, accueille quant à lui dans un bel espace aménageable de 6 000 m² des expositions temporaires, qui tournent dans les différents musées Guggenheim, dont ceux de New York et de Bilboa.

Un peu plus au sud, de l'autre côté du Strip, l'immense fontaine qui trône au milieu de la promenade verdoyante menant au **Mirage**★ (A3) (1989) se transforme en **volcan**★ à la nuit tombée *(tlj tous les 1/4 h jusqu'à minuit)*. Les amateurs de bêtes sauvages peuvent visiter le petit zoo situé à l'intérieur du complexe, qui renferme des dauphins, des tigres blancs, des panthères noires, des léopards et un éléphant *(☎ (702) 791 7188. Entrée : 10 $. Horaires variables)*.

L'Imperial Palace (A3) (1978) ne propose rien d'exceptionnel, si ce n'est une magnifique **collection de voitures anciennes**★★ *(tlj 9 h 30-21 h 30. Entrée : 6,95 $)*. Pour rejoindre cette exposition, présentée au 5ᵉ étage de l'édifice, il faut bien évidemment traverser tout le casino...

Casinos, mode d'emploi

Paradis du joueur, lieu de toutes les tentations pour le novice, Las Vegas roule sur l'or dépensé dans ses établissements de jeu. Tout est orchestré pour retenir le visiteur le plus longtemps possible dans les casinos : les salles ne comptent ni horloge ni fenêtre, des serveuses viennent proposer des cocktails gratuits à ceux qui prennent place devant les machines (n'oubliez pas le pourboire!), et la sortie n'est pas toujours facile à trouver parmi les allées labyrinthiques bordées de tables de jeu et de bandits manchots. Vous évoluez ainsi dans un univers surréaliste, dans lequel les néons multicolores répondent à la cacophonie des machines à sous. Les habitués s'y retrouvent vite entre les différentes tables de jeu, tandis que les néophytes commencent par observer, mais bien vite, tous les joueurs sombrent dans une douce ivresse mêlée d'alcool et d'espoir de gain.

Bâti en 1946, le **Flamingo*** (A4) fit couler beaucoup d'encre en raison de la personnalité de son commanditaire, **Benjamin «Bugsy» Siegel**, membre notoire de la mafia new-yorkaise, venu s'installer à Los Angeles en 1937. Combinant à la fois des activités illicites et des relations avec les stars d'Hollywood, ce play-boy gangster misa sur le potentiel de Las Vegas qui n'était alors qu'une grosse bourgade en plein désert. L'ouverture du Flamingo se fit en grande pompe, en présence notamment de Clark Gable, Lana Turner et Joan Crawford. Benjamin Siegel fut exécuté par la mafia deux ans plus tard, mais son nom reste associé au développement de Las Vegas. Le complexe a bien changé depuis, mais les **flamants roses** qui déambulent en compagnie de pingouins près des piscines et de la cascade constituent toujours la principale attraction du lieu.

Empruntez la passerelle du **Barbary Coast** pour rejoindre le **Caesars Palace*** (A4) (1966) qui décline le thème de la Rome antique avec beaucoup de pompe. Statues, jets d'eau et temples agrémentent les jardins, tandis que la décoration du casino marie faux marbres, frises et statues. L'hôtel présente un spectacle pyrotechnique nommé **Atlantis** (*toutes les heures. Entrée libre*).

Une passerelle permet de rejoindre l'hôtel voisin, le **Bellagio**** (A4), construit en 1998. Cet établissement très luxueux est précédé d'un large plan d'eau qui le place agréablement en retrait du boulevard. Ne manquez pas le **spectacle son et lumière**** présenté dans les jardins, autour des jets d'eau (*lundi-vendredi, toutes les 1/2 h de 15 h à 20 h et tous les 1/4 h de 20 h à minuit; début à 12 h le week-end*). Le casino, aéré et peu bruyant, est décoré de tons doux, et le **Fontana Lounge*** ouvre sur une agréable terrasse, idéale pour siroter un verre en profitant de la vue sur le lac et… la tour Eiffel! Le plafond du hall de l'hôtel est somptueusement orné de fleurs de verre multicolores qui semblent onduler sous l'effet du vent, tandis que, derrière la réception, une grande **serre*** abrite des compositions florales de toute beauté, renouvelées au gré des saisons.

Just married!

Traversez le Strip pour vous rendre au Paris Las Vegas.

Pour qui connaît la capitale française, la façade du **Paris Las Vegas***** (A4) (1999) se présente comme un condensé audacieux de ses principaux monuments : la **tour Eiffel**** se trouve mêlée au musée d'Orsay, lui même voisinant avec les fontaines de la Concorde, l'Opéra Garnier et le Louvre… Un heureux mélange qui fait illusion : on se croirait dans les studios de Hollywood. Le **casino**** est également l'un des plus réussis avec ses allures de rues parisiennes, ses réverbères, ses allées « pavées », son marché couvert, sa fontaine des Innocents et son pont Alexandre-III !

G. de Benoist/MICHELIN

Les joueurs prennent place dans des fauteuils de style, et pour couronner le tout, le personnel est prié de dire « bonjour » et « merci ». La réception très versaillaise de l'hôtel est tout aussi amusante avec ses lustres et moulures dorées.

Dernier-né du Strip, **Aladdin**** (A4) a réouvert ses portes en 2000, après avoir été complètement rasé. Le casino se distingue par ses colonnes incrustées de pierres multicolores, mais les galeries marchandes du **Desert Passage***** remportent la palme de la mise en scène pour son ambiance et son souci du détail. Conçu à la manière d'un souk autour d'une grande place centrale, il est baigné de parfums d'encens, de musique orientale et de chants d'oiseaux, de tintements de clochettes et de cris d'enfants... De confortables sièges en cuir permettent de faire halte pour contempler les façades ouvrées, les minarets et les coupoles, avant de reprendre la marche dans ce pays imaginaire.

Continuez votre chemin jusqu'au MGM Grand, à l'angle de Tropicana Ave.

L'imposante masse de verre sombre du **MGM Grand*** (A5) (1999) abrite le plus grand hôtel des États-Unis en terme de capacité : 5 035 chambres! Le thème des années de faste hollywoodien s'estompe devant l'immensité du lieu, surtout conçu pour accueillir les grands congrès.

Faisant face au MGM Grand, le **New York-New York**** (A5) (1997) est aisément reconnaissable à ses gratte-ciel colorés, sa statue de la Liberté et son pont de Brooklyn. L'élégante réception de l'hôtel, décorée dans le style Art déco, est du plus bel effet et vous pouvez emprunter l'un des ascenseurs afin de profiter de la vue que l'on a des étages. Il est très agréable de se promener ou de déjeuner dans les **Village Eateries***** qui reproduisent assez fidèlement les ruelles et arrière-cours du Village de New York, avec arbres et lampions, soupiraux et bouches d'égout d'où s'échappe un peu de fumée. Vous trouverez notamment d'excellents sandwichs, à déguster dans un décor typique des *deli* de New York. À l'extérieur, les amateurs de sensations fortes trouveront un grand huit, le **Manhattan Express*** *(tlj 10 h 30-23 h. Entrée payante)*. Son voisin, l'**Excalibur** (A5) (1990), est en revanche assez décevant, car la décoration « médiévale » a mal vieilli.

La pyramide et le Sphinx qui garde l'entrée du **Luxor*** (A5) (1996) demeurent impressionnants, mais l'hôtel ne présente par ailleurs guère d'intérêt, car les principales attractions sont payantes, notamment la reproduction à l'échelle de la **tombe de Toutankhamon**. Le visiteur n'a donc accès qu'aux machines à sous et aux restaurants. Levez toutefois les yeux et observez les couloirs menant aux chambres, aménagées dans les parois de l'édifice : l'espace vide créé par cette construction atypique est remarquable.

Empruntez le train pour vous rendre au Mandalay Bay.

Le Mandalay Bay* (A5) (1999) se distingue par son élégance, comparable à celle du Bellagio. De somptueux lustres aux motifs géométriques ornent le casino et la réception de l'hôtel. Là, une grande verrière donne sur le **complexe balnéaire*** où plusieurs piscines et une plage de sable se nichent au milieu d'une nature luxuriante. L'hôtel comprend également un aquarium où évoluent des requins.

Fremont Street* (A-B1)

Au cœur de Downtown, Fremont St. est un axe perpendiculaire à Las Vegas Blvd, qui comprend une partie piétonne, entre Main St. et 4ᵗʰ St. Comptez une soirée.

La gare ferroviaire de Las Vegas, située à l'extrémité ouest de Fremont Street, fut inaugurée en janvier 1905. Elle occasionna le développement de cette artère qui accueillit les premiers établissements de jeu, dont le Golden Gate Hotel & Casino, en 1906. À partir des années 1950, le quartier s'est vu toutefois supplanté par le Strip, jusqu'à ce que le spectacle son et lumière qui anime chaque soir* la rue attire de nouveau les visiteurs en masse.

Pendant la journée, la partie piétonne de Fremont Street, bordée de magasins de souvenirs et d'hôtels-casinos, connaît une atmosphère moins enfiévrée que sur le Strip. Parmi les plus célèbres établissements, le **Binion's Horseshoe** (1931), le **Golden Nugget** (1946) et le **Fitzgerald** (1980) dégagent un charme un peu vieillot comparés aux titans du Strip. À la nuit tombée, les néons colorés laissent toutefois augurer une vie plus animée. Il est vrai qu'il y a foule quand débute **Fremont Street Experience**★★, le spectacle son et lumière qui, grâce à plus de 2 millions de spots, illumine la longue verrière perchée à plus de 27 m de haut (*5 représentations différentes, de 6 mn chacune, toutes les heures à partir de 20h. Spectacle gratuit*).

Les environs de Las Vegas★★

Red Rock Canyon★
À 18 miles à l'ouest de Las Vegas, sur la Hwy 159 (Charleston Blvd). Tlj de 7h au coucher du soleil. Entrée : 5$. Visitor Center à l'entrée de la route panoramique, ☎ (702) 363 1921, www.redcanyon.blm.gov. Tlj 8h30-16h30. Comptez une demi-journée.
Situé dans le désert Mojave, ce parc de près de 1 000 km² présente des reliefs formés il y a 65 millions d'années environ, suite à un choc violent entre deux plaques terrestres : la plus ancienne, formée de roche calcaire, fut en partie poussée au-dessus de la plus récente, constituée de grès rouge. Une route touristique (*13 miles*) serpente au milieu de ces monts arrondis, dénués de toute végétation, qui flamboient au coucher du soleil. Une vingtaine de **chemins de randonnée** (*30 miles*) permettent d'approcher les formations, offrant des panoramas saisissants. Parfois, de petits **ânes sauvages** à la robe brun foncé, descendant des montures apportées par les prospecteurs, s'aventurent près des sentiers.

Lake Mead★★ et Hoover Dam★ (le barrage de Hoover)
À 30 miles de Las Vegas, sur la Hwy 582 (Boulder Highway). Le barrage est situé à la frontière du Nevada (Pacific Time) et de l'Arizona (Mountain Time); les horaires indiqués ici sont ceux du Nevada. Parking aux abords du barrage (3$). Visitor Center, ☎ (702) 597 5970, www.hooverdam.usbr.com. Tlj 8h-17h15. Visites guidées tlj de 8h30 à 17h15 (30 mn; 10$).
Le barrage de Hoover, une impressionnante masse de béton édifiée dans un étroit défilé de roches volcaniques, a donné naissance au lac Mead, qui s'étire au milieu de collines arides et de paysages couleur de feu, et que l'on découvre en parcourant les routes aménagées dans le désert alentour.
En 1928, la construction du **Hoover Dam**★, destiné à domestiquer le puissant fleuve Colorado, arriva à point nommé en pleine période de Grande Dépression. Las Vegas devait bénéficier de la publicité faite autour de cette réalisation audacieuse, mais, assez ironiquement, les responsables du barrage décidèrent de fonder à proximité du site une autre ville, Boulder City, où le jeu était interdit afin que les ouvriers travaillant sur le chantier ne soient pas tentés : de nos jours, c'est la seule enclave du Nevada où cette activité est encore prohibée. Commencée en 1931, l'édification du barrage fut achevée en 1935, deux ans avant la date prévue. Du haut de ses 379 m, le Hoover Dam était à l'époque le plus grand barrage du monde. En 1999, il a d'ailleurs été reconnu comme l'une des cinq constructions les plus marquantes du 20ᵉ s. Outre la régulation des crues annuelles du fleuve, qui permet d'irriguer les terres et de subvenir aux besoins en eau des populations de l'Ouest américain et du Mexique, le barrage fournit de l'électricité à la Californie du Sud (56 % de sa production totale), à l'Arizona (19 %) et au Nevada (25 %).

Après la visite du barrage, faites demi-tour et prenez à droite la Hwy 166 jusqu'au Alan Bible Visitor Center (tlj 8h30-16h30), agréablement aménagé et très informatif, afin de prendre des cartes et de vous renseigner sur l'état des routes. L'accès à l'espace protégé du lac Mead (Lake Mead Recreational Area) coûte 5$ par véhicule, si vous ne possédez pas le National Parks Pass.

Une fois le barrage achevé, les canyons creusés par le fleuve Colorado et son puissant affluent, la rivière Virgin, se sont remplis, créant le **lac Mead****, une immense étendue de plus de 177 km de long et de 63 900 ha, pouvant contenir jusqu'à 35,2 millions de m^3 d'eau. Ce faisant, toute une partie de l'héritage historique du lieu a été engloutie. Les ruines des villages des Indiens anasazis, qui vécurent au confluent de la rivière Virgin et du Colorado de 500 av. J.-C. à 1150, reposent à présent sous l'Overton Arm, au nord du lac. Dans le même temps, l'apparition d'un lac au milieu du désert Mojave, le plus petit, le plus chaud et le plus aride des déserts américains, a occasionné la création du **Lake Mead Recreational Area**, une aire de loisirs pour les vacanciers américains, qui viennent ici s'adonner aux sports nautiques.

Il est possible de rallier Las Vegas en suivant la Hwy 166, puis la Hwy 147. Pour rejoindre l'Utah et St George par l'I-15, suivez les Hwys 166, puis 167 et 169.

Las Vegas pratique

ARRIVER–PARTIR

En avion – *McCarran International Airport*, situé à l'extrémité sud de Paradise Rd, au sud-est du Strip (15 mn en voiture) (B-C5), ☎ (702) 261 5743, www.mccarran.com. Accueille près de 800 vols journaliers en provenance des grandes villes américaines et de certaines capitales européennes. Pour rejoindre Downtown, prenez le bus CAT 109 (24h/24) ou le CAT 108, qui passe par le Strip (1,25 $). Des navettes (« shuttle ») desservent régulièrement le Strip et Downtown, 24h/24 (comptez 5 $). La course en taxi revient à 10-13 $ pour le Strip et à 15-18 $ pour Downtown.

En train – *Amtrak* n'achemine pas encore de passagers vers Las Vegas, mais une connexion avec les bus Greyhound existe à Needles (Californie), sur la ligne Los Angeles-Albuquerque Southwest Chief. 1 départ quotidien de Los Angeles à 19h05.

En bus – *Greyhound*, 200 S. Main St. (A1), dans Downtown, à deux pas de Fremont St., ☎ (702) 384 9561. Liaisons fréquentes avec Los Angeles (5h30 en express), Phoenix (7-9h) et San Diego (7h30-10h). Le bus CAT 108 permet de rejoindre le Strip et le Visitor Center.

COMMENT CIRCULER

La marche est sans conteste le meilleur moyen d'arpenter le Strip.

En voiture – Afin d'éviter les embouteillages, endémiques sur le Strip, pensez à emprunter Koval Ln, parallèle au Strip entre Tropicana et Sands Ave., ainsi que Paradise Rd (sens unique du nord au sud). Aucun problème en revanche pour se garer, car chaque casino met à la disposition des visiteurs un « self park » gratuit. Vous pouvez également utiliser le « valet service », moyennant un pourboire (2 $) au voiturier.

En bus – Les bus locaux sont gérés par la compagnie *CAT*, dont le terminal (DTC) est situé dans Downtown, 300 N. Casino Center Blvd. Bureau d'informations ouvert tlj 6h-18h45. Le prix d'un trajet s'élève à 1,25 $ (faire l'appoint), à l'exception des lignes 301 (24h/24), 302 et 303, qui sillonnent le Strip (2 $). Le *Strip Trolley* parcourt le Strip toutes les 20 mn de 9h30 à 2h entre la Stratosphere Tower, au nord, et le Mandalay Bay, au sud (1,50 $).

En taxi – Les 13 compagnies de taxis de Las Vegas sont assujetties aux mêmes tarifs. *Ace Cab*, ☎ (702) 736 8383 ; *Desert Cab*, ☎ (702) 376 2687 ; *Henderson Taxi*, ☎ (702) 384 2322 ; *Western Cab*, ☎ (702) 382 7100 ; *Whittlesea Blue Cab*, ☎ (702) 384 6111 ; *Yellow Checker Star Cab*, ☎ (702) 873 2227.

ADRESSES UTILES

Office de tourisme – *Las Vegas Convention and Visitors Authority*, 1350 Paradise Rd (C2), ☎ (702) 892 0711, Fax (702) 892 2824, www.lasvegas24hours. com. Lundi-vendredi 7h-17h, samedi-dimanche 8h30-17h. Nombreuses brochures et plans. Livret en français détaillant les différents jeux proposés dans les casinos. Téléphones à disposition pour réserver une chambre d'hôtel, ☎ (702) 892 7576 (numéro gratuit). Le

Strip est jalonné de boutiques arborant le panneau **Official Tourist Office** qui peuvent s'avérer utiles si vous recherchez un circuit organisé pour les attractions de la région.

Banque / Change – Distributeurs automatiques dans tous les casinos. Sur le Strip, un distributeur de la **Bank of Nevada** devant le magasin M & M, à côté de la bouteille de Coca-Cola géante (devant le MGM) (A5).

Poste – **Downtown Station**, 301 E. Stewart Ave. (A1). Lundi-vendredi 8 h 30-17 h. Non loin du Strip, la **Pharmacy** du Somerset Shopping Center, 252 Convention Center Drive, possède un bureau de poste. Lundi-vendredi 8h30-16h30, samedi 10h-14h.

Internet – **Fashion Show**, 3200 Las Vegas Blvd (B3), au nord de Spring Mountain Rd, ☎ (702) 369 0704. Lundi-vendredi 10h-21h, samedi 10h-19h, dimanche 12h-18h. À l'étage inférieur de ce grand centre commercial, trois bornes Internet gratuites (15 mn) sont à la disposition des passants. Points d'accès payants (3 $ les 8 mn) sur Las Vegas Blvd, chez **MiniMart & Oasis Gift Shop**, au n° 3725 S., et **Z & L Gifts**, au n° 3712 S.

Mariage – **Court House**, 200 3ʳᵈ St. (A1), ☎ (702) 455 4415. Lundi-jeudi 8h-minuit, vendredi-dimanche et pendant les vacances 24h/24. Se munir de 35 $ en espèces pour obtenir une licence de mariage, qui vous permettra de vous unir civilement ou religieusement, dans l'une des chapelles de la ville.

OÙ LOGER

Contre toute attente, Las Vegas peut s'avérer très bon marché (la ville compte 120 294 chambres d'hôtels!), en dehors des grands congrès qui occasionnent une surenchère des tarifs. De manière générale, les prix varient tout le temps, parfois même au cours d'une seule journée, selon le taux d'occupation. Pour mettre toutes les chances de votre côté, arrivez de préférence en milieu de semaine; il est alors possible de descendre dans les plus grands hôtels de Las Vegas pour un prix modique. Sachez toutefois que les hôtels de Downtown et du nord du Strip sont souvent moins chers. Les tarifs donnés ici sont donc indicatifs et concernent des chambres standard.

• Les hébergements classiques

Ces adresses concernent des hôtels classiques, dont les prix augmentent uniquement les vendredi et samedi.

Moins de 25 $ par personne
Las Vegas Backpackers Hostel, 1322 Fremont St., ☎ (702) 385 1150 / 1-800 550 8958, Fax (702) 385 4940, vegasinfo@hostelmail.net – 75 lits ⅃ ⸤CC⸥ Une auberge dynamique et très accueillante, bien qu'un peu excentrée et pas toujours très propre. Nombreux circuits organisés, notamment vers le Strip. Laverie, accès Internet, piscine ouverte 24h/24, barbecues. 16 chambres privées (38-44 $). Appelez pour qu'on vienne vous chercher à la gare.

De 40 à 60 $
Budget Inn, 301 S. Main St., en face de la gare Greyhound, ☎ (702) 385 5560 / 1-800 959 9062, Fax (702) 382 9273 – 80 ch. ⸤⸥ 🖩 𝒫 📺 ⸤CC⸥ Un hôtel pour petits budgets, propre et accueillant, mais situé dans un quartier peu avenant, proche des attractions.

Nevada Hotel & Casino, 235 S. Main St., non loin du précédent, ☎ (702) 385 7311 / 1-800 637 5777, Fax (702) 382 1854 – 160 ch. ⸤⸥ 🖩 📺 ⸤CC⸥ Cet hôtel un peu défraîchi, mais propre, bénéficie d'un accueil professionnel et les chambres disposent d'un petit balcon. Quelques-unes sont surprenantes, avec des murs gris argent et un miroir au plafond!

Motel 6, 195 E. Tropicana Ave., ☎ (702) 798 0728, Fax (702) 798 5657 – 608 ch. ⸤⸥ 🖩 𝒫 📺 ⅃ ⸤CC⸥ Mention spéciale pour cet établissement de la chaîne Motel 6, tout confort, joliment disposé autour d'une piscine, et très bien situé, à deux rues du Strip.

• Les hôtels-casinos

De 40 à 60 $
Sahara, 2535 S. Las Vegas Blvd, ☎ (702) 737 2111 / 1-888 696 2121, Fax (702) 791 2027 – 1750 ch. ⸤⸥ 🖩 𝒫 📺 ✕ ⅃ ⸤CC⸥ L'un des premiers grands hôtels du Strip, rénové à plusieurs reprises. Les grandes chambres à la décoration discrète et soignée, dans les tons sable et ocre, accueillent une clientèle familiale, un rien bruyante.

Barbary Coast, 3595 S. Las Vegas Blvd, ☎ (702) 737 7111 / 1-888 227 2279, Fax (702) 894 9954, www.barbary coastcasino. com – 196 ch. ⌑ 🍴 🖋 📺 ✕ 🍴 CC Ce « petit » hôtel est empreint d'un charme vieillot avec ses dentelles et ses rideaux à franges dans les tons rosés. Petit balcon dans les chambres.

Flamingo, 3555 S. Las Vegas Blvd, ☎ (702) 733 3111 / 1-800 732 2111, Fax (702) 733 3353, www.flamingolv. com – 3642 ch. ⌑ 🍴 🖋 📺 ✕ 🍴 CC Agrandi maintes fois depuis sa construction en 1946, ce vétéran du Strip dispose de chambres assez grandes, dont les tons pâles sont rehaussés par un mobilier coloré.

De 60 à 80 $

Circus Circus, 2880 S. Las Vegas Blvd, ☎ (702) 734 0410 / 1-800 444 2472, Fax (702) 734 5897, www. circuscircus-lasvegas.com – 3741 ch. ⌑ 🍴 🖋 📺 ✕ 🍴 CC De grandes chambres tout confort vous attendent dans ce complexe à l'ambiance et aux attractions familiales.

Riviera, 2901 S. Las Vegas Blvd, ☎ (702) 734 5111 / 1-800 634 6753, www. theriviera.com – 2 072 ch. ⌑ 🍴 🖋 📺 ✕ 🍴 CC Très glamour, les chambres rose et crème bénéficient de prix attractifs. Belle terrasse autour de la piscine.

Luxor, 3900 S. Las Vegas Blvd, ☎ (702) 262 4000 / 1-800 288 1000, Fax (702) 262 4404, www.luxor.com – 4427 ch. ⌑ 🍴 🖋 📺 ✕ 🍴 CC Une partie des chambres sont aménagées dans les parois de la pyramide et l'une des grandes attractions consiste à emprunter les ascenseurs qui montent à l'oblique ! Petites chambres aux motifs égyptiens à tous les étages.

New York-New York, 3790 S. Las Vegas Blvd, ☎ (702) 740 6969 / 1-800 693 6763, Fax (702) 740 6920, www.nynyhotelcasino.com – 2 033 ch. ⌑ 🍴 🖋 📺 ✕ 🍴 CC Tout le complexe adopte le style des années 1930. Chambres et salles de bains élégantes, dans les tons saumon et violet.

De 80 à 120 $

Treasure Island, 3300 S. Las Vegas Blvd, ☎ (702) 894 7444 / 1-800 944 7444, Fax (702) 894 7446, www.treasureisland. com – 2 900 ch. ⌑ 🍴 🖋 📺 ✕ 🍴 CC

Cet hôtel à l'atmosphère luxueuse et feutrée propose de très agréables chambres d'où l'on a une belle vue sur la ville.

The Mirage, 3400 S. Las Vegas Blvd, ☎ (702) 791 7111 / 1-800 627 6667, Fax (702) 791 7414, www.mirage.com – 3049 ch. ⌑ 🍴 🖋 📺 ✕ 🍴 CC Un complexe très agréable malgré son gigantisme, et dont les chambres, élégantes et chaleureuses, offrent de superbes vues sur Las Vegas.

Paris, 3655 S. Las Vegas Blvd, ☎ (702) 946 7000 / 1-888 266 5687, Fax (702) 946 4405, www.parislv.com – 2916 ch. ⌑ 🍴 🖋 📺 ✕ 🍴 CC De charmantes chambres « à la française »… façon américaine. Demandez la vue sur la tour Eiffel et sur le lac du Bellagio.

Plus de 120 $

Bellagio, 3600 S. Las Vegas Blvd, ☎ (702) 693 7111 / 1-888 987 6667, Fax (702) 693 8546, www. bellagiolasvegas.com – 3005 ch. ⌑ 🍴 🖋 📺 ✕ 🍴 CC De grandes chambres meublées avec goût, à la décoration classique et aux couleurs pastel, procurent tout le confort attendu dans un hôtel de cette classe.

The Venetian, 3355 S. Las Vegas Blvd, ☎ (702) 414 1000 / 1-888 2 VENICE, Fax (702) 414 4800, www.venetian. com – 3036 ch. ⌑ 🍴 🖋 📺 ✕ 🍴 CC Dans un cadre des plus romantiques, l'hôtel propose des chambres élégantes et très confortables, mais sans cachet particulier.

🏩 **Mandalay Bay**, 3950 S. Las Vegas Blvd, ☎ (702) 632 7777 / 1-888 632 7000, Fax (702) 632 7108, www.mandalaybay.com – 3221 ch. ⌑ 🍴 🖋 📺 ✕ 🍴 CC Un magnifique complexe, d'un très grand confort, dont les chambres sont tout aussi luxueuses. Les piscines, et même une plage, vous attendent au milieu des palmiers.

Où se restaurer

Chaque hôtel-casino propose une pléiade de restaurants, du fast-food aux établissements gastronomiques. Si vous voulez déjeuner sur le pouce, n'oubliez pas le « food-court », très pratique et bien situé, dans le Fashion Show, 3200 S. Las Vegas Blvd.

• **Dans les hôtels-casinos**

De 5 à 10 $

Cafe Bellagio, hôtel Bellagio (A4). 24h/24. Très bien situé, avec vue sur la piscine, ce café propose des plats sans prétention dans une salle aux couleurs guimauve.

Cafe Ferraro, dans le Desert Passage de l'hôtel Aladdin (A4). Tlj 8h-minuit. Ce petit restaurant à l'ambiance colorée et détendue propose des gâteaux et des sandwichs appétissants. Crèmes glacées italiennes pour les amateurs.

Treasure Island Buffet, dans l'hôtel du même nom (B3). 7h-22h30, brunch le week-end 7h30-15h45. Grand choix de plats et d'accompagnements à déguster à volonté dans deux grandes salles à la décoration chaleureuse.

De 10 à 15 $

Il Fornato, hôtel New York-New York (A5). 8h30-minuit. Ce joli restaurant à la décoration rustique et soignée propose un menu alléchant de spécialités italiennes. Il jouxte la boulangerie du même nom.

Plus de 20 $

Samba Grill, hôtel The Mirage (A3). 17h30-23h, jusqu'à minuit les vendredi et samedi. Cuisine brésilienne généreuse et plats copieux, servis dans une salle circulaire atypique aux couleurs très vives.

Rock Lobster, hôtel Mandalay Bay (A5). Dimanche-mercredi 11h30-23h, jeudi-samedi 11h-minuit. Ce restaurant élégant qui revisite le style des années 1970 propose une cuisine californienne inventive, tel le poisson pané à la bière et à la noix de coco.

• **Aux abords du Strip**

De 10 à 15 $

Peppermill, 2985 S. Las Vegas Blvd (B2). 24h/24. Ambiance chaleureuse et portions généreuses, dignes des restaurants qui bordent les autoroutes américaines. La décoration est en revanche kitsch à souhait. Surprenant et sympathique.

Cozymels, 355 Hughes Center Drive (C4). Dimanche-jeudi 11h-22h, vendredi-samedi 11h-23h. Ce restaurant mexicain propose des plats savoureux dans une vaste salle colorée et animée. Détail étonnant, une méthode d'apprentissage de l'espagnol est diffusée dans les toilettes!

Plus de 20 $

Z'Tejas, 3824 S. Paradise Rd (C3). Dimanche-jeudi 11h-22h, vendredi-samedi 11h-23h. Ambiance raffinée et détendue dans ce vaste restaurant dont les plats, joliment présentés, font honneur à la cuisine épicée du Sud-Ouest américain. Grande terrasse.

OÙ SORTIR, OÙ BOIRE UN VERRE

The Crown & Anchor, 1350 E. Tropicana Ave. (B5). 11h-6h. Authentique pub anglais, avec une petite terrasse, loin de l'agitation du Strip. 30 bières à la pression.

Rumjungle, hôtel Mandalay Bay (A5). Dimanche-mercredi 17h30-2h (10 $), jeudi (15 $), samedi (20 $) 17h30-4h. Une devanture de flammèches et un rideau d'eau donnent le ton de cette magnifique salle, arrangée avec goût. Le restaurant se transforme en discothèque vers 23h-minuit. L'impressionnante collection de bouteilles, sur huit rangs, comprend une centaine de rhums.

RA, hôtel Luxor (A5). Mercredi-dimanche de 22h à l'aube (15 $). Une très belle boîte de nuit, avec une jolie verrière et un immense bar où trône une statue du dieu égyptien. Tenue de soirée exigée.

ACHATS

Magasins d'usine – Belz Factory Outlet, 7400 S. Las Vegas Blvd, ☎ (702) 896 5599, www.belz.com. Lundi-samedi 10h-21h, dimanche 10h-18h. Au sud du Strip, plus de 155 magasins proposent des articles à prix d'usine.

Fashion Outlet of Las Vegas, 32100 S. Las Vegas Blvd, ☎ (702) 874 1400, www.fashionoutletlasvegas.com. Lundi-samedi 10h-21h, dimanche 10h-20h. Situé à 30 miles au sud du Strip, sur l'I-15 en direction de Los Angeles, cet immense centre est l'un des plus grands du genre.

ZION NATIONAL PARK★★

État de l'Utah – Mountain Time
43 miles de St George, 115 miles de Page – Carte Michelin n° 943 E9
Alt. 1130-2700 m – Hébergement à Springdale

À ne pas manquer
Randonner dans le parc.
Le point de vue Canyon Overlook.
S'aventurer dans le défilé des Narrows.

Conseils
Découvrez le parc par la route de Mount Carmel, de préférence le matin.

Quand vers 1860 les mormons découvrirent ce canyon tapissé de frênes et de peupliers, dominé par de vertigineuses falaises rouges, ils le baptisèrent Zion, en souvenir de Sion, la Jérusalem céleste. C'est dire la forte impression que provoquent ces paysages qui furent classés domaine national en 1909. Aujourd'hui, le parc s'étend sur 593 km² et plus de 100 km de sentiers y sont balisés. Il comprend deux parties, distantes de 45 miles par la route : le canyon de Zion et les hauts plateaux de Kolob, plus au nord, rattachés au parc en 1937.

Et au milieu coule une rivière

La plupart des visiteurs arrivent par le sud, en passant par Springdale, et découvrent d'emblée les falaises de grès blanc et rouge qui se dressent en toute majesté au cœur du canyon. Difficile d'imaginer que ces géantes de plus de 600 m sont l'œuvre de la rivière Virgin, qui coule tranquillement au fond de la vallée et continue son œuvre d'érosion, initiée il y a plus de 50 millions d'années dans deux formations rocheuses du jurassique : le **grès Navajo**, qui compose les parois de Zion Canyon, et la **formation Kayenta**, mélange de grès et de boue, juste au-dessous. Nous vous conseillons toutefois d'entrer dans le parc par l'est, en suivant la Mount Carmel-Zion Highway qui offre des vues exceptionnelles en arrivant sur le canyon.

La route de Mount Carmel★★

Itinéraire de 13 miles, à l'intérieur du parc.
Comptez une demi-heure, voire 1 h 30 si vous marchez jusqu'à Canyon Overlook.

La Highway 9, que vous pouvez emprunter au niveau de Mount Carmel Junction, pénètre dans le Zion National Park par l'entrée est. C'est une route spectaculaire pour les formations naturelles qu'elle traverse et les vues qu'elle procure. Dès l'instant où le revêtement de la chaussée se colore en rouge, le voyage vers le fond du canyon commence et le paysage, doucement accidenté, se dévoile progressivement au détour des virages (*à négocier avec prudence*).

Passé la guérite des rangers (*voir les conditions d'entrée page suivante*), un parking sur la droite permet d'observer le relief typique de la **Checkerboard Mesa★** (mesa en échiquier) : des lignes horizontales et verticales bien distinctes strient l'immense masse blanche aux contours doux et polis. Cette formation surprenante, composée de grès Navajo, permet d'imaginer la région il y a environ 170 millions d'années, quand le vent dessinait des dunes par vagues successives. Les fractures verticales seraient dues aux variations climatiques qui fragilisaient le grès et, l'eau de pluie aidant, l'amènent à se craqueler davantage. En effet, les millions de minuscules morceaux de quartz, agglomérés par un ciment peu résistant, donnent une roche poreuse et aisément friable, que vous pouvez ici toucher du doigt.

Peu avant l'entrée du deuxième tunnel débute le sentier qui mène au point de vue **Canyon Overlook★★** (*30 mn AR, déconseillé aux personnes sujettes au vertige*). L'escalier est un peu abrupt, mais le chemin est ensuite bien moins escarpé et suit

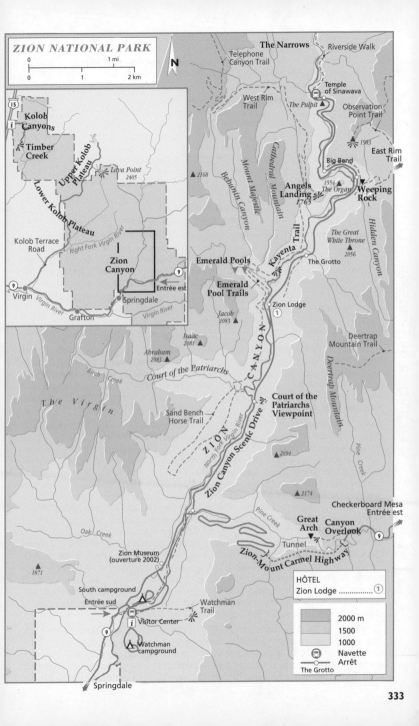

ZION NATIONAL PARK

0 — 1 mi
0 — 1 — 2 km

N

Kolob Canyons
15
i
Timber Creek

Lava Point 2405

Upper Kolob Plateau

Lower Kolob Plateau

Right Fork Virgin River

Kolob Terrace Road

Zion Canyon

9

Entrée est

9
Virgin
Virgin River

Springdale

Grafton
Virgin River

The Narrows
Riverside Walk

Telephone Canyon Trail

Temple of Sinawava

West Rim Trail

The Pulpit

Observation Point Trail

▲ *1983*

▲ *2168*

Big Bend

East Rim Trail

Mount Majestic

Behunin Canyon

Cathedral Mountain

1554 ▲
The Organ

Angels Landing
1765

Weeping Rock

Hidden Canyon

Emerald Pools ▼

Kayenta Trail

The Grotto

The Great White Throne 2056

Emerald Pool Trails

● Zion Lodge
1

Jacob 2083 ▲

Isaac 2081 ▲

Deertrap Mountain Trail

Abraham 2083 ▲

Court of the Patriarchs

Birch Creek

T h e   V i r g i n

Sand Bench Horse Trail

Court of the Patriarchs Viewpoint

Deertrap Mountain

North Fork Virgin River

Z I O N   C A N Y O N

▲ *2094*

Pine Creek

Zion Canyon Scenic Drive

▲ *2174*

Checkerboard Mesa
Entrée est

Pine Creek

Great Arch ▼

Canyon Overlook

9

Tunnel

Zion-Mount Carmel Highway

Oak Creek

Zion Museum
(ouverture 2002)

▲ *1871*

South campground

Entrée sud

i **Visitor Center**

9

Watchman Trail

Watchman campground

Springdale

HÔTEL
Zion Lodge **1**

2000 m
1500
1000

Navette
Arrêt
The Grotto

le canyon creusé par la rivière Pine Creek. Vous parvenez à une surprenante alcôve parsemée de mousse, avant de découvrir le promontoire rocheux, au détour d'un enchevêtrement de rochers et d'arbres pygmées. La **vue panoramique** sur le sud du canyon dévoile les pics découpés qui se parent de couleurs ocre et crème, rehaussées par le vert de la végétation.

Achevé en 1930, le **tunnel**, véritable prouesse technique en son temps, fut creusé à flanc de falaise sur près de 2 km. Les véhicules trop volumineux doivent rouler au milieu, ce qui occasionne bien souvent des embouteillages. À la sortie du tunnel, vous serez surpris par le changement de paysage, qui soudain semble hors de portée. Ne manquez pas d'admirer la **Great Arch★** (Grande Arche) qui orne la façade est du canyon de la rivière Pine Creek. Les jeux d'ombre et de lumière mettent en valeur cette formation colossale, l'une des plus spectaculaires du parc, née suite à la chute d'un pan de grès. *La route suit un tracé en lacet et rejoint le Visitor Center.*

Zion Canyon★★
Comptez une journée.

Entrée : 20 $ par voiture si vous n'avez pas le National Parks Pass. Le Visitor Center situé à l'entrée du parc donne des informations intéressantes sur la faune et la flore (www.nps.gov/zion. 8 h-19 h). Si vous souhaitez emprunter les chemins de grande randonnée et camper en pleine nature, demandez le « Zion Backcountry Planner » et renseignez-vous sur le permis auprès des rangers. Pour savoir comment circuler dans le parc, voir p. 336.

Long de 13 km et large de 8 km, le canyon est parcouru par la **Zion Canyon Scenic Drive**, route jalonnée de parkings, d'où partent des sentiers vers les différents points de vue. Un premier sentier, le **Watchman Trail**, part du *Visitor Center* pour rejoindre un point de vue panoramique sur le canyon et Springdale *(facile ; 2 h AR).*

Au troisième arrêt de la navette, une courte montée amène au point de vue de **Court of the Patriarchs★**, la « cour » des patriarches **Abraham**, **Isaac** et **Jacob**, trois montagnes de plus de 2000 m. qui se dressent de l'autre côté de la route. Beaucoup de sommets portent des noms bibliques éloquents, héritage des pionniers mormons : « le Grand Trône blanc » (The Great White Throne), « l'Orgue » (The Organ), « le Pupitre » (The Pulpit)…

L'arrêt suivant mène au **Zion Lodge** (voir « Zion pratique » p. 336). En traversant la route, vous accédez au départ des chemins **Emerald Pool Trails★★** *(facile, 1 h 30 pour les trois cascades)*, parmi les plus parcourus et les plus appréciés. Passé la rivière, suivez à droite le chemin qui s'engage au cœur d'une végétation abondante pour aboutir à une jolie cascade, **Lower Emerald Pool**, la première et la moins élevée. Elle recueille l'eau de la **Middle Emerald Pool**, située juste au-dessus, et que l'on rejoint en se faufilant entre l'eau et la roche creusée par l'érosion. Un chemin sablonneux mène ensuite à l'**Upper Emerald Pool**, nichée au pied d'une falaise vertigineuse d'un rouge orangé flamboyant. Les longues traînées noires qui strient la falaise résultent des minéraux déposés par l'eau qui ruisselle.

Rebroussez chemin et avant d'atteindre la Lower Emerald Pool, prenez à gauche en direction de « Grotto Picnic Area » pour récupérer le **Kayenta Trail★** *(facile, 15 mn)*. Ce chemin offre une **vue** splendide sur le fond du canyon et sur les berges de la rivière Virgin en contrebas, et redescend tranquillement jusqu'à l'arrêt suivant de la navette, « The Grotto » *(toilettes et tables de pique-nique)*. De là part la randonnée qui mène au point de vue imprenable d'**Angels Landing★★** (repos de l'ange) *(ascension difficile ; comptez 4 h AR ; les derniers 800 m sont à flanc de falaise)*.

Au **Weeping Rock** (le rocher qui pleure), un petit chemin pavé *(400 m)* mène à une jolie alcôve parsemée de végétation, formée par de l'eau qui sort de la roche (d'où son nom). En effet, l'eau qui s'infiltre dans le grès Navajo s'échappe quand elle arrive au contact de la couche de Kayenta, imperméable. Ce phénomène est à l'origine de bien des sources et des cascades du parc. Du Weeping Rock partent plusieurs grandes randonnées sur la rive est du canyon (*East Rim : difficile; 2,5 km; 1 ou 2 jours AR. Deertrap Mountain : difficile; 26 km; 1 ou 2 jours AR. Observation Point Trail : difficile; 13 km; 5h AR. Hidden Canyon Trail : difficile; 3,5 km; 3h AR*).

À l'approche du parking de **Big Bend**, vous aurez peut-être l'occasion d'apercevoir, sur votre droite, quelques grimpeurs aux prises avec les falaises
Au bout de la route, le canyon se rétrécit, les falaises se rapprochent et un chemin pavé (*facile; 2 miles; 45 mn AR*) permet de s'enfoncer plus avant vers **The Narrows****, la partie la plus étroite du canyon. Tout en longeant la rivière, vous pouvez observer à loisir les grands peupliers, les mousses luxuriantes et le **marais du Désert** (Desert Swamp). À l'extrémité du chemin pavé commence la véritable aventure des Narrows, une randonnée difficile qui nécessite une préparation et un équipement spécial, car vous cheminez dans l'eau (*renseignez-vous auprès des rangers et de l'agence «Zion Adventure Company», voir p. 337*).

Kolob Canyons*
Comptez une demi-journée.

Pour atteindre les canyons de Kolob (45 miles de Springdale), il vous faut rejoindre l'I-15, suivre la direction de Cedar City et emprunter la sortie 40 qui mène directement au Visitor Center de Kolob Canyons (8h-16h30). Si vous n'êtes pas pris par le temps, vous pouvez vous offrir en route un détour par Kolob Terrace Rd qui s'enfonce à partir de Virgin (Hwy 9) dans les hauteurs septentrionales du parc, jusqu'au point de vue de Lava Point (comptez 56 miles AR). Cela constitue une belle excursion hors des sentiers battus.

L'unique route menant vers les hauteurs de Kolob Canyons part du *Visitor Center* pour aboutir au point de vue de **Timber Creek**** (*5 miles*). Elle serpente à flanc de falaise, le long de la faille Hurricane, une immense plaie ouverte de 192 km de long, avant de longer Finger Canyons, une succession de falaises de grès Navajo orientées ouest-est. Parvenu à l'extrémité de la route, on rejoint facilement le point de vue à pied, par un petit chemin (*30 mn*) d'où s'exhalent de fortes odeurs ambrées. Plusieurs randonnées peuvent s'organiser dans la région (*les permis sont à retirer auprès du Visitor Center*). Sachez que celle qui mène à la **Kolob Arch**, donnée pour la plus grande arche naturelle du monde, nécessite une journée entière.

Sur la route de Bryce Canyon

Si vous empruntez l'I-15 pour rejoindre Bryce Canyon, vous pouvez faire étape à Cedar City pour vous ravitailler. La Visitor Chamber of Commerce (peu après le carrefour de Main St. et de Center St,. sur la gauche. Lundi-vendredi 8h-17h) dispose de nombreuses brochures sur toutes les attractions de la région, dont un plan du Cedar Breaks National Monument. Pour rejoindre ce dernier, empruntez la Hwy 14 au carrefour central de Main St. et de Center St. (prendre à gauche en venant de la Visitor Chamber of Commerce).

Le Cedar Breaks National Monument* est un amphithéâtre creusé par l'érosion sur près de 5 km de large, serti d'une forêt de sapins, d'épicéas et de pins Bristlecone. Une route traverse le site, offrant ainsi divers points de vue sur ces paysages si semblables à ceux de Bryce Canyon.

Passé Cedar Breaks, prenez à droite la Hwy 143 et continuez jusqu'à Panguitch, charmante petite ville où vous pouvez passer la nuit avant de rallier Bryce Canyon (voir p. 338).

COMMENT CIRCULER DANS LE PARC
Seules les navettes, affrétées gratuitement par le parc, sont autorisées à circuler dans le canyon en pleine saison. Départ du Visitor Center toutes les 6 mn environ, entre 6h30 et 21h30 (se reporter au journal distribué à l'entrée pour les horaires), puis vous pouvez monter et descendre à votre guise à chacun des huit arrêts. Des navettes gratuites desservent également la ville de Springdale et permettent de rejoindre le Visitor Center, dont le parking est vite rempli en été.

ADRESSES UTILES

• Springdale

Office de tourisme – Pas de bureau en ville, mais pour tous renseignements : www.zionpark.com, ☎ 1-800 518 7070 ou www.zioncanyon.com, ☎ (435) 772 3757. Des brochures sont disponibles aux bureaux de St George et de Cedar City.

Banque / Change – *Zion National Bank*, Zion Park Blvd, à côté du Blumbleberry Restaurant. Lundi-vendredi 9h-16h. Distributeur automatique à l'extérieur.

Poste / Téléphone – Petit bâtiment en bois caché derrière les arbres, sur la droite, dans le virage en allant vers le parc. Lundi-vendredi 8h-13h/14h-17h, samedi 9h-12h.

Internet – *Watchman Café*, sur la droite un peu avant l'entrée du parc. Comptez 3$ pour 15 mn (tarif dégressif).

Santé – Une antenne médicale, située non loin de l'entrée du parc, est ouverte pendant l'été. Pour les hôpitaux les plus proches, se rendre à St George, Cedar City ou Kanab.

OÙ LOGER

• Dans le parc

Moins de 25$
Vous trouverez deux campings, de part et d'autre du Visitor Center. Le **South Campground** (125 sites) fonctionne sur le principe du premier arrivé, premier servi. Le droit d'entrée (14$) doit être déposé dans l'une des enveloppes disponibles sur le panneau d'information. Il est possible en revanche de réserver pour le **Watchman Campground** (150 sites),

où les camping-cars peuvent se brancher sur l'électricité. Les deux campings comprennent des toilettes, de l'eau potable, des tables de pique-nique et des emplacements pour faire du feu, mais il est interdit de ramasser du bois dans le parc.

Plus de 100$
Zion Lodge, ☎ (435) 772 3213 / (303) 297 2757 (réservations), Fax (435) 772 2001, reservations@amfac. com – 120 ch. 🔆📋🖥♻📺✖ CC Situé au cœur du parc, cet établissement impeccable propose des chambres classiques et des cabanes de pionniers entièrement rénovées, avec des cheminées marchant au gaz et un confort douillet qui justifient les 10$ supplémentaires. Il est impératif de réserver à l'avance. Vous obtenez alors une autorisation spéciale permettant d'arriver jusqu'à l'hôtel en voiture. Bureau de poste (8h-12h/12h30-16h30, samedi 8h-12h). Des paniers pique-nique sont disponibles sur demande (moins de 10$).

• Springdale
Motels et restaurants se succèdent dans la grand-rue (Zion Park Blvd) de cette bourgade située à moins de 1 mile de l'entrée du parc. De novembre à mars, les prix chutent de 20 à 50%.

De 40 à 60$
🏊 **El Rio Lodge**, 995 Zion Park Blvd, ☎ (435) 772 3205, Fax (435) 772 2455, elrio@infowest.com – 11 ch. 🔆📋📺 CC Les chambres sont assez petites, mais elles sont propres et la disponibilité des hôtes fait tout le charme de ce motel bon marché.

Terrace Brook Lodge, 990 Zion Park Blvd, ☎ (435) 772 3932 / 1-800 342 6779, Fax (435) 772 35 96, info@terracebrooklodge.com – 34 ch. 🔆📋♻📺〽 CC Ce motel se compose de plusieurs bâtiments aménagés sur deux étages. Tout confort, mais sans prétention aucune, accueil compris.

Zion Park Motel, 855 Zion Park Blvd, ☎ (435) 772 3251, Fax (435) 772 3766 – 24 ch. 🔆♻📋📺〽 CC Ce motel n'est plus tout jeune, mais les chambres sont propres. Certaines possèdent un réfrigérateur et un micro-ondes, sans pour autant être plus chères (chambres 101 à 106).

De 60 à 80 $
Canyon Ranch Motel, 668 Zion Park Blvd, ☎ (435) 772 3357, Fax (435) 772 3057, info@canyonranchmotel. com – 22 ch. ⌇ 🖳 🖉 📺 ⚊ 🆑 Si vous recherchez le calme, vous apprécierez ce motel organisé en sept petites maisons séparées. Les chambres sont impeccables, mais sans aucun charme.

Pioneer Lodge, 838 Zion Park Blvd, ☎ (435) 772 3233, Fax (435) 772 3165 – 41 ch. ⌇ 🖳 🖉 📺 ✕ ⚊ 🆑 Derrière l'enseigne en forme de chariot se cachent, sur deux étages, des chambres rénovées avec murs blancs et meubles en bois clair, décorées de manière rustique, et des chambres en bois sombre, dans le style trappeur. Accueil chaleureux.

Blumbleberry Inn, 897 Zion Park Blvd, ☎ (435) 772 3224 / 1-800 828 1534, Fax (435) 772 3947 – 47 ch. ⌇ 🖳 🖉 📺 ✕ ⚊ 🆑 Ce motel moderne, situé bien en retrait de la route, offre un accueil très professionnel et des chambres immaculées. Les chambres dites «Deluxe» ne justifient pas les prix plus élevés.

De 80 à 100 $
Flanigan's, 428 Zion Park Blvd, ☎ (435) 772 3244, Fax (435) 772 3396 – 39 ch. ⌇ 🖳 🖉 📺 ✕ ⚊ 🆑 Petit-déjeuner continental inclus. Plusieurs chalets renferment de vastes chambres, sobres mais élégantes, auxquelles on accède par un chemin pavé frais et ombragé. En pleine saison, il faut y passer deux nuits au minimum.

Plus de 100 $
🔊**Desert Pearl Inn**, 707 Zion Park Blvd, ☎ (435) 772 8888 / 1-888 828 0898, Fax (435) 772 8889, info@desertpearl.com – 61 ch. ⌇ 🖳 🖉 📺 ✕ ⚊ 🆑 Superbe hôtel de caractère où mobilier design et décoration de goût viennent parfaire les grandes chambres. Demandez la vue sur les falaises.

Zion Park Inn, 1215 Zion Park Blvd, ☎ (435) 772 3200 / 1-800 934 7275, Fax (435) 772 2449 – 120 ch. ⌇ 🖳 🖉 📺 ✕ ⚊ 🆑 Cet immense hôtel tout en bois appartient à la chaîne Best Western. Service et accueil irréprochables. La réception se prolonge par un impressionnant salon panoramique, très haut de plafond et comprenant une grande cheminée.

• Springdale
Procurez-vous le «Menu Guide», la brochure indispensable qui détaille les menus des restaurants de la ville et du parc. Elle comporte un plan de Springdale avec les arrêts de la navette. Tous les restaurants proposent leurs plats à emporter.

De 5 à 10 $
Oscar's Cafe, à côté de la station-service Shell, en face de la banque. Café avec terrasse, en retrait de la route. Idéal pour un petit-déjeuner consistant ou un déjeuner sur le pouce. Pour les affamés, grand choix de plats mexicains. Ambiance détendue dans ce lieu apprécié des habitants. Pas de cartes de crédit.

De 10 à 15 $
🔊**Pizza & Noodle Co**, à l'arrêt n° 3 de la navette, dans le bâtiment qui ressemble à une église. De belles pizzas et des plats de pâtes copieux ne démentent pas la réputation de l'endroit. Petite salle conviviale ayant vue sur la galerie d'art voisine et les deux terrasses.

De 15 à 20 $
🔊**Bit & Spur Restaurant & Saloon**, face au Zion Park Inn. Ne manquez pas de venir dîner dans ce lieu hybride à l'atmosphère conviviale et chaleureuse. D'un côté, le bar et son billard (il est impératif de grignoter pour boire de l'alcool), de l'autre une salle où les convives dégustent des plats mexicains épicés savamment présentés.

LOISIRS

Randonnée – *Zion Adventure Company*, 36 Lion Blvd, ☎ (435) 772 1001, Fax (435) 772 3590, jdz@zionadventures.com. Location de matériel, conseils précieux et itinéraires détaillés pour les randonneurs en quête d'aventure.

Équitation – *Canyon Trail Rides* organise des sorties de 1 h (15 $) ou à la demi-journée (40 $) de mars à octobre. Le guichet est situé dans la réception du Zion Lodge. Pour tous renseignements : ☎ (435) 679 8665, Fax (435) 679 8709, www.onpages.com/canyonrides.

Cinéma – *Zion Canyon Giant Screen Theater*, à proximité du Visitor Center. Un film intitulé «Treasure of the Gods» retrace plusieurs épisodes de la découverte du canyon de Zion par les hommes. Les vues sont spectaculaires et le récit est facile à suivre.

Zion pratique

BRYCE CANYON NATIONAL PARK★★★

État de l'Utah – Mountain Time
24 miles de Panguitch, 11 miles de Tropic – Carte Michelin n° 943 E9
Alt. 2018-2778 m – Été chaud et orageux

À ne pas manquer
Le lever et le coucher du soleil sur l'amphithéâtre de Bryce Canyon.
Emprunter le chemin de Queen's Garden.

Conseils
Emportez toujours de l'eau quand vous randonnez.
Consacrez une journée à la visite du parc, davantage si vous randonnez.

Perché sur un versant du plateau de Paunsaugunt, le parc national de Bryce Canyon et sa forêt d'aiguilles rocheuses offrent l'un des panoramas les plus saisissants du Sud-Ouest américain. Tourelles biscornues, colonnes effilées et piliers étêtés sculptés par l'érosion s'alignent harmonieusement sur les pentes d'un vaste amphithéâtre, créant une frise magistrale aux couleurs ocre et chair. Créé en 1928, ce petit parc de 145 km² préserve ce dédale de cheminées de fée piqueté de conifères que les trappeurs du 18e s. qualifiaient de mauvaises terres (*badlands*), mais dont les visiteurs ne peuvent aujourd'hui qu'admirer la beauté, soulignée par le ballet des lumières de l'aube et du crépuscule.

La grande histoire de Bryce
Les formations roses, ainsi que les falaises blanches qui les recouvrent parfois dans la partie sud, sont composées de **Claron**, une roche sédimentaire qui s'est formée en plusieurs couches successives il y a environ 60 millions d'années, à mesure de l'avancée et du recul des eaux. Puis, il y a 16 millions d'années, la conjonction de la montée du plateau du Colorado et de l'activité de failles nord-sud a donné naissance aux hauts plateaux de l'Utah, et notamment à celui de Paunsaugunt. Ce relief nouvellement accidenté a dynamisé l'action des cours d'eau, dont celle de la rivière Paria qui a sculpté Bryce Canyon, sur le bord oriental du plateau.

Vous avez dit hoodoo ?
Entre le premier des points de vue du nord du parc, Fairyland Point, situé avant les guérites de l'entrée, et Bryce Point, extrémité sud de l'amphithéâtre, les **hoodoos** tapissent le canyon sur près de 300 m de dénivelé. Ces aiguilles et tourelles rocheuses, qui se dressent tels les pions d'un jeu d'échec géant, se composent d'un chapeau de roche calcaire sculptée dans la formation Claron, plus résistante, qui protège les couches inférieures des assauts de l'érosion. Seules quelques espèces de conifères survivent dans ce milieu inhospitalier. La force des cours d'eau, l'impact de la neige dans les fissures, l'action du vent et des racines des arbres n'en finissent pas de modeler le bord du plateau qui recule de 30 cm à 1,20 m par siècle.

L'amphithéâtre de Bryce Canyon★★★
Comptez une demi-journée.

Entrée : 20 $ par véhicule si vous ne possédez pas le National Parks Pass. À partir du Visitor Center, une route de 18 miles mène aux différents points de vue qui jalonnent le parc. Pour savoir comment circuler dans le parc, voir p. 000. Ne manquez pas de visiter la salle d'exposition du Visitor Center (www.nps.gov/brca. 8h-20h, 8h-18h en basse saison), où est notamment projetée une vidéo de 15 mn, « Shadows of Time », dévoilant Bryce Canyon au fil des saisons. Les rangers conseillent les randonneurs et délivrent les permis de camper en pleine nature (obligatoires).

Le plateau du Colorado

R. Mattes/MICHELIN

Pour la petite histoire

En 1875, des pionniers mormons vinrent s'installer dans la région. Ebenezer Bryce fut envoyé dans la vallée de Tropic, où ses compétences de menuisier étaient requises. Il parcourut les environs avec son bétail et finit par construire une route menant au pied du canyon, qui a depuis pris son nom. Il aurait déclaré à propos des formations du plateau : « Ce n'est fichtre pas un endroit où perdre une vache ! »

En prenant la deuxième route à gauche après le *Visitor Center*, vous arrivez à **Sunrise Point**★★, premier des quatre points de vue donnant sur l'amphithéâtre (*près du parking se trouve un petit supermarché, douches et toilettes*). Un sentier mène au promontoire d'où la **vue panoramique** s'étend sur la forêt de *hoodoo*, dont les tons orangés se déclinent fougueusement au lever du soleil.

De là, vous pouvez descendre tranquillement le long du **Queen's Garden Trail**★★ (*1,2 km aller ; 30 mn*) et observer de près les colonnes de pierre, les arches et les falaises découpées qui, de loin, semblent immuables comme des forteresses imprenables, mais apparaissent ici toutes fragiles, tels des amas de miettes. Les lignes horizontales qui rythment les falaises révèlent la superposition de roches de compositions différentes, qui s'érodent plus ou moins rapidement pour créer ces colonnes bosselées. La palette de couleurs devient plus nuancée : les tons de rouge, dus à l'oxyde de fer, sont parsemés de teintes bleutées, voire violacées, résultant de l'oxydation du manganèse. Vous cheminez dans cette féerie de formes et de couleurs jusqu'à **Queen's Garden** (jardin de la Reine), où la formation de **la reine Victoria**, trône au sein de sa cour de *hoodoo*.

De retour sur le chemin principal, continuez jusqu'à la forêt de pins et de genévriers et rejoignez le **Navajo Loop Trail** qui monte jusqu'à **Sunset Point**★★, en passant par le défilé des Two Bridges (*1 km*) où vous pouvez observer deux ponts naturels en pierre, ou celui de Wall Street (*1,2 km*) où de majestueux pins de Douglas s'élancent vers le ciel (*le Navajo Loop Trail rejoint aussi le Peekaboo Loop Trail qui permet de rallier Bryce Point*). Parvenu sur le plateau, vous surplombez **Silent City** (la cité silencieuse), un alignement incroyable de statues éphémères qui s'étend au sud de Sunset Point. Pour les randonneurs, un sentier agréable, le **Rim Trail**★★, suit le bord de l'amphithéâtre jusqu'à Bryce Point (*facile ; 1 h aller ; vous pouvez revenir en navette*).

À **Bryce Point**★★★ (*2 528 m*), vous surplombez tout l'amphithéâtre. Sur la gauche, en hauteur, les falaises abruptes sont parsemées de cavités qui révèlent une forme particulière d'érosion : la dissolution. À cet endroit, la roche est essentiellement composée de calcaire qui se dissout aisément sous l'action des eaux d'infiltration. À mesure que le plateau recule, des **grottes** apparaissent dans les parois et dessinent des fenêtres dans d'imaginaires piliers blancs de cathédrales. Deux sentiers de randonnée partent de Bryce Point et descendent au pied du plateau : **Peekaboo Loop Trail** (*boucle de 9 km ; 3-4 h*) et **Under-the-Rim Trail**, qui rejoint Rainbow Point (*35 km ; 2 jours ; quel que soit le chemin choisi pour remonter sur le plateau, Sheep Creek, Swamp Canyon, Whiteman ou Agua, comptez 2 h pour effectuer l'ascension*).

En repartant de Bryce Point, une route sur la gauche vous conduit à **Paria View**, d'où la vue dégagée donne sur un canyon boisé abritant la vallée du Yellow Creek, un cours d'eau coulant vers l'est.

La partie sud du parc★★
Comptez 3 h.

À hauteur d'Inspiration Point, prenez la route qui rejoint Rainbow Point (15 miles). Pour les horaires des navettes, voir p. 342.

Dans la partie sud, où l'érosion a été très active, se trouvent les reliefs les plus découpés ; les *hoodoos* y sont moins nombreux mais plus élancés, et les falaises beaucoup plus abruptes. La route dessert six points de vue différents : ne manquez pas le **Natural Bridge**, qui domine une superbe arche de 40 m de haut sculptée par l'action combinée de la pluie et du gel, et **Black Birch Canyon**, remarquable pour son à-pic boisé.

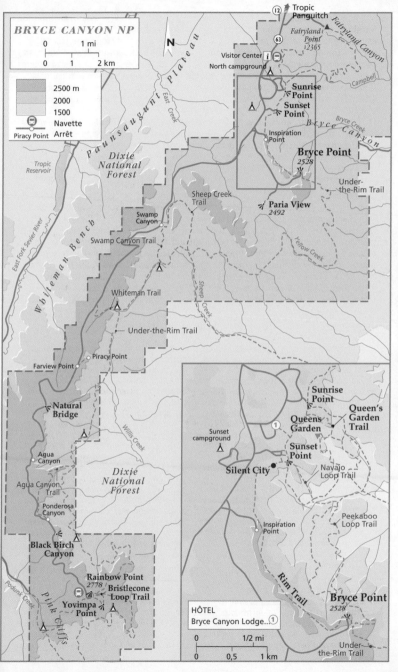

BRYCE CANYON NP

0		1 mi	
0	1	2 km	

2500 m
2000
1500

Navette
Piracy Point · Arrêt

N

Tropic
Panguitch
12
Fairyland Point 2365
Fairyland Canyon
Visitor Center
North campground
Campbell
Sunrise Point
Sunset Point
Bryce Creek
Inspiration Point
Bryce Canyon
Bryce Point 2528
Under-the-Rim Trail

Paunsaugunt Plateau
East Creek
Dixie National Forest
Tropic Reservoir
Swamp Canyon
Swamp Canyon Trail
Sheep Creek Trail
Paria View 2492
Yellow Creek
Sheep Creek
East Fork Sevier River
Whiteman Bench
Whiteman Trail
Under-the-Rim Trail
Piracy Point
Farview Point
Natural Bridge
Willis Creek
Dixie National Forest
Agua Canyon
Agua Canyon Trail
Ponderosa Canyon
Black Birch Canyon
Rainbow Point 2778
Bristlecone Loop Trail
Yovimpa Point
Podunk Creek
Pink Cliffs

Sunrise Point
Queen's Garden Trail
Sunset campground
Queens Garden
Silent City
Sunset Point
Navajo Loop Trail
Inspiration Point
Peekaboo Loop Trail
Rim Trail
Bryce Point 2528

HÔTEL
Bryce Canyon Lodge... 1

0		1/2 mi	
0	0,5	1 km	

Under-the-Rim Trail

341

Derrière les grands arbres qui entourent le parking, la **vue panoramique** de **Rainbow Point***, le point culminant du parc (2 778 m), s'étend au nord vers les escarpements qui se dessinent à perte de vue. Le bord du plateau arbore par endroits une couche de roche d'un blanc éclatant : cette partie de la formation Claron, qui contient principalement du calcaire, a tendance à s'éroder en pentes abruptes, car des pans entiers se désolidarisent de l'ensemble le long de fractures verticales.

Vous apercevez à l'est le **plateau Aquarius**, situé à 30 miles de l'autre côté de la vallée. Il y a 16 millions d'années, il était encore rattaché au plateau sur lequel vous vous tenez.

De Rainbow Point, engagez-vous sur le **Bristlecone Loop Trail*** *(1,5 km ; 40 mn)* qui part sur la droite et chemine à travers une dense forêt de sapins et d'épicéas. Vous apercevez notamment, accrochés aux parois des falaises, des pins Bristlecone, une espèce particulièrement résistante. Le doyen, âgé de 4 790 ans, a été recensé dans les White Mountains de Californie : il constitue le plus vieil organisme vivant connu dans le monde. *Suivez au choix l'un des deux sentiers menant à Yovimpa Point.*

De **Yovimpa Point***, la vue extraordinairement dégagée englobe un panorama unique. Plein sud, vous distinguez le **Grand Staircase** (l'Escalier géant), la succession de plateaux qui descend jusqu'au Grand Canyon *(voir p. 390)*. Les falaises roses, caractéristiques de Bryce Canyon, sont les roches les plus jeunes et constituent la marche supérieure. Des falaises blanches apparaissent ensuite nettement : elles entourent notamment la **No Mans Mesa**, un petit plateau découpé qui se détache telle une île. Enfin, on devine à l'horizon la ligne bombée du **plateau Kaibab**, la dernière marche de l'Escalier, dans lequel le Colorado a creusé le Grand Canyon. Par temps clair, la visibilité s'étend à plus de 300 km et il est possible d'apercevoir à l'est le mont Navajo, situé à 132 km à vol d'oiseau, à la frontière de l'Arizona.

Bryce Canyon pratique

COMMENT CIRCULER DANS LE PARC

Le parc est ouvert à la circulation, mais du 15 mai au 30 septembre vous pouvez également emprunter le service de navettes gratuites qui dessert les différents points de vue. Celles-ci suivent deux parcours différents : l'itinéraire rouge (toutes les 10-15 mn de 8 h à 21 h) se limite à la partie nord du parc, tandis que le vert vous emmène dans la partie sud (trois départs par jour, à 10 h, 13 h et 16 h ; il est conseillé de réserver un jour à l'avance). Une autre navette (toutes les 10-15 mn de 7 h 30 à 21 h ; comptez 30 mn) vous permet de laisser votre voiture au parking situé juste après la bifurcation de la Rte 63 et vous conduit dans le parc pour 15 $ (l'entrée du parc est alors comprise).

OÙ LOGER

• **Dans le parc**

Moins de 20 $

Deux campings disposant de toilettes et d'eau, fonctionnent sur le principe du premier arrivé, premier servi. Sanitaires à côté de l'épicerie située sur le parking de Sunrise Point. Emplacements pour faire du feu, mais il est interdit de ramasser du bois dans le parc.

North campground, sur la gauche peu après le Visitor Center – 106 sites.

Sunset campground, à droite de la route principale – 110 sites.

De 80 à 100 $

Bryce Canyon Lodge, ☎ (435) 834 5361 / (303) 297 2757 (réservations), Fax (435) 834 5464 / (303) 297 3175, reservations@amfac. com – 114 ch. 🍴 📺 🅿 ✕ CC Ouvert uniquement en pleine saison ; réservation nécessaire. Deux bâtiments abritant des chambres classiques et quelques cabanes de pionniers (avec cheminée) encadrent le magnifique lodge en rondins où se tient la réception. Bureau de poste. Paniers pique-nique sur commande (10 $).

• **À l'orée du parc**

Hôtels et restaurants sont regroupés au croisement des Hwys 12 et 63.

Moins de 20 $

Ruby's RV Park and Campground, ☎ (435) 834 5301 / (435) 834 5341, Fax (435) 834 5481, blainea@rubysinn. com – 200 sites ⚊ CC Situé à côté du Ruby's Inn, ce camping pour tentes et camping-cars loue aussi 8 tipis non meublés. Laverie.

De 40 à 60 $

Bryce View Lodge, ☎ (435) 834 5180 / 1-800 729 2304, Fax (435) 834 5181, bobri@color-country.net – 160 ch. ⌖ 🍴 ⌖ 📺 ⌖ 💳 Motel classique tout confort. Pour la piscine, il faut se rendre au Ruby's Inn.

De 60 à 80 $

Best Western Ruby's Inn, ☎ (435) 834 5341 / 1-800 528 1234, Fax (435) 834 5265, bob@rubysinn.com – 368 ch. ⌖ 🍴 ⌖ 📺 ✗ ⌖ 💳 Cet immense complexe fait office de village-vacances avec station-service, bureau de poste et de change, laboratoire photographique, accès Internet et commerces.

• **Tropic**

Les motels se succèdent le long de la rue principale.

De 40 à 60 $

Doug's Place Country Inn, derrière la station-service, ☎ (435) 679 8700 / 1-800 993 6847, Fax (435) 679 8605, dougsinn@color-country.net – 28 ch. ⌖ 🍴 ⌖ 📺 ✗ 💳 Ce motel propose des chambres petites, mais propres. Réception dans le supermarché.

Bryce Pioneer Village, à la sortie du village, ☎ (435) 679 8546 / 1-800 222 0381, Fax (435) 679 8607, info@bpvillage. com – 61 ch. ⌖ 🍴 ⌖ 📺 ✗ 💳 Chambres classiques et cabanes sont réparties dans un grand espace vert. L'été, on vous propose un menu «cow-boy», à déguster en musique autour de grandes tablées sous un auvent.

De 60 à 80 $

Bryce Canyon Inn & Pizza, ☎ (435) 679 8502 / 1-800 592 1468, bryce@color-country.net – 18 ch. ⌖ 🍴 ⌖ 📺 ✗ 💳 Beaux chalets individuels en bois clair, avec réfrigérateur, et huit chambres dans le même bâtiment que la pizzéria.

Bryce Valley Inn, à côté du Doug's, ☎ (435) 679 8811 / 1-800 442 1890, Fax (435) 679 8846, bvi@color-country. net – 65 ch. ⌖ 🍴 ⌖ 📺 ✗ 💳 Motel confortable sur 2 étages.

• **Panguitch**

Les 24 miles qui mènent à Bryce Canyon sont splendides. La plupart des motels ne sont ouverts que d'avril à octobre.

De 40 à 60 $

Adobe Sands Motel, 390 N. Main St., ☎ (435) 676 8874 / 1-800 497 9261 –

33 ch. ⌖ 🍴 ⌖ 📺 💳 Meubles dépareillés et moquettes défraîchies, mais les chambres sont propres. Économique.

Canyon Lodge, 210 N. Main St., ☎ (435) 676 8292 / 1-800 440 8292, Fax (435) 676 8296 – 11 ch. ⌖ 🍴 ⌖ 📺 💳 Ouvert toute l'année, ce motel familial dispose de chambres personnalisées et réserve un bon accueil.

De 60 à 80 $

Blue Pine Motel, 130 N. Main St., ☎ (435) 676 8197 / 1-800 299 6115, Fax (435) 676 2128 – 21 ch. ⌖ 🍴 ⌖ 📺 💳 Motel classique avec de grandes chambres agréables.

Historic Panguitch Inn, 50 N. Main St., ☎ (435) 676 8871 / 1-800 331 7407, Fax (435) 676 8340 – 11 ch. ⌖ 🍴 ⌖ 📺 💳 Chambres rénovées. Demandez la vue sur la rue principale. Même propriétaire que le Marianna Inn, à la sortie nord du village.

OÙ SE RESTAURER

• **Bryce Canyon**

De 5 à 10 $

Bryce Canyon Lodge, dans le parc. Un cadre agréable et des plats à des prix raisonnables pour le déjeuner, mais plus élevés pour le dîner (sur réservation).

Canyon Diner, à côté du Ruby's Inn. 6 h 30-21 h 30. Cafétéria pour déjeuner sur le pouce.

De 10 à 20 $

Ruby's Inn Restaurant. 6 h 30-21 h 30. Le restaurant propose un buffet ou un large choix de plats à la carte.

• **Tropic**

De 10 à 20 $

Hungry Coyote, à côté du Bryce Valley Inn. Petit-déjeuner et dîner dans une salle à la décoration champêtre.

Hoo-Doo's Restaurant, l'entrée se fait par le supermarché, devant la station-service. Grand choix de spécialités mexicaines et de viandes grillées.

LOISIRS

Équitation – Canyon Trail Rides, Bryce Canyon Lodge, près de la réception, ☎ (435) 676 8665, Fax (435) 676 8709, www.onpages.com/canyonrides. Randonnées de 2 h (30 $) ou à la demi-journée (40 $).

LE LONG DE LA HIGHWAY 12
DE BRYCE CANYON À CAPITOL REEF

État de l'Utah – Carte Michelin n° 943 E9
Itinéraire de 112 miles – Compter une journée
Hébergement à Torrey

À ne pas manquer
Le Kodachrome Basin State Park.
Le départ du Burr Trail.

Conseils
Faites une pause à Boulder.
Consacrez bien une journée à cet itinéraire,
car chacune des étapes décrites mérite le détour.

La Highway 12 qui relie les parcs de Bryce Canyon et de Capitol Reef traverse des contrées escarpées, colorées et désolées, qui lui valent d'être l'une des plus belles routes des États-Unis. De *badlands* aux dégradés de bleu en falaises parées d'un rouge franc, d'espaces désertiques en montagnes boisées, cette route surprend à chaque virage. Ponctuée de bourgades fondées par les pionniers mormons, elle coupe en plusieurs endroits le Grand Staircase-Escalante National Monument, le plus vaste et le plus récent des espaces sauvages protégés de l'Utah. Depuis sa création par Bill Clinton en 1996, pas moins de 6 800 km² de terres sont préservées pour l'étude des scientifiques et des géologues, et seuls des aventuriers aguerris osent se frotter à ce désert de pierre.

De Bryce Canyon, prenez la direction de Tropic. À Cannonville (5 miles après Tropic), bifurquez sur la droite et suivez les indications jusqu'au Kodachrome Basin State Park (9 miles). À quelques mètres de cette intersection, dans Cannonville, un bâtiment en briques blanches abrite un Visitor Center (tlj 8 h-16 h 30) où vous trouverez notamment un plan du Grand Staircase-Escalante National Monument.

■ **Kodachrome Basin State Park**★ – *Entrée : 4 $ par véhicule, à déposer dans une enveloppe. Prenez un plan. Comptez 2-3 h.* Ce parc mérite le détour pour ses immenses **cheminées** de grès blanc qui s'élèvent au-dessus d'une forêt pygmée, au pied des falaises rouges. L'origine de ces cheminées n'est pas certaine : il s'agirait de sable liquéfié, remonté à la surface à la suite d'un tremblement de terre, ou de geysers et d'anciennes sources pétrifiés. L'érosion a aplani les roches qui les entouraient, sculptant ces colonnes titanesques, pareilles à celles d'un Parthénon imaginaire.

Deux sentiers permettent d'approcher ces formations de plus près. Le **Nature Trail**, *(sentier pavé de 400 m ; parking à proximité des toilettes)* attire votre attention sur les espèces végétales de la région, tandis que le **Parade Trail** *(1,6 km ; 1 h AR, départ à proximité du magasin)* vous conduit dans les replis des falaises, auprès de cheminées et de formations rocheuses étonnantes.

La forêt pygmée
Familière des climats semi-désertiques rencontrés en Utah, la forêt pygmée se compose de genévriers, reconnaissables à leurs troncs tortueux et à leurs baies violettes, et de pins pignons aux longues aiguilles cendrées, qui donnent des graines énergétiques très appréciées. Ces deux espèces peuvent survivre très longtemps sans apport d'eau, mais grandissent en conséquence, c'est-à-dire bien peu.

De retour sur la Hwy 12, vous traversez Henrieville (3 miles de Cannonville) avant de rallier Escalante, au terme de 33 miles de route majestueuse. À 1 mile de l'entrée d'Escalante, où vous trouverez stations-service, restaurants et motels, obliquez sur la gauche pour rejoindre le parc. À Escalante, vous pouvez faire halte au Visitor Center (tlj 7 h 30-17 h 30) pour plus de renseignements sur la région (état des routes, randonnées, etc).

Ch. Legrand/MICHELIN

Détail de bois pétrifié

■ **Escalante Petrified Forest State Park★** – *Entrée : 4 $ par voiture. Comptez 1 h 30. Visitor Center ouvert tlj de 7 h à 18 h.* Si vous ne prévoyez pas de faire halte au Petrified Forest National Park (*voir p. 442*), n'hésitez pas à randonner dans les hauteurs de ce petit parc pour admirer quelques beaux exemples de **bois pétrifié**.

À 5 miles d'Escalante, engagez-vous sur la route de terre qui part sur la droite en direction de Devil's Rock Garden. À n'emprunter que par temps sec et avec suffisamment d'essence.

■ **Hole-in-the-Rock Road★** – *Comptez 2 h AR jusqu'à Devil's Rock Garden* (18 miles). Cette route désertique est une ancienne voie, ouverte en 1880 par des pionniers qui partirent s'installer dans la région de San Juan, à l'est de la rivière Colorado. Elle mène à **Devil's Rock Garden★** (*idéal pour pique-niquer*), un surprenant jardin de *hoodoos* qui surgit au détour de la route et contraste avec la plaine alentour.

Revenez sur la Hwy 12 et poursuivez votre route jusqu'à Boulder.

■ **Boulder★★** – Cette charmante bourgade n'a connu de route pavée qu'en 1971. C'est ici que débute la voie historique **Burr Trail**, qui couvre 66 miles entre Boulder et le lac Powell (*continuez après la station-service et remontez jusqu'à l'embranchement avec le Burr Trail. N'hésitez pas à vous arrêter à la petite terrasse du Burr Trail Trading Post & Grill afin de profiter du paysage*). Cette route déserte n'est que partiellement pavée et seuls les voyageurs bien équipés sont invités à s'y risquer. Les voitures de ville peuvent toutefois s'engager sur les premiers miles jusqu'à **Long Canyon★★**, un défilé entre deux falaises d'un rouge éclatant, dont les parois immenses semblent avoir été taillées au couteau. Ce paysage de feu est rehaussé par le vert tendre de la vallée du Deer Creek, parsemée de hauts trembles. Les virages tortueux qui descendent dans le canyon donnent véritablement l'impression de plonger dans les entrailles de la terre. À la sortie nord de Boulder, sur la Highway 12, l'**Anasazi State Park★★** (*tlj 8 h-18 h/9 h-17 h hors saison. Entrée : 5 $ par véhicule*) abrite les vestiges de l'un des plus importants villages anasazis de la région. Les recherches archéologiques (non achevées) ont mis au jour 97 chambres et 10 *pits* (pièces sacrées creusées dans le sol). Le musée expose diverses poteries, ainsi que la réplique d'une hutte, permettant de comprendre le mode de vie et les coutumes des Indiens qui vécurent ici au milieu du 12ᵉ s. À l'extérieur, vous pouvez par ailleurs visiter deux maisons reconstituées.

La Hwy 12 continue jusqu'à Torrey, porte d'entrée du Capitol Reef National Park. Faites la route de jour afin de ne pas manquer les vues exceptionnelles, notamment à l'approche du parc, que vous surplombez à plus de 3 000 m.

CAPITOL REEF NATIONAL PARK★★

État de l'Utah – Mountain Time
11 miles de Torrey – Carte Michelin n° 943 E9
Alt. 1600-2200 m – Été chaud et orageux – Hébergement à Torrey

À ne pas manquer
Randonner dans Capitol Gorge.
Un dîner au Capitol Reef Inn & Cafe de Torrey.

Conseils
En chemin pour le parc, arrêtez-vous sur la Hwy 12 qui culmine à 3 000 m
pour profiter de la vue panoramique.

Dans cette région reculée de l'Utah, l'une des dernières frontières explorées au 19ᵉ s., se niche un parc atypique, entre les étendues boisées de la montagne Boulder à l'ouest et une plaine désertique dominée par les monts Henry à l'est. Espace protégé depuis 1937, le parc englobe une immense barrière rocheuse appelée Waterpocket Fold, issue des mouvements tectoniques qui ont modelé le plateau du Colorado. Les imposantes falaises, les dômes et les gorges déploient une large palette de couleurs et s'offrent comme une véritable encyclopédie géologique à ciel ouvert. La rivière Fremont a creusé l'une des rares voies de passage dans cette muraille qui court du nord au sud, donnant naissance à une oasis de verdure inespérée, comme en témoignent les vestiges des communautés qui s'y sont succédé au fil des siècles.

Fruita et la Fremont Valley★★
Comptez une journée.

Le Visitor Center (☎ (435) 425 3791, www.nps.gov/care. Tlj 8h-17h; fermé les jours fériés) est situé sur la Hwy 24, 6 miles après l'entrée ouest du parc. Une maquette en relief permet de se familiariser avec la configuration du parc. Diaporama et exposition sur l'histoire de la région (certains objets ont été restitués aux tribus indiennes). Demandez la feuille indiquant toutes les randonnées proposées. Aucun hébergement n'est disponible dans le parc, mis à part le Fruita Campground (71 sites pour tentes et camping-cars; moins de 20 $; eau potable, toilettes, tables et emplacements pour faire du feu).

Le cœur du parc de Capitol Reef est traversé d'ouest en est par la Highway 24 qui suit la rivière Fremont et coupe la barrière rocheuse sur 15 miles. Au plus fort de son activité, du début du siècle jusqu'à 1937, le hameau de Fruita comptait une dizaine de familles, venues s'installer à la suite des premiers aventuriers des années 1880 et des polygames mormons qui trouvaient refuge dans ces endroits reculés où ils pouvaient vivre comme bon leur semblait. Ils ont laissé en héritage plusieurs bâtiments remarquablement conservés ainsi que des vergers, alignés le long de la rivière, qui continuent de donner des fruits *(en saison, vous pouvez aller faire la cueillette, moyennant une somme modique)*. En revanche, les Indiens qui se sont succédé dans la vallée depuis le 8ᵉ s. ont laissé peu de traces, mis à part les énigmatiques pétroglyphes gravés à flanc de falaise.

Au début de la *Scenic Drive*, après le *Visitor Center*, vous pouvez jeter un œil à l'**échoppe de forgeron** de Merin Smith, bâtie en 1925, encore tout équipée.

Un peu plus loin, la **Gifford Farmhouse*** fut habitée jusqu'en 1969. Conservée en l'état, avec son garage attenant et ses petits corps de ferme, elle a été aménagée en **musée des Arts et Traditions populaires** *(tlj 11h-17h en été. Entrée libre)*.

Revenez sur la Hwy 24 et prenez à droite, vers l'est.

Nichée au milieu des vergers, au pied des à-pics de grès rouge, la petite **école**** (Fruita School) en rondins de Fruita, ouverte entre 1896 et 1941, conserve son poêle, ses pupitres, ses bouteilles d'encre, son tableau noir et même son bonnet d'âne. Le bâtiment servait également de salle de réunion pour la communauté.

Le long de la Hwy 24, peu après l'école, une rampe d'accès en bois surplombe le terrain détrempé qui borde la rivière et mène jusqu'aux pétroglyphes.

Des **pétroglyphes**** représentent des personnages dont le torse est décoré, ainsi que des animaux (notamment des *bighorns*, une sorte de mouflons), apparaissent sur certaines falaises du parc. Ces gravures rupestres sont attribuées aux **Indiens fremonts**, dont la présence dans la région est attestée entre les 8ᵉ et 13ᵉ s. On sait peu de choses d'eux, sinon qu'ils vivaient de la chasse et de la cueillette et qu'ils cultivaient le maïs et les courges. Les raisons de leur disparition et l'arrivée d'Indiens utes et paiutes en provenance du sud et de l'ouest restent sujets à controverses.

Pierre qui roule…
Les blocs ronds et noirs qui parsèment les sentiers de randonnée sont bien des roches volcaniques… mais elles proviennent de la montagne Boulder, située à 30 miles de là ! Au cours de leur voyage, portées par les glaciers, les effondrements de roche et les cours d'eau saisonniers, elles ont parfait leur pourtour lisse et régulier.

Peu après les pétroglyphes, sur la Hwy 24, débutent deux sentiers de randonnée. Après la courte montée initiale, obliquez à gauche pour suivre la boucle du **Hickman Bridge Trail*** *(facile; 1h AR)*. Ce chemin bien balisé conduit au **Hickman Bridge***, une arche naturelle creusée dans la formation Kayenta.

Le **Rim Overlook Trail**** qui part quant à lui sur la droite *(randonnée sportive; 4h AR)* est un régal pour qui affectionne les hauteurs et les **vues panoramiques**. La montée est éreintante, mais quelques arbres procurent des aires de repos ombragées. Le silence qui règne ici et la vallée qui se dévoile au cours de l'ascension sont un enchantement. Vous pouvez poursuivre cette randonnée par le **Navajo Knobs Trail***

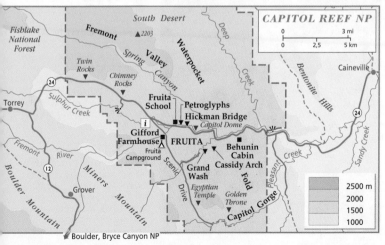

(4-5 h AR ; pensez qu'il vous faut redescendre ensuite), qui aboutit à l'un des plus beaux **points de vue** sur le Waterpocket Fold et permet d'apercevoir les dômes blancs de grès Navajo qui ont donné leur nom au sentier.

À l'extrémité est du parc, à droite de la Hwy 24, se dresse toujours l'**Elijah Behunin Cabin**. Construite en 1884, cette incroyable petite masure de pierre abritait alors une famille de 13 enfants.

Le Waterpocket Fold★★
Comptez une demi-journée.

Empruntez la route touristique à partir du Visitor Center (13 miles). Entrée : 4 $ par véhicule si vous ne possédez pas le National Parks Pass. Renseignez-vous sur les conditions météorologiques avant de vous engager sur cette route, notamment pour la visite des canyons (risques de crues subites). Les voies d'accès aux extrémités nord et sud du parc nécessitent des véhicules tout-terrain.

Le Waterpocket Fold est un plissement de plus de 100 miles de long, formé de roches sédimentaires accumulées depuis 250 millions d'années et mises au jour il y 60 millions d'années, quand une importante activité des plaques tectoniques bouleversa le relief du continent américain, créant notamment les montagnes Rocheuses. Depuis, l'érosion a fait son œuvre, élimant les couches supérieures et offrant ainsi au visiteur du 21e s. une plongée fantastique dans l'histoire de la Terre.

Une route touristique *(Scenic Drive)* longe le versant ouest du Waterpocket Fold, où apparaissent les roches les plus anciennes : elles forment un étagement régulier où l'érosion a, selon leur nature, creusé des sillons, détaché des pans entiers ou dessiné de douces pentes. Cette route donne accès à deux voies de terre qui s'enfoncent dans des canyons étroits où vous pouvez marcher sur les traces des pionniers.

Le premier chemin que vous trouvez sur votre gauche mène à **Grand Wash★**, une gorge étroite d'où partent deux sentiers de randonnée. Vous apercevez sur la gauche les entrées d'anciennes mines d'uranium, exploitées sans grand succès au début du 20e s. L'un des sentiers, **Cassidy Arch Trail** *(difficile ; 4-5 h AR)*, mène au sommet des falaises d'où on aperçoit la **Cassidy Arch**, du nom de ce célèbre hors-la-loi du début du 20e s. qui, selon la légende, venait avec sa bande trouver refuge dans les replis du Waterpocket Fold.

La route touristique se termine par une fourche dont la voie de gauche, en terre, serpente dramatiquement entre les hautes falaises de grès blanc de **Capitol Gorge★★**. Parvenu au parking, engagez-vous à pied sur le **Pionner Trail** (le chemin des pionniers) *(1 h AR)*. Il suit le lit asséché du cours d'eau qui a creusé ce canyon vertigineux. Avant que la Highway 24 ne soit construite, en 1962, ce défilé constituait une voie de passage à travers la barrière rocheuse. Malgré le risque des crues subites, elle avait été ouverte en 1884 par un pionnier mormon, en remplacement de celle qui suivait la rivière Fremont et obligeait à traverser la rivière en plus de 50 endroits! Sur le chemin, soyez attentif aux inscriptions gravées sur la falaise par vos prédécesseurs. Le plus vieil autographe de ce **Pioneer Register** (le registre des pionniers) remonte à 1871 *(il est formellement interdit d'y apposer le vôtre)*.

À 1 mile environ du départ, un panneau sur la gauche vous invite à gravir une petite colline pour aller découvrir les **poches d'eau** *(waterpockets)* qui ont donné leur nom au plissement *(30 mn AR; suivez les petits tas de pierres qui balisent le chemin, mais faites attention, car il est aisé de se perdre)*. Il s'agit de cavités naturelles creusées dans le grès, recueillant les eaux de pluie et constituant de précieux réservoirs.

Une fois redescendu dans le canyon vous pouvez rebrousser chemin ou poursuivre plus avant dans le défilé pour atteindre l'autre côté de la barrière de Capitol Reef.

Torrey pratique

Torrey est une petite ville verdoyante très accueillante, à 11 miles du Visitor Center du Capitol Reef National Park.

ADRESSES UTILES

Office de tourisme – Dans la cabane située à droite de la station-service Chevron. Tlj 12 h-19 h de mars à fin octobre.

Banque / Change – Distributeurs automatiques dans les deux stations-service, à l'intersection des Hwys 12 et 24.

Poste – Petit bâtiment en préfabriqué face au Chuck Wagon Store & Inn. Le matin uniquement.

OÙ LOGER

Vous trouverez des motels à l'intersection des Hwys 12 et 24, mais ceux qui sont en ville ont plus de caractère.

De 40 à 60 $

Thousand Lakes, 1050 W. Hwy 24, en direction de Bicknell, ☎ (435) 425 3500 / 1-800 355 8995, Fax (435) 425 3844, birgir@gbasin.net – 7 ch. 🛁 CC D'avril à octobre. Cet établissement situé à l'extérieur de la ville propose des cabanes de pionniers rudimentaires avec deux lits et une table. Emplacements pour tentes (12 $).

Capitol Reef Inn & Cafe, 360 W. Main St., à la sortie ouest du village, ☎ (435) 425 3271, cri@capitolree-finn.com – 10 ch. ⁿ 🗊 🖉 TV ✗ CC D'avril à octobre. Un motel chaleureux et tout confort à l'ambiance familiale.

Rim Rock Inn, 2523 E. Hwy 24, ☎ (435) 425 3398, Fax (435) 425 3378 – 18 ch. ⁿ 🗊 🖉 TV ✗ CC De mars à novembre. Situé sur la route menant au parc, cet hôtel propose des chambres impeccables, bénéficiant d'une vue magnifique sur les falaises rouges.

Plus de 100 $

The Lodge at Red River Ranch, 2900 W. Hwy 24, ☎ (435) 425 3322 / 1-800 205 6343, Fax (435) 425 3329, thelodge@redriverranch.com – 15 ch. ⁿ 🗊 ✗ CC D'avril à octobre. Un B & B au charme unique niché dans un coin de campagne ombragé. Chaque chambre de cette immense demeure en bois est meublée selon une époque et possède une cheminée. Le salon est un véritable musée. Pensez à réserver.

Best Western Capitol Reef Resort, 2600 E. Hwy 24, ☎ (435) 425 3761 / 1-888 610 9600, Fax (435) 425 3300, capitolreef@netscape.com – 100 ch. ⁿ 🗊 🖉 TV ✗ 🏊 ♨ CC Un grand complexe très bien situé, dont les chambres sont aménagées avec goût. Les propriétaires réservent un excellent accueil.

OÙ SE RESTAURER

De 15 à 20 $

Capitol Reef Inn & Cafe, 360 W. Main St. Cuisine simple, mais savoureuse, à base de produits frais de la région, que l'on déguste dans trois grandes salles chaleureuses sur fond de musique jazz.

The Rim Rock Restaurant, 2523 E. Hwy 24. Restaurant de qualité, proposant les grands classiques de la cuisine «western» (bœuf et poulet). Salle panoramique offrant une vue imprenable.

MOAB ET SES ENVIRONS★★★
ARCHES ET CANYONLANDS NATIONAL PARKS
État de l'Utah – Mountain Time
467 miles de Las Vegas, 381 miles d'Albuquerque – Carte Michelin n° 943 F9
Alt. 1400-1900 m – Climat désertique

À ne pas manquer
Monter à la Delicate Arch en fin d'après-midi.
Se prendre pour Thelma et Louise sur le Shafer Trail.
Faire une randonnée à pied dans les Needles.
Descendre le Colorado en bateau.

Conseils
Prévoyez impérativement 5 l d'eau par personne pour la journée.
Grand View Point et Dead Horse Point sont plus spectaculaires
en fin d'après-midi ou très tôt le matin.
Si vous êtes peu habitué à la marche,
rajoutez 25 % aux temps prévus pour les randonnées.

La région de Moab abrite à la fois les fabuleux paysages de l'Arches National Park, qui comptent parmi les plus célèbres de l'Ouest américain, et l'un des parcs les plus secrets, le Canyonlands National Park. Moab est devenue par ailleurs la Mecque des sports extrêmes, ses environs offrant une large palette d'activités sportives, de la descente du Colorado en rafting au VTT ultrasportif.

Moab et ses environs★★
5500 hab. environ. Comptez de 5 à 6 jours.

Ce sont les mormons qui fondèrent la ville de Moab au bord du Colorado et lui donnèrent son nom biblique. Ils s'y établirent en 1855, malgré la résistance des Indiens locaux. Perdue au cœur de vastes étendues sauvages et désertiques, la petite colonie resta très modeste et les environs servirent longtemps de refuge aux hors-la-loi. Dans les années 1950, la découverte d'**uranium** amena un temps la prospérité (on y produisit jusqu'à 10 % de l'uranium américain). Le déclin de cette activité industrielle ne sonna pourtant pas le glas de la petite ville, car les paysages exceptionnels des environs commencèrent à attirer une nouvelle espèce d'aventuriers, épris de nature et d'espace. Ils marchaient sur les traces de l'écrivain philosophe **Edward Abbey**, qui publia en 1968 *Désert solitaire*, carnets d'un été passé dans le parc d'Arches, devenu livre culte des écologistes américains. Aujourd'hui encore, Moab est une porte d'entrée idéale pour découvrir ces déserts rouges. On y pratique tout type de sports, surtout le *mountain bike* et la randonnée, ainsi que le ski, dans les La Sal Mountains. Sportifs téméraires, baroudeurs en Jeep et randonneurs burinés ont noyé la stricte atmosphère mormone dans un océan de bonne humeur, entre cafés conviviaux et pubs bruyants…

La Scenic Byway 128★
Empruntez la Hwy 128, à droite au nord de Moab. Itinéraire de 30 miles aller. Comptez une demi-journée avec la randonnée des Fisher Towers, ou une journée complète si vous conjuguez ce circuit avec la La Sal Mountains Loop Rd (voir ci-dessous).
Cette route pittoresque longe la rivière Colorado entre de hautes murailles rouges jusqu'au **Dewey Bridge**, un pont suspendu désaffecté. En chemin, vous pouvez faire la balade de **Negro Bill Canyon**★ *(à 4 miles de Moab. Sentier facile; 2,5 km AR)*, qui suit le lit luxuriant d'un petit ruisseau fréquenté par les castors. La route passe également par les **Fisher Towers**★★ *(à 26 miles de Moab)*, de vertigineuses falaises cannelées où furent tournés plusieurs westerns, dont le célèbre *Rio Grande*, avec John Wayne *(petit sentier de découverte; 7 km AR)*.

La Sal Mountains★

Circuit de 62 miles; fermé en hiver. Prenez la Hwy 128, à droite au nord de Moab, et tournez à droite quelque 16 miles plus loin. Suivez les panneaux. Comptez 3 h. Les La Sal Mountains culminent à plus de 3 800 m à l'est de Moab. On les découvre en voiture en suivant la **La Sal Mountains Loop Road★**. Des **sentiers de randonnée**, accessibles depuis la route, empruntent les anciens chemins miniers, permettant de découvrir forêts et lacs, faune rare (ours bruns, pumas, porcs-épics, aigles) et flore d'altitude.

La Scenic Byway 279★

À 3 miles au nord de Moab, tournez à gauche sur la Hwy 279. Comptez 1 h en voiture. Cette autre jolie route suit le Colorado vers le sud-ouest, au cœur des mêmes paysages de murailles flamboyantes. On passe des arches naturelles et des pétroglyphes indiens *(bien signalés sur la droite)*, ces symboles mystérieux gravés dans la roche des falaises. La route s'achève devant une usine de potasse, l'une des richesses des environs, utilisée comme fertilisant agricole. Plusieurs sentiers de randonnée bien balisés sont signalés à partir de la route, comme le **Portal Overlook Trail★** *(6,5 km AR; 300 m de dénivelé; comptez 2 h 30; départ à 4,2 miles après le carrefour avec la Hwy 191)* et ses vues panoramiques sur la vallée de Moab.

Dead Horse Point State Park★★

À 32 miles de Moab. Suivez la Hwy 191 vers le nord et tournez à gauche 9 miles plus loin. L'entrée du parc est à 22 miles. Tlj 6 h-22 h. Entrée : 6 $ par véhicule (non comprise dans le National Parks Pass). Visitor Center, 8 h-18 h de mi-mai à mi-septembre/9 h-17 h le reste de l'année. Excursion à faire de préférence au coucher du soleil, ou à conjuguer avec celle d'Island in the Sky, dans la partie nord du Canyonlands National Park (voir plus loin). Si vous êtes amateur d'espaces vertigineux, ne manquez pas ce parc composé d'une gigantesque mesa, presque une île entourée de profonds canyons, surplombant de 600 m le Colorado. Son nom (pointe du Cheval mort) vient d'une légende selon laquelle l'extrémité du plateau aurait été utilisée par les cow-boys pour parquer des chevaux sauvages. Oubliés là, les chevaux affolés y seraient morts de soif sans pouvoir atteindre la rivière en contrebas.

De **Dead Horse Point Overlook★★★**, à l'extrémité sud de cette mesa (alt. 1 730 m), on jouit de l'un des plus beaux **panoramas** de l'Ouest. On distingue parfaitement sur le flanc des falaises la composition géologique du sous-sol et ses strates successives de sédiments, déposés il y a 300 millions d'années puis lentement érodés par le Colorado. L'étonnant méandre de la rivière, appelé **Colorado Gooseneck★** (le cou de l'oie), n'est que l'un des nombreux détours qu'elle fait sur plus de 2 200 km. Un **sentier pédestre★★** permet de faire le tour du gigantesque promontoire en longeant les falaises. Du côté est, **Basin Overlook★** offre une vue sur les bassins d'évaporation bleu vif (cette couleur accélère l'évaporation) des mines de potasse.

Arches National Park★★★

5 miles au nord de Moab. Circuit de 43 miles.
Comptez de 1 à 2 jours avec les randonnées.

Le parc est ouvert toute l'année 24 h/24. Droit d'entrée (valable 7 jours) de 10 $ par véhicule, 5 $ pour les piétons ou cyclistes, si vous n'avez pas le National Parks Pass. Ne manquez pas le Visitor Center (7 h 30-18 h 30 de mi-mars à mi-octobre/8 h-16 h 30 le reste de l'année) pour vous procurer les dépliants des randonnées et le « Visitor Guide » qui liste les points d'intérêt du parc. Pensez à réserver dès votre arrivée vos places pour les randonnées guidées dans Fiery Furnace.

Comme son nom l'indique, l'Arches National Park se distingue par le nombre surprenant de ses arches naturelles, d'une largeur variant entre 90 cm et 91 m. Les spécialistes en ont répertorié plus de 2 000 sur les 296 km^2 du parc. Celles qui sont facilement repérables par le promeneur sont en réalité moins d'une centaine, mais elles sont spectaculaires. La plus belle d'entre elles, la Delicate Arch, est même devenue le symbole de l'Utah.

Du sel, de l'eau, du vent...

La géologie de cet étrange paysage est une histoire de 150 millions d'années et s'explique par la conjugaison de plusieurs phénomènes. À l'origine, il y avait ici une immense mer qui, en s'asséchant, laissa une épaisse couche de sel (des traînées blanches sont encore visibles sur le sol) et de gypse. Avec le temps, celle-ci a été recouverte de divers sédiments qui, grâce à la présence de silice et de carbonate de calcium, se sont agglomérés pour donner le **grès Entrada**, de couleur saumon. Par la suite, du sable s'est également déposé, dessinant des dunes qui se sont pétrifiées de la même manière pour former le **grès Navajo**, jaune pâle. L'eau qui s'infiltrait lentement à travers ces couches épaisses finit toutefois par atteindre la couche de sel et par la dissoudre, causant des glissements de terrain et provoquant des effondrements plus ou moins importants (la vallée de Moab en est l'exemple majeur). À la surface, le manteau de grès s'est fissuré en longues failles, le long des affaissements. L'eau s'est alors infiltrée plus facilement, accentuant l'effet de feuilletage, et créant des couloirs, des ponts ou des arches en s'attaquant aux roches les plus tendres. Le gel et le vent se sont combinés à l'eau pour creuser des paysages fantastiques et fragiles. Quand l'érosion est extrême, des pans entiers s'effondrent et redeviennent sable, comme à l'origine.

Visite du parc

La plupart des sites sont plus beaux le soir, quand la lumière rasante fait rougeoyer le grès. Si vous n'avez qu'une journée, commencez le matin par la randonnée de Devil's Garden, car l'après-midi est idéal pour celle de Fiery Furnace. Nous vous conseillons de monter à la Delicate Arch en fin de journée, pour la lumière et parce que c'est la plus belle. Attention, les seuls points d'eau potable sont au Visitor Center et au début de Devil's Garden. Sans être très difficiles, les randonnées nécessitent une bonne forme physique, surtout si vous les enchaînez. Le balisage des sentiers est matérialisé par de petits amas rocheux (cairns). Le parc est desservi par une route principale menant à Devil's Garden. En chemin, deux routes secondaires sur la droite mènent respectivement à Windows Section et à la Delicate Arch. Le premier site signalé sur la gauche, **Park Avenue**★, est un large canyon bordé de curieuses falaises rappelant des murailles. Leur profil évoque vaguement une rangée d'immeubles, d'où le nom du site. Plusieurs films ont été tournés ici, dont certaines scènes de *Thelma et Louise* ou d'*Indiana Jones et la dernière croisade*.

Windows Section★, que l'on atteint après avoir dépassé le **Balanced Rock**★, un énorme rocher en équilibre sur un piédestal de grès, rassemble plusieurs belles arches (explorées aussi par Indiana Jones !), dont une double et une triple.

Reprenez la route jusqu'à **Devil's Garden**★★ (jardin du Diable) *(à l'extrémité de la route, à environ 18 miles de l'entrée du parc)*. C'est là que sont concentrées la plupart des grandes arches – on en a répertorié 64 –, dont la célèbre **Landscape Arch**★★ (90 m d'ouverture et plus de 30 m de haut), constamment menacée d'effondrement. Le **sentier principal**★★ *(facile ; 4,5 km AR)* rejoint Dark Angel, un énorme monolithe, et propose quelques détours pour observer les arches. Un autre trajet, nettement plus pénible mais plus sauvage, suit le sentier principal à l'aller, mais vous ramène au point de départ par le **Primitive Loop Trail**★★★ *(comptez 4 h pour le circuit complet et quelques passages acrobatiques)*. Dans les deux cas, ne négligez pas les détours balisés vers les arches : les plus belles ne sont pas visibles du sentier principal.

Sur le chemin du retour, arrêtez-vous pour découvrir **Fiery Furnace**★★★ (la fournaise ardente) *(visite guidée uniquement ou permis délivré au Visitor Center pour les randonneurs qui peuvent justifier d'une connaissance du terrain. Comptez 2 h. Billet en vente au Visitor Center : 6 $). Si vous rechignez à suivre une visite guidée, vous comprendrez*

La Delicate Arch

celle-ci s'avère incontournable tant le labyrinthe entre les falaises, les [ét]roits canyons est inextricable. Il est très facile de se perdre avant d'avoir [... ?]0 m! On l'appelle Fiery Furnace en raison de la couleur rouge orange [... str]inées et blocs de grès qui ressemblent à des flammes au crépuscule. En [... co]irs sont si étroits et ombragés qu'il y fait plutôt moins chaud qu'ailleurs dans le parc. Cette randonnée passionnante permet de mieux comprendre le processus d'érosion du sol et de découvrir la vie naturelle, à l'écart des axes les plus fréquentés. Vous vous faufilerez dans d'étroites failles, ramperez le long des crêtes, à quatre pattes, voire même sur les fesses…

Réservez la randonnée de la **Delicate Arch**★★★ pour la soirée, mais gardez un peu de force, car la montée, sans être difficile, est longue, pénible et peu ombragée. Vos efforts seront toutefois récompensés par la vue que l'on a du sommet : les falaises rondes et roses soutiennent la plus élégante de toutes les arches et la fenêtre qu'elle ouvre sur les **La Sal Mountains**, à l'arrière-plan. Ne manquez pas d'aller vous asseoir sous sa voûte pour mesurer sa taille monumentale.

Canyonlands National Park★★★
Dans un rayon de 80 miles au sud-ouest de Moab.
Alt. 1500-1900 m. Comptez de 2 à 3 jours.

Canyonlands se divise en trois districts à visiter séparément, délimités par le parcours des deux rivières : Island in the Sky, les Needles et le Maze. Le parc est ouvert toute l'année 24h/24. Si vous n'avez pas le National Parks Pass, droit d'entrée valable 7 jours et pour les trois districts : 10 $ par véhicule, 5 $ par vélo.

Ce vaste parc de 1 360 km², encadrant le confluent du Colorado et de la Green River, compte parmi les plus sauvages de l'Ouest. Tous les paysages du plateau du Colorado s'y succèdent : canyons vertigineux, déserts, mesas, forêt d'aiguilles rocheuses. Il est indispensable de le découvrir à pied, car les points de vue accessibles en voiture, s'ils sont somptueux, ne rendent pas justice à sa diversité et aux merveilles qu'il recèle.

Le feuilleton géologique
Le sous-sol du parc s'est constitué sur plusieurs centaines de millions d'années. En raison des déplacements des plaques de l'écorce terrestre, ce qui est aujourd'hui le sud-ouest de l'Utah se trouvait jadis au niveau de l'équateur. Il subit au cours de cette migration des changements brutaux de climat. Puis il fut couvert d'un océan au fond duquel se déposèrent plusieurs couches de sédiments. Il y a environ 15 millions d'années, l'ensemble se trouvait encore au niveau de la mer, avant que les mouvements de l'écorce terrestre ne fassent émerger le plateau du Colorado. Dans le même temps, les rivières se mirent à creuser leur lit dans la masse des sédiments, créant de profonds canyons. Les « îles » qui se formèrent entre ces cours d'eau rétrécirent peu à peu en raison de l'érosion, pour donner les mesas, les buttes et les aiguilles. La sous-couche de sel, infiltrée par l'eau, occasionna d'autres failles et affaissements, suivant un processus similaire à celui de l'Arches National Park.

Island in the Sky★★★ (île dans le ciel)
À 32 miles au sud-ouest de Moab (accès par le nord-ouest). Empruntez la Hwy 191 vers le nord, puis prenez à gauche la route 313. Visitor Center (8 h-16 h 30) disposant de plans des randonnées. Attention, il n'y a pas d'eau courante dans le parc. Comptez une journée.
Island in the Sky, la partie la plus haute (1 800-1 900 m) du parc, est une immense mesa triangulaire, délimitée à l'est par le Colorado et à l'ouest par la Green River. On l'appelle ainsi car elle est bordée de profonds canyons et n'est rattachée au reste du plateau que par un étroit goulot, le **Neck**.

Environ 0,5 mile après le *Visitor Center*, juste avant le Neck, arrêtez-vous sur la gauche à **Shafer Canyon Overlook**★. La route de terre que vous voyez se dévider le long de la pente en incroyables épingles à cheveux est le **Shafer Trail**★★, une ancienne piste utilisée par les cow-boys puis par les mineurs qui rejoint l'usine de

Le plateau du Colorado

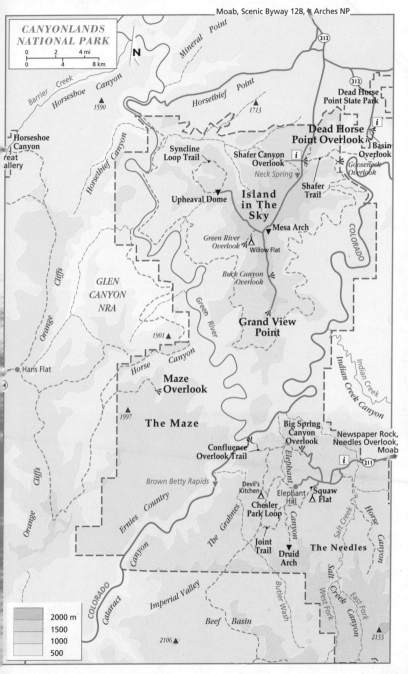

CANYONLANDS NATIONAL PARK

0 2 4 mi
0 4 8 km

N

313

313

Dead Horse
Point State Park

i

Dead Horse
Point Overlook

Basin
Overlook

Mineral Point

Horsethief Point

1713

1590

Horseshoe Canyon

Barrier Creek

Horsethief Canyon

Horseshoe Canyon
reat
allery

Syncline Loop Trail

Shafer Canyon
Overlook

i

Neck Spring

Gooseneck
Overlook

Upheaval Dome

Island
in The
Sky

Shafer
Trail

Mesa Arch

COLORADO

Green River
Overlook

Willow Flat

Buck Canyon
Overlook

GLEN
CANYON
NRA

1901

Green River

Grand View
Point

Horse

Canyon

Indian Creek Canyon

Indian Creek

Maze
Overlook

Hans Flat

4

The Maze

1997

Big Spring
Canyon
Overlook

Newspaper Rock,
Needles Overlook,
Moab

i

211

Confluence
Overlook Trail

Brown Betty Rapids

Devil's
Kitchen

Elephant
Hill

Elephant

Squaw
Flat

Canyon

Orange
Cliffs

Ernies Country

The Grabens

Chesler
Park Loop

Salt Creek

Horse
Canyon

Joint
Trail

Druid
Arch

The Needles

Orange
Cliffs

Cataract
Canyon

COLORADO

Imperial Valley

Butler Wash

Salt Creek West Fork

East Fork Canyon

Beef Basin

2106

2133

2000 m
1500
1000
500

355

potasse sur la Hwy 279 *(17 miles)*. C'est ici que fut tournée la scène finale du film *Thelma et Louise*, lorsque les deux complices basculent dans le canyon. On peut l'emprunter à pied, à VTT ou en 4x4 *(attention, la piste est très étroite, voire effrayante par endroits. À parcourir uniquement par temps sec et descendre très lentement)*.

Reprenez la route principale. Un peu moins de 6 miles plus loin, sur la gauche, un sentier *(20 mn AR)* mène à la très belle **Mesa Arch**★, derrière laquelle se découpe un panorama magnifique.

Si vous souhaitez faire une petite randonnée, prenez à droite au carrefour de Willow Flat en direction de l'**Upheaval Dome**★★ *(à 5 miles)*, une sorte de cratère géant de 360 m de profondeur et de plus de 4 km de diamètre, creusé mystérieusement dans un dôme. Après avoir pensé à un effondrement dû à la couche de sel sous-jacente, les géologues évoquent de plus en plus l'impact d'une météorite. Pour le voir, laissez votre véhicule à l'aire de pique-nique et suivez le **Syncline Loop Trail**★★ *(boucle de 13 km; comptez au moins 5 h; pénible)*. Vous pouvez aussi vous contenter d'aller voir le cratère *(le deuxième point de vue est le plus beau. 3,5 km AR; 1 h)*.

Revenez sur la route principale et tournez à droite vers **Grand View Point**★★★ *(à 12 miles du Visitor Center)*. Il domine un labyrinthe de canyons rouges et offre sans conteste le plus beau panorama d'Island in the Sky.

Le Needles District★★

À 75 miles au sud-ouest de Moab et à 49 miles au nord-ouest de Monticello. Empruntez la Hwy 191 et 40 miles au sud de Moab, tournez à droite sur la Rte 211. Visitor Center (8 h-17 h) disposant d'eau courante et de plans des randonnées. Comptez de 1 à 2 jours.

Pour un simple panorama sur la forêt d'aiguilles, vous pouvez vous rendre à **Needles Overlook** *(à 56 miles au sud-ouest de Moab. Prenez la Hwy 191 vers le sud sur 35 miles, puis prenez à droite)*, mais nous vous recommandons plutôt de rejoindre directement le Needles District, qui offre une large palette de randonnées superbes *(compter une journée pour chacune, à moins de ne les faire que partiellement)*.

Les pétroglyphes de Newspaper Rock

En route pour le Needles District, arrêtez-vous sur la Route 211 au **Newspaper Rock**★ *(à 12 miles environ de la Hwy 191)*, une paroi rocheuse portant de nombreux pétroglyphes, vraisemblablement exécutés par les Indiens anasazis et navajos.

Passé le *Visitor Center*, la route de droite mène à **Big Spring Canyon Overlook** *(environ 10 miles)*, départ du **Confluence Overlook Trail**★★ *(18 km AR; 5-6h; le sentier n'est pas ombragé)*, qui conduit à un point de vue impressionnant, surplombant de 300 m la confluence du Colorado et de la Green River.

La route de gauche arrive à **Squaw Flat**, d'où partent les principales randonnées. Vous êtes ici au bord de la forêt d'aiguilles, que traversent de multiples itinéraires. Le **Chesler Park Loop**★★ avec retour par le **Joint Trail**★★ *(circuit de 18 km; 6h; passages ombragés)* offre une belle variété de paysages, falaises, aiguilles roses et blanches aux formes étranges, prairies et fentes étroites entre de hautes falaises où l'on se glisse à peine. La randonnée de la **Druid Arch**★★ *(18 km AR; 7h; passages ombragés, les derniers 400 m sont très raides avec un passage par une échelle)* est une très belle autre possibilité. Elle suit le fond sablonneux d'Elephant Canyon et traverse de magnifiques paysages, avant d'aboutir à une arche qui évoque pour certains les pierres dressées de Stonehenge (Angleterre), d'où son nom de Druid Arch.

Le Maze District★★★

À la différence des autres, cette partie isolée du parc demande un réel esprit d'aventure et nécessite de passer une ou deux nuits sur place. Les départs des sentiers ne sont accessibles que par des pistes cahoteuses et poussiéreuses, impraticables dès qu'il pleut *(entre 20 et 30 miles)*. Vos efforts seront toutefois justement récompensés puisque les paysages sont aussi beaux que dans les deux autres districts, mais demeurent totalement sauvages.

Horseshoe Canyon★★ est la seule partie que l'on puisse à la rigueur couvrir en une journée, en partant très tôt le matin *(à 107 miles au sud-ouest de Moab. Accessible en voiture de tourisme. Suivez la Hwy 191 vers le nord, puis l'I-70 vers l'ouest. Prenez la Hwy 24 vers le sud et tournez à gauche 32 miles plus loin)*. Un sentier part du sommet de la mesa et descend dans le canyon à la **Great Gallery**★★, nom donné à une partie du canyon qui rassemble une collection rare de **pétroglyphes** mystérieux, gravés par les Indiens il y a 2 000 ans.

À partir du poste de rangers de Hans Flat *(à 136 miles de Moab. 4x4 indispensable. Poste ouvert de 8h à 16h30. Pas d'eau courante sur place. Prenez tous les renseignements et cartes avant de partir)*, vous pourrez descendre dans le **Maze**★★★ (le Labyrinthe) et parcourir son fouillis de canyons, de crêtes et d'aiguilles. Attention cependant, les sentiers sont mal balisés, souvent acrobatiques et très longs *(24 km à pied du poste de rangers à Maze Overlook)*.

Moab pratique

ARRIVER–PARTIR

En voiture – Moab est située au nord-est de Las Vegas. Prendre l'I-15 puis l'I-70 vers l'est, puis la Hwy 191 vers le sud.

En bus – À l'exception de la compagnie **Bighorn Express** (☎ 1-888 655 7433, www.bighornexpress.com) qui relie une fois par jour Moab à Salt Lake City, il n'y a pas de transport en commun en direction de Moab.

COMMENT CIRCULER DANS LES PARCS

En bus – Roadrunner Shuttle, ☎ (435) 259 9402. Ces navettes qui viennent vous chercher sur simple appel téléphonique desservent le départ des principales randonnées des environs. Comptez 10 $ par trajet.

Location de 4x4 – Farabee Adventures-Budget Rent a car, 401 N. Main St., ☎ (435) 259 7494. Location à la journée ou à la semaine. **Adrift Adventures**, 378 N. Main St., ☎ (435) 259 8594. Organise des circuits en 4x4 avec chauffeur.

ADRESSES UTILES

Office de tourisme – _Visitor's Bureau_, à l'angle de Main St. et de Center St., ☎ (435) 259 8825 / 1-800 635 6622, www.canyonlands-utah.com/www.moabutah.com. Tlj 9 h-21 h en été/9 h-17 h en hiver. Nombreux documents et cartes topographiques. Infos sur les randonnées, leur difficulté, les conditions des routes, ainsi que sur les activités sportives et les excursions guidées. Demandez que l'on vous explique sur un plan le système de repérage des adresses, qui fonctionne par cadrans autour du carrefour entre Main St. et Center St.

Banque / Change – Le long de Main St.

Poste – 50 E. 100 N. Lundi-vendredi 8 h 30-17 h, samedi 8 h 30-12 h.

OÙ LOGER

Réservez absolument le week-end et de mai à octobre. Hors saison, les prix baissent de 20 à 40 %.

• Camping dans les parcs

Le camping est le seul hébergement possible dans les parcs. Il y a des terrains de camping très rudimentaires pour les tentes à Dead Horse Point. Réservations à l'**Utah State Parks Office**, ☎ (800) 322 3770. Pour Arches, Island in the Sky et les Needles, aucune réservation n'est acceptée. Attention, les places sont peu nombreuses et il faut se présenter au Visitor Center dès l'ouverture. Tout est complet avant 10 h en été.

Les aventuriers préféreront le camping sauvage pour profiter de sites reculés (le Maze) ou du lever et du coucher du soleil dans les endroits isolés. On ne peut toutefois le pratiquer n'importe où et des emplacements sont désignés le long des principaux sentiers (ils sont uniquement accessibles à pied). Il est recommandé de réserver par écrit ou par fax au moins 15 jours à l'avance au **National Park Service**, Reservation Office, 2282 S. W. Resource Blvd, Moab, UT 84532, Fax (435) 259 4285. Conseils et renseignements sur l'organisation du circuit au ☎ (435) 259 4351. Lundi-vendredi 8 h-24 h 30. Une fois sur place, un permis est obligatoire et se retire la veille ou le jour même. Pour louer du matériel de camping, **Global Expeditions**, 711 N. 500 W., ☎ (435) 259 6604.

• Moab

Moins de 20 $ par personne

The Lazy Lizard Hostel, 1213 S. Hwy 191, ☎ (435) 259 6057 – 20 lits CC Un petit complexe très sympathique et bon marché, rudimentaire mais très propre. Lits à partir de 8 $ en dortoir, 10 chambres doubles ou 8 cabanons de 20 à 27 $ par unité.

_De 40 à 60 $_

Inca Inn, 570 N. Main St., ☎ (435) 259 7261 – 20 ch. ⌂ ✕ TV CC Daisy est une adorable Belge francophone, venue avec son mari à Moab au temps de l'uranium. Chambres simples, mais impeccables. Accueil quasi familial et bons conseils sur la région.

Microtel, 70 W. 200 N., ☎ (435) 259 5145 / (866) 486 6738 – 80 ch. ⌂ ✕ ✎ TV ⌸ CC Un grand hôtel tout neuf et tout confort, bien qu'impersonnel, très pratique et central. Chambres spacieuses et claires. Petit-déjeuner léger inclus.

_De 60 à 80 $_

Red Stone Inn, 535 S. Main St., ☎ (435) 259 3500 / 1-800 772 1972 – 52 ch. ⌂ ✕ ✎ TV CC Un motel tout en bois, très bien équipé pour le prix (micro-ondes, frigo et machine à café dans les chambres). Barbecue et tables à l'extérieur, laverie et accès à une piscine. Réduction de 50 % en hiver.

_De 80 à 100 $_

Archway Inn, 1551 N. Hwy 191, ☎ (435) 259 2599 – 97 ch. ⌂ ✎ TV ✕ ⌸ CC Un grand hôtel moderne et très confortable à 1 mile du centre-ville. Piscine face à la montagne, petit-déjeuner inclus, jacuzzi. Machine à café, micro-ondes et frigo dans les chambres.

Plus de 150 $

Sunflower Hill B & B, 185 N. 300 E., ☎ (435) 259 2974 – 11 ch. ⌂ ✕ TV CC Une ravissante demeure de charme au cœur d'un jardin luxuriant. Chaque chambre est digne de figurer dans un magazine de déco. Accueil chaleureux et soigné, petit-déjeuner plantureux, jacuzzi, barbecue, cuisine et laverie à disposition. La meilleure adresse de la région. À partir de 100 $ en hiver.

The Gonzo Inn, 100 W. 200 S., ☎ (435) 259 2515, www.gonzoinn.com – 43 ch. ⌂ ✕ ✎ TV ⌸ CC Une adresse très centrale mais calme. Déco design réussie. Toutes les chambres disposent d'une kitchenette et d'un balcon ou d'un patio. Les suites à 155 $ sont vraiment bien.

• **Locations à la semaine**
Moab Lodging, 50 E. Center St., ☎ (435) 259 5125 / 1-800 505 5343, www.moab.net//moablodging. Une intéressante offre d'appartements ou de cottages pour séjourner à Moab et dans ses environs immédiats.

• **Monticello**
Ce village au sud de Moab, sur la Hwy 191, est une autre possibilité pour ceux qui veulent visiter uniquement les Needles.

De 60 à 80 $
Super 8 Motel, 649 N. Main St., ☎ (435) 587 2489 – 40 ch. 🍴 ✈ 🐾 📺 ⬛ CC Le confort et la fiabilité d'une grande chaîne, mais très impersonnel.

OÙ SE RESTAURER
Moins de 10 $
Jailhouse Cafe, 101 N. Main St., ☎ (435) 259 3900. 7h-12h/13h le dimanche. Petit restaurant chaleureux servant de copieux petits-déjeuners.
Poplar Place, à l'angle de Main St. et de 1st N., ☎ (435) 259 6018. Une adresse en plein centre, idéale pour le déjeuner (salades, plats végétariens, pâtes).
La Hacienda, 574 N. Main St. ☎ (435) 259 6319. Tlj 11h-22h. Juste à la sortie nord de la ville. Cuisine mexicaine très copieuse. Délicieuses salades et « fajitas ».
City Market, S. Main St. Supermarché ouvert de 5h à 1h du matin. Excellents rayons traiteur et salades. Idéal pour préparer son pique-nique ou un repas économique à l'hôtel.

De 10 à 15 $
🐌 **The Branding Iron**, 2971 S. Hwy 191, à 3 miles au sud de Moab, ☎ (435) 259 6275. Une institution pour ses karaokés country-western où les cow-boys locaux viennent chanter des ritournelles sirupeuses en chapeau et bottes, à peine descendus de leurs chevaux ! Venir absolument les mercredi, vendredi et samedi à partir de 20h. Ces soirs-là, demandez le « Prime Rib Special », un steak gigantesque pour 11 $.
Eddie McStiff's, 57 S. Main St., ☎ (435) 259 2337. Fait très rare pour une ville mormone, on brasse ici sa propre bière. À goûter avec des plats variés. Salades et burgers à moins de 10 $, grillades

traditionnelles, pâtes ou « [...] un peu plus. Bonne ambia[...]
Moab Brewery, 686 [...] ☎ (435) 259 6333. Ouvre [...] la nuit. Une adresse où boire des bières brassées sur place et manger une cuisine américaine à très bon prix. Ambiance animée le soir.

De 15 à 20 $
Buck's Grill House, 1393 N. Hwy 191, à 1,5 mile au nord de la ville, ☎ (435) 259 5201. Ouvert uniquement pour le dîner. Le chef est réputé et propose une cuisine éclectique, des steaks bien sûr, des poissons et des plats mexicains.
Sunset Grill, 900 N. Hwy 191, ☎ (435) 259 7146. Le soir uniquement. Perché sur les hauteurs au nord de la ville, ce restaurant réputé pour ses poissons et ses grillades jouit d'une vue superbe.

LOISIRS

Canyonning – Desert Highlights, Center Square, ☎ (435) 259 4433, www.deserthighlights.com. Circuits guidés pour découvrir les canyons secrets des environs dans des conditions très sportives, entre escalade et randonnée athlétique.

Rafting – Western River Expeditions, 1371 N. Hwy 191, ☎ (435) 259 7019. Organise des descentes du Colorado à la demi-journée (32 $) ou sur deux jours (145 $), avec snacks et bivouac sur la partie est de la rivière, entre le Dewey Bridge et Moab. Location de kayaks gonflables (de 25 à 40 $ selon la taille).
Adrift Adventures, 378 N. Main St., ☎ (435) 259 8594. Propose le même type d'excursions et des sorties sur plusieurs jours avec bivouac. Comptez au moins 150 $ par jour et par personne.
Sheri Griffith Expeditions, ☎ (435) 259 8229. Le spécialiste des expéditions sur plusieurs jours, panachées avec des randonnées. Propose aussi des raids pour femmes uniquement !

VTT – Moab Cyclery, 391 S. Main St., ☎ (435) 259 7423. Propose un large choix de VTT entre 26 et 40 $ par jour, ainsi que des circuits organisés ou avec transport sur place. **Top of the World Cyclery**, 415 N. Main St., ☎ (435) 259 1134. Même type de services, mais avec plus de choix dans le haut de gamme.

COLORADO NATIONAL MONUMENT★★
LES ENVIRONS DE GRAND JUNCTION

État du Colorado – Mountain Time – Carte Michelin n° 943 F8
518 miles au nord-est de Las Vegas – Hébergement à Grand Junction
Alt. 1400-3000 m – Climat continental d'altitude

À ne pas manquer
Emprunter la Rim Rock Drive au coucher du soleil.
Randonner sur le Monument Canyon Trail.

Conseils
Si vous voulez voir le parc au lever ou au coucher du soleil sans être aveuglé,
parcourez la route d'est en ouest le matin et d'ouest en est le soir.
Grand Mesa reste enneigée tard dans la saison,
prévoyez donc des chaussures imperméables et une petite laine.

Grand Junction (43 000 hab.) occupe une place de choix au confluent du Colorado et du Gunnison, au cœur d'une haute vallée fertile plantée de vignes et de vergers. Tout autour, les Colorado Rockies alternent hauts sommets, plateaux boisés et profonds canyons. Important carrefour ferroviaire, elle est surtout la porte d'entrée du Colorado National Monument. Situé en bordure nord des hauts plateaux de l'Uncomphagre, ce parc méconnu offre un concentré des paysages de l'Ouest américain : lacis de canyons vertigineux aux parois lisses et roses, buttes et aiguilles de grès rouge aux formes torturées, végétation abondante (pins pignons, genévriers, *mormon tea*) et faune très riche (coyotes, pumas, aigles).

Colorado National Monument★★

Le parc est accessible à l'est à partir du centre-ville de Grand Junction : prenez la sortie 31 de l'I-70, suivez Horizon Drive vers le sud puis Downtown, à partir duquel le parc est indiqué. L'entrée ouest est proche de Fruita, à 12 miles de Grand Junction : quittez l'I-70 à la sortie 19 et suivez les panneaux. Le parc est ouvert toute l'année 24 h/24. Entrée : 4 $ par véhicule, 2 $ par cycliste, mais le péage ferme à 18 h jusqu'au matin 8 h. Visitor Center (tlj 9 h-17 h) disposant de plans des randonnées. Alt. 1400-2100 m. Route enneigée en hiver. Comptez une journée avec une randonnée.

Le voyageur pressé peut se contenter de suivre la **Rim Rock Drive★★★**, une route de 23 miles qui traverse le parc, reliant les entrées ouest et est. Quittant la vallée du Colorado, elle s'élève entre les falaises pour atteindre le plateau, puis longe les canyons. Elle est jalonnée de points de vue permettant d'admirer le paysage : ne manquez pas **Independence Monument View★** ou **Grand View★** pour la vue sur d'étranges formations rocheuses aux noms évocateurs, comme le **Pipe Organ** (tuyau d'orgue) ou le **Kissing Couple** (couple s'embrassant). Les plus beaux panoramas sont ceux de **Monument Canyon View**, **Coke Ovens Overlook★★** (d'énormes dômes ressemblant à de gros bouchons) et **Artists Point★★**, pour son subtil dégradé au coucher du soleil.

De nombreux sentiers de randonnée sont signalés le long de la route. Parmi ceux-ci, le **Monument Canyon Trail★★** *(19 km AR; comptez 7 h, mais on peut se contenter de n'en faire qu'une partie)* descend au fond de Monument Canyon. Son départ se situe au même endroit que le **Coke Ovens Trail★**, mais il se prolonge et mène aux formations rocheuses les plus spectaculaires du parc *(attention aux serpents à sonnette et aux scorpions)*. Des circuits plus courts sont possibles, notamment le **Serpents Trail★**, à l'extrémité est de la route : il s'agit d'une ancienne piste tracée au début du 20e s. par John Otto, le tout premier ranger du parc. Jusqu'aux années 1950, c'était une partie de la route principale pour monter au plateau.

Grand Mesa*

Au sud-est de Grand Junction. Prenez l'I-70 vers l'est et quelque 17 miles plus loin, tournez à droite sur la Hwy 65. Route pittoresque de 62 miles à prendre absolument si vous continuez vers le Black Canyon of the Gunnison National Park.

Immense montagne table située entre le Colorado et le Gunnison, son altitude moyenne de 3 000 m lui vaut le surnom d'«île dans le ciel». Tapissée d'une épaisse forêt de trembles, de bouleaux et d'épicéas, semée de quelque 200 lacs, elle offre un contraste total et rafraîchissant avec les déserts du plateau du Colorado. Terrain de prédilection des skieurs de fond et des fans de motoneige, elle abrite une faune très riche, comptant des ours bruns, des cerfs et des wapitis. Le plus beau moment de l'année est l'automne avec le jaune d'or des trembles.

─── Grand Junction pratique ───

ARRIVER-PARTIR

En train – Amtrak Station, 337 S. 1st St., ☎ (970) 241 2733. Un train par jour vers Denver (9 h) ou vers Salt Lake City (7 h) et San Francisco (27 h).

En bus – Greyhound Depot, 230 S. 5th St., ☎ (970) 242 6012. Trajets quotidiens vers Las Vegas (10 h), Denver (5 h 30) et Durango (4 h 30).

ADRESSES UTILES

Office de tourisme – Visitor's Bureau, 740 Horizon Drive, sortie 31 de l'I-70, ☎ (970) 244 1480. Tlj 8 h 30-17 h/20 h de mai à sept. Plan des environs et liste des attractions.

Poste – 241 N. 4th St. Lundi-vendredi 8 h-17 h 15, samedi 9 h-12 h 30.

OÙ LOGER

Fruita compte peu de restaurants, mais s'avère pratique, car proche de l'entrée ouest du parc. Grand Junction est plus animée et plus près de l'entrée est.

• Grand Junction
De 60 à 80 $

Super 8 Motel, 728 Horizon Drive, sortie 31 de l'I-70, ☎ (970) 243 4522 – 132 ch. ⁂ ✕ ✗ 📺 ⎌ CC Motel au confort habituel, dans un quartier riche en restaurants, près du Visitor's Bureau. Laverie. Moins de 50 $ hors saison.

🍽 **Country Inn**, 718 Horizon Drive, ☎ (970) 243 5080 – 140 ch. ⁂ ✕ ✗ 📺 ⎌ CC Une adresse à la déco un peu désuète, mais impeccable, calme et très agréable pour son jardin luxuriant autour de la piscine (demander une chambre sur «courtyard»). Petit-déjeuner léger. Les suites sont un peu plus chères, mais disposent d'une cuisine et d'un salon. Prix inférieurs à 50 $ hors saison.

• Fruita
De 60 à 80 $

Super 8 Motel, 399 Jurassic Ave., ☎ (970) 858 0808 – 60 ch. ⁂ ✕ ✗ ⎌ CC Adresse offrant un très bon rapport qualité-prix, avec petit-déjeuner léger. Laverie sur place. Machine à café, micro-ondes et frigo dans les chambres.

De 80 à 100 $

Comfort Inn, 400 Jurassic Ave., en face du Super 8, ☎ (970) 858 1333 – 66 ch. ⁂ ✕ ✗ 📺 ⎌ CC Un peu plus haut de gamme et plus cher que son voisin. Piscine intérieure et jacuzzi. Laverie. Machine à café et frigo dans les chambres. Moins de 80 $ hors saison.

OÙ SE RESTAURER
• Grand Junction
Moins de 10 $

Main Street Cafe, 504 Main St., ☎ (970) 242 7225. Tlj 7 h-16 h. Une adresse en plein centre-ville, jeune et sympathique, pour le petit-déjeuner ou le déjeuner. Très bon rapport qualité-prix. Salades et burgers à moins de 5 $. Grillades entre 6 et 7 $.

De 10 à 15 $

Applebee's, 711 Horizon Drive, ☎ (970) 256 0022. Une adresse pratique si vous êtes à l'hôtel juste en face. Salades copieuses et délicieuses (moins de 7 $), grillades et grands classiques comme les «fajitas», desserts copieux.

FÊTES / FESTIVALS

Musique country – La 4e semaine de juin, la ville est prise d'assaut pendant quatre jours pour la **Country Jam USA**, une manifestation extrêmement populaire durant laquelle se produisent les plus grandes stars de musique.

BLACK CANYON OF THE GUNNISON NATIONAL PARK★★

État du Colorado – Mountain Time
67 miles au sud-est de Grand Junction – Carte Michelin n° 943 G9
Alt. 2 500 m environ – Enneigement important en hiver

À ne pas manquer
Descendre au fond du canyon.
Suivre la rive nord si vous avez un peu plus de temps.

Conseils
De la rive sud, comptez 2 h en voiture pour rejoindre la rive nord,
puis au moins 3 h pour longer celle-ci, car la piste est irrégulière.
Attention, la descente dans le canyon est très sportive.

Black Canyon diffère totalement des grandes fissures roses que l'on associe souvent au Colorado. Creusée par la rivière Gunnison, cette gigantesque fente grise et vertigineuse, longue de 53 miles (14 miles dans le parc national), atteint plus de 800 m de profondeur et ses parois ne sont distantes par endroits que de 12 m. Riche d'une faune (tamias, marmottes, ours, chats sauvages) et d'une flore abondantes et variées, le Black Canyon NP est l'un des parcs les plus spectaculaires du Colorado. Il couvre les deux rives du canyon, mais la rive nord est plus difficile d'accès et n'est pas aménagée. En hiver, la température chute régulièrement en dessous de -20 °C.

Droit d'entrée de 7 $ par véhicule, 4 $ par cycliste ou piéton si vous ne possédez pas le National Parks Pass. Camping rudimentaire en été sur les deux berges (15 $ par nuit). Renseignements au ☎ (970) 641 2337. Pour les randonnées au fond du canyon, permis obligatoire à retirer avec les cartes d'itinéraires au Visitor Center.

La rive sud du canyon★★

La partie la plus accessible du parc est située à 8 miles à l'est de Montrose, par la Hwy 50 puis la Rte 347 vers le nord. Le South Rim Visitor Center est ouvert toute l'année, 8 h-18 h (16 h en hiver), mais le parc peut être très enneigé en hiver. Comptez une demi-journée.
La route qui longe la rive sud du canyon est jalonnée de nombreux belvédères permettant d'observer les parois verticales sous tous les angles. Après une escale au *Visitor Center* pour comprendre la formation géologique du site, ne manquez pas, derrière le bâtiment, de descendre à **Gunnison Point★★** pour admirer le panorama. Les belvédères sont bien signalés sur la route et la plupart sont reliés par de jolis sentiers. Dans l'ordre où ils se succèdent, **Pulpit Rock Overlook★★** est très impressionnant, offrant une vue sur la rivière qui s'écoule à plus de 500 m en contrebas. Ne manquez pas non plus **Cross Fissures View★★**, assez mal signalé, qui permet de juger de l'étroitesse du canyon. **Grand Chiasm View★★★** présente le panorama le plus spectaculaire. **Painted Wall View★★**, qui n'est pas le plus vertigineux, fait face à la plus haute falaise du Colorado (690 m).
Les passionnés de flore suivront le **Cedar Point Nature Trail★** *(1 km AR ; départ peu après Painted Wall)* ou le **Warner Point Nature Trail★** *(2,5 km AR ; au bout de la route)*. On découvre aussi bien des yuccas et des cactus que des genévriers de l'Utah (faussement appelés cèdres) ou des pins pignons, des fleurs de sauge ou de sarrasin sauvage, des *prickle pear cactus* (poire piquante) ou des *Indian paintbrushes* (pinceau indien). Une aire de pique-nique est aménagée au bout de la route, à **High Point**. Pour ceux qui souhaiteraient accéder à la rivière, il est possible de descendre à **East Portal** (entrée est du canyon) par une route très pentue *(fermée en hiver)* qui part de la Route 347 vers l'est, après le kiosque de péage. Il faut cependant savoir que le Gunnison est à cet endroit si dangereux qu'il est considéré non navigable. Plusieurs sentiers descendent au fond du canyon, mais ils sont mal balisés et demandent expé-

rience et condition physique. Les rangers vous renseigneront sur les tracés et les précautions à prendre. Le moins difficile est la **Gunnison Route***** (*permis obligatoire. 3 km AR; 1h30 pour descendre, au moins 2h pour remonter; dénivelé de 540 m; départ du Visitor Center en suivant l'Oak Flat Trail puis le panneau «River Access»*).

La rive nord du canyon**

De Montrose, suivez la Hwy 50 vers le nord. À Delta (21 miles), prenez à droite la Rte 92 jusqu'à Crawford (31 miles), puis à droite la North Rim Rd sur 11 miles. La route et la North Rim Ranger Station ne sont ouvertes qu'en été. Comptez une bonne demi-journée.
Beaucoup plus sauvage que le côté sud, la rive nord est longée par une route cahoteuse qui serpente parfois tout près du gouffre. Bien qu'en moyenne un peu moins élevée que la rive sud, elle est plus impressionnante et ménage de nombreux points de vue, comme le **Narrows View**** et son panorama sur la partie la plus étroite du canyon : à cet endroit, les sommets des falaises ne sont séparés que de 345 m pour une profondeur de près de 520 m! Plusieurs chemins mènent les randonneurs expérimentés au fond du canyon (*sentiers difficiles; comptez au moins 5h AR*).

Montrose

Située à 8 miles à l'ouest du parc, Montrose (*13 000 hab.; alt. 1 738 m*) constitue une agréable étape, au cœur d'une petite plaine entourée de sommets dépassant les 4 000 m. À 3 miles au sud de Montrose par la Hwy 550, ne manquez pas l'**Ute Indian Museum** (*17253 Chipeta Rd,* ☏ *(970) 249 3098. 9h-16h30, dimanche 11h-16h30. Entrée : 3 $*), un musée consacré à la tribu des **Utes** qui occupait jadis l'ouest du Colorado. Vous y découvrirez notamment leur étonnant travail des perles.

--- **Montrose pratique** ---

Montrose pratique

ARRIVER-PARTIR

En voiture – Le canyon n'est pas desservi par les transports en commun. Si vous quittez Montrose vers le sud, ne manquez pas la splendide **San Juan Skyway** (Hwy 550) vers Durango.

OÙ LOGER

De 40 à 60 $
Log Cabin Motel, 1034 E. Main St., ☏ (970) 249 7610 – 13 ch. 🛁 📺 CC
Une rangée de petits chalets disposant de chambres simples et propres. Baisse de 30 % l'hiver.

Western Motel, 1200 E. Main St. ☏ (970) 249 3481 – 27 ch. 🛁 🏊 📺 CC Un motel sans prétention tenu par un couple de Polonais très accueillant. 35 $ d'octobre à mai.

De 60 et 80 $
🛏 **The Lathrop House**, 718 E. Main St., ☏ (970) 240 6075 – 5 ch. 🛁 🍴 📺 CC Une demeure victorienne toute rose à la déco délicieusement british, avec cretonnes drapées, patchworks et meubles anciens. Très bon accueil, apéro le soir et petit-déjeuner copieux.

OÙ SE RESTAURER

Moins de 10 $
Golden Corral Steakhouse, 1825 E. Main St., ☏ (970) 249 7861. Pour les gros appétits et les finances modestes, des formules buffet à 5 ou 7$.

De 15 à 20 $
Kokopelli's Grill, 647 E. Main St., ☏ (970) 252 8100. L'une des meilleures tables de la ville, où on peut manger à tous les prix. Le menu «Early Bird» ou les salades sont très avantageux.

Z-Bar Chuckwagon, 22047 Hwy 550, à 9,5 miles au sud de Montrose, tournez à droite vers Country Village RV Park. Réservations au ☏ 1-800765 1902. Mardi-vendredi à partir de 18h (repas à 19h, show à 20h), du 2ᵉ samedi de juin au 1ᵉʳ samedi de septembre. Très populaire : le dîner de cow-boys, dans une sorte de taverne du Far West, avec musique country et grandes tablées rustiques.

OÙ BOIRE UN CAFÉ

🛏 **The Coffee Trader**, 845 E. Main St., ☏ (970) 249 6295. Une maison de charme avec un balcon, un joli jardin et un salon cosy à l'étage : pour boire un bon café et déguster de délicieux cookies…

Au cœur des San Juan Mountains★
De Durango à Silverton
État du Colorado – Mountain Time
169 miles au sud de Grand Junction – Carte Michelin n° 943 G9
Alt. 1950-2800 m – Hébergement à Durango

À ne pas manquer
Emprunter le Durango & Silverton Railroad.

Conseils
En été, réservez votre billet de train à l'avance et venez le retirer la veille au soir.
Si vous voulez faire l'économie du train, vous pouvez gagner Silverton par la route.
C'est en automne que le trajet est le plus beau en raison des couleurs.

C'est toute l'histoire du Far West que l'on goûte à Durango et à Silverton, celle des ranchs et des Indiens, celle des mines et des anciens chemins de fer. Au pied des imposantes San Juan Mountains, à l'extrémité sud-ouest des Rocheuses, Durango est aussi la porte des terres indiennes, utes ou navajos. Les paysages sont encore ceux de la haute montagne, avec ses profondes vallées boisées et ses crêtes escarpées couronnées de neiges éternelles.

Durango★
Située sur les rives de la rivière Animas, elle bénéficie de sources minérales naturellement chaudes, jaillissant à plus de 45 °C. Mais c'est l'or et l'argent des **San Juan Mountains** qui sont à l'origine de la ville, avec la création, en 1880, d'une voie de chemin de fer pour acheminer les précieux métaux depuis les mines d'altitude. L'économie des environs reposa longtemps sur les mines et l'élevage dans les ranchs, puis, à partir des années 1960, sur le tourisme (ski, rafting, pêche, randonnée). Aujourd'hui, la ville *(14 000 hab.)* est l'une des plus attrayantes de la région, et compte de nombreux bars et restaurants à l'atmosphère conviviale.
C'est autour de **Main Avenue★** que s'étend le centre historique. Commencez au **Train Depot**, la gare d'où part le vieux train à vapeur. Le **Durango & Silverton Museum** *(tlj, ouvert selon le départ des trains. Entrée : 5 $, gratuite si vous prenez le train)* y retrace l'histoire du chemin de fer. Procurez-vous ensuite le dépliant «*Walking Tour*» et longez Main Street pour admirer ses immeubles d'époque en brique et à frontons, dont beaucoup furent jadis des saloons fréquentés par les fortes têtes du comté. Ne manquez pas le **Strater Hotel** *(699 Main St.)*, la première banque de la région, et son **Diamond Belle Saloon★**, avec serveuses en porte-jarretelles…

Le Durango & Silverton Narrow Gauge Railroad★★★
479 Main Ave., ☎ (970) 247 2733, www.durangotrain.com. De mai à octobre, départ de Durango à 7 h 30, 8 h 15, 9 h (train supplémentaire à 9 h 45 en été). Durée : 3 h 15. Retour en fin d'après-midi ou possibilité de passer la nuit à Silverton et de redescendre le lendemain. Billet : 53 $ AR (adultes), 27 $ (enfants de 5 à 11 ans). En hiver (nov.-avril), le train va uniquement jusqu'à Cascade Canyon. Départ à 10 h. Billet : 45 $ et 22,5 $.
Opérationnel depuis juillet 1882, ce train à vapeur emprunte une voie ferrée dont les rails, très rapprochés *(narrow gauge)*, sont espacés de 0,91 m, contre 1,42 m pour les rails standard. La voie traverse 45 miles spectaculaires de canyons, de torrents et de versants boisés jusqu'à la petite ville minière de Silverton, où une étape de 2 h est prévue avant le retour. *Il est aussi possible de rejoindre Silverton, à 48 miles au nord de Durango, par la superbe Hwy 550 (comptez 1 h 30).*

Silverton★
Si vous rêvez de l'Amérique des pionniers, une virée à Silverton (littéralement «tonne d'argent») *(500 hab. ; alt. 2 795 m)* s'impose, malgré les trop nombreux touristes. Vous trouverez le long des deux rues de terre battue tout ce qui faisait les petites villes de l'Ouest : façades victoriennes colorées et saloons à frontons.

La route, appelée **San Juan Skyway***, continue ensuite au cœur des montagnes jusqu'à **Ouray*** *(26 miles)*, pittoresque petite ville minière au cœur de ce que l'on nomme fièrement la « Suisse d'Amérique ». Un circuit en boucle quittant Ouray, l'**Alpine Loop*** *(65 miles ; la seconde partie est réservée aux 4x4)*, traverse une nature sauvage et intacte et passe des villages fantômes et d'anciennes mines.

Durango et Silverton pratique

ARRIVER-PARTIR

En bus – Greyhound, 275 E. 8th St. La compagnie relie Durango à Grand Junction (4 h 30) au nord et à Albuquerque (5 h 15) au sud.

OÙ LOGER

• **Durango**
Nombreux motels au nord et au sud de Durango, le long de la Hwy 550.

Moins de 15 $ par personne
Durango Hostel, 543 E. 2nd Ave., ☎ (970) 247 9905 – 18 lits CC Une auberge en bois peint bien sympathique et centrale. En principe, les dortoirs ne sont pas mixtes. Possède aussi une chambre. Réservez en été (7 h-10 h/17 h-22 h).

De 60 à 80 $
Super 8 Motel, 20 Stewart Dr., sur la route vers le sud (Hwy 550/160), ☎ (970) 259 0590 – 85 ch. CC Un motel sans caractère et loin de la ville, mais moins cher que ceux du centre, surtout l'été. Moins de 50 $ l'hiver.

De 100 à 150 $
Leland House, 721 E. 2nd Ave., ☎ (970) 385 1920 – 25 ch. CC Dans une rue parallèle à Main St., deux belles maisons anciennes en brique pour ce B & B de charme. Déco raffinée. Petit-déjeuner très copieux. Kitchenette dans les chambres.

• **Silverton**
De 80 à 100 $
Grand Imperial Hotel, 13th St., ☎ (970) 387 5527 – 40 ch. CC Un hôtel victorien historique et confortable, fondé en 1882, qui servait initialement de saloon, d'auberge et d'immeuble de bureaux…

OÙ SE RESTAURER

• **Durango**
De 10 à 15 $
Cyprus Cafe, 725 E. 2nd Ave, ☎ (970) 385 6884. Cuisine méditerranéenne servie dans un cadre en bois peint design, sobre et reposant, ou sur une adorable petite terrasse.

De 15 à 20 $
Ken & Sue's East, 639 Main St., ☎ (970) 385 1810. Pour dîner seulement, à partir de 17 h. Cuisine éclectique et internationale, inspirée des traditions asiatiques.
Bar D Chuckwagon, 8080 Country Rd. 250, ☎ 1-888 800 5753 (réservation obligatoire). Ouvert de Memorial Day au 8 septembre. Le dîner de cow-boys avec show musical est un incontournable de l'Ouest. Ambiance « Amérique profonde », mais chaleureuse et conviviale.

• **Silverton**
Moins de 10 $
Handlebars, 13th St., à l'arrière d'une boutique de cadeaux de la rue principale, ☎ (970) 387 5395. Atmosphère western, décor de saloon tout en bois, plats copieux et bon marché.
Grand Imperial Hotel, ☎ (970) 387 5527. 11 h-14 h. Déjeuner au son du piano, comme au temps de la conquête de l'Ouest.

LOISIRS

Rodéo – Les rodéos sont une institution dans le Colorado. À Durango, ils se disputent de juin à août, les mardi et mercredi à 19 h 30 (12 $), au **La Plata County Fairground**, à l'angle de Main Ave. et de 25th St. Le week-end du 4 juillet se tient le seul rodéo strictement féminin de l'État. Renseignements au ☎ (719) 593 8840 et sur www. prorodeo.com.

GREAT SAND DUNES
NATIONAL MONUMENT★★

État du Colorado – Mountain Time
173 miles au nord de Santa Fe, 149 miles à l'est de Durango
Carte Michelin n° 943 H9 – Alt. 2400-2649 m – Hébergement à Alamosa

À ne pas manquer
Escalader la plus haute dune et se baigner dans le Medano Creek.
Remonter le torrent pour voir les Zapata Falls.

Conseils
Escalader une dune de plus de 200 m est très pénible, surtout en altitude ;
prévoyez de partir tôt, emportez beaucoup d'eau et protégez-vous du soleil.
Mettez des chaussures, car la température du sable peut atteindre les 60 °C,
et emmenez un lainage, car le vent est très frais.

Ce parc rassemble les plus hautes dunes de sable d'Amérique du Nord (220 m de haut), ondulant au pied des Sangre de Cristo Mountains qui dépassent les 4 200 m. Elles s'étendent sur 78 km², mais toute la vallée alentour (466 km²) est couverte d'une épaisse couche de sable, largement stabilisée par la végétation. Le contraste de ces longues vagues blondes sur fond de crêtes enneigées piquées d'épicéas est étonnant et splendide.

Autant en emporte le vent...
Le sable des dunes résulte de l'érosion des montagnes environnantes par les glaciers. Les grains les plus clairs proviennent des **Sangre de Cristo Mountains** (montagnes du Sang du Christ) au nord, tandis que les plus sombres et les plus fins, de nature volcanique, proviennent des **San Juan Mountains** à l'ouest. Le **Rio Grande** a charrié le sable et l'a déposé peu à peu dans la vallée. Les vents, qui soufflent le plus souvent vers le nord-est, l'ont progressivement amassé au pied des montagnes, poursuivant sans cesse leur patient travail de sculpture. C'est ainsi que la couche de dunes la plus épaisse (340 m) se situe le long du Medano Creek, le ruisseau qui enserre le massif à l'est.

Les dunes sont situées à 38 miles à l'est d'Alamosa. Suivez la Hwy 160 sur 15 miles puis prenez à gauche la Hwy 150. Elles sont accessibles toute l'année 24 h/24, mais un droit d'entrée de 3 $ par véhicule est exigé aux heures d'ouverture officielles. Visitor Center ouvert de 9 h à 18 h, de Memorial Day à Labor Day (variable en hiver). Il est possible de camper sur place (15 $), renseignements au ☎ (719) 378 2312.

——— Great Sand Dunes pratique ———

OÙ LOGER
De 40 à 60 $
Super 8 Motel, 2505 W. Main Hwy 160, à l'ouest d'Alamosa, ☎ (719) 589 6447 – 57 ch. ⌐ 🍴 🅿️ 📺 CC Motel standard, pratique pour le parc.
De 80 à 100 $
😊**Great Sand Dunes Lodge**, 7900 Hwy 150, à l'entrée de Great Sand Dunes, ☎ (719) 378 2900 – 10 ch. ⌐ 🍴 🅿️ 📺 ⚊ CC Ouvert d'avril à octobre. Un tout petit motel situé à côté

de l'entrée du parc. Chaque chambre dispose de deux grands lits et le prix reste le même si vous êtes quatre. Toutes possèdent un patio avec vue sur les dunes. Machine à café. Pas de petit-déjeuner sur place, mais barbecue à l'extérieur. Réservation conseillée.
😊**Cottonwood Inn**, 123 San Juan, Alamosa, ☎ (719) 589 3882, www.cottonwoodinn.com – 10 ch. ⌐ 🅿️ CC Une adorable maison victorienne rose fuchsia, avec jacuzzi extérieur et plantureux petit-déjeuner traditionnel américain.

Paysage de dune

Les dunes**

Vous rejoindrez facilement les dunes les plus hautes en suivant les panneaux « picnic area », à gauche après le Visitor Center. Laissez votre véhicule sur le parking et rejoignez le Medano Creek qu'il faut traverser à pied. Attention, vous devrez vous tremper jusqu'à mi-genou. Ce ruisseau, très froid le matin, mais délicieux au retour, est asséché en été.

Le Medano Creek*, le ruisseau que vous traversez avant d'accéder aux dunes, présente une rare particularité : le courant crée de petits barrages de sable qui, en rompant, forment des vagues. Il transporte vers le sud le sable devenu trop abondant au nord-est et contribue ainsi à la répétition du processus de formation des dunes. L'**ascension*** de la **High Dune** (198 m au-dessus de la rivière) et de la **Star Dune** (229 m) est longue et pénible, mais offre de superbes panoramas (*2 h AR ; si vous avez du temps ou un 4x4, demandez le tracé des autres pistes au Visitor Center*).

Coup de foudre

Les orages peuvent être dangereux et très violents. Ne restez pas dans les dunes lorsqu'ils surviennent, car la foudre tombe souvent sur les sommets. Vous trouverez peut-être dans le sable de curieuses petites formations aux lignes torturées ressemblant à du métal fondu : il s'agit de fulgurites créées par la foudre qui amène le sable à la fusion. Une autre particularité du sable de ces dunes est sa forte teneur en magnétite, que l'on collecte en abondance en promenant un aimant sur le sol.

Zapata Falls*

À 7 miles du Visitor Center. Reprenez la Hwy 150 et empruntez à gauche une petite route caillouteuse indiquée « Zapata Falls ». Un joli sentier aux allures de garrigue s'élève à flanc de montagne, au pied du mont Blanca (4 303 m), et mène à un torrent (*1,5 km AR, dont 30 m, à la fin, les pieds dans l'eau très froide ! Gardez vos chaussures pour ne pas glisser*). En remontant son cours par la droite, puis en traversant le petit barrage par l'échelle sur la gauche, vous arrivez à une grotte, du haut de laquelle tombent les chutes d'eau venues du glacier. Les parois restent souvent gelées toute l'année et se drapent d'un rideau de glace.

MESA VERDE NATIONAL PARK★★★

État du Colorado – Mountain Time
25 miles à l'est de Cortez, 51 miles à l'ouest de Durango
Alt. 2 200 à 2 600 m – Carte Michelin n° 943 F-G9

À ne pas manquer
La vue sur Square Tower House.
Visiter au moins Cliff Palace ou Balcony House.
Se prendre pour un Indien le long du Petroglyph Point Trail.

Conseils
Attention, la visite de Balcony House exige de grimper
une échelle de 10 m et de passer un tunnel à quatre pattes.
Avis aux photographes : pour Square Tower House, la lumière est meilleure
en milieu d'après-midi ; mais préférez la fin d'après-midi pour Cliff Palace.

Au sud-est du plateau du Colorado, Mesa Verde est un vestige unique de l'ancienne civilisation indienne, rassemblant de splendides villages troglodytiques, nichés dans les fissures des falaises, tout autour d'une vaste mesa sillonnée de profonds canyons. C'est l'un des rares parcs nationaux retraçant l'histoire de ceux que l'on a longtemps appelés les Anasazis. Ce nom, prononcé d'une certaine manière, veut dire « ennemi ancien » en langue navajo. Les descendants de ces vieilles tribus préfèrent parler d'ancêtres des Indiens Pueblos. Malgré l'importance des ruines et des objets découverts, beaucoup de questions demeurent sur l'évolution de cette civilisation.

Un très vieil océan
Il y a 100 millions d'années, la région était couverte par la mer et connaissait un climat semblable à celui du golfe du Mexique. Les cours d'eau qui se déversaient dans cet océan y déposèrent peu à peu des sédiments qui se tassèrent et se solidifièrent. Puis, il y a 60 millions d'années, la mer disparut et l'ensemble du plateau du Colorado commença à s'élever. Les parties les plus hautes s'érodèrent en même temps. Il y a 1 million d'années, Mesa Verde était encore une vaste montagne table, légèrement inclinée vers le sud, mais la pluie abondante, les cours d'eau, les glaciers et la fonte des neiges creusèrent progressivement les canyons parallèles qui sillonnent aujourd'hui le plateau.

Des fabricants de paniers...
Le peuplement de Mesa Verde remonte aux environs de 550, quand des groupes de nomades se sédentarisèrent sur la mesa et dans les fissures des falaises. On désigne par le nom de **basketmakers** (fabricants de paniers) les indigènes de cette époque, qui remplacèrent peu à peu la cueillette par l'agriculture. Ils vivaient dans des huttes rudimentaires à demi enterrées, ne connaissaient ni la poterie ni les métaux, mais excellaient dans la fabrication de délicates vanneries qui servaient à tout, y compris à transporter l'eau (on les imperméabilisait avec de la poix) ou à faire la cuisine (on faisait bouillir l'eau avec des pierres brûlantes sorties du feu).

Avec le temps, ils cessèrent d'enterrer leurs huttes et commencèrent à construire de simples cabanes de piquets recouvertes de boue séchée. À partir de cette époque, on les appelle les **Pueblos** (mot espagnol signifiant « village », utilisé aussi pour désigner les indigènes eux-mêmes). Vers l'an 1000, les Pueblos maîtrisaient bien la construction de petites maisons de pierre, comptant plusieurs niveaux et de nombreuses pièces. Ils apprirent la poterie et leur art du panier déclina. Les techniques agricoles progressaient et une portion de plus en plus importante du plateau y était consacrée. Durant deux siècles, les villages prospérèrent au sommet des falaises, à proximité des cultures. L'ensemble du plateau de Mesa Verde comptait alors plusieurs milliers d'habitants.

Cliff palace

Le plateau du Colorado

Étonnantes alcôves

La constitution des crevasses horizontales s'explique par la composition hétéroclite des falaises. La nature des sédiments qui les composent est différente selon l'époque où ils se sont déposés. L'eau s'infiltre facilement dans la couche supérieure de grès qui est perméable, mais lorsqu'elle rencontre la couche sous-jacente de schiste imperméable, elle s'étale et stagne. En hiver, elle gèle, se dilate et fend la pierre, occasionnant des fissures qui s'agrandissent avec les années.

... aux bâtisseurs de palais

Un changement brutal s'opéra vers 1200. Les villages du plateau furent désertés et reconstruits systématiquement à l'abri des anfractuosités des falaises, jusque-là utilisées pour entreposer les denrées. Alors que le 12e s. avait connu réchauffement climatique, abondance et croissance démographique, le 13e s. fut celui du refroidissement brutal et de la raréfaction des ressources alimentaires, engendrant insécurité et violence. Chaque communauté surpeuplée devait lutter pour sa survie et la protection de ses réserves. Le repli vers les **alcôves des falaises** permettait de se défendre plus facilement et de se protéger des intempéries. Cela n'empêcha pas les Pueblos d'apporter un soin extrême à leurs nouveaux villages, dont le plus vaste fut même baptisé Cliff Palace (palais de la Falaise) par ceux qui le découvrirent au 19e s. En observant ces nids d'aigle perchés, on s'émerveille à l'idée des incroyables corvées de transport des matériaux et de ravitaillement...

Le mystère s'épaissit

Difficile d'imaginer que tant d'efforts ne servirent que quelques dizaines d'années ! Ce fut pourtant le cas : deux générations tout au plus profitèrent des nouveaux villages qui furent à nouveau brutalement et définitivement désertés avant 1300. Archéologues et anthropologues divergent sur les raisons précises de cet exode massif et soudain. En fait, à cette époque-là, il ne reste plus un Indien Pueblo dans toute la région des «Four Corners» (une bonne partie du plateau du Colorado). De Mesa Verde jusqu'à Phoenix, la plupart des villages furent abandonnés, souvent brutalement détruits ou brûlés. Beaucoup d'Indiens moururent, peut-être de la famine ou des combats entre communautés voisines. La violence endémique, les rigueurs climatiques et l'épuisement des sols découragèrent les survivants. Ils émigrèrent vers le sud et la vallée du Rio Grande, au Nouveau-Mexique, s'intégrant aux tribus locales. Les Indiens actuels les plus proches des anciens Pueblos sont les **Hopis** en Arizona, les **Zunis** et les **Pueblos** au Nouveau-Mexique.

La visite du parc
Comptez au moins une journée.

L'entrée du parc est située à proximité de la Hwy 160. Il est ouvert toute l'année de 8h au coucher du soleil. Entrée : 10$ par véhicule si vous n'avez pas le National Parks Pass. Le Far View Visitor Center se trouve à 15 miles. 8h-17h de Memorial Day à Labor Day. C'est là qu'il faut retirer vos tickets pour les visites guidées de Cliff Palace et de Balcony House (2$). Attention, en été, en raison de l'affluence, une seule visite guidée par personne est autorisée. Cafétérias à Far View et à Chapin Mesa. Snacks en été à Wetherill Mesa.

Après la superbe route d'accès au *Visitor Center*, le parc se divise en deux mesas principales. Chapin Mesa, qui se dresse entre Soda Canyon et Spruce Canyon, porte les plus beaux vestiges. Bien équipée et accessible toute l'année, elle est très fréquentée en été. Wetherill Mesa, plus isolée et plus sauvage, possède aussi de belles ruines, mais n'est ouverte qu'en été.

Chapin Mesa★★★

À 6 miles du *Visitor Center*, ne manquez pas le **Chapin Mesa Museum**★★ *(tlj 8h-18h30 en été/17h en hiver. Entrée libre)*, un petit musée archéologique qui explique tout ce qui vous sera utile pour comprendre les ruines et les coutumes des anciens habitants.

Au pied du musée, **Spruce Tree House*****, le troisième village par la taille, est le seul qui soit en accès libre et ouvert toute l'année. Dans une alcôve de 66 m de large et 27 m de profondeur sont empilées 114 pièces et 8 *kivas*, qui devaient accueillir une centaine d'Indiens. Si les pièces paraissent minuscules, c'est que les Indiens vivaient surtout dehors ; ils ne percevaient pas la nature comme un milieu hostile, mais plutôt comme leur mère nourricière. Ils ne s'abritaient que pour dormir, or les hommes de cette époque mesuraient à peine plus d'1,60 m et les femmes 1,50 m. Dans ces villages, la gestion des déchets était un détail d'importance : une partie était jetée par-dessus la balustrade sur le talus en contrebas, l'autre étant stockée au fond de la caverne. Ces dépotoirs servaient aussi à enterrer les morts, surtout en hiver, quand le sol gelé était beaucoup plus difficile à creuser.

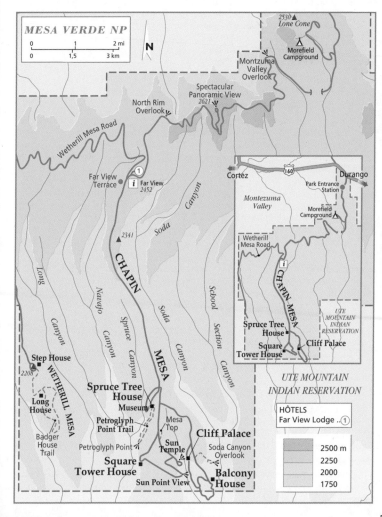

Cérémonies

« Kiva » est un mot hopi signifiant pièce cérémonielle. Circulaire et creusée dans le sol, la « kiva » servait aux cérémonies rituelles, mais les Indiens y tenaient aussi leurs réunions et les utilisaient parfois pour le tissage (on a retrouvé les empreintes des anciens métiers à tisser). Des piliers soutenaient un toit de rondins recouverts de boue séchée. Les rebords et les niches accueillaient les objets rituels et les poteries. On y accédait au moyen d'une échelle par un trou dans le toit qui tenait aussi lieu de cheminée. Sur le sol de la « kiva », notez un petit trou, entre le mur et le foyer : c'est le « sipapu », symbole de l'entrée dans l'autre monde et lieu dont sont sortis tous les hommes de la tribu.

En continuant le sentier qui passe devant Spruce Tree House, vous rejoignez le **Petroglyph Point Trail**★★ (*comptez 2 h; inscrivez votre nom sur le registre à l'entrée du sentier; méfiez-vous du sumac vénéneux, abondant par endroits*), un circuit de 3,7 km qui longe le canyon à flanc de montagne, à l'ombre de grands arbres, chênes ou pins pignons. On débouche au pied d'un rocher portant des gravures symboliques indiennes, les **pétroglyphes**★. Après de belles vues sur Navajo Canyon, le sentier remonte sur la mesa où la végétation est plus basse et plus éparse (genévriers, faussement appelés cèdres, cactus et yuccas). *Vous retrouvez le parking du musée au-dessus de Spruce Tree House.*

Reprenez votre véhicule. Au « stop », continuez tout droit en direction de la Mesa Top Loop Drive. Au carrefour suivant, prenez à gauche vers Cliff Palace et Balcony House.

Cliff Palace★★★ (palais de la Falaise) est le plus grand et le plus photographié des habitats troglodytiques. Il est parfaitement visible du belvédère, mais on ne le visite qu'accompagné d'un ranger (*départ de 9 h à 17 h, toutes les heures au printemps, toutes les demi-heures en été; fermé de novembre à avril. Billet en vente au Visitor Center (2 $). Pensez à réserver en été, car la visite est très demandée. Une brochure explicative en anglais est disponible*). Avec 150 pièces et 23 *kivas*, ce village construit vers 1200 est le plus vaste de Mesa Verde : il a dû héberger plus de 150 personnes. Remarquez le superbe travail de maçonnerie, les tours de défense et les unités de rangement le long de la partie supérieure de la fissure. En quittant le village (*sous la première échelle*), on aperçoit des encoches taillées dans la falaise : elles servaient d'escalier aux Indiens qui rejoignaient le dessus de la mesa. Imaginez les corvées de ravitaillement dans ces conditions !

Balcony House★★★ est moins important, mais encore plus spectaculaire. Si on l'atteint aujourd'hui par une échelle, les Indiens y pénétraient en empruntant un tunnel, puis en grimpant le long d'encoches dans la roche. Ses quelque 40 pièces n'abritaient qu'une cinquantaine de personnes, qui vivaient suspendues à 180 m au-dessus du canyon. Là encore, on mesure les défis qu'a dû poser la construction d'un site qui fut occupé moins d'un siècle. La cour nord, bordée par un parapet, devait servir à garder les jeunes enfants en sécurité, tandis que la cour sud, avec ses *kivas*, accueillait les autres activités du clan (le toit des *kivas* formait une partie de la cour). Le village possède deux sources d'eau qui évitaient la corvée de ravitaillement.

Revenez au premier embranchement et prenez à gauche vers les Mesa Top Sites.

Moins impressionnantes que les ruines précédentes, celles de Mesa Top permettent de comprendre l'évolution de l'habitat depuis les *basketmakers* jusqu'aux Pueblos. On y voit plusieurs vestiges de huttes enterrées (*pithouses*) et un ravissant petit village, **Square Tower House**★★★, que l'on domine depuis un belvédère. Niché dans sa fissure, il ressemble à une maquette d'argile…

Vous passez ensuite quelques beaux points de vue sur les canyons, tel **Sun Point View**★★. **Sun Temple** est un étrange édifice au plan géométrique mystérieux. On le pense dédié à un culte élaboré, mais il n'a sans doute jamais été achevé…

Le plateau du Colorado

Revenez vers le Far View Visitor Center. Juste avant d'y parvenir, une route à gauche, ouverte seulement en été, mène à Wetherill Mesa (12 miles).

Wetherill Mesa**

Isolée à l'ouest, cette mesa est nettement plus sauvage que ses voisines. La route est sinueuse et pentue et les **panoramas**** sont splendides. Deux villages pueblos sont ouverts au public, **Step House*** et surtout **Long House**** (deuxième en taille après Cliff Palace). Un petit sentier, le **Badger House Trail**, permet de découvrir les ruines de maisons construites au sommet de la mesa.

Le bonheur par les plantes

Les Indiens se fient beaucoup à la générosité de la nature. Presque toutes les plantes et graines leur sont utiles. Les pignons de pin sont grillés et mangés, et la résine sert à réparer les poteries ou à imperméabiliser les paniers. Le lichen des rochers, réduit en poudre, calme les douleurs bucco-dentaires. Le «mormon tea», un petit arbuste en forme de tête de loup, soigne les maladies vénériennes, les infections rénales, la toux et les maux d'estomac. On l'utilise aussi pour tanner les peaux. L'écorce de genévrier sert pour les toitures, pour isoler du froid l'intérieur des chaussures, pour bourrer les oreillers et, réduite en fine charpie, elle tient lieu de couche pour les nourrissons. Les feuilles donnent, elles, une belle teinte verte à la laine. Les racines du yucca se transforment en savon, tandis que les tiges se font cordes, vanneries, tapis ou sandales, et les épines terminales se changent en aiguilles à coudre! Quant aux cactus piquants, on enlève les épines pour pouvoir les manger…

Mesa Verde pratique

Mesa Verde pratique

(voir p. 365)

ARRIVER-PARTIR

En voiture – La route d'accès à la mesa quitte la Hwy 160, entre Durango et Cortez. En hiver, ses virages et sa déclivité peuvent rendre la circulation difficile. Renseignez-vous sur l'état des routes et les conditions climatiques au ☎ (970) 529 4461/(970) 529 4465.

OÙ LOGER

Si vous ne campez pas, il peut être pratique de dormir à Cortez, mais Durango (voir p. 365), bien que plus éloignée, est une solution plus séduisante, car plus vivante. Si vous y passez la nuit avant votre visite, partez très tôt le matin pour avoir le temps de tout voir dans la journée. L'hôtel à l'intérieur du parc est souvent complet : réservez à l'avance.

• **Dans le parc**

Moins de 20 $

Morefield Campground, 4 miles à l'intérieur du parc, ☎ (970) 533 7731 – 400 sites. Ouvert de mi-avril à mi-octobre. 15 emplacements aménagés pour les camping-cars.

De 100 à 120 $

Far View Lodge, Mesa Verde N.P., P.O. Box 277, Mancos, ☎ (970) 529 4421 /

1-800 449 2288 – 150 ch. ⬛ ✕ ⬛ Ouvert de mi-avril à fin octobre. Hôtel situé à côté du Far View Visitor Center, au cœur d'un splendide paysage. Chaque chambre possède un balcon avec une vue superbe. Attention, elles sont pleines de courants d'air désagréables dès qu'il fait frais… Les prix commencent à 80 $ en semaine et avant la haute saison.

• **Cortez**

De 60 à 80 $

Budget Host Inn, 2040 E. Main St., ☎ (970) 565 3738 – 40 ch. ⬛ ✆ ⬛ ⬛ ⬛ Un motel simple et impeccable en bordure de route. Déco claire et agréable. Petit-déjeuner continental.

OÙ SE RESTAURER

La cafétéria jouxtant le Visitor Center et celle de Chapin Mesa proposent des plats légers très bon marché (moins de 10 $). Si vous souhaitez pique-niquer, il est recommandé de faire vos provisions à Durango ou à Cortez.

De 15 à 20 $

Metate Room, Far View Lodge. Dîner de 17 h à 21 h 30. Le restaurant du Lodge bénéficie d'une vue superbe.

CANYON DE CHELLY
NATIONAL MONUMENT★★★

État de l'Arizona – Mountain Time
3 miles de Chinle – Carte Michelin n° 943 F10
Alt. 1680-2100 m – Été chaud et orageux

À ne pas manquer
Les ruines de White House.

Conseils
Attention, le site est soumis à l'heure de la réserve navajo (voir p. 88).
Parcourez la rive nord le matin et la rive sud l'après-midi.
N'oubliez pas vos jumelles.

Au cœur d'une région aride et désolée, Canyon de Chelly (prononcez « de-chai ») apparaît comme une oasis de verdure avec ses grands peupliers et ses petites parcelles de maïs qui bordent le lit des cours d'eau. Depuis plus de 50 millions d'années, les flots qui dévalent périodiquement les pentes des monts Chuska ont creusé ces gorges tortueuses aux falaises de grès rouge, dont la plus grande, Canyon de Chelly, a donné son nom au site. Créé en 1931, ce parc de 340 km² abrite par ailleurs des vestiges hérités de ses premiers habitants, que l'on peut admirer depuis les surplombs qui jalonnent les deux routes touristiques.

Un canyon hospitalier
Les différents canyons du parc sont habités depuis près de vingt siècles par des Indiens, comme en témoignent le grand nombre de ruines et de pétroglyphes qui y ont été retrouvés. Les **Anasazis**, des semi-nomades qui vécurent dans la région entre les 1er et 13e s., se sont peu à peu sédentarisés et ont laissé des constructions durables. Celles-ci ont parfois été réutilisées par les **Navajos**, qui se sont installés ici à partir du milieu du 18e s. Des épisodes tragiques sont également inscrits dans les replis des falaises. Ces canyons constituaient des cachettes relativement sûres, mais quand l'ennemi parvenait à y pénétrer, l'issue était généralement terrible. Ce fut le cas lors de l'assaut espagnol en 1805 ou des attaques américaines en 1858 et 1864. Quand le dernier traité de paix entre les Américains et les Navajos fut signé en 1868, Canyon de Chelly se trouvait en plein cœur de la réserve nouvellement créée. Aujourd'hui, quelques familles navajos vivent encore au fond du canyon durant l'été et perpétuent leurs traditions dans ce lieu sacré, tout en accueillant les visiteurs.

La visite du parc
Comptez une journée de visite

Aucun droit d'entrée n'est requis pour visiter le canyon, mais vous êtes invité à laisser une contribution au Visitor Center, situé au carrefour des deux routes qui sillonnent le parc. www.nps.gov/cach. Tlj 8h-18h en été/8h-17h en hiver; fermé pour Noël. À l'exception de la visite des ruines de White House, il est obligatoire d'être accompagné par un guide navajo habilité pour descendre au fond du canyon (voir p. 379).

Le Canyon del Muerto★★
Quatre points de vue sont accessibles le long des 15 miles de la route de la rive nord (North Rim Drive) qui débute peu après le Visitor Center. Comptez 2h.

La route monte progressivement le long du Canyon del Muerto, le défilé le plus au nord du parc, qui doit son nom à la découverte des restes de deux momies lors d'une expédition archéologique dans les années 1880. Des habitations plus ou moins récentes se succèdent le long du chemin : des **hogans** traditionnels voisinent avec des mobile homes et des maisons en dur, parfois construites à la manière de *hogan*.

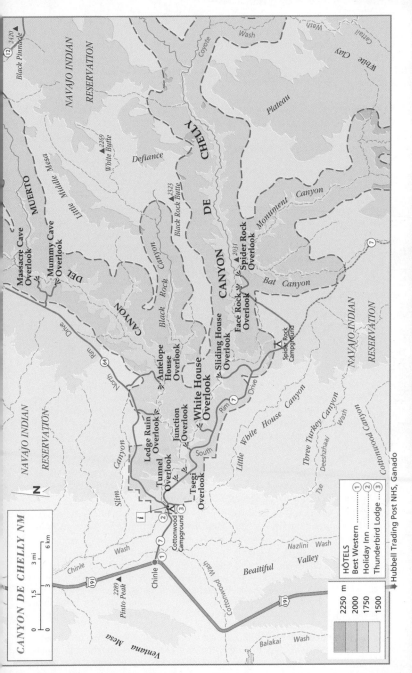

CANYON DE CHELLY NM

N

0	3	6 km
0	1,5	3 mi

2250 m	
2000	
1750	
1500	

HÔTELS
Best Western .... ①
Holiday Inn .... ②
Thunderbird Lodge .. ③

→ Hubbell Trading Post NHS, Ganado

NAVAJO INDIAN RESERVATION

Black Pinnacle ▲ 2420

White Butte ▲ 2269

Defiance

Coyote Wash

Wash

Plateau

White Clay

Cattail Wash

CANYON

DE

CHELLY

Black Rock Butte ▲ 2323

MUERTO

Little Middle Mesa

Mummy Cave Overlook

Massacre Cave Overlook

DEL

CAÑON

North Rim Drive

Black Rock Canyon

Antelope House Overlook

Ledge Ruin Overlook

Tunnel Overlook

Tsegi Overlook

Junction Overlook

White House Overlook

Sliding House Overlook

Face Rock Overlook

Spider Rock Overlook ▲ 2031

Monument Canyon

Bat Canyon

CANYON

Slim Canyon

Spider Rock Campground ⚑

South Rim Drive

⑦

Little White House Canyon

Three Turkey Canyon

Tse Deeshzhaai Wash

Cottonwood Canyon

NAVAJO INDIAN RESERVATION

Cottonwood Campground

ℹ️

② ③ ⚑

⑦

⑦

Chinle

Pinto Peak ▲ 2289

Ventana Mesa

Chinle Wash

【191】

Cottonwood Wash

Nazlini Wash

Beautiful Valley

【19】

Balakai Wash

NAVAJO INDIAN RESERVATION

375

À droite de la route, des sentiers plus ou moins balisés traversent une forêt pygmée composée de genévriers et de pins pignons et mènent aux différents points de vue qui surplombent les falaises *(soyez très prudent en vous approchant au bord des falaises).*

Ledge Ruin Overlook* surplombe un site qui n'a pas encore fait l'objet de fouilles. On distingue simplement deux structures en pierre, mais on estime qu'une quarantaine de maisons, de greniers et de pièces cérémonielles *(kivas)* s'élevaient ici entre 1050 et 1275.

Antelope House Overlook** donne sur l'un des sites les plus pittoresques. On aperçoit les ruines d'un village, dont une haute tour reliée à une *kiva* circulaire.

Mummy Cave Overlook** fait face à deux alcôves élevées où l'on distingue des vestiges datant de la période tardive des Anasazis, dite grande ère classique des Pueblos. Il a été établi que ce site, qui comprend plus de 70 structures, a été occupé sans discontinuer entre 300 et 1300. Les hautes parois du canyon répercutent parfois les jappements du chien de berger qui s'efforce de rassembler les moutons qui paissent en contrebas.

Massacre Cave Overlook* est bien moins spectaculaire, mais occupe une place primordiale dans l'histoire navajo. Sur la gauche, en hauteur, une alcôve obstruée par des éboulis de pierres se dessine sur un pan de falaise. C'est là que les Indiens trouvèrent refuge en 1805, quand les Espagnols menés par Antonio de Narbona vinrent les combattre. Attaqués de toutes parts, les assiégés ne tinrent pas longtemps sous le feu des fusils espagnols. Pas moins de 115 Navajos furent tués. Ils nommèrent cet endroit «là où deux sont tombés», en honneur de l'Indienne qui, en luttant contre un soldat, fut précipitée avec lui dans le vide.

Le Canyon de Chelly***

La South Rim Drive qui part à droite du Visitor Center dessert les sept points de vue de la partie sud du canyon. Comptez 2 h pour parcourir les 17 miles aller-retour et 1 h 30 pour descendre vers les ruines de White House.

À un peu plus de 1 mile du *Visitor Center*, en un lieu où les falaises sont vingt fois moins hautes que celles qui se dressent plus à l'est, **Tunnel Overlook*** offre une vue partielle du Canyon de Chelly. Les peupliers se détachent sur le rouge des falaises encadrant la brèche qui permet de descendre dans le canyon *(vous pouvez vous avancer jusqu'à la rambarde, mais n'empruntez pas les escaliers sans être accompagné d'un guide).*

Peu après, **Tsegi Overlook**** offre une vue beaucoup plus dégagée sur le canyon, au fond duquel se dessinent les méandres du **Chinle Wash**. Durant l'été, la ferme que vous apercevez en contrebas est occupée par des fermiers navajos qui élèvent des chevaux et des moutons, cultivent du maïs, des courges, et font la récolte de quelques arbres fruitiers. L'endroit est fertile, et même quand le cours d'eau est à son plus bas niveau, il suffit de creuser un peu pour trouver de l'eau.

Parvenu à **Junction Overlook**, des jumelles sont nécessaires pour observer les ruines situées de l'autre côté du canyon : **First Ruin**, sur la gauche, et **Junction Ruin**, en face de vous, dans une saillie de la falaise.

De **White House Overlook*****, la «maison blanche» qui surplombe le village auquel elle a donné son nom se détache des autres constructions et de la falaise dans laquelle elle a été édifiée. Ce site aurait abrité plus de douze familles entre 1060 et 1275. Si vous ne comptez pas descendre dans le canyon avec un guide, n'hésitez pas à suivre le **White House Trail** qui mène à ces ruines, car c'est l'unique occasion d'approcher de beaux vestiges et de découvrir le canyon de l'intérieur *(comptez 1 h 30 AR; le chemin débute à 500 m sur la droite).*

Passé un petit tunnel, vous débouchez sur le chemin qui plonge vertigineusement vers le fond du canyon et qu'empruntent traditionnellement les troupeaux de moutons. Vous croiserez peut-être quelques écoliers qui dévalent la pente pour rentrer chez eux, car ce sentier est l'une des rares voies d'accès qui descendent dans le canyon. Les Navajos ont d'ailleurs utilisé cet atout contre les attaques d'autres tribus indiennes et des armées espagnoles ou américaines. Au bas de la falaise, un *hogan* traditionnel trône dans son enclos, mais n'oubliez pas que vous êtes ici sur des terres privées : suivez le chemin qui part sur la gauche et traverse le cours d'eau pour rejoindre les ruines.

Le vernis du désert

Les veines sombres qui dessinent des draperies filiformes sur les parois des falaises semblent provenir du dernier orage, or ce «desert varnish» a mis des milliers d'années à se constituer. Il résulte de l'écoulement des eaux qui infiltrent la roche et oxydent les minéraux. Ce processus met en jeu des micro-organismes qui «digèrent» les oxydes et participent à leur transformation.

Quelques miles plus loin, **Sliding House Overlook*** offre de très beaux panoramas sur le canyon et sur des ruines perchées sur un contrefort élevé.

À **Face Rock Overlook****, quatre petits tubes en fer vous aident à repérer les sites, particulièrement saisissants, nichés dans la falaise qui vous fait face. En contrebas, la piste se dessine clairement au fond du canyon et vous apercevez parfois des randonneurs qui ne paraissent pas plus grands que des fourmis.

Des hauteurs de **Spider Rock Overlook****, une vue plongeante dévoile des paysages plus acérés. La végétation tapisse jusqu'aux parois des falaises qui s'élèvent ici à plus de 300 m. Face à vous se dresse l'aiguille du **Spider Rock**, telle deux doigts pointés vers le ciel. Selon la légende, la femme-araignée *(Spider Woman)*, qui enseigna aux Navajos l'art du tissage, y a établi ses quartiers. Certains prétendent même qu'elle y emmène les enfants pas sages. Au loin, sur la gauche, se détache le profil du **Black Rock**, un ancien volcan dont ne subsiste aujourd'hui que le cœur, le pourtour ayant été érodé.

L'aiguille de Spider Rock

R. Mattes/MICHELIN

Canyon de Chelly National Monument

Les environs du Canyon de Chelly

Hubbell Trading Post National Historic Site★

À 30 miles au sud du Canyon de Chelly et 1 mile au nord de Ganado, sur la Rte 191. www.nps.gov/hutr. Tlj 8h-18h en été/8h-17h en hiver. Entrée libre; des coupons sont délivrés au Visitor Center. Une brochure détaille les différents bâtiments de la propriété.

Débutez la visite par le bâtiment principal qui abrite le **comptoir** proprement dit. L'établissement de John Hubbell et de ses descendants connaît la plus longue activité des comptoirs de l'Ouest. Bien que racheté par le gouvernement en 1967, il continue de fonctionner sur le même principe depuis plus d'un siècle. La pièce principale, appelée **bullpen★★★**, reste inchangée : le comptoir en bois entoure le poêle central, boîtes et objets de toutes sortes sont impeccablement alignés sur les étagères, selles et tissus pendent aux poutres. Dans la **salle des bijoux★** adjacente, vous rencontrerez peut-être un artisan navajo venu proposer ses dernières créations, tandis que dans la **salle des tapis★★** vous pouvez toucher les tissages navajos colorés aux formes géométriques inventives.

La **maison de John Hubbell★★** se visite avec un guide. La décoration foisonnante de cette jolie demeure révèle la personnalité de cet homme du Sud-Ouest, passionné par son métier et par l'art navajo, qu'il a contribué à promouvoir. Outre les nombreux tapis et les paniers qui tapissent le plafond, remarquez les portraits d'Indiens très expressifs, réalisés par Eldridge A. Burbank. John Hubbell est enterré non loin du comptoir, auprès de sa femme et de son meilleur ami navajo.

John Lorenzo Hubbell

Né au Nouveau-Mexique, John Lorenzo Hubbell (1853-1930) est un autodidacte qui a beaucoup voyagé dans le Sud-Ouest américain avant d'acheter le comptoir de Ganado, en 1878. Avec l'arrivée du chemin de fer et la demande croissante de laine pour l'est du pays, le commerce avec les Indiens prend un nouvel essor et devient crucial pour la survie de ces derniers. Hubbell, qui parle leur langue, accueille et conseille les Navajos qui viennent échanger leurs productions contre des denrées ou des outils, et se tenir au courant des décisions du gouvernement à leur encontre. Apprécié pour son honnêteté et sa justesse, il prospère à la tête de plusieurs comptoirs en recherchant toujours à améliorer les articles apportés par les Navajos, principalement des tissages et des paniers. Il encourage aussi le travail des bijoux en argent et organise un service de vente par correspondance.

Canyon de Chelly pratique

Plus de 100 $

Thunderbird Lodge, première route à droite après le Visitor Center, ☎ (928) 674 5841 / 1-800 679 2473, Fax (928) 674 5844, tbirdlodge@cybertrails.com – 73 ch. ⌤ 🗐 🖉 📺 ✕ 📧 Motel tout confort situé à l'entrée du canyon. Propose des excursions dans le canyon.

• **Chinle**

Les deux motels sont situés le long de la Rte 7, à quelques minutes en voiture du Visitor Center.

Plus de 100 $

Holiday Inn, P.O. Box 1889, ☎ (928) 674 5000 / 1-800 Holyday, Fax (928) 674 8264, holidayinncdc@cybertrails. com – 108 ch. ⌤ 🗐 🖉 📺 ✕ 🛁 📧 Un hôtel chaleureux et très accueillant. Les chambres sont impeccables et toutes dotées d'une grande salle de bains.

Best Western, P.O. Box 295, ☎ (928) 674 5875 / 1-800 327 0354, Fax (928) 674 3715, bwcdc@cybertrails.com – 102 ch. ⌤ 🗐 🖉 📺 ✕ 🛁 📧 Ce motel dispose de toutes les commodités que peut offrir un établissement de ce type.

• **Many Farms**

Le hameau de Many Farms est situé à 14 miles au nord de Chinle par la Route 191. Pour rejoindre le lycée, prendre à gauche après les stations-service à hauteur du panneau « Many Farm Highschool/Many Farm Inn ».

Moins de 40 $

🛏 **Many Farms Inn**, P.O. Box 307, ☎ (928) 781 6362, Fax (928) 781 6355, MFHSINN@manyfarms. bia.edu – 15 ch. 🗐 Réception ouverte tlj de 7 h à 23 h en été, et du lundi au jeudi en hiver. Fruit d'un projet de formation professionnelle, cet établissement propose des chambres aménagées dans d'anciennes résidences d'élèves. Le confort est minimal, mais l'accueil est chaleureux et permet de rencontrer les jeunes Navajos qui apprennent le métier d'hôte. Traveller's chèques acceptés.

OÙ SE RESTAURER

• **Dans le parc**

De 15 à 20 $

🛏 **Thunderbird Lodge**. Installée dans un ancien « trading post », comme en témoignent les nombreux objets décorant

les murs, cette cafétéria propose des plats authentiques et peu onéreux.

• **Chinle**

La ville s'organise autour du carrefour des Routes 191 et 7.

De 15 à 20 $

Holiday Inn Restaurant, hôtel Holiday Inn. Bien que donnant dans le hall de réception, la salle du restaurant, agrémentée d'une petite fontaine, est charmante, mais la carte est sans prétention.

Junction Restaurant, motel Best Western. Plats typiques dans une grande salle aux tons pâles, éclairée au néon. Accueil sympathique.

LOISIRS

Excursions – Si vous souhaitez descendre au fond du canyon, vous pouvez contacter les agences qui proposent des excursions dans des véhicules tout-terrain, ou vous renseigner auprès des rangers du Visitor Center qui vous présenteront un guide. Celui-ci peut vous accompagner à pied (min. 3 h ; 15 $/h ; 15 pers. max.) ou en voiture si vous disposez d'un véhicule adéquat. Les rangers délivrent les permis, mais le règlement s'effectue directement au guide (prévoyez de la monnaie).

De Chelly Tours, hôtel Holiday Inn, ☎ (928) 674 5433 / 674 1044. L'agence propose un circuit de 3 h dans un véhicule tout-terrain (40 $/personne).

Thunderbird Lodge Tours, dans l'hôtel du même nom, ☎ (928) 674 5841 / 674 5842. Excursions à la journée (59,50 $, déjeuner inclus) ou à la demi-journée (37 $) dans un véhicule à 6 roues motrices.

Équitation – **Justin Horse Rental**, ☎ (928) 674 5678. Départ en contrebas du Visitor Center. Balades à cheval de 2 h minimum (25 $/h).

ACHATS

Artisanat – **Navajo Nation Arts & Crafts Showroom**, à l'intersection des Routes 191 et 7. Magasin géré par une association qui réinvestit tous les profits pour aider les artisans dont elle vend les produits. Choix intéressant.

Monument Valley
Navajo Tribal Park★★

À la frontière entre l'Arizona et l'Utah – Mountain Time
314 miles de Phoenix, 353 miles d'Albuquerque, 423 miles de Las Vegas
Alt. 1 669 m – Carte Michelin n° 943 F9-10

À ne pas manquer
Admirer les buttes le soir pour la belle teinte rouge que prend la vallée.
Une randonnée guidée par un Navajo, si vous avez un peu de temps.

Conseils
Bien que partiellement en Arizona, la réserve navajo adopte la «Mountain Time»,
appliquée au Nouveau-Mexique, en Utah et dans le Colorado.
Évitez les circuits en 4x4 découverts, qui font le tour de la vallée
à toute allure dans un nuage de poussière.

Tout le monde connaît la silhouette mythique et familière des buttes de Monument Valley, paysage culte des fans de westerns. Ceux qui rêvent de liberté, de grands espaces vierges et de solitude au cœur du désert seront bien déçus. Si le site, l'un des plus beaux de l'Ouest, est à la hauteur des attentes, vous ne pourrez pas le découvrir seul, hors des sentiers battus. Gérée d'une main de fer par les Indiens navajos, Monument Valley est balisée au mètre près et strictement protégée des touristes. Des Navajos y vivent toujours et le visiteur est invité à respecter strictement leur vie privée. Cependant, avec un peu de patience, d'imagination, et surtout l'aide d'un guide, vous pourrez malgré tout vous prendre pour John Wayne...

Une longue histoire
Au temps de la préhistoire, des chasseurs venaient ici poursuivre les mammouths laineux à l'aide de harpons en pierre taillée. Bien plus tard, les **Anasazis**, ou anciens Pueblos, laissèrent quelques ruines, des encoches dans les falaises qui servaient d'escaliers et des pétroglyphes. On sait que, dès l'an 200, ils vivaient d'un embryon d'agriculture, dans des huttes semi-enterrées. Comme ceux de Mesa Verde et de Chaco Canyon, ils désertèrent la région vers 1300. Par la suite, d'autres Indiens investirent celle-ci, les Utes et les Paiutes, puis enfin les **Navajos** (15e-18e s.).

Sous la domination mexicaine, les Espagnols s'approvisionnaient en esclaves dans les camps navajos, provoquant des raids de représailles sans merci, qui ne cessèrent pas après la prise de contrôle des Américains. La crise atteint un sommet en 1863, lorsque le gouvernement décida de réprimer définitivement la résistance indienne. Sous le commandement de Kit Carson, on brûla les cultures, détruisit les villages et accula 8 000 Navajos à la reddition. Seul l'un des chefs, **Hoskinini**, réussit à s'échapper et trouva refuge à Monument Valley avec sa famille.

Mais la beauté des bijoux navajos avait fait naître la rumeur de mines d'argent en territoire indien. Deux prospecteurs, **Merrick** et **Mitchell**, venus à Monument Valley en 1880, furent découverts, scalpés par les Navajos, au pied des buttes qui portent leur nom. D'autres tentèrent pourtant leur chance, suivis des commerçants qui ouvrirent les premiers *trading posts*, ces magasins où les Indiens venaient échanger leurs produits. Monument Valley fut définitivement attribuée aux Navajos en 1933. À cette époque, les premiers touristes avaient déjà découvert ses paysages splendides, suivis de près par les cinéastes. En 1939, **John Ford**, le premier, immortalisa la silhouette des buttes rouges et celle d'un jeune inconnu nommé John Wayne. Le reste n'est que du cinéma...

Le plateau du Colorado

Monument Valley Scenic Drive★★

Comptez une demi-journée.

La route qui traverse le parc est ouverte tlj 7 h-18 h 30 de mai à septembre/8 h-16 h 30 d'octobre à avril. Elle est accessible aux véhicules de tourisme, sauf par temps de pluie. Visitor Center à l'entrée du parc. Tlj 7 h-19 h de mai à septembre/8 h-17 h d'octobre à avril. Entrée : 3$. Ne photographiez jamais les Navajos et leur propriété sans permission. En cas d'accord, ils attendent une contribution. Il est interdit de quitter la piste, même à pied, et d'escalader les buttes. Boissons alcoolisées formellement prohibées.

La visite de la vallée se fait en suivant une piste de terre longue de 17 miles qui serpente entre les formations géologiques, mesas, buttes ou aiguilles, et permet de découvrir les principaux sites, numérotés et nommés sur le dépliant fourni à l'entrée du parc. Ne manquez pas le célèbre **John Ford Point★★★**, incontournable pour la photo. Pour découvrir d'autres circuits plus secrets, visiter un *hogan*, voir les ruines ou les pétroglyphes, il vous faudra passer par l'un des nombreux guides disponibles sur place *(voir p. 383)*.

Aux environs de Monument Valley

Goulding's Museum★
Adjacent au Goulding's Lodge, de l'autre côté de la Hwy 163 par rapport au Visitor Center. Tlj 7 h-21 h d'avril à novembre. Entrée : 2$. Installé dans le *trading post* construit par les Goulding en 1927, ce petit musée évoque l'histoire de la vallée et l'épopée des westerns tournés ici. C'est Harry Goulding qui se rendit à Hollywood pour montrer à John Ford les photos de Monument Valley.

Goosenecks State Park★★
À 9 miles de Mexican Hat. Suivez la Hwy 163 vers le nord sur 4 miles, tournez à gauche sur la Hwy 261 et, 1 mile plus loin, prenez à gauche sur la Hwy 316 en direction de Goosenecks. Accès libre.
Si vous passez par Mexican Hat avant ou après Monument Valley, ne manquez pas les Goosenecks (cous d'oie), cette fascinante série de méandres de la **San Juan River** dans un canyon profond de 300 m. Les géologues expliquent ces détours spectaculaires par l'élévation très progressive du lit de la rivière qui hésitait à se frayer un chemin. À cet endroit, la rivière fait tellement de virages serrés que près de 10 km de son cours sont tassés sur seulement 2,5 km à vol d'oiseau !

Un peu plus loin, au nord de Mexican Hat, sur la Hwy 163, vous passez aussi la **Valley of the Gods★**, une réplique en plus petit de Monument Valley, très belle au coucher du soleil *(prévoyez 1 h 30 pour suivre la piste de 17 miles qui la traverse)*.

Navajo National Monument★

De Monument Valley, suivez la Rte 163 jusqu'à Kayenta, puis prenez la Rte 160 en direction de l'ouest. 20 miles plus loin, empruntez sur votre droite la Rte 564 qui mène au Navajo National Monument (9 miles). Un Visitor Center vous accueille à l'entrée du site. Tlj 8 h-17 h. La visite des sites de Betatakin et de Keet Seel est gratuite, mais très réglementée, et s'effectue de mai à septembre uniquement. N'oubliez pas que, d'avril à octobre, la réserve navajo vit avec 1 h d'avance sur le reste de l'Arizona.

Cachés dans les replis des canyons de la réserve navajo, les sites exceptionnels de Betatakin et de Keet Seel abritent des vestiges étonnamment bien préservés de la fin du 13e s., la grande époque des **Indiens anasazis**. Les Hopis, qui vivent actuellement 50 miles plus au sud, se déclarent être les descendants des Anasazis, fait avéré d'après le type de constructions et les dessins rupestres qui subsistent. Le départ de ces communautés au début du 14e s. reste en partie inexpliqué. Les Navajos, qui arrivèrent au siècle suivant dans la région, ne s'établirent jamais dans ces sites, par respect pour l'harmonie spirituelle créée par les morts enterrés sur ces terres.

Betatakin★★

Pour les ruines de Betatakin, les rangers conduisent des groupes de 25 personnes au terme d'une marche sportive (5 h AR). Aucune réservation n'est possible et il faut retirer les billets le matin même au Visitor Center à 8 h (il est conseillé d'y être dès 7 h 30). La visite des ruines n'est plus possible et le guide vous mène jusqu'à un point de vue sur le village. Pour avoir un aperçu du site, vous pouvez regarder le film de 20 mn présenté au Visitor Center et vous rendre à Betatakin Overlook, qui surplombe le canyon et fait face aux ruines.

À l'arrière du *Visitor Center* un sentier pavé *(30 mn AR)* mène à **Betatakin Overlook★★**. Les premiers Indiens qui s'installèrent sur le site de Betatakin arrivèrent vraisemblablement dans les années 1250. L'imposante **alcôve** (140 m de haut, 113 m de large et 41 m de profondeur), taillée dans le grès à proximité d'une source d'eau et de terrains plats propices aux cultures, constituait un endroit idéal pour abriter une communauté qui aurait compté jusqu'à 125 membres au plus fort de son occupation. Les Anasazis menaient alors une vie complètement sédentaire. Si leurs constructions n'égalent pas la maîtrise de celles de Chaco Canyon et de Mesa Verde, elles demeurent néanmoins imposantes par le nombre d'édifices encore debout. Une centaine de pièces ont été dénombrées, habitations, greniers et *kivas*, auxquelles on accédait par une ouverture pratiquée dans le toit.

En revenant sur vos pas, l'**Aspen Trail** *(45 mn AR)* s'engage sur la droite et conduit à un **point de vue** surplombant un défilé étroit où subsiste une surprenante forêt de pins et de trembles. Attention, ce chemin descend à mi-canyon et n'offre pas de point de vue sur le site de Betatakin.

Le village de Keet Seel

Pour la visite de Keet Seel, il faut réserver deux mois à l'avance (NPS, Navajo National Monument, HC-71, Box 3, Tonalea, Arizona 86044-9704, ☎ (928) 672 2366), puis confirmer une semaine avant votre arrivée et suivre une formation d'orientation. L'aller comme le retour sont des randonnées difficiles de 4 à 6 h. Il est possible de passer une nuit sur place (prévoir de l'eau et des réchauds).

Occupé dès 950, ce site a connu son apogée à la fin du 13ᵉ s., époque de laquelle datent les vestiges. Il s'organise autour de trois rues, fait exceptionnel pour ce type d'habitat perché.

Monument Valley pratique

ARRIVER-PARTIR

En voiture – On accède au parc par une route non goudronnée qui quitte la Hwy 163 entre Mexican Hat (24 miles) et Kayenta (23 miles).

OÙ LOGER

Mexican Hat est la solution la moins chère et possède plusieurs petits motels très corrects. Le village est moins touristique que Kayenta, laide et poussiéreuse, qui concentre les hôtels plus chers. Bluff, à 41 miles du parc, constitue une dernière option.

● **Monument Valley**
Moins de 20 $
Mitten View Campground, entre la Hwy 163 et le Visitor Center – 99 sites. Ouvert toute l'année. Pas de réservations, arriver tôt pour avoir une place. 10 $ jusqu'à 6 personnes.

Monument Valley Campgroud, à côté du Goulding's Lodge, ☎ (435) 727 3235. Ouvert de mi-mars à octobre. Privé et plus cher, mais mieux équipé.
De 100 à 150 $
Goulding's Lodge, de l'autre côté de la Hwy 163 par rapport au Visitor Center, ☎ (435) 727 3231 / 1-800 874 0902, www.gouldings.com — 62 ch. ⌶ 🏊 ♨ 📺 ❄ ✕ cc Les chambres, très confortables, disposent toutes d'un balcon avec une vue superbe, mais pas sur le parc. En été, réservez plusieurs mois à l'avance. Moins de 75 $ en hiver.

● **Mexican Hat**
De 40 à 60 $
Burch's Indian Trading Co., au milieu du village, ☎ (435) 683 2221 – 41 ch. ⌶ 🏊 ♨ 📺 cc Ce bâtiment modeste en bois, aux chambres propres et simples, est le plus agréable des motels

du village. La climatisation est un peu bruyante, mais bienvenue en été. Petit-déjeuner continental inclus, servi à l'épicerie du motel. 30 $ en hiver.

De 60 à 80 $

🏨 *San Juan Inn*, à la sortie de Mexican Hat vers Monument Valley, ☎ (435) 683 2220 / 1-800 447 2022 – 38 ch. 📶 ✈ 🅿 TV ✕ CC Un motel confortable et plaisant, au bord de la San Juan River. Les chambres à 2 grands lits sont au même prix, mais nettement plus grandes (5 $ de plus par personne si vous êtes plus de deux). Laverie et petit-déjeuner en sus à la cafétéria.

• Kayenta

De 40 à 60 $

Roland's B & B, Hwy 163, ☎ (928) 697 3524 / 1-800 368 2785 – 4 ch. 📶 Le long de la rue principale, une maison navajo en préfabriqué, mais confortable, pour un accueil plein de gentillesse. Deux des chambres partagent une salle de bains, les autres en ont une privée. Petit-déjeuner continental. Un moyen fort sympathique de lier connaissance avec une famille locale. Pas de cartes de crédit, mais chèques de voyage acceptés.

De 80 à 100 $

Hampton Inn, Hwy 160, ☎ (928) 697 3170 – 73 ch. 📶 ✈ 🅿 TV 🏊 ✕ CC Un motel calme et tout confort. Décor de style western moderne et impersonnel. Machine à café dans les chambres, petit-déjeuner continental inclus. 70 $ en hiver.

De 100 à 150 $

Holiday Inn, à la jonction des Hwys 163 et 160, ☎ (928) 697 3221 – 160 ch. 📶 ✈ 🅿 TV 🏊 ✕ CC Hôtel à l'architecture de brique et de bois et à la déco d'inspiration navajo. Demandez l'une des chambres qui entourent la piscine, très agréable au milieu de son îlot de verdure. Laverie. 80 $ en hiver.

• Bluff

De 60 à 80 $

🏨 *Desert Rose Inn*, 701 W. Main St., à la sortie de Bluff vers Mexican Hat, ☎ (435) 672 2303, www.desertroseinn.com – 30 ch. 📶 ✈ 🅿 TV CC Joli motel tout en bois, meublé de pin, avec jetés de lits en patchwork. Moins de 50 $ de novembre à mars.

OÙ SE RESTAURER

Mexican Hat ne compte guère de restaurants, mais la station-service **Texaco** abrite un supermarché, un fast-food et un distributeur de billets. Un peu plus de choix à Kayenta, notamment dans les hôtels. Attention, la plupart des restaurants servent jusqu'à 21 h.

• Mexican Hat

De 15 à 20 $

Mexican Hat Lodge & Steaks, Hwy 163, ☎ (435) 683 2222. L'un des motels du village sert un barbecue très copieux le soir, avec grillades et steaks impressionnants.

• Kayenta

Moins de 10 $

Golden Sands Cafe, Hwy 163, ☎ (928) 697 3684. Un peu en retrait de la route, non loin du Best Western, ce restaurant à la gloire du western est fréquenté par les locaux. Plats bon marché, comme la « chili soup » (2,75 $) ou le « navajo taco » (5,75 $).

EXCURSIONS

Le seul moyen pour visiter Monument Valley d'un peu plus près est de le faire sous la conduite d'un guide navajo. Plusieurs formules sont proposées, à pied, à cheval ou en 4x4, pour quelques heures ou pour un campement de nuit, pour les amateurs de randonnées ou de photo. Les guides les plus intéressants sont basés à Mexican Hat (il est conseillé de réserver). **Ed Black**, ☎ (435) 739 4285/1-800 551 4039, réservations au ☎ (818) 785 4569. L'un des pionniers du genre, il propose une large palette d'excursions à partir de 30 $, y compris en raft sur la San Juan River pour aller aux Goosenecks. **Fred's Adventure Tours**, ☎ (801) 739 4294 (le soir). Un spécialiste des randonnées photo dans les environs. À Kayenta, **Roland's Navajoland Tours** est une bonne option. Vous trouverez sur place, dans Monument Valley, de nombreux guides proposant des balades à cheval (Ed Black a une écurie sur place) ; comptez 20 $ de l'heure.

LAKE POWELL★★

GLEN CANYON DAM

État de l'Arizona – Mountain Time
135 miles de Flagstaff, 281 miles de Las Vegas – Carte Michelin n° 943 F9
Alt. 1 219 m – Été chaud et orageux, hiver rigoureux – Hébergement à Page

À ne pas manquer
Une excursion au Rainbow Bridge.
Les jeux de lumière dans Antelope Canyon.

Conseils
Réservez à l'avance votre traversée pour le Rainbow Bridge.
Visitez Antelope Canyon aux heures de la mi-journée,
quand le soleil est au zénith.

Au début des années 1960, avant l'édification du barrage de Glen Canyon sur le fleuve Colorado, cette région désertique attirait bien peu de visiteurs. Avant que les aventuriers de la fin du 19e s. ne se hasardent dans ces vastes plaines et sur ces mesas balayées par le vent, seuls les Indiens connaissaient les replis secrets des nombreux canyons qui bordent le lit du puissant fleuve. Depuis la création du lac Powell, qui s'étire sur 300 km à l'est du barrage, les environs de Glen Canyon présentent un visage nouveau : les canyons engloutis et les 3 150 km de côtes qu'ils engendrent accueillent aujourd'hui des millions de vacanciers. La plupart profitent des eaux calmes et limpides en cabotant le long des falaises aux teintes beige et rosé. Rares sont ceux qui manquent la visite du Rainbow Bridge, un immense pont naturel caché dans un repli de la rive sud du lac. La construction du barrage a également donné naissance à la petite bourgade de Page, d'où il est aisé de partir à la découverte de l'un des lieux les plus étonnants de la région, Antelope Canyon, forgé par les crues torrentielles orchestrées par les orages d'été.

Lake Powell★★

Né en 1963 suite à la création du barrage de Glen Canyon, le lac Powell a atteint sa capacité maximale en 1980 (32 336 millions de m³). Conçu au sein d'un vaste programme de conservation de l'eau du Colorado, il représente la deuxième plus grande réserve d'eau disponible pour les besoins des régions désertiques du Sud-Ouest américain (la première est le lac Mead, avec le barrage de Hoover, en aval du Colorado). Il est essentiel par l'électricité qu'il génère.

Au-delà des chiffres édifiants attachés à ce projet, le lac impressionne par sa forme incroyablement découpée, et les dizaines de baies et de gorges protégées qui résultent de l'inondation des canyons. Facilement accessibles, elles font le bonheur des vacanciers, que l'on croise sur les routes de la région, tractant leur embarcation vers l'une des quatre marinas du lac. L'espace récréatif national, créé en 1972, s'étend le long des rives nord sur plus de 6 250 000 ha *(entrée : 10 $ par voiture si vous ne possédez pas le National Parks Pass)*. Destiné avant tout aux loisirs nautiques, il comprend peu de chemins de randonnée. La rive sud marque quant à elle la frontière de la réserve navajo, la plus étendue des États-Unis.

Glen Canyon Dam★ (le barrage de Glen Canyon)

Le barrage est situé sur la Hwy 89, à 2 miles au nord de Page, peu avant le poste frontière avec l'Utah. La visite commence au Carl Hayden Visitor Center (tlj 8 h-19 h de mai à octobre/8 h-17 h de novembre à avril) qui propose un diaporama sur la construction du

Le plateau du Colorado

Lake Powell

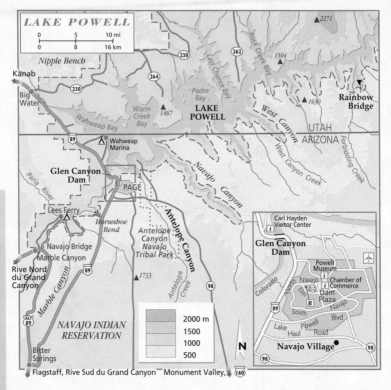

Flagstaff, Rive Sud du Grand Canyon — Monument Valley,

De la méthode

Avant de pouvoir entamer la construction du barrage proprement dit, d'immenses tunnels ont été creusés dans les parois du canyon afin de détourner le cours du Colorado (ils servent aujourd'hui à déverser le trop-plein du lac), et un pont métallique de 387 m de long a été patiemment assemblé entre les deux rives (1957-1959). Par la suite, pas moins de 400 000 coulées de béton, de 24 tonnes chacune, ont été nécessaires pour édifier le barrage : un travail ininterrompu, de jour comme de nuit, pendant plus de trois ans !

site, une exposition et de nombreuses brochures (dont certaines en français). Des visites guidées (1 h) à l'intérieur de l'édifice partent toutes les 1/2 h entre 8 h 30 et 15 h 30 (excepté à 12 h). Derrière la grande baie vitrée du *Visitor Center*, la vue panoramique offre le contraste vertigineux entre l'étendue tranquille du lac d'un bleu profond et le dénivelé de 216 m occasionné par la barrière de béton qui rejette les flots en contrebas, dans Glen Canyon. La course du Colorado se prolonge au-delà et rejoint notamment le Grand Canyon, 60 miles plus loin. De ce côté, les eaux sont d'un vert franc, dû à la prolifération d'une algue, et contrastent harmonieusement avec les falaises rouges de grès Navajo qui forment un canyon étroit et plongeant (cette caractéristique a d'ailleurs joué un rôle important dans le choix du site pour la construction du barrage).

Si vous prenez le temps de suivre la visite guidée du barrage, vous découvrirez les entrailles de ce géant de béton, édifié entre 1956 et 1963. Le circuit commence par la crête du barrage, avant de descendre 161 m plus bas pour accéder à la salle des générateurs et des transformateurs.

Rainbow Bridge★★

Le pont est facilement accessible en bateau depuis la Wahweap Marina, située à quelques miles du barrage. Croisières d'une journée (avril-octobre) ou d'une demi-journée (1 à 2 départs par jour, selon la saison; comptez 75$). Réservations au ☎ (928) 645 1070 / 1079. www.visitlakepowell.com. D'autres destinations sont proposées. Deux longs chemins de randonnée mènent également au Rainbow Bridge, mais il est impératif d'obtenir un permis auprès des autorités navajo en écrivant à : Navajo Nation, Parks and Recreation Departement, P.O. Box 9000, Window Rock, AZ 86515, ☎ (928) 871 6647.

Longtemps tenu à l'écart des sentiers battus car protégé par un dédale de canyons difficilement praticables, le pont naturel du Rainbow Bridge a été déclaré monument national en 1910. Lieu sacré pour cinq tribus indiennes, il se découvre dans le respect. La majestueuse arche de pierre, creusée dans le grès Navajo par la rivière Bridge Creek, est nichée au fond d'une gorge étroite. Après quelques pas sur la terre ferme, le regard est absorbé par l'ampleur du pont, haut de 88 m.

Un sentier (5 mn) suit le bord du Bridge Creek jusqu'au pont. Il est formellement interdit de s'en éloigner et de s'avancer sous le pont, ne serait-ce que pour prendre une photo.

Les environs de Page

Antelope Canyon★★

6 miles à l'est de Page, par la Hwy 98. Sur place, vous êtes accueilli par Antelope Canyon Navajo Tours, ☎ (928) 698 3384 / 3285. Tlj 8h-17h d'avril à octobre; fermé de novembre à mars. Entrée : 17,5$.

Découvert fortuitement par une petite bergère navajo en 1931, Upper Antelope Canyon ou Corkscrew Canyon (en forme de tire-bouchon) est un étonnant corridor de grès, d'une centaine de mètres de long, dont les parois ont été sculptées par les pluies torrentielles et le vent. Les rais qui percent par les ouvertures situées sous la voûte dessinent un ballet de lumière singulier, particulièrement saisissant aux heures de la mi-journée. Les courbes tracées dans la roche prennent alors des tons de feu, rehaussés par le scintillement des petits cristaux de quartz. *Il existe un second circuit, Lower Antelope Canyon, plus encaissé, au nord de la Hwy 98. Visite guidée uniquement; renseignez-vous au guichet.*

Navajo Village★★

Sur Haul Rd (rue perpendiculaire à Coppermine Rd), au sud de Page. Tlj 9h-15h. Pour tous renseignements, contactez Lorin Cumnangs, ☎ (928) 660 0304. Informations disponibles au John Powell Museum ou à la chambre de commerce. Entrée : 10$.

Ce **musée vivant** présente différents types d'habitations navajos, dont les traditionnels *hogans* mâle et femelle, ainsi qu'un *sweat lodge*, sorte de sauna où se tiennent les conversations sacrées et les rites de purification. La visite de ces lieux remplis de symboles permet au guide qui vous accompagne de vous présenter l'ensemble de la culture et des croyances de la nation navajo, la plus grande des communautés indiennes des États-Unis. Des soirées festives, avec danses traditionnelles et contes autour du feu, sont également organisées.

Le plateau du Colorado

ARRIVER-PARTIR

En avion – L'aéroport de Page est situé au nord-est de la ville. Vols intérieurs uniquement. La compagnie **Great Lakes Aviation** (☎ (307) 432 7000 / 1-800 241 6522, Fax (307) 432 7001, www.greatlakesav.com) assure chaque jour des liaisons directes depuis Phoenix (1 h) et Denver Colorado (1 h 30). **Scenic Airlines**, (☎ (928) 645 2494, Fax (928) 645 9318, res@scenic.com) propose également des survols touristiques de la région.

ADRESSES UTILES

Office de tourisme – **Page-Lake Powell Chamber of Commerce**, 644 N. Navajo Drive, ☎ (928) 645 2741, Fax (928) 645 3181, www.pagelakepowellchamber.org. Tlj 8h-19h (horaires réduits en hiver). Installé dans le centre commercial Dam Plaza (ne pas confondre avec le magasin à l'angle qui annonce Tourist Info), il renseigne notamment sur les prix pratiqués par les hôtels de la ville.

John Wesley Powell Memorial Museum, 6 N. Lake Powell Blvd, ☎ (928) 645 9496, Fax (928) 645 3412, www.powellmuseum.org. Lundi-vendredi 8 h 30-17 h 30. De nombreux conseils et brochures, dont le meilleur plan de la ville.

Banque / Change – Distributeurs automatiques dans Dam Plaza et au coin de 6th St. et de N. Navajo Drive.

Poste – 44 6th St., entre N. Navajo Drive et Elm St. Lundi-vendredi 8h30-17h.

Internet – **Bean's Gourmet Coffe House**, Dam Plaza. Lundi-vendredi 6h-18h, samedi 7h-18h, dimanche 8h-12 h. Comptez 3 $ pour 15 mn de connexion.

OÙ LOGER

Page fait vraiment tout pour accommoder les touristes et à chaque bourse correspond un hébergement. Les motels (Motel 6, Days Inn et Comfort Inn) sont situés à l'entrée sud de la ville, tandis que les autres hôtels sont regroupés dans le centre-ville, le long de Lake Powell Blvd. Les prix augmentent en été.

Moins de 20 $
Lees Ferry Campground, Lees Ferry (prendre la route au niveau du Navajo Bridge) – 30 sites. L'équipement est rudimentaire (pas de douches), mais le camping est situé aux abords du Colorado, dans un site très pittoresque.
Wahweap Campground, Wahweap Marina. À deux pas du lac, ce camping est également proche des restaurants de la marina.

De 20 à 40 $
Bashfull Bob's Motel, 750 S. Navajo Dr., ☎ (928) 645 3919, bashfulbobmotel@webnet.net – 13 ch. Un excellent rapport qualité-prix puisque vous êtes hébergé dans de véritables appartements, avec salon, cuisine américaine et chambre. La décoration est un peu vieillotte, mais tout est propre. Le propriétaire réserve un accueil des plus sympathiques et propose un accès Internet gratuit. Réservez 2 à 3 jours à l'avance.

De 40 à 60 $
Empire House, 107 S. Lake Powell Blvd, ☎ (928) 645 2406, Fax (928) 645 2647 – 69 ch. Ce vieux motel bien entretenu est doté de balcons et d'un joli jardin verdoyant.
Econo Lodge, 121 S. Lake Powell Blvd, ☎ (928) 645 2488, Fax (928) 645 9472 – 62 ch. Un motel fonctionnel et bien situé, si vous ne vous formalisez pas trop d'un accueil peu professionnel et du béton omniprésent.

De 60 à 80 $
Ramada Inn, 287 N. Lake Powell Blvd, ☎ (928) 645 8851, Fax (928) 645 2523 – 129 ch. Ce motel propose de grandes chambres aux tons grenat, dont certaines, plus chères, jouissent d'une vue sur le lac.
Weston Inn - Best Western, 207 N. Lake Powell Blvd, ☎ (928) 645 2451, Fax (928) 645 9552 – 99 ch. Le plus ancien des trois Best Western de la ville est aussi le moins cher (le plus récent lui fait face). Il est agrémenté d'une belle terrasse et propose des chambres entièrement rénovées. Les enfants de moins de 17 ans ne payent pas. Le petit-déjeuner est compris.

De 80 à 100 $
Courtyard - Marriott, 600 Clubhouse Dr., ☎ (928) 645 5000, Fax (928) 645 5004 – 153 ch. 🍴🖥️📺✕🛁CC Ce complexe luxueux aux allures de ranch mexicain est aménagé avec goût. Vous y croiserez un grand nombre de golfeurs.

Plus de 100 $
Wahweap Lodge & Marina, Wahweap marina, ☎ (928) 645 2433, www.visitlakepowell.com – 350 ch. 🍴🖥️✏️📺✕🛁🎿🐕CC Ce large complexe tout confort ne possède guère de caractère, mais bénéficie de la proximité du lac.

OÙ SE RESTAURER
Moins de 5 $
The Sandwich Place, Page Plaza, ☎ (928) 645 5267. Lundi-samedi 11h-21h. Sandwichs frais et savoureux à déguster sur le pouce, en terrasse.

De 15 à 20 $
Dam Bar & Grill, Dam Plaza, ☎ (928) 645 2161. Tlj 15h-minuit (ouvert pour le déjeuner en semaine). Rendez-vous «cow-boy», où manger américain et fraterniser avec les locaux : immense bar carré avec écrans de télévision et salle attenante.

Gunsmoke Saloon, Dam Plaza. Mardi-samedi 19h-1h. Ce bar très populaire accueille des concerts presque tous les soirs et propose des animations variées : billard, shows, DJ, jeux vidéo.

🍴 **Zapatas**, Dam Plaza, ☎ (928) 645 9006. Lundi-vendredi 11h-22h, samedi-dimanche 12h-22h. Spécialités mexicaines à déguster en terrasse ou dans une salle à l'ambiance chaleureuse.
Glen Canyon Steakhouse, 210 N. Lake Powell Blvd, ☎ (928) 645 3363. Tlj 5h-22h. Le restaurant propose de nombreux plats copieux à la carte ou un buffet à volonté pour un prix très attractif.

EXCURSIONS

Visites organisées – Deux agences proposent des excursions à Antelope Canyon au départ de Page. Comptez 25 $ par personne pour 1h30 de visite. Formules pour les photographes disposant de matériel. **Lake Powell Jeep Tours**, Page Plaza, ☎ (928) 645 5501, www.jeeptour.com. **Antelope Canyon Tours**, Dam Plaza, ☎ (928) 645 9102/8579, www.antelopecanyon.com.

Jeu de lumières dans Antelope Canyon

GRAND CANYON NATIONAL PARK★★★

État de l'Arizona – Mountain Time
80 miles de Flagstaff (rive sud) – Carte Michelin n° 943 10E
Alt. 2 133 m (rive sud) et 2 469 m (rive nord)

À ne pas manquer
Randonner le long de Hermit Road pour découvrir le canyon.
La route de Desert View au coucher du soleil.

Conseils
Découvrez la rive sud du canyon à Mather Point.
Arrivez tôt pour profiter de la lumière dans le calme.
Consacrez au moins deux journées à la visite du parc.

Impossible de ne pas marquer un temps d'arrêt lorsque soudain, derrière le rideau de verdure bordant le canyon, se dévoile la gorge immense et vertigineuse. La vue sur ces falaises et buttes rocheuses balayées par l'ombre de quelques nuages cotonneux est tellement grandiose qu'elle élude les images dont l'imaginaire de chacun est encombré. Le Colorado et son principal affluent, la Green River, ont creusé bien des canyons sur leur route, mais aucun n'égale en majesté le Grand Canyon qui a bénéficié d'un climat aride et de la formidable préservation des différentes strates géologiques, dont le motif étagé régulier se répète à l'infini.

Fondé en 1919, le parc national du Grand Canyon renferme 4 931 km² d'espace protégé, le long du profond sillon de 447 km qui court de Lees Ferry jusqu'au lac Mead, mais seule une petite partie est facilement accessible par voie terrestre. Les deux rives du canyon sont éloignées de 10 miles en moyenne à vol d'oiseau, mais deux jours de randonnée ardue ou cinq heures de voiture sont nécessaires pour passer de l'une à l'autre. La partie sud, la plus visitée, reste la plus spectaculaire, car les falaises de la rive nord sont beaucoup plus découpées, avec des gorges qui s'enfoncent plus profondément dans le bord du plateau.

Un secret bien gardé
Des figurines en tiges tressées découvertes sur le lieu font remonter la présence humaine dans le canyon à 3 000 ou 4 000 ans, et il est avéré que les Anasazis y ont vécu entre 500 et 1200. Les premiers Espagnols qui découvrirent le canyon arrivèrent quant à eux en 1540 : ils appartenaient à l'expédition menée par **Francisco Vasquez de Coronado**. Deux siècles plus tard, deux autres expéditions espagnoles, dont celle des pères Escalante et Dominguez, passèrent aux abords du Grand Canyon, mais cette gorge pratiquement infranchissable fut délaissée.

Après l'acquisition de l'Arizona par les États-Unis, en 1848, la région fit l'objet d'études précises. En 1857, l'expédition menée par **Joseph Ives** entreprit de remonter le Colorado, mais elle se heurta aux étroites gorges et aux violents rapides du Grand Canyon, ce qui poussa l'explorateur à décréter qu'il n'y avait rien à tirer de cette région. Il fallut donc attendre 1869, quand **John Wesley Powell** et son équipage franchirent pour la première fois le Colorado à travers le Grand Canyon, pour que cet endroit unique retienne l'attention des autorités et du grand public. Les prospecteurs arrivèrent dès les années 1880 et les touristes commencèrent à affluer à la fin du 19e s. Aujourd'hui, la magie du lieu attire des visiteurs de toutes nationalités : Japonaises sur talons aiguilles et randonneurs sac au dos prennent part au ballet cosmopolite qui anime le village de Grand Canyon.

Anatomie d'un canyon
Le Grand Canyon vous entraîne dans une vertigineuse plongée dans le temps, les strates mises au jour ici (sur 1 600 m de dénivelé en moyenne) racontant des millions d'années d'histoire. Les roches les plus anciennes, dites **précambriennes**,

datent de 2 milliards d'années et bordent le lit du Colorado. Issues de mouvements volcaniques, elles présentent un aspect noirâtre et forment des falaises à pic. Au-dessus reposent des **roches sédimentaires** beaucoup plus jeunes, déposées en couches successives à l'ère primaire (550-250 millions d'années), quand les mers avançaient et reculaient sur le continent. Elles contiennent un grand nombre de fossiles et fournissent beaucoup d'éléments sur le type d'environnement qui prévalait alors. Les reliefs étagés et colorés qui font la beauté et le mystère du Grand Canyon résultent de l'altération de ces roches : les calcaires et les grès donnent des falaises abruptes, tandis que les schistes s'érodent en pentes douces.

Le formidable fleuve Colorado

Ni le plus long ni le plus gros de tous les fleuves d'Amérique, le Colorado se distingue par sa puissance, car il prend sa source à plus de 4 000 m d'altitude, dans les montagnes Rocheuses. Artisan principal du Grand Canyon, il aurait commencé son œuvre d'érosion il y a environ 5 millions d'années, dans des couches de roches sédimentaires datant pour la plupart du paléozoïque (550-250 millions d'années). Alimenté par la fonte des neiges, par les eaux de pluie et par ses affluents, qui ont grandement contribué à l'érosion des parois, il charriait une quantité impressionnante de débris et de boue, qui lui ont valu son nom de fleuve « rouge » en espagnol.

À l'ère secondaire (-245 à - 65 millions d'années), l'ensemble de la région fut surélevé, mais l'étagement des couches de roches fut préservé. Le fleuve Colorado a alors entamé son lent travail d'érosion. Si les deux rives sont taillées dans les mêmes couches géologiques, elles se distinguent en revanche par leur élévation. Le soulèvement Kaibab (c'est ainsi que s'appelle la partie qui a été surélevée) présente une forme de dôme allongé. Le lit du Colorado passant dans la partie inclinée la plus au sud du dôme, la rive nord du canyon, ou **plateau Kaibab**, surplombe la rive sud, ou **plateau Coconino**, d'environ 305 m.

Cela explique pourquoi la rive nord reçoit davantage de précipitations et de neige, et que l'érosion y a été plus violente, créant un réseau de canyons beaucoup plus conséquent. La végétation du plateau nord est également plus abondante et diversifiée (sapins, épicéas, pins Ponderosa, trembles), tandis que le paysage de la rive sud est dominé par des arbustes et des plantes communément rencontrées dans les régions désertiques (pins pignons, genévriers, yuccas).

La rive sud du canyon***
Comptez une journée.

L'accès au parc (deux rives comprises) coûte 20 $ par voiture si vous ne possédez pas le National Parks Pass. Pour savoir comment se déplacer dans le parc, voir p. 400. Le village de Grand Canyon (desservi par la navette) comprend le quartier historique et, à l'est, un ensemble plus récent organisé autour de Market Plaza, centre de ravitaillement pour les visiteurs. Dans un premier temps, évitez la foule du village et rendez-vous au Canyon View Information Plaza. De là, une courte marche (5 mn) mène à Mather Point, promontoire idéal pour une première rencontre avec le canyon et point de départ du sentier qui parcourt la partie ouest du parc.

Le long de Hermit Road***
La visite du Grand Canyon s'effectue en majeure partie en surplomb des falaises. À l'ouest du village, la route menant à Hermits Rest (uniquement en navette de décembre à fin février) est la plus empruntée, car elle est doublée d'un sentier de randonnée (8 miles) qui permet d'alterner marche et trajet motorisé le long de la rive. Les navettes circulent toutes les 10 à 15 mn (90 mn AR) ; à partir du Bright Angel Lodge, elles desservent les huit points de vue à l'aller, mais ne font halte qu'à Mohave Point et Hopi Point au retour.

Malgré le nombre de visiteurs qui se pressent derrière la rambarde de **Mather Point***, le silence se fait et seul le vent n'interrompt pas sa course folle. Il faut s'accoutumer à un univers où les distances sont faussées : pensez que la rive nord est

GRAND CANYON VILLAGE

0   0,5   1 mi
0   0,75   1,5 km

Hopi Point
Powell Point
Maricopa Point

Hermit Rd

Trailview
Overlook
Kolb
Studio

Lookout
Studio

Backcountry
Office

Rim Trail

Garden Creek

Bright Angel Trail

1146
Indian Garden

Tonto Trail

Pipe
Spring

Pipe Creek

Yavapai
Point

Rim Trail

**Mather
Point**

Hopi House
Verkamp's Curios

① ⑦ ④ ②

i
Canyon View
Information Center

B

Market
Plaza

Center Rd

Mather
Campground

⑧

Trailer
Village

**Desert
View Drive**

Park Entrance Road

Market Plaza Rd

64

180
64

N O R T H

2683

North Rim
Entrance Station

67

2620

The Bassin

SAGITTARIUS
RIDGE

Signal Hill
2064

Walapai Point
2046

Ruby Canyon

Tonto

Turquoise Canyon

Sapphire Canyon

COLORADO

Granite

Trail

Gorge

Tuna Creek

Crystal Creek

Hindu Amphitheater

Shiva Temple
▲ 2322

Osiris Temple
2023 ▲

Ninetyfour Mile Creek

Trinity Creek

Tiyo Point
2365 ▲

Kheops Pyramid
1644 ▲

Dragon Creek

Haunted Canyon

Outlet Canyon

Phantom Creek

Bright Angel
Campground

Boucher Creek

Mimbreno Point
2013 ▲

Eremita Mesa

Hermit's Camp
Pima Point

**Mohave
Point**

The
Abyss

Hermit

Hermits Rest ●

Plateau Point
1152 ▲

**Grand Canyon
Village**

Rd

N

2500 m
2000
1500
1000
0

*KAIBAB NATIONAL
FOREST*

180
64

6

Tusayan ▲

HÔTELS
Bright Angel Lodge .... ①
El Tovar Hotel .... ②
Grand Canyon Lodge .... ③
Kachina Lodge .... ④

Maswik Lodge .... ⑤
Moqui Lodge .... ⑥
Thunderbird Lodge .... ⑦
Yavapai Lodge .... ⑧

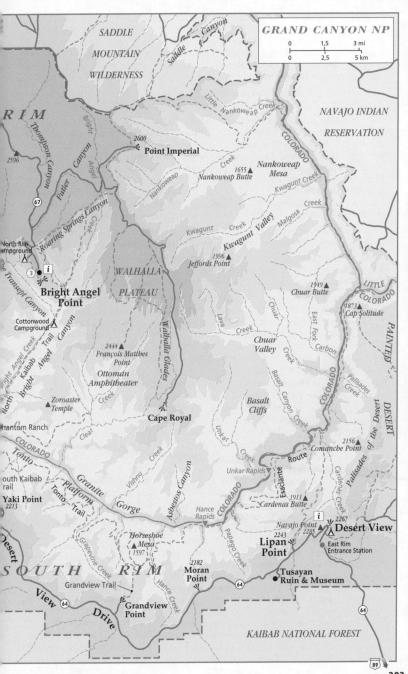

GRAND CANYON NP

0   1,5   3 mi
0   2,5   5 km

SADDLE
MOUNTAIN
WILDERNESS

Saddle Canyon

Saddle Canyon

NAVAJO INDIAN
RESERVATION

Little Nankoweap Creek

COLORADO

RIM

Thompson Canyon

Bright Angel Canyon

Nankoweap Creek

2596 ▲

67

2600
⌐ **Point Imperial**

1655 ▲
Nankoweap Butte

*Nankoweap
Mesa*

Kwagunt Creek

Kwagunt Creek

LITTLE

Roaring Springs Canyon

North Rim
Campground
⛺
3 i ☿

**Bright Angel
Point**

WALHALLA

PLATEAU

Kwagunt Creek

1996 ▲
Jeffords Point

Kwagunt Valley

Malgosa Creek

1949 ▲
Chuar Butte

1873 ▲
Cap Solitude

COLORADO

PAINTED

Cottonwood
Campground ⛺

Bright Angel Trail

Kaibab Trail

North Bright Angel Creek

François Matthes
Point
2444 ▲

Walhalla Glades

Lava Creek

Chuar Creek

East Fork

Carbon Creek

*Chuar
Valley*

Palisades Creek

DESERT

Ottoman
Amphitheater

Zoroaster
Temple ▲

Clear Creek

Cape Royal
⌐

*Basalt
Cliffs*

Basalt Canyon Creek

Phantom Ranch

COLORADO

Tonto

South Kaibab
Trail

Tonto Trail

Yaki Point
2213

*Granite
Gorge*

Platform

Tonto Trail

Vishnu Creek

Unkar Creek

Asbestos Canyon

2156 ▲
Comanche Point

Escalante Route

Unkar Rapids ▲

COLORADO

Palisades of the Desert

Cardenas Creek

Palisades

Grapevine Creek

*Horseshoe
Mesa*
▲
1597

Hance
Rapids ▲

Papago Creek

1911 ▲
Cardenas Butte

Navajo Point
2243   2285

i

2267
⛺ **Desert View**

*Lipan
Point* ☿

East Rim
Entrance Station

Desert View Drive

64

Grandview Trail →

2182
*Moran
Point* ⌐

Hance Creek

64

● **Tusayan
Ruin & Museum**

64

⌐ **Grandview
Point**

SOUTH   RIM

KAIBAB NATIONAL FOREST

89

éloignée de plus de 10 miles de l'endroit où vous vous tenez, et prenez la mesure du gigantisme des promontoires ravinés qui se succèdent des deux côtés du fleuve. Pour déjouer l'impression que le canyon est à portée de main, vous pouvez chercher sur votre droite le tracé abrupt du **Kaibab Trail** où descendent les mules, ou quelques-unes des cabanes du **Phantom Ranch**, nichées au creux de Bright Angel Canyon, sur la gauche, de l'autre côté de la rivière.

Le sentier mène d'abord à **Yavapai Point**, où se tient un centre d'observation (*8h-20h*) avec une verrière panoramique.

Passé le quartier historique (*voir p. 395*) débute Hermit Road. Le premier des points de vue, **Trailview Overlook★★**, niché à l'extrémité sud de la plus longue gorge du canyon (18 miles d'une rive à l'autre), offre une vue rapprochée du village. Il surplombe le **Bright Angel Trail** (piste de l'Ange radieux) (*difficile; 12 miles; comptez de 8 à 12h; départ au niveau du Kolb studio, dans le village*) où se devinent mules et randonneurs. Le tracé du sentier se poursuit jusqu'à un point de vue donnant sur le fleuve, **Plateau Point** (1 152 m d'altitude), situé au bord de la **Tonto Platform**. Ce plateau verdoyant qui longe le canyon est constitué de roches déposées il y a environ 500 millions d'années, comptant parmi les plus anciennes du paléozoïque.

Un deuxième point de vue offre un aperçu similaire, mais un peu plus dégagé que le premier, tandis que les trois suivants proposent des perspectives différentes.

À **Maricopa Point★★**, le panorama s'ouvre un peu plus vers l'ouest, invitant le regard à se perdre dans les replis et les mesas creusés par les rivières Trinity, Phantom et Bright Angel. Par endroits, vous apercevez le fleuve Colorado.

Cheminez le long du canyon jusqu'à **Powell Point**, où un monument de pierre a été érigé en l'honneur de **John Wesley Powell**, premier explorateur à avoir descendu le Colorado et ses rapides à travers la gorge du Grand Canyon, en 1869 et 1872. Un sentier sur la droite vous permet d'apercevoir l'**Orphan Mine** (mine de l'Orphelin), une mine désaffectée surplombant un à-pic vertigineux, et dont les hauts piliers rouillés témoignent d'une activité qui a duré de 1892 à 1969 (cuivre puis uranium, argent et vanadium).

Hopi Point★★ et **Mohave Point★★★** regardent résolument vers l'ouest, où la frise du Grand Canyon se déroule à l'infini : par beau temps, on peut même apercevoir le mont Trumbull (2 447 m), situé à plus de 60 miles de là ! Les deux promontoires de Mohave Point, d'où l'on a vraiment l'impression de flotter sur le canyon, offrent un très large point de vue. Les noms de certaines buttes, évoquant des divinités ou des monuments orientaux (la pyramide de Kheops, les temples de Shiva et d'Osiris), ont été attribués lors de l'expédition de 1880, au cours de laquelle **Clarence Dutton**, féru de religion asiatique, fit la description des reliefs.

L'architecte du Sud-Ouest

Le nom de Mary Elizabeth Jane Colter est indissociable de bien des bâtiments des parcs du Sud-Ouest américain. Née en 1869 en Pennsylvanie, la jeune femme passe l'équivalent du baccalauréat à l'âge de 14 ans et étudie l'art à San Francisco avant d'entrer, en 1901, au service de la compagnie Fred Harvey, où elle officiera pendant 40 ans. Tous ses projets architecturaux s'attachent à respecter les traditions locales et à utiliser les matériaux et les techniques de la région. En ce sens, elle est bien la contemporaine de Frank Lloyd Wright et du mouvement Arts & Crafts, typiquement américain, qui recherchent avant tout la fonctionnalité, la simplicité et le régionalisme. Le parc du Grand Canyon renferme plusieurs de ses ouvrages magistraux : la Hopi House (1905), Hermits Rest (1914) et la Watchtower (1932).

Passé Mohave Point, la route fait un coude le long de l'**Abyss★** qui, comme son nom l'indique, surplombe un gouffre vertigineux bordé par une falaise abrupte.

L'avant-dernier point de vue, **Pima Point★★**, découvre un panorama toujours plus occidental, mais vous êtes loin de contempler l'ensemble du Grand Canyon : il s'étend encore sur 95 miles jusqu'aux falaises de Grand Wash, aux abords du lac Mead. D'après John W. Powell, la falaise que vous apercevez sur votre droite constitue le meilleur endroit où distinguer les 11 strates géologiques superposées. *Sous l'abri de bois se trouve un panneau permettant de repérer les roches qui composent le canyon. Un autre relate l'histoire de Hermit's Camp, établi par le chemin de fer de Santa Fe pour concurrencer le campement d'Indian Garden sur le Bright Angel Trail.*

La route s'achève à **Hermits Rest***, où se tient une discrète bâtisse en pierre construite en 1914. Dessinée par l'architecte **Mary Colter**, qui a marqué de son empreinte plusieurs bâtiments du parc, elle était à l'origine destinée aux randonneurs en route pour **Hermit's Camp** (campement de l'Ermite), situé dans le canyon. Attirés par les récits des explorateurs et leurs descriptions des roches, les premiers Anglo-Américains à s'installer dans le canyon furent des prospecteurs, comme Louis Boucher, dit « l'Ermite », qui y vécut de 1912 à 1931. Ils sont d'ailleurs à l'origine des chemins de grande randonnée. N'hésitez pas à pénétrer dans l'édifice, qui abrite maintenant un magasin de souvenirs, mais où subsiste une immense **cheminée**, sise au sein d'une grande alcôve noircie par la suie. *Un snack-bar propose une restauration légère (9h-16h).*

Le quartier historique**

Cet ensemble de bâtiments donne un aperçu des commodités offertes aux visiteurs du début du 20ᵉ s. Bien entretenus, ils ont conservé pour la plupart leur fonction d'origine. Vous pouvez vous procurer un dépliant du quartier à la réception des hôtels ou dans les magasins du village. Comptez 2 h.

Comme dans beaucoup de régions de l'Ouest, l'arrivée du chemin de fer marqua un tournant dans l'histoire du Grand Canyon. Depuis 1892, une ligne de diligence acheminait les visiteurs depuis Flagstaff, au terme d'un périple de onze heures. Avec la construction de la ligne de chemin de fer par la compagnie de Santa Fe en 1901, le canyon n'était plus qu'à trois heures de voyage de Williams pour un prix cinq fois inférieur. Achevée en 1909, la **gare**** a été restaurée et résonne encore chaque jour du signal des trains. *La gare n'ouvre qu'à l'arrivée et au départ du train, à 11 h 45 et 15 h 30.*

L'élégante construction en pierre et en bois située derrière la gare est également l'œuvre de la compagnie de chemin de fer : le fameux **El Tovar Hotel***, tenu pour l'établissement le plus luxueux à l'ouest du Mississippi, fut dessiné par l'architecte Charles

En voiture !

G. de Benoist/MICHELIN

Un Anglais gourmet

Le destin de Fred Harvey, émigrant anglais, est indissociable de l'histoire de l'Ouest. Horrifié par la nourriture proposée aux voyageurs dans les gares, il mit sur pied une chaîne de restaurants le long de la ligne de Santa Fe, qui profita grandement de l'association avec l'entrepreneur gourmet. Très attentif à la qualité de la nourriture et au service qu'il voulait irréprochable, il se tailla vite une réputation inégalée. À sa mort, en 1901, il était à la tête de 15 hôtels, 47 restaurants et 30 wagons-restaurants. Les « Harvey Girls », jeunes femmes qu'il recrutait à l'est du pays et qu'il formait au service, font partie des mythes de la civilisation des rudes contrées pionnières. Plus de 100000 furent ainsi employées entre 1883 et 1950, et en 1945, George Sidney leur consacra un film, avec Judy Garland dans le rôle principal.

F. Whittlesey et achevé en 1905. Cet établissement aux allures de chalet suisse n'a rien perdu de son charme avec son hall d'entrée en bois sombre rehaussé de lustres en cuivre.

Inauguré quelques semaines avant El Tovar Hotel, l'imposant édifice qui lui fait face est une autre réalisation de Mary Colter, inspirée de l'architecture traditionnelle des Indiens hopis. La **Hopi House*** abrite une boutique d'artisanat indien, dans laquelle vous pouvez flâner pour admirer les murs de pierre et d'adobe percés de minuscules fenêtres carrées (*8h-20h en été/9h-17h en hiver*).

Le bâtiment de bardeaux situé derrière la Hopi House, **Verkamp's Curios****, renferme une autre boutique. John Verkamp, qui dès 1898 avait provisoirement installé à cet emplacement une tente pour vendre des « curiosités » indiennes, revint construire ce magasin en 1905, à une époque où l'afflux de clients rendait enfin ce commerce rentable.

À l'ouest d'El Tovar Hotel, passé les hôtels Kachina et Thunderbird, vous parvenez au **Bright Angel Lodge****, édifié en 1935 d'après les plans de Mary Colter.

La magie des lumières au couchant

R. Mattes/MICHELIN

Construit dans un style plus rustique, il accueillait les visiteurs moins fortunés que ceux d'El Tovar. À l'intérieur, à gauche de l'énorme cheminée qui trône dans l'entrée, se trouve l'**History Room** *(tlj 9h-17h. Entrée libre)*, une salle où sont conservés de la vaisselle et des souvenirs de la compagnie Fred Harvey. Vous pouvez y admirer la fameuse cheminée que Mary Colter fit construire avec les roches du Grand Canon, agencées dans l'ordre chronologique.

C'est à cette même artiste que l'on doit le **Lookout Studio**✶✶ (1914), un petit bâtiment en pierre qui se confond avec le bord du canyon, et dans lequel un télescope permettait aux visiteurs de suivre les randonneurs en contrebas. Un peu plus loin, accroché à flanc de falaise, le **Kolb Studio**✶ fut aménagé entre 1904 et 1926 par deux frères spécialisés dans les clichés touristiques. Il abrite aujourd'hui une salle d'exposition et une librairie *(tlj 8h-20h. Entrée libre)*.

Sur la route de Desert View✶✶✶

Comptez une demi-journée. La Desert View Drive (Hwy 64) débute 3 miles à l'est du village pour aboutir à Desert View (25 miles), où se trouve l'entrée est du parc. Elle dessert six points de vue et traverse une agréable forêt où vous pouvez pique-niquer. Elle rejoint ensuite la Hwy 89 qui rallie Flagstaff au sud et Page au nord.

Le premier des points de vue, **Yaki Point**, n'est accessible qu'en navette *(circuit vert)*. Celle-ci fait une halte sur la route pour déposer les randonneurs en partance pour le **Kaibab Trail** *(difficile; 6 miles; comptez de 4 à 6h)*. Bien que le lieu, désert et calme, soit appréciable, nous vous conseillons de vous y rendre uniquement si vous disposez de beaucoup de temps, car la navette ne s'arrête que 15 mn *(elle passe toutes les demi-heures)* et le trajet aller-retour dure près d'une heure.

Une dizaine de miles plus loin, un peu à l'écart de la route principale, **Grandview Point**✶✶ livre une vue à 180°. Les bords du canyon étant moins abrupts que dans

la partie située à l'ouest du village, un grand nombre de buttes et de mesas s'offrent au regard dans une féerie de couleurs ocre, vert, rouge et beige. Avant l'arrivée du train (1901), le développement du village de Grand Canyon et l'explosion du tourisme, ce site était le principal point de vue de la région et un hôtel s'y tenait même en 1893. Le **Grandview Trail**, qui permettait aux mineurs de se rendre à Horseshoe Mesa, la butte située au premier plan, est l'un des plus rudes : en moins de 5 km, le dénivelé chute de 792 m *(4 km; comptez de 6 à 9 h; possibilité de récupérer le Tonto Trail qui descend vers la rivière)*.

À l'avancée de **Moran Point***, le panorama se dégage toujours plus vers l'est du canyon. Vous apercevez en contrebas les **Hance Rapids**, bien connus de ceux qui descendent le fleuve Colorado en bateau. Les nombreux rapides du Grand Canyon surviennent lorsque des débris rétrécissent la gorge, obligeant le fleuve à lutter pour se frayer un passage. En observant attentivement les lignes dessinées par la superposition des roches, vous remarquerez une couche légèrement inclinée, proche du niveau de l'eau : les roches qui la composent, visibles uniquement dans la partie est, appartiennent au **Grand Canyon Supergroup** de l'ère précambrienne (-1 million d'années), et ont été totalement érodées ailleurs.

Quelque 5 miles plus loin, le site de **Tusayan** abrite les vestiges d'un village anasazi, où une trentaine de personnes auraient vécu aux environs de 1185. Plus de 2 500 sites archéologiques ont été dénombrés dans le Grand Canyon. Mises au jour en 1930, ces ruines sont loin d'être les plus intéressantes de la région, mais ce sont les plus facilement accessibles dans le parc. Un petit **musée** consacré aux différentes tribus indiennes se tient à proximité *(tlj 9 h-17 h. Entrée libre. Comptez 30 mn de visite)*.

Peu après Tusayan, vous parvenez à **Lipan Point*****, un superbe point de vue sur le Colorado et les **Unkar Rapids**. Les falaises se découpent à l'infini comme de la dentelle de Bretagne, mais vous pouvez apercevoir dans les replis rocheux en contrebas les vestiges d'habitations indiennes : la proximité de l'eau permettait ici de cultiver.

À **Desert View*****, poste d'observation le plus élevé de la rive sud, vous remarquez d'abord la haute **tour** en pierre *(tlj 8 h-17 h 30)* qui s'élève sur le bord de la falaise. Construite en 1932 par Mary Colter, elle offre en son sommet une vue à 360° sur le canyon et le fleuve Colorado, dont les méandres se profilent maintenant vers le nord. On aperçoit à l'est les collines aux couleurs improbables du **Painted Desert**, ainsi que la **Cedar Mountain**, l'un des seuls vestiges de l'ère mésozoïque (245-60 millions d'années) de la région. À l'intérieur de la tour, vous pouvez admirer de belles peintures réalisées par des artistes hopis. *En retrait de la tour, un petit Visitor Center (9 h-19 h en été, 9 h-17 h après octobre) voisine avec une épicerie (8 h 30-17 h 30) et un snack-bar (9 h-17 h). Un peu plus loin, vous trouverez également une station-service (7 h-19 h, en saison uniquement)*.

La rive nord du canyon**
Comptez une journée.

Pour atteindre la rive nord du Grand Canyon vous devez emprunter la Hwy 89A, puis la Hwy 67 à hauteur de Jacob Lake. Comptez 5 h depuis la rive sud du canyon (216 miles) et 1 h 30 depuis Fredonia. Passé les guérites de l'entrée, la route (14 miles) conduit à la partie aménagée du parc, à proximité de Bright Angel Point, où se trouvent notamment le Visitor Center (8 h-18 h) et le Grand Canyon Lodge. Ces derniers ferment leurs portes de la mi-octobre à la mi-mai, mais le parc reste ouvert pendant la journée jusqu'à ce que les conditions météorologiques nécessitent la fermeture de la Hwy 67 (pour les prévisions, ☎ (928) 774 12 80). L'accès (deux rives comprises) coûte 20 $ par voiture si vous ne possédez pas le National Parks Pass.

Plus isolée et moins accessible que sa jumelle du sud, la rive nord du Grand Canyon accueille dix fois moins de visiteurs, d'autant que chaque hiver d'abondantes chutes de neige en interdisent l'accès pendant plusieurs mois. Elle offre des vues tout aussi spectaculaires, mais moins nombreuses, il est vrai, pour qui n'envisage pas de randonner.

En effet, l'érosion a été ici plus importante, creusant des canyons secondaires qui s'enfoncent plus profondément dans les terres et créant de hautes falaises et des buttes élevées qui dessinent un premier plan moins dégagé que sur la rive sud.

Située sur une étroite langue de terre perpendiculaire à Bright Angel Canyon, cette partie du parc offre des vues plongeantes sur les canyons adjacents, **Transept** et **Roaring Springs Canyons** *(au départ du Grand Canyon Lodge, le Transept Trail longe le canyon du même nom et conduit jusqu'au camping ; 1 h 30 AR).*

Visitez le **Grand Canyon Lodge★★**, un magnifique édifice en pierre construit en 1936 qui s'élève à flanc de falaise et comporte une belle **salle panoramique**.

Bright Angel Point★★★

En suivant le sentier qui court le long de la corniche, du Grand Canyon Lodge à Bright Angel Point *(facile ; 30 mn AR)*, vous distinguez nettement les strates supérieures de la formation du canyon, dont les couleurs tranchent les unes avec les autres : les falaises blanches qui bordent la rive sont composées de grès Coconino, contrastant avec les couches inférieures, composées d'argiles (Hermit Shale) et de roches du Supai Group, puis de calcaire Redwall. Plus bas, la vue est obstruée par l'étroitesse des canyons et les replis qu'ils dessinent. Parvenu à Bright Angel Point, vous apercevez les **San Francisco Peaks** qui se profilent dans le lointain. Ces montagnes des environs de Flagstaff sont nées de l'activité volcanique de l'ère cénozoïque (de 65 millions d'années à nos jours).

Seul le **North Kaibab Trail** descend au fond du canyon, mais en aucun cas il n'est possible de descendre jusqu'au fleuve Colorado et de revenir en une seule journée. Vous pouvez couvrir une partie du sentier pendant la journée, jusqu'à **Coconino Overlook** *(1-2 h AR)*, **Supai Tunnel** *(3-4 h AR)* et **Roaring Springs** *(très difficile ; 930 m de dénivelé ; 7-8 h AR)*, mais soyez très prudent et planifiez votre retour *(un permis est requis pour camper en pleine nature, renseignez-vous au bureau des rangers. Mieux vaut réserver à l'avance en écrivant à Backcountry Information Center, P.O. Box 129, Grand Canyon, Arizona 86023).*

Les points de vue de l'est★★

Empruntez la route qui bifurque à 2 miles au nord du Visitor Center et mène aux points de vue de Point Imperial (11 miles) et de Cape Royal (23 miles), d'où partent de nombreux chemins de randonnée (reportez-vous au journal).

À plus de 2 600 m d'altitude, **Point Imperial★★** est le point de vue le plus haut de tout le parc. Regardant la partie est du canyon, il surplombe Marble Canyon, à l'endroit où le Colorado suit un cours nord-sud et donne à voir, en direction du sud-est, la gorge de la **Little Colorado River**.

Situé à l'extrémité sud du plateau Walhalla, le point de vue de **Cape Royal★★** offre un panorama très dégagé sur la rive sud du canyon.

La rive sud pratique

ARRIVER–PARTIR

En avion – L'aéroport le plus proche est situé à Tusayan, à 1,5 mile du parc. Vols touristiques et 2 liaisons quotidiennes en provenance de Las Vegas (1 h 15) assurés par **Scenic Airlines**, ☎ (702) 638 3300, Fax (720) 638 3275, www.scenic.com. Un bus relie toutes les heures l'aéroport au parc (35 mn), en passant par Tusayan (4 $).

En train – Le **Grand Canyon Railway** assure une liaison quotidienne entre Williams et le village de Grand Canyon (2 h 30). Attraction à part entière, ce train transporte les voyageurs dans d'anciens wagons restaurés (cinq classes différentes) et propose des animations. Pour tous renseignements : ☎ (928) 773 1976 / 1-800 843 8724, www.the-train.com.

COMMENT CIRCULER DANS LE PARC

L'organisation du village bordant le Grand Canyon a été conçue afin d'éviter l'engorgement des voies d'accès empruntées par 5 millions de visiteurs chaque année. Un important dispositif de navettes gratuites a été mis en place et certains tronçons de route sont interdits aux véhicules particuliers. Des modifications sont à prévoir, aussi prenez le temps d'étudier le plan publié dans le journal qui vous est remis à l'entrée (il existe une édition française). Que vous arriviez par l'est ou le sud, cherchez d'abord à vous garer, car les parkings sont vite remplis. Celui de Market Plaza est pratique, car vous avez de là accès aux navettes du Visitor Center (circuit vert) et à celles du village (circuit bleu).

ADRESSES UTILES

Office de tourisme – _Canyon View Information Plaza_, à l'extrémité est du village (accessible uniquement en navette ou à pied), ☎ (928) 638 7888 (message enregistré), Fax (928) 638 7797, www.nps.gov/grca. Tlj 8 h-18 h d'avril à fin octobre, 8 h-17 h le reste de l'année. Nombreuses informations sur le parc et les randonnées. Vues aériennes et maquettes en relief de la région. Librairie (8 h-19 h)

Banque / Change – _Bank One_, Market Plaza. Lundi-jeudi 10 h-15 h, vendredi 10 h-15 h/14 h-18 h. Accepte traveller's chèques et cartes de crédit. Distributeur ATM 24 h/24. Autre distributeur à Tusayan, à côté de « We Cook Pizza & Pasta ».

Poste – Market Plaza. Lundi-vendredi 9 h-16 h 30, samedi 11 h-15 h.

Santé – Medical Care, Clinic Rd, près de Market Plaza, ☎ (928) 638 2551. Lundi-vendredi 9 h-18 h, samedi 12 h-18 h. Urgences : ☎ 911.

Stations-service – Vous trouverez des stations à Tusayan, au Moqui Lodge (d'avril à octobre) et au Desert View Campground (fermé en hiver).

OÙ LOGER

Vous pouvez choisir de loger dans le parc ou à Tusayan, un village situé à 1,5 mile de l'entrée sud, mais les hébergements sont plus abordables à Williams (58 miles ; comptez 1 h) ou à Flagstaff (80 miles ; 1 h 30) (voir p. 439).

● **Dans le parc**

Il est impératif de réserver longtemps à l'avance, ☎ (303) 297 2757, Fax (303) 297 3175, www.grandcanyonlodges. com. Vous pouvez toujours tenter votre chance au dernier moment, car il y a toujours des désistements.

Moins de 20 $

Pour toute réservation, ☎ 1-800 365 2267, www.reservations.nps. gov. **_Mather Campground_**, 1 mile au sud du Visitor Center, ☎ (301) 722 1257 / 1-800 365 2267, reservations. nps. gov – 320 sites. Le plus grand des trois campings du parc. Toilettes et douches (1 $) à proximité. Réservations du 1er mars au 30 novembre.

Trailer Village, voisin du Mather Campground – 84 sites. Réservé aux camping-cars.

Desert View Campground, à 25 miles à l'est du Visitor Center – 50 sites. N'ouvre qu'à partir de la mi-mai. Toilettes.

_De 60 à 80 $_

Bright Angel Lodge, G.C. Village – 85 ch. 🛏 🖥 ✎ ✗ CC Trois catégories de chambres réparties dans deux grands bâtiments et une quinzaine de petits pavillons en bois, dont certains avec sanitaires communs. Quelques cabanes donnent directement sur le canyon.

Maswik Lodge, G.C. Village, à 300 m en retrait du canyon – 278 ch. 🛏 🖥 ✗ ✎ TV ✗ CC Une trentaine de chambres réparties dans de petites cabanes, ainsi que des chambres classiques rénovées dans des bâtiments de style motel. Parmi les hébergements les moins prisés, car en retrait du bord du canyon, il est néanmoins sympathique, même si les prix sont équivalents à ceux du Bright Angel Lodge, beaucoup mieux situé.

Plus de 100 $

Yavapai Lodges, G.C. Village, à proximité de Market Plaza – 358 ch. 🛏 🖥 ✎ TV CC Des chambres tout confort aménagées dans des bâtiments agréablement situés au milieu des pins.

Moqui Lodge, Hwy 64, à 1 mile au nord de l'entrée du parc – 150 ch. ⌾ 🍽 🅿 📺 ✖ 💳 Ouvert d'avril à octobre. Le petit-déjeuner est compris dans cet hôtel plus proche de Tusayan que du parc. Hébergement classique dans des bâtiments sur deux étages.

Thunderbird & Kachina Lodges, G.C. Village – 100 ch. ⌾ 🍽 🅿 📺 ✖ 💳 Ces deux établissements modernes donnent directement sur le canyon et proposent des chambres confortables, dont la moitié avec vue.

El Tovar, G.C. Village – 91 ch. ⌾ 🍽 🅿 📺 ✖ 💳 Grand et bel hôtel en rondins situé au cœur du quartier historique. Les chambres, très confortables, ont été entièrement refaites en 1998.

• Tusayan

Situé à 1, 5 mile au sud du Grand Canyon, Tusayan se résume à une succession d'hôtels et de restaurants disséminés le long de la Hwy 64.

Moins de 20 $

Ten-X Campground, à 2 miles au sud de Tusayan, ☎ (928) 638 2443 – 70 sites. Ouvert d'avril à octobre. Pas de douches.

De 60 à 80 $

7-Mile Lodge, à l'entrée sud de Tusayan, à côté du Best Western, ☎ (928) 638 2291 – 20 ch. ⌾ 🍽 📺 💳 Un tout petit motel aux chambres sans prétention aucune. Pas de réservation possible.

🐾 **Rodeway Inn - Red Feather**, après le Holiday Inn, sur la gauche en entrant dans Tusayan, ☎ (928) 638 2414, Fax (928) 638 9216 – 231 ch. ⌾ 🍽 📺 ✖ 🏊 💳 Motel tout confort, bien qu'un peu vieillot, et restaurant accueillant à proximité. Bon rapport qualité-prix.

Plus de 100 $

Holiday Inn Express, sur la gauche en arrivant dans Tusayan, après le Best Western, ☎ (928) 638 3000, Fax (928) 638 0123 – 197 ch. ⌾ 🅿 📺 💳 Petit-déjeuner continental inclus. Des chambres petites, mais confortables.

Quality Inn, en retrait de la route, derrière le Rodeway Inn, ☎ (928) 638 2673 – 232 ch. ⌾ 🅿 📺 ✖ 🏊 💳 Cet hôtel a des airs de station balnéaire avec ses palmiers et sa piscine couverte. Service et chambres sans surprises.

Best Western, sur la gauche à l'entrée de Tusayan, ☎ (928) 638 2681, Fax (928) 638 2782 – 250 ch. ⌾ 🅿 📺 ✖ 🏊 💳 Grand hôtel tout confort, à la décoration un peu kitsch dans la réception, mais les chambres sont impeccables.

🐾 **Grand Hotel**, à droite à l'entrée de Tusayan, ☎ (928) 638 3333, Fax (928) 638 3131 – 121 ch. ⌾ 🅿 📺 ✖ 🏊 💳 Ce grand complexe récent se compose de bâtiments construits dans l'esprit des cabanes de pionniers. Service luxueux et prix en conséquence.

• Williams

Petite bourgade historique située sur la Rte 66, Williams comprend deux rues principales où s'alignent des commerces et d'antiques motels. Le Visitor Center occupe un bâtiment proche de la voie ferrée, au croisement de Railroad Ave. et de Grand Canyon Blvd (8h-17h).

De 40 à 60 $

Route 66 Inn, 128 E. Rte 66, ☎ (928) 635 4791, Fax (928) 635 4993, rt66inn@aol.com – 25 ch. ⌾ 🍽 🅿 📺 💳 Motel classique, tout confort et impeccable, dont la seule extravagance est d'être peint en rose et turquoise.

De 60 à 80 $

🐾 **El Rancho**, 617 E. Rte 66, ☎ (928) 635 2552, Fax (928) 635 4173 – 25 ch. ⌾ 🍽 🅿 📺 💳 Accueil professionnel dans ce motel très propre.

OÙ SE RESTAURER

• Dans le parc

Si vous souhaitez déjeuner sur le pouce, vous trouverez des sandwichs au **Bright Angel Fountain** (dans le Bright Angel Lodge), ainsi qu'au supermarché de Market Plaza (8h-18h).

De 10 à 15 $

Pour se restaurer rapidement et à moindre coût, **Maswik Cafeteria** et **Yavapai Cafeteria**, situées dans les lodges cités plus haut, comportent chacune deux vastes salles claires et proposent des plats chauds ou froids en self-service de 6h à 22h.

Plus de 20 $

Si vous souhaitez réellement vous attabler, **Bright Angel Restaurant**, avec sa grande salle claire, et **El Tovar Dining Room**, où le service s'efforce d'être à la hauteur du prestige de ce grand hôtel presque centenaire, vous accueillent de 6 h 30 à 22 h. Pour dîner à El Tovar, réservez au (928) 638 2631, ext. 6432. S'il n'y a plus de place, vous pouvez essayer **The Arizona Room**, ouvert uniquement pour le dîner (16 h 30-22 h).

● **Tusayan**

De 10 à 15 $

We Cook Pizza and Pasta, à l'extrémité nord du village, à côté du supermarché, ☎ (928) 638 2278. Tlj 11 h-22 h. Pas de cartes de crédit. Plats familiaux à emporter ou à déguster dans une salle chaleureuse et animée fréquentée par la population locale.

Cafe Tusayan, adjacent au Rodeway Inn, ☎ (928) 638 2151. Tlj 7 h-21 h. Une adresse sans prétention mais chaleureuse, où déguster une bonne cuisine familiale américaine (omelettes, burgers, etc.)

● **Williams**

De 5 à 10 $

Pine Country Restaurant, 107 N. Grand Canyon Blvd, ☎ (928) 635 9718. 5 h 30-21 h. Les tables sont accolées les unes aux autres, mais l'ambiance est sympathique. Idéal pour le petit-déjeuner. Ne manquez pas la boutique voisine, « Avon & Guns », où monsieur vend des armes tandis que madame prodigue des conseils en produits cosmétiques.

De 10 à 15 $

🍴 **Pancho McGillicuddy's**, face au Visitor Center, ☎ (928) 635 4150. 12 h-22 h. Ce bar-restaurant occupe le plus ancien saloon de Williams, construit en 1895, où il est agréable de venir dîner ou boire un verre. Appétissant choix de plats mexicains.

Cruisers Cafe 66, 233 W. Rte 66, ☎ (928) 635 2445. 11 h-22 h. Une bonne cuisine typiquement américaine dans un cadre qui ravira les nostalgiques de la Route 66. Les plats sont copieux.

LOISIRS

Randonnées – Quatre chemins de grande randonnée descendent dans le canyon depuis la rive sud. Faites preuve de prudence, car les conditions sont extrêmes, et suivez attentivement les indications présentées dans le journal du parc, même pour les randonnées à la journée. Il est possible de camper en pleine nature, mais un permis est nécessaire (réservations : ☎ (928) 638 7875, Fax (928) 638 2125). Vous obtiendrez toutes les informations utiles au **Backcountry Office**, situé dans la gare de Maswik, au village (8 h-12 h/13 h-17 h). Attention, les réservations pour dormir au gîte du Phantom Ranch, situé au fond du canyon, non loin de l'unique point de passage du fleuve Colorado, se font deux ans à l'avance, mais on peut s'inscrire sur une liste d'attente à son arrivée (en cas de désistements).

À dos de mule – Renseignements et réservations aux bureaux des Bright Angel, Maswik et Yavapai Lodges, ☎ (928) 638 2631, Fax (303) 297 3175, www.grandcanyonlodges.com. Randonnées à la journée pour Plateau Point (107 $) et sur deux ou trois jours avec nuit au Phantom Ranch (552 $ et 713 $ pour deux personnes). Il est fortement conseillé de réserver à l'avance, mais vous pouvez vous inscrire sur les listes d'attente en arrivant. Une certaine compréhension de la langue anglaise est requise.

Vols touristiques – À l'aéroport de Tusayan, plusieurs compagnies proposent des survols du Grand Canyon en avion ou en hélicoptère plus onéreux. Toutes suivent les mêmes itinéraires et pratiquent des prix équivalents (100 $ pour 30 mn en hélicoptère ; 75 $ pour 40 mn en avion) ; seuls les types d'appareils varient.

Grand Canyon Airlines, ☎ (928) 638 2407, www.grandcanyonairlines. com, propose un trajet un peu plus long que le concurrent suivant, mais tous les passagers (19 au total) ne sont pas assis à côté d'une fenêtre. Commentaires en français.

Air Grand Canyon, ☎ (928) 638 2686, airgrandcanyon. com, emmène un maximum de 7 passagers (vue dégagée des deux côtés pour tous les passagers), mais n'assure aucun commentaire.

Air Star Airlines, ☎ (928) 638 2139, www.airstar.com, garantit un siège près d'une fenêtre mais assure aussi un commentaire en français (7 passagers).

Propose aussi des vols en hélicoptère dans des appareils réputés pour leur très bonne qualité de vol (6 passagers).
Kenai Helicopters, ☎ (928) 638 2764, www.flykenai.com, emmène de 4 à 6 personnes selon les appareils.
Papillon Grand Canyon Helicopters, ☎ (928) 638 2419, www.papillon.com, dispose de trois types d'hélicoptères, de 6 à 9 passagers.

ACHATS

Artisanat indien – Verkamp's Curios, à côté de la Hopi House. Tlj 9 h-18 h. Les bijoux sont de véritables œuvres d'art.

Librairie – Kolb Studio, GC village. Tlj 8 h-19 h, 8 h-20 h de mai à octobre. Une grande librairie se tient également en face du Canyon View Information Plaza (8 h-19 h).

La rive nord pratique

ARRIVER–PARTIR

En bus – Transcanyon Shuttle relie chaque jour la rive sud à la rive nord (5 h de route). Réservations au ☎ (928) 638 2820.

ADRESSES UTILES

Poste – Grand Canyon Lodge. Lundi-vendredi 9 h-11 h/11 h 30-16 h, samedi 8 h-14 h.

Station-service – Stations dans le parc à proximité du camping (7 h-19 h) et peu avant l'entrée (7 h-20 h). Celle de Jacob's Lake est ouverte 24 h/24.

OÙ LOGER, OÙ SE RESTAURER

• **Dans le parc**
Attention l'offre est limitée et les réservations sont prises longtemps à l'avance. Sachez que tous les équipements du parc ferment entre la mi-octobre et début mai.

Moins de 20 $
North Rim Campground, peu avant le Grand Canyon Lodge, ☎ 1-800 365 2267, reservations. nps. gov – 63 sites. Douches et petit supermarché (8 h-20 h) à proximité.

De 80 à 100 $
Grand Canyon Lodge, ☎ (928) 638 2611, Fax (928) 638 2554 – 200 ch. ⁂ 🖥 🖉 ✗ 🆑 À deux pas du bord du canyon, de charmantes petites cabanes (trois catégories) sont disséminées dans la forêt autour d'un bâtiment principal qui fait office de village. Les plus spacieuses sont agrémentées d'une cheminée. Vous pouvez vous restaurer tout en admirant le canyon dans la vaste salle à manger en bois (réservez pour le

dîner) ou dans le saloon (11 h-22 h) et le snack-bar (6 h 30-21 h) qui se font face dans la cour intérieure.

• **En dehors du parc**
Il est possible de faire du camping sauvage dans la forêt de Kaibab. Renseignez-vous au Visitor Center de Jacob Lake (8 h-17 h), ☎ (928) 643 7395.

Moins de 20 $
Kaibab Lodge's Camper Village, à 30 miles au nord du parc, ☎ (928) 643 7804, Fax (928) 527 9398, www.canyoneers.com. Ouvert de mi-mai à mi-octobre. Camping pour tentes (50 sites) et camping-cars (80 sites). Toilettes, lavabos. Possibilité de faire du feu.

De 80 à 100 $
Jacob Lake Inn, à 30 miles au nord du parc, ☎ (928) 643 7232, www.jacoblake.com – 39 ch. ⁂ ✗ 🆑 Ouvert toute l'année. Situées en pleine forêt, ces petites cabanes sont assez confortables, mais un peu les unes sur les autres. Une douzaine de chambres dans un bâtiment annexe.

Kaibab Lodge, à environ 6 miles de l'entrée du parc, ☎ (928) 638 2389 / 1-800 525 0924, www.canyoneers.com – 29 ch. ⁂ ✗ 🆑 Ouvert de mi-mai à mi-octobre. Cabanes alignées au bord d'une prairie. Accueil chaleureux (6 h-22 h).

LOISIRS

À dos de mule – Renseignements et réservations au Grand Canyon Lodge, ☎ (435) 679 8665. Excursions à l'heure (15 $), à la demi-journée (40 $) ou à la journée (95 $) ; les circuits ne descendent pas jusqu'au Colorado. Les cartes de crédit ne sont pas acceptées.

Le sud de l'Arizona

Surnom : Grand Canyon State (l'État du Grand Canyon)
Superficie : 294 333 km²
Population : 5 130 000 habitants
Capitale : Phoenix
Fuseau horaire : Mountain Time
Oiseau emblème : le roitelet
Arbre emblème : le palo verde
Fleur emblème : la fleur de saguaro

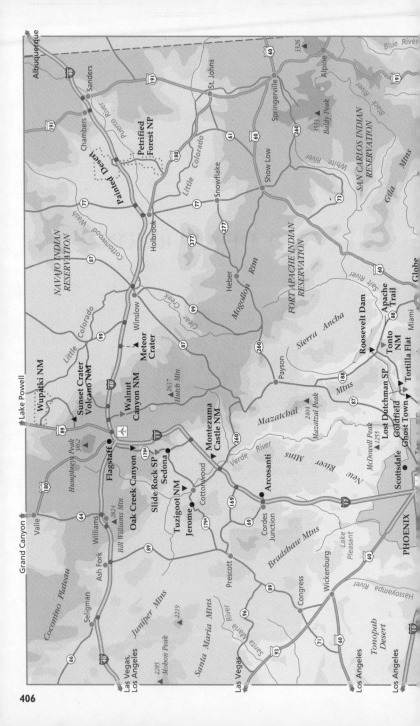

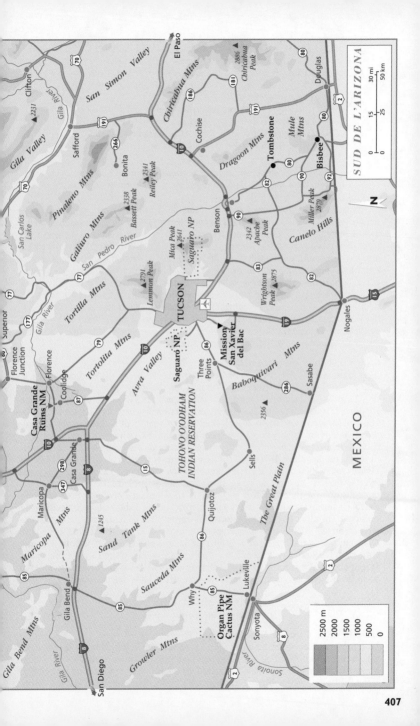

SUD DE L'ARIZONA

PHOENIX ET SES ENVIRONS★★

Capitale de l'État d'Arizona – 1 358 000 hab.
142 miles de Flagstaff, 331 miles de Los Angeles – Carte Michelin n° 943 E11
Alt. 340 m – Climat chaud et aride

À ne pas manquer
La collection de poupées kachinas du Heard Museum.
Découvrir le travail de Frank Lloyd Wright à Taliesin.
Une virée sur le Apache Trail, au cœur du désert du Sonora.

Conseils
Veillez à emporter toujours beaucoup d'eau avec vous.
Mieux vaut disposer d'une voiture, car la ville est très étendue.

Au cœur du désert du Sonora, dans la plaine de la Salt River où, pendant près de dix siècles, les Indiens ont redoublé d'ingéniosité pour irriguer les terres arides, s'étendent à présent 190 terrains de golf! Greater Phoenix, qui englobe notamment les villes de Phoenix, Scottsdale, Tempe, Glendale et Mesa, s'étire sur 5 115 km² et n'en finit pas de grandir, repoussant les frontières de l'agglomération toujours plus au sud et sur les contreforts des montagnes à l'est. Capitale de l'Arizona, Phoenix est aujourd'hui la sixième plus grande ville des États-Unis. Avec plus de 300 jours d'ensoleillement par an, celle que l'on surnomme la Valley of the Sun (la Vallée du soleil) est devenue l'une des destinations privilégiées des retraités et des vacanciers. On vient ici en famille profiter de la douceur du climat et des nombreuses activités de plein air. La région compte par ailleurs des vestiges indiens remarquables et des constructions architecturales de premier ordre.

La renaissance de Phoenix
Il est avéré que dès 700 les **Indiens hohokams** (ceux qui ont disparu) occupaient le site de l'actuel Greater Phoenix. Ils maîtrisaient l'art de l'irrigation et construisirent près de 135 miles de canaux. Les raisons de leur départ, en 1450, sont en revanche mal connues. D'autres communautés indiennes prirent leur suite, mais elles furent évincées par les **pionniers anglo-américains** qui commencèrent à affluer après 1868 et réaménagèrent les canaux pour développer leurs cultures. Le nom de Phoenix fut alors choisi symboliquement, car la ville semblait renaître de ses cendres. Le premier plan de la ville fut dessiné en 1870, 61 lots furent mis en vente, et l'école accueillait 20 élèves dès 1872. En 1880, la petite communauté agricole comptait 2 453 personnes.
Avec l'arrivée du chemin de fer en 1887, Phoenix devint le centre de ravitaillement et de distribution du Sud-Ouest et, deux ans plus tard, elle ravit le titre de **capitale de l'Arizona** à Tucson. En 1900, elle comptait 5 554 habitants, et la décision du président Theodore Roosevelt d'autoriser la construction de barrages pour les besoins en eau fut à l'origine d'un développement sans précédent. En 1920, le nombre d'habitants était multiplié par six. Lors de la Seconde Guerre mondiale, Phoenix entra dans l'ère industrielle et militaire, l'agriculture cessant d'être l'activité principale. La population dépassa les 100 000 individus en 1950 et l'agglomération commença sa croissance spectaculaire, qui demeure aujourd'hui l'une des plus rapides du pays.

Visite de la ville★
Comptez une journée à pied.

Balade dans Copper Square★ (Plan II)
Le centre, berceau historique de la ville, où se dressent aujourd'hui les hautes tours du quartier des affaires et où se concentrent boutiques et centres commerciaux, a longtemps souffert d'une mauvaise réputation en raison d'un fort taux de criminalité. Il fait l'objet depuis une dizaine d'années d'un projet de revitalisation visant à recon-

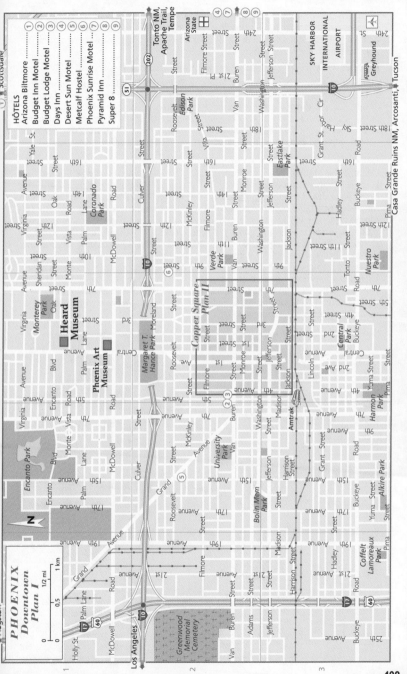

PHOENIX Downtown Plan I

HOTELS
1. Arizona Biltmore
2. Budget Inn Motel
3. Budget Lodge Motel
4. Days Inn
5. Desert Sun Motel
6. Metcalf Hostel
7. Phoenix Sunrise Motel
8. Pyramid Inn
9. Super 8

Heard Museum

Phoenix Art Museum

Copper Square Plan II

SKY HARBOR INTERNATIONAL AIRPORT

Greyhound

Arizona State

Los Angeles

Casa Grande Ruins NM, Arcosanti, Tucson

Tonto NM, Apache Trail, Tempe

Amtrak

quérir les entreprises et les habitants qui ont délaissé Phoenix pour ses voisines plus huppées et plus branchées, Scottsdale et Tempe. Baptisé **Copper Square** – en l'honneur du minerai qui fit la richesse de l'Arizona –, ce programme inauguré en l'an 2000 entend redonner une forte identité au quartier.

Remontez 2ⁿᵈ St. à partir du Visitor Center et tournez à droite dans Monroe St.

À l'angle de Monroe Street et de 3ʳᵈ Street, la **St Mary's Basilica** *(lundi-vendredi 10h-14h ; messes en semaine à 12h05 et le dimanche à 9h et 11h)*, d'une blancheur immaculée, est dotée d'une façade de style Mission Revival, précédée d'un escalier latéral. Achevée en 1914, elle s'élève sur le site de la première église catholique de la ville, fondée en 1881. *Les franciscains y officient depuis 1895. L'intérieur est d'une grande simplicité, mais vous pouvez y admirer une jolie rosace dédiée à la Vierge.*

Poursuivez dans Monroe St. et passez 5ᵗʰ St.

Délimité par Monroe Street au nord et Adams Street au sud, **Heritage Square**★ est la seule portion historique préservée de Phoenix. Elle abrite une dizaine d'édifices, notamment des demeures victoriennes construites entre 1895 et 1901, aménagées en musée, en boutiques ou en restaurant. La plus impressionnante d'entre elles, **Rosson House**★★, facilement identifiable à sa tourelle, a fait l'objet d'une magnifique restauration et se visite avec une guide *(☎ (602) 262 5029. Mercredi-samedi 10h-15h30, dimanche 12h-15h30. Entrée : 4$).* Cette résidence de style Queen Anne, qui fut l'une des plus belles de la ville, a conservé son atmosphère d'antan, ses très beaux parquets, ses plafonds en métal repoussé et son mobilier d'époque. Au rez-de-chaussée, les **salles d'apparat** comptent un parloir, meublé d'un piano et d'un fauteuil chinois, une salle à manger, un cabinet médical et une cuisine. À l'étage étaient aménagées deux chambres d'enfants, les salles de bains et une pièce pour la couture, ainsi qu'un étonnant système d'interphone.

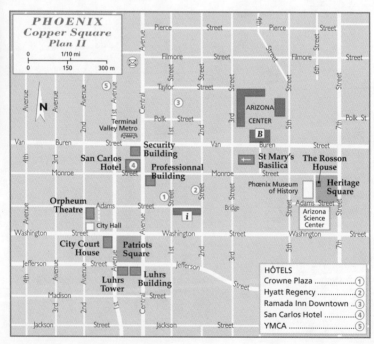

À l'ouest et au sud de Heritage Square se dressent par ailleurs les bâtiments modernes du **Phoenix Museum of History** (☎ *(602) 253 2734. Lundi-samedi 10h-17h, dimanche 12h-17h. Entrée : 5$)* et de l'**Arizona Science Center** (☎ *(602) 716 2000, www.azscience.org. Tlj 10h-17h. Entrée : 8$)*, tous deux très fouillis et ne présentant qu'un intérêt très limité.

Remontez Monroe St. vers l'ouest jusqu'à Central Ave.

Au cœur de Copper Square, aux côtés des gratte-ciel titanesques qui ont vu le jour récemment, s'élèvent quelques beaux édifices de taille plus modeste datant du début du 20ᵉ s. À l'angle de Central Avenue et de Monroe Street se dresse l'élégant **San Carlos Hotel**★ (1927), bâti à l'emplacement de la première école de la ville, tandis que de l'autre côté du carrefour, vous apercevez les lignes épurées du **Professionnal Building** (1931), qui attend aujourd'hui repreneur. Un peu plus au nord, au 234 N. Central Avenue, le **Security Building**★ (1928) est l'un des rares édifices des années 1930 à être encore occupé par des bureaux et dans lequel vous puissiez entrer. Le hall, resplendissant de marbre polychrome et de boiseries, mène à une vitrine où est exposé un **bronze** du célèbre peintre-sculpteur Frederic Remington.

Descendez Central Ave. et tournez à droite dans Adams St. Passez 1ˢᵗ Ave. et obliquez à gauche dans le passage piétonnier qui précède l'Orpheum Theatre.

Inauguré en 1929, l'**Orpheum Theatre**★★ se consacra au cinéma jusqu'en 1969, puis accueillit surtout des comédies musicales. Laissée à l'abandon au début des années 1980, cette salle de spectacle fut déclarée monument historique dans le cadre de la revalorisation du centre-ville, mais sa restauration ne débuta qu'avec la construction du nouvel hôtel de ville *(City Hall)* en 1993. Elle a aujourd'hui retrouvé sa splendeur d'antan, avec sa façade de style baroque espagnol richement ouvrée, et a rouvert ses portes en 1997.

Traversez Washington St. derrière le petit mémorial de pierre rose.

L'imposant bâtiment de pierre beige rosé qui se dresse un peu en retrait de la rue abrite la **City Court House** (palais de justice) (1928). Sa façade est donne sur **Patriots Square** (1988), une grande place verdoyante qui constitue un point de vue idéal pour observer la fantastique diversité architecturale de Downtown *(des concerts sont donnés du lundi au vendredi, entre 12h et 13h, d'avril à octobre)*. Admirez notamment les deux édifices qui dominent le sud de la place : le **Luhrs Building**★★ (1924) fut en son temps le plus haut de Phoenix. À ses côtés, la **Luhrs Tower**★★ (1929) est un magnifique exemple d'architecture Art déco.

Pour rejoindre le Visitor Center, empruntez Washington St. vers l'est et prenez à gauche. dans 2ⁿᵈ St.

Heard Museum★★★ (Plan I C1)

2301 N. Central Ave., face à Encanto St., ☎ *(602) 252 8848, www.heard.org. Tlj 9h30-17h. Entrée : 7$. Visites guidées à 12h, 13h30 et 15h. Comptez 2h.* Fondé en 1929 par Dwight B. et Maie Bartlett Heard pour accueillir leurs collections d'**art indien**, ce grand musée aux allures d'hacienda rassemble aujourd'hui quelque 32000 œuvres et se révèle d'une exceptionnelle clarté. Il présente ainsi les trois zones géographiques et climatiques de l'Arizona, puis détaille l'histoire et le mode de vie des tribus qui les habitent : les Hohokams et leurs descendants, les O'odhams, dans le désert du Sonora, les Pais et les Apaches dans les terres hautes, et les Anasazis, les Navajos et les Hopis sur le plateau du Colorado. Outre les poteries, les paniers, les habits traditionnels et les bijoux qu'il expose, le musée renferme une collection unique de **Kachina dolls**, ces poupées que les Hopis ont coutume de donner aux enfants pour leur enseigner la culture et qui leur servaient de messagers avec les dieux. Un **diaporama** donne la parole à des Indiens contemporains. À l'étage, dans l'East Gallery, ne manquez pas l'exposition **The Boarding School Experience**, qui témoigne de manière très vivante de l'expérience de jeunes Indiens, envoyés dans des pensionnats afin de les acculturer. Des expositions temporaires viennent parfaire ce voyage chez les Indiens du Sud-Ouest.

Phoenix Art Museum★ (Plan I C1)

1625 N. Central Ave., ☎ *(602) 257 1222, www.phxart.org. Mardi-dimanche 10h-17h, jeudi 10h-21h. Entrée : 7$. Comptez 1-2h.* Le musée d'Art de Phoenix regroupe quelque 14 000 œuvres exposées dans de petites salles thématiques. Celles qui sont consacrées à l'**art européen** comptent 1 200 peintures, dessins et sculptures du 14ᵉ au 19ᵉ s. À noter, une *Madone à l'Enfant* (auteur inconnu) datée de 1350, des tableaux signés Boucher, Greuze, Vigée-Lebrun, Delacroix, Courbet ou Monet, ainsi que *Le Baiser* (1880-1882) d'Auguste Rodin. La **peinture américaine** est notamment représentée par des portraits de Frederic Remington et Charles Russell, ainsi que par des toiles du paysagiste Albert Bierstadt et d'artistes du célèbre Taos Society of Artists (Groupe de Taos), inspirés par le caractère unique du Sud-Ouest. Les galeries consacrées à l'**art d'Amérique latine** (18ᵉ-20ᵉ s.) s'enorgueillissent quant à elles de peintures signées d'artistes mexicains prestigieux, tels que Diego Rivera, Rufina Tamayo et Frida Kahlo. Le musée rassemble aussi 2 400 œuvres d'**art contemporain** (peintures et sculptures), au nombre desquelles la *Baigneuse aux bras levés* (1929) de Pablo Picasso et *Pink Abstraction* (1929) de Georgia O'Keeffe. À noter également une collection d'**art asiatique** (belles céramiques, peintures et calligraphies chinoises, bronzes bouddhiques), ainsi qu'une étonnante exposition d'**objets miniatures** recréant divers intérieurs de maisons (comme une cuisine bretonne de la fin du 18ᵉ s.) et permettant d'apprécier les styles en cours dans différents pays à différentes époques. Une grande partie du musée est par ailleurs occupée par des expositions temporaires, souvent d'excellente qualité.

Scottsdale★

Comptez une demi-journée.

À quelque 8 miles au nord-est du centre de Phoenix, Scottsdale, son élégante voisine, est très appréciée des vacanciers pour ses boutiques huppées, ses galeries d'art, ses hôtels haut de gamme et ses restaurants branchés. Les alentours sont piquetées de résidences luxueuses, parmi lesquelles deux demeures exceptionnelles et atypiques, œuvres de l'architecte Frank Lloyd Wright et de celui qui fut un temps son élève, Paolo Soleri.

Taliesin West, l'architecture selon Frank Lloyd Wright

Pour rejoindre Scottsdale, remontez l'I-17 jusqu'à Bell Rd et prenez à droite vers l'est. À Scottsdale, Bell Rd devient Frank Lloyd Wright Blvd. La route pour Taliesin se trouve sur la gauche, au croisement avec Cactus Rd.

Taliesin West★★

12621 Frank Lloyd Wright Blvd, ☎ *(480) 860 2700, www.franklloydwright.org. Tlj 10h-16h; visites guidées uniquement (1h). Entrée : 14,5$. Comptez 2h en tout.* Installée sur les hauteurs de Scottsdale, isolée du reste de la ville, Taliesin jouit d'un site exceptionnel au sein duquel l'architecte **Frank Lloyd Wright** (1867-1959) a bâti une demeure à la mesure de sa philosophie, l'«organic architecture», selon laquelle les édifices doivent épouser et s'inspirer du paysage qu'ils habitent. À la fois résidence, bureau et atelier d'architecture pour apprentis, Taliesin se compose de plusieurs bâtiments peu élevés, reliés par des allées, des terrasses et des jardins. Les pierres apparentes, coulées dans du béton, proviennent des environs, et l'ensemble, dévié de l'axe nord-sud, bénéficie au maximum de l'ombre procurée par les auvents de bois et les indentations des murs. Elle fut conçue comme un campement d'hiver (pendant l'été, l'école rejoignait le Taliesin d'origine dans le Wisconsin), et les toits en canevas permettent de diffuser une lumière tamisée dans les pièces. L'aménagement intérieur est fidèle à la volonté de Wright de déconstruire les structures carrées : les pièces sont spacieuses et ouvertes, et le mobilier est créé sur mesure. De 1937 jusqu'à sa mort, Frank Lloyd Wright, de concert avec ses étudiants, a agrandi et amendé l'édifice, véritable laboratoire architectural où il pouvait laisser libre cours à son imagination.

Pour rejoindre Cosanti, prenez Cactus Rd vers l'ouest et tournez à gauche dans Tatum Blvd. Passez Shea Blvd et tournez à gauche dans Doubletree Ranch Rd.

Cosanti*

6433 Doubletree Ranch Rd, ☎ (480) 948 6145, www.cosanti.com. Tlj 9h-17h. Entrée : 1$. Comptez 1 h. Moins spectaculaire que Taliesin West, Cosanti demeure surprenante par son dédale de constructions en béton brut à demi enfouies dans le sol, ombragées par de grands arbres et rafraîchies par des cascades. Certaines sont des demi-dômes à ciel ouvert, qui abritent les ateliers de céramique et de bronze d'où sortent les cloches éoliennes dont le tintement accompagne la visite (*vendues dans la boutique*). Cette propriété exprime l'itinéraire d'un homme en recherche de nouvelles formes d'architecture. Après 18 mois d'études à Taliesin, **Paolo Soleri** retourna dans son Italie natale (il est à né Turin en 1919) où il apprit l'art de la céramique. En 1956, de retour en Arizona, il s'installa à Cosanti, où il commença à créer des mobiles sonores. Faute de pouvoir s'acheter des moules, il utilisait des cavités creusées à même le sol. Il appliqua ce principe pour la construction des édifices : le béton est coulé sur des monts de terre qui sont ensuite évidés. Cosanti en est le premier exemple, et il poursuit son œuvre à Arcosanti, à l'échelle d'une ville (*voir p. 415*).

Pour regagner Phoenix, reprenez Doubletree Ranch Rd vers l'est et tournez à droite dans N. Scottsdale Rd jusqu'à Camelback Rd, où vous prenez à droite.

Les environs de Phoenix**

Apache Trail** et Tonto National Monument**

La boucle de l'Apache Trail (137 miles) débute à l'est de Phoenix, à Apache Junction, et emprunte l'US-88 puis la Hwy 60. En partie non-pavée, cette route est cependant accessible aux véhicules de tourisme. Pour la rejoindre, suivez Van Buren St. jusqu'à Apache Blvd, dans Tempe, prenez à gauche, et continuez vers l'est jusqu'à Apache Junction. Ne manquez pas de faire halte à la Chamber of Commerce d'Apache Junction, petit bâtiment en brique situé derrière la station-service Chevron (☎ 1-800 252 3141. Lundi-vendredi 8h-17h, et le samedi 9h-14h de septembre à mars). Comptez une demi-journée.

Cette route touristique serpente au cœur du désert du Sonora et offre des panoramas variés, des montagnes couvertes de fleurs sauvages au printemps aux canyons vertigineux et aux lacs créés par les barrages érigés sur la Salt River.

Les premiers miles contournent le bord ouest des **Superstition Mountains**, un ensemble de pitons rocheux qui culmine à 1 541 m et s'élève abruptement au milieu d'une plaine parsemée de buissons. Elles furent ainsi nommées car plusieurs légendes y sont attachées, comme celle de la **Dutchman's Lost Gold Mine**, inspirée par un prospecteur d'origine allemande, mort en emportant le secret du fabuleux filon qu'il y avait soi-disant découvert.

■ À 4 miles d'Apache Junction, les maisons en bois sombre de **Goldfield Ghost Town** apparaissent sur la gauche (☎ *(480) 983 0333. Tlj 10h-17h)*. Construite en 1883, alors que la ruée vers l'or faisait rage dans la région, cette ville fantôme a été restaurée et transformée dans les années 1980 en parc d'attractions, proposant des visites de l'ancienne mine, des tours en carriole et des spectacles de rue en costume.

■ Un mile plus loin, le **Lost Dutchman State Park**★ (☎ *(480) 982 4485. Tlj du lever du soleil jusqu'à 22h. Entrée : 5$)* propose différentes randonnées dans les contreforts des Superstition Mountains.

La route poursuit son ascension et emprunte deux ponts enjambant Canyon Lake, avant d'arriver à Tortilla Flat.

Une voie historique

Utilisé par les Salados dès 900, lors de la transhumance vers les campements d'été, ce chemin a surtout été emprunté par les Apaches, qui vivaient dans les montagnes du Sud-Ouest depuis la fin du 15e s. et descendaient dévaliser les campements pimas, installés au sud et à l'ouest des Superstition Mountains. Avec l'arrivée des chercheurs d'or, vers le milieu du 19e s., ces raids s'intensifièrent, justifiant la construction d'un fort. Après la défaite des Apaches en 1886, suite à la reddition de Geronimo, les projets de barrage furent menés à bien. Décidé en 1903, le Roosevelt Dam nécessita une route praticable pour les engins motorisés. Pendant deux ans, le gouvernement employa des Apaches et des Pimas pour la construction de la Tonto Wagon Rd, qui reliait le barrage à la ville de Mesa. Dès 1906, les premiers touristes empruntèrent cette somptueuse route, qui fut baptisée Apache Trail en 1915.

■ Située à 18 miles d'Apache Junction, **Tortilla Flat** *(6 hab.)*, halte historique pour les voyageurs depuis plus de 100 ans, se résume à trois bâtisses alignées le long de la route, dont un grand saloon-restaurant-boutique dont les murs sont tapissés de billets de 1$ paraphés *(9h-18h, samedi-dimanche 8h-19h)*.

■ Au terme de virages sinueux, la route longe les eaux vertes et tranquilles d'Apache Lake avant d'arriver au **Roosevelt Dam**★ *(à 44 miles d'Apache Junction. Le Visitor Center se trouve à 2 miles à l'est du barrage. Tlj 7h45-16h30, fermé pour Thanksgiving, Noël et le Jour de l'An)*. Construit de 1903 à 1911, le barrage d'origine a été renforcé par une structure en béton moderne *(un promontoire permet d'observer l'édifice)*.

4 miles à l'est du barrage, vous arrivez à l'embranchement pour le Tonto NM.

■ **Tonto National Monument**★★ – ☎ *(928) 467 2241, www.nps.gov/tont. Visitor Center, tlj 7h45-17h, mais plus de visite après 16h ; les ruines hautes se visitent uniquement avec un guide (comptez 3-4h de marche et réservez de novembre à avril). Entrée : 3$ par personne si vous ne possédez pas le National Parks Pass.*
Admirablement protégées par une grande alcôve, les **ruines basses** du Tonto National Monument, auxquelles on accède par un chemin pavé *(800 m)*, sont perchées à 100 m au-dessus du *Visitor Center*. Ce site exceptionnel a préservé plusieurs enceintes d'un **village salado**, qui comprenait une vingtaine de pièces accrochées à même la paroi de la grotte. À l'intérieur, on aperçoit encore quelques poutres et des traces noires laissées sur les murs à l'emplacement des foyers. Les Salados (gens salés) ont habité le bassin de Tonto de 1150 à 1450. Leurs villages bordaient la Salt River qui, reliée par des canaux, permettait la culture du maïs, de courges, de haricots et du coton. Ils consommaient également les fruits des cactus, des *mesquite*, des yuccas et des agaves. Leurs tissages de coton figurent parmi les plus fins et les plus élaborés des cultures indigènes du Sud-Ouest.

Les 30 miles qui séparent le Tonto National Monument de Globe se parcourent aisément, car la route est de nouveau pavée.

■ **Globe** s'étire autour d'une rue principale, **Broad Street**, bordée de bâtiments pittoresques mais décrépis, datant de 1870 à 1920. La bourgade voisine, Miami, partage l'histoire minière de Globe (argent, puis cuivre et turquoise jusqu'à aujourd'hui). Trois mines, toujours en activité, sont visibles de la route. L'exploitation du cuivre emploie encore 20 % des actifs de la région.

Pour regagner Phoenix (80 miles), suivez la Hwy 60 vers l'ouest.

Casa Grande Ruins National Monument**

À 56 miles au sud-est de Phoenix, près de la ville de Coolidge. Le site est accessible par l'I-10 (sortie 185 ; comptez 1 h de route). ☎ (520) 723 3172, www.nps.gov/cagr. Tlj 8 h-17 h ; fermé pour Noël. Entrée : 3 $ par personne si vous ne possédez pas le National Parks Pass. Visite guidée toutes les heures, de 10 h à 15 h (30 mn). Les samedi et dimanche à 9 h 30, les rangers organisent des marches pour découvrir l'ensemble du site (1 h). Comptez 2-3 h.

Protégée par un auvent métallique, l'imposante construction de la **Casa Grande*** (10 m de haut), dont les quatre étages demeurent en grande partie intacts, n'a toujours pas livré son secret. Érigée avant 1350, vers la fin de la période dite classique des **Hohokams** (1100-1450), elle résulte d'un plan bien défini et exécuté d'une seule traite. Ses quatre murs en boue séchée font face aux point cardinaux et plusieurs ouvertures s'alignent avec le soleil et la lune. L'une d'elle notamment est réglée sur le solstice d'été. Ces éléments laissent penser que l'édifice servait d'observatoire astronomique ou avait une signification religieuse. La Casa Grande était le bâtiment principal d'un village exceptionnellement étendu, ceint par un mur de 2 m de haut et irrigué par un réseau de canaux reliés à la Gila River, au nord. Véritables agriculteurs du désert, les Hohokams cultivaient du maïs, des haricots, des courges, du coton et du tabac. Plusieurs vestiges de villages ont été découverts à moins de 1 mile à la ronde et, au centre de cet ensemble de constructions dispersées, une enceinte circulaire, appelée **ballcourt**, a été mise au jour (*vous l'apercevez d'un promontoire situé derrière l'aire de pique-nique*). C'est là qu'auraient été organisés des jeux de balle, similaires à ceux organisés au Mexique à la même époque.

Arcosanti**

À 63 miles au nord de Phoenix. Empruntez l'I-17 jusqu'à la sortie 262 (Cordes Junction), d'où le site est fléché. ☎ (602) 254 5309 / (928) 632 7135 si vous n'appelez pas de Phoenix, www.arcosanti.org. Tlj 10 h-16 h ; visite guidée uniquement, aux heures piles. Entrée : 6 $. Hébergement possible, mais réservation obligatoire, de 9 h à 17 h, au ☎ (602) 632 6217.

Laboratoire urbain de l'architecte italien **Paolo Soleri** (*voir p. 413*), Arcosanti est en construction depuis les années 1970. Volontairement installé en plein désert, sur un promontoire et à proximité de sources, ce prototype de (future) grande ville est patiemment édifié par une communauté de bénévoles, qui vivent et travaillent dans les bâtiments déjà opérationnels : des immeubles d'habitation, une boutique et un café, deux ateliers à ciel ouvert, une scène et un amphithéâtre en plein air. Ils fabriquent notamment les mobiles de céramique et de bronze vendus dans la boutique. Quand les finances sont suffisantes, ils coulent du ciment. L'idée maîtresse du projet d'**arcology** (architecture + écologie) est de minimiser les pertes d'espace et d'énergie en réduisant les distances entre les lieux de travail et de résidence. L'usage de la voiture est ainsi banni, sinon pour rallier d'autres cités. Les terres alentour peuvent être cultivées pour les besoins des habitants.

Phoenix et ses environs

ARRIVER–PARTIR

En avion – Sky Harbor International Airport, 3400 Sky Harbor Drive (Plan I E3), à 2 miles au sud-est du centre-ville, ☎ (602) 273 3300, www.phxskyharbor.com. Accueillant l'un des plus importants trafics du pays, l'aéroport dispose de trois terminaux, reliés par des bus gratuits. Pour rejoindre le centre-ville en voiture, prenez la sortie ouest de l'aéroport, tournez à droite dans 24th St., puis à gauche dans Van Buren St. Vous pouvez aussi emprunter le bus de la ligne rouge, ou prendre le bus 13 et changer pour la ligne rouge dans 16th St. Des navettes (« shuttle ») assurent une liaison avec l'aéroport 24h/24 (à partir de 6 $ pour Downtown). En taxi, comptez de 7 à 9 $.

En train – Amtrak, 401 W. Harrison St., à l'extrémité sud de 4th Ave. (Plan I C3), ☎ (602) 251 0121. Samedi-jeudi 1 h 30-10 h 30, 15 h 30-0 h 30, mardi 1 h 30-10 h 30, vendredi 15 h 30-0 h 30. La compagnie n'achemine pas encore de passagers jusqu'à Phoenix, mais propose une correspondance en bus avec les trains « Sunset Limited » et « Texas Eagle » de Tucson (2 h), et le « Southwest Chief » de Flagstaff (3 h 30).

En bus – Greyhound, 2115 E. Buckeye Rd (Plan I E3), ☎ (602) 389 4200. La gare routière est ouverte 24h/24. Une dizaine de départs quotidiens pour Tucson (2 h) et Los Angeles (6 h 30-8 h), plusieurs départs chaque jour pour Flagstaff (3 h 15), Las Vegas (8 h), San Diego (8 h 30) et San Francisco (17 h).

COMMENT CIRCULER

Le DASH dessert le centre-ville, mais mieux vaut disposer d'une voiture pour circuler dans Phoenix. Le centre est praticable à pied, mais il est désert après la sortie des bureaux.

En bus – Le DASH, bus violet, effectue une boucle dans Downtown (entre 4th Ave. et 4th St.) en semaine (toutes les 6-12 mn, de 6 h 30 à 23 h, sauf les jours fériés). Le service est gratuit. De 11 h à 14 h, le bus passe par le State Capitol, à l'extrémité ouest du centre. Les bus de **Valley Metro** couvrent l'ensemble de Greater Phoenix. La gare centrale se trouve 55 N. Central Ave. (Plan II), à l'intersection de Central Ave. et de Van Buren St. (☎ (602) 253 5000, www.valleymetro.maricopa.gov. Lundi-vendredi 6 h-19 h, samedi-dimanche et jours fériés 8 h-17 h). Le trajet coûte 1,25 $ (prévoyez la monnaie exacte).

En taxi – Tender Loving Care Transport et **Taxi, Courier & Delivery**, ☎ (623) 937 2227 / 1-877 852 8294 ; **AAA Cab**, ☎ (602) 253 2121 ; **Allstate**, ☎ (602) 275 8888 ; **Discount**, ☎ (602) 200 2000.

ADRESSES UTILES

Office de tourisme – Downtown Visitor Information Center, 50 N. 2nd St. (Plan II), à côté du Hyatt, ☎ (602) 254 6500, www.phoenixcvb.com. Lundi-vendredi 8 h-17 h. Bureau très informatif réservant un excellent accueil. Selon la disponibilité, vous pouvez utiliser gratuitement l'un des deux ordinateurs connectés sur Internet.

Banque / Change – Distributeurs automatiques à l'extérieur de la **Bank of America**, 101 N. 1st Ave. (Plan II), ☎ (602) 594 4238, et dans l'**Arizona Center**, 400 E. Van Buren St. (Plan II), ☎ (602) 271 4000.

Poste – Central Post Office, 522 N. Central Ave. (Plan II). Lundi-vendredi 9h-17h.

OÙ LOGER

Vous pouvez obtenir de bons prix pendant les mois d'été, notamment dans les grands hôtels. La haute saison correspondant au printemps, attendez-vous à une hausse sensible dès janvier.

• **Downtown** (Plan I et II)
Les rues de Downtown, le quartier des affaires, sont désertes et peu sûres à la nuit tombée. Évitez dès lors de vous y promener à pied.

Moins de 25 $ par personne
Metcalf Hostel, 1026 N. 9th St., ☎ (602) 254 9803 – 21 lits 🖵 ☒ 🆑 Accueil de 7 h à 10 h et de 17 h à 22 h.

Accessible par le bus n° 10 qui parcourt Roosevelt St., l'auberge de jeunesse occupe une jolie maison cachée derrière un rideau de verdure, dans un quartier résidentiel. Elle se compose de deux dortoirs non mixtes. Une pléiade d'instruments de musique y attendent les mélomanes. Cuisine, laverie et petit-déjeuner gratuit.

De 20 à 40 $

YMCA, 350 N. 1ˢᵗ Ave., ☎ (602) 253 6181, Fax (602) 528 5548 – 130 ch. 🅿 TV CC Principalement destinée aux habitants de Phoenix, la YMCA propose néanmoins un hébergement pour quelques nuits, mais accepte uniquement les personnes seules et en priorité les hommes. Seulement 30 chambres pour les femmes.

De 40 à 60 $

Budget Lodge Motel, 402 W. Van Buren St., ☎ (602) 254 7247 – 38 ch. 🍴 ▤ 🅿 🛏 CC Chambres spacieuses et propres, mais l'accueil n'est pas engageant. Parking assuré.

🅿 **Budget Inn Motel**, 424 W. Van Buren St., ☎ (602) 257 8331 – 36 ch. 🍴 ▤ 🅿 TV CC La plupart des chambres de ce sympathique motel rose et bleu ont été rénovées. Central et économique.

Desert Sun Motel, 1325 Grand Ave., peu après l'intersection avec Roosevelt St., ☎ (602) 258 8971, Fax (602) 256 9196 – 107 ch. 🍴 ▤ 🅿 TV 🛏 CC Bien qu'assez vieux, ce motel propose des chambres bien entretenues et un accueil professionnel. Parking.

De 60 à 80 $

🅿 **Ramada Inn Downtown**, 401 N. 1ˢᵗ St., ☎ (602) 258 3411 / 1-800 272 6232, Fax (602) 258 3171 – 163 ch. 🍴 ▤ 🅿 TV ✕ 🛏 CC Très bien situé et agréablement conçu, avec un jardin intérieur, cet hôtel, certes un peu vieillot, dispose de grandes chambres rénovées, tout confort. Parking assuré.

San Carlos Hotel, 202 N. Central Ave., ☎ (602) 253 4121, Fax (602) 253 6668, www.hotelsancarlos.com – 133 ch. 🍴 🅿 TV ✕ 🛏 CC Édifié en 1927, le San Carlos est le seul hôtel historique de Downtown. Il a conservé son atmosphère d'antan, notamment dans sa réception, où lustres et miroirs sont

d'origine. Les chambres sont confortables, sans plus. Une piscine a été aménagée sur le toit de l'édifice. Petit-déjeuner compris. Comptez 15 $ pour le parking.

Plus de 120 $

Hyatt Regency, 122 N. 2ⁿᵈ St., ☎ (602) 252 1234 / 1-800 233 1234, Fax (602) 254 9472 – 712 ch. 🍴 ▤ 🅿 TV ✕ 🛏 CC Cet immense hôtel, surmonté d'une coupole abritant un restaurant panoramique tournant, comprend un très joli hall d'entrée, lumineux et aéré, et de vastes chambres élégamment meublées.

Crowne Plaza, 100 N. 1ˢᵗ St., ☎ (602) 333 0000, Fax (602) 333 5181, www.phxcrowneplaza.com – 532 ch. 🍴 ▤ 🅿 TV ✕ 🛏 CC Reconstruit pour la troisième fois en 1975, l'ancien hôtel Adams a perdu son nom et son architecture du début du siècle. Le Crowne Plaza propose un service de qualité digne d'un grand hôtel et accueille essentiellement une clientèle d'hommes d'affaires. Les chambres sont joliment décorées dans les tons clairs.

• Au nord de Downtown (Plan I)

Plus de 120 $

🅿 **Arizona Biltmore**, 2400 E. Missouri Ave., à l'angle de 24ᵗʰ St., ☎ (602) 955 6600 / 1-800 950 0086, www.arizonabiltmore.com – 734 ch. 🍴 🅿 TV ✕ 🛏 CC Immense complexe très prisé, le Biltmore bénéficie d'un site somptueux, agrémenté de pelouses et de fleurs, dans les hauteurs de la ville. Achevé en 1929, le bâtiment principal s'inspire des principes de Frank Lloyd Wrigh : lignes droites, motifs géométriques et mobilier d'une élégante simplicité. Renseignez-vous sur les offres spéciales, qui permettent d'y séjourner parfois à moindre coût.

• Aux abords de l'aéroport (Plan I)

Le quartier est inintéressant, mais vous pouvez dénicher des chambres à bon prix sur Van Buren St., qui traverse la ville d'ouest en est.

De 40 à 60 $

Phoenix Sunrise Motel, 3644 E. Van Buren St., ☎ (602) 275 7661 / 1-800 432 6483 – 41 ch. 🍴 ▤ 🅿 TV 🛏 CC Ce motel impeccable dispose d'une jolie piscine et dispense un accueil très professionnel. Du café vous y attend le matin.

Pyramid Inn, 3397 E. Van Buren St., ☎ (602) 275 3691, Fax (602) 267 0448 – 29 ch. ⚐ 📋 ✐ 📺 ♨ CC Un petit motel propre et confortable, mais sans grande originalité.

Super 8, 3401 E. Van Buren St., ☎ (602) 244 1627 / 1-800 800 8000, Fax (602) 275 1126 – 80 ch. ⚐ 📋 ✐ 📺 CC Un motel tenu par le même propriétaire que le Days Inn voisin. Les chambres sont grandes et bien entretenues. Petit-déjeuner et navettes pour l'aéroport gratuits.

De 60 à 80 $

Days Inn, 3333 E. Van Buren St., ☎ (602) 244 8244 / 1-800 329 7466, Fax (602) 244 8240 – 220 ch. ⚐ 📋 ✐ 📺 ✕ ♨ CC Ce grand motel spécialisé dans les réunions d'affaires accueille également les touristes. Il est agrémenté d'un joli jardin intérieur et propose des navettes gratuites 24h/24 pour l'aéroport.

OÙ SE RESTAURER

• **Downtown** (Plan II)

De 5 à 10 $

Arizona Center, 400 E. Van Buren St. Au premier étage de ce grand centre commercial, un agréable « food-court » permet de déjeuner sur le pouce sans se ruiner.

Roma Coffe Co., San Carlos Hotel, 202 N. Central Ave., ☎ (602) 253 4121. Lundi-vendredi 6 h-21 h, samedi 7 h-21 h, dimanche 7 h-13 h. Idéal pour le petit-déjeuner, ce petit café propose un grand choix de boissons chaudes et de viennoiseries que vous pouvez déguster en terrasse. Sandwichs le midi. Jazz le mardi à partir de 17 h 30.

First Watch, 1 N. 1ˢᵗ St., ☎ (602) 340 9089. Tlj 6 h 30-14 h 30. Dans une salle claire aux tons pastel, ce spécialiste des petits-déjeuners et des brunchs offre un large choix de plats originaux et d'omelettes, mais aussi des crêpes et des gaufres.

Chary's Place, 20 W. Adams St., ☎ (602) 712 1918. Lundi-mercredi 11 h-16 h, jeudi 11 h-20 h, vendredi 11 h-23 h. Ce sympathique restaurant cubain propose des plats typiques, comme « El vivio de Franco » (de la viande de porc marinée et grillée), à déguster dans une petite salle aux tons bleutés. Ambiance musicale garantie !

De 10 à 15 $

Oregano's Pizza Bistro, 130 E. Washington St., ☎ (602) 253 9577. Lundi-jeudi 11 h-21 h, vendredi-samedi 11 h-22 h, dimanche 12 h-21 h. De généreuses pizzas, servies dans la salle du bas, baignée de musique des années 1950, ou sur la terrasse au premier.

⚐ **Sam's Cafe**, Arizona Center, 455 N. 3ʳᵈ St., ☎ (602) 252 3545. Cet élégant restaurant est très prisé pour le déjeuner comme pour le dîner (réservation conseillée). On vient y déguster une cuisine du Sud-Ouest, fine et relevée, à base de poivrons, de piments et de haricots rouges, accompagnant des viandes et des poissons grillés.

• **Sur Camelback Rd**

Camelback Rd est située à quelque 3 miles au nord de Downtown.

De 15 à 20 $

Don Pablo's, 1935 E. Camelback Rd, ☎ (602) 265 3334. Ce restaurant propose des plats mexicains traditionnels, copieux et savoureux, dans un décor hollywoodien, autour d'une cour intérieure agrémentée de fontaines.

The Fish Market, 1720 E. Camelback Rd, ☎ (602) 277 3474. Lundi-samedi 11 h-21 h 30, dimanche 12 h-21 h 30. Ce vaste restaurant offre un large choix de plats de poissons, et de fruits de mer, à déguster dans une atmosphère familiale au rez-de-chaussée, ou plus intime et sophistiquée au premier, dans une salle aux allures de yacht (pensez à réserver).

• **Tempe**

Située à 9 miles au sud-est de Phoenix, la ville universitaire de Tempe s'inscrit dans le prolongement de Van Buren St. Passé le pont qui enjambe la Salt River, vous parvenez directement dans Mill Ave., bordée de bars et de restaurants branchés, très animés la nuit.

De 10 à 15 $

Jax Thai Bar, 420 S. Mill Ave., ☎ (480) 921 8800. Dans un cadre très intimiste, ce petit restaurant vous invite à déguster de nombreux plats végétariens, dont ses casseroles de sucré-salé et ses curries.

BD's Mongolian Barbeque, 501 S. Mill Ave., ☎ (480) 858 0807. Lundi-jeudi 11h-22h, vendredi-samedi 11h-23h, dimanche 12h-22h. Une adresse amusante et sans prétention, où les clients choisissent leurs morceaux de viande et les légumes (à volonté pour 11,95$) qui seront cuits sur un grand grill commun. Chacun surveille ainsi la cuisson de son plat dans une ambiance bon enfant.

P.F. Chang's, 740 S. Mill Ave., ☎ (480) 731 4600. Dimanche-jeudi 11h-23h, vendredi-samedi 11h-minuit. Fort apprécié, ce bistro chinois offre des spécialités chinoises accommodées à la sauce du Sud-Ouest, avec des piments ou du coulis de haricot rouge.

De 15 à 20$

Z'Tejas, 20 W. 6th St. Dimanche-jeudi 11h-22h, vendredi-samedi 11h-23h. Les amateurs de plats épicés, notamment de viandes en sauce, se régaleront dans ce restaurant à la décoration sobre et élégante, mêlant brique et bois. Tarifs moins élevés pour le déjeuner. La terrasse est bien abritée.

Saki's, 740 Mill Ave., ☎ (480) 968 7300. Dimanche-jeudi 17h-22h30, vendredi-samedi 17h-23h. Annoncé par la grande torche qui flambe à l'extérieur, ce restaurant de poissons comprend un bar à sushis, installé autour d'un aquarium, ainsi qu'une salle et une terrasse à l'étage. Malgré la musique un peu forte, l'atmosphère se prête bien à siroter un cocktail.

OÙ SORTIR, OÙ BOIRE UN VERRE

• **Downtown** (Plan II)

Speeder's Tea & Coffee, à l'angle d'Adams St. et de Central Ave. Lundi-vendredi 5h30-17h30, samedi 7h-11h. Un établissement spécialisé dans le thé, notamment le thé glacé aromatisé, mais qui sert aussi du bon café et des pâtisseries! La minuscule salle est décorée avec goût et les fauteuils sont confortables.

Sports City Grill & the Sky Lounge, 123 E. Washington Ave., ☎ (602) 229 1110. Tlj 11h-1h. Ambiance typique de « bar des sports » à l'américaine, avec son grand bar et ses incontournables postes de télévision. On peut y manger hamburgers et sand-wichs. À l'étage, la terrasse est agréable pour boire un verre. Concerts du mardi au samedi à partir de 21h (8-10$).

Monroe's, 3 W. Monroe St., ☎ (602) 258 1046. Dimanche-jeudi 11h-23h, vendredi-samedi 11h-1h. Situé en sous-sol, face au San Carlos Hotel, ce bar à l'ambiance feutrée, avec ses petites lumières de couleur et ses bougies, résonne de blues et de musique country du mardi au vendredi (il est possible d'y dîner).

Cooper'Stown, 101 E. Jackson St., ☎ (602) 253 7337. Tlj 11h-1h. Installé dans l'un des entrepôts qui bordent la voie ferrée, l'établissement bénéficie de la popularité de son propriétaire, Alice Cooper. Une grande terrasse et des salles intérieures composent ce lieu de rendez-vous, où des concerts sont donnés le week-end.

• **Tempe**

Longwong's, 701 S. Mill Ave. Tlj jusqu'à 1h. Grand bar à l'ambiance estudiantine et chahutée, où vous pouvez grignoter tout en buvant une bière et en écoutant des concerts de rock'n roll les vendredi et samedi soir.

Beeloe's Cafe & Underground Bar, 501 S. Mill Ave. Tlj jusqu'à 1h. Cette salle en sous-sol, à l'ambiance à la fois intimiste et conviviale, est tout entière tournée vers la scène éclairée de lampions multicolores, où se produisent chaque soir des artistes.

ACHATS

Centres commerciaux – *Arizona Center*, 400 E. Van Buren St. (Plan II), ☎ (602) 271 4000, www.arizonacenter.com. Lundi-jeudi 10h-21h, vendredi-samedi 10h-22h, dimanche 12h-18h. En plein centre-ville, cet agréable complexe de 50 boutiques et restaurants bénéficie de jardins ombragés.

Arizona Mills, 5000 Arizona Mills Circle, Tempe, ☎ (480) 491 7300, www.arizonamillsmall.com. Lundi-vendredi 10h-21h30, samedi 9h30-21h30, dimanche 11h-20h. Situé à 9 miles au sud-est de Downtown, le plus vaste des « malls » d'Arizona se définit comme un « shoppertainment » (shops + entertainment), avec plus de 175 magasins, restaurants et cinémas.

TUCSON ET SES ENVIRONS★★

500 300 hab.   Carte Michelin n° 943 E12
97 miles de Phoenix, 390 miles de San Diego
Alt. 728 m – Climat chaud et aride

À ne pas manquer
Flâner dans les rues pittoresques d'El Presidio.
Découvrir la civilisation indienne au Arizona State Museum.
Une excursion à la mission San Xavier del Bac.

Conseils
Évitez de séjourner à Tucson les deux premières semaines de février,
durant la foire des pierres précieuses.

En plein désert du Sonora, Tucson (prononcez « TOU-sone ») s'étire au fond d'une vallée encadrée par de hautes montagnes d'origine volcanique. Issue des cultures mexicaine et américaine – les Indiens étant relégués dans les réserves alentour –, la ville a conservé un charme provincial comparée à sa rivale, Phoenix, qui lui a succédé en 1889 au titre de capitale de l'Arizona. Si dans le centre-ville les gratte-ciel ont remplacé les maisons en adobe, Tucson préserve toutefois deux enclaves, témoins de l'histoire de la ville, El Presidio et El Barrio Historico. Ville très dynamique, dotée d'une université réputée et de musées de grande qualité, elle connaît un afflux de population très important et mise beaucoup sur le tourisme.

Un site très prisé
La vallée de Tucson est appréciée depuis fort longtemps pour ses cours d'eau saisonniers. Des chasseurs et des cueilleurs auraient habité la région il y a 8 000 à 10 000 ans. Au 3e s., les **Indiens hohokams**. s'installèrent non loin de la rivière Santa Cruz, au pied du Sentinel Peak, pour cultiver les terres, avant de disparaître aux alentours de 1450. À partir du 16e s., les pionniers européens qui s'aventuraient aux confins nord des possessions de la Couronne espagnole rencontrèrent les **Tohonos O'odhams**, une tribu indienne vivant encore aujourd'hui aux abords de Tucson (nom dérivé de celui du site indien Stjukshon qui signifie « source coulant au pied de la montagne »). Le **père Eusebio Kino**, fondateur de la mission San Xavier à la fin du 17e s., fut le premier Européen à y établir sa résidence, mais la fondation de la ville remonte à 1775, date à laquelle **Hugh O'Connor**, un Irlandais dépêché par les Espagnols, construisit un fort (*presidio*) qui servait de poste militaire et de halte pour les voyageurs, à l'emplacement de l'actuel El Presidio District.

La 33e plus grande ville des États-Unis
Tucson comptait plus de 7 000 habitants quand, en 1821, le Mexique, auquel elle était rattachée, acquit son indépendance. Elle passa sous le contrôle américain en 1854 et devint le siège du territoire d'Arizona de 1867 à 1889. Elle se tailla une réputation de « rude ville de l'Ouest », mais dès 1880 le chemin de fer facilita les échanges avec l'est du pays et permit notamment la construction de bâtiments en brique. La première université fut ainsi créée en 1891, mais la ville se développa surtout à partir de 1940 avec l'installation de la **base militaire aérienne** (elle demeure le premier employeur devant l'université). La population, qui avoisinait les 120 000 habitants en 1950, doubla en dix ans. Le climat sec et doux de la région continue d'attirer les visiteurs et, au rythme de 2000 nouveaux résidents chaque mois, Tucson dépasse actuellement les 500 000 habitants.

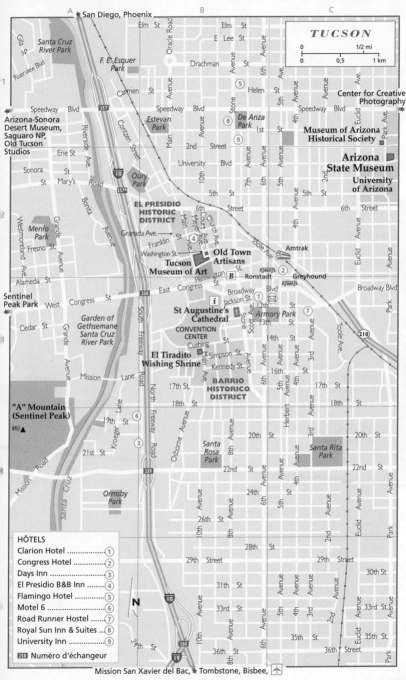

TUCSON

0   1/2 mi

0   0,5   1 km

San Diego, Phoenix

Center for Creative Photography

Museum of Arizona Historical Society

Arizona State Museum

University of Arizona

Arizona-Sonora Desert Museum, Saguaro NP, Old Tucson Studios

EL PRESIDIO HISTORIC DISTRICT

Amtrak

Old Town Artisans

Tucson Museum of Art

Ronstadt

Greyhound

St Augustine's Cathedral

Armory Park

CONVENTION CENTER

El Tiradito Wishing Shrine

BARRIO HISTORICO DISTRICT

Sentinel Peak Park

Garden of Gethsemane Santa Cruz River Park

"A" Mountain (Sentinel Peak)

883▲

Santa Rosa Park

Santa Rita Park

Ormsby Park

Santa Cruz River Park

F. E. Esquer Park

Estevan Park

De Anza Park

Oury Park

Menlo Park

HÔTELS

Clarion Hotel .... ①
Congress Hotel .... ②
Days Inn .... ③
El Presidio B&B Inn .... ④
Flamingo Hotel .... ⑤
Motel 6 .... ⑥
Road Runner Hostel .... ⑦
Royal Sun Inn & Suites ... ⑧
University Inn .... ⑨

258 Numéro d'échangeur

N

Mission San Xavier del Bac, Tombstone, Bisbee,

Visite de la ville★
Comptez une journée à pied.

Gagnant toujours plus de terrain sur le désert, Tucson s'étend jusqu'aux contre-forts des montagnes qui bordent la vallée, mais les lieux touristiques sont concentrés dans le centre. Quand, à partir des années 1960, une grande partie du vieux Tucson fut démoli pour faire place à une ville « moderne et fonctionnelle », deux quartiers chargés d'histoire furent épargnés, au nord et au sud de Congress Street et de Broadway Boulevard, les deux artères principales du nouveau centre-ville. De là, il est facile de rallier les musées installés sur le campus de l'University of Arizona.

El Presidio Historic District★★ (B2)
Le cœur historique de Tucson est accessible à pied depuis le Visitor Center, grâce aux pas-serelles qui enjambent Broadway Blvd et Congress St. Il ne reste rien du fort construit en 1775 (son enceinte se confond avec Washington St. au nord, Main Ave. à l'ouest, Pennington St. au sud et Church Ave. à l'est), mais ce quartier tranquille vaut le détour pour ses maisons pittoresques, notamment le long de Main Avenue, qui tra-hissent leur âge selon leur type d'architecture : les plus anciennes sont des bâtisses en adobe, accolées les unes aux autres, tandis qu'après l'arrivée du train (1880) sont apparues les demeures en brique, d'allure victorienne, entourées de jardins.

Au nord d'El Presidio Plaza, le **Tucson Museum of Art** *(140 N. Main Ave., ☎ (520) 624 2333. Lundi-samedi 10 h-16 h, dimanche 12 h-16 h ; fermé le lundi de juin à août. Entrée : 5 $)* comprend lui-même plusieurs édifices restaurés datant de la seconde moitié du 19e s. Fondé en 1924, il expose essentiellement des peintures américaines des 19e et 20e s., mais également quelques sculptures. Le pavillon Goodman se consacre aux thèmes propres au Sud-Ouest (cow-boys et Indiens, grands espaces).

Le billet d'entrée du musée vous donne également accès à deux demeures dignes d'intérêt, sises dans le même pâté de maisons, appelé Historic Block. La **Casa Cordova★★**, au nord du musée, est peut-être la plus ancienne maison de Tucson (1850 environ). À l'intérieur, une petite exposition retrace l'histoire des origines de la ville. Ne manquez pas également **El Nacimento**, une vitrine remplie d'innom-brables sujets de crèche (plus de 300), installés chaque année de novembre à mars par Maria Luisa Tena, une fervente grand-mère de la ville. Au nord-ouest du musée, **Corbett House★** (1907) mérite quant à elle le détour pour son intérieur admira-blement reconstitué dans le style Arts & Crafts du début des années 1900.

Le Historic Block voisine avec **Old Town Artisans★**, une charmante bâtisse en adobe (1850) dotée d'un agréable patio fleuri, autour duquel ont été aménagées différentes boutiques d'artisanat *(voir p. 429)*.

El Barrio Historico District (B3)
Réduit à la portion congrue après la construction du Convention Center, ce quartier essentiellement résidentiel s'inscrit aujourd'hui au sud de Cushing Street et à l'ouest de Stone Avenue. Traditionnellement mexicain et chinois, il est en passe de s'offrir une nouvelle jeunesse et pourrait devenir le quartier branché de la ville dans les années à venir. N'hésitez pas à vous promener dans ces rues pittoresques bordées de maisons en adobe à l'abri desquelles se cachent quelques jolis patios fleuris.

À deux pas du *Visitor Center*, les hautes tours blanches de la **St Augustine's Cathedral★** *(192 S. Stone Ave.)* émergent des palmiers et des orangers qui encadrent cet imposant édifice de la fin du 19e s., dont l'entrée est ornée de grès sculpté.

Dans Main Avenue, à côté d'*El Minuto Cafe (voir p. 428)*, se tient l'autel populaire **El Tiradito Wishing Shrine★**. La légende veut que, sous les fleurs et les cierges qui brûlent en permanence, soit enterré un amant assassiné par un mari trompé.

L'University of Arizona (C1-2)

À 1,5 mile au nord-est du centre de Tucson. Au départ du terminal Ronstadt, le bus 6 remonte Euclid Ave. jusqu'à l'intersection avec University Blvd. Le Visitor Center (☎ (520) 621 5130. Lundi-vendredi 7 h 30-17 h, samedi 9 h-12 h de septembre à mai; lundi-vendredi 7 h-16 h de juin à août) est situé dans l'axe qui prolonge University Blvd sur le campus. Visites guidées (1 h 30) de l'université de septembre à mai, les jeudi et samedi à 9 h 30.

Le magnifique campus de l'University of Arizona occupe 176 ha en plein cœur de Tucson. Quand elle ouvrit ses portes en 1891, l'université ne comptait qu'un bâtiment, isolé en plein désert, ce qui obligeait la poignée d'étudiants à s'y rendre à cheval! Elle constitue aujourd'hui l'un des plus importants centres de recherche des États-Unis, avec de nombreux laboratoires reconnus, notamment en cancérologie, et accueille plus de 35 000 étudiants de plus de 100 nationalités différentes.

Si vous voulez tout savoir sur les différents peuples indiens du Sud-Ouest, consacrez un peu de temps à l'**Arizona State Museum**★★ créé en 1893 (*1013 E. University Blvd, à l'angle de Park Ave., ☎ (520) 621 6302, www.statemuseum.arizona.edu. Lundi-samedi 10 h-17 h, dimanche 12 h-17 h. Entrée libre*). Il regroupe d'importantes collections relatives aux **cultures indiennes**. La visite s'organise de façon didactique, chaque salle du musée étant consacrée à une tribu (Seri, Tarahumara, Yaqui, O'odham, Colorado River Yumans, Southern Paiute, Pai, Western Apache, Navajo et Hopi). Les objets exposés et les panneaux explicatifs, élaborés en collaboration avec les Indiens, retracent clairement les origines, l'histoire et la vie contemporaine de chacune d'elles. Il est notamment fait état des revendications territoriales actuelles.

Dans le voisinage, le **Museum of Arizona Historical Society**★ (*949 E. 2nd St., ☎ (520) 628 5774. Lundi-samedi 10 h-16 h, dimanche 12 h-16 h. Entrée libre*) mérite le détour si vous vous intéressez à l'**histoire de l'Arizona** en général. L'espace consacré à l'exploitation des richesses du sous-sol, primordiale dans l'histoire de l'État, reproduit notamment l'intérieur d'une mine. Une collection de carrioles et de diligences est également installée à demeure. Une partie du musée accueille par ailleurs des expositions temporaires, consacrées par exemple à l'habillement ou à l'ameublement d'une maison en 1900.

La mission San Xavier del Bac

M. Gurfinkel/MICHELIN

Tucson et ses environs

Dans le campus, vous pouvez également faire un tour au **Center for Creative Photography** *(1030 N. Olive Rd, ☎ (520) 621 7968, www.creativephotography.org. Lundi-vendredi 9 h-17 h, samedi-dimanche 12 h-17 h. Entrée libre)* qui présente des expositions photographiques toujours très saluées par la critique.

«A» Mountain* (A3-4)

À l'extrémité ouest de Congress St., tournez à gauche dans Cuesta Ave. qui devient Sentinel Peak Rd et montez jusqu'au parking. Au sud-ouest du centre-ville, le **Sentinel Peak** (883 m) a été rebaptisé «A» Moutain depuis qu'une immense lettre «A» (comme Arizona) y a été installée pour marquer la victoire de l'équipe de football de l'université (1915). On a du haut de ce mont volcanique une **vue panoramique**★★ sur la vallée de Tucson et seuls les gratte-ciel de Downtown émergent de l'agglomération qui s'étire en contrebas. Ceux-ci paraissent toutefois minuscules à côté des **Rincon Mountains** qui bordent le côté oriental de la vallée, et des **Santa Catalina Mountains**, plus au nord, qui culminent à plus de 2 500 m. Par temps clair, on aperçoit même la mission San Xavier del Bac, à 12 miles au sud, et les sommets des **Santa Rita Mountains** dans le lointain.

Les environs de Tucson★★

Mission San Xavier del Bac★★★

Située à 12 miles au sud de Tucson, dans la réserve des Indiens tohonos o'odhams (la deuxième plus étendue du pays), la mission se rejoint par l'I-19 (sortie San Xavier Rd). L'église ouvre tlj de 9 h à 17 h (messes en semaine à 8 h 30, samedi à 17 h 30, dimanche à 8 h, 11 h et 12 h 30). Le musée et la boutique ouvrent de 8 h à 17 h. Comptez 2 h.

La silhouette massive de cette superbe mission édifiée à la fin du 18e s. se découpe sur le paysage désertique alentour. Au sommet de la petite colline voisine, où est nichée une réplique de la grotte de Lourdes, la **vue** sur l'ensemble du site est superbe, notamment au petit matin. Vous apercevrez peut-être les petits Indiens, en uniforme, qui se rendent en rang serré à l'**école** de la mission, créée en 1864. L'**église** de la mission est remarquable, tant pour sa façade asymétrique, où se mêlent les styles maure, byzantin et Renaissance mexicaine, que pour son intérieur coloré, où s'expriment les styles mexicain baroque et mudéjar *(les peintures ont été récemment rénovées par des artistes internationaux)*, et ses statues de bois expressives devant lesquelles brûlent des cierges. Un **gisant** de saint François-Xavier, recouvert d'un tissu satiné, est parsemé de petites amulettes symbolisant les requêtes des fidèles. La religion chrétienne et les traditions indiennes sont pratiquées de concert dans la réserve, la mission étant toujours en activité et dirigée par des pères franciscains.

Un missionnaire entreprenant

La mission San Xavier fut construite par des franciscains de 1783 à 1797, mais l'histoire missionnaire est avant tout associée au père Eusebio Francisco Kino, qui découvrit le site en 1692. Il fut le premier à entrer en contact avec les Indiens tohonos o'odhams qui vivaient alors dans un village appelé Wa : k (l'endroit où l'eau surgit), devenu Bac depuis. Ce jésuite d'origine italienne sillonna pour la Couronne espagnole la majeure partie du nord du Mexique et du sud de l'Arizona, où il parcourut près de 20 000 miles à cheval. Après avoir fondé une vingtaine de missions, cet infatigable explorateur s'éteignit en 1711, à l'âge de 65 ans, dans la mission Santa Maria Magdalena (Mexique).

Arizona-Sonora Desert Museum★★

2021 N. Kinney Rd, 12 miles à l'ouest de Tucson par Speedway Blvd et Gates Pass Rd. ☎ (520) 883 2702, www.desertmuseum.org. Tlj 8 h 30-17 h d'octobre à février/7 h 30-17 h de mars à septembre. Comptez 2-3 h.

Fondé en 1952, le superbe musée en plein air du désert du Sonora est l'un des trésors de Tucson. Tout à la fois zoo et jardin botanique, il est destiné à présenter les richesses de la région dans les conditions les plus naturelles possibles. Un sentier mène ainsi à différents espaces thématiques (les montagnes, les prairies du désert, le jardin des cactus, les habitants des rivières, les félins…) protégés par un filin invisible, à l'intérieur desquels les animaux vivent comme à l'état sauvage. Ne manquez pas notamment la serre des colibris. Des *docent* (guides), postés sous des tonnelles le long du chemin, peuvent vous fournir quelques renseignements.

Saguaro National Park★

Le parc est divisé en deux parties, situées de part et d'autre de la ville de Tucson. La portion ouest est accessible par Kinney Rd (voir ci-dessus). Faites halte au Red Hill Visitor Center situé environ 2 miles après l'Arizona-Sonora Museum, ☎ (520) 733 5158. Tlj 8h30-17h. Plusieurs chemins de randonnée sillonnent le parc (de 7 à 10 miles AR). Demandez conseil aux rangers.

Une route touristique, la **Bajada Loop Drive★** (9 miles), permet de traverser de véritables forêts de saguaros (prononcez « so-ouo-ro »), ces imposants cactus aux bras levés vers le ciel, emblèmes du Sud-Ouest américain, qui habillent les contreforts des Tucson Mountains. Le **Valley View Overlook Trail** *(facile ; 30 mn AR ; le sentier débute à 3,5 miles au nord du Visitor Center)* mène à un **point de vue★★** somptueux sur la vallée alentour.

Le fabuleux destin du saguaro

Au commencement est l'éclatante fleur fuchsia du saguaro qui ne s'épanouit que 24 h, pendant lesquelles se fait la pollinisation. Survient alors le fruit, porteur de plus de 2000 graines, dont les hommes et les animaux du désert sont très friands. Les colombes à ailes blanches participent activement au disséminement de ces graines, mais faute de plante protectrice procurant de l'ombre à la jeune pousse, peu d'entre elles donneront naissance à un autre cactus. Malgré les 200 fruits qu'il produit chaque année, on estime en effet que le saguaro n'aura qu'un seul descendant… mais quelle descendance ! Après une croissance difficile – à 25 ans, le jeune cactus atteint environ 30 cm –, il lui faut attendre 50, voire 60 ans, avant de porter ses premiers fruits. Sa taille avoisine alors les 2 m. Entre 75 et 100 ans, il produit enfin ses premières tiges, qui lui donneront une apparence unique, magistralement droite ou étrangement tortillée.

Old Tucson Studios

201 South Kinney Rd, au sud de l'embranchement avec Gates Pass Rd, à proximité du Arizona-Sonora Desert Museum (voir ci-dessus). ☎ (520) 883 0100, www.oldtucson.com. Tlj 10h-18h de janvier à septembre ; fermés le lundi de juin à septembre (sauf pour Labor Day), horaires variables d'octobre à décembre. Entrée : 15$.

Depuis sa construction en 1939 pour le tournage du film *Arizona* (avec William Holden), le site d'Old Tucson a conservé l'aspect d'une ville du « Wild Wild West » (l'une des rares productions à y avoir été tournées récemment). Après avoir servi de décor à plus de 300 films (principalement des westerns !), le site a été reconverti en **parc d'attractions** pour enfants, avec manèges, petit train à vapeur et spectacles, tandis que le **musée** retrace l'histoire du lieu, dont le terrible incendie qui ravagea presque la moitié des studios en 1995.

Excursion dans les villes minières★★

Comptez une journée.

Tombstone est située à 70 miles au sud-est de Tucson. Empruntez l'I-10 jusqu'à Benson, puis la Hwy 80 (comptez 1 h de route). Arrivé à Tombstone, prenez à droite dans 4th St. pour rejoindre le Visitor Center.

■ **Tombstone** – *Visitor Center à l'angle d'Allen St., ☎ (520) 457 9317, www.tombstone. org. On vous y renseignera sur les horaires des spectacles. Comptez 2 h.*

Fondée à la fin des années 1870, suite à la découverte de filons d'argent dans les montagnes voisines, Tombstone s'est forgée une réputation de rude ville de l'Ouest. C'est là qu'en 1881 se tint le fameux **règlement de comptes à OK Corral**, lors duquel les frères Earp et Doc Holliday affrontèrent les McLaury et les Clanton *(un spectacle reproduit chaque jour la scène à 14 h. Réservations au ☎ (520) 457 3456, www.okcorral.com).* Au plus fort de son occupation, cette ville de 15 000 habitants (la population avoisine les 1 500 âmes aujourd'hui) était toutefois plutôt tranquille et comptait quatre églises, une école, deux banques, un journal et un opéra. Une partie de la rue principale, **Allen Street**, a été reconstruite, pour la plus grande joie des touristes qui déambulent de boutiques en restaurants sous les auvents en bois.

Reprenez la Hwy 80. Bisbee est située à 20 miles au sud de Tombstone.

■ **Bisbee**** – *Le Visitor Center se trouve non loin du parking central, au 31 Subway St., ☎ (520) 432 5421, www.bisbeearizona.com. Vous pouvez y réserver vos places pour la visite de la mine. Comptez une demi-journée.*

Fine fleur des villes minières de l'Ouest, la petite bourgade de Bisbee apparaît au détour d'un virage, accrochée à flanc de montagne. L'exploitation des nombreuses richesses du sous-sol (cuivre, or, argent, plomb, zinc) à partir de 1875 en fit la ville la plus peuplée entre St Louis et San Francisco au début du 20ᵉ s. (20 000 habitants). **Le Historical Museum*** *(37-39 Main St. Tlj 10 h-16 h. Entrée : 4 $)* propose une belle exposition de photos et d'objets de cette époque.

Ravagé par un incendie en 1908, le centre-ville fut immédiatement reconstruit et les demeures d'allure victorienne, en briques naturelles ou colorées, dégagent un charme authentique. La banque et la poste conservent d'ailleurs leurs bâtiments d'origine. Les anciens saloons abritent quant à eux de charmants cafés, une pléiade de boutiques et des échoppes d'artisans. Ne manquez pas celle du chapelier, **O'Ptimo**, au 47 Main Street. Depuis l'arrêt de l'activité minière en 1975, la ville attire principalement des retraités et des artistes qui animent les rues montueuses, où il est fort agréable de se promener. Vous pouvez également participer à la visite de la **Queen Mine*** menée par d'anciens mineurs dans de petits wagonnets qui déambulent dans les galeries *(départ à l'est de la Hwy 80, dans le centre-ville. Entrée : 10 $. Réservations au Visitor Center).*

Tucson pratique

ARRIVER–PARTIR

En avion – *Tucson International Airport*, à 8 miles au sud de la ville, ☎ (520) 573 8000. Pour rejoindre le centre, prenez le bus 25 et changez dans Park Ave. pour le bus 6.

En train – *Amtrak*, 400 E. Toole Ave. (C2), ☎ (520) 623 4442, face à 5ᵗʰ Ave. Samedi-lundi 6 h 15-13 h 45/16 h 15-23 h 30, mardi-mercredi 6 h 15-13 h 45, jeudi-vendredi 16 h 15-23 h 30. 4 liaisons par semaine pour Los Angeles (9 h).

En bus – La gare **Greyhound**, 2 S. 4ᵗʰ Ave. (C3), est située à l'extrémité est de Downtown, non loin de la gare Amtrak, ☎ (520) 792 3475. Une dizaine de départs chaque jour pour Phoenix (2 h) et Los Angeles (10 h). Un départ toutes les heures pour Nogales (Mexique) de 4 h 15 à 21 h. La compagnie **Golden State**, ☎ (520) 624 9434, possède un guichet dans la gare où vous pouvez acheter des billets pour Bisbee (1 h 30 ; 5 départs par jour). Pour rejoindre le centre-ville, prenez le bus 22 ou le taxi (comptez 5 $).

COMMENT CIRCULER

Il est conseillé de se déplacer en voiture, mais le réseau de bus est assez développé. Les avenues (« Avenue ») sont orientées nord-sud, et les rues (« Street ») ouest-est.

En bus – Les bus locaux sont gérés par la compagnie **Sun Tran** (www.suntran.com), dont la gare (Ronstadt) est située à l'angle de Congress St. et de 6ᵗʰ Ave. (C2). Information : lundi-vendredi 6 h 30-18 h 30, samedi-dimanche 9 h-17 h. Le prix d'un trajet s'élève à 1 $ (prévoyez la monnaie exacte). Un **trolley** remonte 4ᵗʰ Ave. à partir de 8ᵗʰ St. jusqu'à l'université. Vendredi 18 h-22 h, samedi 12 h-minuit, dimanche 12 h-18 h (1 $).

En taxi – **A-240 Taxi**, ☎ (520) 240 8294 ; **Adobe Transportation**, ☎ (520) 742 0632.

Office de tourisme – Visitor Center, 110 S. Church Ave., Suite 7199 (B3), ☎ (520) 624 1817 / 1 800 638 8350, www.visitTucson.org. Lundi-vendredi 8 h-17 h, samedi-dimanche 9 h-16 h. Vous pouvez vous y procurer l'excellente brochure de la ville. Parking très pratique situé tout près, dans Jackson St. (3 $ jusqu'à 18 h). **Old Pueblo Tours of Tucson**, ☎ (520) 795 7448, propose du lundi au samedi, à 9 h 30 et 13 h 30, au départ du Visitor Center, un circuit guidé en minibus à travers le centre-ville (1 h 30 ; 25 $).

Banque / Change – Bank One, à l'angle de Congress St. et de Stone Ave. (B2-3). Lundi-jeudi 9 h-16 h, vendredi 9 h-17 h. **Bank of America**, à l'angle de Stone Ave. et de Pennington St. (B2-3). Lundi-jeudi 9 h-17 h, vendredi 9 h-18 h. Elles disposent de distributeurs.

Poste – Downtown Station, 141 S. 6th Ave., à l'angle de Broadway, face à l'hôtel Clarion (C3). Lundi-vendredi 8 h 30-17 h, samedi 9 h-12 h.

Internet – Café Internet au sein du **Congress Hotel** (C2). 3 $ pour 30 mn.

OÙ LOGER

Les prix sont en baisse à partir d'avril, car la haute saison correspond à l'hiver. Les deux premières semaines de février sont très chargées en raison de la foire aux pierres précieuses, et il est alors impératif de réserver pour pouvoir se loger.

• Downtown

Moins de 25 $ par personne

Road Runner Hostel, 346 E. 12th St., ☎ (520) 628 4709, roadrunr@azstarnet. com, www.roadrunnerhostel.com – 40 lits ▤ ✕ CC Une petite auberge très accueillante, installée dans une maison disposant aussi de 5 chambres privées (35 $). Les propriétaires, Mike et son frère, peuvent vous renseigner pour préparer vos étapes suivantes. Cuisine, laverie, Internet gratuit, possibilité de louer des bicyclettes, dîners organisés (5 $).

De 40 à 60 $

Congress Hotel, 311 E. Congress St., ☎ (520) 622 8848 / 1-800 722 8848, Fax (520) 792 6366, www.hotcong.com – 38 ch. ⊞ ✕ CC Construit en 1919 et rénové dans le style de l'époque, cet hôtel est déconseillé à ceux qui recherchent le calme, car il est fréquenté par les fêtards qui entrent gratuitement dans le club ouvert tous les soirs jusqu'à 1 h. Dispose aussi de deux chambres de quatre lits pour les petits budgets (16 $/personne).

Motel 6, 960 S. Frwy, sortie 258, ☎ (520) 628 1339 / 1-800 466 8356, Fax (520) 624 1848 – 111 ch. ⊞ ▤ ✆ TV ▤ CC À l'ouest de l'autoroute, mais non loin du centre-ville, ce motel est fidèle aux exigences de confort de la chaîne. Pratique et peu onéreux.

De 60 à 80 $

Days Inn, 222 S. Frwy, sortie 258, ☎ (520) 791 7511 / 1-800 329 7466, Fax (520) 622 3481 – 122 ch. ⊞ ▤ ✆ TV ✕ ▤ CC Ce motel présente les mêmes avantages que le précédent, mais propose un petit-déjeuner gratuit et dispose d'un restaurant.

Clarion Hotel, 88 E. Broadway Blvd, ☎ (520) 622 4000, Fax (520) 620 0376 – 200 ch. ⊞ ▤ ✆ TV ▤ CC Grand hôtel, très central, dont les chambres sont vastes et les prix divisés par deux durant l'été. Très bons restaurants à proximité.

Plus de 120 $

El Presidio B & B Inn, 297 N. Main St., ☎ (520) 623 6151 / 1-800 349 6151, Fax (520) 623 3860, www.bbonline. com/az/elpresidio/– 4 ch. ⊞ ▤ ✆ TV CC Ce B & B du quartier historique est aménagé dans une maison victorienne dont les chambres tout confort, joliment aménagées, donnent sur une cour intérieure verdoyante (2 nuits min.).

• Aux abords de l'université

Une voiture est nécessaire pour séjourner dans ce quartier. Chaque établissement dispose d'un parking gratuit.

De 40 à 60 $

University Inn, 950 N. Stone Ave., ☎ (520) 791 7503 / 1-800 233 8466 – 38 ch. ⊞ ▤ ✆ TV ▤ CC Petit-déjeuner inclus. Accueil sympathique et prix très abordables dans ce petit motel sur deux étages. Les chambres sont sans originalité, mais propres.

Tucson pratique

Flamingo Hotel, 1300 N. Stone Ave., ☎ (520) 770 1910 / 1-800 300 3533, Fax (520) 770 0750, www. flamingohoteltucson.com – 79 ch. ⌑▤ ♪ TV ⌑ CC Petit-déjeuner compris. Très verdoyant, ce joli motel rose est particulièrement agréable. Certaines chambres portent le nom d'acteurs célèbres, faisant ainsi écho à l'impressionnante collection d'affiches de films exposées dans la réception.

De 80 à 100 $

Royal Sun Inn & Suites, 1015 N. Stone Ave., ☎ (520) 622 8871 / 1 800 528 1234, Fax (520) 623 2267 – 608 ch. ⌑▤ ♪ TV ✕ ⌑ CC Ce motel de luxe de la chaîne Best Western offre un excellent confort. Belles chambres, mais petites salles de bains.

Où se restaurer

Choix extrêmement varié parmi une pléiade de restaurants sud-américains ou spécialisés dans la cuisine du sud-ouest des États-Unis.

• Downtown

De 5 à 10 $

Jerry's Lee Ho Market, 600 S. Meyer Ave. (B2), ☎ (520) 623 7131. Lundi-samedi 9 h-19 h, dimanche 11 h-17 h. Dans une grande épicerie-boucherie installée dans l'ancien Chinatown depuis 1912, Barbara et Gilles (il parle français), des passionnés d'histoire, proposent de savoureux sandwichs. Du jeudi au samedi et sur réservation uniquement, vous pouvez déguster une fondue sur l'agréable terrasse installée sur le toit.

De 10 à 15 $

El Minuto Cafe, 354 S. Main Ave. (B3), ☎ (520) 882 4145. Dimanche-jeudi 11 h-22 h, vendredi-samedi 11 h-23 h. Ce vaste restaurant mexicain, décoré de petites loupiotes, propose une cuisine savoureuse et typique dans une ambiance familiale. Allez jeter un œil juste à côté, à l'autel populaire appelé « El Tiradito Wishing Shrine ».

El Charro Cafe, 311 N. Court Ave. (B2), ☎ (520) 622 1922. 11 h-22 h. Aménagé dans la maison des fondateurs, ce restaurant mexicain se fait une spécialité des plats relevés, dans un décor tout aussi enlevé et riche en couleurs. Au-dessus de la terrasse pendent les quartiers de viande (« carne seca ») qui sèchent au soleil.

La Cocina Restaurant, 201 N. Court Ave. (B2), ☎ (520) 622 0351 / 1-800 782 8072. Tlj pour le déjeuner (réserver). Installé dans une cour à l'ombre des bougainvilliers, on déguste ici de copieuses salades ou des plats du Sud-Ouest épicés. Le restaurant voisine avec des boutiques d'artisanat, tandis qu'à l'intérieur la décoration varie au gré des expositions d'artistes contemporains.

Plus de 20 $

Barrio Grill, 135 S. 6th Ave (B3). Mardi-jeudi 11 h-22 h, vendredi-samedi 11 h-minuit, dimanche 17 h-21 h. Aménagé dans un beau bâtiment en brique à la décoration élégante, mêlant bois et métal, ce bistrot propose une cuisine inventive, notamment des plats de sucré-salé.

Lume, 222 S. Church Ave. (B3), à côté du Visitor Center, ☎ (520) 622 4270. Mardi-samedi 17 h-22 h ; Bar jusqu'à 1 h. Une ambiance intimiste réussie jouant sur le mobilier noir et les couleurs métalliques qui habillent harmonieusement les petites salles de restaurant. La terrasse, abritée, est dotée d'une petite scène. À la carte, une nouvelle cuisine du Sud-Ouest mêlant subtilement le sucré et le salé.

• Dans 4th Avenue

Il est agréable de parcourir à pied 4th Ave. (surtout entre 6th et 7th St.) qui, à l'instar d'University Blvd (voir « Où sortir, où boire un verre »), est bordée de restaurants et de cafés et bénéficie d'une ambiance plus alternative que le voisinage de l'université.

De 10 à 15 $

Maya Quetzal, 429 N. 4th Ave. (C2). Lundi-vendredi 11 h 30-20 h 30, samedi 12 h-21 h. Ce petit restaurant à la décoration typique propose des spécialités guatémaltèques dans une ambiance familiale. Pas de cartes de crédit.

Sushi Rage, 500 N. 4th Ave. (C2). Lundi-samedi. Un bar à sushis où le service et la musique sont assurés jusqu'à 1 h du matin. Pour les envies tardives.

Caruso's, 434 N. 4th Ave. (C2). Mardi-samedi à partir de 16 h 30, dimanche à partir de 16 h. Doté de grandes tablées réparties dans plusieurs salles, ce restaurant s'inscrit dans la tradition de la cuisine familiale italienne propre aux États-Unis.

Plus de 20 $
Pipian's, 509 N. 4th Ave. (C2). Mercredi-lundi 11 h 30-1 h. La salle et son patio ne payent pas de mine, mais les plats, une sélection de spécialités d'Amérique du Sud, sont savoureux.

• **Au nord de Downtown**

De 10 à 15 $
Tohono Chul Park, 7366 N. Paseo del Norte, ☎ (520) 797 1222. Tlj 8 h-17 h. Ce joli restaurant ombragé est entouré d'un parc dédié à la connaissance des plantes autochtones : près de 25 ha de désert en pleine ville. Idéal pour une longue pause-déjeuner ou pour prendre le thé. Carte sans prétention, mais cuisine savoureuse.

Où sortir, où boire un verre

• **Downtown**
Grill, 100 E. Congress St. (B3), ☎ (520) 623 7621. Ouvert 24 h/24. L'un des établissements les plus avenants de l'avenue. Concerts du jeudi au samedi soir dans une petite salle adjacente à la grande salle à manger.
Irene's, 254 E. Congress St. (B3), ☎ (520) 206 9385. Lundi-jeudi 10 h 30-22 h, vendredi-samedi 12 h-1 h, dimanche 17 h-22 h. Ce restaurant péruvien très sympathique propose des soirées tango et salsa le dimanche (18 h) et le mardi (19 h 30), tandis qu'un DJ officie les vendredi et samedi.

• **Aux abords de l'université**
À partir d'Euclid Ave., University Blvd se pare de lumières qui invitent à la balade. L'atmosphère est estudiantine (mais pas exclusivement) et bon enfant.
Frog & Firkin, 874 E. University Blvd (C2). Tlj jusqu'à 1 h. Pub anglais fort sympathique, dont la petite terrasse est très prisée.
Bliss, 800 E. University Blvd (C2). Mardi-samedi jusqu'à 1 h. Ambiance marine et sophistiquée dans cette grande salle tout en longueur, joliment éclairée, qui se transforme en club.
🍺 **Gentle Ben's**, 865 E. University Blvd (C2). Mardi-samedi jusqu'à 1 h. La brasserie de « Gentle Ben », l'ours en bois qui vous accueille, prépare 7 bières dif-

férentes. Le grand bâtiment en brique comprend une salle de restaurant, une petite terrasse et un bar, où se produit un groupe chaque vendredi soir. Dancing du mardi au samedi.

• **Dans 4th Avenue**
Epic Cafe, 745 N. 4th Ave. (C2). Lundi-mardi 6 h 30-18 h, mercredi-samedi 6 h 30-22 h, dimanche 7 h 30-18 h. Larges canapés et tables en marbre meublent ce petit établissement aux tons rougeoyants, idéal pour discuter autour d'un café. Concerts les vendredi et samedi soir, mah-jong le mercredi soir.

Achats

Artisanat – Old Town Artisans, 201 N. Court Ave. (B2), www.oldtownartisans.com. Lundi-samedi 9 h 30-17 h 30, dimanche 12 h-17 h. Différentes boutiques d'artisanat, présentant notamment de très jolies poteries, ont investi une charmante bâtisse en adobe de 1850 dotée d'un agréable patio fleuri.

Fêtes / Festivals

Gem and Mineral Show : en février. Foire internationale aux pierres précieuses. Renseignements au ☎ 1- 800 638 8350.
Wa : k Pow Wow : en mars à la mission San Xavier del Bac, ☎ (520) 294 5727.
Fourth Avenue Street Fair : en mars. Fête de quartier en plein air, ☎ (520) 624 5004.
Wildflower Festival : en avril. Floralies dans Tohono Chul Park, ☎ (520) 791 4079.
Fiesta de San Augustin : le 20 août. Animations festives en l'honneur du saint patron de la ville à El Presidio, ☎ (520) 762 5806.
Old's Bisbee's Gem & Mineral Show : en octobre. Foire aux pierres précieuses à Bisbee, ☎ (520) 432 5888.
Tucson Heritage Experience Festival : en octobre. Festival multiculturel dans le Presidio Park, ☎ (520) 882 3060.

ORGAN PIPE CACTUS NATIONAL MONUMENT★

Carte Michelin n° 943 D12
122 miles de Tucson, 140 miles de Phoenix
Alt. 509-1 466 m   Climat chaud et aride, orageux en été

À ne pas manquer
La randonnée d'Estes Canyon-Bull Pasture.

Conseils
Protégez-vous efficacement du soleil.
Prévoyez beaucoup d'eau et vérifiez l'état de votre voiture.

Fondé en 1937, ce parc constitue une enclave de plus de 1 500 km² au sein du désert du Sonora, l'un des quatre déserts d'Amérique du Nord, qui s'étend au sud de l'Arizona et de la Californie et dans la partie nord-ouest du Mexique. Il abrite notamment une espèce de cactus assez rare aux États-Unis, car sensible au gel : le cactus tuyaux d'orgue ou **Organ Pipe Cactus**. Cette imposante plante succulente aux bras multiples et fins, plantés tels un bouquet dans le sol, voisine avec le saguaro et ses ramifications dressées vers le ciel, ou l'ocotillo, étrange buisson frêle aux branches graciles, à l'extrémité desquelles s'épanouissent de petites fleurs rouges. Outre la route principale qui traverse le parc du nord au sud, deux routes panoramiques sillonnent l'ouest et l'est à partir du *Visitor Center*. Cependant, l'Organ Pipe National Monument se visite de préférence à pied, notamment la partie est, dont la limite se confond avec une chaîne de montagnes dominée par les monts Ajo.

Un écosystème surprenant
La faune et la flore qui habitent le désert du Sonora disposent de ressources étonnantes pour assurer leur survie dans cet environnement aride. Les **cactus** sont ainsi capables de constituer une réserve d'eau dans leurs racines creuses et dans leur tronc

Le kangoroo-rat

recouvert d'une substance grasse. Leurs épines acérées servent par ailleurs à décourager les animaux qui viennent y construire un abri, mais elles s'avèrent surtout une source d'ombre non négligeable pour la plante elle-même.

Les **buissons de créosote**, reconnaissables à leurs feuilles minuscules et à leurs fleurs jaunes, sont également très répandus. Lors des saisons extrêmement sèches, ils se séparent de leurs feuilles et ne vivent parfois qu'en sous-sol pour mieux renaître après les pluies. Ils peuvent ainsi survivre pendant 4 000 à 5 000 ans!

Parmi les animaux, le **kangaroo rat**, un petit rongeur, n'a pas besoin de boire, car son métabolisme fabrique des déjections presque sèches et des urines extrêmement concentrées. Les seuls liquides qu'il ingère sont contenus dans les plantes et les graines dont il se nourrit.

Les routes panoramiques du parc

Un Visitor Center vous accueille sur la Hwy 85, à 22 miles au sud de Why, ☎ (520) 387 6849, www.nps.gov/orpi. Tlj 8 h-17 h. Vous pouvez vous y procurer brochures et itinéraires de randonnées, et des rangers vous aident à planifier votre visite. Les deux routes panoramiques ne sont pas pavées, mais sont praticables en voiture de tourisme, à allure modérée. Aux abords du bâtiment, un court sentier balisé permet de se familiariser avec les plantes et les cactus caractéristiques de la région. Le parc dispose d'un camping peu ombragé (208 sites).

Ajo Mountain Drive★★

Cette boucle de 21 miles débute à l'est du Visitor Center et vous conduit jusqu'aux contreforts des montagnes Ajo. Une brochure, disponible au Visitor Center, détaille la végétation rencontrée aux 22 arrêts proposés, matérialisés par des piquets en bois au bord de la route. Comptez 2 h (sans les randonnées).

À l'arrêt 13 *(à 9,4 miles du Visitor Center)*, l'**Arch Canyon Trail★** offre une jolie balade *(1-2 h AR)* au fond d'une vallée peuplée de buissons et de cactus. Le sentier conduit au pied d'un promontoire rocheux que vous pouvez escalader afin de profiter d'une **vue panoramique** sur le Mexique *(suivez les petits tas de cailloux).*

Deux miles plus loin, à l'arrêt 15, vous parvenez à l'aire de pique-nique ombragée d'Estes Canyon, d'où partent les deux sentiers de randonnée de la boucle de l'**Estes Canyon-Bull Pasture Trail★★** qui offre de superbes points de vue sur les vallées désertiques alentour *(2 h AR; il est conseillé de suivre le Bull Pasture Trail à l'aller et de redescendre par l'Estes Canyon Trail, moins abrupt).* Les pentes douces des monts reçoivent plus de précipitations que les plaines et comptent une extraordinaire diversité de cactus et d'arbustes, dont le **paloverde**, reconnaissable à son tronc vert tendre.

Puerto Blanco Drive★

Départ derrière le Visitor Center, où vous pouvez acheter une brochure détaillant les 26 arrêts de la route. Comptez 3-4 h. Cette boucle de 53 miles permet de découvrir l'ouest du parc, qui offre un panorama très diversifié de la végétation de ce désert. La route contourne les **Puerto Blanco Mountains**, des monts d'origine volcanique formés il y a 15 à 25 millions d'années, et permet d'apercevoir la vallée d'Ajo, au nord. Puis elle longe la frontière mexicaine pour rejoindre la Hwy 85.

FLAGSTAFF ET SES ENVIRONS ★★

54400 hab. – Carte Michelin n° 943 E10
146 miles de Phoenix, 251 miles de Las Vegas
Alt. 2 133 m   Climat de montagne

À ne pas manquer
Le Northern Arizona Museum.
Les roches flamboyantes de Sedona.

Conseils
Prévoyez de passer au moins une soirée à Flagstaff.
Évitez d'y séjourner pendant les deux premières semaines de mai,
période de remise des diplômes.

Nichée au milieu d'une forêt de pins noirs, au pied des San Francisco Peaks, Flagstaff est une ville atypique dégageant une agréable sensation d'authenticité. Le centre historique vit au rythme du passage des trains qui font halte dans sa petite gare du début du 20ᵉ s., la bière continue de couler à flots dans les saloons qui bordent la Route 66, et les petits bâtiments en grès rouge qui abritent aujourd'hui cafés et restaurants ont préservé toute leur originalité. Malgré son statut de chef-lieu du comté de Coconino, le plus étendu des États-Unis, Flagstaff a conservé ses allures de ville de montagne grâce à un fort sentiment communautaire, tandis que les étudiants de l'université dynamisent la vie nocturne. De nos jours, le tourisme constitue l'une des activités les plus importantes. Flagstaff est fréquemment présentée comme la « porte d'entrée du Grand Canyon », mais ses environs comptent nombre de vestiges indiens et de paysages grandioses, comme les incroyables roches rouges de Sedona.

Un lieu de passage
La région avait été quadrillée dès le milieu du 19ᵉ s. par des expéditions de reconnaissance militaires, mais les premiers à établir un campement à Flagstaff furent des **pionniers bostoniens** qui, en 1876, affublèrent le tronc d'un pin d'un drapeau destiné à célébrer le centenaire de la création du pays. Ils partirent peu après, mais le nom de Flagstaff (*flag* pour « drapeau », *staff* pour « mât ») resta attaché au lieu et constitua un point de repère pour les voyageurs. La région étant peu propice à l'agriculture et à la prospection minière, les premiers habitants étaient des éleveurs de moutons. Puis, en 1882, l'arrivée du train marqua le véritable développement de Flagstaff, notamment grâce à l'**exploitation du bois**. En 1886, elle était la plus grande ville sur la ligne Albuquerque-côte pacifique, et l'école normale d'Arizona, qui prendra le statut d'université en 1966, s'y installa dès 1899. Lorsque la fameuse **Route 66**, qui reliait Chicago à Los Angeles, fut construite dans les années 1920, elle traversait le centre de Flagstaff, assurant ainsi la pérennité de la bourgade : de 1 271 habitants en 1900, la ville passa à près de 4 000 en 1930, à 18 214 en 1960, et à près de 60 000 aujourd'hui.

Visite de la ville ★
Comptez une journée.

Le centre historique
Le centre historique se résume à un périmètre compris entre Beaver St. à l'ouest, Agassiz St. à l'est, Birch Ave. au nord et la Route 66 (Santa Fe Ave.) au sud. Le Visitor Center dispose d'une brochure détaillant les bâtiments historiques du quartier. Comptez 2 h.
Suite à deux incendies qui ravagèrent la ville en 1886 et 1888, Flagstaff fut reconstruite en pierre et en brique. Certains bâtiments ont été recouverts de stuc par la suite, mais quelques-uns, comme le magasin des frères Babbitt, ont retrouvé leur apparence d'origine.

Le sud de l'Arizona

Avec sa façade bleu et blanc aux allures de demeure anglaise, la **gare**★ est l'emblème de la ville. Construite en 1926 pour remplacer un terminal situé un peu plus à l'est, elle accueille toujours les trains et abrite le *Visitor Center*.

Prenez à droite en sortant de la gare, traversez la Route 66 au niveau de San Francisco St., puis revenez sur vos pas.

Les établissements qui bordent la route sont tous d'anciens saloons. Construits vers 1888, ils étaient destinés aux ouvriers des chemins de fer venus s'installer à Flagstaff. Au n° 22, **The Alley**★ a conservé son agencement d'origine, les jeux d'argent et les revolvers en moins.

Passé la Flagstaff Brewery Corp., empruntez sur votre droite la Gateway Plaza, puis prenez à gauche pour déboucher dans Leroux St.

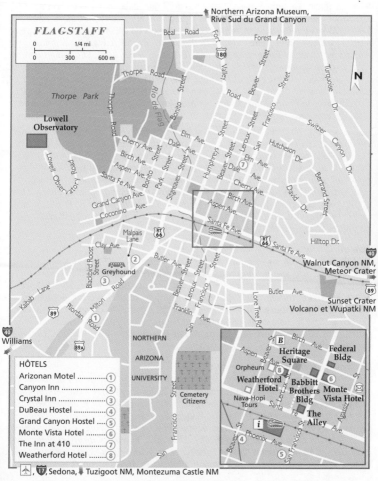

Flagstaff et ses environs

HÔTELS
Arizonan Motel .... (1)
Canyon Inn .... (2)
Crystal Inn .... (3)
DuBeau Hostel .... (4)
Grand Canyon Hostel .... (5)
Monte Vista Hotel .... (6)
The Inn at 410 .... (7)
Weatherford Hotel .... (8)

, Sedona, Tuzigoot NM, Montezuma Castle NM

De l'autre côté de la rue se dresse le **Weatherford Hotel**★★ (21-23 N. Leroux St.), très élégant avec sa balustrade extérieure et sa façade de grès rouge. John Weatherford ouvrit d'abord un magasin dans les locaux les plus au sud, avant de construire l'hôtel en 1900. À l'étage, une magnifique **salle de bal** ouvre sur l'extérieur et comporte un joli bar en bois rehaussé de miroirs. J. Weatherford est aussi à l'origine du premier cinéma (1911) de Flagstaff, qui occupait le théâtre de l'**Orpheum**, situé plus à l'ouest, dans Aspen Avenue (*le lieu est actuellement fermé*).

Prenez à droite dans Aspen Ave.

Le bâtiment situé à l'angle de la rue (1898) abrita le premier des cinq bureaux de poste successifs de Flagstaff. Il fait face à **Heritage Square**, une place moderne décorée de statues métalliques, où les habitants aiment à se retrouver pour profiter des rayons du soleil.

À l'angle d'Aspen Avenue et de San Francisco Street se tiennent deux bâtiments de l'empire des **frères Babbitt**. Originaires de Cincinnati (Ohio), les cinq frères décidèrent de tenter leur chance dans l'Ouest. David, l'aîné, délaissa le ranch qu'ils avaient commencé par acheter pour mener des opérations en ville. En 1888, il édifia le **Babbitt Brothers Building**★★, un imposant bâtiment de grès rouge, récemment restauré. Quelques années plus tard, il fit construire en tuf d'origine volcanique les commerces situés de l'autre côté de la rue (*15-25 E. Aspen Ave.*). Les Babbitt sont à l'origine de plusieurs édifices de Flagstaff, dont le troisième bureau de poste, qui arbore une jolie devanture classique et que vous pouvez admirer en prenant à gauche dans San Francisco Street (*108 N. San Francisco St., à proximité de l'hôtel Monte Vista*). Il voisine avec le **Federal Building**★, construit en 1936, dont la façade Art déco aux lignes épurées est rehaussée de plaques de cuivre.

Face au Babbitt Brothers Building, le **Monte Vista Hotel**★★, repérable de loin aux lettres jaunes qui surmontent sa façade, est un autre emblème de la ville. À partir de 1925, passé la période de crise d'après-guerre, le commerce reprit et un groupe d'habitants posa dans le journal local la question : « Voulons-nous un hôtel ? » En deux mois, les souscriptions furent si nombreuses qu'elles permirent rapidement la construction du *Community Hotel*. Ce dernier ouvrit en grande pompe moins d'un an plus tard, en janvier 1927, et devint le foyer de l'activité sociale de la ville, détrônant le Weatherford Hotel. Aujourd'hui rénové, il conserve son charme d'antan, avec ses photos d'époque, son piano et ses fauteuils de style.

Lowell Observatory

1400 W. Mars Hill Rd, au nord-ouest de Flagstaff. ☎ (928) 774 2096, www.lowell.edu. Tlj 9h-17h d'avril à octobre, horaires réduits en hiver. Visites nocturnes possibles. Entrée : 4$.
L'Arizona compte un grand nombre de sites d'observation du ciel et des étoiles. Fondé en 1894, l'observatoire de Flagstaff compte trois télescopes, dont le plus célèbre, le **Pluto Dome**, est à l'origine de la découverte de la neuvième planète, Pluton, en 1930. L'observatoire et la bibliothèque se visitent uniquement avec un guide, mais vous êtes libre de vous promener dans le parc, qui offre une jolie vue sur Flagstaff.

Northern Arizona Museum ★★★

3101 N. Fort Valley, sur la N. Hwy 180, à environ 3 miles au nord de la ville. Le musée est caché par de grands arbres, sur la gauche (ne le confondez pas avec l'Arizona Historical Society's Pioneer Museum, sur cette même route, mais un peu avant sur la droite), ☎ (928) 774 5214, www.musnaz.org. Tlj 9h-17h. Entrée : 5$. Comptez 2h.
Le musée a été fondé en 1928 par un couple venu de Philadelphie, les Colton, avec l'aide de scientifiques et de personnalités de la ville. **Harold Colton**, zoologue de formation, et **Mary Russell Colton**, peintre, tous deux animés d'une curiosité sans limites, se sont passionnés pour la région. Fidèle à sa devise première – « ce musée

expose des idées, non des objets » –, le Northern Arizona Museum accueille un centre de recherche, des expositions temporaires et organise des journées culturelles animées par des artistes ou des artisans hopis, navajos et zunis, visant à promouvoir les arts indiens.

Un bâtiment de style colonial espagnol, construit en 1936, abrite les collections permanentes. Didactiques et très claires, elles sont dédiées à la région du **plateau du Colorado**, dont elles exposent la géologie et, surtout, l'héritage humain. Elles présentent en effet l'histoire et la culture des Indiens qui ont toujours habité l'Ouest américain, notamment le nord de l'Arizona, comme les Hopis et les Navajos. De nombreuses photos et des objets d'artisanat de chaque culture (poteries, paniers, et même diverses sortes de maïs) viennent illustrer les panneaux qui retracent la chronologie des différentes tribus. Une dernière salle présente l'évolution de la Terre et une reproduction d'un squelette de dinosaure.

Les environs de Flagstaff*

Sunset Crater Volcano* et Wupatki National Monuments**

Les deux sites sont reliés par une route qui décrit une boucle de 36 miles à partir de l'US-89, à 12 miles au nord de Flagstaff. La route ferme au coucher du soleil. Le billet combiné coûte 3 $ si vous n'avez pas le National Parks Pass. Chaque site dispose d'un Visitor Center, ☎ (928) 526 1157, www.nps.gov/sucr et www.nps.gov/wupa. Tlj 8 h-17 h. Un camping (☎ (928) 526 2917) ouvre ses portes de mai à octobre à proximité du Visitor Center du Sunset Crater (pas de douches). Comptez une demi-journée.

■ 2 miles à l'est de l'US-89 apparaît la silhouette conique du **Sunset Crater Volcano***, haut de 300 m, dévoilant le sommet rougeoyant qui a suggéré son nom (*sunset* signifie «coucher de soleil»). Entré en activité en 1064, il est le plus récent des 600 volcans qui composent le **San Francisco Volcanic Field**, une vaste étendue résultant de l'activité volcanique (5 120 km²), dont les San Francisco Peaks constituent le point culminant (le plus haut s'élève à 3 850 m). Le Sunset Crater a connu des éruptions successives pendant près de 130 ans et, vers la fin de son activité, une importante coulée de lave a donné naissance sur son versant ouest au **Bonito Lava Flow**, un champ de basalte noir qui s'étend à gauche de la route (*un parking vous permet de faire halte à environ 1 mile du Visitor Center*).

De l'autre côté de la route, face au parking, un chemin (*800 m; 1/2 h AR*) s'enfonce dans la forêt de pins Ponderosa, qui exhalent une douce odeur de vanille, et conduit au sommet du **Lenox Crater**, d'où la **vue panoramique** permet d'apercevoir les San Francisco Peaks et le mont Elder.

150 m plus loin, la route conduit au **Lava Flow Trail****, un sentier qui serpente à travers différentes formations de lave, où des végétaux d'un vert cendré produisent des contrastes de couleur étonnants avec le sol noir (*ce chemin permet de s'approcher au plus près du volcan où il est interdit de randonner. Comptez 30-45 mn si vous suivez la plus grande des deux boucles, 15 mn si vous vous en tenez à la partie pavée*).

La route contourne le Sunset Crater et rejoint le Visitor Center de Wupatki (20 miles). Peu avant le Visitor Center, une route sur la droite mène au site de Wukoki (2, 5 miles).

■ **Wukoki Pueblo*** ressemble à une véritable forteresse plantée en plein désert. L'extraordinaire structure de pierres rouges se marie parfaitement avec la saillie rocheuse sur laquelle elle est construite, surtout lorsque ses murs et sa tourelle flamboient sous les rayons du soleil couchant.

Revenez sur la route principale.

■ À l'approche du **Wupatki National Monument****, le paysage change et les forêts de hauts pins font place à des étendues arides piquetées de buissons. Au cœur de cette plaine désertique subsistent quelques vestiges de villages datant du 12ᵉ s.

La région aurait compté plus de 3 000 individus au plus fort de son occupation par les Indiens sinaguas, cohoninas et kayentas anasazis, mais en 1255 les derniers bâtisseurs quittèrent les lieux et le site ne fut plus occupé qu'occasionnellement.

Wupatki** *(derrière le Visitor Center)* était le plus grand édifice des quatre sites protégés du *monument*. Élevé sur un piton rocheux, le bâtiment principal comptait plus d'une centaine de pièces. À ses pieds, deux enceintes circulaires : l'une servait sans doute de lieu de réunion pour toutes les communautés de la région ; l'autre, plus tardive, était un terrain de jeux rituels. Au bout du chemin, ne manquez pas de jeter un œil au **Blowhole**, une cavité naturelle dans le sol d'où s'exhale de l'air.

Reprenez la route principale.

■ À 2,5 miles de Wupatki, une route sur la gauche vous permet de rejoindre la **Doney Mountain**, qui fait partie du San Francisco Volcanic Field. Deux sentiers permettent de gravir ses petits monts volcaniques, **Big Doney Crater** et **Little Doney Crater**, du haut desquels on a une vue panoramique sur les San Francisco Peaks, le Painted Desert et le bassin de Wupatki *(sentier facile ; comptez 30 mn AR).*

■ Quelque 5 miles plus loin, les sites de **Nalakihu Pueblo** et de **Citadel Pueblo** sont très facilement accessibles de la route.

■ Enfin, ne manquez pas **Lomaki Pueblo*** et **Box Canyon Dwellings****, des ruines à la maçonnerie très fine, mélange de pierres blanches et rouges, qui surplombent un adorable petit canyon. *La route s'achève 3 miles plus loin et rejoint l'US-89.*

Walnut Canyon National Monument* et Meteor Crater
Ces deux sites à l'est de Flagstaff se rejoignent par l'I-40. Comptez une demi-journée.

■ À seulement 17 miles de Flagstaff, le défilé vertigineux du **Walnut Creek** a préservé près de 25 habitations sinaguas, nichées dans les parois des falaises depuis le 12ᵉ s. Il est possible de randonner dans le parc de **Walnut Canyon*** (☎ *(928) 526 3367, www.nps.gov/waca. Tlj 9 h-17 h, à partir de 8 h de mars à novembre ; fermé pour Noël. Entrée : 3 $ si vous ne possédez pas le National Parks Pass).* Outre le **Rim Trail** *(30 mn AR)* qui suit le bord de la falaise, l'**Island Trail*** *(56 m de dénivelé ; 1 h AR ; le chemin ferme à 17 h en été, 16 h en hiver)* mène à un piton rocheux où vous pouvez approcher quelques vestiges bien préservés, au sein d'une végétation très variée de pins Ponderosa, de pins de Douglas, de pins pignons, de yuccas et de cactus.

Reprenez l'I-40 et 23 miles plus loin, prenez à droite en direction du Meteor Crater (5 miles).

■ **Le Meteor Crater** *(Visitor Center, ☎ (928) 289 4002, www.meteorcrater.com. Tlj 6 h-18 h du 15 mai au 15 septembre/8 h-17 h du 16 septembre au 14 mai. Entrée : 10 $)* est un cratère de 174 m de profondeur et de près de 5 km de circonférence, formé par l'impact d'une météorite il y a 50 000 ans. Le sentier qui suit le bord du cratère est uniquement accessible avec un guide, mais la visite ne permet pas d'en faire le tour complet. Des panneaux explicatifs et des vidéos vous attendent dans le **musée**.

Sedona et sa région**
Itinéraire de 150 miles environ. Comptez une journée.

Pour rejoindre Sedona, à 29 miles au sud de Flagstaff, empruntez l'US-89A.

■ À environ 12 miles au sud de Flagstaff, l'US-89A longe le splendide canyon de l'Oak Creek. Avant de vous engagez sur la route en lacet qui descend au fond de la gorge, vous pouvez admirer la vue depuis **Oak Creek Vista** *(un petit kiosque d'informations se tient près du parking. Tlj 9 h-17 h).*
Si vous souhaitez vous baigner dans l'un des toboggans naturels creusés par l'Oak Creek, faites un tour au **Slide Rock State Park** *(à 5 miles au sud d'Oak Creek Vista, sur la Hwy 179. Tlj 8 h-19 h en été. Entrée : 5 $ par véhicule).*

■ **Sedona**★★ – *Visitor Center dans le centre, au croisement de l'US-89A et de Forest Rd (www.visitsedona.com. Tlj 8h-17h), mais de nombreux bureaux d'informations ont ouvert à l'extérieur de la ville. Procurez-vous le Red Rock Pass (5$) si vous souhaitez randonner. La ville s'organise autour de l'US-89A, divisée en «Uptown» (la portion touristique) et en «West Sedona», plus à l'ouest (artère où se succèdent commerces et hôtels).*

Blottie au fond d'une vallée encadrée de buttes d'un rouge flamboyant, cette bourgade se consacre pleinement au tourisme et au New Age. Visiteurs et randonneurs sont séduits par la majesté de ces montagnes au couleurs de feu, dont certains sites, appelés **vortex**, concentreraient de puissantes énergies électromagnétiques. Formées il y a plus de 250 millions d'années, ces couches de calcaire et de grès ont été soulevées, comme le plateau du Colorado, il y a 60 millions d'années, et s'élèvent à présent à 1 372 m au-dessus du niveau de la mer.

Empruntez Airport Rd, à gauche de l'US-89A dans West Sedona. En haut de la montée, à droite de la route, un parking permet de faire halte.

Les roches flamboyantes de Sedona

Flagstaff et ses environs

Un **point de vue**★★ permet d'embrasser du regard le paysage grandiose qui se dessine au nord de Sedona. Devant vous se déroule une frise de pitons rocheux dans un harmonieux dégradé de rouge et de blanc. Tous portent des noms évocateurs, tels **Chimney Rock** (la cheminée), **Capitol Butte** (le mont du Capitole) ou **Coffee Pot Rock** (la cafetière), et la plupart sont parcourus de sentiers de randonnée. Deux chemins débutent au parking que vous trouverez sur votre droite en redescendant vers Sedona (*vous devez détenir le Red Rock Pass pour y stationner*). L'un mène au mont voisin qui offre une vue à 360° (*facile; 30 mn AR*), tandis que l'autre conduit sur la montagne située à droite du parking, plus au sud (*facile; 2 h AR*). *Renseignements à la station de rangers, 250 Brewer Rd,* ☎ *(928) 282 4119, www.redrockcountry.org.*

Pour rejoindre la Chapel of the Holy Cross, prenez la Hwy 179 vers le sud et tournez à gauche dans Chapel Rd (à 3 miles au sud du croisement entre l'US-89A et la Hwy 179).

■ À 11 miles au sud de Sedona, la **Chapel of the Holy Cross**★ (*tlj 9 h-17 h, mais accès libre au point de vue*) est perchée sur un promontoire qui constitue l'endroit idéal pour admirer le coucher du soleil sur les formations situées au sud de Sedona. Imaginée en 1956 par l'artiste sculpteur Marguerite Brunswig Staude, cette chapelle moderne comporte une large baie vitrée qui permet de profiter du panorama.

Revenez sur l'US-89A que vous prenez vers le sud. À Cottonwood, empruntez Main St. qui conduit aux ruines de Tuzigoot (à 25 miles de Sedona).

■ **Tuzigoot National Monument**★ – *Entrée : 2 $ si vous ne possédez pas le National Parks Pass. Visitor Center à l'entrée du site,* ☎ *(928) 634 5564, www.nps.gov/tuzi. Tlj 8 h-19 h en été/8 h-17 h de septembre à mai; fermé pour Noël.*
Les Indiens sinaguas qui vécurent dans la région à partir de l'an mille édifièrent sur cette butte un village qui comprenait plus d'une centaine de pièces. Il comptait 200 habitants au plus fort de son occupation, mais fut déserté au tout début du 15e s. Un sentier pavé permet de s'approcher des ruines d'un grand nombre de pièces, dont il ne subsiste que les fondations, et grimpe jusqu'au sommet de la colline, d'où on a une vue superbe sur la Verde Valley. Une petite **exposition** sur les Sinaguas est proposée au *Visitor Center*.

Reprenez l'US-89A jusqu'à Jerome (à 12 miles au sud de Cottonwood).

■ Perchée sur la Mingus Mountain, l'ancienne ville minière de **Jerome**★★, qui comptait 15 000 habitants en 1929, n'en recense plus que 500, dont une majorité d'artistes venus s'installer ici dans les années 1970. Ne manquez pas le magasin **House of Joy**★ (*dans la rue principale, après la fourche*) qui déborde de vieilleries revisitées avec malice par la propriétaire. Pour en savoir plus sur l'histoire de la ville, faites un tour au **Jerome State Historic Park** (*Douglas Rd; suivez les panneaux à l'entrée de la ville,* ☎ *(928) 634 5381, www.jeromechamber.com. Tlj 8 h-17 h; fermé à Noël. Entrée : 2,50 $*).

De retour à Cottonwood, rejoignez l'I-17 en empruntant la Hwy 260. Prenez la sortie 289 de l'I-17 qui mène au Visitor Center du Montezuma Castle National Monument (à 50 miles au sud de Flagstaff et à une centaine de miles au nord de Phoenix).

■ Nichés dans une alcôve naturelle à 30 m au-dessus du sol, les vestiges de **Montezuma Castle National Monument**★ (château de Montezuma) (☎ *(928) 567 3322, www.nps.gov/moca. Entrée : 2 $ si vous ne possédez pas le National Parks Pass*) sont admirablement préservés. Ce village sinagua construit au 12e s. comprenait 45 pièces réparties sur 6 étages. Un sentier permet de s'en approcher, mais il demeure inaccessible au public. L'eau du **Beaver Creek**, qui s'écoule à proximité, permettait aux Indiens de cultiver.
À quelques miles plus au nord (*suivez l'I-17 vers le nord, et prenez la sortie 293*), sur le site de **Montezuma Well**★★ (puits de Montezuma), les ruines d'habitations sinaguas sont disséminées non loin d'un joli bassin vert émeraude, formé par l'effondrement d'une caverne souterraine et alimenté par une source (*l'endroit est idéal pour pique-niquer*).

Flagstaff pratique

ARRIVER–PARTIR

En avion – L'aéroport est situé à 5 miles au sud de Flagstaff par l'I-17, ☎ (928) 556 1234. **America West Airlines**, 4000 E. Sky Harbor Blvd, Phoenix AZ 85034, ☎ 1-800 235 9292, www.americawest.com, assure des liaisons fréquentes pour Phoenix (1 h).

En train – La gare **Amtrak** (tlj 5 h 15-23 h 45) se trouve dans le centre-ville, le long de la Route 66. Le train **Southwest Chief**, au départ de Los Angeles, relie chaque jour Flagstaff (départ à 19 h 05, arrivée à 6 h 17). Possibilité de réserver une voiture au guichet Hertz (7 h-17 h, dimanche 9 h-16 h) ou en téléphonant gratuitement aux autres compagnies.

En bus – Le terminal **Greyhound**, 399 S. Malpais Lane, ☎ (928) 774 4573, est situé non loin de Downtown. Liaisons quotidiennes pour Phoenix (3 h), Las Vegas (6 h), Los Angeles (10 h) et San Francisco (20 h). Comptez 3-4 $ de taxi pour rejoindre le centre-ville (aucun bus sur le trajet).

COMMENT CIRCULER

Les transports en commun ne sont pas très développés, mais le centre historique se parcourt aisément à pied. Une voiture est nécessaire pour visiter les sites alentour.

En bus – Les six bus de la compagnie **Pine Country Transit**, ☎ (602) 779 9421, circulent entre 6 h et 18 h (0,75 $), mais ils sont surtout utilisés par les locaux.

En taxi – **Friendly Cab**, ☎ (928) 779 9000 ; **A-1 Quick Cab & Tours**, ☎ (928) 214 8294 ; **Cool Taxi Cab**, ☎ (928) 779 2665. Comptez 2 $ de prise en charge puis 1 $/mile.

Location de vélos – Deux bonnes adresses pour la location de VTT avec casque et cadena, où l'on vous donnera de nombreux conseils et cartes pour tracer votre itinéraire : **Sinagua Cycles**, 113 S. San Francisco St., ☎ (928) 779 9969. Lundi-vendredi 9 h-18 h, dimanche 12 h-16 h. Le deuxième dimanche de chaque mois, le magasin organise une journée d'excursion à vélo.

Single Track, 575 Riordan Rd, ☎ (928) 773 1862. Lundi-samedi 9 h-18 h, dimanche 10 h-16 h.

ADRESSES UTILES

Office de tourisme – **Visitor Center**, 1 E. Route 66, ☎ (928) 774 9541 / 1-800 842 7293, Fax (928) 556 1308, www.flagstaffarizona.org. Lundi-samedi 7 h-18 h, dimanche 7 h-17 h. Le centre d'informations dispose de nombreuses brochures sur Flagstaff et ses environs. Le personnel, fort sympathique, s'avère de bon conseil. Le parking voisin est gratuit toute la journée.

Banque / Change – La **Bank One** a installé un distributeur, accessible en voiture, à l'intersection de Birch Ave. et de Beaver St.

Poste – À l'angle d'Aspen Ave. et d'Agassiz St. Lundi-vendredi 9 h-17 h, samedi 9 h-13 h.

OÙ LOGER

Flagstaff offre un très large choix d'hébergements, mais les week-ends d'hiver ainsi que la belle saison (surtout les deux premières semaines de mai, période de remise des diplômes) sont très chargés.

● **Dans le centre historique**

Moins de 25 $ par personne

DuBeau Hostel, 19 W. Phoenix Ave., ☎ (928) 774 6731 / 1-800 398 7112, Fax (928) 774 6047, www.dubeau.com – 44 lits ⚐ CC Ancien motel reconverti en auberge de jeunesse, le Dubeau dispose de parties communes très propres et accueillantes. Une dizaine de chambres privées sont également disponibles. Petit-déjeuner compris, laverie, accès Internet, cuisine, terrasse. Accueil de 7 h à minuit. On vient vous chercher gratuitement à la gare Greyhound.

Grand Canyon International Hostel, 19 S. San Francisco Ave., ☎ (928) 779 9421 / 1-888 442 2696, Fax (928) 774 6047, www.grandcanyonhostel.com – 52 lits CC À deux pas du centre, cette auberge est tenue par le même patron que la précédente. Impeccable, elle propose des chambres claires, avec parquet et lavabo. Chaque étage comprend une cuisine et une salle de bains.

Flagstaff pratique

439

Quelques chambres privées. Petit-déjeuner compris, laverie, Internet et barbecue. Accueil de 7 h à minuit. On vient vous chercher gratuitement à la gare Greyhound.

De 40 à 60 $

Weatherford Hotel, 23 N. Leroux St., ☎ (928) 779 1919, Fax (928) 773 8951, www.weatherfordhotel.com – 8 ch. 🍴 📋 ✕ CC De petites chambres claires et bon marché vous attendent dans ce très joli hôtel historique. Sachez qu'il peut être bruyant la nuit, car des concerts y sont régulièrement organisés.

De 60 à 80 $

Monte Vista Hotel, 100 N. San Francisco St., ☎ (928) 779 6971 / 1-800 545 3068, Fax (928) 779 2904, www.hotelmontevista.com – 50 ch. 🍴 📋 ✎ 📺 ✕ CC Édifié en 1926, cet hôtel constitue un monument incontournable de Flagstaff et, bien que rénové, conserve un charme un peu vieillot. Les chambres sont propres et portent le nom de célébrités qui y ont séjourné. Il est prudent de réserver.

Plus de 120 $

The Inn at 410, 410 N. Leroux St., ☎ (928) 774 0088 / 1-800 774 2008, Fax (928) 774 6354, www.inn410.com – 9 ch. 🍴 📋 ✎ 🚲 CC Ce B & B luxueux comprend des chambres splendides où aucun détail n'est négligé. Pour un séjour romantique dans un style rustique, très américain, avec moult coussins, rideaux, moquette et cheminée.

● **Au sud du centre historique**

Situés non loin du centre, le long d'une artère passagère sans grand charme, ces motels présentent l'avantage d'être un peu plus éloignés de la voie ferrée, donc plus calmes. Mieux vaut avoir une voiture pour sortir.

De 40 à 60 $

🏊 **Arizonan Motel**, 910 S. Milton Rd, ☎ (928) 774 7171, Fax (928) 774 7576 – 26 ch. 🍴 📋 ✎ 📺 CC Ce motel accueillant dispose de chambres propres réparties autour d'une cour centrale et donnant sur les montagnes.

Canyon Inn, 500 S. Milton Rd, ☎ (928) 774 7301 / 1-888 822 6966, Fax (928) 774 7301 – 21 ch. 🍴 📋 ✎ 📺 CC Ce motel bleu et blanc, situé non loin de la gare Greyhound, dispose de chambres spacieuses et tout confort.

Crystal Inn, 602 W. Route 66, ☎ (928) 774 4581 / 1-800 654 4667 – 67 ch. 🍴 📋 ✎ 📺 🏊 CC Un motel classique et impeccable. Économique.

● **À l'est du centre historique**

Des motels plus ou moins bien entretenus bordent la portion est de la Route 66, mais sachez que celle-ci longe la voie ferrée et que des trains passent très régulièrement la nuit. La sortie 198 de l'I-40 permet de rejoindre les établissements des différentes chaînes, assez économiques, mais éloignés du centre.

De 25 à 40 $

Frontier Motel, 1700 E. Route 66, ☎ (928) 774 8993, Fax (928) 773 7847, hbhatt1111@aol.com – 30 ch. 🍴 📋 ✎ 📺 CC Un motel un peu vieillot, mais confortable. Des efforts sont faits pour accueillir les clients.

🏊 **Whispering Winds Motel**, 922 E. Route 66, ☎ (928) 774 7391, Fax (928) 214 9024 – 25 ch. 🍴 📋 ✎ 📺 CC Accueil très chaleureux dans ce vieux motel bien entretenu et propre.

Western Hills Motel, 1580 E. Route 66, ☎ (928) 774 6633 – 29 ch. 🍴 📋 ✎ 📺 🏊 CC Peut-être le moins bruyant, car un peu plus en retrait de la route, ce motel sympathique comprend des petites chambres tout confort.

Plus de 120 $

🏊 **Jeannette's B & B**, 3380 E. Lockett Rd, ☎ (928) 527 1912 / 1-800 752 1912, www.bbonline.com/az/jbb – 4 ch. 🍴 📋 CC À 2,5 miles à l'est du centre par la Route 66, prenez à gauche dans Fanning Drive, puis de nouveau à gauche dans Lockett Rd. Une superbe maison, construite « à l'ancienne ». Les chambres racontent toute une histoire à travers leur mobilier des années 1920, rassemblé par les propriétaires passionnés. Jeannette, qui fait elle-même les biscuits (et les savons!), réserve à ses hôtes un accueil très chaleureux.

OÙ SE RESTAURER

Fait rare aux États-Unis, aucune chaîne de cafés ou de restaurants ne s'est encore installée dans le centre de Flagstaff. Les établissements ne sont par ailleurs pas trop éloignés les uns des autres, ce qui permet de jolies flâneries nocturnes.

De 5 à 10$

🍴 **Late for the Train**, San Francisco St. Lundi-vendredi 6h30-16h30, samedi 7h-17h30, dimanche 7h-17h. Cette petite salle baignée de soleil se révèle un endroit idéal pour prendre son petit-déjeuner et savourer un bon café accompagné de quelques douceurs.

Martan's, 10 N. San Francisco St. Lundi-vendredi 6h30-14h, samedi 6h30-13h. Ambiance détendue dans ce restaurant mexicain qui ne paye pas de mine, mais où les habitués viennent savourer de copieux petits-déjeuners avant de partir randonner.

De 10 à 15$

Aladdin, 211 S. San Francsico St., ☎ (928) 213 0033. Lundi-mercredi 10h30-22h, jeudi-samedi 10h30-minuit, dimanche 16h-21h. N'hésitez pas à pousser la porte de ce tout petit restaurant atypique, où vous pouvez goûter de bons plats orientaux tout en discutant avec les patrons, très sympathiques.

Grand Canyon Cafe, 110 E. Rte 66, ☎ (928) 774 2252. Lundi-samedi 7h-21h. Étonnant et typique à la fois, ce «diner» propose des plats américains et chinois dans un décor qui semble inchangé depuis 50 ans, avec son long comptoir et ses banquettes en skaï vert.

🍴 **Pesto Brothers**, 34 S. San Francisco St., ☎ (928) 913 0775. Lundi-samedi 10h-16h. Dans leur épicerie fine, les frères Pesto préparent des spécialités italiennes appétissantes, de belles salades de pâtes et des sandwichs. Depuis peu, ils ouvrent pour le dîner (mardi-samedi 17h-21h), mais la salle se prête plus à une pause-déjeuner. Si vous souhaitez consommer de l'alcool, amenez votre bouteille.

Plus de 20$

Down Under, Heritage Square, 6 E. Aspen Ave., ☎ (928) 774 6677, Fax (928) 773 4697, www.downunder.com. Tlj 11h-15h et samedi-dimanche 17h-22h. cc Ce restaurant néo-zélandais comporte une vaste salle élégante, à l'éclairage étudié. La carte, originale, comprend une douzaine de plats, dont beaucoup marient le salé et le sucré. Le menu du déjeuner est moins cher.

The Cottage Place, 126 W. Cottage Ave., ☎ (928) 774 8531, www.cottage-place.com. Mardi-dimanche 17h-21h30. cc Une étape gourmande dans une maison du début du 20e s. Des plats élaborés et une carte des vins assez complète. Réservation recommandée.

OÙ SORTIR, OÙ BOIRE UN VERRE

Ville étudiante, Flagstaff connaît une véritable vie nocturne. Procurez-vous le journal gratuit «Flagstaff Live» pour le programme complet des animations, www.flaglive.com.

Macy's, 14 S. Beaver St., ☎ (928) 774 2243. Dimanche-mercredi 6h20h, jeudi-samedi 6h-minuit. 🍴 Authentique «coffee shop», où se retrouver à tout moment de la journée pour une pause gourmande autour d'un café fraîchement moulu. Décoration champêtre et jolies tables en bois. Jazz le vendredi, en fin d'après-midi.

Charly's, 23 N. Leroux St., ☎ (928) 779 1919. Les «lundis du blues» sont une tradition au Weatherford Hotel, à partir de 21h.

Flagstaff Brewing Company, 16 Route 66, ☎ (928) 774 1612. Tlj 11h-1h. 🍴 Les amateurs de bière se donnent rendez-vous ici pour discuter autour d'un pichet de la cuvée maison. Concerts certains soirs.

The Alley, 22 E. Route 66, ☎ (928) 774 7929. Des concerts et des spectacles sont donnés tous les soirs, à partir de 20h-21h, dans cet ancien saloon.

Route 66 Museum Club, 3404 E. Route 66, ☎ (928) 526 9434, Fax (928) 526 5244, www.museumclub.com. 11h-1h. Facilement identifiable de la route grâce à l'immense guitare éclairée de néons roses qui précède la cabane de rondins, ce vaste bar habillé de bois ravira les amateurs d'ambiances country et de chapeaux de cow-boys.

ACHATS

Antiquités – The Dragon Plunder, 217 S. San Francisco St., ☎ (928) 774 1708. Lundi-samedi 10h-17h30. Une boutique accueillante, où vous trouverez une jolie collection de pipes, des ustensiles anciens, et tout un tas de bouquins et de disques (33 et 45 tours).

FÊTES / FESTIVALS

Winter Marketplace : le 1er week-end de décembre. Foire artisanale au Museum of Northern Arizona.

PETRIFIED FOREST NATIONAL PARK★★

24 miles de Holbrook, 114 miles de Flagstaff
Carte Michelin n° 943 F10-11 – Hébergement à Holbrook
Alt. 1669-1759 m – Été chaud et orageux

À ne pas manquer
Une balade dans Blue Mesa.

Conseils
Ne ramassez aucun morceau de bois pétrifié
dans l'enceinte du parc sous peine de poursuites.

Au cœur d'une vaste étendue désertique se cache une enclave, protégée depuis 1906, où reposent d'étonnants troncs aux nervures chatoyantes. Vestiges d'une forêt qui dominait un environnement tropical il y a 225 millions d'années, ces arbres de plusieurs dizaines de mètres ont été ensevelis sous des cendres volcaniques et des dépôts de sédiments. Privés d'oxygène, ils ne se sont pas désagrégés, mais se sont lentement transformés en écrins de quartz, sous l'action de la silice apportée par l'eau. Peu à peu, l'érosion a mis au jour ces étonnants fossiles contenus dans la formation Chinle, une épaisse couche sédimentaire, composée de vase, d'argile ou de limons déposés à l'ère triasique. Cette dernière a également donné naissance aux paysages désolés du « désert peint », rattaché au parc en 1932, dont les collines aux teintes pastel s'enflamment au lever et au coucher du soleil.

La visite du parc
Comptez une demi-journée.

Le parc compte deux entrées, situées à chaque extrémité de l'unique route touristique qui le traverse (28 miles). Tlj 8h-17h. Entrée : 10$ par véhicule si vous ne possédez pas le National Parks Pass. La sortie 311 de l'I-40 mène à l'entrée nord où le Visitor Center (tlj 7h-17h30, www.nps.gov/pefo) voisine avec une station-service, un restaurant et un magasin de souvenirs. On accède à l'entrée sud par la Hwy 180.

Painted Desert★★ (le désert peint)
Au départ du Visitor Center, une boucle sillonne la partie nord du parc et dessert 9 points de vue. Un sentier relie Tawa Point à Kachina Point (1,5 km), d'où vous pouvez descendre dans le dédale des collines colorées (un permis est nécessaire pour camper).

Les différents points de vue ne révèlent qu'une petite partie de cette bande de terre infertile appelée « désert peint », qui court le long de la vallée du Little Colorado, du parc jusqu'au Grand Canyon, plus au nord. Les collines aux pentes douces se parent de couleurs différentes selon la composition des roches de la formation Chinle. Les dégradés de rouge et de violet proviennent d'oxydes de fer, de manganèse et d'aluminium, les tons blancs indiquent la présence de gypse, et les teintes grisées celle de restes d'animaux et de plantes.

Édifié en 1924, le **Painted Desert Inn**★ abrite aujourd'hui un **musée**, où sont exposés les objets utilisés du temps où cette bâtisse appartenait à la célèbre compagnie Fred Harvey, une chaîne de restauration de luxe qui fit le prestige de la ligne de chemin de fer de Santa Fe *(voir p. 396)*. Subsistent également de belles peintures murales, œuvres d'un artiste hopi.

La partie sud du parc★
Les troncs pétrifiés qui ont donné son nom au parc constituent la principale curiosité de la partie sud, mais vous pouvez également y admirer des vestiges indiens, les ruines d'un village abandonné au 15ᵉ s. sur le site de **Puerco Pueblo**, et plus d'un millier de pétroglyphes gravés dans la roche au fil des siècles (les plus anciens remontent à 5000 ans) sur le **Newspaper Rock**.

Les deux points de vue suivants, les **Teppes** et **Blue Mesa****, offrent des panoramas semblables à ceux du «désert peint». Au dernier arrêt de la boucle de Blue Mesa (*3 miles*), un sentier guidé, le **Blue Mesa Trail** (*facile; comptez 45 min*), vous promène au cœur des formations rocheuses.

Chacun des points de vue suivants donne accès à de courts sentiers, le long desquels reposent les arbres lentement mis au jour par l'érosion. Ne manquez pas le **Long Logs Trail***, qui abrite la plus grande concentration de bois pétrifié et le **Giant Logs Trail**, où se succèdent des spécimens parmi les plus grands et les plus colorés. Ce dernier débute au **Rainbow Forest Museum**, où sont exposés des fossiles de plantes et des squelettes d'animaux préhistoriques découverts dans le parc (*tlj 7 h-17 h 30. Entrée libre*).

Holbrook pratique

ARRIVER-PARTIR

En bus – Le terminal *Greyhound* (101 Mission Lane, ☎ (928) 524 3832. Tlj 24 h/24) est situé au nord de la ville, dans une rue débouchant sur Navajo Blvd. Liaisons avec Flagstaff (2 h), Gallup (2 h) et Phoenix (5 h).

ADRESSES UTILES

Office de tourisme – *Holbrook Chamber of Commerce*, 100 E. Arizona St., ☎ (928) 524 6558. Tlj 8 h-17 h. Installée dans un palais de justice datant de 1898, la chambre de commerce propose de nombreuses brochures sur la région. Un musée intéressant y est aménagé et vous pouvez visiter les anciennes cellules de prisonniers.

Banque / Change – *Wells Fargo*, à l'angle de Navajo Blvd et d'Arizona St., non loin de la Holbrook Chamber of Commerce. Lundi-jeudi 9 h-16 h, vendredi 9 h-18 h.

Poste – 100 W. Erie St., rue perpendiculaire à Navajo Blvd. Lundi-vendredi 9 h-17 h.

OÙ LOGER

Holbrook, à 30 mn en voiture de Petrified Forest, a gardé beaucoup de son charme d'antan. Le centre historique s'organise autour de Hopi Drive, qui longe la voie de chemin de fer, et de Navajo Blvd, deux artères bordées de motels. En continuant sur Navajo Blvd, après être passé sous l'I-40, vous débouchez dans la partie moderne de la ville, où se succèdent les chaînes de motels récentes.

De 20 à 40 $

Budget Host, 235 W. Hopi Drive, ☎ (928) 524 3809 – 26 ch. ⓐ 🖵 🖋 📺 📇 Très bon rapport qualité-prix, mais l'accueil laisse à désirer.

ⓐ **Wigwam Motel**, 811 W. Hopi Drive, ☎ (928) 524 3048, johnlewis@cybertrails.com – 15 ch. ⓐ 🖵 📺 📇 Ce motel familial offre depuis les années 1940 un hébergement original, dans de hauts tipis blancs abritant de petites chambres fonctionnelles.

De 40 à 60 $

Best Western Adobe, 615 W. Hopi Drive, ☎ (928) 524 – 54 ch. ⓐ 🖵 📺 ⎓ 📇 Grand motel de qualité à des prix peu excessifs, sur la route 66.

OÙ SE RESTAURER

Moins de 5 $

ⓐ **Ms Viv's Coffee Queen**, 265 Navajo Blvd, en face de la Wells Fargo. Cette immense salle avec mezzanine est idéale pour prendre un thé ou un très bon café dans une ambiance détendue. Accueil fort sympathique.

De 10 à 15 $

ⓐ **Romo's Cafe**, 121 W. Hopi Drive, non loin de Navajo Blvd. Les néons rouges et bleus et les cactus peints sur la façade vous invitent à pousser la porte de ce restaurant mexicain sans prétention, fréquenté par une clientèle locale. Les plats sont excellents.

De 15 à 20 $

Butterfield Stage Co. Steack, 609 W. Hopi Drive. Les ombres chinoises dessinées sur les fenêtres cachent plusieurs salles décorées dans le style pionnier. Une bonne adresse pour dîner après une journée bien remplie.

LE NOUVEAU-MEXIQUE

Surnom : Land of Enchantment (Terre d'enchantement)
Superficie : 314 334 km²
Population : 1 819 000 habitants
Capitale : Santa Fe
Fuseau horaire : Mountain Time
Animal emblème : l'ours noir
Oiseau emblème : le coucou (roadrunner)
Arbre emblème : le pin pignon
Fleur emblème : le yucca

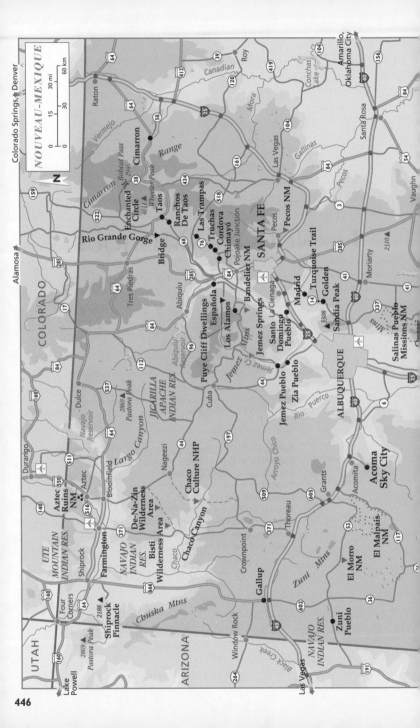

446

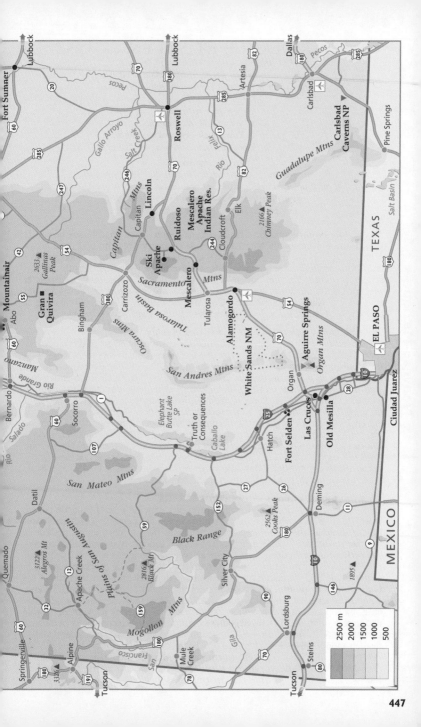

447

Albuquerque et ses environs *

452 000 hab. – Carte Michelin n° 943 G11
562 miles de Las Vegas, 453 miles de Phoenix
Alt. 1 594 m – Climat continental semi-désertique

À ne pas manquer
Old Town en fin d'après-midi.
La balade du Petroglyph National Monument.
Le village de Madrid si vous continuez vers Santa Fe.

Conseils
Si vous voulez éviter de payer l'entrée du Petroglyph NM,
la randonnée du petit canyon est gratuite et très agréable le soir.
Pour bien voir tous les néons de la Route 66,
descendez Central Avenue à la nuit tombée.

Au carrefour du mythique Rio Grande et de la célèbre Route 66, Albuquerque est la ville la plus dynamique du Nouveau-Mexique et accueille plus du tiers de la population de cet État. Au cœur d'une région semi-désertique, dominée par la longue crête des Sandia Mountains, sa première raison d'être fut sa rivière qui fournit une eau rare et précieuse. L'agglomération s'est étendue de façon spectaculaire depuis la Seconde Guerre mondiale, grâce à l'industrie militaire et à l'essor de l'université, qui en a fait une ville jeune et vibrante. C'est la porte d'entrée du Nouveau-Mexique et des terres indiennes, point de rencontre des cultures hispanique et pueblo.

Du sifflement des trains au chant des Harley
Les innombrables pétroglyphes découverts aux environs témoignent d'une occupation indienne depuis 3 000 ans. La ville elle-même, fondée en 1706, fut baptisée **Villa de Alburquerque** en l'honneur du vice-roi du Mexique, le duc d'Alburquerque (le premier « r » du nom a disparu par la suite). La présence d'eau, de forêts et de pâturages au cœur du désert en faisait un endroit de choix pour les colons mexicains, le long d'El Camino Real (la Route royale), qui reliait Mexico à Santa Fe en 2 400 km (à peu près le tracé de l'I-25). Sa prospérité date toutefois de l'arrivée du chemin de fer, en 1880, qui en fit un carrefour commercial de première importance et amena une seconde vague de colons, américains cette fois. En 1926, la construction de la **Route 66** mit enfin un terme à l'isolement relatif du Nouveau-Mexique, rapprochant Albuquerque des brumes de Chicago et des palmiers de Los Angeles, et devenant le paradis des *bikers* en Harley Davidson partis vers le soleil couchant. La ville en garde un collier de motels psychédéliques et de néons colorés.

Champignons, ballons et bouillonnements...
La suite de l'histoire locale devint beaucoup plus sérieuse avec la Seconde Guerre mondiale et les recherches ultrasecrètes sur la fission de l'atome. Si Los Alamos *(voir p. 462)* abrite le laboratoire où naîtra la bombe atomique, Albuquerque possède la base aéronavale de Kirtland et le Sandia National Laboratory où sont aussi menées des **recherches militaires**. C'est encore au Nouveau-Mexique, à White Sands *(voir p. 493)*, qu'on se livra au premier essai nucléaire. Albuquerque profita ensuite de la guerre froide et de la course aux armements pour développer son industrie et ses **technologies de pointe**, grâce à des firmes prestigieuses comme Honeywell Defense Avionics Systems, GE Aircraft Engines, Intel, etc. Récemment, la recherche s'est attachée aux applications plus pacifiques du nucléaire, en médecine notamment. La ville découvre le tourisme. Les **montgolfières** remplacent les champignons nucléaires. Chaque année, au mois d'octobre, l'International Balloon Fiesta, le plus important festival au monde, rassemble plus de 1 000 ballons multicolores dans le ciel d'Albuquerque. Quant à l'université, elle garantit un bouillonnement intellectuel et culturel dans des domaines variés et parfois inattendus, comme ce département spécialisé dans les études sur le *chile* (piment), l'un des emblèmes du Nouveau-Mexique.

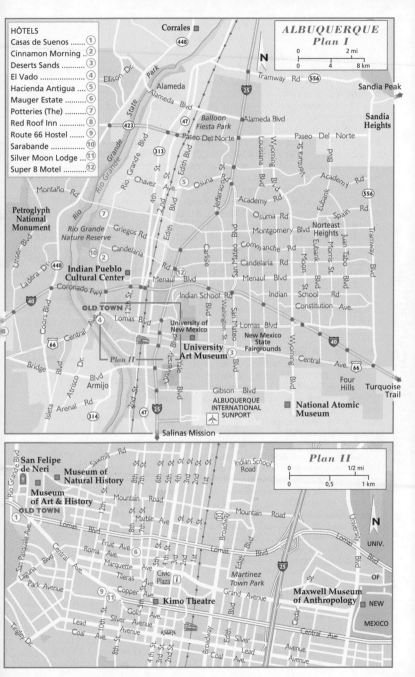

HÔTELS

Casas de Suenos ...... ①
Cinnamon Morning .. ②
Deserts Sands .... ③
El Vado .... ④
Hacienda Antigua .... ⑤
Mauger Estate .... ⑥
Potteries (The) .... ⑦
Red Roof Inn .... ⑧
Route 66 Hostel .... ⑨
Sarabande .... ⑩
Silver Moon Lodge ... ⑪
Super 8 Motel .... ⑫

Corrales

ALBUQUERQUE
Plan I

0 — 2 mi
0 — 4 — 8 km

N

Tramway Rd

Sandia Peak

Sandia Heights

Ellison Dr.
Alameda
Alameda Blvd
State Park
Balloon Fiesta Park
Alameda Blvd
Paseo Del Norte
Paseo Del Norte
Louisiana Blvd
Wyoming
Ventura St.
Academy Rd
Montaño Rd
Rio Grande Blvd
Rio Grande
Chavez Ave.
Osuna
Jefferson St.
Osuma Rd
Spain Rd
Academy Rd
Montgomery Blvd
Eubank
Juan Tabo Blvd
Morris St.
4th St.
Edith Blvd
Rio Grande Nature Reserve
Griegos Rd
Candelaria
Menaul Blvd
Carlisle
Comanche Rd
Candelaria Rd
Menaul Blvd
Moon St.
Tramway Blvd

Petroglyph National Monument
Unser Blvd
Rio
La Dera Dr.
Indian Pueblo Cultural Center
Coronado Fwy
OLD TOWN
Lomas Blvd
University of New Mexico
Indian School Rd
San Mateo Blvd
Washington
Indian School Rd
Constitution Ave.

Coors Blvd
Central Ave
66
Plan II
University Art Museum
Lomas Blvd
New Mexico State Fairgrounds
Lomas Blvd
Wyoming Blvd
Central Ave.
66

Bridge Blvd
Atrisco Dr.
Armijo Blvd
2nd St.
Yale Blvd
University Blvd
Gibson Blvd
ALBUQUERQUE INTERNATIONAL SUNPORT
National Atomic Museum
Four Hills
Turquoise Trail

Isleta Blvd
Arenal Rd
314
47
25

Salinas Mission

San Felipe de Neri
Sawmill Rd
Indian School Road
Plan II

0 — 1/2 mi
0 — 0,5 — 1 km

N

Rio Grande Blvd
Museum of Natural History
8th St. 7th St. 6th St. 5th St. 4th St. 3rd St. 2nd St. 1st St.
Museum of Art & History
OLD TOWN
①
Mountain Road
Mountain Road
12th St.
Marble Ave.
Lomas Blvd
Lomas Blvd
Broadway
Edith Blvd
UNIV.
University Blvd
San Pasquale Ave.
Central Ave.
Laguna Blvd
Park Avenue
Fruit Ave.
Roma Ave.
Marquette Ave.
Tijeras Ave.
⑥
5th St. 4th St. 3rd St. 2nd St. 1st St.
Civic Plaza
ⓘ
Martinez Town Park
I-25
Maxwell Museum of Anthropology
OF NEW
San Pasquale Ave.
⑨
⑪
Copper Ave.
Kimo Theatre
Grand Avenue
Cedar
MEXICO
Tingley Dr.
Gold Ave.
Silver Avenue
Lead Ave.
Coal Ave.
8th St. 10th St. 4th St. 3rd St. 2nd St.
Broadway
Edith Blvd
Silver Ave.
Coal Ave.
Lead Ave.
Central Ave.
Avenue

Visite de la ville
Compter une journée.

La Route 66 et Downtown

Un dépliant gratuit, « Historic Route 66 », listant toutes les étapes historiques de la route à travers la ville, est disponible au Visitor's Bureau. Le parcours symbolique est à faire d'est en ouest, le long de Central Ave.

Bien que remplacée par l'Interstate 40 et définitivement débaptisée en 1984, la Route 66 reste si populaire qu'elle a repris son nom pour la traversée d'Albuquerque par **Central Avenue**. Motels, stations-service, fast-foods ont même été classés monuments historiques. Les styles architecturaux sont éclectiques, néo-pueblo (toits plats, parapets arrondis, poutres et porches…), hispanique ou moderne jusqu'aux années 1950, style ranch, colonial ou même polynésien dans les années 1960. Parmi les bâtiments qui sont restés presque inchangés, notez les **Puerta Motor Lodge** (*9710 Central E. ; 1949*) et **Luna Lodge** (*9119 Central E. ; 1949*). Plus loin, les **Tewa Motor Lodge** (*5715 Central E. ; 1946*), **Desert Sands Motor Hotel** (*5000 Central E. ; 1953*) et surtout le pittoresque **Aztec Motel★** (*3821 Central E. ; 1931*), l'un des plus anciens motels de la ville, avec ses murs tapissés de cadres et de poteries. Puis vous passez, à droite, le **Club Rythm & Blues**, qui fut aussi une station-service (*3523 Central E. ; 1946*). Au n° 3201, la **Monte Vista Fire Station** (*1936*) était la caserne des pompiers. Pour une étape milk-shake, le **66 Diner** a conservé l'allure des années d'après-guerre (*1405 Central E. ; 1946*). Un peu plus loin, l'**Old Albuquerque Library** (*423 Central E. ; 1925*) est un exemple de style néo-pueblo.

Après avoir croisé la voie de chemin de fer (*cet axe sert de point de départ aux numéros de l'avenue, qui croissent dans chaque direction, E. ou W., d'une centaine par pâté de maisons*), vous abordez Downtown et ses quelques bâtiments d'époque, banques, bureaux et surtout salles de théâtre ou de cinéma, comme le **Sunshine Theatre** (*120 Central W. ; 1923*), l'étonnant **Kimo Theatre★** (*423 Central W. ; 1927*) et sa façade de céramique décorée, mélange de styles pueblo et Art déco, où se produisirent Ginger Rogers et Gloria Swanson, ou l'**El Rey Theatre** (*624 Central W. ; 1941*). En quittant Downtown vers Old Town, la succession se poursuit, avec notamment, peu avant de traverser le Rio Grande, l'**El Vado Court** (*2500 Central W. ; 1937*), l'un des tout premiers motels, de style pueblo.

The Mother Road

Longue de 2 250 miles, la mère de toutes les routes américaines, la Route 66, fut la première grande transcontinentale. Quand, en 1926, on décida d'uniformiser le réseau routier américain, on ouvrit la voie vers l'ouest. Au départ, la route traversait le Nouveau-Mexique via Santa Fe, certains « pueblos » et Albuquerque. Puis, en 1937, on l'asphalta tout du long et un nouveau tracé relia directement Santa Rosa à Albuquerque. Pour des générations, elle devint le symbole de l'échappée belle vers un monde meilleur, vers les lumières de Hollywood et le soleil couchant sur le Pacifique. On la parcourait en Chevrolet, en Pontiac, en Ford Mustang, en Harley, en Indian… On s'arrêtait dans les motels, les « drive-in », on y mangeait des burgers et des frites, tandis qu'Elvis ou Dean Martin faisaient hurler les juke-box. C'était l'âge du swing et du be-bop, c'était la fièvre du samedi soir. La preuve : notre Johnny national a lui-même taillé la Route 66.

Old Town★★

Old Town est situé juste au nord de Central Ave., à l'angle de Rio Grande Blvd. Parking payant, à moins de stationner dans les rues transversales au sud de Central Ave.

C'est au cœur de la vieille ville que flotte le souvenir de l'époque espagnole, avec ses rues bordées de bâtiments en adobe, de style territorial ou pueblo, et ses patios fleuris où pépient les oiseaux et sèchent les piments. Le quartier demeure inchangé depuis un siècle, lorsque l'arrivée du chemin de fer, en 1880, déplaça les commerces vers

Une boutique d'Old Town

la gare, là où se trouve aujourd'hui Downtown. On respire l'air du soir sur les bancs de la **Plaza** ombragée, entre le kiosque à musique et la ravissante **église San Felipe de Neri***, datant de la fondation de la ville (1706). Quelques Indiens des *pueblos* voisins vendent leurs bijoux à l'ombre des galeries de San Felipe Street. N'hésitez pas à flâner dans les rues autour de la place et à emprunter les impasses conduisant à de frais patios, où se nichent boutiques d'artisanat et galeries d'art.

Au nord-est d'Old Town, deux musées méritent le détour. Le **New Mexico Museum of Natural History and Science*** *(1801 Mountain Rd N.W., ☎ (505) 841 2800. Tlj 9h-17h. Entrée : 5$; spectacles en sus)* évoque l'histoire géologique de l'État, l'apparition des volcans et des grottes souterraines, des dinosaures et autres stégosaures, des plantes, etc. Un planétarium et un cinéma Dynamax proposent des spectacles à thème.

L'**Albuquerque Museum of Art and History**** *(2000 Mountain Rd N.W., ☎ (505) 243 7255. Mardi-dimanche 9h-17h. Entrée libre)* résume toute l'histoire du Nouveau-Mexique et de la domination espagnole. On y découvre le quotidien des premiers cow-boys, les artisanats du passé, l'art local, ancien et contemporain.

Indian Pueblo Cultural Center*

2401 12th St. N.W., au nord d'Old Town, ☎ (505) 843 7270. Tlj 9h-17h30. Entrée du musée : 4$. Ce centre culturel, géré en association par les 19 *pueblos* des environs d'Albuquerque, compte un musée, une grande boutique d'**artisanat indien** (plus cher que dans les villages, mais cela donne une idée des différents styles) et un restaurant de cuisine indienne et locale. Des Indiens des différents *pueblos* présentent des spectacles de **danses traditionnelles**** en costume *(le week-end à 11h et 14h, et tous les jours durant l'Indian Week, fin avril, ou la Balloon Fiesta, en octobre).* Le **musée** présente l'évolution à travers les siècles des modes de vie et de l'artisanat de chacune des communautés tribales.

L'université et ses environs

Au carrefour de Central Avenue et de Yale Boulevard, l'**University of New Mexico***, fondée en 1889, compte près de 24 000 étudiants. Elle a été conçue pour accroître le rayonnement de la ville après l'arrivée du chemin de fer.

Son architecture privilégie le style pueblo et l'adobe. Les meilleurs exemples en sont, entre autres, le **Hodgin Hall** ou l'**Alumni Memorial Chapel**. L'université est surtout réputée pour ses départements d'anthropologie, de culture latino-américaine et de médecine.

À l'ouest du campus, près de Redondo Drive, le **Maxwell Museum of Anthropology**★ (☎ *(505) 277 4404. Mardi-samedi 9h-16h; fermé pendant les vacances. Entrée libre)* est réputé pour ses collections sur le Sud-Ouest américain. Les méthodes de recherches archéologiques et les différents objets, ainsi qu'une importante collection de photographies anciennes expliquent l'évolution des peuplades indiennes depuis 10 000 ans.

L'University Art Museum *(Cornell Ave., près de Central Ave., ☎ (505) 277 4001. Mardi-samedi 9h-16h (20h le mardi), dimanche 13h-16h; fermé pour les vacances. Entrée libre)* réunit des œuvres de maîtres européens, de Rembrandt à Picasso, américains comme Georgia O'Keefe, de l'art colonial espagnol et des expositions contemporaines.

À l'est de l'université, autour de Central Avenue, s'étend le quartier de **Nob Hill**, bordé de restaurants et de bars, avec ses rues résidentielles ombragées vers le nord.

National Atomic Museum★

S. Wyoming Blvd, Kirtland Air Force Base (à l'est de l'aéroport), ☎ (505) 284 3243. Tlj 9h-17h. Entrée : 2$. Le Nouveau-Mexique occupe une place de premier plan dans l'histoire de l'énergie nucléaire américaine. Le musée retrace l'histoire du Manhattan Project de Los Alamos, qui déboucha sur la fabrication de la bombe atomique et les explosions d'Hiroshima et de Nagasaki, et présente l'évolution progressive des armes nucléaires, ainsi que les débouchés civils et médicaux de cette technologie.

Petroglyph National Monument★★

4735 Unser Blvd, à 7 miles au nord-ouest d'Old Town. Suivez Central Ave. vers l'ouest, puis tournez à droite dans Unser Blvd. ☎ (505) 899 0205. Visitor Center, tlj de 8h à 17h.

Au pied de cet escarpement volcanique long de 17 miles, les Indiens ont laissé plus de 20 000 pétroglyphes gravés dans le basalte. Bien que certains remontent à 3 000 ans, la plupart ont été exécutés après 1300, lorsque les anciens Pueblos désertèrent le plateau du Colorado pour s'installer le long du Rio Grande. Ces dessins étranges et stylisés représentent des figures animales ou humaines et des symboles spirituels, dont l'interprétation reste mystérieuse et diffère selon les tribus. Si vous n'avez que peu de temps, **Boca Negra Canyon**★★ en rassemble un grand nombre sur une courte distance et compte trois petits circuits prenant de 5 à 30 mn *(à 2,5 miles au nord du Visitor Center sur Unser Blvd. Tlj 8h-17h. Entrée : 1$ par véhicule, 2$ le week-end).* Pour une agréable balade, surtout le soir, suivez le sentier de **Rinconada Canyon**★ où vous verrez des dessins dispersés ici et là sur les blocs rocheux *(à 0,5 mile au sud du Visitor Center sur Unser Blvd. Comptez 1h30 AR. Accès libre 24h/24).*

Corrales Village

Au nord-ouest d'Albuquerque, à 10 miles au nord de l'I-40 par Coors Blvd puis Corrales Rd. Si vous voulez avoir une idée de la vie que pouvaient mener les colons au bord du Rio Grande avant le boom de la ville, ce paisible village agricole noyé dans la verdure a conservé ses vieilles fermes en adobe, ses corrals à chevaux et l'émouvante **chapelle San Ysidro**★ (1868) avec son toit et ses deux amusants clochetons en tôle ondulée *(de Corrales Rd, suivez les panneaux « old church »).*

Le téléphérique du Sandia Peak★★ (Sandia Peak Aerial Tramway)

Au nord-est d'Albuquerque. Suivre l'I-40 vers l'est (sortie 167), puis Tramway Blvd N. sur environ 9 miles, ou prendre l'I-25 vers le nord (sortie 234), puis Tramway Rd E. sur 5 miles. Tlj 9h-22h de Memorial Day à Labor Day/9h-20h le reste de l'année (17h-20h le mercredi). Entrée : 14$.

La crête de la **Sandia Crest** barre l'est d'Albuquerque et culmine au **Sandia Peak**★ (3 113 m). À mesure que le téléphérique s'élève, on est surpris par le contraste entre la vallée semi-désertique et la succession de canyons et de pentes boisées. Au sommet, de nombreux **sentiers** offrent plus de 34 km de randonnée à pied ou en VTT, au cœur d'une flore et d'une faune étonnamment riches (ours bruns, lynx, ratons laveurs, cerfs, aigles…). En hiver, on y pratique le ski. Vous pouvez aussi atteindre le Sandia Peak par la Highway 14, sur le Turquoise Trail.

Les environs d'Albuquerque★
Excursions d'une demi-journée ou d'une journée.

La route de la Turquoise★ (Turquoise Trail)
Quittez Albuquerque vers l'est par l'I-40. À 16 miles de Downtown (5 miles après la jonction entre l'I-40 et Central Ave.), prenez la sortie 175 pour rejoindre la Hwy 14. Comptez une demi-journée, sur la route de Santa Fe.
Idéal si vous souhaitez rejoindre Santa Fe, cet itinéraire longe la Sandia Crest par l'est et suit une vallée fertile, autrefois célèbre pour ses mines de turquoise, d'argent, d'or et de charbon. Vous passez d'abord Sandia Park et la bifurcation vers le Sandia Peak *(à 13 miles de la Hwy 14)*, puis, 10 miles plus loin, **Golden**, premier village fantôme, sa minuscule chapelle (privée) et ses maisons délabrées. Après encore 12 miles, vous atteignez **Madrid**★★, dernier vestige de l'époque florissante de la vallée. La turquoise y est exploitée depuis la préhistoire. Les Espagnols y concentrèrent leurs efforts, utilisant des esclaves indiens dans des conditions déplorables. Après la turquoise, l'or et l'argent, le charbon fit sa richesse jusqu'en 1956, comme le rappelle la visite de l'**Old Coal Mine Museum** *(tlj, horaires variables. Entrée : 3 $)*, avec sa vieille locomotive, ses tacots et ses outils anciens. Madrid tomba ensuite dans l'oubli et devint une ville fantôme, jusqu'à sa vente aux enchères en 1975. Artistes, artisans, hippies ou marginaux investirent les vieilles maisons qui ont gardé intact tout le charme des années 1960. Chaque année, durant le mois de décembre, le village s'illumine de brillantes **décorations de Noël**★★. En été, le **Ballpark** accueille chaque dimanche après-midi des concerts de jazz, de blues ou de musique de chambre. *La Hwy 14 se poursuit ensuite vers Santa Fe (20 miles).*

El Malpais National Monument★
Suivez l'I-40 vers l'ouest sur 71 miles et, 7 miles avant Grants, prenez la Hwy 117 vers le sud. Accès libre. Comptez 1 h 30 de route d'Albuquerque. Excursion d'une journée en combinant avec la visite d'El Morro.
De la route, vous apercevez déjà sur la droite d'étonnants affleurements rocheux noirs : vous êtes au bord d'une gigantesque coulée de lave refroidie, issue, il y a 2 000 ans, d'une quarantaine de volcans des environs. Le meilleur point de vue sur cette vaste vallée lunaire est **Sandstone Bluffs Overlook**★, le long de la Hwy 117. Plus loin est signalé le départ du **Zuni Acoma Trail**★★, une ancienne route commerciale reliant les deux *pueblos* et traversant le champ de lave *(elle rejoint la Hwy 53 en 12 km, mais on peut n'en suivre qu'une partie)*. Un peu plus loin encore sur la Hwy 117, la **Ventana Natural Arch**★ est l'une des plus grandes arches naturelles du Nouveau-Mexique. Au nord de la coulée, la lave a formé en refroidissant des boyaux et des grottes souterraines que l'on peut visiter sous certaines conditions *(accès par la Hwy 53. Visitor Center à 23 miles de Grants. Entrée libre. Dépliants à disposition ; prévoir une torche et de bonnes chaussures)*.

El Morro National Monument
À 43 miles de Grants sur la Hwy 53. Comptez 2 h de route d'Albuquerque. Tlj 9 h-19 h/17 h en hiver. Entrée : 4 $ par véhicule. Cette imposante mesa de grès qui domine la vallée de ses 60 m est surtout intéressante pour les passionnés d'histoire, puisque ses roches portent des **inscriptions humaines**★ de toutes les époques. Les Indiens y ont laissé des pétroglyphes datant de 1000 à 1400. On y découvre aussi la marque du premier gouverneur espagnol du Nouveau-Mexique, Don Juan de Oñate, en 1605. Un agréable **sentier**★ longe la base de la mesa et mène au sommet où se trouvent des ruines indiennes *(boucle de 3 km ; 1 h 30)*.

Salinas Pueblo Missions National Monument

Suivez l'I-25 vers le sud sur 52 miles. À Bernardo, prenez la Hwy 60 vers l'est sur 30 miles. Sites ouverts de 9h à 18h (17h en hiver). Entrée libre. Comptez une bonne demi-journée.

Les **Indiens Mogollons** ont d'abord occupé la Salinas Valley, avant d'être rejoints par les **Anasazis** descendus du plateau du Colorado après 1300. Les deux tribus se sont mélangées, partageant artisanats et savoir-faire agricole. Attirés par le sel que les Indiens tiraient des lacs salés, les Espagnols colonisèrent les environs dès 1598 et fondèrent des missions tenues par les franciscains. Pour construire leur communauté, ils utilisèrent la main-d'œuvre et les techniques des Indiens. Les trois missions en ruine donnent une idée de l'étonnant mariage de la tradition des *kivas* sacrées des Pueblos et de l'implantation de l'Église. Pour convertir les Indiens, les moines durent faire des concessions et accepter que les danses rituelles perdurent. Parallèlement, ils apportaient de nouvelles techniques de culture (blé, arbres fruitiers, vigne) et d'artisanat, un art culinaire (le pain), mais aussi de nouvelles maladies qui ne tardèrent pas à décimer les populations. La plupart des Pueblos finirent par se révolter contre les Espagnols en 1680. Les autres, harcelés par les raids apaches, émigrèrent vers le sud, à la suite de leurs anciens maîtres.

Abo Ruins∗ *(au nord de la Hwy 60, à 30 miles de l'I-25)* est la première mission que vous rencontrez sur la route. Le site possède les ruines de l'une des très rares églises médiévales des États-Unis.

9 miles plus loin, sur la Hwy 60, le paisible village de **Mountainair** héberge le *Visitor Center (tlj 8h-17h)*, qui présente l'histoire de la région et les trois sites. La mission de **Quarai** *(à 9 miles au nord de Mountainair par la Hwy 55)* possède l'église la mieux conservée. Celle de **Gran Quivira** *(à 25 miles au sud de Mountainair par la Hwy 55)*, bien que très abîmée, fut la plus importante (elle compta jusqu'à 1 500 habitants) avec son église, son *pueblo* de quelque 300 pièces et ses sept *kivas*.

Albuquerque pratique

ARRIVER-PARTIR

En avion – **Albuquerque International Sunport**, ☎ (505) 832 4366. À 3,5 miles au sud-est de Downtown par l'I-25 S., l'aéroport est desservi par les principales compagnies nationales et régionales. Pour rejoindre le centre-ville, suivez le panneau « Limos, buses, shuttles », puis allez à l'arrêt **City Bus**. La plupart des grands hôtels proposent une navette gratuite (« shuttle ») de/vers l'aéroport. Les navettes payantes (10 $) ne sont intéressantes que si vous êtes seul, sinon le taxi est plus avantageux.

En train – **Amtrak Station**, 214 1st St. S., ☎ (505) 842 9650. La ligne Southwest Chief part en direction de Kansas City (17h) et de Chicago (25h) vers l'est, de Flagstaff (5h) et Los Angeles (15h) vers l'ouest.

En bus – **Greyhound Depot**, 300 2nd St. S., entre Lead Ave. et Silver Ave., ☎ (505) 243 4435. Idéal pour les déplacements régionaux, comme Santa Fe (1h20), Taos (3h), Farmington (3h45), Durango (5h), Alamogordo (4h), ou les destinations plus lointaines, Phoenix (10h30), Las Vegas (13h30), Los Angeles (18h30). Des navettes desservent Santa Fe et Taos à partir de l'aéroport, à la station **Shuttlejack**, ☎ (505) 764 9464.

COMMENT SE REPÉRER

La ville s'organise autour du croisement entre Central Ave. et la voie ferrée. Les numéros vont croissant à partir de là dans chaque direction. Les deux lettres placées après le nom de la rue se réfèrent aux points cardinaux et indiquent de quel côté de ces axes il faut prendre la rue et de quel côté de la rue se trouve le numéro.

COMMENT CIRCULER

En bus – Le réseau de la compagnie **Sun Tran** dessert la ville et les environs entre 6h et 19h en semaine, 18h le week end.

En taxi – On ne peut arrêter un taxi dans la rue. Vous en trouverez à l'aéroport (10 à 12 $ pour rejoindre Downtown) ou en appelant **Yellow Cab**, ☎ (505) 247 8888.

Location de voitures – Toutes les compagnies internationales sont regroupées au Car Rental Center, au sud de l'aéroport. Un service gratuit de navettes, le **Free Car Rental Shuttle**, vous y conduit depuis l'aéroport. **Alamo**, ☎ (505) 842 4057 ; **Avis**, ☎ (505) 842 4080 ; **Budget**, ☎ (505) 768 5900 ; **Hertz**, ☎ (505) 842 4235.

Location de motos – **Albuquerque Motorcycle Rentals**, 1406 Eubank N.E., ☎ (505) 293 0010, www.abqrentacycle.com. Peut venir vous chercher à l'aéroport. Comptez 50 $ par jour pour une 250 cm^3 et 185 $ pour une Harley.

ADRESSES UTILES

Office de tourisme – **Convention & Visitor's Bureau**, 20 First Plaza, Suite 601 (au sous-sol de la galerie commerciale), ☎ (505) 842 9918 / 1-800 284 2282, www.abqcvb.org. Lundi-vendredi 8 h-17 h. C'est le mieux renseigné pour ce qui touche à la ville, au reste du Nouveau-Mexique et aux hébergements (brochures, plans de ville et dépliants sur la Route 66). **Old Town Visitor's Bureau**, 303 Romero St. Tlj 9 h-17 h.

Banque / Change – Bureau de change et distributeurs de billets à l'aéroport et un peu partout dans Old Town et les quartiers commerciaux. Les grandes banques sont regroupées dans Downtown, autour de la First Plaza.

Poste – **Main Post Office**, 1135 Broadway N. Tlj 7 h 30-18 h.

Santé – **University of New Mexico Hospital**, 2211 Lomas Blvd E., ☎ (505) 843 2411. **Presbyterian Hospital**, 1100 Central Ave. E., ☎ (505) 841 1234.

Internet – Accès gratuit dans les bibliothèques municipales. **Main Library**, 501 Copper N.W., entre 5th et 6th St. Lundi-jeudi 10 h-20 h, vendredi-samedi 10 h-18 h. **Old Albuquerque Library**, 423 Central Ave. E. Mardi-samedi 10 h-18 h.

OÙ LOGER

Il y a beaucoup de motels tout le long de Central Ave., mais ils datent de la grande époque de la Route 66, sont mal insonorisés et pas toujours très propres. Downtown est cher et sans caractère. Comme la ville est très étendue, vous aurez de toute façon besoin de votre voiture : profitez-en pour loger plus loin du centre, à proximité des routes ou de l'aéroport, ou dans les quartiers résidentiels pour les B & B de charme.

• Près d'Old Town

Moins de 20 $ par personne

Route 66 Hostel, 1012 Central Ave. S.W., ☎ (505) 247 1813 – 24 lits CC Jolie maison en bois peint située entre Downtown et Old Town. Accueil agréable, il est possible de faire de menus travaux en échange du couvert. Dispose aussi de 3 chambres.

De 100 à 150 $

Mauger Estate, 701 Roma Ave. N.W., ☎ (505) 242 8755 / 1-800 719 9189, www.maugerbb.com – 10 ch. ⅋ ✕ ℘ TV CC Une maison en brique pleine de charme, à la déco raffinée très anglo-américaine. Jardin et jolie terrasse. Accueil très soigné, apéritif, petit-déjeuner et gentilles attentions.

Casas de Suenos, 310 Rio Grande S.W., au sud de Central Ave., à 2 mn à pied d'Old Town, ☎ (505) 247 4560, www.casasdesuenos.com – 18 ch. ⅋ ✕ ℘ TV Un petit groupe de « casitas » en adobe, dispersées autour d'un paisible jardin, équipées chacune d'une kitchenette. Bon petit-déjeuner.

• Le long de Central Avenue

De 40 à 60 $

El Vado, 2500 Central Ave. S.W., ☎ (505) 243 4594 – 32 ch. ✕ ℘ TV CC Un pionnier de la Route 66, de style pueblo blanchi à la chaux. Propre, mais déco un peu fatiguée. Demandez les chambres les plus éloignées de la route. Moins de 40 $ hors saison.

Deserts Sands, 5000 Central Ave. S.E., à l'est de la ville, à proximité de la seule tour des environs, ☎ (505) 255 7586 – 68 ch. ⅋ ✕ ℘ TV ✗ CC Un autre motel historique, repérable à son joli néon. Propre, pas cher et sans prétention. Laverie. 30 $ en hiver.

De 60 à 80 $

Silver Moon Lodge, 918 Central Ave. S.W., à la sortie de Downtown vers Old Town, ☎ (505) 243 1773, www.silvermoon-lodge.com – 59 ch. 🛏 ⊼ ✗ 🆑 📺 ✗ CC Un hôtel entièrement refait à neuf, à la déco design sobre et réussie. Petit-déjeuner continental et machine à café dans les chambres. Navette pour l'aéroport.

• **À la périphérie de la ville**

De 40 à 60 $

Super 8 Motel, 2500 University Ave. N.E., ☎ (505) 888 4884 – 243 ch. 🛏 ⊼ ✗ 📺 CC Pratique et calme. Demandez une chambre à l'arrière. Petit-déjeuner offert au restaurant situé de l'autre côté de la rue. Un peu plus cher pour les grands week-ends et les festivals.

Red Roof Inn, 6015 Iliff Rd, ☎ (505) 831 3400, www.redroof.com – 80 ch. 🛏 ⊼ ✗ 📺 CC Un motel tout neuf aménagé autour d'un agréable patio, non loin de l'I-40, au nord-ouest de la ville, à 5 miles de Downtown et à 10 miles de l'aéroport (I-40, sortie 155, direction Coors Rd S.).

De 80 à 100 $

The Potteries, 4100 Dietz Farm Circle, ☎ (505) 344 3144 / 1-800 795 3144 – 2 ch. 🛏 CC Suivez Rio Grande Blvd vers le nord. 3 miles au nord de la jonction avec l'I-40, tournez à gauche sur Dietz Farm Rd qui mène à Dietz Farm Circle. Une ravissante maison en adobe, tenue par une charmante potière au goût très sûr. Petites chambres cosy et accueillantes, copieux petit-déjeuner : on se sent chez soi.

De 100 à 150 $

Hacienda Antigua, 6708 Tierra Drive, ☎ (505) 345 5399, www.haciendantigua.com – 8 ch. 🛏 ⊼ ✗ 🆑 CC Suivez 2nd St. vers le nord jusqu'à Osuna Rd, prenez à droite, puis la première à gauche. Cette hacienda mexicaine en adobe, avec son agréable jardin et ses galeries ombragées nous transporte deux siècles en arrière. Petit-déjeuner très copieux.

Cinnamon Morning, 2700 Rio Grande Blvd N.W., ☎ (505) 345 3541 / 1-800 214 9481, www.cinnamonmorning.com – 7 ch. 🛏 ✗ CC Une adresse de charme située aux abords nord de la ville. Cette maison de style mexicain est décorée avec beaucoup de goût, autour d'un patio ombragé avec jacuzzi en plein air. Copieux petit-déjeuner, servi autour de la cuisine d'extérieur. Tarifs moins élevés hors saison.

Sarabande, 5637 Rio Grande Blvd N.W., ☎ (505) 345 4923, www.sarabandebb.cm – 6 ch. 🛏 ⊼ ✗ 📺 ⊠ CC Élégante maison traditionnelle en adobe. Les chambres les plus belles donnent sur le patio et sa fontaine, les autres sur la piscine. Copieux petit-déjeuner.

OÙ SE RESTAURER

• **Albuquerque**

Moins de 10 $

Double Rainbow, 3416 Central Ave. S.E., ☎ (505) 255 6633. Une adresse du quartier universitaire fréquentée par les étudiants (salades, quiches, pâtes, plat du jour et gâteaux). Sympathique, mais un peu bruyant.

Route 66, 1405 Central Ave. N.E., le long de la Route 66, ☎ (505) 247 1421. Pour les fans de « Happy Days » et de l'Amérique des années 1950, cette adresse datant de la grande époque sert tous les « classiques » américains (burgers, poulet frit, « chilis », etc) dans un décor de néons, juke-box et moleskine.

Thai House, 106 Buena Vista S.E., ☎ (505) 247 9205. Fermé samedi midi et dimanche. Un restaurant thaïlandais d'un bon rapport qualité-prix, dans le quartier universitaire. Essayer les « green », « red curries », « satays » ou les crevettes sautées aux noix de cajou.

Casa de Ruiz Church Street Cafe, 2111 Church St. N.W., ☎ (505) 247 8522. Dimanche-mercredi 8h-16h, jeudi-samedi 8h-20h. Une charmante maison dans une ruelle d'Old Town. Idéal pour les salades, burgers, « burritos », « rellenos », « tamales ».

La Montañita Co-op, 3500 Central Ave. S.E., ☎ (505) 265 4631. Tlj 7h-21h, dimanche 8h-20h. Épicerie fine et produits bio, ainsi qu'un rayon traiteur où trouver salades, quiches, sandwichs et « tomales ».

Smith's Food Store, 320 Yale S.E., près de l'université, ☎ (505) 266 0201. Supermarché remarquablement fourni, avec rayon traiteur, boulangerie, épicerie fine et fromages.

De 10 à 15 $

🐌 *La Crêpe Michel*, 400 San Felipe, ☎ (505) 242 1251. Fermé dimanche soir et lundi. Un minuscule restaurant au fond d'une pittoresque impasse d'Old Town. Une Française aux fourneaux pour une table simple, mais de qualité. Des crêpes fourrées originales et copieuses, un feuilleté de brie et sa salade, du thon à la provençale, des quiches…

La Hacienda, 302 San Felipe N.W., au bord de la Plaza d'Old Town, ☎ (505) 243 3131. Une grande salle décorée à la mexicaine, de bois sombre et de couleurs vives. Plats typiques du Sud-Ouest, comme les exquises « fajitas », des salades, des poissons…

De 15 à 20 $

🐌 *Artichoke Cafe*, 424 Central Ave., à l'angle d'Edith St., face à l'Old Library, ☎ (505) 243 0200. Fermé le dimanche. Considérée comme l'une des meilleures tables d'Albuquerque, cette adresse propose une cuisine internationale de qualité : moules aux poireaux et à l'anis, poulet au fenouil caramélisé ou coquilles St-Jacques à la vodka. Salle élégante, mais un peu bruyante et climatisation un peu fraîche…

• **Corrales**

De 15 à 25 $

🐌 *Casa Vieja*, 4541 Corrales Rd, ☎ (505) 898 7489. Cuisine très variée, d'inspiration française et italienne : bons plats de poisson, délicieux « crab cakes », ou étonnant filet de bœuf au piment et à la feta… Décor romantique et chaleureux, aussi bien dans les jolies salles que dans le patio.

• **Madrid**

Moins de 10 $

The Mine Shaft, 2846 Hwy 14. Un vrai saloon où manger des snacks américains classiques : burgers énormes, salades, spécialités mexicaines. Musique live le dimanche de 13 h à 18 h et le vendredi ou samedi soir selon les semaines.

Où sortir, où boire un verre

La plupart des restaurants et hôtels distribuent le journal hebdomadaire gratuit « Alibi », qui liste les concerts et manifestations, ainsi que les principaux bars et clubs.

El Rey, 624 Central Ave. S.W., entre 6th et 7th St., ☎ (505) 243 7546. Tlj 10 h-2 h du matin. L'ancien cinéma des années rock s'est transformé en bar et club, avec concerts au moins trois soirs par semaine. On y danse aussi.

Brewsters Pub, 312 Central Ave. S.W., entre 3rd et 4th St., ☎ (505) 247 2533. Bar sportif très animé avec écran géant, atmosphère garantie les jours de grands matchs et une trentaine de bières à la pression. Jazz, blues ou rock live tous les soirs, sauf lundi.

Café au Lait, 600 Central Ave. S.W., à l'angle de 6th St., ☎ (505) 248 0707. Bon café, gâteaux ou snacks, dans un cadre confortable et chaleureux, magazines à disposition.

Fêtes / Festivals

Gathering of Nations Pow-wow et *American Indian Week* : dernière semaine d'avril. C'est le plus important « pow-wow » des États-Unis, rassemblant les tribus de tout le continent nord-américain, pour des spectacles et compétitions de danses et costumes, et l'élection de Miss Indian World. Entrée : 10 $ pour 1 jour ; 15,50 $ pour 2 jours.

Cinco de Mayo Celebration : le dimanche précédant le 5 mai. Cette fête mexicaine célèbre la victoire du Mexique sur la France en 1862. Musique, danses et cuisine mexicaines dans les rues.

International Balloon Fiesta : durant 9 jours à partir du premier week-end d'octobre. Le plus grand rassemblement de montgolfières au monde. Pour voir l'envol massif des ballons à l'aube, il faudra vous lever à 4 h du matin, mais cela vaut le coup !

Indian National Finals Rodeo : la 3e semaine de novembre. Finale pour les États-Unis et le Canada de tous les rodéos des réserves indiennes.

Noël : particulièrement pittoresque dans Old Town. Les lampions sont remplacés par plus de 500 000 « luminarias », des cierges placés dans des sacs en papier et dispersés sur les plazas, les arbres, les balcons, devant l'église et dans les ruelles (tout décembre).

Albuquerque pratique

LES PUEBLOS INDIENS*
(INDIAN PUEBLOS)
19 villages dispersés autour d'Albuquerque et Santa Fe
Carte Michelin n° 943 G10-11

À ne pas manquer
Monter à Sky City, le pueblo historique d'Acoma.
L'atelier de Mary Rosetta à Santo Domingo.
Assister à la Corn Dance de San Felipe ou de Santo Domingo.

Conseils
Emportez votre pique-nique, car les magasins sont très rares.
Prévoyez de l'argent liquide si vous souhaitez acheter des poteries ou des bijoux.
Ne vous attendez pas à des villages de carte postale :
la plupart sont pauvres, hétéroclites et poussiéreux.

Beaucoup d'anthropologues pensent que les Indiens pueblos sont les descendants des anciens Anasazis de Mesa Verde ou de Chaco Canyon. Dans les environs d'Albuquerque et de Santa Fe, ils vivent dans 19 *pueblos* ou villages, chacun sous l'administration indépendante d'une assemblée tribale (Acoma, Cochiti, Isleta, Jemez, Laguna, Nambe, Picuris, Pojoaque, Sandia, San Felipe, San Ildefonso, San Juan, Santa Ana, Santa Clara, Santo Domingo, Taos, Tesuque, Zia et Zuni). Ils se répartissent en trois groupes linguistiques distincts (mais l'anglais est la langue dominante) et observent des traditions et des rites différents. Les missionnaires espagnols ont laissé dans ces villages des traces du catholicisme, sous forme d'églises ou d'un mélange de traditions. Ils ont attribué à chaque *pueblo* un saint patron, fêté chaque année par les plus grandes danses rituelles. Souvent, la journée commence par une procession religieuse catholique et s'achève par des chants et des danses pueblos. En dehors des jours de fête, ces villages peuvent décevoir, car ils reflètent la condition défavorisée des Indiens : pauvreté, délabrement et désœuvrement. Pourtant, vous y mesurerez aussi l'extrême gentillesse et la courtoisie de leurs habitants. Vous y rencontrerez les artisans locaux (moins chers que dans les villes ou les boutiques). Le plus célèbre des *pueblos*, Taos, est traité séparément (*voir p. 480*).

Sky City à Acoma★★★
64 miles à l'ouest d'Albuquerque. Suivez l'I-40 sur 52 miles et empruntez la sortie 108 pour rejoindre la Hwy 23. Sky City est à 12 miles. Visite guidée uniquement (1h). Tlj 8h-19h d'avril à octobre, 8h-16h30 de novembre à mars ; dernière visite 1h avant la fermeture. Entrée : 10 $; droit photo : 10 $; vidéo interdite.
Le plus spectaculaire des *pueblos* est perché sur une mesa vertigineuse, 110 m au-dessus de la plaine. Beaucoup d'Indiens s'y sont réfugiés après la révolte des Pueblos en 1680 pour échapper aux représailles espagnoles. On nomme Sky City la partie historique du *pueblo* d'Acoma : c'est le plus ancien village habité, puisqu'il est sans doute occupé depuis le 11e s. 50 personnes y résident à l'année, malgré l'absence d'électricité et d'eau courante. La **mission San Esteban del Rey**★★ (1629-1640) est un superbe exemple d'église en adobe. Elle est particulièrement pittoresque pour **Noël**, lorsque le village est illuminé par les *luminarias*. Le 2 septembre est la fête de San Esteban avec la **danse de la Moisson**.

La danse du Cerf

Zuni Pueblo

154 miles à l'ouest d'Albuquerque. Empruntez l'I-40 jusqu'à Grants, puis la Hwy 53. Le plus peuplé des *pueblos* ne présente guère d'intérêt touristique, si ce n'est son **artisanat** (bijoux finement travaillés, entrelacs compliqués d'argent et de turquoise, ou mosaïques de pierres ressemblant à de la marqueterie), ses **animaux fétiches** en pierre ou ses **poupées kachinas** figurant les esprits d'animaux, de plantes ou de forces de la nature. Les rites zunis sont parmi les plus élaborés et presque toujours interdits au public.

Santo Domingo Pueblo

38 miles au nord d'Albuquerque par l'I-25 (sortie 259) et la Hwy 22 (sur 14 miles). Si ce *pueblo* n'est pas particulièrement pittoresque, il recèle l'un des ateliers les plus étonnants des environs, **Turquoise & Hesche Craft*** (☎ *(505) 465 2784*). Une humble maison au sol inégal abrite le patient labeur de Mary Rosetta, une Indienne qui fabrique à la main ses *hesche*, perles faites une par une avec des coquillages finement coupés et limés *(comptez de 150 à 700 $).* Avec Ray, son mari, elle inventa dans les années 1950 le *liquid silver*, devenu si populaire pour les colliers *(voir p. 63).* Chaque année, un **marché d'artisanat** se tient à Santo Domingo le premier week-end de septembre.

Zia Pueblo

34 miles au nord d'Albuquerque. Suivez l'I-25 sur 16 miles (sortie 242), puis la Hwy 44 sur 18 miles (indiquée Hwy 550 sur les panneaux). Photos interdites. Typique, ce *pueblo* poussiéreux avec ses maisons carrées en adobe au cœur d'une terre désertique et ses fours extérieurs traditionnels est dominé par une émouvante petite **chapelle** blanche, ornée de motifs indiens. Notez les noms ronflants que portent les allées de terre battue : plaza, boulevard, avenue. Le symbole du village est célèbre, car c'est aussi l'emblème de l'État (un cercle traversé de trois rayons dans les quatre directions). On vient ici surtout pour les **poteries** polychromes ornées de motifs traditionnels. La **fête de l'Assomption**, le 15 août, est aussi celle du *pueblo*, qui organise alors une Corn Dance.

Jemez Mountain Trail**

Itinéraire de 35 miles à travers les Jemez Mountains, de Jemez Pueblo à Los Alamos. Prévoyez un pique-nique. Pour rejoindre Jemez Pueblo, à 45 miles au nord d'Albuquerque, empruntez l'I-25 (sortie 242) puis les Hwys 550 et 4. Comptez une demi-journée.
Bien que sans intérêt architectural, **Jemez Pueblo** est renommé pour ses **fêtes** et ses **danses rituelles** *(les 2 août, 12 novembre et 12 décembre).* Il ouvre surtout la route des Jemez Mountains qui encadrent de façon spectaculaire le **Jemez Creek**. Le cours d'eau se faufile entre des falaises aux couleurs changeantes, du rose et du jaune au rouge et à l'orange. Peu à peu, la route s'éloigne du désert, la terre est d'un incroyable rouge vif et les arbres envahissent le canyon en un paysage de cinéma.
Le long de la Highway 4, vous passez le **Jemez State Monument** *(Jemez Springs,* ☎ *(505) 829 3530. Tlj 8 h 30-17 h. Entrée : 3 $)* qui retrace l'histoire d'un ancien *pueblo* en ruine et de sa mission fondée en 1621, lors de l'évangélisation forcée des Indiens. **Jemez Springs**, le village contemporain, paisible hameau au bord de la rivière, semble rescapé des années 1940 avec son saloon, où ne manquent que les chevaux attachés à la barrière, et sa **maison de bains** d'eau thermale, fondée entre 1870 et 1878. On vous y explique la richesse minérale des sources chaudes des environs et leurs bienfaits contre le stress et la déprime *(comptez 9 $ par personne pour 30 mn ou 30 $ de l'heure pour un bain à 6 places).*
À la sortie de Jemez Springs, le **Soda Dam** est un étonnant barrage naturel (90 m de long, 15 m de haut et 15 m d'épaisseur) formé par la calcification progressive d'une eau très riche en carbonate. La route s'élève ensuite dans les montagnes, et la végétation change : les conifères sont de plus en plus nombreux le long de crêtes torturées, composant un paysage alpin.
Au **Battle Ship Rock** *(bien signalé sur la droite),* de menaçantes murailles de pierre noire s'élèvent au-dessus des arbres *(du parking, un petit sentier mène vers les falaises).*

Les environs sont couverts d'une épaisse forêt sillonnée de nombreux **sentiers** permettant la randonnée, en particulier pour descendre vers la rivière en contrebas (*notamment à partir des parkings du Dark Canyon National Recreation Area ou de l'aire de repos de La Cueva*).

Plus on monte, plus la forêt se fait dense, les bouleaux se mêlant aux pins, avant d'aborder de larges pâturages où paissent les vaches. La chaîne montagneuse culmine au **Redondo Peak**, à 3 376 m. Sur le plateau, la **Valles Caldera**, aussi appelée Valle Grande, est une vallée d'altitude (2 550 m) de 22 km de diamètre. Il s'agit en fait d'un gigantesque cratère (l'un des plus grands au monde), formé il y a plusieurs millions d'années, après l'effondrement d'une série de volcans.

Au sortir de la Valles Caldera, la route pénètre dans le Bandelier National Monument.

Les pueblos pratique

RÈGLES DE VISITE

Les « pueblos » sont des terres tribales soumises aux règles et lois édictées par le **Tribal Office**. Il est strictement interdit d'apporter ou de boire de l'alcool, et le plus souvent de prendre des photos. Dans ce domaine, l'autorisation doit être demandée au Tribal Office (on vous fera souvent payer un droit). Il en est de même pour les croquis ou enregistrements sonores et vidéo. L'accès des « kivas » et des cimetières est sacré et interdit. Pendant les cérémonies ou les danses, qui ont une signification rituelle, gardez le silence, n'applaudissez pas et ne vous déplacez pas de façon intempestive. Respectez strictement les sentiers ouverts aux visiteurs et les horaires et dates d'accès aux « pueblos », que vous pourrez consulter aux Visitor Center d'Albuquerque, de Santa Fe, de Gallup ou de Farmington.

OÙ LOGER

• **Acoma**

De 60 à 80$

Sky City Hotel & Casino, Acoma Pueblo, I-40 (sortie 102), à 11 miles de Sky City, ☎ (505) 552 6017, www.skycity-casino.com – 150 ch. 🍴 🏊 🅿 📺 🏊 ✕ cc Un établissement impersonnel, mais très confortable et très bien tenu par la communauté indienne. Moins cher hors saison.

• **Jemez Springs**

De 40 à 60$

La Cueva Lodge, au croisement des Hwys 4 et 126, ☎ (505) 829 3814 – 15 ch. 🍴 🅿 📺 cc Un motel basique et simple à environ 25 miles de Los Alamos. Certaines chambres donnent sur la montagne.

De 80 à 100$

🛏 **The Dancing Bear**, 314 San Diego Drive, sur la Hwy 4, à 2,5 miles au sud de Jemez Springs, ☎ (505) 829 3336, www.dancingbearbandb.com – 4 ch. 🍴 📺 cc Une maison d'artiste chaleureuse, tout en bois, au bord de la rivière et au pied des montagnes. Petit-déjeuner copieux, entièrement préparé maison.

De 100 à 150$

Riverdancer, 16445 Hwy 4, au sud de Jemez Springs, ☎ (505) 829 3262 / 1-800 809 3262, www.riverdancer.com – 7 ch. 🍴 🏊 🅿 📺 cc Une maison moderne en adobe, avec patio au bord de la rivière. Petit-déjeuner très copieux. Possibilité de retraite « spirituelle » avec séances de méditation dans la nature, de gymnastique ou de bains thérapeutiques.

OÙ SE RESTAURER

• **Jemez Springs**

🛏 **Los Ojos**, ☎ (505) 829 3547. Un vrai saloon avec tabourets et bar en bois massif, collections de fusils, chapeaux et trophées empaillés au mur. On y mange pour moins de 10$ jusqu'à 21 h et le bar sert jusqu'à 2 h. Musique country live certains week-ends.

FÊTES / FESTIVALS

Fête de San Felipe Pueblo : énorme Corn Dance le 1ᵉʳ mai. À 28 miles au nord d'Albuquerque par l'I-25 (sortie 252). Photos interdites.

Fête de Santo Domingo : le 4 août se tient l'une des plus belles Corn Dances. À 38 miles au nord d'Albuquerque par l'I-25 (sortie 259), puis 14 miles sur la Hwy 22.

LOS ALAMOS
BANDELIER NATIONAL MONUMENT★★
18500 hab. – Carte Michelin n° 943 G10
93 miles au nord d'Albuquerque, 35 miles au nord-ouest de Santa Fe
Alt. 2 206 m – Enneigé en hiver

À ne pas manquer
La Ceremonial Cave, dans le Bandelier National Monument.

Conseils
Arrivez au Bandelier NP tôt le matin et prévoyez de venir
en short ou en pantalon, plus pratiques pour grimper aux échelles.

Si Los Alamos est le symbole de la supériorité militaire américaine, cela ne doit pas faire oublier que, tout près de là, le Bandelier National Monument raconte toute l'histoire pré-coloniale, celle du peuple pueblo, le long des falaises piquées de maisons troglodytiques, au fond d'un paisible canyon boisé.

Los Alamos
Comptez 2 h.

Une étrange géologie
Il y a plus de 30 millions d'années, la vallée du Rio Grande fut le théâtre d'une intense activité volcanique. De violentes éruptions créèrent le relief actuel, la chaîne des **Jemez Mountains** et la dépression de la **Valles Caldera** (*voir p. 461*). Les rejets de ces volcans constituèrent le Pajarito Plateau où se trouve Los Alamos. La ville elle-même est perchée sur une succession de mesas sinueuses, plantées de peupliers (*alamos* en espagnol) et de pins Ponderosa, séparées par de profonds canyons.

La ville qui n'existait pas
En 1918, le cadre sauvage de Los Alamos et son climat vivifiant donnèrent à un éducateur de Detroit l'idée de fonder un pensionnat pour garçons de bonne famille. Pendant les 25 années suivantes, la **Ranch School** mena tambour battant des générations de jeunes rompus à la vie rude (la remise des diplômes se faisait à cheval). Elle aurait pu rester une banale école pour riches jeunes gens, si son site reculé n'avait de nouveau attiré l'attention. En 1942, les États-Unis, craignant que les Allemands ne fabriquent une bombe atomique, décidèrent de les devancer. **Robert Oppenheimer**, un savant de l'université de Californie, fut choisi pour diriger les recherches, désignées par le nom de code de **Manhattan Project**. Oppenheimer cherchait une construction bien équipée, mais à l'écart du passage : la Ranch School répondait à ce profil. On décida de la fermer et de créer à la place le **Los Alamos National Laboratory**. Une équipe de scientifiques prit possession des locaux en février 1943, dans le plus grand secret. Los Alamos fut dès lors coupée du monde. Des barbelés, des barrières et une tour de guet furent érigés pour en fermer l'accès (on voit encore la tour à l'entrée de la ville par la Hwy 502). Le centre semblait ne pas exister : on le désignait par un numéro de boîte postale domiciliée à Santa Fe. La ville ne fut rouverte au public qu'en 1957, 12 ans après la fin de la guerre.

Bombe atomique, guerre froide et désarmement
Oppenheimer réussit son pari. En août 1945, les sinistres bombardements d'**Hiroshima** et de **Nagasaki** marquèrent la suprématie américaine. Après l'armistice et l'entrée progressive dans la guerre froide et dans la course aux armements, Los Alamos conserva son importance stratégique. Le National Laboratory n'a jamais fermé et il est encore l'un des plus importants centres de recherche au monde, employant plus de 10 000 personnes. On y produit actuellement les noyaux de plutonium des armes nucléaires américaines. Même si, avec la fin de la guerre froide et

la désescalade des armements, des études sont menées en parallèle pour trouver les moyens de se débarrasser des déchets nucléaires ou des débouchés civils pour cette énergie, la recherche militaire reste le fer de lance du laboratoire. Il suffit de voir les tee-shirts ornés de champignons atomiques et autres souvenirs explosifs dans les boutiques pour comprendre que ce passé nucléaire fait la fierté de la ville.

Visite de la ville

Los Alamos est une ville impeccable, tirée au cordeau, propre et verdoyante, en contraste étonnant avec sa géologie tourmentée et la pauvreté des *pueblos* de la plaine. Sa bonne santé économique la dispense de courtiser le touriste et, si elle n'est plus fermée aux intrus, elle garde une atmosphère de retrait et d'isolement.

Le **Bradbury Science Museum*** *(à l'angle de Central Ave. et de 15ᵗʰ St., ☎ (505) 667 4444. Mardi-vendredi 9h-17h, samedi-lundi 13h-17h. Entrée libre)* passionnera ceux qui s'interrogent sur la fabrication des armes nucléaires et leur histoire. On y voit, par exemple, un courrier d'Einstein à Roosevelt à propos de l'utilisation de l'uranium, ou une **bombe atomique Little Boy** de 5 tonnes, comme celle lâchée sur Hiroshima. On y découvre toutes les techniques impliquées. Ne manquez pas le petit **film** qui évoque l'étrange histoire de la ville au temps où elle devint «top secret». Seul bémol : comme le musée est sponsorisé par le National Laboratory, les expositions ne présentent que l'aspect positif des recherches.

Pour une vision plus objective, le modeste **Los Alamos Historical Museum***, hébergé dans d'anciens locaux de la Ranch School *(à l'angle de Central Ave. et de 20ᵗʰ St., ☎ (505) 662 4493. Lundi-samedi 9h30-16h30, dimanche 11h-17h. Entrée libre)*, présente le côté humain des choses : la vie des habitants et des scientifiques à l'époque du Manhattan Project et les effets dévastateurs de la bombe atomique. Vous apprendrez aussi l'histoire des Indiens qui occupaient la région depuis la préhistoire.

Bandelier National Monument**
À 15 miles au sud de Los Alamos. Comptez une demi-journée.

Une histoire d'Anasazis

Les canyons autour de Los Alamos étaient déjà fréquentés il y a 7 000 ans par des chasseurs nomades. Les premiers à s'y sédentariser furent les anciens **Anasazis** de l'époque des *basketmakers*, au 6ᵉ s. Ils occupaient par petits groupes familiaux des grottes creusées dans les falaises calcaires. Ils commencèrent à s'assembler en petits villages à partir du 12ᵉ s. Peu nombreux au départ, ils bénéficièrent après 1 300 de l'arrivée des peuples du plateau du Colorado *(voir p. 368)*. Les villages augmentèrent en taille jusqu'à compter plusieurs centaines de pièces. La région commença à se dépeupler au 16ᵉ s., après la **colonisation espagnole**. Les Indiens s'établirent plus loin dans la plaine, là où se trouvent les *pueblos* actuels. Les habitants de Cochiti, de Santo Domingo et de San Felipe se disent leurs descendants. Les canyons furent redécouverts en 1880 par un anthropologue suisse, **Adolph Bandelier**, autodidacte passionné. Le Bandelier National Monument compte parmi les plus beaux et les plus passionnants vestiges des anciens Pueblos.

Visite du parc

Accès au Visitor Center par une route impressionnante qui descend au fond de Frijoles Canyon. Arrivez très tôt, car le parking est vite plein en été et il faut souvent attendre 30 à 45mn pour avoir une place. Ouvert du lever du jour au coucher du soleil. Entrée : 10$ par véhicule si vous n'avez pas le National Parks Pass. Achetez le «Frijoles Canyon Trail Guide» (1$), pour ses explications sur les sites que vous trouverez le long du chemin, et les cartes des plus de 110 km de sentiers si vous souhaitez randonner. Sur la mesa, un camping rudimentaire est ouvert de mars à novembre : présentez-vous tôt le matin pour une place.

La visite du parc permet de découvrir les ruines d'un *pueblo* du 14ᵉ s., des habitations troglodytiques dans les falaises, une grotte rituelle et sa *kiva*, et de faire une agréable balade le long du ruisseau.

Avant d'emprunter l'un des sentiers, arrêtez-vous au *Visitor Center* pour bien comprendre, notamment l'allure du *pueblo* du temps de sa splendeur.

Si vous ne disposez que d'une heure, ne manquez pas de suivre le **Main Loop Trail**★★ *(facile; 2 km)*. Imaginez que vous êtes sur les terres agricoles des anciens Indiens. Vous passez d'abord une grande *kiva*, où ils se livraient à des pratiques rituelles et se transmettaient la tradition orale. À l'époque, la *kiva* était recouverte d'un toit de rondins et de terre. Tout près, les ruines de **Tyuonyi Pueblo**★★ *(à 400 m du Visitor Center)* sont tout ce qu'il reste d'un village de 400 pièces, agencé en cercle autour de la plaza où l'on faisait les travaux quotidiens. Notez les trois petites *kivas*. Approchez ensuite la base de la falaise et passez nombre de **grottes troglodytiques**★, dont la plupart ont été creusées à la main avec des outils rudimentaires. Les plafonds noircis rappellent qu'on y entretenait un feu pour la chaleur et la cuisine. Certaines maisons troglodytiques, les **talus houses**★, sont plus évoluées : construites avec les pierres trouvées sur place, elles utilisaient la falaise comme mur arrière et pouvaient atteindre plusieurs étages. Ne manquez pas, le long du sentier, de vous retourner pour le **panorama** sur Tyuonyi : d'en haut, on voit clairement son plan circulaire. À son apogée, le canyon hébergeait 500 personnes. Plus loin, vous abordez **Long House**, un exemple de *talus house*. Il ne reste que les traces de ce qui devait être un immeuble de l'époque : près de 250 m de long et plusieurs étages accrochés à la falaise. Les rangées de trous dans la paroi servaient à ancrer de grosses poutres. Au-dessus, remarquez quelques pétroglyphes.

Si vous avez un peu plus de temps, poursuivez sur le **Nature Trail**★ qui conduit à la **Ceremonial Cave**★★ *(à 800 m)*. Cette anfractuosité de la falaise, située à 42 m en hauteur, s'atteint en grimpant quatre échelles en bois, comme le faisaient les Anasazis. Elle abrite une *kiva* parfaitement restaurée dans laquelle vous pouvez descendre et où se tenaient sans doute des rites réclamant isolement et secret.

Pour ceux qui veulent profiter du splendide environnement naturel, le **Falls Trail**★ *(5,6 km AR; 2 h; au sud du Visitor Center)* conduit à deux chutes d'eau du canyon.

Los Alamos pratique

Ch. Legrand/MICHELIN

«kiva» de Ceremonial Cave

Le Nouveau-Mexique

SANTA FE ★★★

Capitale du Nouveau-Mexique – 62 700 hab.
60 miles au nord-est d'Albuquerque
Alt. 2 134 m – Carte Michelin n° 943 G10

À ne pas manquer
Le Museum of Indian Arts & Culture et le Museum of International Folk Art.
Boire un verre chez El Farol.
Écouter du jazz ou danser le tango chez Espiritu.

Conseils
Évitez le week-end, monopolisé par les riches citadins.
Les bijoux ou souvenirs sont beaucoup plus chers qu'ailleurs,
mais vous pouvez marchander un peu avec les Indiens de la Plaza.
Achetez le Pass 4 jours pour voir tous les musées.

Santa Fe est une ville mythique, dont le nom fait rêver d'exotisme, d'aventure et de soleil. Mariage réussi des cultures indienne, espagnole et américaine, elle étale ses maisons couleur de biscuit au pied des Sangre de Cristo Mountains. Lumière particulière qui souligne la chaleur des coloris, graphisme des contrastes, architecture douce et ronde qui se fond dans la terre, bonheur de vivre à l'ombre des galeries où sèchent les colliers de piments, exubérance créative, fantaisie post-hippie et anticonformisme... C'est le *Santa Fe Style*, mélange unique et heureux de toutes les histoires de la ville. Ici, on ose le métissage : l'art se partage la scène économique avec des technologies les plus avancées, les lentes mélopées des Pueblos alternent avec les plus grands opéras, la ferveur catholique avec les danses sacrées des *kivas*, les plumes et les perles des Indiens avec les santiags des cow-boys...

Une histoire espagnole
C'est en 1540 que les Espagnols venus du Mexique explorèrent pour la première fois le Nouveau-Mexique. En 1598, 129 familles s'installèrent au nord de Santa Fe, dans la vallée d'Española, sous la conduite de Don Juan de Oñate. Mais c'est Santa Fe que choisit son successeur, **Don Pedro de Peralta**, en 1609, pour devenir la capitale du nouveau territoire (c'est la plus ancienne des États-Unis à avoir gardé ce titre sans interruption). L'année suivante, on construisit le palais des Gouverneurs et la mission San Miguel. Soldats, colons et marchands empruntaient **El Camino Real** (la Route royale), qui reliait Mexico à Santa Fe. Les missionnaires convertirent massivement les Indiens pueblos, que leur mode de vie sédentaire rendait plus familiers que les tribus nomades. En 1617, 14 000 d'entre eux avaient adopté le catholicisme sans vraiment renoncer à leurs traditions.

La révolte des Indiens
Excédés d'être exploités par les colons et les missionnaires et par l'interdiction croissante de pratiquer les rites ancestraux, les Indiens des villages environnants, menés par un chaman de Taos Pueblo, finirent par se révolter le 11 août 1680. Les colons s'enfuirent de Santa Fe vers le sud et s'installèrent à El Paso, près du Mexique. Les Indiens reprirent le contrôle de la région et s'emparèrent des chevaux abandonnés par les fuyards, ce qui contribua à changer leur mode de vie (avant l'arrivée des Espagnols, l'usage du cheval leur était inconnu). Par voie de troc, les chevaux passèrent aux tribus du nord, les Utes, puis se répandirent parmi les Indiens des Grandes Plaines. En 1692, les Espagnols récupérèrent le Nouveau-Mexique et Santa Fe (c'est cet événement que célèbre la Fiesta, chaque année en septembre ; voir p. 57), mais ils étaient devenus plus tolérants envers les traditions indiennes. La domination espagnole cessa en 1821, quand le Mexique devint indépendant.

Le Nouveau-Mexique

Le train ne sifflera pas

Comme partout dans l'Ouest, la véritable révolution économique arrive avec le chemin de fer. À Santa Fe, le bond en avant n'aura pas lieu. Les orgueilleuses machines arborant pourtant le nom de la ville n'y passent même pas. Lorsque certains spéculateurs locaux apprirent qu'une voie était prévue, ils achetèrent très vite les terres concernées, pensant en demander un prix exorbitant. Déception : les compagnies ne négocièrent pas et la voie passa au large de la ville pour mener directement à Albuquerque. Voilà pourquoi la capitale resta une petite ville provinciale, tandis que sa cadette connaissait la fortune. On essaya bien de créer une ligne raccordant Santa Fe à la voie principale, à Lamy, mais le mal était fait et Lamy reste aujourd'hui la gare la plus proche.

Le Santa Fe Trail

Aussitôt les troupes espagnoles parties, des aventuriers venus de l'est se hasardèrent dans la région. Le premier était un colporteur qui arrivait du Missouri avec un chariot plein de marchandises. Il vendit ses denrées avec un énorme bénéfice. La nouvelle se répandit vite et d'autres l'imitèrent : c'était le début du célèbre Santa Fe Trail, une **route commerciale** longue de 900 miles que suivront des générations de pionniers et d'interminables caravanes dans des conditions souvent pénibles. En 1846, lors de la guerre des États-Unis contre le Mexique, l'armée américaine s'empara de Santa Fe et déclara le Nouveau-Mexique Territoire américain. Des forts furent construits tout le long du Santa Fe Trail pour le protéger des raids indiens. Les ranchs se multipliaient à mesure que de nouveaux immigrants européens arrivaient des États de l'Est. Pourtant, le Nouveau-Mexique resta un simple territoire jusqu'en 1912, date à laquelle il accéda au statut d'État à part entière.

Artistes ou mystiques

Le sort qui a voulu que Santa Fe échappe au train lui a certainement valu de garder son charme intact. Sa réputation de « bout du chemin », de liberté et de vie sauvage attira les artistes et les bohèmes de tout poil en quête de sensations neuves. Les plus grands peintres américains s'y sont succédé. Au début du 20ᵉ s., ils colonisèrent Canyon Road, un chemin presque campagnard, à l'écart de la Plaza. Les prix y étaient modestes et les ateliers se multiplièrent. Après 1916, une solide communauté s'installa, financée par de riches mécènes de la côte Est. Toute l'architecture de la ville fut repensée pour retrouver l'inspiration historique : ce furent les débuts du **style Santa Fe**. En 1917, **Georgia O'Keefe**, peintre originaire de la côte Est, tomba définitivement amoureuse du Nouveau-Mexique. Elle emménagea en 1949 dans une petite maison des environs. Dans les années 1930 et 1940, les cinéastes de Hollywood vinrent tourner des films dans la région, amenant la célébrité et son cortège de stars. Toute cette faune colorée fit encore grandir la réputation de Santa Fe. Hippies, babas cool, marginaux et mystiques venaient s'y ressourcer et n'en repartaient pas. Avec la vogue New Age, on ne compte plus les mouvements de quête spirituelle, de retour aux sources et de redécouverte de soi. Bien sûr, les prix ont emboîté le pas à cette folie et les véritables artistes ont dû quitter Canyon Road pour laisser la place aux galeries, mais ils ne sont pas loin et la marque exubérante et libre qu'ils ont laissée sur la ville continue d'attirer les visiteurs.

Séjourner 2 jours à Santa Fe

1ᵉʳ jour	La Plaza et ses environs le matin, les musées de l'Old Santa Fe Trail l'après-midi.
2ᵉ jour	Flânez dans Canyon Rd, puis arrêtez-vous à Chimayó, sur la route de Taos.

Séjourner 3 ou 4 jours à Santa Fe

1ᵉʳ jour	Visitez la Plaza et ses boutiques et terminez l'après-midi sur Canyon Rd.
2ᵉ jour	Visitez les musées de l'Old Santa Fe Trail et partez pour le Pecos NM.
3ᵉ jour	Prenez la route du nord vers Española et visitez les Puye Cliff Dwellings.
4ᵉ jour	Partez pour Taos en vous arrêtant à Chimayó.

Visite de la ville
Comptez de 1 à 2 jours.

Autour de la Plaza★★

Comme dans toutes les villes espagnoles, la **Plaza**★★ est le centre de la ville. Celle de Santa Fe, encadrée d'un bel ensemble de maisons anciennes, fut longtemps le lieu de rendez-vous des habitants. Au 19ᵉ s., c'était là que se terminait le Santa Fe Trail (une pierre en marque l'emplacement au coin nord-est) et que les marchands se pressaient pour examiner la nouvelle marchandise.

Sur le côté nord de la place, le **Palace of the Governors**★★, l'un des plus vieux édifices publics du pays, servait à la fois de logement pour les gouverneurs et de siège du pouvoir. Le plus célèbre de ses occupants fut Lew Wallace, qui écrivit *Ben Hur* à ses heures perdues. Il héberge le passionnant **Museum of New Mexico**★★ *(105 E. Palace Ave., ☎ (505) 476 5100. 10h-17h/20h le vendredi; fermé le lundi. Entrée : 5$;*

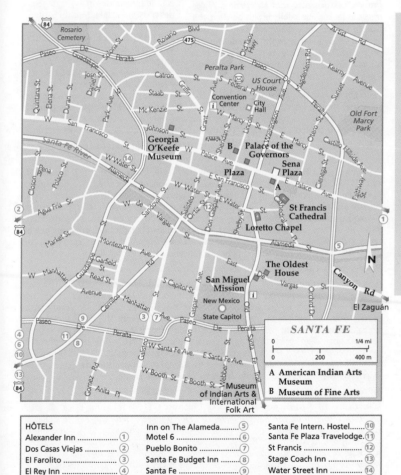

HÔTELS			
Alexander Inn	①	Inn on The Alameda	⑤	Santa Fe Intern. Hostel	⑩
Dos Casas Viejas	②	Motel 6	⑥	Santa Fe Plaza Travelodge	⑪
El Farolito	③	Pueblo Bonito	⑦	St Francis	⑫
El Rey Inn	④	Santa Fe Budget Inn	⑧	Stage Coach Inn	⑬
		Santa Fe	⑨	Water Street Inn	⑭

A American Indian Arts Museum
B Museum of Fine Arts

Le Santa Fe Style

En même temps que la ville attirait les artistes, l'idée naquit de redonner à Santa Fe un caractère architectural à l'image de son héritage culturel. Là où les Américains avaient apporté les styles territorial puis victorien, on décida de revenir aux influences mexicaines et pueblos et à des maisons agencées autour d'un patio. Construites en adobe, elles sont peu élevées, le toit est plat et les angles sont arrondis. Les fenêtres sont petites, les murs épais, et les poutres soutenant les plafonds restent apparentes sur les façades. La norme s'est si bien imposée qu'elle est devenue obligatoire. Les hauteurs sont strictement réglementées (aucun immeuble de plus de 20 m, pas plus de 11 m. pour les bâtiments commerciaux et 7,50 m pour les maisons individuelles), la couleur doit respecter les teintes de terre brunie et le style se fondre dans l'environnement.

Pass de 4 jours : 10$) et ses quelque 17 000 objets retraçant l'histoire de Santa Fe, des Indiens aux colons espagnols et aux territoires anglo-américains. On y mesure parfaitement l'évolution des Indiens au fil des siècles, ainsi que la vie que menaient les colons. À l'extérieur, la **galerie** qui longe la façade accueille chaque jour des Indiens venus des *pueblos* voisins pour vendre leurs bijoux (ils sont seuls à en avoir le droit, chacun leur tour).

La portion ouest de Palace Avenue était le repaire des maisons de jeu et des prostituées au temps du Santa Fe Trail. Le **Museum of Fine Arts**★★ (*107 W. Palace Ave.,* ☎ *(505) 476 5072. 10 h-17 h/20 h le vendredi ; fermé le lundi. Entrée : 5$; Pass de 4 jours : 10$*) se reconnaît facilement à son architecture néo-pueblo particulièrement réussie. Construit en 1917, il marqua le début du *Santa Fe Style*. Son principal intérêt est de se consacrer à l'**art du Nouveau-Mexique**, des peintres espagnols jusqu'aux contemporains, en passant par ceux des différentes colonies artistiques de Santa Fe et de Taos, y compris Georgia O'Keefe, et par les photographes.

Suivez Palace Ave. vers l'ouest, tournez à droite dans Grant Ave., puis tout de suite à gauche dans Johnson St.

Avec plus de 130 peintures, le **Georgia O'Keefe Museum**★★ (*217 Johnson St.,* ☎ *(505) 995 0785. 10 h-17 h/20 h le vendredi ; fermé le mercredi. Entrée : 5$, non couverte par le Pass*) rassemble la plus importante collection au monde des œuvres de la célèbre artiste (1887-1986). Un film retrace les étapes de sa vie, présente sa maison d'Abiquiu (au nord de Santa Fe) et expose sa conception de l'art. Inlassablement, pendant 40 ans, elle a peint le désert, les mesas, les chapelles des environs et s'attacha à des détails, comme ses célèbres fleurs qu'elle cadrait en très gros plan, car, disait-elle, « si je les peignais en petit, personne ne les regarderait… »

Revenez sur la Plaza et prenez Palace Avenue vers l'est.

East Palace Avenue conserve de nombreux souvenirs de l'histoire locale. Le **109 East Palace Avenue** servit par exemple de relais lorsque les chercheurs en énergie nucléaire investirent la ville de Los Alamos (*voir p. 462*). Le laboratoire devant rester secret, tous les nouveaux arrivants passaient par ici pour les vérifications, puis des militaires venaient les chercher. Leur seule adresse était désormais celle-ci, accompagnée d'un numéro de boîte postale. Plus loin, le long de la rue, plusieurs cours intérieures évoquent le mode de vie des colons espagnols. La plus belle est la **Sena Plaza**★★ (*125 E. Palace Ave.*), avec ses arbres et sa profusion de fleurs : c'était la cour d'une immense hacienda espagnole, résidence d'une famille de 11 enfants.

Suivez E. Palace Ave. et tournez à droite dans Cathedral Place.

L'**Institute of American Indian Arts Museum**★ (*108 Cathedral Place,* ☎ *(505) 988 6281. 9 h-17 h de juin à septembre/10 h-17 h d'octobre à mai, 12 h-17 h le dimanche. Entrée : 4$, non couverte par le Pass*) se consacre exclusivement à l'**art indien contemporain**. Outre de riches collections de peinture, sculpture, céramique, joaillerie et vannerie, il abrite la seule école des beaux-arts des États-Unis à être strictement consacrée à la promotion des méthodes et des cultures artistiques de tous les Indiens d'Amérique du Nord.

Le Nouveau-Mexique

De l'autre côté de la rue, la **St Francis Cathedral**★ *(tlj 6h30-17h45)* ne date que de la fin du 19e s. (1869-1886). Contrairement aux églises traditionnelles du Nouveau-Mexique, elle n'est pas construite en adobe mais en pierre dorée, extraite localement. Son style néo-roman imposant (deux clochers-flèches de 48 m de haut devaient même surmonter les tours) tranche avec le reste de la ville. Après la conquête par les Américains des territoires sur le Mexique, le pape décida d'envoyer un Français à Santa Fe : Jean-Baptiste Lamy en devint le premier archevêque en 1851. Décidé à remettre de l'ordre dans une église devenue tolérante, il commença par défroquer certains prêtres qu'il jugeait trop libérés et projeta de bâtir une cathédrale à la française qui donnerait une juste idée de la grandeur du catholicisme. L'édifice fut construit autour de la chapelle précédente (1714) qui existe encore à l'angle nord-est et abrite une Vierge de bois habillée, surnommée **La Conquistadora**★★, apportée du Mexique en 1625 (c'est la plus ancienne des États-Unis). Très vénérée, elle sort en procession en juin, pour Corpus Christi, la Fête-Dieu, et pour la Fiesta. Durant la révolte des Pueblos, les Espagnols l'emportèrent dans leur fuite puis la ramenèrent en 1692, lui attribuant la reconquête de Santa Fe. Chaque jour, une fidèle change ses vêtements. Les **vitraux** de la cathédrale ont été importés de France.

Canyon Road★

Pour tenter de faire revivre la grande époque artistique de Santa Fe, ne manquez pas de remonter vers l'est cette rue bordée de galeries d'art. Le temps des peintres impécunieux qui y vivaient en pleine bohème est révolu, et le prix des loyers les a chassés depuis longtemps à l'extérieur de la ville, même si quelques irréductibles s'y accrochent encore. En tout cas, la visite des expositions qui s'y succèdent permet de découvrir l'art contemporain de Santa Fe.

Suivez Cathedral Place vers le sud et tournez à gauche sur Alameda St. Prenez à droite dans Paseo de Peralta, puis à gauche dans Canyon Rd.

Un peu à l'écart de la rue, sur la gauche, le **Project Tibet** *(403 Canyon Rd)* et sa boutique d'artisanat rappelle qu'une communauté tibétaine vit à Santa Fe et offre une enclave sereine et différente. Plus loin, **El Zaguán**★ *(545 Canyon Rd ; jardin accessible au public tous les jours)* est une ancienne hacienda, construite après 1850 par un riche marchand. C'est un parfait exemple de style territorial, avec son long couloir central et sa galerie à colonnes. Le jardin victorien est étonnant : il fut créé par Adolph Bandelier, l'anthropologue découvreur du site pueblo de Los Alamos, qui importa même une partie des plantes utilisées.

En flânant le long de la rue, remarquez la variété du *Santa Fe Style* et l'esthétique de certains jardins. Ne manquez pas, ici ou là, des galeries ou ateliers pleins d'humour et de fantaisie, comme celui de l'inénarrable **Ed Larson** *(821 Canyon Rd, dans d'anciennes étables)*, avec ses tableaux en relief et ses cow-boys irrévérencieux.

Plus loin encore, vous atteignez la **Cristo Rey Church**★ (église du Christ Roi) (☎ *(505) 983 8528. Tlj, horaires variables)* construite en 1940, uniquement en adobe, selon les procédés ancestraux (c'est la plus grande existante de ce type). Plus de 200 000 briques de terre crue furent fabriquées sur place par les habitants des environs. L'église contient surtout un splendide **retable de pierre**★★ sculpté au Mexique en 1760.

Le long de l'Old Santa Fe Trail★

Dernier vestige de l'ancienne route commerciale, l'Old Santa Fe Trail a conservé son nom. À l'époque, on arrivait de l'est en contournant les Sangre de Cristo Mountains par le sud.

Empruntez l'Old Santa Fe Trail à l'angle sud-est de la Plaza.

La chapelle Loretto★★ *(207 Old Santa Fe Trail. Tlj 9h-17h, dimanche 10h30-17h. Entrée : 2,50$)*, construite en 1878 pour une communauté de religieuses, se veut inspirée de la Sainte Chapelle de Paris (toutes proportions gardées...) et fut édifiée par les architectes de la cathédrale. Elle vaut la visite pour son **escalier** en spirale qui tourne deux fois de 360°, sans vis et sans support apparent.

En poursuivant vers le sud, vous passez la rivière et croisez E. De Vargas St.

Le charpentier miraculeux

L'architecte de la chapelle avait été assassiné par un mari jaloux avant d'avoir fini son travail. Il ne semblait même pas y avoir la place pour l'escalier menant au-dessus du chœur. Les nonnes éplorées se mirent à prier saint Joseph. Un mystérieux charpentier se présenta avec seulement une équerre, une scie et un seau d'eau, et fabriqua l'escalier merveilleux. À peine le travail terminé, il disparut, sans demander d'argent et sans laisser son nom. La légende veut qu'il soit saint Joseph lui-même, patron des charpentiers…

À l'époque espagnole, cette partie de la ville, au sud du cours d'eau, fut la première à être urbanisée sous le nom de **Barrio de Analco** (quartier de l'autre côté de l'eau). Les officiels, soldats et missionnaires vivaient autour de la Plaza, tandis que les serviteurs mexicains, les ouvriers et les Indiens convertis étaient cantonnés à l'écart. Avec l'ouverture du Santa Fe Trail qui passait par là, de plus en plus de nouveaux arrivants s'installèrent le long d'East De Vargas Street, qui conserve les plus vieux édifices de la ville, comme **The Oldest House** *(215 E. De Vargas St.)*, une vieille maison en adobe aux murs massifs, que les poutres ont permis de dater aux environs de 1750.

Juste à côté, la **San Miguel Mission**★ *(401 Old Santa Fe Trail. Tlj 10h-16h, dimanche 14h30-16h30. Entrée : 1$. Messe tlj. à 17h)* fut fondée aux débuts de la ville, en 1610, mais partiellement détruite lors de la révolte des Pueblos. Elle servait d'église aux Mexicains et convertis du quartier voisin. Le bâtiment actuel, à l'exception des murs, fut reconstruit en 1710 et fortifié. À l'intérieur, le **retable**★ de San Miguel date de 1798. Notez aussi les **peintures sur peau de buffle et de cerf**★ qu'utilisaient les moines pour enseigner aux Indiens.

Pour rejoindre les musées, continuez sur l'Old Santa Fe Trail vers le sud jusqu'au Camino Lejo et suivez les panneaux. Les deux musées sont à environ 2 miles de la Plaza. Vous pouvez vous y rendre par le bus n° 10 (départ toutes les 30 mn du Bus Terminal sur Sheridan Ave., entre Marcy et Palace Ave., au nord de la Plaza).

La visite du **Museum of Indian Arts and Culture**★★★ *(710 Camino Lejo, ☎ (505) 827 6344, www.miaclab.org. 10h-17h ; fermé le lundi. Entrée : 5$; Pass de 4 jours : 10$. Visite guidée passionnante, mais en anglais uniquement. Comptez 1h30)* est indispen-

Le marché indien de Santa Fe

sable pour comprendre la culture indienne et son adaptation progressive, souvent douloureuse, à l'intrusion des Européens. La visite s'organise autour de huit thèmes : **les ancêtres** (chasse, cueillette, agriculture, habitat, migrations), **les cycles** (de la naissance à la mort, les objets, les rites, les costumes), **l'architecture** (utilisation de l'adobe, présentation d'un *hogan* navajo, d'une cuisine apache, méthodes culinaires), **le langage et les chants** (légendes, instruments de musique, du sacré au rock ou aux techniciens radio navajos durant la Seconde Guerre mondiale), **la flore et la faune** (comment les Indiens utilisent les ressources de la nature pour la gastronomie et l'artisanat), **le troc** (les denrées que l'on échange, argent et turquoises, tissages, poteries, les *trading posts*), **la survie** (préserver la culture, l'éducation, la religion, l'armée, la politique) et **les arts** (tous les savoir-faire).

Juste à côté, le **Museum of International Folk Art**★★★ (*706 Camino Lejo*, ☏ *(505) 474 1200, www.moifa.org. 10h-17h; fermé le lundi. Entrée : 5$; Pass de 4 jours : 10$. Ne manquez pas de retirer les brochures explicatives sans lesquelles la visite perd de son intérêt. Comptez de 2 à 3h*) est le plus important musée d'Art populaire au monde. Plus de 100 pays des cinq continents sont représentés à travers une foule d'objets fascinants (plus de 130 000). Parmi les thèmes traités, celui de l'**héritage hispanique**★★ est passionnant : on y apprend la structure des villages, l'organisation de la famille et le rôle joué par la religion (notez les amusantes représentations de la Trinité, de la mort, des saints, et l'omniprésence de la douleur). Le **département des textiles**★ présente des costumes du monde entier... Au sous-sol, la **Neutrogena Collection**★★ résume par des vidéos et des échantillons les techniques de l'artisanat populaire à travers le monde (de l'usage de la pomme de terre pour faire des retables portatifs aux secrets du tissage et de la teinture). Enfin, la **Girard Wing**★★ héberge les collections léguées par l'architecte collectionneur Alexander Girard : jouets et objets décoratifs ou usuels du monde entier.

Les environs de Santa Fe
Comptez de 1 à 2 jours.

Pecos National Monument★
À 30 miles au sud-est de Santa Fe. Suivez l'I-25 vers l'est, sortez à Pecos-Glorieta (sortie 299) pour prendre la Hwy 50 vers l'est jusqu'au village de Pecos. Là, prenez vers le sud sur la Hwy 63. Le site est ouvert tlj, 8h-18h de Memorial Day à Labor Day, 8h-17h le reste de l'année. Entrée : 4$ par véhicule si vous n'avez pas le National Parks Pass. Demandez le petit guide en français prêté sur place.

Pour les passionnés d'archéologie, voici les ruines d'un *pueblo* indien du début du 15e s., progressivement christianisé par les franciscains. On y voit les vestiges d'une imposante **mission** des 17e et 18e s. Sur les schémas, on lit la structure du village initial, avec plus de 20 *kivas* et 600 pièces sur quatre ou cinq étages, agencées en rectangle autour de la Plaza. Les restes de l'église et du monastère racontent la vie de la mission. Notez la présence d'une *kiva* dans le couvent, preuve que les missionnaires devaient tolérer que les convertis conservent leurs rites.

El Rancho de las Golondrinas
À 15 miles au sud de Santa Fe par l'I-25 (sortie 276). 334 Los Pinos Rd, La Cienaga, ☏ (505) 471 2261. Mercredi-dimanche 10h-16h de juin à septembre; visite guidée uniquement le reste de l'année. Entrée : 4$. Se renseigner sur le programme.

Cette ancienne hacienda permet de découvrir la vie des colons espagnols aux 18e et 19e s., lorsque le ranch se trouvait le long d'El Camino Real. Les habitations, l'école et le magasin ont été restaurés, ainsi que les ateliers où l'on fabriquait tout ce dont la communauté avait besoin. Pour les grands week-ends festifs, des volontaires en costume font revivre l'hacienda avec des démonstrations de tissage, broderie, fabrication du savon, forge, menuiserie...

Puye Cliff Dwellings*

À 32 miles au nord-ouest de Santa Fe. Suivez la Hwy 84/285 jusqu'à Española, où vous prenez vers le sud-ouest sur la Hwy 30. À environ 4 miles, tournez à droite aux panneaux. Tlj 8h-20h de Memorial Day à Labor Day/9h-16h30 en hiver. Entrée : 5$.

Moins célèbre et moins touristique que le Bandelier NM, ce site se trouve sur les terres des Indiens de Santa Clara Pueblo. De hautes falaises piquées de grottes servaient de **village troglodytique*** aux Indiens du 15ᵉ s. Des échelles permettent de visiter ces anfractuosités patiemment agrandies pour faire des maisons. Vous noterez de nombreux **pétroglyphes**, ainsi qu'un **pueblo** de plus de 700 pièces et ses *kivas* au sommet de la mesa. Vers 1500, à l'apogée de cette communauté, Puye était au centre des villages du Pajarito Plateau, auquel appartient aussi le Bandelier NM.

Sur la route du retour, la petite ville d'**Española** s'est fait une spécialité des voitures customisées. Capots arrondis et rutilants, caisses surbaissées, décors psychédéliques arpentent les rues, surtout lors des sorties du week-end.

Chimayó**

Quittez Santa Fe vers le nord par la Hwy 84/285. À Pojoaque Junction (11 miles), suivez la Hwy 503 vers l'est, puis la Hwy 520 en direction de Chimayó. Ce village typique de la colonisation espagnole est spécialisé dans le tissage, exécuté par les mêmes familles depuis 250 ans. Mais le cœur du village est sa ravissante église, **El Santuario de Chimayó****, achevée en 1816 *(tlj 9h-18h de mai à septembre/16h le reste de l'année; messes le dimanche à 7h et 12h)*. Elle accueille chaque vendredi saint le plus important pèlerinage des environs. Plus de 30 000 fidèles y viennent à pied, certains d'aussi loin qu'Albuquerque, car la terre du sanctuaire est réputée pour soigner tous les maux, y compris les cœurs brisés… L'extérieur de la chapelle est d'une touchante simplicité avec ses deux modestes tours en adobe rose et en bois sombre et sa galerie de guingois. À l'intérieur, remarquez les très beaux **retables**** et **statues** en bois peint. À gauche de l'autel, une petite porte mène à une antichambre remplie de béquilles, de cannes ou de messages prouvant les pouvoirs de la terre, ainsi que d'**ex-voto*** portant les vœux des pèlerins. Au fond, une minuscule pièce conserve un trou dans le sol où

J'ai bien mangé, j'ai bien bu…

chacun vient prendre un peu du sol magique. On vous dira que depuis le temps que les gens creusent, il est bien miraculeux que le niveau n'ait jamais baissé…

Avant de repartir, faites un petit détour *(50 m)* par la **Santo Niño Chapel**, modeste grange couverte de zinc, parfait exemple de la piété populaire avec ses ex-voto naïfs et ses statues en plâtre coloré *(tlj 9h-18h de mai à septembre/16h le reste de l'année)*.

De Chimayó, vous pouvez faire route vers Taos (voir p. 480) en suivant la Route 76.

La route qui mène à Taos passe de nombreux villages intacts, ignorés des touristes. Certains ont gardé leurs traditions artisanales de la période coloniale, comme **Cordova** *(7 miles de Chimayó)* pour le tissage. D'autres, comme **Truchas** *(4 miles de Cordova)*, ont été choisis par des artistes en quête de solitude et de simplicité. 6 miles plus loin, ne manquez pas de vous arrêter pour voir l'**église de Las Trampas***, un exemple remarquable d'église en adobe de la période espagnole.

Santa Fe pratique

ARRIVER-PARTIR

En avion – Il n'y a pas d'aéroport à Santa Fe, mais plusieurs compagnies relient en permanence Santa Fe à l'aéroport d'Albuquerque (voir p. 454). Chacune effectue une dizaine de trajets chaque jour (1h20 ; 20 $) ; *Sandia Shuttle*, ☎ 1-888775 5696 ; *Santa Fe Shuttle*, ☎ 1-888833 2300 ; *Express Shuttle*, ☎ 1-800256 8991. Réservez la veille. Également des liaisons vers Taos.

En voiture – Santa Fe est située à l'écart de l'I-25 qui vient d'Albuquerque. Pour entrer en ville, sortez de l'I-25 par la sortie 278 (Cerrillos Rd). C'est le long de ce boulevard que se trouvent la plupart des motels bon marché. Pour quitter Santa Fe vers Taos, suivez Guadalupe St. vers le nord : elle rejoint la Hwy 84/285.

En train – La gare **Amtrak**, située à Lamy (18 miles), est desservie par le train quotidien Southwest Chief (Los Angeles-Chicago, via Gallup, Grants et Albuquerque). Une navette, *Lamy Shuttle* (14 $), assure la liaison sur réservation au ☎ (505) 982 8829.

En bus – **Greyhound**, Santa Fe Bus Station, 858 St Michael's Drive, 3 miles au sud du centre-ville (connexion par bus), ☎ (505) 471 0008. quatre liaisons par jour pour Albuquerque (1h30) et deux pour Taos (1h30).

COMMENT CIRCULER

En voiture – Downtown est circonscrit par le Paseo de Peralta. Parking payant dans le centre, mais les places sont rares en été. Les distances étant raisonnables, mieux vaut garer sa voiture à l'extérieur du centre et continuer à pied.

En bus – Un service urbain est assuré par la **Santa Fe Trails**, le long des principaux axes de la ville vers le centre. Les circulent de 6h à 23h en semaine, de 8h à 20h le samedi, ne fonctionnent pas le dimanche et les jours fériés. Billet : 0,50 $; forfait à la journée : 1$.

Location de vélos – *Santa Fe Mountain Sports*, 607 Cerrillos Rd, ☎ (505) 988 3337. **Sun Mountain Bike Co.**, 107 Washington Ave., ☎ (505) 820 2902. Idéal pour visiter la ville.

ADRESSES UTILES

Office de tourisme – **New Mexico Department of Tourism Santa Fe Welcome Center**, 491 Old Santa Fe Trail, ☎ 1-800545 2040, www.new-mexico.org. Tlj 8h-19h en été, 8h-17h en hiver. Informations générales sur tout l'État. **Convention Center & Visitor's Bureau**, 201 W. Marcy St., ☎ 1-800777 2489, www.santafe.org. Dispose de brochures en langues étrangères. Demandez la «Walking Tour Map».

Banque / Change – **Bank of America**, 1203 St Michael's Drive, ☎ (505) 471 1234. **First Security Bank**, 121 Sandoval St., ☎ 1-800367 5431. Lundi-jeudi 9h-15h, vendredi 9h-18h. Nombreux distributeurs partout en ville.

Poste – **Main Post Office**, 120 S. - Federal Place, deux blocs au nord-ouest de la Plaza, ☎ (505) 988 6351. Tlj 7h30-17h45.

Santa Fe pratique

Internet – Accès gratuit à la bibliothèque municipale : *Santa Fe Public Library*, 145 Washington Ave., 1 bloc au nord de la Plaza.

Santé – *St Vincent Hospital*, 455 St Michael's Drive, ☎ (505) 983 3361.

État des routes – *State Highway and Transportation Department*, ☎ 1-800 432 4269. Important en hiver, surtout si vous prenez la route de Taos.

Mariage – Plus romantique que Las Vegas et tout aussi simple : prévoyez les pièces d'identité et 25 $ en liquide pour le *Santa Fe County Clerk's Office*, 102 Grant Ave., ☎ (505) 986 6281. Cérémonie plus élaborée, avec cadre au choix, styles et spiritualités à la carte (indien, celte…), à cheval ou en voiture, avec fleurs ou vidéos, chez l'une des entreprises spécialisées : *Heavenly Weddings*, ☎ (505) 992 8097 ; *Spirituals Weddings*, ☎ (505) 982 3779, www.spiritualweddings.com. Renseignements sur www.santafe.org.

OÙ LOGER

Attention, si vous comptez séjourner à Santa Fe pour l'Indian Market ou la Fiesta, réservez plusieurs mois à l'avance. Les prix augmentent alors très nettement. Les motels les moins chers se trouvent le long de Cerrillos Rd.

• Dans le centre-ville
De 60 à 80 $
Santa Fe Plaza Travelodge, 646 Cerrillos Rd, ☎ (505) 982 3551 – 49 ch. ⁌ ✕ ℰ 🆃🆅 ⌇ 🆑🆑 L'adresse n'a pas de caractère, mais c'est l'un des deux motels abordables si près de la Plaza (5 mn à pied). Petit-déjeuner léger offert. Très bon marché hors saison.
Santa Fe Budget Inn, 725 Cerrillos Rd, ☎ (505) 982 5952 – 160 ch. ⁌ ✕ ℰ 🆃🆅 ⌇ 🆑🆑 En face du précédent. Les salles de bains ont toutes une baignoire. Demandez une chambre dans les Buildings B ou D, en retrait de la route.
De 100 à 150 $
Pueblo Bonito, 138 W. Manhattan Ave., ☎ (505) 984 8001 / 1-800 461 4599 – 18 ch. ⁌ ✕ ℰ 🆃🆅 🆑🆑 À moins de 5 mn à pied du centre, une série de maisonnettes de style pueblo,

avec cheminée et tout le confort. Les suites disposent d'une cuisine et d'un salon. Petit-déjeuner inclus.
El Farolito, 514 Galisteo St., ☎ (505) 988 1631, www.farolito.com – 8 ch. ⁌ ✕ ℰ 🆃🆅 🆑🆑 Une jolie maison décorée dans les styles espagnol et pueblo, avec un ravissant patio, à moins de 5 mn à pied de la Plaza. Chambres avec cheminée, dispersées dans de petites « casitas » avec parking privé. Copieux petit-déjeuner.
Plus de 150 $
Hotel Santa Fe, 1501 Paseo de Peralta, à l'angle de Cerrillos Rd, ☎ (505) 982 1200, www.hotelsantafe.com – 160 ch. ⁌ ✕ ℰ 🆃🆅 ✕ ⌇ 🆑🆑 Un bel hôtel tout proche du centre, dont la fierté est d'être tenu par des Indiens de Picuris Pueblo. Excellent restaurant, grand confort, accueil gentil et efficace.
Water Street Inn, 427 W. Water St., ☎ (505) 984 1193, www.waterstreetinn.com – 12 ch. ⁌ ✕ ℰ 🆃🆅 🆑🆑 Une ancienne demeure coloniale en adobe, avec balcons et galeries en bois, près du centre, mais dans une ruelle à l'écart. Déco sobre et raffinée, typique du Sud-Ouest, et multiples attentions. Copieux petit-déjeuner et apéritif inclus.
Inn on The Alameda, 303 E. Alameda St., ☎ (505) 984 2121, www.inn-alameda.com – 69 ch. ⁌ ✕ ℰ 🆃🆅 🆑🆑 Agréable hôtel de style Santa Fe, dans un cadre reposant et élégant. Chambres spacieuses. Petit-déjeuner et apéritif compris. Jacuzzis extérieurs.
Hotel St Francis, 210 Don Gaspar Ave., ☎ (505) 983 5700 – 83 ch. ⁌ ✕ ℰ 🆃🆅 ✕ 🆑🆑 Élégance feutrée, très anglo-américaine, salles imposantes et hautes de plafond, meubles anciens. Bon restaurant et joli jardin. Les chambres standard sont très bien (120 $).
Dos Casas Viejas, 610 Agau Fria, ☎ (505) 983 1636, www.doscasasviejas.com – 8 ch. ⁌ ✕ ℰ 🆃🆅 ⌇ 🆑🆑 On dirait un petit hameau privé dans le style Santa Fe : chaque chambre grand luxe possède sa cheminée et son patio. Apéritif et petit-déjeuner copieux.

• Au nord du centre
De 100 à 150 $
Alexander Inn, 529 E. Palace Ave., ☎ (505) 986 1431, www.collectorsguide.

com/alexandinn – 5 ch. et 4 casitas 🛏️ CC
À 10 mn à pied du centre. Un joli cottage
campagnard, confortable et très « british », où flotte un parfum de muffins. Jardin exubérant avec jacuzzi et des « casitas » d'un très bon rapport qualité-prix
pour les familles. Deux des chambres
(90 $) partagent une salle de bains. Déli-
cieux petit-déjeuner. Les propriétaires
possèdent deux autres B & B aux environs (20 ch. au total), dont la charmante
Hacienda Nicholas (320 E. Marcy St.).

• **Le long de Cerrillos Road**
Moins de 20 $ par personne
**Santa Fe International Hostel & Pen-
sion**, 1412 Cerrillos Rd, à 2 miles du
centre, ☎ (505) 988 1153 – 50 lits et
15 ch. (single à 25 $, double de 35 à
45 $). Ne prend pas les cartes de crédit.
Laverie. Participation à l'entretien demandé. Nourriture de base offerte (riz,
pâtes, pain…). Réservation indispensable en saison, mais il faut envoyer le
paiement.
De 40 à 60 $
Motel 6, 3007 Cerrillos Rd, ☎ (505)
473 1380 – 104 ch. 🛏️🍴♿📺🏊 CC
À 3 miles du centre, ce motel classique,
légèrement en retrait de la route, est desservi par le bus.
De 80 à 100 $
🍽️ **El Rey Inn**, 1862 Cerrillos Rd,
☎ (505) 982 1931, www.elreyinnsan-
tafe. com – 86 ch. 🛏️🍴♿📺🏊 CC
Joli motel de la grande époque de la
Route 66, verdoyant et fleuri, à l'architecture mexicaine toute blanche. Laverie
et micro-ondes à disposition, petit-déjeuner continental. Demandez les
chambres les plus éloignées de la route
ou près de la piscine.
Stage Coach Inn, 3360 Cerrillos Rd,
☎ (505) 471 0707 – 14 ch. 🛏️🍴♿📺
CC Chambres impeccables et confortables dans un décor de style mexicain
(les chambres doubles au premier prix
sont vraiment très bien). Les prix sont
les mêmes toute l'année.

OÙ SE RESTAURER
Il faut impérativement réserver sa table
pour dîner ou se résoudre à attendre sur
le trottoir. Le dimanche, la plupart des
restaurants proposent un brunch.

• **Dans le centre-ville**
De 10 à 15 $
Cafe Oasis, 526 Galisteo St., ☎ (505)
983 9599. Tlj 8 h 30-minuit (2 h 30 le
week-end). À l'image du Santa Fe
« funky », entre baba cool et New Age,
déco « récup » dans plusieurs petites
salles, dont la « Mystic Room », où l'on
se déchausse pour manger assis en
tailleur. Agréable patio à l'arrière. Cuisine bio pour des plats simples, mexicains, indiens, grecs, végétariens, salades. Musique live du jeudi au samedi.
🍽️ **India Palace**, 227 Don Gaspar St.,
au fond du parking, ☎ (505) 986 5859.
Curries et spécialités indiennes délicieuses. Agréable patio, service d'une
grande gentillesse. Le midi, excellente
formule de buffet à volonté pour 8 $.
Cowgirl BBQ, 319 S. Guadalupe St.,
☎ (505) 982 2565. Ouvert jusqu'à minuit. Ambiance country et déco western
avec vieilles photos de « cow-girls » au
mur. Plats américains typiques. Musique
blues, country, jazz, rock, selon les soirs.
🍽️ **The Shed**, 113 1/2 E. Palace Ave.,
☎ (505) 982 0902. Fermé le dimanche.
Cuisine traditionnelle du nord du Nouveau-Mexique, comme le « red chile » ou
les « quesadillas ». Adorable patio. Réservez le soir et demandez l'une des
tables très romantiques du patio ou devant la fenêtre.
🍽️ **Guadalupe Cafe**, 422 Old Santa Fe
Trail, ☎ (505) 982 9762. Sert dès le petit-déjeuner ; fermé dimanche soir et
lundi. Adresse très populaire auprès de
la clientèle locale pour sa cuisine mexicaine relevée, son ambiance détendue et
son beau patio.
De 15 à 20 $
La Casa Sena, 125 E. Palace Ave.,
☎ (505) 988 9232. Charme fou et ro-
mantisme assuré pour cette ancienne hacienda de style territorial, dont le patio
est sans doute le plus beau de la ville.
Cuisine inspirée du Sud-Ouest, mais inventive et d'influence européenne.
Pink Adobe, 406 Old Santa Fe Trail,
☎ (505) 983 7712. Cette pittoresque
maison en adobe de 350 ans est une
table mexicaine très à la mode. Le bar
Dragon Room est l'endroit où il faut
être vu à Santa Fe. Clientèle éclectique,
aussi bien artistes que jeunes ou célébrités locales.

Coyote Cafe - Rooftop Cantina,
132 W. Water St., ☎ (505) 983 1615.
Encore une table à la mode, pour des
plats latino-américains inventifs. Salle
malheureusement bruyante. D'avril à octobre, préférez la Rooftop Cantina, la
partie du restaurant aménagée sur le toit
dans une atmosphère très Caraïbes.

• **Canyon Road**

De 10 à 15 $

El Farol, 808 Canyon Rd, ☎ (505)
983 9912. Excellente cuisine espagnole
dans une ambiance chaleureuse. Musique tous les soirs. Tapas (5-10 $) ou
plats plus élaborés (15-20 $).

De 30 à 40 $

Geronimo, 724 Canyon Rd,
☎ (505) 982 1500. Régulièrement élu
meilleure table du Nouveau-Mexique, ce
restaurant propose une cuisine éclectique très créative, inspirée de la tradition locale, dans un cadre à l'élégance irréprochable. Cher, mais c'est justifié.

• **À la périphérie de la ville**

De 10 à 15 $

Mu Du Noodles, 1494 Cerrillos Rd,
☎ (505) 983 1411. Restaurant thaï de
bonne qualité, à la décoration sobre et à
l'éclairage chaleureux. Entrées et salades
sont délicieuses, et les plats copieux (un
peu trop salés parfois). Moins cher le
midi. Ne sert pas après 21 h.

Mariscos La Playa, 537 Cordova Rd,
☎ (505) 982 2790. Restaurant de quartier sans prétention fréquenté par une
clientèle locale. Cette adresse réputée
pour ses fruits de mer et ses poissons
propose des plats simples et frais. Déco
naïve et colorée avec tables en formica et
chaises en vinyle.

• **Sur la route de Taos**

De 10 à 15 $

Rancho de Chimayo, SF County Rd
98, Chimayó, ☎ (505) 351 4444. Une
vieille maison traditionnelle en adobe et
un restaurant familial et chaleureux pour
une bonne cuisine du Nouveau-
Mexique. Réservez en raison de la popularité de Chimayó.

OÙ SORTIR, OÙ BOIRE UN VERRE

Chaque vendredi, le quotidien « Santa
Fe New Mexican » sort **Pasatiempo**, un
supplément résumant les programmes

de la semaine, concerts ou animations
dans les bars et clubs, spectacles, manifestations, expositions, etc.

The Store Different, 235 Don Gaspar
Ave., ☎ (505) 820 1169. Cette boutique
rigolote vend des gadgets colorés et de
la musique ethnique. On y savoure d'excellents expressos, lové dans un profond
fauteuil ou sous les parasols de la terrasse.

Longevity Cafe, 112 W. San Francisco,
dans la galerie commerciale, face au Blue
Corn, ☎ (505) 986 0403. Tlj 11 h-minuit (19 h le dimanche). Les propriétaires, versés en médecines orientales,
proposent des « élixirs », infusions parfumées pour tous les maux, de la dé-
prime à la baisse de libido, en passant
par la gueule de bois. Grand choix de
thés, salades, soupes et snacks. Atmosphère zen et magazines New Age.

Downtown Subscription, 376 Garcia
St. (perpendiculaire à Canyon Rd vers le
sud), ☎ (505) 983 3085. Pour boire un
café et manger un gâteau sur une
agréable terrasse, une adresse décontractée et accueillante qui fait aussi librairie
et maison de presse (on y trouve toute
la presse étrangère).

Maria's, 555 W. Cordova Rd, près de
St Francis Drive, ☎ (505) 983 7929.
L'adresse incontournable pour boire un
véritable Margarita (100 recettes différentes). On y mange aussi (de 10 à 15 $),
mais il vaut mieux réserver. La salle du
bar est plus sympa et elle accepte les fumeurs, fait rarissime aux États-Unis.

El Farol, 808 Canyon Rd, ☎ (505)
983 9912. En journée, la terrasse est
idéale pour prendre un verre en regardant passer les touristes. Le soir, l'intérieur chaleureux, avec ses poutres
sombres, accueille d'excellents concerts
de jazz, blues ou salsa (à 21 h 30).

Espiritu Canyon Road, 731 Canyon Rd, ☎ (505) 424 8000. C'est une
pizzeria, mais son bar est réputé pour sa
musique jazz. Des célébrités s'y produisent, comme Patricia Barber. Le mardi
soir, pour la « Tango Night », on peut
danser ou simplement regarder les lan-
goureux glissements des danseurs professionnels.

ACHATS

Jackalope, 2820 Cerrillos Rd, ☎ (505) 471 8539. De vastes entrepôts pour un joyeux bric-à-brac d'objets ethniques pour maison ou jardin, tels les squelettes de tête de bétail que l'on retrouve dans les peintures de Georgia O'Keefe…

Tesuque Flea Market, sur la Hwy 84/285, à 8 miles au nord de la ville. Tous les samedis matin, de mars à novembre, ce marché aux puces propose un incroyable déballage de toutes sortes de choses : fripes, vannerie, bijoux… On y trouve quelques occasions et l'atmosphère y est très sympathique.

FÊTES / FESTIVALS

Rodeo de Santa Fe : 4 jours, du mercredi au samedi, aux environs du 21 juin. Le festival se tient sur Rodeo Rd (donne dans Cerrillos Rd), à 5 miles du centre-ville. Shows à 19h30, spectacle supplémentaire à 14h le samedi. Entrée : 8 à 16$ selon les places.

Santa Fe Opera : l'Opéra de Santa Fe est reconnu mondialement pour la qualité des œuvres présentées et la stature des interprètes. Durant huit semaines, en juillet-août, 40 spectacles sont donnés dans une salle, aménagée à 7 miles au nord de la ville par la Hwy 84/285. Les parois latérales restent ouvertes, donnant une impression de plein air. Réservez longtemps à l'avance pour les places assises, car la saison est le grand événement mondain de Santa Fe, ☎ (505) 986 5900 (comptez de 20 à 120$). Des places debout sont vendues le matin des spectacles, à partir de 10h (de 6 à 15$). Renseignements sur www.santafeopera.org.

Santa Fe Chamber Music Festival : durant six semaines, de mi-juillet à mi-août, une cinquantaine de concerts sont donnés au St Francis Auditorium du Museum of Fine Arts. Tlj, sauf mercredi, à 18h ou 20h. Réservations dès la 3e semaine de juin au ☎ (505) 982 1890. Billet de 15 à 40$. Une manifestation de grande qualité, très éclectique, présentant des morceaux classiques, des compositions contemporaines ou du jazz. Renseignements sur www.santafechamber-music.org.

Shakespeare in Santa Fe : de fin juin à fin août, des représentations théâtrales remarquables sont données en plein air, dans la cour du St John's College (au sud-est du centre-ville). Réservations de places assises payantes au ☎ (505) 982 2910. On peut aussi s'asseoir autour, moyennant 5$. S'habiller chaudement. Renseignements sur www.shakespearesanta-fe.org.

María Benítez Teatro Flamenco : tous les soirs, sauf mardi, de mi-juin à Labor Day, au Radisson Hotel. Réservations au ☎ (505) 982 1237/1-800 905 3315. Billet de 16 à 36$. Une danseuse de flamenco légendaire à Santa Fe, où elle se produit avec sa compagnie depuis des années.

Spanish Market : deux jours durant, fin juillet, tous les artisanats d'inspiration espagnole et mexicaine sont représentés sur la Plaza (objets en fer-blanc peint, images pieuses, céramique…), et on peut manger des spécialités culinaires au son de la musique et des danses. Renseignements sur www.spanishcolonial.org.

Indian Market : le 3e week-end d'août, le plus grand marché indien des États-Unis réunit plus de 1 000 artisans autour de la Plaza et constitue le principal événement de l'été. Danses traditionnelles.

Santa Fe Fiesta : la semaine qui suit Labor Day, à partir du jeudi. Célébrée depuis 1712, c'est la plus ancienne grande fête des États-Unis. Elle commémore le retour des Espagnols en 1692. La vedette de la fête est la Conquistadora ou Vierge de la Victoire. La Fiesta commence avec la mise à feu de Zozobra, un immense et sinistre bonhomme en carton-pâte. Ensuite, ce ne sont que danses, concerts, défilés et messes…

All Children Pow-wow : à la mi-octobre, ce « pow-wow » organisé au Museum of the American Indian rassemble des enfants indiens en costume, qui se livrent à des démonstrations de danses.

Noël : le soir du 24 décembre, les environs de la Plaza et de Canyon Rd sont illuminés de « luminarias » (ici on les appelle « farolitos »). Une procession arpente ces rues en chantant des cantiques de Noël.

TAOS ET SES ENVIRONS★★

6 200 hab. – Carte Michelin n° 943 H10
72 miles au nord de Santa Fe – Alt. 2 090 m-3500 m

À ne pas manquer
La visite de Taos Pueblo.

Conseils
Arrivez très tôt à Taos Pueblo.
Si vous n'avez pas l'habitude du trek en montagne,
méfiez-vous de l'altitude qui vous fatiguera plus vite.

Construite sur un plateau entre le Rio Grande et les Sangre de Cristo Mountains (le Wheeler Peak, au nord-est, culmine à 3 948 m), Taos se partage en deux : la ville historique créée par les Espagnols (65 % de la population), vieille de trois siècles, et le *pueblo* occupé par les Indiens depuis plus de 1 000 ans. D'un côté, les haciendas et *trading posts* des villes coloniales, de l'autre, l'architecture pueblo traditionnelle. Taos est aussi un centre sportif de ski l'hiver (l'un des meilleurs domaines des Rocheuses) et de rafting au printemps et en été. Cet étonnant mélange explique son ambiance à la fois artiste, bohème et sportive.

De la recherche de l'or à la quête des artistes

En 1540, une première expédition espagnole, partie chercher de l'or, découvrit le *pueblo* de Taos. En 1598, la **mission San Geronimo** fut fondée dans le village indien, au sud duquel des familles espagnoles créèrent une petite ville. Mais les Indiens se révoltèrent contre les contraintes des missionnaires : en 1680, Taos Pueblo mena la rébellion et les Espagnols s'enfuirent, pour revenir 15 ans plus tard. Puis, à partir de 1898 et surtout au début du 20ᵉ s., ce furent les artistes qui découvrirent le site et vinrent y chercher l'inspiration. En 1914, la **Taos Society of Artists (groupe de Taos)** fut fondée et devint l'une des écoles de peinture les plus célèbres des États-Unis. Dans les années 1960-1970, les hippies y apportèrent leur mode de vie bohème et décontracté. Depuis, Taos est restée une ville créative et authentique, où l'art est une passion vivante, moins mercantile qu'à Santa Fe.

Visite de la ville★★
Comptez une journée.

Autour de la Plaza★

Typique des villes espagnoles, la **Plaza**★ accueillait jadis le commerce entre Indiens et colons. La foire traditionnelle attirait chaque année les caravanes venues du Mexique, mais aussi les trappeurs français et les colporteurs anglo-américains.

Suivez l'une des allées quittant la Plaza au nord et rejoignez Bent Street.

La Governor Bent House *(117 Bent St. Tlj 9 h 30-17 h/10 h-16 h en hiver. Entrée : 2 $)* rappelle la violence des siècles passés. Charles Bent fut le premier gouverneur américain, en 1846. Réfractaires à son autorité, des rebelles d'origine hispanique et indienne assiégèrent sa maison et le tuèrent. La famille s'échappa par un trou dans le mur.

De retour sur la Plaza, quittez celle-ci vers le sud-ouest par El Camino de Santa Fe. Traversez El Camino de la Placita et prenez en face Ledoux St., qui regroupe la plupart des galeries d'art de la ville, de qualité très inégale.

La **Navajo Gallery** *(210 Ledoux St. 10 h-17 h. Entrée libre)* présente les œuvres de **R.C. Gorman**, peintre indien célèbre, originaire de Taos.

Un peu plus loin, **Ernest Blumenschein's House*** *(222 Ledoux St.,* ☎ *(505) 758 0505. Tlj 9h-17h. Entrée : 5$, 10$ pour les trois musées municipaux)* est la demeure du premier artiste à avoir découvert Taos en 1898, l'un des fondateurs de la *Taos Society of Artists*. Elle abrite une collection de ses tableaux et d'autres peintres de Taos.

Le **Harwood Museum of New Mexico**** *(238 Ledoux St. Tlj 10h-17h; fermé le lundi. Entrée : 5$)* présente lui aussi une sélection d'œuvres exécutées par les artistes de Taos, aussi bien du début du 20ᵉ s. que de l'époque contemporaine. Une galerie est consacrée à l'art hispanique avec une belle collection de retables et de sculptures.

Au bout de Ledoux St., tournez à gauche dans Ranchitos Rd pour rejoindre l'Hacienda Martinez (il est conseillé de s'y rendre en voiture).

Au sud-ouest du centre-ville, l'**Hacienda Martinez**** *(Lower Ranchitos Rd. Tlj 9h-17h. Entrée : 5$, forfait 10$ pour les trois musées municipaux)* permet de découvrir le mode de vie des colons espagnols. Son allure fortifiée souligne les dangers du quotidien. 21 pièces meublées comme au 17ᵉ s. sont organisées autour de deux patios. Les Martinez étaient une famille de fermiers et de marchands qui affrétaient des caravanes vers Chihuahua, le long d'El Camino Real, puis le long du Santa Fe Trail, après 1821.

Revenez sur la Plaza et traversez El Paseo del Pueblo Sur pour emprunter Kit Carson Rd.

Le **Kit Carson Home and Museum*** *(113 Kit Carson Rd. Tlj 9h-17h. Entrée : 5$, 10$ pour les trois musées municipaux)* est logé dans l'ancienne maison du célèbre Kit Carson, un *frontier man* (homme de la frontière), dont on apprend l'histoire à travers objets d'époque et documents. Il avait acheté cette demeure comme cadeau de mariage pour sa jeune femme d'origine espagnole. Ils y vécurent jusqu'à leur mort en 1868.

Au nord de la ville
Les musées sont tous situés au nord de la ville, le long d'El Paseo del Pueblo Norte qui devient la Hwy 64.

Le **Fechin Institute** *(227 Paseo del Pueblo Norte. 10h-14h; fermé les lundi et mardi.*

Chasseur d'Indiens
La légende de Kit Carson est aussi ambiguë que celle de la conquête de l'Ouest. Arrivé adolescent à Taos par une caravane du Santa Fe Trail, il fut d'abord traducteur pour les colporteurs, puis trappeur et guide lors des expéditions d'exploration, et même agent indien durant sept ans. Puis, en 1861, il s'engagea dans l'armée où l'on utilisa sa connaissance des Indiens pour mieux les traquer. C'est lui qui mena la sinistre répression contre les Navajos, les chassant de leurs terres, les massacrant, et déportant les survivants, lors de la «Longue Marche» à travers le Nouveau-Mexique.

Entrée : 4$) est l'ancienne demeure d'un artiste russe installé à Taos dans les années 1920. L'architecture, le décor et les œuvres exposées témoignent de son talent.

Le **Van Vechten-Lineberry Taos Art Museum** *(501 Paseo del Pueblo Norte. Mercredi-vendredi 11h-16h, samedi-dimanche 13h30-16h; fermé les lundi et mardi. Entrée : 6$)* présente ce qui s'est accompli à Taos en matière d'art depuis le début du 20ᵉ s., notamment les travaux de la *Taos Society of Artists*.

Le **Millicent Rogers Museum**** *(Millicent Rogers Museum Rd, à 4 miles du centre,* ☎ *(505) 758 2462. 10h-17h; fermé le lundi en hiver. Entrée : 6$)* possède une exceptionnelle collection d'art indien et hispanique rassemblée par cette riche mécène, installée à Taos en 1947. Bijoux, tissages, poteries, peintures, objets religieux, photographies résument la culture très métissée du Nouveau-Mexique.

Taos Pueblo***
2 miles au nord de la Plaza de Taos par El Paseo del Pueblo Norte, puis à droite par El Camino del Pueblo. ☎ *(505) 758 1028, www.taospueblo.com. Alt. 2120 m. Ouvert au public tlj de 8h à 16h30. Attention, le pueblo est totalement fermé de début mars à mi-avril. Entrée : 10$. Droit de photographier : 10$; photos interdites durant les fêtes et danses.*

Les maisons en adobe de Taos Pueblo

En langue tiwa, on appelle ce pueblo le « lieu du saule rouge », en raison des arbres qui poussent le long de la rivière. C'est un fabuleux village, dont les blocs de maisons en terre ocre sont restés intacts malgré le temps. Ni eau courante ni électricité : la vie et les rythmes sont les mêmes depuis des siècles. À peine 200 Pueblos vivent encore ici, les autres (2 000 environ) préférant habiter des maisons plus modernes sur les terres de la réserve tribale.

Gardant l'entrée de la place centrale, la ravissante **San Geronimo Church★★★**, dédiée par les missionnaires à un saint catholique (Jérôme) et à la Vierge, est l'un des plus récents bâtiments du village (1850). Le culte de la Vierge a toujours été bien accepté par les Indiens qui y retrouvent leur concept traditionnel de Mère Nature. 75 % des Indiens de Taos sont catholiques et une messe est célébrée ici tous les dimanches à 7 h.

Le **Red Willow Creek** qui traverse le *pueblo* vient d'une source sacrée appelée Blue Lake, dans les Sangre de Cristo Mountains. Cette rivière partage le village en deux grandes structures, le **North Side★★★** (rive nord) et le **South Side** (rive sud), qui se relaient tous les six mois pour administrer la communauté. Bien que des portes aient été rajoutées, on comprend bien l'agencement des villages pueblos en pièces juxtaposées, où l'on entrait par le toit au moyen d'une échelle (facile à retirer en cas de visite hostile). Parmi les traditions conservées au village, les **fours en terre** (*hornos*) servent encore à cuire le pain ou une pièce de viande (on allume un feu vif qui chauffe les parois, puis on retire les cendres, on enfourne le pain et on ferme la porte). Notez aussi les **ramadas**, des abris de rondins qui fournissent l'ombre en été, et les **séchoirs**, des tables de rondins à claire-voie pour faire sécher la viande, les céréales et les haricots. Au nord-ouest du village, les ruines de la chapelle primitive et le cimetière sont sacrés et interdits (c'est dans la chapelle que furent exécutés les rebelles qui s'y étaient réfugiés après l'assassinat du gouverneur Bent). Au nord-est, une autre zone proscrite est celle des *kivas*, réservées aux rites sacrés de la communauté.

Ranchos de Taos

À 4 miles environ au sud de la Plaza par El Paseo del Pueblo Sur. Ce village possède l'une des plus célèbres églises du Nouveau-Mexique, la **San Francisco de Assisi Church★★**, qui a inspiré peintres et photographes comme Georgia O'Keefe ou Ansel

Adams *(tlj 9h-16h; fermée la première quinzaine de juin. Messes le dimanche à partir de 7h)*. Construite entre 1710 et 1755, elle est massive et fortifiée. Admirez le chevet et ses énormes contreforts arrondis. C'est autour de cette église que les Espagnols se sont installés, plutôt qu'à Taos, quand ils revinrent d'exil après la rébellion de 1680.

Les environs de Taos*
Comptez une journée.

Rio Grande Gorge*
Le Rio Grande traverse le plateau de Taos en creusant une gigantesque gorge que l'on peut admirer du **Rio Grande Bridge*** *(à 10 miles au nord-ouest de Taos par la Hwy 64)*, qui enjambe la rivière à 195 m en contrebas.

À 1,5 mile au-delà du Rio Grande, la route longe un étrange village de maisons semi-enterrées tout en rondeurs : **Earthship*** est un concept d'architecture et d'habitat utilisant uniquement les énergies naturelles (solaire, éolienne…) et les matériaux naturels ou de récupération (vieux pneus, bouteilles, canettes, cartons, terre, etc). La visite passionnera les adeptes d'écologie et de solutions alternatives (☎ *(505) 751 0462, www.earthship.org. Tlj 10h-16h. Entrée : 5$).*

Enchanted Circle et Cimarron*
Circuit total de 120 miles (74 miles pour Enchanted Circle, 46 miles AR pour Cimarron). Quittez Taos vers le nord par la Hwy 522, suivez la Hwy 38, puis la Hwy 64.
Cet agréable itinéraire contourne l'imposant **Wheeler Peak**. D'impressionnants aplombs rocheux dominent la route qui longe le Columbine Creek et traverse un paysage de haute montagne et de larges alpages propices au ski de fond. On passe ensuite le **Bobcat Pass** (2946 m), puis on longe les hauts sommets, avec, de part et d'autre de la route, les portails des immenses ranchs.

La route bifurque ensuite vers **Cimarron** («sauvage» en espagnol), ancien terri-toire des Indiens utes et apaches. Située sur le Santa Fe Trail, à sa traversée des montagnes, la petite ville est vite devenue le rendez-vous des aventuriers de l'Ouest. Aujourd'hui complètement assoupie, elle garde l'**hôtel St James***, saloon où les hors-la-loi venaient se saouler. Fondé par un Français, ancien cuisinier du prési-dent Abraham Lincoln à la Maison Blanche, l'établissement fut le théâtre de 26 meurtres : en ces temps troublés de la conquête de l'Ouest, on avait la gâchette facile… Buffalo Bill, Wyatt Earp, Billy the Kid, Jesse James y ont lustré le bois des comptoirs. Chaque semaine, de violentes rixes opposaient des fortes têtes et l'on échangeait quelques balles. La femme du propriétaire fut tellement troublée que son fantôme hante encore l'hôtel…

Taos pratique

En avion – *Rio Grande Air* (☎ (505) 737 9790, www.rga.newmex.com) as-sure trois vols quotidiens (40 mn) entre l'aéroport d'Albuquerque et l'aéroport municipal de Taos. Puis la navette vous mène jusqu'à votre hôtel (à partir de 80$ aller simple ou 150$ AR).

En bus – Les bus de la compagnie ***Greyhound*** s'arrêtent au Taos Bus Cen-ter (station-service Chevron), 1008 Paseo del Pueblo Sur, à l'angle d'El Camino de la Merced, ☎ (505) 758 1144. Deux départs quotidiens pour Santa Fe (1h30) et Albuquerque (3h). Il existe une compagnie locale, ***Chile Line Town of Taos Transit***, opé-rant toutes les 30 mn sur la ligne Ran-chos de Taos vers Taos Pueblo et s'arrê-tant aux principaux hôtels (du lundi au samedi; 1$ AR).

En navette – ***Pride of Taos Tours***, ☎ (505) 758 8340 / 1-800 273 8340, assure des transferts quotidiens vers Santa Fe ou l'aéroport d'Albuquerque.

COMMENT SE REPÉRER

La Hwy 68 passe Ranchos de Taos et devient El Paseo del Pueblo Sur en arrivant à Taos en venant de Santa Fe. En montant vers le centre-ville, elle croise la Hwy 64 (Kit Carson Rd), à partir de laquelle elle devient El Paseo del Pueblo Norte.

ADRESSES UTILES

Office de tourisme – *Taos Chamber of Commerce & Visitor Center*, 1139 Paseo del Pueblo Sur, ☎ 1-800 732 8267, www.taoschamber.com. Tlj 9 h-17 h.

Banque / Change – Distributeurs un peu partout. Bureau de change officiel à la *Centinel Bank of Taos*, 512 Paseo del Pueblo Sur, ☎ (505) 758 6700.

Poste – *Main Post Office*, 318 Paseo del Pueblo Norte.

Santé – *Holy Cross Hospital*, 1397 Weimer Rd (donne sur Paseo del Canyon), ☎ (505) 758 8883. Plusieurs pharmacies sur El Paseo del Pueblo Sur.

OÙ LOGER

Il y a deux hautes saisons, l'hiver et l'été. Les motels les moins chers sont à l'écart du centre-ville, le long de la route de Santa Fe. Hors saison, les prix baissent de 20 à 30 %.

• **Taos**

Moins de 20 $ par personne

☺ **Abominable Snow Mansion Hostel**, 476 Taos Ski Valley Rd (Hwy 50), Arroyo Seco, à 9 miles de Taos, ☎ (505) 776 8298, snowman@newmex.com – 30 lits CC Auberge chaleureuse et colorée à mi-chemin de la station de ski, dans un joli village. Copieux petit-déjeuner en hiver. 5 chambres, et 7 tipis à l'arrière de la maison. Camping.

De 60 à 80 $

Super 8 Motel, 1347 Paseo del Pueblo Sur, ☎ (505) 758 1088 – 50 ch. L'un des moins chers de la ville, à 2 miles au sud de la Plaza. Moins de 50 $ aux intersaisons.

☺ **Adobe Wall Motel**, E. Kit Carson Rd, à 0,5 mile de la Plaza, ☎ (505) 758 3972 – 18 ch. ☝ ☒ TV CC Petit motel tout simple et agréable, à l'ombre des grands arbres. Moins de 50 $ aux intersaisons. Bon rapport qualité-prix.

De 80 à 100 $

La Doña Luz Inn, 114 Kit Carson Rd, ☎ (505) 758 4874, www.ladonaluz.com – 15 ch. ☝ ☒ TV CC Toutes les chambres sont différentes dans cette auberge vieille de deux siècles. La « Santiago Room » plaira aux fans de style espagnol, avec ses meubles massifs et ses tableaux. Certaines sont plus chères, mais peuvent accueillir quatre, voire six personnes. Petit-déjeuner continental inclus.

Best Western Kachina Lodge, 413 N. Pueblo Rd, ☎ (505) 758 2275, www.kachinalodge.com – 118 ch. ☝ ☒ ☞ TV ☒ ☒ CC Un confortable motel de style adobe rose et bleu. Piscine très agréable. Spectacle de danses indiennes tous les soirs de mai à octobre et navettes gratuites pour l'aéroport, la gare routière et les sites historiques.

☺ **Old Taos Guesthouse**, 1028 Witt Rd, ☎ (505) 758 5448, www.oldtaos.com – 9 ch. ☝ CC À 2 miles de la Plaza, dans un quartier calme et résidentiel (suivez Kit Carson Rd sur 1,2 mile et tournez à droite dans Witt Rd). Cette ravissante maison ancienne en adobe nichée au cœur d'un joli jardin possède un charme fou. Copieux petit-déjeuner, jacuzzi extérieur. On y parle français.

De 100 à 150 $

Sun God Lodge, 919 Paseo del Pueblo Sur, ☎ (505) 758 3162 / 1-800 821 2437, www.sungodlodge.com – 55 ch. ☝ ☒ ☞ TV CC Ce joli motel aménagé autour d'une pelouse dispose de chambres spacieuses et bien décorées. Laverie, jacuzzi extérieur, barbecue… Un peu cher en pleine saison, mais très avantageux au printemps et en automne (60-70 $).

Inn on La Loma Plaza, 315 Ranchitos Rd, ☎ (505) 758 1717 / 1-800 530 3040, www.vacationtaos.com – 7 ch. ☝ ☒ ☞ TV CC Belle hacienda en adobe à moins de 1 mile de la Plaza. Grand confort, service irréprochable, apéritif et plantureux petit-déjeuner, immense jacuzzi en plein air, accès à un club de sport avec piscine et tennis. Les suites, beaucoup plus chères, peuvent accueillir 4 à 6 personnes.

Casa Benavides, 137 Kit Carson Rd, ☎ (505) 758 1772, www.taos-casbenavides.com – 33 ch. ☝ ☒ TV CC Un petit hôtel de charme à deux pas de la Plaza, avec des chambres au décor indien et un joli patio. Copieux petit-déjeuner et goûter avec pâtisseries maison.

@ **The Willows Inn**, 412 Kit Carson Rd, ☎ (505) 758 2558 / 1-800 525 8267, www.willows-taos.com – 5 ch. ⎙ CC À 0,5 mile de la Plaza. Charme et tranquillité pour cette belle maison en adobe et son grand jardin ombragé, entouré de murs. Chambres décorées avec soin, entrées séparées, cheminées, baignoires… Goûter et petit-déjeuner.

OÙ SE RESTAURER

Moins de 10 $
Eskes'Brewery, 106 Des George Lane, à l'arrière des parkings à l'angle d'El Paseo del Pueblo Sur et de Kit Carson Rd, ☎ (505) 758 1517. Idéal pour un repas simple (salade, burger, « burrito »). Plat spécial les mardi, jeudi et dimanche soir. Le bar propose 30 variétés de bières, certaines étant brassées sur place.

De 10 à 15 $
Bent Street Deli, 120 Bent St., ☎ (505) 758 5787. Cuisine très éclectique, d'inspiration européenne. Le midi, très large choix de salades et de sandwichs (moins de 10 $). Le soir, plats plus élaborés, dont certains végétariens, accompagnés d'une salade.

De 15 à 20 $
Doc Martin's, 125 Paseo del Pueblo Norte, en plein centre, ☎ (505) 758 1977. Un chef inventif, inspiré de la cuisine locale. Les menus sont d'un très bon rapport qualité-prix (c'est le choix du plat principal qui détermine le prix : 18-22 $). Fait aussi hôtel.
Apple Tree, 123 Bent St., ☎ (505) 758 1900. Une table internationale, allant des plats mexicains aux curries ou aux plats végétariens. Ambiance intime et agréable patio.

De 20 à 25 $
Trading Post Cafe, 4179 Paseo del Pueblo Sur (Hwy 68), Ranchos de Taos, à 4 miles au sud de la Plaza, ☎ (505) 758 5089. Une carte variée aux influences méditerranéennes. Plats copieux et agréablement présentés. Décor chaleureux avec des tableaux d'artistes locaux. L'un des restaurants les plus recherchés des environs.

OÙ SORTIR, OÙ BOIRE UN VERRE
The Sagebrush Inn, 1508 Paseo del Pueblo Sur, ☎ (505) 758 2254. La popularité de cet hôtel très fréquenté par les gens du coin vient de ses soirées dansantes, débutant à 21 h tous les soirs. Musique country, cow-boys et señoritas : on s'en donne à cœur joie sur la piste et l'ambiance est très conviviale.

LOISIRS

Rafting – Le Rio Grande et le Rio Chama permettent de descendre des rapides, dont le plus célèbre est le « Taos Box », à 17 miles au fond d'un canyon. Sorties d'une demi-journée ou d'une journée (de 40 à 100 $), ou excursions de plusieurs jours alliant rafting et camping sauvage (de 200 à 400 $). **Native Sons Adventures**, 1033A Paseo del Pueblo Sur, ☎ (505) 758 9342. Loue aussi des vélos. **Far Flung Adventures**, El Prado, ☎ (505) 758 2628, www.farflung.com.

Randonnée avec un lama – **Wild Earth Lama Adventures**, ☎ 1-800 758 5262, www.LlamaAdventures.com. D'une demi-journée à 8 jours (à partir de 80 $) dans les Sangre de Cristo Mountains. Le lama porte votre chargement, on vous sert le repas et on vous fournit tout le matériel de camping. Rythme très adapté aux personnes non entraînées.

FÊTES / FESTIVALS
Rodeo de Taos : le dernier week-end de juin. Rodeo Grounds, Camino de la Merced (donne dans El Paseo del Pueblo Sur).
Taos Pueblo Pow-wow : le 2nd week-end de juillet. Il rassemble des Indiens de tous les États-Unis et du Canada, pour des danses et des exhibitions de costumes.
Corn Dances à Taos Pueblo : pour les fêtes des principaux saints. Santa Cruz (3 mai), San Antonio (13 juin), San Juan (24 juin), Santiago (23 juillet), Santa Ana (24 juillet).
San Geronimo Feast : le soir du 29 et le 30 septembre, à Taos Pueblo. C'est la fête du saint patron du « pueblo », qui conjugue les influences catholiques (le 30) et les danses indiennes (le 29). C'est aussi l'occasion de la **Taos Trade Fair** (foire).
Deer Dance : le 25 décembre, à Taos Pueblo.
Turtle Dance : le 1er janvier, à Taos Pueblo.
Deer and Buffalo Dances : le 6 janvier, à Taos Pueblo.

Autour de Farmington★

181 miles au nord-ouest d'Albuquerque, 40 miles au sud de Durango,
118 miles au nord de Gallup par Shiprock – Carte Michelin n° 943 G10
Alt. 1 620 m – Climat continental semi-aride

À ne pas manquer
Shiprock au lever du jour.
Marcher dans Bisti Wilderness au coucher du soleil.

Conseils
Ne vous engagez pas dans le labyrinthe de pistes au-delà de Shiprock,
même en 4x4, car vous risqueriez de vous y perdre.
Pour retrouver votre chemin à Bisti, n'hésitez pas à laisser des marques
de votre passage, branches piquées ou petits tas de pierres.

Entre les réserves des Navajos à l'ouest, des Utes au nord, et des Apaches Jicarillas à l'est, Farmington est profondément marquée par l'héritage indien. C'est aussi la porte des « Four Corners », point de rencontre du Nouveau-Mexique, du Colorado, de l'Utah et de l'Arizona, et de ses parcs splendides. La ville elle-même ne présente pas d'intérêt, mais constitue une base idéale pour de belles excursions.

Aztec Ruins National Monument★

14 miles à l'est de Farmington par la Hwy 516. Tlj 8h-17h/18h en été. Entrée : 4$ si vous ne possédez pas le National Parks Pass. Cet ancien *pueblo* en ruine date de l'âge d'or des Anasazis (1100-1300). Avec ses **400 pièces**, son plan rectangulaire symétrique et sa vaste **plaza**, il s'apparente aux *pueblos* de Chaco Canyon (*voir p. 488*) et de Mesa Verde (*voir p. 368*). On pense d'ailleurs qu'Aztec faisait partie d'un vaste réseau de villages rayonnant à partir de Chaco. Son principal intérêt est une immense **kiva★** de 15 m de diamètre (la plus grande existante), très bien restaurée. Le **musée★** explique parfaitement comment les Anasazis construisaient leurs villages, leurs méthodes d'agriculture et leurs savoir-faire. Une **maquette** permet d'imaginer le *pueblo* au 12ᵉ s.

Shiprock Pinnacle★

47 miles à l'ouest de Farmington par la Hwy 64. À Shiprock, prenez la Hwy 666 vers le sud sur environ 6 miles, puis prenez à droite vers la Red Valley, sur environ 7 miles. Roulez jusqu'au pied de l'étonnante crête de pierre qui ressemble à un immense mur (peu après le panneau « Mile 14 »). Une piste la longe sur la droite vers Shiprock Pinnacle (4 miles).
La route s'approche lentement de l'impressionnante silhouette de la montagne sacrée des Navajos. Jaillis-

Bisti Wilderness

Ch. Legrand/MICHELIN

sant du plateau désertique à plus de 510 m de haut, c'est un énorme bouchon de lave solidifiée, vieux de plus de 3 millions d'années. En l'abordant par ce côté, il évoque deux grandes ailes repliées : en navajo, son nom est **Tsé bit'a'i** (rocher avec des ailes). De plus près, on admire ses hautes parois roses et cannelées qui s'élèvent vers le ciel. Sa nature sacrée interdit absolument d'y grimper.

Bisti/De-na-zin Wilderness★

36 miles au sud de Farmington par la Hwy 371. Passez la Bisti Compressor Station (centrale) et tournez à gauche en bas de la côte au panneau indiquant la Bistahi United Methodist Church. Suivez le chemin de terre sur 2 miles et garez-vous après l'église. La randonnée commence au bout du chemin caillouteux, au fond du lit asséché d'un ruisseau qui part vers l'est et pénètre au cœur des badlands 2 miles plus loin.

Superbe exemple de *badlands* (mauvaises terres), cette zone aride à la géologie tourmentée était, il y a 70 millions d'années, un marécage luxuriant peuplé de dinosaures, de lézards et de poissons. Aujourd'hui asséché et érodé, le sol libère des fossiles et du bois pétrifié. C'est aussi l'érosion des strates de nature différente qui cause les formes étranges dressées autour de multiples petits canyons.

ARRIVER-PARTIR

En bus – La compagnie **Greyhound** (101 E. Animas St., ☎ (505) 325 1009) assure 2 liaisons par jour en semaine et 1 liaison de nuit le week-end avec Albuquerque (3 h 45).

OÙ LOGER

De 40 à 60 $

Travelodge, 510 Scott Ave., à l'entrée de Farmington en venant d'Albuquerque par la Hwy 64, ☎ (505) 327 0242 – 98 ch. ⌶ ✕ ℘ ⊺ᵥ ⊒ Un motel impersonnel, mais pratique et bon marché hors saison. Petit-déjeuner continental.

Super 8 Motel, Hwy 64, à l'angle de Carlton Ave., ☎ (505) 325 1813 – 60 ch. ⌶ ℘ ⊺ᵥ ⊂⊂ Confortable, mais impersonnel. Petit-déjeuner continental. Pour Chaco Canyon, une autre adresse de la chaîne s'avère plus pratique à Bloomfield (13 miles à l'est de Farmington), à la jonction des Hwys 64 et 44, ☎ (505) 632 8886.

De 80 à 100 $

☺ **La Quinta**, 675 Scott Ave., à l'entrée de Farmington par la Hwy 64 venant d'Albuquerque, ☎ (505) 327 4706 – 106 ch. ⌶ ✕ ℘ ⊺ᵥ ⊒ Un motel agréable et calme. Jolie piscine et petit-déjeuner. Moins de 70 $ hors saison.

OÙ SE RESTAURER

De 10 à 15 $

3 Rivers Eatery & Brewhouse, 101 E. Main St., ☎ (505) 324 2187. Pub sympa qui brasse ses propres bières et propose des plats à tous les prix, depuis les burgers maison (moins de 8 $) jusqu'au saumon pané aux noix de pécan ou aux « BBQ ribs ». Essayez les bières locales aux noms évocateurs, Bisti Blonde, Chaco Nut Brown, Badlands Pale…

De 15 à 20 $

K.B. Dillons, 101 W. Broadway, ☎ (505) 325 0222. Un peu plus chic, mais la même ambiance western dans un décor chaleureux tout en bois. Pour manger bon marché, demandez le « Bar Menu », carte de snacks à l'américaine (moins de 10 $). Même prix pour les plats du midi. Le soir, c'est un peu plus élaboré et plus cher sur fond de musique country.

FÊTES / FESTIVALS

Little Beaver Roundup : le 3ᵉ weekend de juillet, à Dulce, capitale des Apaches Jicarillas. Il comprend un rodéo et un « pow-wow ».

Go-Jii-Ya Feast : vers le 15 septembre, à Stone Lake (18 miles au sud de Dulce), chez les Apaches Jicarillas. « Pow-wow » et rodéo.

Shiprock Fair : fin septembre ou la 1ʳᵉ semaine d'octobre, à Shiprock, sur la réserve navajo, pour la foire, le rodéo et le « pow-wow », avec danses et chants traditionnels.

Bear Dance (en mai) et **Sun Dance** (en août) : au Southern Ute Tribe's Cultural Center, à Ignacio (48 miles au nord-est de Farmington). Renseignements au ☎ (970) 563 9583.

CHACO CULTURE
NATIONAL HISTORIC PARK★★

Carte Michelin n° 943 G10
80 miles au sud de Farmington, 93 miles au nord-est de Gallup
Alt. 1 860 m – Hébergement à Farmington

À ne pas manquer
Monter sur la falaise au-dessus de Pueblo Bonito.

Conseils
Les routes d'accès sont des pistes carrossables,
celle venant de Farmington est la mieux entretenue.
Ne tentez jamais de les emprunter par temps de pluie ou si elles sont mouillées.
N'oubliez pas de demander le permis de randonnée, obligatoire, au Visitor Center.

Chaco Canyon est le plus important vestige de la civilisation anasazi. Cet ensemble urbain réparti sur 10 km² illustre la grandeur et l'importance de cet ancien peuple, aujourd'hui dispersé dans les *pueblos* de la vallée du Rio Grande. Beaucoup de tribus indiennes actuelles se réclament d'une parenté avec Chaco : les Pueblos, les Hopis et même les Navajos placent encore ce canyon parmi leurs sites sacrés.

Un rayonnement maîtrisé

Les découvertes archéologiques dans le nord-ouest du Nouveau-Mexique et le plateau du Colorado ont montré que Chaco Canyon, outre son importance architecturale et culturelle, est au centre d'un réseau de plus de 650 km de routes travaillées et entretenues, qui rayonnaient vers quelque 200 villages périphériques pour former une sorte d'**empire** de 100 000 km². Le long de ces routes, les villages étaient régulièrement séparés par un jour de marche. Les différents sites du canyon révèlent aussi que Chaco entretenait des liens commerciaux et sans doute culturels et religieux avec le nord du Mexique (on a retrouvé des poteries, coquillages, plumes de perroquet et clochettes de cuivre importés de ces régions). À leur tour, les villages de la périphérie du réseau de Chaco ont adopté à des degrés divers les technologies et les traditions de cette civilisation mère, notamment leur **maîtrise architecturale**. L'âge d'or de Chaco s'étend du milieu du 9ᵉ s. à la fin du 12ᵉ s., lorsque toute construction cessa dans le canyon. Pourtant, son influence se poursuivit malgré un certain déclin. Peut-être chassés par la dégradation du climat ou par l'épuisement des terres, les Chacoans partirent fonder Aztec, dont la richesse est encore un écho de leur splendeur passée, puis d'autres villages du Sud-Ouest. Leur culture s'est ensuite fondue dans celle des peuplades qu'ils intégraient. Des archéologues voient même leur survivance dans certaines communautés du Mexique, comme celle de Paquimé au Chihuahua.

Cannibales ?

Troublante découverte que celle de nombreux ossements humains apportant la preuve que les habitants de Chaco se sont à un moment donné livrés au cannibalisme. La façon dont les corps ont été dépecés, les chairs arrachées et les traces de cuisson laissent peu de place au doute. Certains archéologues voient dans cet usage, inconnu chez les tribus voisines, des rites rattachés au sacrifice humain pratiqué par une élite voulant asseoir son pouvoir, ou encore la marque de cérémonies guerrières sacrées. On trouve un parallèle dans les anciennes sociétés mexicaines, notamment celle de l'Empire toltèque. Cette influence a pu se répandre via les routes commerciales très importantes qui reliaient Chaco au Mexique. Ainsi, on a découvert que certains habitants de Chaco et des environs se limaient les dents de façon similaire aux traditions d'Amérique centrale.

Visite du site★★

De Farmington, empruntez la Hwy 64 vers l'est jusqu'à Bloomfield, puis la Hwy 550 vers le sud jusqu'à Nageezi. Passé ce village, tournez à droite sur la Country Rd 7900. Les 16 derniers miles ne sont pas goudronnés. De Gallup, prenez l'I-40 vers l'est jusqu'à Thoreau, puis la NM 371 jusqu'à 4 miles au-delà de Crownpoint. Tournez à droite sur la Navajo 9, tournez à gauche 13 miles plus loin et empruntez les 19 miles de piste. Visitor Center ouvert tlj 8h-18h de Memorial Day à Labor Day/17h le reste de l'année. Sentiers ouverts du lever au coucher du soleil. Entrée : 8$ par véhicule si vous ne possédez pas le National Parks Pass. Téléphonez pour connaître l'état de la piste d'accès, ☎ (505) 786 7014. Camping toute l'année (64 sites; 15$ par nuit; interdit aux camping-cars de plus de 9 m).

Commencez la visite par le *Visitor Center* où est diffusé un petit film sur la culture des Anasazis. Chaco Canyon comprend 13 sites en ruine, villages ou établissements plus modestes (les plus beaux sont sur le côté nord du canyon).

Près du *Visitor Center*, **Una Vida** est un exemple de village moyen avec seulement 150 pièces et cinq *kivas*. Un peu plus loin, celui de **Chetro Ketl★**, qui ne fut commencé qu'au 11ᵉ s., compte parmi les plus importants (500 pièces, 16 *kivas* et une plaza fermée).

Il voisine avec **Pueblo Bonito★★★** *(achetez le petit fascicule présenté à l'entrée du sentier : 0,50 $)*, qui illustre le mieux la complexité de l'architecture urbaine des Anasazis. Avec ses 600 pièces, jadis sur quatre étages, ses 40 *kivas* et ses deux plazas, c'est une véritable petite ville. À la différence de beaucoup de *pueblos* plus simples où les pièces furent ajoutées au fur et à mesure des besoins, son plan général en D était déterminé dès le départ, bien que la construction se soit étalée entre 850 et 1150. L'épaisseur des murs décroît vers le haut à la fois pour plus de stabilité et plus de légèreté dans les hauteurs. La qualité et la variété de la **maçonnerie** sont remarquables : on y voit un système de cœur de mur en pierre et mortier, recouvert sur chaque face d'un parement élaboré de grès taillé. À l'époque, le tout était recouvert d'un revêtement qui simplifiait la maintenance. Pour former les étages, on avait recours à un système de poutres perpendiculaires, recouvertes d'un torchis (on évalue à 225000 le nombre d'arbres que les bâtisseurs ont dû aller chercher à des dizaines de kilomètres…). L'absence de foyer et les difficultés d'aération laissent penser que les pièces du rez-de-chaussée servaient au stockage, laissant celles des étages pour les habitations.

L'orientation du *pueblo* et des pièces répond à des **contraintes astronomiques** sophistiquées. Malgré sa taille, les archéologues pensent que seulement 50 à 100 personnes y vivaient à demeure, l'ensemble étant plutôt une sorte de grand édifice public, utilisé de façon saisonnière pour accueillir les flux de visiteurs venus à Chaco pour les cérémonies ou le commerce. Le grand mur extérieur, à l'arrière du *pueblo*, a été rajouté à la fin du 11ᵉ s. pour doubler le mur précédent. Entre les deux, on a trouvé une rangée de pièces n'ayant accès que sur l'extérieur et munies de plates-formes qui servaient peut-être de couchettes aux visiteurs. D'autres particularités sont à remarquer, dont les grandes **kivas** des plazas, sans doute réservées aux cérémonies ou rassemblements importants (plusieurs centaines de personnes pouvaient y tenir). Notez aussi les différentes formes de portes, en T ou en coin, avec des seuils plus ou moins hauts.

Suivez ensuite le sentier vers **Pueblo del Arroyo**, un petit village de 280 pièces et plus de 20 *kivas*. Sur l'arrière, ne manquez pas de prendre le **Pueblo Alto Trail★★** qui mène au sommet de la mesa et à un très beau **panorama★★★** sur Pueblo Bonito et le canyon *(circuit total de 2 à 3h, mais seulement 1h AR jusqu'au point de vue sur Pueblo Bonito; permis obligatoire; la première partie implique une montée raide entre deux pans de falaises, la suite est facile. Emportez de l'eau)*. Le sentier forme ensuite une large boucle en passant par d'autres ruines. L'ensemble du canyon abritait entre 4000 et 6000 personnes à l'année, principalement dans les plus petits *pueblos*.

Chaco Culture National Historic Park

GALLUP★

20400 hab. – Carte Michelin n° 943 F10
139 miles à l'ouest d'Albuquerque – Alt. 1955 m

À ne pas manquer
Les trading posts et les prêteurs sur gages.
Le Flea Market du samedi matin.

Conseils
Gallup est le meilleur endroit pour acheter des bijoux indiens.
Venez le samedi au Flea Market, pensez à apporter du cash
et n'hésitez pas à déjeuner sur place de spécialités navajos.

Bien que Window Rock (à 28 miles au nord-ouest) soit la capitale administrative des Navajos, Gallup est le véritable poumon commercial de la région. S'étirant le long de la voie ferrée et de la Route 66, la ville n'est qu'un long collier de *trading posts* et de motels fatigués où descendent les Navajos, les Hopis ou les Zunis quand ils viennent en ville. Les passionnés d'artisanat y feront une escale pour chiner chez les prêteurs sur gages ou au marché aux puces. C'est ici que l'on trouve les plus beaux bijoux zunis, les tapis navajos, les *kachinas* hopis… Les *pow-wows*, ces grands rassemblements de tribus indiennes, permettent de découvrir la culture des premiers Américains.

Le train ou la route ?
Vers 1880, **David Gallup**, un intendant des chemins de fer, ouvrit un bureau, en prévision de l'arrivée du train. Les ouvriers allaient chez Gallup chercher leur paie et le nom est resté. Outre ses mines de charbon, la ville dut son essor à la proximité des réserves indiennes. L'immense réserve navajo et ses quelque 210 000 habitants s'étend au nord-ouest de la ville, celle des Hopis à l'ouest, et celle des Zunis au sud. Dans les années 1920-1930, la Route 66 vers Los Angeles suivit naturellement la voie de chemin de fer à travers Gallup et c'est là que poussa en désordre une longue rangée de motels. Aujourd'hui, il reste de cette épopée le sifflement strident des trains qui traversent la ville et quelques néons fanés. La liste des **trading posts** et des prêteurs sur gages est toujours aussi longue, points de rendez-vous incontournables de la population indienne.

Prêteurs sur gages
Le prêt sur gages fait partie intégrante de la vie des Indiens, traditionnellement méfiants à l'égard des banques. Ils investissent leurs gains en bijoux, en tapis, en armes, en sellerie, et chaque fois qu'ils ont besoin d'argent liquide, ils vont chez le prêteur qui leur en donne en échange de leurs biens. Celui-ci fait en même temps fonction pour eux de coffre de banque. Un taux et une durée sont fixés, que la plupart respectent scrupuleusement, car ils attachent une grande valeur à ce qu'ils ont mis en gage. S'ils en sont incapables, la marchandise, après expiration des délais, revient au prêteur qui peut la vendre (c'est alors un « dead pawn »). Si vous achetez ce genre d'objet, vérifiez sur l'étiquette la date de la transaction, le nom de l'emprunteur et l'âge du bien.

Visite de la ville
Longez la Hwy 66 d'est en ouest et garez-vous à côté du Cultural Center, face à 1st St.
Gallup ne présente aucun intérêt architectural. Il faut y venir pour observer et rencontrer la population navajo. Ne manquez pas de flâner le long de la Route 66, dans le centre-ville, et d'entrer dans les boutiques d'artisanat. Pour découvrir de beaux bijoux, poteries ou tapis anciens, visitez les *trading posts* et les *pawnshops* (ou *cash pawn*, prêteurs sur gages), qui présentent de véritables merveilles. C'est là que se pressent les vieilles Indiennes croulant sous les bijoux, qui viennent négocier un prêt. Coal Avenue, parallèle à la Route 66, au sud, compte aussi des magasins.

ARRIVER-PARTIR

En train – Amtrak, 201 E. Hwy 66, ☎ 1-800 872 7245. Le train Chicago-Los Angeles s'arrête à Gallup. D'Albuquerque, comptez 2 h 20 de Los Angeles, 25 h.

En bus – Greyhound, 201 E. Hwy 66, ☎ (505) 863 3761. Quatre départs par jour pour Albuquerque (2 h 30) et Flagstaff (4 h).

OÙ LOGER

Réservez longtemps à l'avance à l'occasion des grands « pow-wows ».

De 40 à 60 $
Red Roof Inn, 3304 W. Hwy 66, ☎ (505) 722 7765 – 103 ch. 🛏 ✈ 🅿 📺 🛁 CC Motel tout neuf, à 5 miles à l'ouest du centre, près de la jonction entre la Route 66 et l'I-40 (sortie 16). Petit-déjeuner continental inclus. Laverie.

🍴 **El Rancho**, 1000 E. Hwy 66, ☎ (505) 863 9311 – 99 ch. 🛏 ✈ 🅿 📺 ✗ 🛁 CC Cet hôtel historique, ouvert en 1937, fut jadis fréquenté par les stars du cinéma. Belle architecture en brique et en bois, hall imposant, tout en bois, avec tapis et photos anciennes. Les chambres sont confortables, celles de l'annexe ont moins de caractère, mais coûtent moins de 40 $.

OÙ SE RESTAURER, OÙ BOIRE UN VERRE

De 5 à 10 $
🍴 **Coffee House**, 203 W. Coal Ave., ☎ (505) 726 0291. Ambiance cosy pour un snack ou un délicieux café, à boire blotti dans un canapé sur fond musical cool. Grand choix de thés et de gâteaux. Tous les vendredis à 18 h, un professeur de danse donne des leçons et tout le monde entre en piste…

Golden Corral, 600 N. 11ᵗʰ St. (Hwy 666), ☎ (505) 863 3335. Pour gros appétits et budgets serrés : formules à volonté (6 $ le midi, 8 $ le soir).

Earl's, 1400 E. Hwy 66, ☎ (505) 863 4201. Un restaurant local très populaire servant une cuisine mexicaine ou des plats américains traditionnels. Bon rapport qualité-prix.

The Butcher's Shop, 2003 W. Hwy 66, ☎ (505) 722 4711. Un restaurant fréquenté par les gens du coin, spécialisé dans les grillades et les plats de viande.

ACHATS

Richardson's Trading Co, 222 W. Hwy 66, ☎ (505) 722 4762. Véritable caverne d'Ali Baba pour les amoureux de bijoux navajos ou zunis. Prix parfois intéressants (tapis, bottes, fusils, selles).

Ellis Tanner Trading Co, à l'angle de la Hwy 602 et de Nizhoni St., ☎ (505) 863 4434. Sur la route de Zuni Pueblo, ce « trading post » et prêteur sur gages propose de beaux bijoux à tous les prix.

Thunderbird Supply Co, 1907 W. Hwy 66, ☎ (505) 722 4323. Les Navajos des réserves viennent se fournir ici en matériaux pour fabriquer leurs bijoux. C'est l'un des rares endroits où l'on vend au détail au public : pierres de toutes qualités, montures et fils en argent ou en or, anneaux, crochets, fétiches de pierre. De quoi faire soi-même ses bijoux.

Stone Jewelers Supply, 101 W. Coal Ave., ☎ (505) 726 2866. Petite échoppe vendant des pierres taillées ou non, des turquoises naturelles ou stabilisées. Peu de choix, mais prix intéressants. On vend aussi des montures en argent et on vous monte les pierres sur place.

Flea Market, tous les samedis matin. Au début de la Hwy 666 (perpendiculaire à l'I-40 au nord), tournez à droite dans Jefferson Ave., juste après la station Texaco. Allez jusqu'au « stop » et tournez à gauche. Le marché aux puces navajo se tient un peu plus loin sur la droite. Ambiance très bon enfant.

FÊTES / FESTIVALS

Danses indiennes : tous les soirs à 19 h, de Memorial Day à Labor Day. À côté du Cultural Center, à l'angle de la Hwy 66 et de 1ˢᵗ St. Entrée libre.

Inter-tribal Ceremonial Pow-wow : 2 jours à la mi-mai. Renseignements sur www.gallupceremonial.org.

Annual Inter-tribal Ceremonial Pow-wow : 4 jours durant la 2ᵉ semaine d'août. Le plus important rassemblement de tribus dans le cadre splendide du Red Rock State Park, avec danses, artisanat, rodéo. www.gallupceremonial.org.

Red Rock Baloon Rally : 3 jours fin novembre-début décembre. Grand rassemblement de montgolfières au Red Rock State Park. www.gallupnm.org.

LES ROUTES DU SUD★
DE LAS CRUCES À ALAMOGORDO
Itinéraire de 90 miles environ – Compter 1,5 jour
Las Cruces est à 224 miles d'Albuquerque – Carte Michelin n° 943 G12

À ne pas manquer
Le vieux village de Mesilla à Las Cruces.
White Sands au lever ou au coucher du soleil.

Conseils
Ne visitez pas White Sands en milieu de journée : la lumière verticale efface
tous les contrastes, vous ne verrez pas grand-chose et vos photos seront ratées.
Prévoyez de l'eau, un pique-nique, des lunettes de soleil
et une bonne crème solaire, car la réverbération est aussi forte que sur la neige

En descendant vers le sud, les paysages se font désertiques, la route se déroule, inter-minable, au cœur d'une haute vallée aride, encadrée au loin par les chaînes de montagnes. C'est El Camino Real, le chemin ouvert par les premiers colons venus de Mexico à la recherche de précieux minerais. C'est aussi la terre ancestrale des Apaches farouches, chassés par les Espagnols, puis par les Américains. Mais c'est encore l'une des zones les moins peuplées et les plus pauvres de l'État, raison pour laquelle on s'y est livré aux premiers essais nucléaires en 1945.

■ Las Cruces et ses environs
79000 hab. Comptez d'une demi-journée à une journée selon les excursions.

Irriguée par le Rio Grande et bordée par les Organ Mountains, cette ville universi-taire fondée en 1849 doit son nom (Les Croix) aux innombrables tombes de colons massacrés par les Apaches. Elle commande une région agricole importante, produi-sant des piments, du coton et des noix de pécan. Son célèbre marché du terroir témoigne de la qualité des produits locaux.

Old Mesilla★★
4 miles au sud du centre-ville par la Hwy 28. Aux abords de Las Cruces, le village de Mesilla fut créé dès 1598, lorsque les Espagnols de Juan de Oñate arrivèrent du Mexique en route vers le nord. Le village ne fut rattaché aux États-Unis qu'en 1854, après le rachat au Mexique d'une portion supplémentaire de territoire. C'est ici que la transaction fut signée et la frontière actuelle établie. Mesilla fut aussi le théâtre du jugement et de la condamnation à mort de **Billy the Kid**, avant que le hors-la-loi ne s'évade. La **Plaza**, autour de laquelle flotte une atmosphère toute mexicaine, présente toutes les caractéristiques des places espagnoles : carrée, elle s'organise autour de son kiosque à musique ; elle est bordée de maisons de style territorial et dominée par les tours ocres de l'**église San Albino** (*lundi-samedi, 13h-15h*). Les amateurs d'histoire de l'Ouest iront au vieux **cimetière maçon-nique** où est enterré le shérif **Pat Garrett**, qui mit un terme à la cavale de Billy the Kid.

Fort Selden
15 miles au nord de Las Cruces par l'I-25 (sortie 19). Tlj 8h30-17h. Entrée : 2$. Pour les passionnés d'histoire, ce fort en adobe (en ruine), fondé en 1865 pour pro-téger les colons des raids indiens, était celui de la célèbre **Black Cavalry**, composée de soldats noirs-américains. Le général MacArthur, héros de la Seconde Guerre mondiale, y a passé une partie de son enfance, alors que son père y était stationné.

Aguirre Springs et les Organ Mountains★

22 miles au nord-est de Las Cruces. Suivez la Hwy 70 en direction d'Alamogordo, puis 16 miles plus loin prenez une petite route sur la droite sur 6 miles. Tlj 8h-20h. Entrée : 3 $ par véhicule, gratuite si l'on ne fait que passer. Possibilité de camper en s'adressant au gardien.

Les **Organ Mountains**, qui culminent à plus de 2 700 m, sont cannelées à la manière de tuyaux d'orgue. Le site d'**Aguirre Springs★**, sur leur versant est, offre une oasis bienvenue au-dessus du désert. Des sentiers de randonnée partent à l'assaut de la montagne, notamment le **Baylor Pass Trail★** *(6,5 km AR)* qui conduit à un col dominant Las Cruces et tous les environs.

Reprenez la Hwy 70 et suivez-la jusqu'à White Sands (à 50 miles de Las Cruces).

■ White Sands National Monument★★
Comptez une demi-journée.

Peut-être le plus beau site naturel du Nouveau-Mexique, White Sands est surtout le plus étonnant : 710 km² de dunes si blanches que l'on dirait de la neige, enchâssées entre les San Andres Mountains et le Chihahuan Desert.

Blanc comme neige...

Ce sable étincelant, ondulant sous le vent, doit son incroyable blancheur à sa composition : c'est du **gypse**, très rare sous forme de sable, car soluble dans l'eau (une forme de sulfate de calcium). À l'origine, il constituait le lit d'une ancienne mer. Après le soulèvement des montagnes avoisinantes, le gypse qui les composait s'est dissous progressivement sous l'effet de la pluie, de la neige et des rivières pour venir s'accumuler dans le Tularosa Basin, le bassin occupé par White Sands. Les vents dominants se sont ensuite chargés de sculpter un merveilleux paysage mouvant, autour de vastes mares, comme le lac Lucero. Lorsque le temps est humide et l'évaporation lente, le gypse se dépose sous forme de cristaux le long des berges.

Les dunes de White Sands NM

La visite du parc

Circuit de 16 miles ouvert tlj 7h-21h de Memorial Day à Labor Day/7h-coucher du soleil le reste de l'année. Entrée : 3$ par véhicule si vous ne possédez pas le National Parks Pass. Possibilité de camping sauvage sur demande au Visitor Center. Ce dernier est ouvert tlj 8h-17h de Memorial Day à Labor Day/16h30 le reste de l'année. Demandez la carte des sentiers et le feuillet « Who passed this way », identifiant les empreintes animales.

Débutez la visite par le *Visitor Center*, où un **film documentaire**** explique comment les espèces végétales et animales s'adaptent à ce milieu hostile. Le **circuit*** par la route permet de se faire une idée du spectaculaire phénomène naturel des dunes de gypse. Notez, sur la chaussée, comme elles avancent inexorablement. Plusieurs sentiers très courts et aménagés permettent de voir l'évolution de la végétation. Mais pour bien sentir la magie du site, allez jusqu'au bout de la route et empruntez l'**Alkali Flat Trail*****, qui passe plusieurs barrières de dunes et mène au lit asséché d'un ancien lac *(boucle de 7,5 km, balisée par des piquets. Attention, car par grand vent ils peuvent être enterrés ; faites demi-tour si vous ne voyez pas le suivant. Facile mais fatigant ; comptez au moins 3h et emportez 2 à 4 l d'eau)*. En chemin, guettez les empreintes des nombreux animaux qui réussissent à vivre dans ce désert blanc.

Reprenez la Hwy 70 pour rejoindre Alamogordo (à 15 miles de White Sands).

■ Alamogordo

30 000 hab. Comptez une demi-journée.

C'est à la première **bombe atomique** que l'on fit exploser le 16 juillet 1945 tout près d'ici, à Trinity Site (au nord de White Sands), que cette petite ville isolée doit sa célébrité. L'installation d'une base aérienne militaire et d'un pas de tir de missiles au nord du parc de White Sands (c'est là qu'atterrissent les navettes spatiales) acheva de la consacrer à l'industrie et à la recherche spatiales, sans pourtant lui ajouter de charme. Son principal intérêt pour le visiteur est la proximité de White Sands à l'ouest et des verdoyantes Sacramento Mountains à l'est.

Le Space Center* *(Hwy 2001, ☎ (505) 437 2840. Tlj 9h-17h. Entrée : 2,50$)* retrace l'histoire de l'**aventure spatiale**, depuis la fusée artisanale de Robert Goddard ou la première capsule habitée par un chimpanzé, jusqu'aux vols Apollo ou aux stations spatiales du futur. Le **Dome Imax** propose une sélection de films sur ces sujets *(5 à 6 films par jour en été et le week-end, 4 en semaine l'hiver. Billet : 5,50$)*.

Si vous quittez Alamogordo vers Roswell, passez par **Cloudcroft*** *(20 miles à l'est par la Hwy 82)*, un petit village de chalets en rondins, créé pour loger les ouvriers construisant la ligne de chemin de fer de la Southern Pacific Railroad. Vous traverserez de beaux paysages de haute montagne, mêlant de gros rochers roses et d'épaisses forêts. Une halte vivifiante après la sécheresse du désert… *La route se poursuit en direction de Ruidoso à travers la réserve des Apaches Mescaleros.*

── Las Cruces pratique ──

ARRIVER-PARTIR

En bus – Greyhound, 490 N. Valley Drive, ☎ (505) 524 8518. Trois départs quotidiens pour Albuquerque (4h30-5h30) et Alamogordo (1h20). Le *Las Cruces Shuttle Service*, ☎ (505) 525 1784, assure 12 liaisons quotidiennes avec l'aéroport d'El Paso (Texas), à 45 miles au sud de la ville.

ADRESSES UTILES

Office de tourisme – *Las Cruces Visitor's Bureau*, 211 N. Water St., ☎ (505) 541 2444, www.lascrucescvb.org

Santé – *Memorial Medical Center*, 2450 S. Telshor St., ☎ (505) 522 8641.

Où LOGER

De 40 à 60$
Super 8 Motel, 4411 N. Main St., ☎ (505) 382 1849 – 59 ch. 📶 ✕ ℱ 📺 ⎕ cc Un motel au confort standard. Moins de 40$ hors été.

De 60 à 80$
Mission Inn Best Western, 1765 S. Main St., ☎ (505) 524 8591 – 66 ch. 📶 ✕ ℱ 📺 ✕ ⎕ cc Un motel tout confort. Petit-déjeuner compris. Moins de 60$ hors saison.

Mesilla Valley Inn Best Western, 901 Avenida de Mesilla, ☎ (505) 524 8603 – 167 ch. 📶 ✕ ℱ 📺 ✕ ⎕ cc Même confort que le précédent, mais un peu plus près de Mesilla.

De 80 à 100$
Lundeen Inn of the Arts, 618 S. Alameda St., ☎ (505) 526 3326 – 7 ch. 📶 ✕ ℱ 📺 cc Un étonnant B & B de style territorial à la déco espagnole, abritant également une galerie d'art. Copieux petit-déjeuner. Les suites sont plus chères, mais on y dort à 4.

Où SE RESTAURER

De 10 à 15$
Peppers Cafe, Old Mesilla Plaza, ☎ (505) 523 4999. Situé autour du ravissant patio couvert du très chic Double Eagle, ce restaurant attire une clientèle jeune avec une cuisine éclectique, néo-mexicaine, et des salades énormes. Bon rapport qualité-prix. En réservant, on peut dîner dans l'une des élégantes salles intérieures.

De 15 à 20$
Double Eagle, Old Mesilla Plaza, ☎ (505) 523 6700. Une table raffinée, considérée comme la meilleure de la ville, inspirée des cuisines méridionales. Déco dans le style Vieux Sud.

FÊTES / FESTIVALS

Farmers & Craft Market : tous les mercredi et samedi, de 8h à 13h, au Downtown Mall. Un marché vivant, avec produits du terroir, musique, dégustations et artisans variés.

American Indian Week : la 1re semaine d'avril au Pan American Center. « Powwow » et danses traditionnelles. Renseignements au ☎ (505) 646 4207.

Cinco de Mayo Fiesta : les 5 et 6 avril sur l'Old Mesilla Plaza. Danses et musiques hispaniques, défilés.

Hatch Chile Festival : le week-end de Labor Day, à Hatch (35 miles au nord de Las Cruces), célèbre la moisson des piments. Musique, danses, défilés.

The Whole Enchilada Fiesta : la 1re semaine d'octobre au Downtown Mall. Une fête dédiée à cette spécialité mexicaine et au « chile ». Défilés, dégustations, musique...

Alamogordo pratique

ARRIVER-PARTIR

En bus – Greyhound, 601 N. WSB, ☎ (505) 437 3050. Deux départs par jour pour Albuquerque (4h).

Où LOGER

• Alamogordo

De 20 à 40$
Motel 6, 251 Panorama Blvd, ☎ (505) 434 5970 – 97 ch. 📶 ✕ ℱ 📺 ⎕ cc Un motel impersonnel, mais pratique et bon marché.

De 40 et 60$
Desert Aire Best Western, 1021 S. White Sands Blvd, ☎ (505) 437 2110 – 99 ch. 📶 ✕ ℱ 📺 ⎕ cc Une adresse très confortable et impeccable. Petit-déjeuner inclus. Billard.

• Cloudcroft

De 100 à 150$
The Lodge, P.O. Box 497, ☎ (505) 682 2566 / 1-800 395 6343, www.the-lodge-nm.com – 61 ch. 📶 ✕ ℱ 📺 ✕ ⎕ ✳ 🏊 cc L'un des hôtels les plus élégants du sud de l'État, au cœur d'un paysage de montagnes boisées. Tous les attributs du grand luxe : golf 9 trous, jacuzzis, sauna, massages et excellent restaurant. Décor victorien et meubles anciens. Les chambres les moins chères sont dans le Pavilion, une annexe.

Où SE RESTAURER

Moins de 10$
Ramona's, 2913 N. White Sands Blvd, ☎ (505) 437 7616. Restaurant mexicain familial et chaleureux, où manger à petit prix. Les « chilis » (ragoûts piquants) coûtent même moins de 5$.

RUIDOSO ET SES ENVIRONS

Itinéraire de 100 miles environ – Compter une journée
Alt. 2000-3500 m – Carte Michelin n° 943 G12

À ne pas manquer
Le village de Lincoln pour son atmosphère hors du temps.
La Coming of the Age Ceremony.

Conseils
En route pour Roswell, on recommande cette étape reposante après le désert.
En règle générale et surtout pendant les courses,
réservez votre hébergement à l'avance.

La Lincoln National Forest englobe trois chaînes montagneuses, les Sacramento Mountains où se trouvent Ruidoso et la réserve apache, les Capitan Mountains, au nord du village de Lincoln, et les Guadalupe Mountains, plus au sud. Cette vaste région, sauvage et isolée, ressemble à l'image de l'Ouest américain véhiculée par le cinéma, avec ses larges pâturages, ses épaisses forêts, ses villages oubliés et le souvenir de ses hors-la-loi. C'est aussi un paradis pour les amateurs de randonnée.

■ **Ruidoso** – *73 miles à l'ouest de Roswell. Comptez de 1 à 2 h.* Au cœur des Sacramento Mountains, cette petite ville est renommée dans tous les États-Unis pour ses **courses de quarter horses** (chevaux américains, mélange de chevaux espagnols et anglais) qui attirent une foule passionnée et pittoresque entre fin mai et début septembre. Ne manquez pas le **Hubbard Museum of the American West★** (*Hwy 70, près du champ de courses. Tlj 10 h-17 h. Entrée : 6 $*), tout à la gloire du cheval et de son rôle dans l'histoire de l'Ouest, avec plus de 10 000 objets anciens, des diligences aux selles ou aux peintures.

Quittez Ruidoso par la Hwy 70. La réserve apache s'étend au sud et à l'ouest de Ruidoso, de part et d'autre de la Hwy 70, jusqu'au village de Mescalero (à 17 miles). La plus belle traversée se fait par la Hwy 244 qui quitte la Hwy 70 en direction de Cloudcroft.

■ **Mescaleros Apaches reserve** – *2800 hab. Comptez une demi-journée.* Avant la colonisation, les Apaches, une tribu nomade constituée de bandes familiales, se déplaçaient librement sur un vaste territoire allant du Chihuahua (Mexique) à l'Arizona et au Kansas, en passant par le Nouveau-Mexique. Le qualificatif de Mescaleros concerne ceux du sud du Nouveau-Mexique et leur a été donné par les Espagnols, en raison de leur abondante consommation de *mescal* (une sorte de cactus, dont ils mangeaient le cœur). Cette tribu farouche, qui vénère les esprits de la Montagne (*Mountain Spirits*), s'est distinguée par sa résistance acharnée aux colons et à la christianisation et par ses nombreux raids sanglants, tant sur les villages espagnols ou américains que sur les tribus avoisinantes. Le plus célèbre de ses chefs est **Geronimo**, l'un des derniers grands guérilleros indiens du 19e s.

The Kid and the Sheriff

Né sur la côte Est, William Bonney devient orphelin à 13 ans et s'engage comme cow-boy dans les ranchs d'Arizona. Très vite, il tombe dans la délinquance et doit s'enfuir au Nouveau-Mexique où il arrive en 1877. L'adolescent, désormais connu sous le nom de Billy the Kid, s'enrôle au service de Tunstall, un homme d'affaires à l'origine de la guerre de Lincoln. Son patron se fait assassiner sous ses yeux et le jeune homme est pris dans une spirale de violence, tuant lui-même un shérif et son adjoint. Sa cavale figure parmi les légendes de l'Ouest. Plusieurs maisons de Lincoln l'ont abrité et c'est dans cette prison qu'il fut transféré après son jugement à Las Cruces. Trompant et tuant son gardien (on y voit encore le trou de la balle), il s'évada pour être finalement rattrapé trois mois plus tard et exécuté à 21 ans à Fort Sumner, par le shérif Pat Garrett.

La réserve qui a été attribuée aux Mescaleros couvre 184 000 ha de montagnes, de pâturages et de forêts, que traverse la **Hwy 244** reliant Cloudcroft à Mescalero, dans un paysage inchangé depuis la conquête de l'Ouest. La tribu gère la station **Ski Apache** (2850-3500 m) qui offre, sur les flancs de la Sierra Blanca (3 591 m), un beau réseau de **sentiers de randonnée*** en été et un vaste domaine skiable en hiver.

Quittez Ruidoso par la Hwy 48 en direction de Capitan (25 miles), où vous bifurquez à droite sur la Hwy 380. Suivez-la sur environ 12 miles.

■ **Lincoln*** – *70 hab. Comptez une demi-journée.* C'est à Billy the Kid et à la sanglante **Lincoln County War** que le paisible village agricole de Lincoln, fondé entre 1840 et 1850, doit sa célébrité. Dès le départ, il rassemblait tout ce que l'Ouest comptait de contradictions : colons espagnols, éleveurs, prospecteurs, officiers de cavalerie, Apaches et desperados de tout poil… En 1878, une véritable guerre opposa deux hommes d'affaires et leurs partisans. C'est à cette occasion que **Billy the Kid** bascula définitivement dans le camp des hors-la-loi. Le village est resté en l'état et restitue parfaitement l'atmosphère de l'époque, avec ses maisons en adobe de style territorial et ses enclos à bestiaux.

Ruidoso et ses environs pratique

ARRIVER-PARTIR

En bus – Greyhound, 138 Service Rd, ☎ (505) 257 2660. Assure la liaison avec Alamogordo (1 h) et Roswell (1 h 30).

OÙ LOGER

• **Ruidoso**

De 40 à 60 $
Motel 6, 412 Hwy 70 W., ☎ (505) 630 1166 – 83 ch. Un motel tout propre, mais impersonnel, à l'écart de la ville. Jacuzzi.

De 80 à 100 $
Comfort Inn, 2709 Sudderth Dr., en haut de la ville, ☎ (505) 257 2770 – 54 ch. Un motel agréable avec cafetière et sèche-cheveux dans les chambres. Jacuzzi et piscine couverte. Petit-déjeuner continental.

• **Mescalero**

De 100 à 150 $
Inn of the Mountain Gods, Carrizo Canyon Rd, à 4 miles au sud-ouest de Ruidoso, ☎ (505) 257 5141 / 1-800 545 9011, www.innofthemountain-gods.com – 255 ch. Beau complexe hôtelier géré par la tribu apache, avec golf et casino. Accueil charmant. Chambres spacieuses avec balcon ; demandez celles qui ont vue sur le lac. Hors été, renseignez-vous sur les offres spéciales (de 60 à 90 $).

• **Lincoln**

De 80 à 100 $
Casa de Patrón, dans le village, ☎ (505) 653 4676, www.casapatron.com – 7 ch. Dans une des maisons historiques du village. Copieux petit-déjeuner. Propose aussi deux cottages pouvant accueillir 4 personnes. Le patron collectionne les savons, les planches à laver et diverses antiquités.

OÙ SE RESTAURER

• **Ruidoso**

De 15 à 20 $
Le Bistro, 2800 Sudderth Dr., ☎ (505) 257 0132. Déjeuner et dîner ; fermé le dimanche. Cuisine française du terroir, avec des produits frais et bien préparés.
La Lorraine, 2533 Sudderth Dr., ☎ (505) 257 2954. Fermé dimanche soir, lundi et mardi midi. Décor très français et table européenne, avec magret de canard aux cerises et à la polenta, ou médaillons de porc au Masala.

FÊTES / FESTIVALS

Coming of the Age Ceremony : 4 jours durant la première semaine de juillet, au village de Mescalero. Renseignements au ☎ (505) 671 4494.
Lincoln County Cowboy Symposium : 3 jours vers la mi-octobre, à Lincoln. Musique country, chants et poésie de cow-boys, contes et danses.

ROSWELL ET SES ENVIRONS★

5 000 hab. – Carte Michelin n° 943 H12
117 miles au nord-est d'Alamogordo, 200 miles d'Albuquerque
Alt. 1 071 m – Climat semi-désertique

À ne pas manquer
Le musée des ovnis à Roswell.

Le sud-est du Nouveau-Mexique est un plateau désertique, jadis occupé par les Apaches et les Comanches, aujourd'hui partagé entre d'immenses ranchs. Bordé à l'ouest par les Capitan, Sacramento et Guadalupe Mountains, c'est le pays des *aliens* et autres phénomènes mystérieux, et la Mecque des amateurs de science-fiction.

Roswell★
Comptez une demi-journée.

C'est à Roswell que **Robert Goddard**, le professeur Tournesol de l'Amérique, lança en 1938 ses premières fusées artisanales. Mais le plus étrange se produit début juillet 1947, quand un éleveur trouve des débris bizarres dispersés sur ses terres ; on parle de corps non identifiables (*alien bodies* ou corps étrangers). L'armée déclare d'abord qu'il s'agit des restes d'une soucoupe volante, puis se rétracte, invoquant un ballon-sonde et des mannequins expérimentaux. Mais la presse internationale et de nombreux témoignages troublants sèment le doute. Beaucoup concluent à un complot d'État visant à cacher l'existence d'**extraterrestres**. Héros de la série *X Files*, Mulder et Scully ont contribué récemment à cette atmosphère de suspicion. Pourtant, à Roswell, on ne dit pas « la vérité est ailleurs », mais « la vérité est ici ».

De passage à Roswell, ne manquez pas l'**International UFO Museum**★ (*114 N. Main St.,* ☎ *(505) 625 1907. Tlj 9 h-17 h/10 h-17 h en hiver. Entrée libre. Il est nécessaire de lire l'anglais. Renseignements sur www.majesticdocuments.com*). Coupures de presse de l'époque de l'*Incident at Roswell*, documents officiels, courriers, reconstitution d'un *alien*, témoignages troublants, manipulations de l'information par l'armée : passionnant, même les sceptiques sont interpellés…

Le Roswell Museum and Art Center★★ (*100 W. 11ᵗʰ St., rue donnant sur N. Main St.,* ☎ *(505) 624 6744. Lundi-samedi 9 h-17 h, dimanche 13 h-17 h. Entrée libre*) propose une reconstitution de l'atelier de Robert Goddard et de sa première fusée. Une salle expose objets usuels et costumes de cow-boys et d'Indiens, avec des détails sur le sens des coiffures et des ornements, et des cartes montrant l'exode des Indiens vers l'ouest, puis leur disparition progressive. Intéressante collection d'art contemporain.

Les environs de Roswell★
Comptez 2 jours.

Carlsbad Caverns National Park★★
99 miles au sud de Roswell, 23 miles au sud de Carlsbad, ☎ *(505) 785 2232. Tlj 8 h-19 h/17 h 30 de septembre à Memorial Day. Entrée : 6 $ si vous ne possédez pas le National Parks Pass. Chaussures plates à semelles antidérapantes et lainage recommandés.*
Ce réseau de 88 **grottes** souterraines couvre 189 km² à une profondeur atteignant 470 m. La plus vaste mesure 78 m de haut, 550 m de long et 245 m de large. Vous y verrez drapés, stalactites, stalagmites, et surtout les traces d'une colonie de 250 000 **chauves-souris** (*d'avril à octobre*). À la tombée de la nuit, elles s'envolent pour la chasse nocturne, formant un impressionnant nuage. Le mieux est de découvrir les grottes en empruntant l'entrée naturelle (*fermée 1 h 30 avant la fermeture du parc ; 1 mile en pente ; comptez 1 h*). Sinon, un ascenseur conduit aux grottes principales (*facile ; 1 mile ; comptez une demi-heure*). Les deux circuits peuvent se cumuler.

Fort Sumner State Monument

91 miles au nord de Roswell, 7 miles au sud-est de Fort Sumner par la Hwy 60/84, puis la NM 272. Tlj 8 h 30-17 h. Entrée : 1 $. C'est ici que fut tué et enterré Billy the Kid, mais l'endroit a surtout connu l'un des plus grands drames de la colonisation des Indiens. Après leur défaite par Kit Carson à Canyon de Chelly *(voir p. 374)*, les 9 000 Navajos survivants furent déportés ici lors de la **Longue Marche** à travers le Nouveau-Mexique, et internés de 1864 à 1868 dans ce que l'on peut appeler un camp. L'armée américaine entendait leur imposer une organisation sédentaire sur le modèle agricole des colons, mais plus de 3 000 moururent sur place, de maladies, de l'échec des cultures, des raids comanches et, plus tristement encore, du déracinement.

Roswell et ses environs pratique

ARRIVER-PARTIR

En bus – Greyhound, 1100 N. Virginia, à Roswell. Relie Roswell deux fois par jour à Albuquerque (4 h) et à Carlsbad (2 h), et trois fois par jour à Alamogordo (2 h 30).

OÙ LOGER

• Roswell

De 40 à 60 $

Motel 6, 3307 N. Main St. (Hwy 70/285), ☎ (505) 625 6666 – 83 ch. 🍴 ✕ 🅿 TV 🛁 CC Un peu en retrait de la route. Piscine couverte et laverie.

De 60 à 80 $

El Rancho Palacio Best Western, 2205 N. Main St. (Hwy 70/285), ☎ (505) 622 2721 – 44 ch. 🍴 ✕ 🅿 TV 🛁 CC Un motel sans caractère particulier, mais assez agréable. Piscine extérieure et jacuzzi. Petit-déjeuner inclus.

• Carlsbad

De 20 à 40 $

Motel 6, 3824 National Parks Hwy, sur la route des grottes, ☎ (505) 885 0011 – 80 ch. 🍴 ✕ 🅿 TV 🛁 CC Le moins cher, tout à fait standard et un peu bruyant, mais pratique.

De 40 à 60 $

Super 8 Motel, 3817 National Parks Hwy, ☎ (505) 887 8888 – 60 ch. 🍴 ✕ 🅿 TV 🛁 CC Motel de bon confort avec petit-déjeuner continental et cafetière dans les chambres.

De 60 à 80 $

Stevens Inn Best Western, 1829 S. Canal (sortie du centre vers le sud et les grottes), ☎ (505) 887 2851 – 202 ch. 🍴 ✕ 🅿 TV ✕ 🛁 CC Un agréable motel assez calme. Demandez les chambres du fond qui sont plus éloignées de la route. Le restaurant, **The Flume**, est l'un des meilleurs de la ville.

OÙ SE RESTAURER

• Roswell

Moins de 10 $

Golden Corral, 2624 N. Main St., ☎ (505) 622 5102. Un système très économique de buffet à volonté (5 $ le midi, 8 $ le soir).

De 10 à 15 $

Cattle Baron, 1113 N. Main St., ☎ (505) 622 2465. Grillades traditionnelles et poissons, le tout frais et copieux. La formule buffet de salades permet de manger léger, mais à satiété.

• Carlsbad

De 15 à 20 $

The Firehouse, 222 W. Fox St., ☎ (505) 234 1546. Beaucoup de bois, des fleurs et du jazz pour une table classique (grillades, salades ou pâtes). Le soir, l'étage fait club, avec des concerts les vendredi et samedi.

FÊTES / FESTIVALS

Mescal Roast and Mountain Spirit Dances : 4 jours à la mi-mai, au Living Desert Zoo & Gardens de Carlsbad (☎ (505) 887 5516). Les Apaches cuisent le « mescal » suivant la méthode ancestrale, et se livrent aux danses guerrières et de l'esprit de la Montagne.

UFO Festival : la 1ʳᵉ semaine de juillet à Roswell, pour les inconditionnels d'ovnis. Conférences, concerts et représentation d'une invasion d'« aliens »…

NOTES

NOTES

INDEX

San Francisco (CA) : curiosité, localité décrites
London (Jack) : personnage
Navajos : généralité, information pratique ou terme faisant l'objet d'une explication
Abréviations : (CA) Californie   (CO) Colorado
             (NV) Nevada   (AZ) Arizona
             (UT) Utah   (NM) Nouveau-Mexique

CARTES ET PLANS

Manufacture Française des Pneumatiques Michelin
Société en commandite par actions au capital de 304 000 000 EUR
Place des Carmes-Déchaux – 63000 Clermont-Ferrand (France)
R.C.S. Clermont-Fd B 855 200 507

© Michelin et Cie, Propriétaires-éditeurs, 2002
Dépôt légal avril 2002 – ISBN 2-06-100053-3 – ISSN 0293-9436
Toute reproduction, même partielle et quel qu'en soit le support
est interdite sans autorisation préalable de l'éditeur.

Printed in France 04-2002/1.1
Compograveur : Nord Compo – Villeneuve d'Ascq
Imprimeur : IME – Baume-les-Dames

Illustrations de la couverture :
Monument Valley (P. Crochet/LA PHOTOTHÈQUE SDP)
Jeune navajo (B. Simmons/PHOTONONSTOP)
San Francisco Golden Gate Bridge (H. Levy/MICHELIN)

Michelin – Éditions des Voyages
46, avenue de Breteuil – 75324 Paris Cedex 07
☎ 01 45 66 12 34 – www.ViaMichelin.fr

Écrivez-nous par courrier ou par mail : vos commentaires nous aideront à enrichir ce guide et à le mettre à jour.

Merci de renvoyer vos remarques et ce questionnaire à l'adresse suivante :

Michelin Editions des Voyages
Questionnaire NEOS – 46, avenue de Breteuil – 75324 Paris Cedex 07
NEOS@fr.michelin.com

Faites-nous part de vos rencontres, de vos découvertes, de vos suggestions, de vos adresses inédites. Vous avez aimé un restaurant, un hôtel qui ne se trouve pas dans ce guide, vous avez découvert un village pittoresque, une belle balade : en nous les signalant vous nous aiderez à enrichir la prochaine édition. Merci aussi de nous indiquer tout renseignement périmé en mentionnant la page du guide.

En remplissant ce questionnaire et en nous le faisant parvenir, vous nous permettrez de mieux connaître vos souhaits.

■ **Est-ce la première fois que vous achetez un guide NEOS ?**

☐ oui   ☐ non

■ **Titre acheté :** _____

■ **Quels sont les éléments qui ont déterminé votre achat ?**

	Pas du tout important	Peu important	Important	Très Important
La couverture et la présentation du guide	☐	☐	☐	☐
Les informations pratiques	☐	☐	☐	☐
Les informations culturelles	☐	☐	☐	☐
Le nombre d'adresses d'hôtels et restaurants	☐	☐	☐	☐
Le nombre de cartes et plans	☐	☐	☐	☐
La marque Michelin	☐	☐	☐	☐
La fidélité à la collection	☐	☐	☐	☐

■ **Comment jugez-vous les éléments suivants dans NEOS ?**

	Mauvais	Moyen	Bien	Très bien
La couverture	☐	☐	☐	☐
Les illustrations	☐	☐	☐	☐
Les informations culturelles	☐	☐	☐	☐
Les textes sur les habitants	☐	☐	☐	☐
Le choix des lieux à visiter, les itinéraires	☐	☐	☐	☐
La description des sites (style, longueur, sélection par étoiles)	☐	☐	☐	☐
Les informations pratiques (transports, adresses utiles)	☐	☐	☐	☐
Les adresses d'hébergement et de restauration	☐	☐	☐	☐
Les cartes et plans du guide	☐	☐	☐	☐

Vos commentaires : _____
_____
_____
_____

■ **Quelles parties avez-vous le plus utilisées ?**

	Pas du tout utilisé	Peu utilisé	Utilisé régulièrement	Très utilisé
Invitation au voyage (onglet rouge)	☐	☐	☐	☐
Les habitants (onglet vert)	☐	☐	☐	☐
Informations pratiques (onglet orange)	☐	☐	☐	☐
Visiter le pays (onglet bleu)	☐	☐	☐	☐

Vos commentaires : _____
_____
_____

■ **Que pensez-vous du nombre d'adresses ?**

	Insuffisant	Suffisant	Trop
Hébergement	☐	☐	☐
Restauration	☐	☐	☐

Autres commentaires : _____
_____
_____
_____

■ **Notez sur 20 votre guide :** _____

■ **Quels autres titres vous intéresseraient ?**

_____
_____
_____

■ **Vous êtes**

☐ Homme   ☐ Femme

Âge : _____

Nom et prénom : _____

Adresse : _____

Ces informations sont exclusivement destinées aux services internes de Michelin. Elles peuvent être utilisées à toute fin d'étude, selon la loi informatique et liberté du 06/01/78. Droit d'accès et de rectification garanti.